NEW PROFICIENT DICTIONARY

© Companhia Editora Nacional, 2006
© Casa del Libro, 2006

Presidente	Jorge A. M. Yunes
Diretor superintendente	Jorge Yunes
Diretora geral de produção e editorial	Beatriz Yunes Guarita
Diretor editorial	Antonio Nicolau Youssef
Gerente editorial	Sergio Alves
Coordenadora de revisão	Marília Rodela Oliveira
Revisores	Irene Hikichi
	Nelson José de Camargo
	Sérgio Limolli
Editora de arte	Sabrina Lofti Hollo
Assistentes de arte	Erica Mendonça Rodrigues
	Janina C. M. da Costa
	Thatiana Kalaes
	Viviane Aragão
Coordenadora de iconografia	Maria do Céu Pires Passuello
Assitente de iconografia	Jaqueline Spezia
Produtor editorial	Jose Antonio Ferraz
Assistente de produção editorial	Antonio Tadeu Damiani

Série Book-House - Casa del Lector

Editor chefe	Víctor Barrionuevo
Colaboração especial	Prof. Rui Filipe Quintal de Almeida
Autores (Copyright)	Prof. M. Cristina G. Pacheco
	Víctor Barrionuevo
Equipe Editorial	Claudia Bocato
	Maria Angela Amorim De Paschoal
	Gabriel Reyes Cañas
Revisão	Rui Filipe Quintal de Almeida
	Maria Angela Amorim De Paschoal
Editoração eletrônica	Renata Meira Santos
Ilustrador	Luciano Ismael Barrionuevo
Projeto Gráfico	Equipe Casa del Libro

Dados Internacionais de Catalogação na Publicação (CIP)
(Câmara Brasileira do Livro, SP, Brasil)

Pacheco, Maria Cristina Gonçales
   New Proficient Dictionary: inglês-português / português-inglês / Maria Cristina Gonçales Pacheco e Víctor Samuel Barrionuevo. – 1ª ed. – São Paulo: Companhia Editora Nacional, 2005.

ISBN 85-04-00876-2

1. Inglês – Dicionários – Português
2. Português – Dicionários – Inglês
I. Barrionuevo, Víctor Samuel. II. Título.

05-2986
CDD-423.69
- 469.32

Índices para catálogo sistemático:
1. Inglês-português: Dicionários 423.69
2. Português-inglês: Dicionários 469.32

2005
todos os direitos reservados

3ª reimpressão - 2014

Companhia
Editora Nacional

Av. Alexandre Mackenzie, 619 – Jaguaré
São Paulo – SP – 05322-000 – Brasil – Tel.: (11) 2799-7799
www.editoranacional.com.br   editoras@editoranacional.com.br

43839

NEW PROFICIENT DICTIONARY

INGLÊS • PORTUGUÊS

PORTUGUÊS • INGLÊS

Rui Filipe Quintal
M. Cristina G. Pacheco
Víctor Barrionuevo

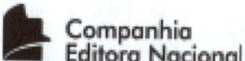
Companhia Editora Nacional

NEW PROFICIENT DICTIONARY
INGLÊS/PORTUGUÊS PORTUGUÊS/INGLÊS

O New Proficient Dictionary da Companhia Editora Nacional foi pensado para acompanhar os cursos de ensino de inglês que estão presentes por todo o país, tanto nas escolas públicas quanto nas particulares e também nos cursos livres. Destina-se a estudantes brasileiros, principalmente a partir de 11 anos de idade, da 5.ª à 8.ª série do Ensino Fundamental, projetando-se até os cursos do Ensino Médio, escolas especializadas de idiomas nos níveis Basic ao Advanced e cursos técnicos, quer dizer, dos 11 anos até a idade adulta, passando pelas diversas etapas de estudo do adolescente, bem como dos adultos profissionais.

A equipe de apoio aos autores, todos amplamente familiarizados, como professores e como especialistas, com o livro didático de inglês, criaram um instrumento que apresenta algumas características aqui detalhadas:

É um dicionário bilíngüe, ferramenta essencial nos primeiros passos, que não é substituído pelo dicionário monolíngüe, mas sim completado por ele nos níveis intermediário e avançado. Como tal, não se propõe a "decodificar" ou decifrar cada palavra (de um universo de 27 mil verbetes e entradas Inglês-Português, 10 mil, Português-Inglês, mais de 100 mil locuções e milhares de exemplos), explicando o significado de cada objeto, ação ou expressão idiomática. Propõe-se, isso sim, a "transcodificar", ou seja, adaptar para um novo código, do inglês para o português, e vice-versa, através da conversão de padrões. Vejamos como isto ocorre: todo brasileiro sabe que, se disser "nem que a vaca tussa", está querendo dizer "de jeito nenhum" ou "de jeito maneira". O que ele não sabe é que em países onde se fala a língua inglesa, como nos Estados Unidos, por exemplo, alguém diria "When the cows fly" ("Quando as vacas voarem"), querendo dizer a mesma coisa: "de modo nenhum", "de maneira nenhuma". Se o estudante conseguir identificar esta coincidência – e isto ele só conseguirá com um dicionário bilíngüe, terá transcodificado o essencial: como é que se nega veementemente numa língua e na outra, e saberá também que, por coincidência, tanto em inglês quanto em português, as metáforas são parecidas: "a vaca não vai tussir e nem voar... portanto, eu não vou fazer o que eu não quero!"

Mas, mesmo que o *NEW PROFICIENT DICTIONARY* não se proponha a explicar em detalhe todas e cada uma das entradas léxicas – ou palavras de entrada na busca – decodificando-as, ele tem, sim, como objetivo ajudar a interdisciplina, ou seja, contribuir para que as principais matérias de estudo e os "temas transversais" sejam abordados sempre que possível. Deste modo, as palavras mais "transparentes" e que apresentam menor dificuldade de tradução e de entendimento são simplesmente "transcodificadas" com o seu significado, no máximo mais um sinônimo e nada mais. Por exemplo: **altitude** (port.) *s.f.* altitude (ing.). Quando a palavra entrada representa um problema possível de engano por semelhança, como, por exemplo, **push** (ing.) *v.t.* empurrar (port.) ou **actually** (ing.) *adv.* na verdade (port.), sempre se acrescentarão sinônimos, expressões ou locuções idiomáticas e até exemplos, quando necessário. Em resumo, sempre se procura que um exemplo ajude a ampliar a tarefa principal de um dicionário pedagógico, que é colaborar para que o aprendiz avance na formação de um discurso, um âmbito mental especial, reservado à nova língua, a língua que se propõe a aprender.

Como usar o NEW PROFICIENT DICTIONARY?

1 – Os substantivos aparecem classificados pelo gênero: *s.m.* masculino, *s.f.* feminino ou simplesmente *s.* quando estamos nos referindo ao idioma inglês, uma vez que aqui não temos a diferenciação de gênero feminino ou masculino, na maioria dos casos. Quando existe essa diferenciação, encontraremos duas entradas: uma para masculino e outra para feminino. Exemplo:

actor *s.* ator
actress *s.* atriz
dentist *s.* dentista

2 – Quando a função gramatical for claramente diferente *adj.*, *s.m.*, *s.f.*, *adv.* etc., aparecerão tantas entradas e verbetes quanto sejam necessários.

3 – Quando um adjetivo, substantivo, verbo, preposição ou advérbio puder significar mais de uma tradução ou interpretação, serão abertas sucessivas acepções numeradas. Exemplo:

idea *s.* 1 idéia, plano, conceito. 2 opinião. 3 noção. 4 impressão, suposição: *I have no idea of what may be going on.*

4 – Os autores e a equipe editorial, depois de pesquisas e anos de experiência pedagógica concluíram que um dicionário essencial para o estudante não tem necessidade de conter a transcrição fonética da palavra de entrada, pois não é sua proposta trabalhar o estudo da fonética comparada entre os dois idiomas.

5 – Um apêndice, abordando a) false cognates: inglês-português, português-inglês, b) preposition dependent verbs and adjectives, c) Irregular Verbs, d) Phrasal Verbs, e) Countries and Nacionalities.

6- Todas as páginas estão numeradas com algarismos arábicos e com o respectivo número por extenso para melhor fixação por parte do aluno.

Abreviaturas usadas neste
NEW PROFICIENT DICTIONARY:

adj.	adjetivo
adv.	advérbio
cf.	conforme
interj.	interjeição
lit.	literatura
num	numeral
pl	plural
pret.	pretérito
p. ex.	por exemplo
prefixo	prefixo
prep.	preposição
pron.impess.	pronome impessoal
pron.indef.	pronome indefinido
pron.inter.	pronome interrogativo
pron.pess.	pronome pessoal
pron.rel.	pronome relativo
s.	substantivo
s.f.	substantivo feminino
s.m.	substantivo masculino
s.m. e f.	substantivo masculino e feminino
v	ver
v.i.	verbo intransitivo
v. aux.	verbo auxiliar
v. lig.	Verbo de ligação
v.t.	verbo transitivo
v.t. e i.	verbo transitivo e intransitivo

(EUA)	Inglês Americano
(GB)	Inglês Britânico
(abrev)	abreviatura
(anat)	anatomia
(bibl)	bíblico
(bio)	biologia
(bot)	botânica
(econ)	economia
(eletr)	eletricidade, eletrônico
(fig)	figurado
(gir)	gíria
(gram)	gramática
(esp)	esporte
(fml)	formal
(geo)	geografia
(geol)	geologia
(hist)	história
(inf)	informática
(infml)	informal
(jur)	jurídico
(liter)	literário
(mec)	mecânica
(med)	medicina
(mús)	música
(pl)	plural
(pop)	popular
(quim)	química
(rel)	relativo
(sg)	singular
(teat)	teatro
(vulg)	vulgar

FALSE COGNATES

Falsos Amigos ou *Falsos Cognatos*, são palavras que têm a mesma origem e que aparecem em diferentes idiomas com ortografia semelhante, mas que, com o passar do tempo, acabaram adquirindo significados diferentes para cada língua. Existem palavras com sentido múltiplo e, nestes casos, a semelhança pode ocorrer em apenas alguns sentidos da palavra. A forte presença de vocábulos de origem latina, apesar da inclinação atual a substituí-los por termos anglo-saxões, por si só viabiliza o surgimento dos *False Friends*. A seguir relacionamos palavras constantes e presentes no inglês moderno.

INGLÊS - PORTUGUÊS

actually - na verdade.
agenda - pauta do dia, pauta para discussões.
amass - acumular, juntar.
anticipate - prever, aguardar, ficar na expectativa.
application - inscrição, registro, uso.
appointment - hora marcada, compromisso profissional.
appreciation - gratidão, reconhecimento.
argument - discussão, bate boca.
assist - ajudar, dar suporte.
assume - presumir, aceitar como verdadeiro.
attend - assistir, participar de.
audience - platéia, público.
balcony - sacada.
baton - batuta (música), cacetete.
beef - carne de gado.
cafeteria - refeitório tipo universitário ou industrial.
camera - máquina fotográfica.
carton - caixa de papelão, pacote de cigarros (200).
casualty - baixas (mortes ocorridas em acidente ou guerra).
cigar - charuto.

collar - gola, colarinho, coleira.
college - faculdade, ensino de 3º grau.
commodity - artigo, mercadoria.
competition - concorrência.
comprehensive - abrangente, amplo, extenso.
compromise - entrar em acordo, fazer concessão.
contest - competição, concurso.
convenient - prático.
costume - fantasia (roupa).
data - dados (números, informações).
deception - logro, fraude, o ato de enganar.
defendant - réu, acusado.
design - projetar, criar, projeto, estilo.
editor - redator.
educated - instruído, com alto grau de escolaridade.
emission - descarga (de gases, etc.).
enroll - inscrever-se, alistar-se, registrar-se.
eventually - finalmente, conseqüentemente.
exciting - empolgante.
exit - saída, sair.
expert - especialista, perito.
exquisite - belo, refinado.
fabric - tecido.
genial - afável, aprazível.
graduate program - curso de pós-graduação.
gratuity - gratificação, gorjeta.
grip - agarrar firme.
hazard - risco, arriscar.
idiom - expressão idiomática, linguajar.
income tax return - declaração de imposto de renda.
ingenuity - engenhosidade.
injury - ferimento.
inscription - gravação em relevo (sobre pedra, metal, etc.).
intend - pretender, ter intenção.
intoxication - embriaguez, efeito de drogas.
journal - periódico, revista especializada.
lamp - luminária.
large - grande, espaçoso.

lecture - palestra, aula.
legend - lenda.
library - biblioteca.
lunch - almoço.
magazine - revista.
mayor - prefeito.
medicine - remédio, medicina.
moisture - umidade.
motel - hotel de beira de estrada.
notice - notar, aperceber-se, aviso, comunicação.
novel - romance.
office - escritório.
parents - pais.
particular - específico, exato.
pasta - massa (alimento).
policy - política (diretrizes).
port - porto.
prejudice - preconceito.
prescribe - receitar.
preservative - conservante.
pretend - fingir.
private - particular.
procure - conseguir, adquirir.
propaganda - divulgação de idéias/fatos com intuito de manipular.
pull - puxar.
push - empurrar.
range - variar, cobrir.
realize - notar, perceber, dar-se conta, conceber uma idéia.
recipient - recebedor, agraciado.
record - gravar, disco, gravação, registro.
refrigerant - substância refrigerante usada em aparelhos.
requirement - requisito.
resume - retomar, reiniciar.
résumé - curriculum vitae, currículo.
retired - aposentado.
senior - idoso.
service - atendimento.

stranger - desconhecido.
stupid - burro.
support - apoiar.
tax - imposto.
trainer - preparador físico.
turn - vez, volta, curva, virar, girar.
vegetables - verduras, legumes.

PORTUGUÊS - INGLÊS.

atualmente - nowadays, today.
agenda - appointment book, agenda.
amassar - crush.
antecipar - to bring forward, to move forward.
aplicação (financeira) - investment.
apontamento - note.
apreciação - judgement.
argumento - reasoning, point.
assistir - to attend, to watch.
assumir - to take over.
atender - to help, to answer, to see, to examine.
audiência - court appearance, interview.
balcão - counter.
batom - lipstick.
bife - steak.
cafeteria - coffee shop, snack bar.
câmara - tube (de pneu), chamber (grupo de pessoas).
cartão - card.
casualidade - chance.
cigarro - cigarette.
colar - necklace.
colégio (2º grau) - high school.
comodidade - comfort.
competição - contest.
compreensivo - understandable.
compromisso - appointment, date.

contexto - context.
conveniente - appropriate.
costume - custom, habit.
data - date.
decepção - disappointment.
advogado de defesa - defense attorney.
designar - to appoint.
editor - publisher.
educado - with a good upbringing, well-mannered, polite.
emissão - issuing (of a document, etc.).
enrolar - to roll, to wind, to curl.
eventualmente - occasionally.
excitante - thrilling.
êxito - success.
esperto - smart, clever.
esquisito - strange, odd.
fábrica - plant, factory.
genial - brilliant.
curso de graduação - undergraduate program.
gratuidade - the quality of being free of charge.
gripe - cold, flu, influenza.
azar - bad luck.
idioma - language.
devolução de imposto de renda - income tax refund.
ingenuidade - naiveté / naivety.
injúria - insult.
inscrição - registration, application.
entender - understand.
intoxicação - poisoning.
jornal - newspaper.
lâmpada - light bulb.
largo - wide.
leitura - reading.
legenda - subtitle.
livraria - book shop.
lanche - snack.
magazine - department store.
maior - bigger.

medicina - medicine.
mistura - mix, mixture, blend.
motel - love motel.
notícia - news.
novela - soap opera.
oficial - official.
parentes - relatives.
particular - personal, private.
pasta - paste, folder, briefcase.
polícia - police.
porta - door.
prejuízo - damage, loss.
prescrever - expire.
preservativo - condom.
pretender - to intend, to plan.
privado - private.
procurar - to look for.
propaganda - advertisement, commercial.
pular - to jump.
puxar - to pull.
ranger - to creak, to grind.
realizar - to carry out, make come true, to accomplish.
recipiente - container.
recordar - to remember, to recall.
refrigerante - soft drink, soda, pop, coke.
requerimento - request, petition.
resumir - summarize.
resumo - summary.
retirado - removed, secluded.
senhor - gentleman, sir.
serviço - job.
estrangeiro - foreigner.
estúpido - impolite, rude (rio grande do sul).
suportar (tolerar) - can stand.
taxa - rate, fee.
treinador - coach.
turno - shift, round.
vegetais - plants.

Preposition Dependent Verbs and Adjectives

Existem alguns verbos e adjetivos que, são "dependentes" de certas preposições, ou seja, sempre vêm acompanhados delas. Formam quase uma expressão, e nem sempre seguem a lógica do raciocínio do aluno brasileiro; são os chamados: **Preposition-Dependent Verbs** e **Preposition-Dependent Adjectives**.

Esses verbos e adjetivos em conjunto com a preposição não têm seu significado alterado, no entanto, completam o seu sentido. Por exemplo, para dizermos **depender de**, usamos o verbo depend com a preposição on = **depend on**.
Para auxiliá-los, transcrevemos aqui uma lista dos mais usados.

PREPOSITION-DEPENDENT VERBS

A

abide by
accuse someone of
add something to something
adhere to
advise someone to
agree on/with
aim at/for
allow for
apologize for
apply to/for
approve of
argue with/about
arise from
arrest someone for
arrive in/at
ask for
attend to

B

beg for
believe in
belong to
beware of
blame someone for
boast about
borrow something from someone
brag about
buy something for someone

C

call for
care about/for
choose between
comment on
compare to/with
complain about/of
comply with
concentrate on
conform to
congratulate someone on something
congratulate someone for ...ing
consent to
consist of
contribute to
cook something for someone
count on/upon
cure someone of a disease

D

deal with
decide about/on/upon
depend on/upon
disagree on/with

distinguish from
do research on/into/about
do something for someone
dream of/about

E

escape from
excel in
excuse someone for
expect someone to

F

face up to
feel like
find something for someone
fine someone for
forget about
forgive someone for

G

get something for someone
give something to someone

H

hide from
hope for

I

insist on/upon
interfere with/in
introduce to
invite someone to

J
joke about

L
laugh at
leave something for someone
lend something to someone
listen to
long for

M
make something for someone
mistake someone for

O
object to
offer something to someone

P
participate in something
pay for something
pay something to someone
persist in
praise someone for
pray for
prepare for
present someone with
prevent someone/something from
prohibit someone from
protect someone/something from
protest about
provide someone/something with
punish someone for

succeed in
suffer from

T

take advantage/care of
talk with/to someone about something
thank someone for
think of/about

V

volunteer to
vote for

W

wait for
warn someone about
worry about

PREPOSITION-DEPENDENT ADJECTIVES

A

abreast of
absent from
accused of/by
accustomed to
acquainted with
addicted to
adjacent to
afraid of / to (infinitive)
angry at
annoyed with/by
associated with
aware of

B

blessed with
bored with/by

C

capable of
close to
cluttered with
committed to
compatible with
composed of
concerned about
confronted with
connected to
conscious of
consistent with
content with
contrary to
convinced of
coordinated with
covered with
crowded with

D

dedicated to
devoted to
disappointed with
discriminated against
divorced from
done with
dressed in

E

engaged in/to

envious of
equipped with
equivalent to
excited about
exhausted from
exposed to

F

faithful to
familiar with
filled with
finished with
fond of
friendly to/with
frightened of/by
full of
furnished with

G

gone from
grateful to/for
guilty of

I

inocent of
interested in
invited to
involved in

J

jealous of

K
known for

L
limited to
located in

M
made of/from
married to

O
opposed to

P
patient with
pleased with
polite to
prepared for
protected from
proud of

Q
qualified for

R
related to
relevant to
remembered for
responsible for

S
satisfied with
scared of/by
suitable for

T
terrified of/by
tired of/from

U
upset with
used to
useful to

W
worried about

IRREGULAR VERBS

Os verbos irregulares são todos aqueles que não seguem a regra geral de formação do passado simples, "**simple past**" e do **particípio passado**," past participle" em ED.

Vale lembrar que a conjugação dos verbos irregulares não é diferente da conjugação dos verbos regulares.

Apesar dos verbos irregulares constituirem uma minoria em relação a todos os verbos que existem em língua inglesa, são muito importantes no aprendizado.

Eles são de origem anglo saxônica e usados comumente ao se referir a ações do dia a dia.

Apresentamos a seguir uma lista dos verbos irregulares mais usados na língua inglesa.

Infinitive	Past Simple	Past Participle	Translation
arise	arose	arisen	*surgir, erguer-se*
awake	awoke	awoken	*despertar*
be	was, were	been	*ser, estar*
bear	bore	borne	*suportar*
beat	beat	beaten	*bater*
become	became	become	*tornar-se*
befall	befell	befallen	*acontecer*

begin	began	begun	*começar*
behold	beheld	beheld	*contemplar*
bend	bent	bent	*curvar*
bet	bet	bet	*apostar*
bid	bid	bid	*oferecer, fazer uma oferta*
bind	bound	bound	*unir, encadernar, obrigar-se*
bite	bit	bitten	*morder*
bleed	bled	bled	*sangrar, ter hemorragia*
blow	blew	blown	*assoprar, explodir*
break	broke	broken	*quebrar*
breed	bred	bred	*procriar, reproduzir*
bring	brought	brought	*trazer*
broadcast	broadcast	broadcast	*irradiar, transmitir*
build	built	built	*construir*
buy	bought	bought	*comprar*
cast	cast	cast	*atirar, deitar*
catch	caught	caught	*pegar, capturar*
choose	chose	chosen	*escolher*
cling	clung	clung	*aderir, segurar-se*
come	came	come	*vir*
cost	cost	cost	*custar*
creep	crept	crept	*rastejar*
cut	cut	cut	*cortar*
deal	dealt	dealt	*negociar, tratar*
dig	dug	dug	*cavocar*

do	did	done	*fazer*
draw	drew	drawn	*tracionar, desenhar*
drink	drank	drunk	*beber*
drive	drove	driven	*dirigir, ir de carro*
eat	ate	eaten	*comer*
fall	fell	fallen	*cair*
feed	fed	fed	*alimentar*
feel	felt	felt	*sentir, sentir-se*
fight	fought	fought	*lutar*
find	found	found	*achar, encontrar*
flee	fled	fled	*fugir, escapar*
fling	flung	flung	*arremessar*
fly	flew	flown	*voar, pilotar*
forbid	forbade	forbidden	*proibir*
forget	forgot	forgot, forgotten	*esquecer*
forgive	forgave	forgiven	*perdoar*
freeze	froze	frozen	*congelar, paralisar*
get	got	gotten, got	*obter*
give	gave	given	*dar*
go	went	gone	*ir*
grind	ground	ground	*moer*
grow	grew	grown	*crescer, cultivar*
have	had	had	*ter, beber, comer*
hear	heard	heard	*ouvir*
hide	hid	hidden, hid	*esconder*
hit	hit	hit	*bater*
hold	held	held	*segurar*

hurt	hurt	hurt	*machucar*
keep	kept	kept	*guardar, manter*
know	knew	known	*saber, conhecer*
lay	laid	laid	*pôr na horizontal, assentar*
lead	led	led	*liderar*
leave	left	left	*deixar, partir*
lend	lent	lent	*dar emprestado*
let	let	let	*deixar, alugar*
lie	lay	lain	*deitar*
lose	lost	lost	*perder, extraviar*
make	made	made	*fazer, fabricar*
mean	meant	meant	*significar, querer dizer*
meet	met	met	*encontrar, conhecer*
overcome	overcame	overcome	*superar*
overtake	overtook	overtaken	*alcançar, surpreender*
pay	paid	paid	*pagar*
put	put	put	*colocar*
quit	quit	quit	*abandonar*
read	read	read	*ler*
ride	rode	ridden	*andar*
ring	rang	rung	*tocar (campainha, etc.)*
rise	rose	risen	*subir, erguer-se*

run	ran	run	*correr, concorrer, dirigir*
saw	sawed	sawn	*serrar*
say	said	said	*dizer*
see	saw	seen	*ver*
seek	sought	sought	*procurar obter, objetivar*
sell	sold	sold	*vender*
send	sent	sent	*mandar*
set	set	set	*marcar, ajustar*
shake	shook	shaken	*sacudir, tremer*
shed	shed	shed	*soltar, deixar cair*
shine	shone	shone	*brilhar, reluzir*
shoot	shot	shot	*atirar, alvejar*
show	showed	shown	*mostrar, exibir*
shrink	shrank	shrunk	*encolher, contrair*
shut	shut	shut	*fechar, cerrar*
sing	sang	sung	*cantar*
sink	sank	sunk	*afundar, submergir*
sit	sat	sat	*sentar*
slay	slew	slain	*matar, assassinar*
sleep	slept	slept	*dormir*
slide	slid	slid	*deslizar, escorregar*
sling	slung	slung	*atirar, arremessar*
speak	spoke	spoken	*falar*
spend	spent	spent	*gastar*

spin	spun	spun	*fiar, rodopiar*
spit	spit, spat	spit, spat	*cuspir*
spread	spread	spread	*espalhar*
spring	sprang	sprung	*fazer saltar*
stand	stood	stood	*parar de pé, agüentar*
steal	stole	stolen	*roubar*
stick	stuck	stuck	*cravar, fincar, enfiar*
sting	stung	stung	*picar (inseto)*
stink	stank	stunk	*cheirar mal*
strike	struck	struck	*golpear, desferir, atacar*
string	strung	strung	*encordoar, amarrar*
strive	strove	striven	*esforçar-se, lutar*
swear	swore	sworn	*jurar, prometer, assegurar*
sweep	swept	swept	*varrer*
swim	swam	swum	*nadar*
swing	swung	swung	*balançar, alternar*
take	took	taken	*tomar*
teach	taught	taught	*ensinar, dar aula*
tear	tore	torn	*rasgar, despedaçar*
tell	told	told	*contar*
think	thought	thought	*pensar*
throw	threw	thrown	*atirar, arremessar*

tread	trod	trodden	*pisar, trilhar*
undergo	underwent	undergone	*submeter-se a, suportar*
understand	understood	understood	*entender*
uphold	upheld	upheld	*sustentar, apoiar, defender*
wear	wore	worn	*vestir, usar, gastar*
win	won	won	*vencer, ganhar*
wind	wound	wound	*enrolar, rodar, dar corda*
write	wrote	written	*escrever, redigir*

INGLÊS PORTUGUÊS

a A

A, a 1ª letra do alfabeto; *art indef* (sg) 1 um, uma: *He has a modern car.*

abandon *s.* abandono, indiferença, descontrole.

abandon *v.t.* 1 abandonar, desertar, deixar: *He abandoned his house and job. They abandoned the project.* 2 desistir, renunciar, ceder: *They had to abandon the competition because of the storm.* 3 entregar-se(a um sentimento, desejo): *She abandoned herself to despair.*

abandoned *adj.* 1 abandonado, desamparado. 2 imoral, depravado.

abase *v.t.* abater, humilhar, degradar, rebaixar, aviltar.

abasement *s.* humilhação, degradação, desonra.

abashed *adj.* (fml) muito desconcertado, envergonhado.

abate *v.t. e i.* 1 diminulr, suprimir, omitir. 2 (jur) reprimir ou suprimir abuso), anular (mandato), suspender ou desistir (ação).

abbey *s.* abadia, mosteiro, convento.

abbot *s.* abade, superior, prior (de comunidade religiosa).

abbreviate *v.t.* abreviar, reduzir, encurtar, resumir.

abbreviation *s.* abreviatura, resumo, compêndio, sinopse.

abdicate *v.t.e i.* abdicar, renunciar, desistir.

abdication *s.* abdicação, renúncia, desistência.

abdomen *s.* abdomen, ventre, barriga.

abduct *v.t.* sequestrar, raptar.

abduction *s.* rapto, sequestro (de pessoa).

aberration *s.* aberração, monstruosidade, anormalidade.

abet *v.t.* (*-tt-*) encorajar, apoiar (um vício, crime ou um criminoso): *He abetted the thief in assaulting the watchman.* **aid and abet sb,** instigar, apoiar. *The policeman said I was under arrest for aiding and abetting a criminal.*

abhor *v.t.* (*-rr*) (fml) sentir ódio e repugnância, abominar: *She abhors people who are cruel to children.*

abhorrence *s.* (fml) aversão, ódio, repulsa.

abhorrent *adj.* (fml) abominável, repugnante, detestável.

abide *v.t. e i.* (pret, pp *abode* ou *abided*) 1 suportar, tolerar: *She can't abide that woman.* 2 residir, morar, ficar, agüentar. 3 **abide by** (fml), ser fiel a, acatar, manter: *He must abide by the rules of the corporation in order to be promoted.*

ability *s.* (*pl-ies*) 1 habilidade, aptidão, capacidade; **to the best of my ability,** o melhor possível, da melhor maneira. 2 (pl) faculdades, talentos: *He is looking for a job more suited to his abilities.*

abject *adj.* (fml) 1 (rel a condições) pobre, miserável. 2 (rel a pessoas, comportamentos) vil, abjeto, degradado, servil, mesquinho.

ablaze *adj.* (fml) 1 ardente, flamejante. 2 (fig) brilhante, resplandescente, excitado: *On Christmas Eve the city was ablaze with lights.*

able *adj.* 1 capaz, competente, hábil. **be able to do sth,** poder, ser capaz de fazer algo: *I think I will be able to go back home tomorrow* (Cf. *can, could*). 2 apto. destro, perito.

able-bodied *adj.* robusto, sadio, forte, fisicamente capaz ou apto.

abnormal *adj.* anormal, anômalo, disforme, extraordinária.

abnormallty *s.* (pl *-ies*) anormalidade, irregularidade, anomalia, deformidade.

aboard *adv. e prep.* a bordo de navio ou avião: *to go aboard,* embarcar. *Welcome aboard.*

abode

abode s. domicilio, residência: *He's a guy with no fixed abode,* Ele é um homem sem residência fixa.

abolish v.t. abolir, suprimir, extinguir, anular, rescindir.

abolition s. abolição, destruição, revogação, rescisão.

A-bomb s. bomba atômica.

abominable adj. 1 abominável, detestável, desprezível. 2 (infml) desagradável, feio: *The Big Foot is said to be the abominable snowman.*

abominate v.t. abominar, detestar.

aboriginal adj. aborígene, prímitivo, indígena, nativo.

aborigine s. rel aos nativos da Austrália.

abortion s. 1 aborto (provocado). 2 (fig) fiasco, fracasso.

abortive adj. abortivo, malogrado, fracassado: *an abortive rebellion.*

abound v.i.(in/with) abundar, afluir, ser rico em: *This side of the river abounds with fish.*

about adv. 1 quase, aproximadamente, por volta de: *It's about 11 o'clock now.* São cerca de 11 horas agora. *She's about 18 years old.* Ela tem aproximadamente 18 anos. 2 ao redor de, por todos os lados: *The children are running about the house.* 3 aqui e acolá: *His clothes were lying about on the bed,* As roupas dele estavam espalhadas na cama. **be about time**, (infml) estar na hora de fazer algo: *It's about time we started preparing lunch,* Está na hora de começarmos a preparar o almoço. **come about**, acontecer. **bring about**, fazer acontecer.

about prep. 1 perto de, ao redor de: *He works somewhere about there,* Ele trabalha em algum lugar perto daí. 2 por, pelo (sem direção definida): *She left to walk about town,* Ela saiu para passear pela cidade. 3 sobre, a respeito de: *We know nothing about them.* 4 com: *I have no money about me,* Não tenho dinheiro comigo. 5 a ponto de, prestes a: *We were about to leave when he arrived,* Estávamos prontos para sair quando ele chegou. **How/What about** (usado para pedir informações, dar sugestões ou pedir a opinião de alguém): *How about visiting Salvador for our vacations?* Que tal irmos para Salvador nas nossas férias? *She's very attractive, but what about her humor? What about a cup of coffee?* Aceita um café?

above adv. 1 em cima, acima, no alto: *The swimming pool can´t be seen from above,* A piscina não pode ser vista de cima. 2 antes, acima (em um livro, artigo, etc): *This confirms what was mentioned above in the 2nd paragraph.*

above prep. 1 em cima, acima: *The plane flew above the clouds,* O avião voou acima das nuvens. 2 maior em número, preço, peso, etc: *The job is for girls above 18. The prices in that shop are above average.* 3 acima de, mais que: *He values work above all,* Ele valoriza o trabalho acima de tudo. 4 acima de (por ser bom, grande, orgulhoso demais): *If we want to succeed, we should not be above doing what is necessary,* Se quisermos ter sucesso, não devemos deixar de fazer o que é necessário. 5 difícil, inacessível (por ser grandioso, bom, etc): *This book is above me.*

above-board adv. às claras, sem subterfúgio, com franqueza.

abrasion s. 1 abrasão. 2 desgaste (por fricção), esmerilamento.

abrasive adj. abrasivo.

abreast adv. lado a lado, ombro a ombro. **to keep abreast of facts,** estar em dia com os fatos.

abridge v.t. abreviar, resumir, compendiar.

abridgement s. resumo, compêndio, recompilação.

abroad adv. 1 para o/no exterior: *He's living abroad.* 2 em todas as direções, amplamente, por todo lugar: *The news soon spread abroad.*

abrupt adj. 1 abrupto, brusco, inesperado. 2 (rel a comportamento, fala, escrita) súbito, repentino, grosseiro. 3 íngreme, escarpado.
abruptly adv. abruptamente, repentinamente.
abscess s. (med) abcesso, tumor.
absence s. 1 ausência, falta. 2 distração, abstração, desatenção.
absent adj. 1 ausente: *He was absent from school yesterday*. 2 distraído, desatento: *She had an absent look on her face*. 3 desprovido, inexistente: *In those dogs the tail is absent*.
absentee s. pessoa ausente ou que costuma faltar.
absent-minded adj. distraído, absorto, abstraído.
absolve v.t. 1 absolver, perdoar, eximir. 2 libertar, dispensar (de promessas, deveres) dar perdão, remissão (de pecados).
abstemious adj. abstêmio, sóbrio, moderado, abstinente (rel a comida e bebida).
abstinence s. abstinência (de comida, bebida, divertimentos): *total abstinence*, abstinência total de álcool.
abstract adj. abstrato, teórico, profundo, ideal: *abstract article*.
abstract s. extrato, sumário, resumo, compêndio.
abstract v.t. 1 abstrair, separar. 2 tirar, extrair. 3 resumir.
abstracted adj. abstraído, distraído, abstrato.
abstraction s. 1 abstração, distração. 2 enlevo, idealização.
absurd adj. absurdo, ilógico, disparatado, risível.
absurdity s. despropósito, disparate.
abundance s. abundância, fartura, profusão. *an abundance of*, mais do que o necessário.
abundant adj. abundante, farto, rico.
abuse s. 1 abuso. 2 ofensa, insulto.
abuse v.t. 1 abusar, violar. 2 ofender.
abusive adj. 1 abusivo. 2 ofensivo, injurioso.

abysmal adj. 1 abismal, insondável, ilimitado, profundo. 2 terrível.
abyss s. (pl-*es*) abismo, precipício, caos.
academy s. (pl-ies) 1 academia. 2 escola superior de artes ou ciências. 3 sociedade científica, literária ou artística.
academic adj. acadêmico, universitário, teórico, formal: *academic freedom*, liberdade de cátedra, de ensino.
absorb v.t. 1 absorver, embeber. 2 (fig) apreender: *He absorbed all the knowledge his father gave him*. 3 absorver ou ocupar (tempo, atenção): *She is always absorbed in her work*.
absorbent adj. absorvente.
absorbing adj. 1 absorvente. (fig) cativante, interessante: *an absorbing book*.
accelerate v.i. acelerar, apressar. 2 tornar mais rápido, aumentar a velocidade. 3 adiantar.
accelerator s. acelerador.
accent s. 1 acento, tonicidade, intensidade. 2 acento gráfico. 3 sotaque: *Her accent shows she's from England*.
accent v.t. 1 pronunciar dando ênfase, destacar. 2 grafar com acento, 3 pronunciar com sotaque.
accentuate v.t. acentuar, dar ênfase, salientar, destacar.
accentuation s. acentuação, ênfase, pronúncia.
accept v.t. e i. 1 aceitar: *accept a prize, an invitation*. 2 concordar, reconhecer, aprovar. 3 assumir a responsabilidade.
acceptance s. aceitação, acolhimento, aprovação.
access s. 1 acesso, entrada. 2 direito, oportunidade de: *Everybody must have access to good schools*.
accessible adj. acessível, alcançável, inteligente.
accessory s.(pl-ies) 1 acessório, apetrecho, implemento (de um carro, bicicleta, etc). 2 cúmplice de um crime.

accident

accident s. 1 acidente. 2 fato ou situação fortuita, casualidade: *I met her by accident*, Eu a encontrei por acaso.
accidental *adj.* acidental, casual, fortuito.
accidentally *adv.* acidentalmente, casualmente.
acclaim *v.t.* 1 aclamar, aplaudir, dar vivas. 2 proclamar: *He was acclaimed king*.
acclamation s. (fml) aclamação, aplauso, aprovação unânime: *The president was elected by acclamation*.
acclimatize *v.i.* aclimatar (-se), aclimatizar (-se).
accommodate *v.t.* 1 acomodar, alojar. 2 (fml) adaptar, conciliar (planos, idéias).
accommodating *adj.* amoldável, prestativo, acessível, flexível, obsequioso.
accommodation s. acomodação, alojamento: *That hotel has accomodation for 100 guests*.
accomplice s. cúmplice.
accomplish *v.t.* executar, realizar, completar com êxito: *He tried hard but accomplished nothing*.
accomplished *adj.* consumado, perfeito, experiente, completo.
accomplishment s. (fml) 1 realização, feito, façanha. 2 perfeição, talento, dom: *a person of many accomplishments*, uma pessoa de talento, prendada.
accord s. acordo, consentimento, pacto. *of one's own accord*, espontaneamente.
accord *v.i. e t.* 1 concordar, harmonizar. 2 (fml) conciliar, conceder.
accordance s. *in accordance with*, de acordo ou de conformidade com.
according *prep*. *according to*, de acordo com, segundo, conforme: *according to the author*.
accordingly *adv.* 1 assim, desta maneira, como. 2 conseqüentemente.
accost *v.t.* aproximar-se, dirigir-se a alguém desconhecido (com uma saudação ou observação), entabular conversa com, abordar (alguém): *I was accosted by a beggar*.
account s. 1 conta, cálculo, cômputo. *buy on account*, comprar a crédito. *open an account*, abrir uma conta. 2 narrativa, relato, explicação. *give an account of*, explicar, relatar, prestar contas. 3 razão, causa. *on account of*, por causa de. *on my own account*, por minha conta. *on no account*, de forma alguma. *to take into account*, levar em conta.
account *v.t. e i.* 1 calcular, considerar. 2 creditar a, atribuir a. 3 prestar contas a, explicar, justificar: *Her problems account for her failure*.
accountable *adj.* responsável, explicável, respondível: *When he's drunk, he's not accountable for his actions*, Quando ele está bêbado, não é responsável por seus atos.
accountancy s. contabilidade.
accountant s. contador, contabilista, guarda-livros.
accredit *v.t.* acreditar, conferir poderes a, dar crédito a.
accrue *v.i.* aparecer, acumular, originar-se (por crescimento natural).
accumulate *v.t. e i.* 1 acumular, amontoar. 2 acumular-se, multiplicar-se, crescer.
accumulation s. acumulação, acervo, montão, amontoamento.
accumulative *adj.* cumulativo, coletivo.
accuracy s. exatidão, precisão, acuidade.
accurate *adj.* 1 acurado, exato, preciso. 2 certeiro (no tiro).
accursed *adj.* maldito, amaldiçoado, execrável.
accusation s. acusação, denúncia.
accuse *vt*-acusar, culpar, incriminar: *He was accused of stealing*.
accusingly *adv.* acusatoriamente, acusativamente.
accustom *v.t.* acostumar, habituar, familiarizar: *This is the kind of food I'm*

accustomed to, Este é o tipo de comida com que estou acostumado.
accustomed *adj.* 1 habitual, usual, costumeiro. 2 acostumado.
ace *s.* 1 ás (também fig). 2 (infml) o primeiro, o melhor. 3 (rel a tênis, golfe, etc) ponto ganho com um único golpe.
ache *s.* dor (contínua e localizada): *headache,* dor de cabeça; *stomachache,* dor de estômago; *toothache,* dor de dente.
ache *v.i.* 1 sentir dores, padecer, doer: *My head aches.* 2 (infml) desejar, ansiar: *She's aching for peace.*
achievable *adj.* realizável, executável, exeqüível.
achieve *v.t.* concluir, terminar com êxito, realizar, executar, alcançar, conseguir, ganhar, atingir (finalidade): *He achieved all he wanted,* Ele conseguiu tudo que queria.
achievement *s.* realização, empreendimento, façanha, feito.
acid *adj.* 1 ácido, azedo. 2 (fig) sarcástico: *acid remarks; acid test,* prova de fogo.
acidity *s.* acidez.
acknowledge *v.t.* 1 admitir, reconhecer: *He is acknowledged to be good in Maths,* Ele é reconhecido como um bom matemático. 2 acusar recebimento (de carta, conta, etc). 3 agradecer, apreciar.
acknowledgement *s.* 1 reconhecimento, confirmação. 2 agradecimento.
acoustics *s.* 1 (ciência) acústica. 2 (Pl) acústica de um recinto.
acquaint *v.i.* dar a conhecer, inteirar, informar. *to acquaint oneself with one's new job,* familiarizar-se com seu novo emprego. *to be acquainted with sb,* conhecer pessoalmente: *I'm not acquainted with his mother.*
acquaintance *s.* 1 conhecimento. 2 conhecidos, relações: *His circle of acquaintances is wide,* O seu círculo de relações é grande.

acquiesce *v.i.* aquiescer, consentir, anuir, concordar.
acquiescence *s.* aquiescência, anuência, submissão, consentimento.
acquiescent *adj.* aquiescente, submisso.
acquire *v.t.* adquirir, obter, alcançar, conseguir.
acquirement *s.* 1 aquisição. 2 habilidade, aptidão. 3 realização.
acquisition *s.* aquisição, compra, ganho.
acquisitive *adj.* que gosta ou tem o hábito de comprar, colecionar coisas; aquisitivo.
acquit *v.t.* (-tt-) 1 quitar (título, dívida, obrigação, etc). 2 absolver, inocentar. 3 (fml) conduzir-se, portar-se: *She acquited herself well.*
acquittal *s.* 1 quitação. 2 absolvição. 3 desempenho.
acrid *adj.* 1 acre, picante. 2 cáustico, corrosivo. 3 (fig) mordaz.
acrimonious *adj.* (fml)acrimonioso, amargo.
acrobat *s.* acrobata.
across *adv.* de um lado a outro: *The river is 200 m across,* O rio mede 200 m de um lado a outro.
across *prep.* 1 de lado a lado, através: *Walk across the street,* Atravesse a rua. 2 do outro lado: *The shop is just across the street,* A loja é logo do outro lado da rua. 3 sobre (cruzando, ou formando uma cruz): *Put your arms across your chest,* Cruze os braços sobre o peito. ***across the way,*** em frente. ***come across,*** deparar-se com algo.
act *s.* ato, feito, ação: *That was a cruel act.* 2 número (de espetáculo de variedades): *a circus act.* 3 estatuto, lei: *an act of the President.* 4 escritura (de transação). *in the very act,* em flagrante.
act *v.t. e i.* 1 agir, fazer: *If we want to finish quickly, we must act now,* Se quisermos terminar logo, temos que agir agora. 2 funcionar: *The brakes*

action

on my car don't act, Os freios do meu carro não funcionam. 3 representar, desempenhar (papel): Who is acting the part of Juliet? Quem está representando Julieta? 4 brincar, fingir, simular: He's not drunk, he's just acting, Ele não está bêbado, está só brincando.

action s. 1 ação, movimento: He's a man of action. That department is out of action, Aquele departamento está desativado.

activate v.t. 1 ativar.

active adj. 1 ativo, operante, dinâmico: He's over 60 but very active. 2 produtivo, rendoso, que gera lucros.

actively adv. ativamente.

activity s. (pl -ies) 1 atividade: classroom activities. 2 vigor, energia: childhood is a time full of activities.

actor s. (teat) ator, protagonista.

actress s. (teat) atriz.

actual adj. 1 real, verdadeiro. 2 atual, presente.

actually adv. realmente, de fato: He seems impolite, but actually he's a nice person, Ele parece indelicado mas na verdade é boa pessoa.

acute adj. agudo, perspicaz, crucial: acute pain, dor aguda.

ad s. anúncio, propaganda.

adamant adj. 1 inflexível, inexorável. 2 (fig) impenetrável.

adapt v.t. adaptar, ajustar, acomodar, conformar.

adaptable adj. adaptável, ajustável, acomodável.

adaptation s. adaptação, ajuste, acomodação: That soap opera is an adaptation for TV.

add v.t. e i. 1adicionar, ligar, juntar: The coffee is too sweet, don't add any more sugar. 2 aumentar, somar: If you add 2 and 2 you get 4. 3 acrescentar: And don't come here again, he added.

addendum s. adendo, complemento, suplemento.

addict s. pessoa viciada: he is a drug addict, Ele é um viciado em drogas.

addict v.t. viciar-se, habituar-se, entregar-se: He is addicted to alcohol.

addiction s. hábito, vício, inclinação.

addition s. adição, soma. *in addition to*, além disso, além do quê.

additional adj. extra, adicional, suplementar.

address s. 1 discurso, palestra. 2 (fml) meio de expressão, comportamento. 3 habilidade, tato (esp numa conversa). 4 endereço: What's your address?

address v.t. 1 dirigir-se a (oralmente ou por escrito). 2 endereçar, saudar. 3 fazer um discurso, palestra.

adept adj. competente, proficiente.

adept s. (in, at) perito, conhecedor: an adept in mechanics.

adequacy s. (fml) adequação, suficiência: They doubted her adequacy for the position.

adequate adj. adequado, apropriado, conveniente.

adequately adv. adequadamente, apropriadamente, convenientemente.

adhere v.i. 1 colar, prender-se. 2 aderir, apoiar, manter-se fiel a: adhere to a political party, apoiar um partido político.

adherence s. 1 aderência, adesão. 2 devoção, apego.

adherent s. aderente, partidário, adepto.

adhesion s. 1 adesão, aderência. 2 conexão, ligação. 3 consentimento, concordância.

adhesive adj. adesivo, aderente: adhesive tape, esparadrapo, fita adesiva.

adhesive s. adesivo, cola.

adjacent adj. (to) contíguo, adjacente, limítrofe: Her house is adjacent to the school.

adjective s. adjetivo.

adjoin v.t. e i. 1adicionar, juntar, unir. 2 ser contíguo, limitar: the adjoining room, o quarto contíguo.

adjourn v.t. e i. 1 adiar, transferir. 2 suspender, pospor, transferir (uma sessão, discussão, etc): The meeting was adjourned for 2 days.

adjudicate v.t. e i. 1 decidir judicialmente, julgar. 2 (fml) atuar como juiz, julgar
adjunct s. suplemento, acessório: auxiliar.
adjust v.t. 1 ajustar, acertar, regular: *I must adjust my watch, it is fast*. 2 adaptar: *She adjusted very quickly to the cold weather*.
adjustment s. ajustamento.
administer v.t. e i. 1 administrar, governar: *administer a country*. 2 dar, fornecer, ministrar: *administer medicine*, dar remédio a alguém; *administer help to the abandoned children*, fornecer ajuda às crianças desamparadas.
administration s. administração, governo, poder executivo.
administrative adj. administrativo, executivo.
administrator s. administrador, (jur) curador.
admirable adj. admirável, maravilhoso, excelente.
admirably adv. admiravelmente.
admiral s. almirante, comandante.
admiralty s. almirantado.
admiration s. admiração, respeito.
admire v.t. admirar, apreciar, reverenciar.
admissible adj. 1 admissível, permissível. 2 lícito, aceitável.
admission s. 1 admissão, aceitação. 2 acesso, ingresso. 3 preço de ingresso: *free admission*, entrada gratuita.
admit v.t. e i. (-tt-) 1 deixar entrar: *The maid opened the door and admitted me in*. 2 comportar: *The stadium admits 200,000 people*. 3 confessar, admitir: *The man admitted the crime*.
admittance s. admissão, direito de ingresso: *No admittance*, entrada proibida.
admittedly adv. reconhecidamente, admitidamente: *admittedly he is a thief but also a very intelligent man*.
admonish v.t. advertir, prevenir, admoestar.
admonition s. admoestação, repreensão, censura, conselho.

adolescence s. adolescência.
adolescent s. e adj. adolescente, jovem.
adopt v.t. 1 adotar. 2 adotar idéias, princípios.
adoption s. adoção, aceitação.
adoptive v.l. adj. adotivo: *adoptive parents*, pais adotivos.
adorable adj. 1 adorável, lindo, belo, gracioso, encantador: *an adorable person*.
adoration s. adoração, respeito, reverência.
adore v.t. 1 adorar, venerar, cultivar. 2 (infml) gostar muito: *She adores going camping*.
adorn v.t. ornamentar, embelezar, decorar.
adrift adv. à deriva: *The boat was adrift in the ocean*.
adrift adj. desorientado: *The woman turned her son adrift*.
adroit adj. hábil, astuto, sagaz.
adulation s. adulação, bajulação.
adult s. adulto, maduro.
adulterate v.t. adulterar, falsificar.
adulteration s. adulteração, falsificação.
adulterer s. adúltero.
adultery s. adultério.
advance s. 1 avanço, progresso: *There have been great advances in science in the last 10 years*. 2 adiantamento, pagamento adiantado: *I usually get an advance of my monthly pay on the 25th*. *in advance*, adiantado: *I paid the bill in advance*.
advance v.t. 1 avançar: *The troops advanced on the enemy*. 2 progredir. 3 adiantar: *The date of their trip was advanced from the 20th to the 6th of April*. 4 desenvolver, progredir: *In spite of our efforts, the work has not advanced*, Apesar dos nossos esforços, o trabalho não progrediu.
advanced adj. avançado, adiantado, superior: *advanced course*, curso avançado.

advantage

advantage s. 1 vantagem, primazia, superioridade: *You have an advantage over me.* 2 benefício, lucro, proveito.
take advantage of sth/sb, aproveitar, tirar vantagem.
adventure s. aventura, coragem, arrojo.
adventurer s. aventureiro, empreendedor, especulador.
adventurous adj. 1 ousado, intrépido. 2 arriscado, perigoso: *an adventurous journey.*
adverb s. advérbio.
adverbial adj. adverbial: *adverbial clause*, oração adverbial.
adversary s. adversário, inimigo.
adverse adj. adverso, oposto, contrário, desfavorável.
adversity s. adversidade, infortúnio, desgraça, infelicidade.
advertise v.l. e i. 1 informar, avisar, anunciar (para venda), fazer publicidade. 2 colocar anúncio, fazer publicidade: *advertise for a secretary.*
advertisement s. anúncio, publicidade.
advertiser s. anunciante.
advice s. conselho, recomendação: *a piece of advice*, um conselho; *follow your doctor's advice*, siga as recomendações do médico.
advisable adj. aconselhável, conveniente, recomendável.
advise v.l. e i. 1 aconselhar, recomendar: *The doctor advised me to rest for a week.* 2 informar, notificar.
advised adj. informado, avisado: *to keep advised*, manter-se a par, informado.
adviser s. conselheiro, consultor.
advisory adj. consultivo.
advocate s. advogado, defensor, intercessor.
advocate v.l. defender, interceder.
aerial adj. 1 aéreo. 2 etéreo, gasoso.
aerodynamics s. aerodinâmica.
aeronautics s. aeronáutica.
aeroplane s. avião, aeroplano.
aesthetic (es-) adj. estético, artístico, harmonioso.

aesthetics (es-) s. estética, filosofia da beleza.
afar adv. longe, à distância.
affability s. afabilidade, amabilidade, bondade.
affable adj. afável, amável, bondoso.
affably adv. amavelmente, bondosamente.
affair s. 1 questão, caso particular, negócio: *love affair*, caso amoroso.
affect v.t. 1 afetar, ter influência sobre: *The pollution affected her health.* 2 emocionar, abalar: *She was deeply affected by the accident.* 3 contaminar, atacar: *His stomach is already affected.* 4 fingir, simular, aparentar: *He affected not to know what she was talking about.*
affectation s. afetação, artificialidade, fingimento.
affected adj. afetado, artificial.
affection s. afeição, simpatia, carinho, amizade.
affectionate adj. afetuoso, carinhoso.
affidavit s. declaração juramentada, depoimento juramentado.
affiliate v.t. e i. associar-se, ligar-se, unir-se.
affiliation s. associação, adoção.
affinity s. (pl -ies) 1 afinidade. 2 parentesco por casamento. 3 atração: *She feels a strong affinity for/to him.*
affirm v.t. e i. 1 afirmar, assegurar. 2 confirmar. 3 declarar.
affirmation s. afirmação, confirmação, declaração.
affirmative s. afirmativa, confirmação.
affirmative adj. afirmativo, positivo.
affix v.t. afixar, prender, selar: *affix a stamp to a document.*
affix s. afixo (prefixo ou sufixo).
afflict v.t. afligir, causar preocupação, magoar.
affliction s. 1 aflição, angústia. 2 desgraça.
affluence s. riqueza.
affluent adj. rico, próspero.
afford v.t. 1 poder, dar-se ao luxo de,

dispor de tempo ou dinheiro: *I can't afford a new car.* 2 proporcionar: *The trees afforded us shelter from the rain.*
affront *v.t.* ofender, insultar.
afield *adv.* longe, fora do lar: *far afield,* muito longe.
aflame *adj.* flamejante: *aflame with passion,* apaixonado.
afloat *adj.* 1 flutuante. 2 inundado. 3 desgovernado.
afloat *adv.* 1 a bordo de: *They spent 20 days afloat.* 2 sem dívidas: *I need a lot of money to keep afloat.*
aforementioned *adj.* acima mencionado.
aforesaid *adj.* supracitado.
afraid *adj.* 1com medo: *He is afraid of snakes.* 2 receoso: *He was afraid it might rain in the weekend.*
afresh *adv.* novamente.
after *adj.* 1 posterior. 2 de popa, de ré.
after *adv.* depois, após: *he had dinner and went home after.*
after *conj.* depois que, logo que: *We left after he had arrived.*
after *prep.* depois de, atrás de, após: *we went to school after lunch.* ***after that****,* em seguida, então. ***day after day****,* freqüentemente, dia após dia. ***the moming after****,* a manhã seguinte. ***time after time****,* repetidas vezes. ***after all****,* afinal de contas.
afternoon *s.* tarde, à tarde.
afterthought *s.* idéia tardia, reflexão tardia.
afterwards *adv.* posteriormente, mais tarde, depois.
again *adv.* mais uma vez, novamente, de novo. ***now and again****,* ocasionalmente. ***again and again****,* repetidamente, freqüentemente. ***never again****,* nunca mais.
against *prep.* 1 contra, contrário: *Many people were against the President.* 2 contra (com verbos que indicam protesto: *vote, cry out, write):* We

agitate

wrote to the newspapers against the Mayor's decision. 3 para prevenção, contra: *We are taking medicine against infectious diseases.* 4 contra (com verbos que indicam impacto): *I hit my head against the wall.* 5 contra, apoiado em: *place the ladder against the wall.*
agate *s.* ágata.
age *s.* 1 idade, velhice: *Mary is 15 years old.* 2 era, época: *The Middle Ages,* A Idade Média; *the atomic age.* 3 (pl) (infml) muito tempo: *We've been waiting here for ages.* ***be under age****,* ser menor de idade.
age *v.i. e i.* (g *ageing. aging)*envelhecer: *He's aging well..*
aged *adj.* 1 com a idade de: *a girl aged 10.* 2 velho, idoso: *an aged woman.*
agency *s.* (pl *-ies)* 1 agência: *Travel Agency,* Agência de Turismo. 2 filial, escritório de representações: *The firm has agencies all over the country.*
agenda *s.* agenda, programa de trabalho, ordem do dia.
agent *s.* 1 agente, representante, vendedor: *house agent, real-estate agent,* corretor de imóveis. 2 reagente químico.
aggravate *v.t.* 1 agravar, piorar: *aggravate an illness.* 2 (infml) irritar, importunar.
aggravation *s.* 1 piora. 2 aborrecimento, irritação.
aggression *s.* agressão, injúria, ataque.
aggressive *adj.* 1 agressivo,ofensivo: *an aggressive person.* 2 ativo, dinâmico, enérgico: *You have to be aggressive if you want to be a successful businessman.*
aggressively *adv.* agressivamente.
aggressiveness *s.* agressividade.
aghast *adj.* consternado, aterrorizado, chocado.
agile *adj.* ágil, vivo, esperto.
agility *s.* agilidade, presteza, vivacidade.
agitate *v.t. e i.* 1 agitar, sacudir

agitated

(líquidos). 2 ficar agitado, inquieto: She was agitated when her husband didn't come home after work. 3 fazer campanha por: The workers agitated for better salaries.
agitated adj. agitado, ansioso.
agitation s. 1 agitação. 2 perturbação.
agitator s. agitador.
aglow adj. incandescente, excitado.
agnostic s. agnóstico, ateu, materialista.
ago adv. há tempo, atrás: Paulo left 10 minutes ago. **long ago,** há muito tempo.
agony s. (pl -ies) agonia, aflição, tormento.
agonizing adj. agonizante.
agree v.i. e t. 1 concordar, estar de acordo: she agreed to leave early tomorrow morning. 2 dar-se bem. 3 fazer bem: Food rich in spices doesn't agree with my stomach. 4 aceitar, aprovar: The director agreed his expenses. 6 concordar em número, pessoa, gênero: The verb doesn't agree with the subject of that sentence.
agreable adj. 1 agradável: agreable voice. 2 (estar) de acordo.
agreeably adv. agradavelmente, favoravelmente.
agreement s. acordo, consentimento: to sign an agreement. **be in agreement,** estar de acordo, ter a mesma opinião: I'm quite in agreement with what she said.
agricultural adj. agrícola, agrário.
agriculture s. agricultura.
ah interj. exclamação de dor, surpresa, pena, etc.
aha interj. exclamação de surpresa, triunfo, satisfação.
ahead adv. na frente, adiante, primeiro. **go ahead,** vá em frente, prossiga. **Look ahead,** Pense no futuro.
aid s. ajuda, socorro.
aid v.t. ajudar.
AIDS s. AIDS abrev de Acquired Immunological Deficiency Syndrome.
ail v.t. e i. estar doente, sentir-se indisposto: Her children are always ailing.
ailment s. doença, indisposição.
aim s. 1 pontaria, mira. 2 objetivo, propósito: His only aim is to make money.
aim v.t. e i. 1 apontar, mirar. 2 apontar, dar um golpe: As she was very angry, she aimed a blow at his head. 3 almejar, ansiar: He aims to be a doctor.
aimless adj. sem pontaria, sem propósito, sem objetivo.
air s. 1 ar, atmosfera. 2 jeito, atitude: He has an air of importance. **in the air**: My plans for the trip are still in the air.
air v.t. 1 arejar, expor ao ar, secar roupa: The clothes need to be aired. 2 propalar, divulgar: He likes to air his knowledge.
airborne adj. 1 transportado por via aérea. 2 em vôo.
air-conditioned adj. refrigerado a ar.
air-conditioner s. aparelho de ar condicionado.
air-conditioning s. sistema de ar condicionado.
air-cooled adj. refrigerado a ar.
aircraft s. aeronave, avião.
air hostess s. aeromoça.
airless adj. sem ar, sem ventilação: an airless room.
airline s. companhia de aviação, transportes aéreos.
airliner s. avião para transporte de passageiros.
airmail s. correspondência por via aérea.
airplane s. V. aeroplane.
airport s. aeroporto.
airspace s. espaço aéreo.
airtight adj. hermético.
aisle s. corredor, passagem entre bancos em uma igreja, teatro ou cinema, nave lateral.
ajar adj. entreaberto (porta).
akin adj. 1 consangüíneo. 2 semelhante, parecido.

alarm s. alarme. **alarm clock**, despertador.
alarm v.t. prevenir, alertar.
alarming adj. alarmante, inquietante.
alarmist s. boateiro.
alas interj. exclamação de pesar, tristeza, preocupação.
album s. 1 álbum de fotografias, álbum de discos. 2 disco de capa dupla.
alchemist s. alquimista.
alchemy s. alquimia, química da Idade Média que procurava transformar os metais em ouro.
alcohol s. álcool, bebida alcoólica.
alcoholic adj. alcoólico.
alcoholic s. alcoólatra.
alcoholism s. alcoolismo.
alcove s. alcova, nicho.
alderman s. vereador, assistente administrativo do prefeito.
ale s. cerveja clara.
alert adj. alerta, atento. **be on the alert**, estar de sobreaviso ou de prontidão.
alert v.t. alertar, prevenir.
alga s. alga marinha.
algebra s. álgebra.
alias s. (pl -es) pseudônimo, cognome.
alibi s. (pl -s) álibi.
alien s. estrangeiro, forasteiro.
alien adj. 1 diferente, contrário, divergente. 2 estranho.
alienate v.t. indispor.
alienation s. alienação, demência, loucura.
alight adj. em chamas, aceso, iluminado.
alight v.i. 1 desembarcar, descer: alighted from the train at 6 o'clock.
align v.t. e i. 1 alinhar, enfileirar. 2 associar-se, aliar-se.
alignment s. alinhamento, enfileiramento.
alike adj. semelhante, parecido: The two brothers are very much alike.
alike adv. da mesma maneira, do mesmo modo: He treats us all alike.
alimony s. pensão paga pelo marido à ex-mulher depois do divórcio.

alive adj. vivo, com vida. **alive with**, cheio: The lake was alive with fish.
alkaline adj. alcalino.
all adj. 1 todo, toda: They ate all the food. 2 todos, todas: All the students came to class today. 3 qualquer: it's beyond all doubt.
all adv. 1 completamente: She lives all alone. **All along**, por toda a extensão: There are flowers all along the way to the house. **All over**, por toda parte: They've travelled all over the world. **All right**, tudo certo, são e salvo: I hope they've arrived all right.
allegation s. alegação, declaração: Your allegations are serious. Can you prove them?
allege v.t. 1 declarar sem oferecer provas: The newspapers alleged that the politician was corrupt, but they offer no evidence. 2 oferecer como explicação, razão, causa, desculpa: He came to work after an absence of four days. He alleged that he was ill.
alleged adj. suposto: There is a case of alleged theft at the local bank.
allegiance s. 1 fidelidade, lealdade. 2 submissão, obediência. **take an oath of allegiance**, fazer um juramento de fidelidade.
allergic adj. 1 alérgico: He is allergic to cigarettes.
allergy s. 1 alergia. 2 antipatia por algo, alguém: She has an allergy to driving in heavy traffic.
alley s. beco, ruela.
alliance s. acordo, pacto.
alligator s. jacaré.
allocate v.t. alocar, designar, determinar.
allocation s. distribuição, designação.
allow v.t. 1 permitido: Smoking is not allowed. 2 conceder algo de forma regular: My company allows me $500 per month for expenses. **allow for**, contar com, levar em conta, dar margem a, deixar: My routine allows me only 30 minutes for lunch.

allowance

allowance s. mesada, pensão, subsídio, auxílio, estipêndio: *I have a monthly travel allowance of $ 3.000.*
allude v.i. aludir, insinuar, fazer referências, insinuar: *In his speech he alluded to the corruption in the Government.*
allusion s. (fml) alusão, insinuação.
ally s. aliado.
ally v.t. (pret pp -*ied*) 1 aliar (-se) a, unir (-se) a.
almighty s. *the Almighty:* o todo-poderoso, Deus.
almond s. amêndoa, amendoeira.
almost adv. quase, aproximadamente, por pouco: *He was almost robbed in the street, but he managed to get away. It's almost six o'clock.*
alone adj. e adv. sozinho, solitário, só, desacompanhado, apenas, exclusivamente: *I want to be alone,* Eu quero ficar só.
along adv. 1 para frente, adiante, avante: *Come along.* 2 junto (comigo, consigo, conosco, etc): *I took my brother along to the party,* Levei meu irmão à festa comigo.
along prep. ao longo de, ao lado de, junto a, de uma extremidade a outra: *There are cars parked along the road.*
aloof adj. distante, indiferente, desinteressado, arredio, afastado, reservado: *Our new teacher seems to be aloof.*
aloud adv. alto, em voz alta.
alps s. (pl)montanhas, especialmente as que se encontram na região entre a França, a Suiça e a Itália: *the Swiss Alps, the French Alps.*
alphabet s. alfabeto.
alphabetical adj. alfabético: *in alphabetical order,* em ordem alfabética.
already adv. já: *Have we arrived already?*
also adv. também, além disso, igualmente.
alter v.t. e i. alterar (-se), mudar, variar, tornar (-se) diferente: *She has altered a lot since she got back from Africa.*
alteration s. alteração, modificação.
alternate adj. alternado, revezado: *We have Geography lessons on alternate days.*
alternate v.t. e i. alternar (-se), revezar (-se), suceder alternadamente: *My mother and I alternate at washing the dishes.*
alternative s. opção, escolha entre várias possibilidades, alternativa.
alternative adj. alternativo, intercambiável.
although conj. embora, se bem que, apesar de.
altogether adv. 1 inteiramente, completamente: *I disagree with you altogether.* 2 de modo geral, ao todo, tudo incluído: *There were three of us altoghether.*
aluminium s. alumínio.
always adv. sempre, repetidamente.
am sou, estou (V. *be*).
a.m. adv. (rel a tempo) antes do meio dia: *8 a.m.,* 8 da manhã.
amalgamate v.t. e i. amalgamar, misturar, conglomerar, consorciar, fundir.
amalgamation s. amalgamação, fusão, mistura.
amass v.t. acumular, reunir, amontoar.
amateur s. amador, aficionado, atleta ou esportista que não é profissional.
amateur adj. amador, não profissional.
amateurish adj. inexperiente, medíocre.
amaze v.t. espantar, maravilhar, assombrar: *We were amazed at his performance.*
amazement s. espanto, consternação: *Much to my amazement I won the first prize.*
Amazon s. rio Amazonas: *the Amazon river.*
ambassador s. embaixador.
ambiguous adj. ambíguo, incerto, obscuro.

ambition s. ambição.
ambitious adj. ambicioso.
ambulance s. ambulância.
ambush s. emboscada, ataque de surpresa, tocaia.
ambush v.t. emboscar, atacar de surpresa, tocaiar.
amend v.t. e i. melhorar, reformar, corrigir, aperfeiçoar: *If you want to be successful, you must amend your ways*. The government amended the drug abuse law.
amendment s. emenda.
amenity s. (pl -ies) 1 amenidade, atração, encanto, prazer: *Our town has several amenities: three parks, two cinemas, a modern theatre and a wonderful lake.* 2 suavidade, afabilidade: *The amenity of the mountain climate is excellent for a holiday.*
amid prep. no meio de, entre.
amiss adj. defeituoso, errado, impróprio: *There's nothing amiss in this contract.*
amiss adv. 1 defeituosamente, inoportunamente, de forma problemática: *Our agreement ended up amiss*, Nosso acordo acabou se tornando problemático. 2 extraviado: *My books have gone amiss*, Meus livros se extraviaram.
ammonia s. amônia.
ammunition s. munição.
amnesty s. anistia.
amok adv. possuído de furor. **run amok**, atacar cegamente: *The prisoner ran amok and killed three people.*
among prep. entre, rodeado por, no meio de: *Among the ideas we chose are those proposed by Jeff.*
amorous adj. amoroso, apaixonado, sensual, ardente: *She resisted his amorous advances.*
amount s. soma, quantidade, quantia, total: *I could only pay half the amount of the bill.*
amount v.i. 1 somar, montar (a), totalizar: *What he owes me amounts to more than he has*. 2 corresponder a, equivaler a, significar: *His comments amounted to a refusal.*
amphibious adj. anfíbio.
amplify v.t. ampliar, amplificar, expandir, aumentar.
amuse v.t. divertir, distrair, fazer rir. *He amused us by telling us about his experiences in India.*
amusement s. diversão. **amusement park**, parque de diversões.
an usado antes de palavras que comecem com sons vocálicos) um, uma: *an hour*.
anachronism s. anacronismo, erro de data, época, etc.
anaemia s. anemia. (EUA *anemia*).
anaesthesia s. anestesia (EUA *anesthesia*).
anaesthetic s. anestésico: *local anaesthetic*, anestesia local; *general anaesthetic*, anestesia geral.
anaesthetize v.t. anestesiar.
anaesthetist s. anestesista.
anagram s. anagrama, palavra ou frase formada pela transposição de palavras ou letras de outra frase.
analgesic s. analgésico, substância que alivia dor.
analogous adj. semelhante, paralelo, análogo.
analogy s. (pl -ies) semelhança, analogia. **draw an analogy**, fazer uma analogia.
analyse v.t. 1 analisar, decompor, separar. 2 examinar, estudar minuciosamente. 3 submeter a uma análise gramatical ou científica. (EUA *analyze*).
analysis s. 1 análise, decomposição. 2 exame. 3 resultado, sumário, sinopse. 4 psicanálise.
analyst s. 1 pessoa que analisa, analista. 2 psicanalista.
analytic adj. analítico.
analyze s. V. *analyse*.
anarchism s. anarquismo.
anarchist s. anarquista.
anarchy s. anarquia.
anathema s. (pl -s) 1 anátema, maldição,

anatomy

proscrição, excomunhão. 2 algo que é detestado, odiado: *Those authoritarian ideas are anathema to me.*
anatomy *s.* anatomia.
ancestor *s.* 1 antepassado, predecessor. 2 ascendente. 3 progenitor.
ancestral *adj.* 1 ancestral. 2 herdado, hereditário.
ancestry *s.* 1 linhagem, descendência. 2 ascendência ilustre.
anchor *s.* 1 âncora. 2 pessoa ou coisa que oferece segurança ou estabilidade. **welgh anchor,** zarpar, levantar âncora.
anchor *v.t. e i.* 1 ancorar, atracar. 2 fixar, segurar, prender.
anchorage *s.* ancoradouro.
ancient *adj.* antigo, velho, antiquado, fora de moda.
and *conj.* e, assim como, e ainda, de modo que, assim que, além disso.
anecdote *s.* anedota.
anemia *v.* anaemia.
anesthesia V. anaesthesia.
angel *s.* 1 anjo. 2 pessoa bela ou bondosa. ***guardian angel,*** anjo da guarda.
anger *s.* raiva, ira, fúria, cólera, ódio.
anger *v.t.* zangar(-se), irritar(-se), ***fit of anger,*** acesso de cólera.
angle *s.* 1 ângulo. 2 (fig) ponto de vista. 3 canto.
Anglican *s. e adj.* anglicano.
Anglo-Saxon *s e adj.* anglo-saxão, anglo-saxônico.
Anglophile *s.* anglófilo, pessoa que ama ou admira a Inglaterra, os ingleses: seus costumes e tradições, etc.
angry *adj.* 1 zangado, irritado, inflamado. 2 (fig) ameaçador, tempestuoso: *angry sea.*
angrily *adv.* irritadamente, furiosamente.
anguish *s.* ansiedade, angústia, agonia: *He was in anguish over his exam results.*
angular *adj.* 1 anguloso, angular. 2 (fig) magro, ossudo: *He has an angular face.*

3 (fig) rígido, desajeitado: *She walks in a very angular way.*
animal *s.* 1 animal, bicho. 2 bruto, besta. 3 (fig) pessoa brutal.
animal *adj.* 1 animal. 2 relativo à vida física dos seres humanos: *animal needs,* necessidades físicas.
animate *adj.* animado, vivo: *Plants and animais are animate beings.*
animated *adj.* animado, vivaz, vigoroso: *The discussion was animated.* ***animated cartoon,*** desenho animado.
animation *s.* animação, vivacidade, entusiasmo.
animosity *s.* animosidade, ódio, inimizade.
ankle *s.* tornozelo.
annals *s.* (pl) anais, crônicas, relatórios anuais.
annex *s.* anexo: *This is the new annex to the hospital.*
annex *v.t.* 1 anexar, apossar-se: *Israel annexed part of the state of Palestine.* 2 anexar, juntar: *He annexed a photograph to his letter.*
annihilate *v.t.* exterminar, aniquilar, destruir: *The enemy was annihilated.*
annihilation *s.* extermínio, destruição.
anniversary *s. (pl -ies)* aniversário, comemoração anual: *the aniversary of independence,* o aniversário da independência; *wedding aniversary,* aniversário de casamento.
announce *v.t.* 1 anunciar, proclamar, declarar: *The government announced that Monday would be a holiday.* 2 participar, comunicar, publicar: *They announced the date of their wedding.* 3 avisar, indicar: *The warm weather announced that summer had arrived.*
announcement *s.* anúncio, declaração, proclamação, notificação, publicação: *The Minister will make an announcement next week about the new educational policies.*
announcer *s.* locutor (de rádio, televisão, teatro, etc).
annoy *v.t.* aborrecer, irritar, molestar,

incomodar: *His arrogance really annoys me.*
annoyance *s.* 1 raiva, irritação. 2 aborrecimento, contratempo, problema, dificuldade, amolação: *The noise of the traffic is an annoyance.*
annual *adj.* 1 anual, que acontece todo ano: *Our club has two annual meetings.* 2 anual, que dura um ano. 3 anual, referente a um ano: *He receives an annual salary of $ 10,000.*
annual *s.* 1 anuário, publicação anual. 2 planta que vive apenas um ano.
annuity *s.* anuidade.
anomalous *adj.* anômalo, irregular, fora da norma: *The recent crisis put us in an anomalous position.*
anomaly *s.* (pl -*ies*) anomalia, irregularidade, anormalidade.
anonymous *adj.* anônimo, desconhecido.
anorak *s.* jaqueta com capuz, geralmente de náilon, à prova d'água e à prova de vento.
another *adj.* 1 adicional, mais um: *Have another cup of coffee.* 2 diferente, outro: *Look at the problem from another angle*, Veja o problema de um outro ângulo. 3 qualquer outro: *talk to you another time. I'm in a hurry now.*
another *pron.* um outro: *You've finished your coffee. Have another.* **from one to another**, de um para outro: *We went from one shop to another until we found it.*
answer *s.* 1 resposta, réplica: *I received no answer to my letter.* 2 reação: *He insulted me and my answer was to hit him in the eye.* 3 solução: *The answer to this problem is unknown.* **in answer to**, em resposta a, respondendo a: *In answer to your request.*
answer *v.t. e i.* 1 responder, replicar. 2 retrucar, contestar: *I answered his insults by hitting him in the eye.* **answer back**, retrucar com insolência: *She always answers back.* 3 atender: *Nobody answered the door bell.*

antithesis

answer for, ser responsável por: *Mr Brown answers for the Financial Departament.*
ant *s.* formiga: *ant-hill,* formigueiro.
antacid *s.* (med) antiácido.
antagonistic *adj.* hostil, antagônico.
antagonize *v.t.* hostilizar, antagonizar.
antarctic *adj.* antártico. **the Antarctic**, o Continente Antártico.
antecedent *s.* antecedente. 2 (pl) antepassados, antecedentes.
antelope *s.* antílope.
antenatal *adj.* pré-natal.
antenna *s.* 1antena. 2 antena de rádio, televisão.
anterior *adj.* anterior.
anthem *s.* hino, canção religiosa ou patriótica: *national anthem*, hino nacional.
anthology *s.* (pl -*ies*) coletânea, antologia.
anthropologist *s.* antropólogo.
anthropology *s.* antropologia.
anti- prefixo anti-. 1 contra: *anti-American.* 2 oposto de.
antibiotic *s. e adj.* antibiótico.
antibody *s.* (pl -*ies*) anticorpo.
anticipate *v.t.* 1 esperar, prever: *The police are anticipating public demonstrations on Monday.* 2 fazer, realizar algo antes de alguém.
anticipation *s.* antecipação: *Thank you in anticipation*, (em cartas) agradeço desde já; *in anticipation*, aguardando: *In anticipation of your letter, we are sending you a telegram.*
anti-climax *s.* anticlimax.
anti-clockwise *adj. e adv.* no sentido anti-horário, da esquerda à direita.
antidote *s.* antídoto, contraveneno.
antifreeze *s.* anticongelante.
antipathy *s.* (pl -*ies*) antipatia, repugnância, aversão,ter antipatia por: *He has a strong antipathy against foreigners.*
antique *adj.* antigo, antiquado.
antique *s.* antigüidade.
antithesis *s.* (pl -*ses*) antítese, oposto, contraste, contraposição.

antonym

antonym s. antônimo, oposto.
anus s. (pl -es) ânus.
anxiety s. (pl -ies) 1 ansiedade, ânsia, angústia: *He has great anxiety to please everybody.* 2 algo que causa ansiedade: *Her unemployed husband is a great anxiety to her.*
any *adj.* 1 (nas orações negativas e interrogativas, subordinadas condicionais, depois de palavras negativas como *without, hardly*, etc,) algum, alguma, nenhum, nenhuma, qualquer: *Have you any money? There aren't any mistakes in your work.* **in any case**, em todo caso.
any *adv.* (usado nas orações negativas e interrogativas, com adjetivos ou advérbios no grau comparativo) algo, um pouco: *Are you feeling any better? I can't wait any longer.*
anybody s. 1 (nas orações negativas e interrogativas) alguém, ninguém: *I can't see anybody.* 2 qualquer um: *Anybody can tell you what happened.*
anyhow *adv.* de qualquer modo ou forma, de qualquer jeito, casualmente, em qualquer caso: *He wants to succeed anyhow. He tried, but couldn't finish the work anyhow.*
anyone s. e pron.= anybody.
anything s. 1 alguma coisa, nada: *Do you want anything ? He didn't do anything wrong.* 2 qualquer coisa: *I want a pen or a pencil anything to write with.*
anyway *adv.*= anyhow.
anywhere *adv.* (Cf. *somewhere*) 1 em ou para algum lugar: *Would you like to go anywhere special?* 2 em ou para qualquer lugar: *We go with you anywhere you want.*
apart *adv.* distante, separado, afastado: *They live two miles apart from each other.* **take apart**, desmontar. **apart from**, à parte, além de, exceto: *apart from this, I have nothing else to say.*
apartheid s. política de segregação racial na África do Sul.
apartment s. apartamento.
apathetic *adj.* apático, desinteressado.
apathy s. apatia, indiferença, desinteresse.
ape s. macaco, gorila.
apex s. (pl -es) ápice, cume, vértice: *at the apex of his career.*
apiece *adv.* cada um, para cada um: *Those pencils cost 12 pence apiece.*
apologetic *adj.* apologético.
apologize *v.i.* desculpar-se: *He apologized to us for arriving late.*
apology s. 1 desculpa. 2 apologia, defesa de um princípio.
apostrophe s. apóstrofo.
apothecary s. (arc) farmacêutico, boticário.
appal *v.t.* (-ll-) apavorar, amedrontar, assustar, aterrorizar, chocar. (EUA *appall*).
apparatus s. aparelho, aparelhamento, aparelhagem, instrumento.
apparent *adj.* 1 evidente, visível, óbvio, claro. 2 apparente, suposto, não real: *The aparent cause of his sickness was later proved to be untrue.*
apparently *adv.* aparentemente, evidentemente, ao que parece.
apparition s. fantasma, espectro, aparição.
appeal *v.i.* (to sb,for sth) 1 apelar, recorrer, pedir, suplicar. 2 apelar (à instância superior), impor recurso. 3 atrair, agradar: *Rock music doesn't appeal to me.*
appeal s. 1 apelo, súplica. 2 apelação, direito de apelação: *an appeal to the court.* 3 atração: *sex appeal*
appear *v.i.* 1 aparecer, tornar-se visível. 2 parecer, dar a impressão de: *He appears to be worried.* 3 publicar, lançar no mercado: *A new product has appeared.* 4 comparecer, apresentar-se: *He didn't appear for the test.*
appearance s. 1 aparecimento, comparecimento. **put in an appearance**, apresentar-se, aparecer.

2 aparência. *judge by appearances*, julgar pela aparência.
appease *v.t.* acalmar, satisfazer, aplacar, tranqüilizar.
appeasement *s.* apaziguamento, satisfação.
appendicitis *s.* apendicite.
appendix *s.* 1 apêndice, anexo.
appetite *s.* 1 apetite. 2 (fig) desejo.
appetizing *adj.* apetitoso: *The food has an appetizing appearance.*
applaud *v.t. e i.* 1 aplaudir, bater palmas. 2 aprovar, elogiar: *His decision was applauded.*
applause *s.* aplauso, aprovação, elogio.
apple *s.* maçã. *the apple of one eye,* a menina dos olhos de alguém.
appliance *s.* utensílio, aparelho, instrumento, dispositivo: *household appliances,* utensílios domésticos, eletrodomésticos.
applicable *adj.* aplicável, apropriado: *This rule is not applicable to this case.*
applicant *s.* candidato, requerente.
application *s.* 1pedido, solicitação, requerimento. 2 aplicação, uso: *An application of this cream will help heal the cut.* 3 dedicação, diligência: *He doesn't show much application in his studies.*
applied *adj.* aplicado: *applied science.*
apply *v.t. e i.* (-ied) 1 pedir, requerer, solicitar: *He applied to Mr. Jones for a job.* 2 aplicar, adaptar, usar, pôr em prática: *applied a bandage to the cut.* 3 referir-se a, aplicar-se a, concernir: *The prohibition does not apply to you.*
appoint *v.i.* 1 designar, nomear, apontar: *He was appointed chairman of the committee.* 2 fixar, marcar: *The judge must appoint a time for the meeting.*
appointment *s.* 1 nomeação, designação. 2 cargo, posto: *He managed an important appointment in a large firm.* 3 hora marcada, compromisso, consulta: *I have a doctor's appointment at 3 pm.*

appraisal *s.* avaliação, cálculo de valor.
appraise *v.t.* avaliar, estimar, fixar o valor.
appreciate *v.t. e i.* 1 apreciar, prezar, ser grato: *I appreciate your kindness.* 2 apreciar, ser sensível a: *One needs some study to appreciate art.* 3 valorizar (terras, bens): *Our house has appreciated considerably in 5 years.*
appreciation *s.* 1 apreciação, compreensão. 2 reconhecimento. 3 avaliação, estimativa.
apprehend *v.t.* 1 temer, sentir apreensão. 2 compreender, perceber.
apprehension *s.* 1 apreensão, receio. 2 detenção, prisão. 3 compreensão.
apprehensive *adj.* (for) apreensivo, preocupado.
apprentice *s.* aprendiz, praticante.
approach *v.t. e i.* 1 aproximar-se, chegar: *Now that summer is approaching, we can plan a journey to the seaside.* 2 abordar (com um pedido ou oferta).
approach *s.* 1 aproximação. 2 caminho, acesso, abordagem: *The enemy guarded all the approaches to the castle. There are some efficient approaches to learning a foreign language nowadays.*
appropriate *adj.* apropriado, adequado.
appropriate *vt.* 1 reservar para um fim determinado. 2 apropriar-se, apoderar-se.
appropriation *s.* 1 apropriação. 2 verba, fundos.
approval *s.* aprovação, consentimento, louvor.
approve *v.t. e i.* aprovar, concordar: *I cannot approve of your conduct.*
approximate *adj.* aproximado.
approximation *s.* aproximação, estimativa, avaliação.
apricot *s.* damasco, damasqueiro.
April *s.* abril.
apron *s.* avental.
apt *adj.* (-er, -est) 1 apto, capaz, hábil,

aptitude

inteligente: *He is very apt at learning new things.* 2 apropriado, adequado: *an apt remark.* 3 *(to)* capaz de: *She is apt to do strange things sometimes.*
aptitude s. aptidão, capacidade, habilidade.
aquarium s. aquário.
aquatic adj. aquático.
arable adj. (terra) arável, cultivável.
arbitrary adj. arbitrário, subjetivo.
arbitrator s. árbitro.
arcade s. arcada, galeria.
arch s. arco, arcada, estrutura curva.
arch v.t. e i. arquear(-se), formar arcos: *He is capable of arching his back like a cat.*
arch- prefixo (equivalente ao português *arqui-, arce-*) mais do que, principal, mor: *arch-bishop.*
archaeological adj. arqueológico. (EUA *archeological*).
archaeology s. arqueologia. (EUA *archeology*).
archaic adj. arcaico.
archaism s. arcaísmo.
archer s. arqueiro.
archery s. arte de manobrar arco e flecha.
archipelago s. arquipélago.
architect s. arquiteto, construtor.
architectural adj. arquitetônico.
architecture s. arquitetura.
archives s.(pl) arquivo.
archway s. arcada.
arctic adj. ártico: *the Artic Ocean; artic weather.*
ardour s. ardor, fervor, entusiasmo, paixão. (EUA *ardor*).
arduous adj. árduo, laborioso, penoso.
are-V. *be*.
area s. 1 área, superfície. 2 região: *the populated areas of the country.*
arena s. 1arena. 2 (fig) campo de disputa, arena: *the political arena.*
argue v.t. e i. 1 discutir, contestar. 2 argumentar, defender, sustentar: *You can argue for or against the proposal. He argues that this is the right way to do it.*

argument s. 1 discussão, altercação. 2 argumento, argumentação.
argumentative adj. controversial, inclinado a discussões.
arid adj. árido, seco.
aridity s. aridez, seca.
arise v.i. 1 surgir, aparecer: *Other difficulties have arisen.* 2 resultar de, originar (-se): *These are the effects that arose from his stupidity.*
aristocracy s. aristocracia, nobreza, governo da elite.
aristocrat s. aristocrata, nobre.
aristocratic adj. aristocrático.
arithmetic s. aritmética.
ark s. (bibl) arca: *Noah's Ark*, arca de Noé. *Ark of the Covenant*, repositório onde se guardavam as leis de Moisés.
arm s. 1 braço. *with open arms*, de braços abertos. *walk arm-in-arm*, andar de braços dados. 2 braço (de máquina, cadeira), manga (de roupa). 3 força, batalhão: *the infantry arm*, batalhão de infantaria.
arm v.t. e i. armar(-se), munir(-se): *a ship armed with weapons; armed with patience; the armed forces.*
armament s. (ger) (pl) 1 armamento, equipamento bélico, armas. 2 potencial militar.
armchair s. poltrona, cadeira de braço.
armful s. braçada, grande quantidade: *an armful of flowers.*
armistice s. armistício, trégua.
armour s. 1 armadura. 2 blindagem (para veículos). (EUA *armor*).
armoured adj. blindado, encouraçado: *armoured cars; an armoured division.* (EUA *armored*).
armpit s. axila.
arms s. (pl) 1 armas. *to be up in arms*, em revolta. *in arms*, armado. *to bear arms*, servir no exército. 2 brasão, escudo: *coat of arms*, escudo de armas, insígnia de nobreza.
army s. exército: *to be in the army; an army of workers.*

ashtray

aroma s. aroma, odor.
aromatic adj. aromático.
around prep. em redor de, em torno de, em volta de.
around adv. 1 ao redor, em volta. 2 por perto, nas proximidades: *If you need me, I'll be around.*
arouse v.t. 1 despertar, provocar: *Be careful not to arouse his anger.* 2 acordar, despertar.
arrange v.t. e i. 1 arranjar, arrumar: *She arranged the flowers beautifully.* 2 combinar, marcar, providenciar: *I've arranged to meet him tomorrow.* 3 chegar a um acordo: *I've arranged a loan with the bank for a new house.*
arrangement s. 1 arranjo, arrumação, disposição. 2 (pl) preparativos, planos, providências: *I've made all the arrangements for my trip to Europe.* 3 acordo, ajuste.
arrest v.t. 1 deter, sustar: *Doctors are trying to arrest the progress of the epidemic.* 2 prender, capturar.
arrest s. prisão, captura. **under arrest**, sob ordem de prisão, preso.
arresting adj. interessante, impressionante, cativante: *an arresting smile.*
arrival s. chegada.
arrive v.i. 1 chegar, vir. 2 *(at)* alcançar, atingir (uma decisão, um resultado): *We finally arrived at a good price.* 3 ter sucesso, tornar-se conhecido.
arrogance s. arrogância, presunção.
arrogant adj. arrogante, presunçoso.
arrow s. 1 flecha. 2 seta indicadora.
arsenic s. arsênico.
arson s. incêndio culposo, intencional.
art s. 1arte, habilidade. **the Fine Arts**, as Belas Artes. **a work of art**, uma obra de arte. 2 (pl) humanidades, ciências humanas. **Bachelor (Master) of Arts**, Bacharel (Mestre) em Ciências Humanas.
arterial adj. 1 arterial. 2 (fig) principal: *arterial roads.*
artery s. 1 artéria. 2 (fig) via principal, canal ou rio navegável.

artful adj. hábil, esperto, astuto.
artichoke s. alcachofra.
article s. 1 artigo, peça (de mercadoria): *toilet articles.* 2 artigo (de jornal, etc). 3 cláusula (de contrato). 4 artigo: *the definite/indefinite article.*
articulate adj. articulado, loquaz, bem pronunciado, distinto.
articulate v.t. e i. articular, pronunciar nitidamente, emitir sons articulados.
articulation s. articulação.
artificial adj. artificial, irreal, falso, postiço: *artificial light.*
artillery s. artilharia.
artisan s. artesão.
artist s. artista.
artistic adj. artístico.
as adv. *(as... as)* tão, tanto quanto, tal como: *Paula is clever, but I'm just as clever.*
as conj. 1 quando, enquanto: *He fell as he was getting off the bus.* 2 *(as... as)* tão... quanto, tão... como: *She ran as fast as possible.* 3 (tal) como: *Do as I tell you.* **as long as**, contanto que: *You can drive my car as long as you're careful.*
ascend v.t. e i. 1 ascender, subir, escalar: *Clouds of smoke ascended from the great fire.* **ascend the throne**, subir ao trono.
ascendancy s. domínio, poder, supremacia.
ascension s. ascensão, subida, elevação. **the Ascension**, Ascensão.
ascent s. escalada, ascensão, subida: *The ascent of the mountain took a whole day.*
ascertain v.t. apurar, verificar.
ascetic adj. ascético.
ash s. 1 cinza: *The village was burnt to italics.*
ashamed adj. envergonhado, humilhado.
ashore adv. na (para a) praia, em terra firme: *all passengers from the ship are allowed to go ashore.*
ashtray s. cinzeiro.

aside

aside *adv.* de lado, à parte, para longe, fora: *Put some money aside for an emergency.*
ask *v.t. e i.* 1 perguntar: *Why don't you ask someone how to get there?* 2 pedir: *He asked me to help him.* 3 convidar: *Why don't we ask her to lunch?*
askew *adv.* de maneira torta, obliquamente: *The actor put his hat askew.*
asleep *adj.* adormecido, dormente: *My foot is asleep,* Meu pé está dormente. *The children are asleep.* **fall asleep,** adormecer.
asparagus *s.* aspargo.
aspect *s.* aspecto, aparência, feição, face: *a woman with a nice aspect.*
asperity *s* (fml) aspereza, rudeza, rispidez: *We suffered the asperity of a poor life.*
aspersion *s.* calúnia, difamação.
asphalt *s.* asfalto, betume: *They covered the road with asphalt.*
asphyxia *s.* asfixia, sufocamento.
asphyxiate *v.t.* asfixiar, sufocar.
asphyxiation *s.* asfixia, sufocamento.
aspiration *s.* 1 aspiração, ambição, anseio: *Peter has high aspirations in life.*
aspire *v.i. (to, after)* aspirar, ambicionar, ansiar, almejar: *He aspired a high position in society.*
aspirin *s.* aspirina: *He took a tablet of aspirin because he had a headache.*
ass *s.* 1 (zoo) asno, burro. 2 ignorante, imbecil, idiota. **a pain in the ass,** um chato, idiota.
assassin *s.* assassino, matador.
assassinate *v.t.* assassinar (um político, homem de poder, pessoa importante).
assassination *s.* assassinato, assassínio (de um político, personalidade famosa): *The assassination of the president was a shock.*
assault *v.t.* assaltar, atacar, agredir: *The soldiers assaulted the enemy camp.*
assault *s.* assalto, agressão, ataque.

assemble *v.t. e i.* 1 reunir(-se), juntar (-se), acumular(-se), congregar(se): *The crowd assembled in the square.* 2 montar, armar: *The boy assembled his toy car quickly.*
assembly *s.* 1assembléia, congresso. 2 reunião de pessoas. **assembly line,** linha de montagem: *The car manufacturer has a large assembly line.*
assent *s.* consentimento, aceitação, concordância, aprovação: *the actors have to have the director's assent.*
assert *v.t.* 1 defender, reclamar: *The scientist asserted his views on human life.* 2 declarar: *She asserted that it was all true.*
assertion *s.* afirmação, declaração: *His assertions were taken into consideration.*
assertive *adj.* afirmativo, positivo, agressivo, seguro de si: *Women have to be assertive.*
assess *v.t.* 1 avaliar, fixar, determinar: *The house is being assessed.*
assessment *s.* avaliação, taxa, contribuição, tributação: *The assessment of the house is US 2,500.*
assessor *s.* assessor, adjunto, assistente.
asset *s.* 1 posses, bens, recursos. 2 (Pl) espólio, massa falida, item do ativo no balanço de uma fIrma. **assets and liabilities:** ativos e passivos. 3 qualidade: *Beauty is her only asset.*
assiduous *adj.* assíduo, aplicado, atencioso, perseverante: *The assiduous students will pass the exam.*
assign *v.t.* 1 nomear, atribuir, designar: *The manager assigned you the job.* 2 fixar, determinar: *assigned a day next month to celebrate.*
assignment *s.* 1 tarefa, obrigação: *Bring your assignment ready tomorrow.* 2 designação, atribuição.
assimilate *v.t. e i.* 1 assimilar, incorporar; absorver: *Brazil has assimilated many people from Europe.* 2 digerir, absorver

(alimento): *Fish is easily assimilated by the body.*
assist *v.t. e i.* ajudar, socorrer, auxiliar: *The nurse assisted the doctor in the operation.*
assistance *s.* ajuda, assistência, auxilio: *He came to my assistance.*
assistant *s.* assistente, auxiliar, ajudante. **shop assistant**, balconista vendedor.
associate *s.* 1 sócio, associado, aliado: *Edward and Andrew are business associates.*
associate *v.t. e i.* 1 associar (-se), unir(-se). 2 andar em companhia, freqüentar: *He associates with criminals and drug addicts.*
association *s.* associação, agremiação, federação: *There are many associations to help handicapped people.*
assorted *adj.* sortido, variado: *assorted fruits; assorted candies.* **well assorted**, bem combinado: *They are a well assorted couple.*
assortment *s.* sortimento, variedade, classifIcação: *There is a big assortment of sweets in this package.*
assume *v.t.* 1 supor: *I assumed that he would come.* 2 fingir, simular: *He assumed a polite manner to impress the ladies.* 3 assumir: *He assumes his new duties tomorrow.*
assuming *adj.* pretensioso, presunçoso, arrogante, orgulhoso: *He is quite assuming, but in fact he is nothing.*
assumption *s.* 1 suposição, hipótese, conjectura: *Our assumption was right.* 2 arrogância, orgulho.
assurance *s.* 1 garantia, segurança: *He gave his assurance that he would come to the meeting.* 2 certeza: *The new teacher lacked assurance.* **self-assurance**, auto-confiança.
assure *v.t.* garantir, assegurar, afirmar: *I assure you that everything will be all right.*
asthma *s.* asma.
astonish *v.t.* surpreender, espantar, maravilhar: *We were all astonished to hear of her success.*
astound *v.t.* chocar, assustar, aturdir, aterrar: *He was astounded when he discovered that he won the lottery.*
astray *adj.* desviado, perdido, desencaminhado.
astrology *s.* astrologia.
astronaut *s.* astronauta.
astronomer *s.* astrônomo.
astronomical *adj.* 1 astronômico. 2 uma grande soma, um grande número: *an astronomical sum of money.*
astronomy *s.* astronomia.
astute *adj.* astuto, esperto, perspicaz, ardiloso: *He is very astute. That's why he's good in business.*
asylum *s.* 1 abrigo, asilo, refúgio: *Ask for political asylum*, Pedir asilo político. 2 manicômio: *lunatic asylum.*
at *prep.* 1 (rel a lugar) perto, dentro, em, no: *at home; at my friend's, at the theatre.* 2 (rel a direção) para, em direção a: *Look at me.* 3 (rel a tempo) à, às, em: *at 8 o'clock, at midnight.*
at last, finalmente, depois de muito tempo.
ate V. eat.
atheism *s.* ateísmo.
atheist *s.* ateu.
athlete *s.* atleta, desportista.
atmosphere *s.* 1 atmosfera. 2 ambiente: *an atmosphere of peace.*
atom *s.* 1 átomo. 2 coisa minúscula: *There isn't an atom of sincerity in what she says about him.*
atomic *adj.* atômico. **atomic age**, era atômica. **atomic bomb**, bomba atômica. **atomic energy**, energia atômica.
atrocious *adj.* 1 cruel, desumano, atroz: *atrocious behavior.* 2 ruim, detestável, horrível: *The food was atrocious.*
atrocity *s.* (-les) 1 atrocidade, crueldade, brutalidade: *Many atrocities were committed during the war.* 2 erro grande, disparate: *This report is an atrocity. Nobody can take it seriously.*

atrophy

atrophy s. atrofia: *He suffered from atrophy in his legs.*
attach v.t. e i. 1 atar, prender. 2 juntar, anexar: *The price list is attached to the letter.* 3 ligar, unir. **attach importance to**, dar importância: *I don't attach any importance to what happened yesterday between them.*
attaché s. adido, diplomata: *press attaché*, adido de imprensa. **attaché case**, valise, pasta para documentos.
attachment s. 1 ligação, conexão. 2 anexo, acessório. 3 atração, simpatia, afeiçoamento: *Our attachment is based on strong feelings.*
attack s. 1 ataque, agressão. 2 mal súbito, doença repentina, acesso: *heart attack.*
attack v.t. e i. 1 atacar, agredir: *The man was attacked by strangers in the street.* 2 ofender, injuriar: *The reporters attacked the murderer with questions.* 3 acometer.
attain v.t. e i. atingir, conseguir, realizar, alcançar: *He attained the position of President of the company.*
attainable adj. atingível, alcançável: *Your objective is hardly attainable.*
attempt v.t. 1tentar, procurar: *He attempted to speak but he couldn't.* 2 esforçar-se.
attempt s. 1tentativa, experiência: *This is our first attempt.* 2 esforço, empreendimento: *Our attempt was a success.* 3 ataque, atentado: *attempt at murder,* tentativa de assassinato. *They made an attempt on his life.*
attend v.t. e i. 1atender. 2 ir a, freqüentar: *attend school.* 3 cuidar, tomar conta.
attendance s. 1 presença, freqüência: *attendance at school,* 2 atenção. 3 serviço: *in attendance*, em serviço. 4 assistência: *medical attendance.*
attendant s. empregado, servente, contínuo: *bar attendant.*
attention s. 1 atenção: *Pay attention to what he says.* 2 cortesia, consideração: *Thank you for your kind attention.* 3 posição de sentido: *stand to attention.*
attentive adj. 1 atencioso, atento: *He is the most attentive student in our class.* 2 cortês, delicado, educado: *He was very attentive to the old lady and always helped her with the shopping.*
attest v.t. e i. 1 atestar, afirmar, autenticar. 2 certificar, testificar.
attic s. 1 sótão, último andar.
attire s. 1 traje, vestuário, veste: *They dressed in formal attire for the solemn occasion.* 2 ornato, adorno.
attire v.t. e i. 1 vestir, trajar: *The bride's mother was attired in navy blue.* 2 adornar, ornar.
attitude s. atitude, postura, modo de pensar/agir: *afirmative attitude*; *an attitude of hostility.*
attorney s. advogado, procurador, representante. **district attorney**, promotor público. **Attorney General**, procurador público.
attract v.t. 1 atrair: *Flowers attract bees.* 2 conquistar, enlevar, encantar: *He was attracted by her beauty.*
attraction s. 1 atração. 2 encanto, fascinação: *A woman of many attractions. Big cities have many attractions for tourists.*
attractive adj. atraente, encantador, cativante: *She is an atractive young lady. This idea sounds very attractive.*
attribute s. atributo, qualidade, característica: *Beauty is her main attribute.*
attribute v.t. atribuir, imputar, referir-se: *They attriibute his success to hard work.*
aubergine s. berinjela. (EUA *eggplant*).
auburn adj. castanhoavermelhado: *Her long auburn hair couldn't be ignored.*
auction s. leilão. **to sell by auction, to sell at auction**, vender em leilão. **to put on auction**. por em leilão.
auctioneer s. leiloeiro.

audacious adj. audacioso, ousado, atrevido: *The young man was quite audacious for his age.*
audaciously adv. audaciosamente: *He answered the question audaciuosly.*
audacity s. audácia, ousadia, atrevimento.
audible adj. audível, som perceptível: *She was so weak that her voice was hardly audible.*
audience s. 1 audiência, entrevista: *The President had an audience with the Pope.* 2 audição. 3 espectadores, ouvintes, assistência: *The audience was very excited with the rock-show.*
audiovisual adj. audiovisual: *The teacher used audiovisual equipment to explain the process better.*
audit s. auditoria contábil.
audit v.t. examinar, revisar (livros contábeis).
audition s. 1 audição: *We were invited for the first audition of the song.* 2 teste (de voz, canto, teatro): *He failed the audition.*
auditorium s. auditório: *The performance will take place in the auditorium.*
August s. agosto.
aunt s. tia.
au pair s. moça estrangeira que, em troca de serviços caseiros, recebe casa, comida e possibilidades para estudar. (= au pair girl).
auspices s. (pl) auspícios, patrocínio, proteção, ajuda: *This show happened under the auspices of the Ministry of the Education.*
auspicious adj. auspicioso, proveitoso: *This month was very auspicious for you because you got many new clients and won a promotion.*
austere adj. 1 austero, rigoroso, rígido, severo: *an austere person.* 2 sombrio, sério, grave: *an austere decoration.*
authentic adj. autêntico, legítimo, genuíno: *This is an authentic painting by Van Gogh.*
authenticate v.t. autenticar, legitimar, validar: *Now that this painting has been authenticated as a Van Gogh it is worth a fortune.*
authenticity s. autenticidade, validez: *I doubt the authenticty of this painting.*
author s. autor, escritor, compositor, inventor, criador.
authorship s. autoria: *unknown authorship.*
authoritarian s. autoritário, partidário do autoritarismo.
authority s. 1 autoridade. 2 poder, jurisdição. 3 chefe, alto funcionário. 4 perito, entendido: *He is an authority in classical music.*
authorize V.l. autorizar, permitir: *The boss authorized the payment of my expenses provided I show good results.*
automatic adj. 1 automático. 2 involuntário: *When you drive a car your movements are automatic.*
automobile s. automóvel.
autonomous adj. autônomo, independente: *an autonomous organization.*
autonomy s. autonomia, independência: *The country needs autonomy to decide its destiny.*
autopsy s. autópsia. necrópsia.
autumn s. outono. *(EUA fall).*
auxiliary adj. auxiliar, acessório.
auxiliary s. ajudante, auxiliar, assistente: *The dentist needs an auxiliary to help him.*
available adj. disponível, utilizável: *The doctor is not available at the moment.*
availability s. disponibilidade, proveito.
avenue s. avenida, via principal.
average s. média, proporção: *above (below) average,* acima (abaixo) da média.
average adj. 1 médio, proporcional. 2 mediano, comun, regular: *It is neither good nor bad, just average.*
average v.i. dar, conseguir, produzir, fazer em média.

aversion

aversion s. aversão, antipatia, repugnância: *My aversion to cruel behavior is very strong.*
aviation s. aviação, aeronáutica.
avid adj. ávido, ansioso: *She is avid for compliments.*
avidly adv. avidamente: *He reads novels avidly.*
avocado s. abacate.
avoid v.t. evitar, escapar: *I avoided being seen. He avoided an accident.*
avoidable adj. evitável: *The disgusting situation was avoidable.*
awake v.t. e i. despertar, acordar: *I was awaken by the noise. The noise awoke me.*
awake adj. acordado, desperto, consciente.
awakening s. 1 despertar. 2 consciência, preocupação: *His awakening to social problems happened very early in life.*
award s. 1 prêmio, recompensa: *He won the award for his song.*
award v.t. premiar, recompensar: *He was awarded the first prize.*
aware adj. atento, consciente, informado: *Are you aware of his decision? She is totally aware of the consequences.*
awareness s. consciência, percepção, compreensão: *Her awareness of the situation was very, clear.*
away adv. 1 distante, longe: *They live 10 blocks away from here. Keep away from the children.* 2 para longe, para lá: *Go away.* 3 fora, embora: *Put the old clothes away.* 4 acabar: *The sound died away in the distance.* 5 já, sem demora: *straight away.* 6 remover, separar: *Cut it away.*
awe s. 1 terror, pavor: *They stood there in awe when they heard their father's angry voice.* 2 admiração: *He looked at the painting in awe.*

b B

B, b 2ª letra do alfabeto.
babble *v.i. e t.* 1 balbuciar. 2 falar demais, dar com a língua nos dentes: *It seemed he wouldn't stop babbling about his new job.*
baby *s.* 1 bebê. 2 caçula. 3 garota.
babyhood *s.* primeira infância: *Most of his best adventures were during babyhood.*
babyish *adj.* infantil.
babysitter *s.* babá, pessoa que cuida de criança por um curto período (enquanto os pais estão fora).
bachelor *s.* 1 solteiro. 2 bacharel.
back *s.* 1 costas, dorso. costas. 2 lombo, dorso de animal. 3 espaldar, encosto de cadeira. 4 parte, lado, face posterior: *the back of my grandma's farm.* **backache**, dor nas costas. **backdoor**, porta dos fundos. **backyard**, quintal.
back *v.t. e i.* 1 andar, mover para trás: *He backed his car so she could pass.* 2 fazer fundo: *Her house backs his office.* 3 apoiar: *my dad always backs me up.*
back out of desistir de um negócio, quebrar uma promessa: *They backed out of the deal at the last minute.*
back *adv.* 1 de volta: *Give the ball back to the child.* 2 atrás, para trás: *If you look back you'll see how far we are.* 3 atrás. 4 de volta, devolução: *I'll give you, your money back.*
backbone *s.* 1 coluna vertebral. 2 firmeza, força de caráter: *I believe him because I know he has backbone.* 3 suporte, parte mais importante: *The president must be the backbone of the company.*
backfire *v.i.* 1 explodir. 2 ter efeito contrário: *My plans backfired and I lost my girlfriend.*
background *s.* 1 fundo, segundo plano: *In the background of this photo you can see my house.* 2 prática, experiência, educação, formação: *You should detail your background in your curriculum.*
backing *s.* apoio, suporte : *He may give you an excellent backing.*
backward(s) *adv.* 1 de trás para frente, ao inverso: *to read backward*; *to walk backward.* 2 para trás.
bacon *s.* toicinho.
bacterial *adj.* bacteriano.
bad *adj.* 1 mau, perverso: *bad boys.* 2 desagradável: *bad information.* 3 ruim: *bad food.* 4 grave: *bad news.* 5 incorreto, deficiente: *bad writing.* 6 doente, machucado. 7 sinto muito: *I feel so bad you lost your job.* 8 pena: *It's too bad you're not here.* 9 nocivo: *Sleeplessness is bad for health.* **go from bad to worse**, ir de mal a pior, piorar. **with bad grace**, com má vontade. **in a bad temper**, de mau humor. **bad language**, palavras de baixo calão. **bad word**, palavrão.
badly *adv.* 1 mal: *badly prepared.* 2 muitíssimo: *I'm badly in need of rest.* 3 inadequadamente: *He behaved badly.* **be badly off**, estar em péssima situação financeira.
badge *s.* distintivo, emblema, insígnia.
badger *v.t.* perturbar com perguntas, pedidos, etc: *The kids are always badging to buy everything they see.*
badminton *s.* jogo parecido com tênis jogado com peteca.
baffle *v.t.* intrigar, inquietar, confundir: *Something he said baffled me.*
bag *s.* saco, sacola, bolsa, maleta. *Let the cat out of the bag*, deixar escapar um segredo. **bags of**, muito: *He would like to have bags of gold.*
bag *v.t. e i.* 1 ensacar, embolsar: *to bag up sugar.* 2 afanar, levar por engano: *I think Mary has bagged my purse.*
baggage *s.* 1 bagagem. 2 equipamento.

baggy

baggy *adj.* folgado, solto: *baggy blouse.*
bah *interj.* expressão de desprezo. *Bah! I can't believe he said that.*
bail *s.* 1 fiança: *Bail was set at ten thousand dollars.*
bail *v.t. e i.* 1 *bail somebody out,* tirar da cadeia sob fiança. 2 tirar água de um barco com baldes.
bailiff *s.* 1 oficial de justiça. 2 administrador de propriedades.
bait *s.* 1 isca: *He uses live bait to fish.* 2 tentação, chamariz.
bait *v.t. e i.* 1 atrair peixes utilizando isca. 2 atormentar com palavras cruéis.
bake *v.t. e i.* 1 assar: *bake the food.* 2 endurecer, enrijecer. 3 ficar assado, queimado pelo sol. *baking powder,* fermento em pó.
baker *s.* padeiro.
bakery *s.* padaria.
balance *s.* 1 balança. 2 equilíbrio, harmonia. 3 balanço. 4 saldo, restante: *bank balance,* saldo do banco.
balance *v.t. e i.* 1 equilibrar. 2 conferir: *I can't balance my accounts.* 3 comparar, pesar: *I would balance things out before making a decision.*
balcony *s.* (pl *-ies*) 1 sacada, balcão. 2 galeria ou salão de teatro.
bald *adj.* 1 careca, calvo. 2 pelado, sem penas, sem pêlo, sem folhas: *Vultures are bald.*
baldness *s.* 1 calvície: *His baldness does not seem to affect his self esteem.* 2 ausência de penas, plumas ou folhas. 3 aridez.
balk *v.t. e i.* 1 impedir. 2 empacar: *His horse balked.* 3 enjeitar, recusar.
ball *s.* 1 bola, esfera. 2 arremesso de boIa. 3 tiro, bala, projétil.
ball *s.* baile.
ballad *s.* balada, canção: *Macartney wrote some of the most beautiful ballads.*
ballast *s.* 1 lastro de navio, cascalho.
ballet *s.* 1 bailado. 2 corpo de balile.
ballet-dancer, bailarino, bailarina.

balloon *s.* balão: *Kids love to play with balloons at birthday parties.*
ballot *s.* 1 votação secreta, voto: *Believe it or not ballots in Brazil are better organized than many 1st world countries.* **ballot-paper** cédula para votação. **ballot-box,** urna eleitoral.
ballot *v.i.* votar.
balm *s.* 1 ungüento, bálsamo. 2 que causa conforto, alívio, consolo.
balmy *adj.* perfumado, cheiroso.
bamboo *s.* (pl *-s*) bambu: *Bamboo trees are typical of tropical countries.*
ban *v.i.* proibir, banir: *Mini skirts were banned at the religious school.*
ban *s.* proibição, interdição: *They are trying to ban smoking in school grounds.*
banana *s.* banana.
band *s.* 1 tira, fita. 2 cinta. 3 aro. 4 grupo, bando: *a band of thieves.* 5 conjunto musical: *a rock band.* 6 faixa de onda (radio): *wave band.*
band *v.t. e i.* 1 enfaixar. 2 unir: *Let's band together and travel to Europe.*
bandage *s.* faixa, atadura.
bandage *v.i.* enfaixar: *The doctor bandaged the broken arm until he got to the hospital.*
bandit *s.* bandido, bandoleiro.
bang *s.* 1 pancada. 2 batida, estrondo.
bang *v.i.* 1 bater a porta. 2 golpear: *"I'm coming... Stop banging on the door."*
bangle *s.* bracelete, pulseira.
banish *v.i.* banir, exilar, expulsar.
banishment *s.* desterro, expulsão, exílio.
banister *s.* corrimão.
banjo *s.* banjo: *He plays the banjo in a country band.*
bank *s.* 1 aterro, dique, barragem. 2 encosta, margem, barranco.
bank *v.t. e i.* 1 aterrar, repassar. 2 inclinar o avião para um lado: *he banked the plane to the left to avoid coliding with a smaller plane.* 3 agrupar, empilhar.
bank *s.* banco, estabelecimento bancário. **blood-bank,** banco de sangue. **bank**

account, conta bancária. **bank statement**, extrato bancário **bank clerk**, bancário. **bank holiday**, feriado bancário, feriado nacional. **banknote**, cédula, nota. **bank-robber**, assaltante de banco.
banker s. banqueiro.
banking s. negócio bancário. **banking hours**, horário de funcio-namento de banco.
bankrupt adj. falido, desprovido: He went bankrupt trying to keep up with his neighbors.
bankrupt v.i. levar à falência.
bankruptcy s. (pl -ies) bancarrota, falência: Bankruptcy is usually a result of bad planning.
banner s. faixa, bandeira, estandarte.
banquet s. banquete.
bantam s. 1 raça de galo/galinha (pequena) de briga. 2 pugilista.
banter v.i. e t. caçoar, troçar.
baptism s. batismo.
baptize v.i. batizar: He was baptized down by the river.
bar s. 1 barra (de ferro, de metal, de sabão), tranca. 2 obstáculo, barreira. 3 bar: night bar. 6 faixa, lista. 7 corte de justiça. **be called to the bar**, tornar-se membro da Ordem dos Advogados. **barmaid**, garçonete. **barman**, garçom.
barb s. farpa. **barbwire**, arame farpado.
barbarian adj. bárbaro, inculto: Most vikings were considered barbarians.
barbaric adj. rude, grosseiro: There's nothing more barbaric than war.
barbarism s. barbarismo, barbárie.
barbarity s. (pl -ies) brutalidade, crueldade: The barbarities committed at war are totally unreasonable.
barbecue s. 1 churrasco.
barbecue v.t. grelhar, fazer churrasco.
barbed adj. farpado: barbed wire, arame farpado.
barber s. barbeiro.
bare adj. 1 nu, despido. 2 só, apenas: He strangled her with his bare hands.

bare v.t. descobrir, revelar.
barefaced adj. insolente, descarado: He's a barefaced lier.
barefoot adv. descalço: Children always walk barefoot.
barely adv. abertamente, somente: He barely made it to the party on time.
bareness s. 1 nudez: Bareness does not affect her. She's a professional actress. 2 pobreza.
bargain s. 1 pechincha. 2 acordo comercial. 3 oferta ou compra de ocasião. **into the bargain**, além disso, ainda por cima.
bargain v.i. e t. chegar a um acordo, pechinchar, negociar. **bargain for**, esperar: She bargained for more than he could give her.
barge s. barcaça.
barge v.i. colidir, bater, chocar-se: He barged into her while running from his friend.
bark s. 1 casca de árvore. 2 latido.
bark vl, v.i. 1 descascar, esfolhar, tirar a casca. 2 latir, ladrar: The dog didn't stop barking until he was given a bone.
barley s. cevada.
barn s. celeiro.
barometer s. barômetro.
baron s. 1 barão. 2 magnata: an oil baron.
baroness s. baronesa.
baroque s. estilo barroco.
barrack s. barraca: The soldiers barracks are pretty comfortable.
barrage s. barragem.
barrell s. 1 barril, tonel. 2 cano de arma de fogo.
barren adj. 1 estéril, infrutífero, improdutivo, infecundo. 2 enfadonho, sem graça, sem interesse: a barren film.
barricade s. barricada, bloqueio.
barricade v.t. bloquear, obstruir: A barricade was set up to prevent the fugitves from crossing the border.
barrier s. barreira, grade, obstáculo.

barrister s. advogado.
barrow s. carrinho de mão, carrinho que transporta bagagem.
barter v.t. e i. trocar, fazer inter-câmbio: *They are difficult to barter with*.
barter s. comércio à base de troca.
base s. (pl *bases*) 1 base, fundo, pé, suporte: *the base of a hill*. 2 base aérea, naval, militar: *a naval base*. 3 (geom, mat) base: *the base of a prism*.
base v.t *base an*, basear, servir de base.
base adj. vil, baixo, desprezível.
baseball s. beisebol.
baseless adj. infundado, sem razão, sem base.
basement s. porão, subsolo: *The garages are in the basement of the building*.
bases 1 (pl) de base. 2 (pl) de basis.
bash s. golpe, soco.
bash v.t (infml) golpear, esmagar, bater.
bashful adj. acanhado, tímido, envergonhado: *Don't be bashful... go ahead and eat*.
bashfully adv. timidamente.
basic adj. básico, fundamental.
basin s. 1 bacia. 2 tigela. 3 bacia de um rio. 4 enseada.
basis s. (pl *bases* l-siz) base, parte principal, fundamento.
bask v.i. 1 expor-se ao sol, aquecer-se. 2 gozar carinho, fortuna: *He is basking in his good fortune*.
basket s. cesto, cesta: *waste basket paper*, cesto de lixo.
basketball s. basquetebol.
bass s. (pl *bass*) pesca, tipos de peixe usados como comida.
bass adj. (mús) baixo, tom baixo.
bastard s. filho ilegítimo.
baste v.t 1 alinhavar. 2 regar (com molho, gordura).
bat s. 1 morcego. *as blind as a bat*, cego, que não enxerga nada. 2 bastão usado em beisebol, críquete, etc.
bat v.i. e t. (*-lt-*) usar o bastão (críquete).
batch s. 1 grupo, turma, leva: *a batch of students*. 2 fornada: *a batch of cookies*.
bath s. 1 banho. 2 líquido, solução para mergulhar algum objeto. 3 (Pl) casas de banho. 4 piscina.
bath v.i. e t. banhar, banhar-se.
bathe v.i. e i. 1 dar um banho, banhar, banhar-se. 2 nadar, tomar banho de mar, piscina, rio ou lago: *You're not allowed to bathe in this river*.
bathing s. ato, prática de ir nadar ao mar, rio etc. *bathing costume*, *bathing suit*, maiô.
bathroom s. banheiro, toalete.
bathtub s. banheira.
baton s. 1 bastão. 2 batuta.
battallon s. batalhão.
batten s. tábua de soalho, ripa; batente.
batter v.i. e t. 1 martelar. 2 gastar, danificar pelo uso.
batter s. massa de farinha, leite e ovos.
battery s. (pl *-ies*) 1 bateria de cozinha. 2 pilha, bateria. 3 bateria militar. 4 grupo, conjunto
battle s. 1 batalha, combate. 2 duelo. 3 vitória, sucesso. *battlefield*, campo de batalha. *battleship*, navio de guerra.
battle v.i. 1 lutar, combater. 2 brigar.
battlements s. (pl) ameia, muralha.
bauble s. 1 bugiganga, quinquilharia. 2 enfeites de árvore de natal.
baulk v. *balk*.
bawl v.t. e i. gritar, chorar em voz alta.
bay s. 1 baía, enseada. 2 vão de janelas, portas. 3 compartimento. 4 latido forte de cão de caça.
bay v.i. latir forte durante a caça: *The dogs bay wildly when they spot a fox*.
bayonet s. baioneta.
bayonet v.t. ferir com baioneta.
bazaar s. 1 bazar, loja. 2 bazar de caridade.

be ser, estar. 1 usado com substantivos ou pronomes para identificar ou perguntar a respeito do sujeito da frase: *Is he a good teacher?*. 2 usado em descrições com adjetivos ou preposições: *They are good friends.* 3 usado com substantivos ou preposições para indicar posse: *This car is mine.*
be *v.i.* V. belo 1 **there to be,** haver, existir: *There are four cats in the garden.* 2 ir, vir, estar (especial-mente com pp *been*): *I've already been to Bonito,* Já estive em Bonito, Já fui a Bonito. **for the time being,** por enquanto. **would be,** que gostaria de ser, pretenso: *he would be an artist.*
beach *s.* praia (de mar, lago, represa, rio). **on the beach,** na praia.
beacon *s.* 1 luz de advertência. 2 farol.
bead *s.* conta (de vidro, metal etc.) usada em rosários, colares, etc.
beady *adj.* 1 pequeno, redondo e lustroso. 2 enfeitado de contas.
beadyeyed, com olhos pequenos, redondos e lustrosos.
beak *s.* bico (de ave).
beaker *s.* copo grande, caneca.
beam *s.* 1 viga, suporte, trave. 2 raio, feixe de luz.
beam *v.t. e i.* 1 emitir, irradiar raios de luz, calor. 2 sorrir com entusias-mo, alegria: *She beamed a smile on her face when she saw him coming.*
bean *s.* 1 feijão, vagem, fava. 2 semente. *coffee beans,* grãos de café. **spill the beans,** revelar um segredo.
bear *s.* urso. *The Great bear,* Ursa Maior. *The Little Bear,*Ursa Menor.
bear *v.i.* carregar, trazer, levar. **bear in mind,** guardar na memória, ter presente.
bearable *adj.* tolerável.
beard *s.* barba.
bearded *adj.* barbudo, barbado.
bearing *s.* 1 comportamento, porte, conduta, maneira: *She has all the bearings of a good doctor.* 2 referência, relação, conexão.

beast *s.* 1 besta, animal. 2 brutamontes.
beastly *adj.* 1 brutal, rude. 2 péssimo, horrível: *He made a beastly joke.*
beat *v.t. e i.* 1 bater, dar pancadas em. 2 vencer, derrotar: *He beat her in a tennis game.* 3 pulsar: *My heart beats for him.* **beat about the bush,** falar muito sem chegar ao assunto. **beat it,** saia daqui. **beat somebody up,** surrar, espancar alguém. **beat the record,** bater o recorde.
beat *s.* 1 batida. 2 ritmo, compasso: *the beat of rock.* 3 ronda (de guarda): *the beat of policemen.* **heart-beat,** batida do coração.
beating *s.* 1 surra, espancamento. 2 perder por muitos pontos (esporte). *take a beating,* levar uma surra. *give someone a beating,* dar uma surra em alguém.
beautician *s.* cabeleireiro.
beautiful *adj.* belo, bonito, atraente, encantador.
beautifully *adv.* maravilhosamente.
beauty *s.* (pl *-ies*) 1 beleza, graça, encanto, perfeição. 2 algo ou alguém que é lindo, bonito, maravilhoso, ótimo: *She's really a beauty!* **beauty-parlour, beauty-salon,** salão de beleza. **beauty-queen,** miss, moça classificada em primeiro lugar em concursos de beleza.
beaver *s.* castor.
became V. Passado de *become.*
because *conj.* porque, pela razão de: *I called you because I have goog news.*
because of *prep.* por causa de: *The child woke up because of the dog.*
beck *s.* aceno, sinal. **be at somebody's beck and call,** estar à disposição de alguém, às ordens de alguém.
beckon *v.t. e i.* acenar, fazer sinal, chamar (com gestos): *She beckoned him to sit with her.*
become *v.t. e i.* 1 vir a ser, tornar-se: *She became a good mother.* 2 convir, ficar bem: *His behaviour does not*

becoming

become his position. 3 **become of**, acontecer a: *What became of your young brother?*
becoming *adj.* 1 atraente, bonito, vistoso: *to dress in a becoming way.* 2 conveniente, adequado, apropria-do: *a becoming comment.*
bed *s.* 1 cama, leito. **go to bed**, ir dormir. **get out of bed**, sair da cama, levantar-se. **bed and board**, cama e comida. **get out the wrong side of the bed**, acordar mal humorado. **make the bed**, fazer a cama. 2 base, camada: *His house was built on a bed of rock.* 3 leito, fundo: *river bed*, leito do rio; *sea* bed, fundo do mar. 4 canteiro (de flores). **bedclothes**, roupa de cama. **bedlinen**, roupa de cama. **bedridden**, acamado, confinado à cama. **bedroom**, quarto de dormir. **bedside**, lado ou beira da cama. **bedside manner**, (médicos) comportamento delicado, compre-ensivo. **bedside lamp**, abajur de cabeceira. **bedside table**, mesa de cabeceira, criadomudo. **bedsitting room**, apartamento conjugado, kitchnette. **bedspread**, colcha. **bedtime**, hora de dormir.
bedding *s.* travesseiros, colchão e roupa de cama.
bedlam *s.* tumulto, confusão.
bedraggled *adj.* molhado e sujo.
bee *s.* abelha. **make a bee-line for**, ir direto para algo: *He made a bee-line for the TV.* **beehive**, colméia. **beeswax**, cera de abelha.
beef *s.* carne de boi ou de vaca. **corned beef**, carne salgada, enlatada.
beefy *adj.* forte, carnudo.
been V. (participio passado do verbo *be*).
beer *s.* cerveja.
beet *s.* beterraba. **sugar beet**, beterraba usada para a produção de açúcar.
beetle *s.* besouro.
beetroot *s.* beterraba.
before *prep* 1 anterior a: *the month before March.* 2 antes de, na frente de (com referência a uma determinada ordem): *1 comes before 2.* 3 perante: *All men are equal before the law.*
before *adv.* já, anteriormente, antes: *We've been to Buenos Aires before.*
before *conj.* antes que: *You must call your wife before you travel.*
beforehand *adv.* de antemão, anteriormente, antecipadamente: *She will tell him what she is going to do beforehand.*
befriend *v.t.* tornar-se amigo de: *I always befriend my neighbors.*
beg *v.t. e i.* 1 mendigar: *That man begs for food here every day.* 2 rogar, implorar, suplicar: *I beg you to forgive me.*
began *v.* (passado do verbo *begin*).
beggar *s.* 1 pedinte, mendigo.
begin *v.t. e i.* começar, iniciar: *We begin to study at 9 o'clock.* **to begin with**, para começar, em primeiro lugar, antes de tudo: *Before starting the meeting, I'd like to appologize for being late.*
beginning *s.* começo, início.
beguiling *adj.* encantador, sedutor: *The baby has a beguiling look.*
begun V. (participio passad do verbo *begin*).
behalf *s.* 1 **on/in behalf of**, em nome de, em favor de, no interesse de: *He called you on my behalf*, Ele te ligou em meu nome, por mim, no meu lugar.
behave *v.i.* 1 comportar (-se), portar (-se): *Her dog behaved very well.* 2 proceder: *How do you expect me to behave?* **welll/badly behaved**, bem/mal-comportado.
behaviour *s.* comportamento, procedimento, conduta. (EUA *behavior*).
behead *v.t.* decapita: *Beheadings are still part of some cultures.*
behind *adv.* 1 atrás, detrás: *The dog is behind the door.* 2 atrasado, com atraso: *I am behind schedule.*

behind prep. 1 atrás de, depois de: What lies behind your beautiful words? **behind the time**, fora de época, fora de moda, ultrapassado. **behind someone's back**, por trás de alguém. **behind the scenes**, nos bastidores.
behind s. traseiro.
beige s. e adj. bege.
being s. 1 existência. 2 natureza. 3 ser, criatura, ente, pessoa humana, ser humano: Caring is part of a female being.
belch v.t. e i. 1 arrotar: babies always belch. 2 vomitar.
belief s. crença, convicção, opinião, credo: My belief is that..., acredito que, creio que.
believe v.t. e i. 1 acreditar, crer: I believe you. 2 ter confiança em, ter fé em.
believer s. pessoa crente, que tem fé.
belittle v.t. depreciar, diminuir: Don't belittle yourself, Não seja modesto.
bell s. sino, campainha: ring the bell, tocar a campainha.
belligerent adj. agressivo, hostil.
bellow v.t. e i. berrar, gritar alto.
belly s. 1 ventre, barriga, abdômen. 2 estômago. 3 saliência, bojo. **bellyache**, dor de barriga, dor de estômago. **bellybutton**, umbigo.
belong v.i. 1 **belong to**, pertencer a, ser propriedade de: This car belongs to Mike. 2 ter seu lugar próprio, estar no lugar certo: This chair doesn't belong here, Essa cadeira está fora do lugar, não é daqui.
belongings s. (pl) pertences: Make sure you don't forget your belongings.
beloved adj. querido, bem amado, caro, adorado: my beloved cat..
beloved s. pessoa amada, querida: I always remember my beloved.
below adv. abaixo, em lugar inferior, para baixo: the car went down the hill into the valley below.
below prep. abaixo, sob, menos que: I like temperatures below zero.

belt s. 1 cinto, cinturão. 2 correia, tira. 3 zona, região. **green belt**, cinturão verde. **safety belt**, cinto de segurança.
belt v.t 1 colocar cinto, correia. 2 cercar, rodear. 3 bater com cinto.
bench s. 1 banco: park bench, banco de parque, jardim. 2 bancada de trabalho usada por carpinteiros, sa-pateiros etc. 3 **The Bench**, juizado, juízes, tribunal, cargo de juiz.
bend s. curva, ângulo, curvatura.
bend v.t. e i. 1 curvar, torcer, virar, dobrar, inclinar. 2 curvar-se, inclinar-se: He bent down to pick up his wallet. **bent on**, estar inclinado a, estar determinado a.
beneath adv. abaixo, em posição inferior: the sky above, the earth beneath.
beneath prep. 1 abaixo, sob: She likes to spend her free time beneath the sun. 2 não digno de: He is beneath me.
benefactor s. benfeitor.
beneficial adj. benéfico, útil, provei-toso: A good sleep is always beneficial.
beneficiary s. (pl -ies) beneficiário, beneficiado: I was his beneficiary.
benefit s. 1 benefício, vantagem: The company has many benefits to offer. 2 ajuda, auxílio.
benevolent adj. benevolente, bondo-so, caridoso.
benevolence s. benevolência, boa vontade, bondade.
benign adj. 1 benigno, não perigoso. 2 gentil, bondoso. 3 ameno.
bent V. (passado do verbo bend).
bent s. tendência, inclinação: The group has a bent for drama.
benumbed adj. amortecido: The animal was benumbed with the cold outside.
bereaved adj. despojado, abando-nado, desolado.
berry s. (pl -ies) baga, bago: strawberry: morango; blackberry, amora; raspberry, framboesa.

berth

berth s. 1 beliche, leito (em navios, ônibus, trem, etc.). 2 espaço para atracar no cais do porto.
berth v.t. e i. atracar, ancorar:
beseech v.i. implorar, suplicar.
beside prep. ao lado de, perto de, junto a: *She was beside me in the bus.*
besides adv. em adição, além disso, além do mais: *The presentation was too long, and besides that not even interesting.*
besides prep. além de, em adição: *He wants me to write another book, besides the one I have just written.*
best adj. (sup de *good*), o melhor, a melhor, os melhores, as melhores. **best man**, padrinho de casamento.
bestow v.t. conferir, conceder
bet v.i. (-tt-) apostar.
bet s. aposta.
betray v.t. 1 trair, atraiçoar.
betrayal s. traição, deslealdade, denúncia.
betrothed adj. comprometido, prometido para o casamento.
better adj. 1 (comp de *good*) melhor. **better off**, em melhor situação financeira: *She's better off having married Michael. Roberto was irresponsible.*
better adv. 1 (comp de *well*) melhor: *He would play tennis better if he practiced daily.* **had better**, seria melhor, aconselhável: *You had better see a doctor.*
better s. **get the better of**, vencer, derrotar, levar a melhor: *The better of the two will go on to the finals.*
better s. apostador.
between adv. no meio, em posição intermediária, no intervalo: *There are trees along the garden path and flowers in between.*
between prep. entre dois 1: *The right tape is between the book and the pen.* 2 (rel a grau, posição): *Major ranks between the captain and the coronel.* 3 (rel a tempo): *between March and May.*
beverage s. bebida.

beware v.t. e i. (of) tomar cuidado, guardar-se: *beware of the dog!*
bewilder v.t. confundir completamen-te, desnortear desconcertar, fazer perder o rumo: *I was completely bewildered by what she told me.*
bewilderment s. confusão, espanto.
bewitch v.t. 1 encantar, enfeitiçar. 2 fascinar, cativar: *She bewitched Mark with her eyes.*
beyond adv. além, mais longe: *I can see those hills and beyond.*
beyond prep. 1 além de, do outro lado de: *What is beyond that building?* 2 depois de, a partir de: *Don't come here beyond four o'clock.* 3 mais do que, além de, superior a: *The situation got beyond control.*
bi- prefixo bi, duas vezes, duplo.
bias s. 1 inclinação, tendência, propensão, preconceito: *He seems to be bias against the plan.*
bias v.i. influenciar (de modo desfavorável), predispor.
bib s. 1 babador.
Bible s. Bíblia, livro sagrado.
biblical adj. bíblico, relativo à Bíblia: *The flood is of biblical proportions.*
bibliography s. bibliografia.
bicarbonate s. bicarbonato.
bicentenary s. bicentenário.
biceps s. bíceps.
bicycle s. bicicleta: *Do you want to ride my bicycle?*
bicycle v.i. andar de bicicleta.
bid v.t. e i. dar um lance (em leilão), oferecer um preço: *Would you like to bid for the chinese vase?*
bid v.i. 1 dar ordens. 2 cumprimentar: *bid somebody goodbye.*
bid s. 1 lance (em leilão). 2 oferta, proposta.
bidding s. 1 **do sb's bidding**, obedecer às ordens de alguém. 2 lance (em leilão).
big adj. 1 grande, intenso, vasto. 2 crescido, adulto: *big boys don't cry.* **think big**, ter grandes idéias e planos. **talk big**, contar vantagem, exagerar.
bighead, pessoa convencida.

bigamist s. bígamo.
bigamous adj. bígamo.
bigamy s. bigamia.
bigot s. fanático, intolerante, extremista.
bigoted adj. obstinado, intolerante, fanático.
bigotry s. fanatismo, intolerância, extremismo.
bike s. bicicleta.
bilateral adj. bilateral.
bile s. 1 bile, bílis. 2 mau humor, cólera.
bilingual adj. bilíngüe: *He's bilingual. He speaks English and Portuguese fluently.*
bill s. 1 conta, fatura. 2 aviso, boletim, anúncio, carta. 3 projeto de lei. 4 letra de câmbio: *bill of Exchange.* 5 (EUA) nota, cédula (de dinheiro). 6 certificados, atestados: *bill of health,* atestado de saúde.
bill v.t 1 mandar conta, faturar. 2 anunciar, notificar (com cartazes).
billiards s. jogo de bilhar.
billion s. bilhão.
billow v.i. crescer, elevar-se (como ondas): *The flowers billowed over the fence.*
bin s. caixa, lata: *dust bin,* lata de lixo.
bind v.t. e i. amarrar, atar, ligar: *to be bound hand and foot,* estar com as mãos e os pés atados. 2 vincular, ligar-se. 3 colar, prender (as pontas). 4 encadernar: *a book bound in plastic.*
binder s. 1 encadernador. 2 amarrador, atador.
binding s. 1 encardenação, capa de livro.
bingo s. jogo de bingo.
binoculars s. (pl) binóculo: *Police binoculars come equipped with a speed radar.*
biographer s. biógrafo.
biographic (-ical) adj. biográfico.
biography s. biografia: *The movie is an auto-biography.*

biological adj. biológico: *Biological reasearch has lead to great findings.*
biologist s. biólogo, biologista: *I didn't know she was a biologist, I thought she was a doctor.*
biology s. biologia.
bitch s. 1 cadela, fêmea do cão, lobo ou raposa. 2 meretriz, prostituta. 3 safada.
bite v.t. e i. 1 morder. 2 picar, ferroar. 3 ferir, causar dor aguda: *His face was bitten by the wind.* 4 agarrar, penetrar: *The wheels of the car can't bite in the mood.*
bite s. 1 mordida, dentada. 2 picada, ferroada 3 algo para comer: *He hasn't had a bite to eat since this morning.* 4 aspecto mordaz, satírico: *What he said had a cruel bite.*
biting adj. cortante: *a biting cold.*
bitter adj. 1 amargo 2 doloroso, triste, penoso: *bitter memories.* 3 caústico, áspero, cruel, implacável: *bitter words.* 4 penetrante, pungente: *a bitter wind.*
bitter s. cerveja amarga: *"A pint of bitter, please."*
bitterly adv. amargamente, áspera.
bird s. 1 pássaro.
birth s. 1 nascimento, parto: *give birth to,* dar a luz a. 2 origem, descendência: *Mark is german by birth.* **birth-control,** controle da natalidade.
birthday, aniversário (de nascimento).
birthplace, local de nascimento.
birthrate, taxa de natalidade.
biscuit s. biscoito.
bisect v.t. dividir em duas partes, secionar ao meio, bifurcar-se.
bisection s. bisseção, bifurcação.
bishop s. bispo.
bit s. 1 bocado, pedaço pequeno. 2 pouquinho: *She's feeling a bit better.*
bit by bit, pouco a pouco.
bitterness s. 1 amargura, amargar. 2 mágoa. 3 crueldade.
bizarre adj. bizarro, grotesco, esquisito.

black

black *adj.* 1 preto. 2 sem luz, muito escuro. 3 sombrio, hostil, ameaçador: *Things look black today.* **black art**, magia negra. **blackboard**, quadro negro, lousa. **black market**, mercado negro. **black sheep**, ovelha negra, membro sem valor de uma família.
black *s.* 1 a cor preta. 2 pessoa preta. 3 luto, roupa preta.
blacken *v.i. e t.*1 escurecer, enegrecer, pretejar. 2 difamar, falar mal.
blacklist *s.* lista negra.
blacklist *v.i.* colocar na lista negra.
blackmail *s.* chantagem.
blackmail *v.i.* fazer chantagem.
blackout *s.* 1 blecaute, escurecimento (como defesa anti-aérea). 2 perda temporária da memória ou consciência. 3 apagamento das luzes no palco: *We have suffered 3 blackouts within the month.*
bladder *s.* 1 bexiga. 2 câmara de ar.
blade *s.* 1 lâmina (de faca, de barbear, etc): *The blade of the sword is made of hard steel.* 2 folha de grama.
blame *v.i.* culpar, acusar, considerar responsável, responsabilizar: *He blamed me.*
blameless *adj.* sem culpa, inocente: *He was blameless in the accident.*
blanch *v.t. e i.* 1 branquear: *Do you think you could blanch my white shirt?* 2 empalidecer. 3 pelar, despelar.
bland *adj.* 1 gentil, ameno, agradável. 2 suave, brando. 3 sem sal.
blank *adj.* 1 em branco, sem nada escrito. 2 Com espaço em branco, a ser preenchido (em documentos, formulários, etc). 3 vazio, vago, inexpressivo: *She has a blank look on her face. She's completely lost.*
blank *s.* lugar vazio: *When I tried to think of an answer, my mind was a complete blank.* **blank verse**, verso em branco, sem rima.
blanket *s.* 1 cobertor, manta: *I love those striped blankets.*
blare *v.t. e i.* proclamar em voz alta, berrar.

blaspheme *v.t. e i.* blasfemar, caluniar.
blasphemy *s.* blasfêmia, irreverên cia: *That's a blasphemy he cried out. I was nowhere near that place.*
blast *s.* 1 rajada forte e repentina de vento. 2 explosão, detonação: *The buildng crumbled with the bomb blast.* **at full blast**, a todo vapor,
blast *v.t* 1 dinamitar, fazer explodir. 2 destruir, estragar: *The mountain side was blasted to make way for the new highway.*
blatant *adj.* 1 barulhento, ruidoso, espalhafatoso. 2 óbvio, patente.
blaze *s.* 1 chama, labareda, fogo. 2 luz intensa, brilho, esplendor. 3 arroubo, explosão (de temperamento): *in a blaze of love.*
blaze *v.t. e i.* 1 queimar, estar em chamas. 2 brilhar:
blazer *s.* jaqueta esporte.
bleach *v.t. e i.* branquear, alvejar, descolorir.
bleak *adj.* 1 deserto, desolado. 2 gélido. 3 desanimador.
bleary *adj.* turvo, escuro.
bled *v.* (passado do verbo *bleed*).
bleed *v.t. e i.* perder sangue, sangrar: *Look, he's bleeding from the cut he suffered.*
blemish *s.* marca, mancha, defeito: *You are a blemish to our house and family.*
blemish *v.t.* manchar, marcar, macular.
blench *v.i.* 1 recuar. 2 esquivar-se de.
blend *v.t. e i.* 1 misturar. 2 combinar bem, harmonizar.
blend *s.* mistura, combinação: *water and oil don't blend well.*
blender *s.* liquidificador: *The blender is on the kitchen table.*
bless *v.i.* 1 abençoar. 2 desejar felicidade: *God bless you!* 3 consagrar, santificar: *The priest blessed the couple.* 4 proteger, afortunar.
blessed *adj.* 1 sagrado, santificado, santo. 2 abençoado, feliz, bem-aventurado.

blessing s. graça divina, bênção: a blessing from God.
blew v. (passado do verbo blow).
blight s. 1 ferrugem.
blight v.t. arruinar.
blind adj. 1 cego. 2 inconsciente, feito às cegas. 3 irracional. **blind alley**, beco sem saída. **blind date**, encontro com desconhecido do sexo oposto.
blind v.i. 1 cegar. 2 ofuscar. 3 confundir, desconcertar, cegar: The car lights blinded me for a minute.
blind s. cortina, veneziana, persiana.
blindfold v.t. vendar os olhos.
blindness s. 1 cegueira. 2 ignorância: Your blindeness makes me angry.
blink v.i. e t. 1 piscar os olhos, pestanejar. 2 piscar, reluzir de modo intermitente: The lights of the road were blinking.
bliss s. felicidade, êxtase, alegria suprema, bem-aventurança.
blissfull adj. feliz, bem-aventurado: This is a blissfull sight.
blister s. 1 bolha, pústula: His hands were covered in blisters after the race. 2 bolha de ar, defeito (em uma superfície).
blister v.t. e i. empolar, formar bolhas.
blitz s. guerra-relâmpago, ataque repentino: The blitz was introduced in WW II by the Germans.
blizzard s. nevasca, temporal com neve e frio intenso: The blizzard was so intense he had to stop.
bloated adj. 1 inchado, intumescido.
bloc s. coligação política ou partidária, bloco.
block s. 1 bloco (de pedra, madeira, etc). 2 quadra, quarteirão, grupo de prédios, casas. **block letters**, letra de forma.
block v.t 1 bloquear, obstruir, impedir passagem. 2 parar, paralisar, bloquear: My father blocked my plans of traveling.
blockade s. bloqueio, obstrução (de um lugar). **raise the blockade**, suspender o bloqueio. **run the blockade**, romper o bloqueio.

blockade v.t. bloquear, obstruir, cercar: They blockaded the gate to avoid party crashing.
blockage s. 1 bloqueio. 2 obstrução.
blond s. e adj. louro.
blonde s. e adj. (mulher) loura: Marilyn is one of the most famous blondes.
blood s. sangue. **in cold blood**, a sanguefrio. **make one's blood run cold**, dar arrepios, causar horror. **one's own flesh and blood**, pessoa(s) da família, do mesmo sangue. **blood bank**, banco de sangue.
bloodless adj. 1 sem derramamento de sangue: a bloodless revolution. 2 pálido, descorado. 3 cruel, desumano.
bloody adj. 1 sangrento, ensangüentado. 2 maldito, infame: You're a bloody fool!
bloom s. 1 flor, florescência. 2 vigor, beleza, exuberância.
bloom v.i. 1 florir. 2 vicejar, estar na flor da idade.
blossom s. flor (esp de planta frutífera).
blossom v.i. 1 florir, dar flores. 2 florescer, desenvolver-se: She blossomed into a beautiful girl.
blot s. 1 borrão (de tinta): a blot on his shirt. 2 mancha, mácula.
blot v.i. 1 manchar, borrar (com tinta). 2 enxugar com mata-borrão. **blot out**, apagar, esconder, encobrir: Some words should have never been blotted out.
blotch s. mancha grande, irregular: There's an ink blotch on the paper.
blouse s. blusa.
blow v.t e i. 1 soprar, assoprar. 2 ventar, mover pelo vento: His paper was blown off by the wind. 3 assoprar, assoar: to blow one's nose. 4 fazer soar (instrumento de sopro), apitar. **blow out**, apagar (luz, fogo): blow out the candle, I´ll turn on the light. **blow over**, passar, ser esquecido: Don't worry, just blow it over. **blow up**, a) explodir. b) ficar irritado. c) inflar, encher de ar: blow up a balloon.

blow

blow s. sopro.
blow s. 1 soco, golpe, pancada.
blown V.(particípio passado do verbo *blow*).
blowout s. 1 estouro (esp de pneu): *The blowout almost caused a terrible accident.*
blue adj. 1 azul. 2 triste, deprimido, melancólico. **blue-collar**, referente a operários (por oposição a empregados de escritório) **blue-print**, a) planta. b) projeto, plano.
blue s. azul, cor azul. *out of the blue*, repentinamente: *He appeared out of the blue.*
blues s. rítmo musical.
bluff v.t. e i. iludir, blefar, enganar: *He's bluffing. He doesn't have the courage to do that.*
bluff s. 1 blefe, logro. 2 costa íngreme, costão, escarpa.
bluff adj. 1 íngreme, escarpado. 2 (rel a pessoas) áspero, franco, sem-cerimônias.
bluish adj. azulado.
blunder s. erro, equívoco, asneira: *That was a terrible blunder.*
blunder v.t. e i. 1 errar, fazer uma asneira. 2 mover-se de modo desajeitado, cambalear.
blunt adj. 1 sem corte, cego (lâmina): *This knife is blunt.* 2 brusco, áspero, abrupto.
blur s. 1 mancha, borrão: *A blur in the t-shirt.* 2 som indistinto, som confuso: *I can't understand you. I can only hear a blur.*
blur v.t. e i. 1 embaçar, obscurecer, borrar: *Tears blurred her eyes.* 2 ficar obscuro, indistinto.
blurt v.t 1 falar sem pensar: *Don't blurt; think before you say something.* 2 deixar escapar um segredo.
blush s. 1 rubor (provocado por vergonha, timidez). 2 vermelhidão, cor rosada. 3 maquilagem aplicada às faces.
blush v.i. corar, ruborizar-se, envergonhar-se: *She blushed when she saw him.*
board s. 1 tábua, prancha: *surf board.* 2 papelão, cartão. 3 bordo: *on board,* a bordo. 4 junta, conselho, câmara: *Board of Directors,* Conselho dos Diretores. 5 lousa, quadro-negro: *blackboard.* 6 pensão, refeições pagas. *board meeting,* reunião do conselho. *Board of Trade,* Câmara de Comércio, *The Board of Education,* o Conselho de Educação.
board v.t. e i. 1 assoalhar, cobrir com tábuas. 2 dar pensão, dar comida contra pagamento. 3 abordar, subir a bordo.
boarder, aluno interno, pensionista.
boarding-card, cartão de embarque.
boarding-house, pensão. **boarding-school**, internato, escola interna.
boast s. 1 elogio de si próprio. *Her boast of being the most beautiful girl in town brought smiles and laughter.* 2 motivo de orgulho: *Their boast is to be free and independent.*
boat s. 1 bote, barco. *rowing boat*, barco a remo; *fishing boat*, barco pesqueiro.
bob v.i. e t. 1 curvar-se. 2 cortar o cabelo curto: *She bobbed her daughter's hair and she didn't like it.* 3 flutuar.
bodice s. corpete.
bodily adj. 1 corpóreo, material. 2 físico.
body s. (pl *-ies*) 1 corpo: *body and soul,* corpo e espírito. **body-guard**, guarda-costas, escolta.
boil s. 1 fervura, ebulição: *Bring the water to the boil, so we can have some tea.* 2 agitação.
boil v.t. e i. 1 ferver. 2 cozinhar. 3 mover-se violentamente. *boiling hot,* fervente, muito quente: *boiling hot water.* **boiling-point**, ponto de ebulição.
boiler s. 1 caldeira. 2 aquecedor (de água).
bold adj. 1 corajoso, valente: *Churchill was a bold man.* 2 arrojado,

audaz, descarado. 3 imprudente, impertinente.
boldly *adv.* atrevidamente, impertinentemente, corajosamente: *Children usually reply boldly.*
boldness *s.* ousadia, atrevimento, descaramento, coragem.
bolt *s.* 1 pino, parafuso com porca. 2 ferrolho: *She locked her fence with a bolt.* 3 seta, flecha. 4 raio: *a bolt of lightning.*
bolt *v.t. e i.* 1 correr, fugir, sair às pressas. 2 trancar, fechar com ferrolho. 3 aparafusar.
bomb *s.* bomba, projétil. *go like a bomb*, ter sucesso, ir a todo vapor.
bomb *v.t. e i.* bombardear, lançar bombas: *The city was bombed by the enemy.* ***bombshell***, a) granada explosiva. b) surpresa. c) atriz de grande sucesso repentino.
bomber *s.* avião de bombardeio.
bond *s.* 1 laço, elo, vínculo: *bond of friendship.* 2 bônus, carta de fiança. 3 acordo, contrato.
bond *v.t. e i.* 1 penhorar, hipotecar. 2 ligar, unir, juntar: *Oil and water don't bond together.*
bondage *s.* 1 escravidão, servidão. 2 dependência, sujeição.
bone *s.* 1 osso: 2 esqueleto, ossatura. 3 marfim, chifre, barbatana.
bonfire *s.* fogueira.
bonus *s.* bonificação, prêmio, dividendo.
bony *adj.* 1 ósseo. 2 ossudo. 3 magro, esquelético.
boob *s.* peito, seio de mulher: *Her boobs are not for real.*
book *s.* 1 livro. 2 divisão da Bíblia: *book of Gênesis.* ***book-case***, estante para livros. ***book-ends***, suporte de livros. ***book-stall***, banca de livros. ***book store***, livraria.
book *v.t.* 1 registrar, marcar em livro. 2 reservar: *to book seats for dinner.* ***booking office***, bilheteria.
booklet *s.* folheto, panfleto, livreto.

boom *s.* 1 (EUA) incremento, aumento, expansão (de negócios, atividades). 2 estouro.
boom *v.t. e i.* prosperar, expandir.
boot *s.* 1 bota. 2 porta-malas de automóvel. 3 pontapé, chute.
booth *s.* 1 barraca. 2 cabine (telefônica, de votação, etc): *a telephone booth.* *a ticket booth*, bilheteria.
booze *s.* 1 bebida alcoólica. 2 bebedeira.
booze *v.i.* ficar bêbado, embriagar-se: *He boozes every night.*
border *s.* 1 borda, margem, beira. 2 fronteira, limite: *the border with Argentina.* ***borderline***, limite, demarcação, fronteira. ***borderline case***, a) caso limítrofe, fronteiriço. b) incerto, duvidoso.
bore *v.t.* 1 amolar, aborrecer, chatear: *He bores me with his story everytime we meet.*
bore *s.* 1 enfado, fastio: *What a bore!*
bore *v.* (passado do verbo *bear*).
boredom *s.* enfado, fastio, aborrecimento.
boring *adj.* aborrecido, chato, enfadonho: *What a boring job!*
born 1 *be born*, nascer: *Where were you born?*
born *adj.* nato, inato: *a born actor.*
borrow *v.t. e i.* 1 emprestar, obter emprestado: *May I borrow your pencil?* 2 tomar, pegar para si.
bosom *s.* 1 peito, seio: *The mother held the baby close to her boson.*
bosom *adj.* do peito, de confiança: *bosom friend.*
boss *s.* 1 chefe, mestre. 2 patrão, empregador.
boss *v.t.* chefiar, dirigir, controlar.
bossy *adj.* mandão, autoritário: *He's got a bossy mother.*
botany *s.* botânica.
botch *v.t.* estragar, fazer mal efeito.
botch *s.* remendo, serviço mal feito.
both *adj.* ambos, os dois, as duas, um e outro.

both

both *pron.* ambos, ambas: *both are interesting.*
both *conj.* não só, tanto(...) como: *Both Paulo and George are big friends of mine.*
bother *v.t. e i.* 1 amolar, aborrecer, incomodar. 2 preocupar-se, incomodar-se. 3 dar-se ao trabalho de: *Don't bother I'll take care of your kid for you.*
bother *s.* preocupação, incômodo, amolação, contrariedade.
bottle *s.* 1 garrafa, frasco. 2 mamadeira: *The baby's bottle is ready.*
bottle *v.t.* 1 engarrafar. *bottle-fed*, alimentado por mamadeira. *bottle-green*, cor verde-garrafa, verde-escuro.
bottle-neck, 1 gargalo de garrafa. 2 passagem estreita, estrangulamento.
bottom *s.* 1 fundo, leito, baixada. 2 traseiro, nádegas. 3 essência, âmago.
bottomless *adj.* sem fundo.
bought *v.* (passado do verbo *buy*).
bounce *v.t. e i.* 1 saltar, pular: *to bounce on a sofa.* 2 bater (porta). 3 arremessar.
bounce *s.* 1 pulo, salto. 2 elasticidade.
bouncing *adj.* 1 que pula, elástico: *bouncing hair.* 2 forte, vigoroso, cheio de saúde: *a bouncing baby.*
bound *s.* pulo, salto: *The frog bound the other rock without falling.*
bound *adj.* 1 encadernado. 2 obrigado, compelido. 3 certo, seguro: *It is bound to be a sunny day.*
bound *adj.* com destino para, prestes a ir, de partida, em viagem para: *Where are you bound? Aonde você vai?*
boundary *s.* (pl - *ies*) 1 limite, fronteira, divisa.
boundless *adj.* 1 ilimitado, infinito. 2 enorme, vasto.
bounty *s.* 1 generosidade, doação: *bounty to the poor.* 2 subvenção, subsídio.
bouquet *s.* 1 buquê, ramalhete: *a bouquet of flowers.* 2 aroma do vinho. 3 fragrância, perfume.
bourgeois *s.* 1 burguês, proprietário. 2 pessoa da classe média.

bow *s.* 1 arco (para flechas). 2 arqueiro. 3 curva, curvatura. 4 aro, arco. *arco-íris*, rainbow. 6 laço: *The baby girl wore a bow in her hair. bow tie*, gravata borboleta.
bow *v.t.* 1 curvar em forma de arco.
bow *s.* 1 mesura, reverência, inclinação da cabeça: *to bow sbomebodies head.* 2 proa de navio ou barco.
bow *v.i. e t.* 1 reverenciar, saudar, cumprimentar (curvando o corpo ou a cabeça), curvar o corpo ou a cabeça (em sinal de respeito, submissão, concordância): *He bowed in the presence of the king.* 2 curvar(-se), dobrar.
bowel *s.* 1 intestino. 2 entranhas, vísceras.
bowl *s.* 1 bacia, tigela. 2 boliche.
bowl *v.t. e i.* 1 jogar boliche. 2 fazer rolar.
bowling *s.* jogo de boliche: *I love bowling, it does wonders to my health.*
box *s.* 1 caixa: *gear box*, caixa de câmbio; *mail box*, caixa postal.
box *v.t. e i.* 1 encaixotar, embalar em caixas. 2 esbofetear. 3 boxear.
boxer *s.* pugilista, boxeador: *Mike Tyson was one of the greatest boxers.*
boy *s.* 1 menino, moço, rapaz, garoto. 2 empregado, ajudante. *boyfriend*, amigo, namorado. *boyhood*, meninice, juventude.
boycott *v.t.* boicotar.
boycott *s.* boicote.
boyish *adj.* 1 de menino, infantil: *boyish jokes.* 2 próprio para meninos: *boyish game.*
bra *s.* sutiã.
brace *s.* 1 tira, cinta, atadura. 2 braçadeira, grampo.
braces *s.* (pl) 1 suspensórios. 2 aparelhos dentários, aparelhos ortopédicos: *She wears braces.*
bracelet *s.* pulseira, bracelete.
bracket *s.* 1 parêntese, *in brackets*, entre parênteses.
brag *v.i.* 1 fazer alarde, alardear. 2

gabar-se: *He is always bragging about everything he does.*
braid *s.* 1 trança. 2 cadarço.
braid *v.t* 1 trançar, entrelaçar. 2 amarrar com fita.
braille *s.* braile: *Can you read braille?*
brain *s.* 1 cérebro, miolo. 2 (pl) inteligência: *He's got brains!* **brain washing**, lavagem cerebral.
brainy *adj.* inteligente, esperto.
brake *s.* freio, breque: *The brakes on this bike are really good.*
brake *v.t. e i.* 1 frear, brecar: *You shouldn't brake in corners.* 2 retardar, refrear.
bran *s.* farelo (de trigo, centeio).
branch *s.* 1 galho, ramo de árvore. 2 ramificação, ramal. 3 filial, sucursal, seção: *a branch of the bank.*
branch *v.i.* 1 ramificar. 2 separar-se. 3 dividir em seções, ramos.
brand *s.* 1 marca de fábrica, marca registrada. 2 marca em gado: *His cattle carries the ranch brand.*
brand *v.t* 1 marcar, macular, estigmatizar. 2 marcar gado, gravar a fogo. **brand-new**, novo em folha, sem uso: *a brand new bike.*
brandish *v.t.* brandir, agitar.
brandy *s.* conhaque: *I love brandy after dinner by the fire place.*
brass *s.* 1 latão, metal. 2 objeto, instrumento de sopro de latão. 3 bronze, placa de bronze: *the age of brass*, a idade do bronze. **brass band**, orquestra de instrumentos de metal.
brassy *adj.* 1 de latão. 2 semelhante a latão. 3 alto e agudo.
brat *s.* fedelho, moleque.
bravado *s.* (pl -s ou -es) desafio, bravata.
brave *adj.* 1 bravo, valente, corajoso: *He is a brave man.* 2 bonito, vistoso.
bravery *s.* 1 coragem, valentia, bravura. 2 beleza, esplendor.
brawl *s.* briga barulhenta: *The brawl started because of the poker game.*

brawn *s.* força muscular, muque.
Brazil-nut *s.* castanha-do-pará.
breach *s.* 1 brecha, abertura, fenda. 2 rompimento. 3 infração, violação: *breach of the peace*, violação da paz.
bread *s.* 1 pão. **bread and butter**, pão com manteiga. **bread-crumb**, migalha. **bread-winner**, pessoa que trabalha para o sustento da família.
breadth *s.* 1 largura, amplitude, extensão.
break *s.* 1 quebra, fratura, ruptura. 2 fenda, racho. 3 interrupção, intervalo. 4 irrupção.
break *v.t. e i.* 1 quebrar, romper, despedaçar: *She broke her car.* 2 quebrar, fraturar: *Pedro broke his leg.* 3 desobedecer, infringir: *break the law; break a promise.* 4 forçar, arrombar: *The thief broke into the house and stole my jewels.* 5 exceder, ultrapassar (recorde): *Xuxa broke some swimming records.* 8 interromper: *Let's break for lunch.* **break the news**, dar a(s) notícia(s). **break away**, escapar, fugir. **break down**, a) demolir, destruir: *They broke down the old building.* b) quebrar, parar de funcionar: *My car broke down.* c) perder o controle. **break into**, a) entrar à força. b) interromper: *She broke into our conversation.* **break through**, a) passar através de: *It's beautiful when the sun breaks through the clouds.* b) descobrir (depois de muita pesquisa): *Sabin's findings were a major break through in the fight against contagious deseases.* **break up**, a) quebrar em pedaços pequenos: *The glass broke up.* b) terminar, pôr um fim a: *Their marriage broke up.*
breakdown *s.* 1 acidente. 2 colapso, desfalecimento: *nervous breakdown*, colapso nervoso.
breakfast *s.* 1 café da manhã, desjejum.
breakthrough *s.* avanço, descoberta.
breast *s.* 1 peito, tórax. 2 seio, mama.

breath

breath s. respiração, fôlego, hálito: *I'm all out of breath after that wild run.*
breathe v.i. e t. 1 respirar: *Breathe in slowly or you'll faint.*
breathless adj. 1 sem fôlego, esbaforido. 2 calmo, parado: *a breathless day.*
breed s. 1 casta, raça: *a breed of dogs.* 2 estirpe, linhagem. 3 gênero, classe.
breed v.t. e i. 1 procriar, reproduzir. 2 criar (animais): *to breed cattle,* criar gado. 3 educar, treinar. 4 provocar, originar.
breeder s. 1 criador, produtor. 2 animal procriador.
breeding s. 1 criação, procriação. 2 educação: *a man of good breeding,* um homem de boas maneiras.
breeze s. brisa, vento leve.
breezy adj. 1 com brisa, vento. 2 animado, alegre, jovial.
brevity s. brevidade, concisão.
brew v.t. e i. 1 preparar bebida ou infusão (cerveja, chá, etc).
brewery s. cervejaria.
bribe s. 1 suborno. *to take bribes,* deixar-se subornar.
bribe v.t 1 subornar. 2 seduzir.
bribery s. suborno.
brick s. tijolo, bloco retangular.
brick-layer s. pedreiro.
brickwork s. obra de tijolos, alvenaria.
bridal adj. nupcial. *bridal dress,* vestido de noiva. *bridal wreath,* buquê de noiva.
bride s. noiva, recém-casada.
bridegroom s. noivo, recém-casado.
bridesmaid s. dama-de-honra.
bridge s. 1 ponte. 2 ponte de comando.
bridle s. rédea, freio.
bridle v.t. e i. 1 colocar freio ou rédea.
brief adj. breve, curto, rápido, transitório. *in brief,* em poucas palavras.
brief s. 1 síntese, sumário, resumo.
brief v.t 1 resumir.
briefcase s. pasta (de documentos, papéis, etc).
briefly adv. resumidamente, brevemente.
briefs s. (pl) roupa íntima, cuecas.
brigade s. 1 brigada. 2 organização de modelo militar: *The fire brigade,* corpo de bombeiros.
bright adj. 1 brilhante, luminoso, radiante. 2 animado, alegre. 3 esperto, inteligente.
brightly adv. 1 brilhantemente. 2 alegremente. 3 inteligentemente.
brighten v.t. e i. 1 fazer brilhar, iluminar. 2 alegrar. 3 animar-se.
brightness s. 1 brilho, esplendor, claridade. 2 alegria. 3 inteligência.
brilliance s. 1 brilho, luminosidade, esplendor. 2 talento, inteligência.
brim s. 1 borda, orla. *fill the glass to the brim,* encher o copo até a borda.
brim v.t. e i. 1 encher até a borda. 2 estar cheio até a borda, transbordar.
bring v.t 1 trazer. *bring back,* a) devolver, trazer de volta: *Bring back my book tomorrow.* b) trazer à lembrança, à mente. *bring down,* derrubar, abater, provocar a queda: *bring down prices.* *bring off,* conseguir realizar: *The work was difficult to bring off.* *bring on,* causar, acarretar, resultar em. *bring up,* a) criar, educar: *She was brought up by her grandmother.* b) trazer à baila, mencionar para discussão.
bringing-up s. criação, educação.
brink s. 1 beira de precipício, orla, margem. 2 véspera, iminência: *She is on the brink of getting married.*
brisk adj. 1 vivo, rápido, esperto, animado. 2 forte, fresco (vento).
bristle s. 1 cerda (de escova). 2 pêlo rijo (de animal).
bristle v.i. 1 eriçar-se, arrepiar-se (cabelo). 2 mostrar indignação, indignar-se: *to brisk with anger.*
brittle adj. 1 quebradiço, frágil. 2 inseguro, instável. 3 irritadiço.
broach v.t 1 perfurar. 2 abrir, puxar assunto: *She broached the subject of marriage.*

broad *adj.* 1 largo: *The Amazon is a broad river.* 2 amplo, extenso, vasto. 3 generoso, liberal, tolerante.
broad *s.* parte larga de alguma coisa.
broadcast *s.* 1 transmissão por rádio/televisão. 2 difundir, espalhar.
brochure *s.* brochura, folheto, panfleto: *travel brochures,* folhetos turísticos.
broil *v.t. e i.* 1 grelhar: *broiled meat,* carne grelhada, assada.
broke *adj.* quebrado, duro, sem dinheiro: *He's broke.*
broke *v.* (passado do verbo *break*).
broken *v.* (particípio passado do verbo *break*).
broker *s.* corretor.
brokerage *s.* corretagem.
brood *v.i.* 1 chocar (ovos). 2 meditar, pensar: *brood over some problems.*
broom *s.* 1 vassoura.
broth *s.* caldo, sopa.
brothel *s.* bordel, prostíbulo.
brother *s.* 1 irmão. 2 correligionário. 3 companheiro, patrício, colega.
brotherhood *s.* 1 fraternidade, parentesco, irmandade, confraria. 2 camaradagem.
brother-in-law *s.* cunhado, concunhado.
brotherly *adj.* fraternal, fraterno: *brotherly love.*
brought *v.* (passado do verbo *bring*).
brow *s.* 1 testa, fronte. **eyebrows**: sobrancelhas.
browbeat *v.t.* intimidar, amedrontar.
brown *adj.* marrom, castanho, pardo.
browse *v.i.* 1 pastar, 2 folhear livro, jornal,página (de Internet) etc.
bruise *s.* 1 contusão, equimose. 2 machucado. 3 ofensa (aos sentimentos de alguém).
bruise *v.t. e i.* 1 ferir, contundir-se. 2 machucar, esmagar (frutas). 3 ofender.
brunch *s.* refeição no meio da manhã que substitui o desjejum e o almoço: *Sunday brunch*

budget

brunette *s.* morena, moça de cabelo castanho.
brush *s.* 1 escova, pincel: *Tooth brush; hair brush; paint brush..*
brush *vl, v.i.* 1 escovar, limpar: *brush your shoes.* 2 tocar, esbarrar: *He brushed against me,* Ele esbarrou em mim. 3 **brush up,** recordar, melhorar, recuperar: *I must brush up my English,* Preciso recordar os meus conhecimentos de inglês.
brusque *adj.* brusco, abrupto, rude.
brutal *adj.* brutal, selvagem, cruel.
brutality *s.* brutalidade, violência, crueldade.
brutalize *v.t.* brutalizar, embrutecer, agredir.
brute *s.* 1 animal irracional. 2 pessoa bruta ou cruel, brutamontes, bárbaro. 3 animalidade. **brute force**, força bruta.
bubble *s.* 1 bolha de água, sabão: *bubble bath,* banho de espuma. 2 bolha, borbulha (de vinho, etc). 3 borbulho, murmúrio.
bubble *v.i.* 1 fazer bolhas. 2 borbulhar. 3 *bubble over,* transbordar: *He bubbled over with fun,* Ele estava radiante de alegria.
bubble-gum *s.* chiclete de bola.
buck *s.* (EUA) dólar.
bucket *s.* balde, tina. **kick the bucket**, bater as botas, morrer.
buckle *s.* 1 fivela. 2 enfeite metálico de sapato.
buckle *v.t. e i.* 1 afivelar: *to buckle a belt.* 2 dobrar, curvar. 3 lutar.
bud *s.* botão de planta, gomo: *in bud,* em botão.
bud *v.i.* brotar, germinar: *a budding profession,* uma profissão promissora.
budge *v.t. e i.* 1 mover-se, sair do lugar: *He can't budge it,* Ele não pode tirá-lo do lugar. 2 mudar de posição, atitude: *He won't budge.*
budget *s.* 1 orçamento. **open the budget**, apresentar o orçamento. 2 verba, receita. 3 estoque.

budget

budget *v.i.* fazer receita ou orçamento
buffer *s.* pára-choque
buffet *s.* 1 guarda-louça. 2 lugar (em trens, estações etc.) onde são servidas refeições. 3 bufê: *a buffet dinner,* jantar à americana.
bug *s.* 1 percevejo. 2 (EUA) qualquer inseto pequeno. 3 micróbio, bacilo: *I've got the Asian flu bug,* Eu estou com o micróbio da gripe asiática. 4 falha, defeito.
bug *v.t.* 1 irritar, aborrecer. 2 grampear, colocar escuta em.
build *s.* 1 construção, forma. 2 compleição física: *She's a woman of slender build.* Ela é uma mulher esbelta.
build *v.t. e i.* construir, erigir, edificar: *It was built up along the year,* Foi erigido ao longo do ano. **built-up,** cheio de edifícios. **built-up areas,** áreas urbanas. **build up,** desenvolver, recuperar-se: *His constitution is building up,* Sua saúde está melhorando. **build up stocks,** armazenar. **build upon,** depender, basear-se, confiar.
builder *s.* construtor, edificador. **master builder,** empreiteiro.
building *s.* 1 edifício, prédio, casa. 2 construção.
bulb *s.* 1 bolbo, bulbo, cebola. 2 lâmpada. 3 tubo eletrônico.
bulge *s.* 1 protuberância, inchação. 2 aumento temporário.
bulge *v.t. e i.* ser saliente, inchar, causar saliência: *His pocket was bulging with coins,* O bolso dele estava cheio de moedas.
bulk *s.* 1 tamanho, volume, massa. 2 parte principal, maior: *I answered the bulk of the letters.* 3 pilha. 4 carga. **in bulk,** a granel, solto. **in the bulk,** por atacado. **by the bulk,** no total.
bulk *v.i.* 1 ser volumoso. 2 ter importância. 3 crescer, aumentar.
bulky *adj.* 1 grande, volumoso. 2 desajeitado, incômodo.

bull *s.* 1 touro. **bullshit,** disparate, porcaria, ruim.
bull *s.* disparate, absurdo: *What he said was all bull.*
bullet *s.* bala (de arma de fogo), projétil *a bullet proof jacket,* colete à prova de bala.
bully *s.* (pl *-ies*) 1 brigão. 2 fanfarrão, valentão. 3 tirano.
bully *v.t* 1 oprimir. 2 ameaçar, amedrontar: *to bully sb into doing sth,* amedrontar alguém para que faça alguma coisa. 3 maltratar.
bum *s.* 1 nádegas, traseiro. 2 vagabundo, sujeito imprestável.
bump *s.* 1 impacto, baque. 2 colisão. 3 galo, inchaço.
bump *v.i.* 1 bater, chocar-se: *I bumped my nose against the wall.* 2 mover-se aos trancos: *The car bumped along the bad road.*
bumper *s.* pára-choque.
bumpy *adj.* acidentado, esburacado: *a bumpy road.*
bun *s.* 1 balinha doce. 2 pãozinho. 3 coque (de cabelo), birote: *She likes her hair in a bun.*
bunch *s.* 1 cacho, feixe, maço, penca: *a bunch of grapes,* um cacho de uvas; *a bunch of flowers,* um ramalhete; *a bunch of keys,* um molho de chaves. 2 turma, grupo de gente: *He is the best of the bunch.*
bundle *s.* 1 pacote, fardo, feixe, trouxa. 2 grupo, monte: *a bundle of clothes; a bundle of lies.*
bundle *v.t. e i.* 1 embrulhar, empacotar, entrouxar.
bung *s* tampão, boca de barril.
bungle *v.t. e i.* fazer trabalho malfeito, errar, estragar.
bunk *s.* beliche.
bunker *s.* 1 depósito de carvão em navio. 3 casamata.
bunny *s.* (pl *-ies.*) coelho. **Easter bunny,** coelho da Páscoa.
buoy *s.* 1 bóia. 2 salva-vidas: *life buoy.*
buoyancy *s.* 1 poder de flutuação.

2 flutuabilidade. 3 alegria de viver, esperança, ânimo.
buoyant *adj.* 1 flutuante. 2 capaz de manter-se flutuando. 3 animado, alegre.
burden *s.* 1 carga, peso. 2 dever, obrigação. 3 capacidade de carga de navio. 4 algo difícil de suportar: *He is a burden to me,* Ele é um peso para mim.
burden *v.t* 1 carregar, pôr carga em. 2 sobrecarregar, oprimir: *to burden oneself with problems.*
bureau *s* 1 (EUA) cômoda. 2 (GB) escrivaninha. 3 escritório, agência: *a travel bureau.* 4 (EUA) departamento, divisão de repartição pública: *F.B.I = Federal Bureau of Investigation.*
bureaucracy *s.* burocracia.
bureaucrat *s.* burocrata, empregado público.
bureaucratic *adj.* burocrático.
burglar *s.* ladrão, gatuno, arrombador.
burglary *s.* (pl *-ies*) roubo, invasão de domicílio com intuito criminoso.
burial *s.* enterro, sepultamento, funeral: *burial ground/place,* cemitério.
burlesque *adj.* 1 burlesco, caricato. 2 rel a teatro de revista.
burlesque *s.* 1 farsa, paródia. 2 teatro de revista.
burly *adj.* corpulento, robusto, troncudo.
burn *s.* 1 queimadura. 2 queimação.
burn *v.t. e i.* 1 queimar para iluminar ou aquecer: *burn oil/coal,* queimar óleo/carvão. 2 estragar, ferir ou destruir pelo fogo: *Hurry! The meat is burning. He burnt himself while cooking.* 3 queimar, incendiar. 4 estar em chamas, estar aceso, estar quente. 5 incendiar-se, inflamar-se: *He was burning with anger.* 6 estar excitado ou ansioso.
burn away, queimar ou consumir lentamente (pelo calor ou pelo fogo).
burn out, queimar-se, apagar-se ou extinguir-se. ***burn up***, queimar ou consumir-se completamente.

burning *adj.* 1 candente. 2 ansioso. 3 importante, urgente: *a burning question.* 4 fogoso, apaixonado. 5 excitante.
burp *s.* arroto.
burp *v.i.* arrotar.
burst *v.t. e i.* 1 estourar, explodir. 2 irromper, abrir: *The flowers burst open in Spring,* As flores desabrocham na primavera. 3 estar cheio, repleto de: *She was bursting with happiness.* ***burst into tears,*** desfazer-se em lágrimas. ***burst out laughing,*** desatar a rir. ***burst open the door,*** arrombar a porta. ***burst into,*** entrar repentinamente em um lugar.
bury *v.t.* 1 enterrar, sepultar. 2 esconder, encobrir: *She buried her face, when he appeared.* 3 isolar-se, reter-se: *He buried himself in his country house.* ***be buried in thought,*** estar perdido em pensamentos.
bus *s.* (pl *-es*) ônibus. ***bus stop,*** ponto de ônibus.
bush *s.* 1 arbusto. 2 mato, matagal. ***beat around the bush,*** usar de rodeios, sondar.
business *s.* 1 negócio, atividade comercial, comércio. 2 serviço, trabalho, profissão: *Are you here on business?* Você está aqui a serviço? 3 estabelecimento comercial: *He is the owner of two different businesses.* ***Mind your own business!*** Não é da sua conta!
business-man *s.* comerciante, negociante, homem de negócios.
bust *s.* 1 busto, escultura. 2 seios.
bust *v.t* 1 quebrar, rebentar.
bustle *v.t. e i.* 1 apressar(-se). alvoroçar(-se). 2 estar atarefado, trabalhar depressa.
busy *adj.* 1 ocupado, atarefado. 2 cheio de atividade: *a busy day.* 3 (rel a linha de telefone) ocupado.
busy *v.t* 1 ocupar, manter ocupado.
but *adv.* apenas, meramente, só: *She is but a girl,* Ela é apenas uma menina.

but

but *conj.* 1 mas, porém, todavia: *She went but her mother didn't.* 2 a não ser, senão: *No one replied but I,* Ninguém respondeu a não ser eu.
but *prep.* exceto, salvo, a não ser: *Nobody went to the party but me.* **but for**, senão fosse por: *but for your help we should not have finished the work.* **but then**, por outro lado: *New York is a crowded city, but then it's a place full of entertainment.*
butcher *s.* 1 açougueiro. 2 homem cruel e sanguinário.
butcher *v.t.* 1 matar, abater (animais). 2 chacinar, assassinar.
butchery *s.* 1 matadouro. 2 açougue. 3 chacina, carnificina.
butler *s.* mordomo.
butt *s.* 1 extremidade mais grossa (de arma, ferramenta). 2 coronha. 3 toco de árvore. 4 toco de cigarro.
butt *v.t. e i.* bater com a cabeça, dar cabeçada. **butt in/into**, meter-se em (conversa, grupo).
butter *s.* 1 manteiga. 2 pasta.
butter *v.t* 1 passar manteiga. 2 lisonjear, bajular: *butter him up a bit and you'll get what you want,* Bajule-o um pouco e você vai conseguir o que quer.
butterfly *s.* (pl -ies.) borboleta.
buttock *s.* 1 nádega.
button *s.* 1 botão. 2 botão de campainha: *press/touch the button.*
button *v.t. e i.* abotoar: *to button up one's coat.*
button-hole *s.* 1 casa (de botão). 2 pequeno buquê utilizado na botoeira da lapela.
buy *s.* 1 compra, aquisição. 2 pechincha: *That dress was a good buy.*
buy *v.t. e i.* 1 comprar, adquirir. 2 fazer compras.
buyer *s.* comprador.
buzz *s.* 1 zumbido, zunido. 2 murmúrio, sussurro. 3 alvoroço. 4 boato.
buzz *v.t. e i.* 1 zumbir. 2 sussurrar. 3 cochichar.
buzzer *s.* 1 campainha. 2 cigarra. 3 vibrador.
by *adv.* 1 por perto, próximo: *He stood by all night.* 2 de lado, a parte: *Put it by for a moment,* Ponha isso de lado por um momento. 3 perto: *He hurried by and didn't say hello,* Ele passou depressa e não cumprimentou. **stand by**, estar de sobreaviso.
by *prep* 1 perto de, junto a: *He's got a house by the river.* 2 durante, em, a, de: *They always travel by night.* 3 por, pelo, pela: *We came by the highway.* Viemos pela via expressa. 4 por, junto de (passando): *As you go by Mary's, tell her I'm late,* Ao passar pela casa de Mary, diga-lhe que estou atrasado. 5 até: *I want everything ready by 7 o'clock.* **by all means**, de qualquer maneira. **by chance**, por acaso. **by heart**, de cor. **by next year**, no próximo ano, no mais tardar. **by oneself**, sozinbo. **little by little**, aos poucos. **side by side**, lado a lado. **by the way**, a propósito.
bye-bye *interj.* adeus.
by-election *s.* eleição suplementar.
bygone *adj.* passado, antigo: *in bygone days.*
bygone *s.* 1 coisa do passado. 2 passado. **Let bygones be bygones**, Águas passadas não movem moinho.
bypass *s.* 1 desvio, anel viário. 3 ponte de safena.
bypass *v.t* 1 estabelecer passagem secundária. 2 dar a volta. 3 ignorar, deixar de lado (regulamento). 4 evitar, fugir.
by-product *s.* subproduto, conseqüência, produto secundário
bystander *s.* pessoa que se encontra por perto, espectador.

C c

C, c 3ª letra do alfabeto.
cab s. 1 táxi. *New York would not be the same without its Yellow cabs.*
cabaret s. cabaré, boate. *Moulin Rouge is probably the most famous of cabarets.*
cabbage s. repolho.
cabin s. 1 cabine de passageiros, camarote (em navio) *The 1st class cabins in the Titanic were luxurious.* 2 cabana. 3 cubículo.
cabinet s. *The Cabinet,* gabinete, grupo de ministros do governo. *The President ordered a cabinet meeting.* 2 armário pequeno, geralmente com vidro. *The kitchen cabinet is full of glasses and cups.* **cabinet-maker**, marceneiro.
cable s. 1 cabo, corda, fio condutor *The cable that secured the boat broke with the strong winds.* 2 telegrama. *I received a cable from my cousin in Europe.*
cable v.t. e i. telegrafar, mandar um telegrama. *Have you sent a cable to your mother saying you are alright?*
cable-car s. teleférico. *The cable-car that connects Sugar Loaf to Corcovado is really safe.*
cacao s. cacau.
cackle s. cacarejo, gargalhada.
cadence s. cadência, modulação de voz, compasso, ritmo.
cadet s. cadete.
cafe s. café, restaurante.
cafeteria s. 1 cantina, restaurante self-service.
cage s. gaiola.
cage v.t. engaiolar, prender.
cajole v.t. 1 bajular, lisonjear. 2 persuadir alguém, fazer algo através de lisonjas e promessas.
cake s. 1 bolo: *a fruit cake*, bolo de frutas.
cake v.t. e i. empastar(-se), estar coberto de algo endurecido: *shoes caked with mud,* sapatos cobertos de lama. *Her hair was caked with hair spray,* Seu cabelo estava empastado de laquê.
calamity s. (pl *-ies*) calamidade, catástrofe.
calcium s. cálcio.
calculate v.t. e i. 1 calcular, computar: *They were calculating the price of the car they wanted to sell.* 2 planejar, projetar: *This house was calculated to accommodate six people.* **calculate on**, prever, contar com, esperar, antever: *I didn't calculate on Peter reacting in such an aggressive way.*
calculating adj. calculista, interesseiro: *He's very calculating, he never does anything without a specific reason.*
calculator s. máquina calculadora.
calendar s. calendário.
calf s. (pl *calves*) 1 bezerro, novilho. 2 barriga da perna.
calibrate v.t. calibrar.
calibre s. 1 calibre. 2 capacidade, habilidade, caráter: *He's a man of calibre,* Ele é um homem de pulso.
call s. 1 grito, chamado: *a cry for help.* 2 visita curta: *We paid a call on our neighbour.* 3 mensagem, chamada telefônica: *I gave him a call to tell him about the party,* Eu lhe telefonei para (...) *There's a call for you from Rome,* Há uma chamada para você de Roma. **collect call** (EUA), telefonema a cobrar. **make a collect call**, telefonar a cobrar.
call v.t. e i. 1 chamar(-se), dar nome a: *There's a man called Jones to see you. Can you please call an ambulance? I'm going to call the police.* 2 chamar em voz alta, atrair a atenção de alguém: *He called to the waiter in the restaurant.* 3 fazer uma visita curta: *She always calls on her mother when she comes back from work.*
caller s. visitante.
callous adj. endurecido, calejado,

calm

insensível: *He's very callous. He doesn't care much about other people.*
calm *adj.* calmo, sereno, tranqüilo. **keep calm**, manter a calma.
calm *v.t. e i.* acalmar(-se), sossegar(-se): *After she took a tranquilizer, she calmed down.*
calmly *adv.* calmamente, tranqüilamente.
calmness *s.* calma, tranqüilidade, sossego.
calorie *s.* caloria.
calumny *s.* (pl *-ies*) calúnia, difamação.
came V. (passado do verbo *come*).
camel *s.* camelo
cameo *s.* camafeu.
camera *s.* máquina fotográfica, câmera: *movie camera*, máquina filmadora; *TV camera*, câmera de TV; *video camera*, vídeo-filmadora.
camouflage *s.* camuflagem, disfarce.
camouflage *v.t.* camuflar, disfarçar.
camp *s.* acampamento.
camp *v.i.* acampar: *During the holidays, we camped by the sea.* **go camping**, acampar (de férias): *The children love to go camping.*
campaign *s.* 1 campanha: *political campaign*, campanha política; *advertising campaign*, campanha publicitária. 2 luta, esforço: *a campaign against corruption; an anti racist campaign.*
camper *s.* pessoa que acampa.
campsite *s.* lugar apropriado para armar barracas de acampamento.
campus *s.* (pl *-es*) área ocupada por uma universidade ou escola.
can *s.* 1 lata, vasilha de metal: *can of beer*, lata de cerveja; *can of coke*, lata de coca-cola.
can *v. aux.* 1 saber, ser capaz de, poder: *He can't drive. He can only ride a bicycle. She can speak French and German.* 2 poder, ter o direito de: *You can't turn left here. You're not my boss, you can't tell me what to do. This isn't your room, you can't just come in here*

Whenever you want. This is my house, I can do whatever I want. 3 dar/pedir autorização, permissão: *Can I come in? Can I go home early today?* 4 fazer pedidos: *Can you do me a favour? Could you lend me some money? Can I have a cup of coffee, please?*
can *v.t.* enlatar. **canned food**, comida enlatada.
canal *s.* canal. **the alimentary canal**, o tubo digestivo.
canary *s.* (pl*-ies*) canário.
cancel *v.t. e i.* 1 cancelar, anular, desmarcar: *They canceled the meeting.* 2 riscar para inutilizar: *She canceled the cheque I gave her.*
cancer *s.* 1 câncer. 2 câncer, quarto signo astrológico.**Tropic of Cancer**, trópico de Câncer.
cancerous *adj.* canceroso.
candid *adj.* franco, sincero, direto.
candidate *s.* candidato.
candidly *adv.* francamente, sinceramente.
candied peel *s.* frutas cristalizadas.
candle *s.* vela. **candlelight**, luz de vela. **candlestick**, castiçal.
candour *s.* sinceridade, franqueza.
candy *s.* (pl *-ies*) 1 doce feito de açúcar fervido. 2 bala, bombom, doce.
cane *s.* 1 vara, bengala, bastão: *The teacher pointed at the picture with a cane.* 2 vime: *cane furniture*, móveis de vime, cana da Índia. **sugar cane**, cana de açúcar.
canine *adj.* canino.
canister *s.* vasilha de metal ou plástico.
cannibal *s.* canibal.
cannon *s.* canhão.
cannot V. (forma negativa do verbo *can*).
canoe *s.* canoa.
canon *s.* 1 cânone, regra, lei, princípio, critério. 2 decreto religioso. 3 conjunto de escrituras numeradas.
canonize *v.t.* declarar santo, canonizar.
canopy *s.* cobertura, toldo, abóbada,

baldaquino: *They put a new canopy on their balcony,* Colocaram um toldo novo na sacada deles.
can't V (forma negativa do verbo *can*).
canteen s. 1 cantina 2 faqueiro. 3 cantil.
canvas s. 1 tela (de pintura). 2 lona.
canvass v.t. e i. angariar votos, pedidos de mercadoria, encomendas, opiniões, etc: *The politician is canvassing for votes in the next election. Various women's associations are canvassing for support to change the sexist laws in this country.*
canyon s. garganta sinuosa e profunda, cavada por curso d'água.
cap s. 1 quepe, gorro, boné: *My grandfather always wears a cap.* 2 tampa (de garrafa, de tubo de pasta de dentes, etc): *The cap of this bottle won't come off.*
cap v.t. cobrir, tampar: *If you don't cap the bottle, the beer will go bad.*
capability s. (pl -ies) 1 capacidade, aptidão, competência: *His capability of resisting the cold is incredible.* 2 (pl) talento, habilidade: *That boy is a genius. He has incredible capabilities.*
capable adj. hábil, capaz, competente, eficiente. **be capable of**, ser capaz de: *Be careful! That man's capable of anything.*
capably adv. habilmente, competentemente, eficientemente: *He does his work very capably.*
capacity s. (pl -ies) 1 espaço, capacidade: *This cinema has a capacity of seating 100 people.* 2 habilidade, competência, faculdade: *He has a mind of great capacity,* um intelecto de grandes habilidades, grande capacidade. 3 posição, postura, qualidade: *He's speaking in his capacity as Director of the company,* (...) na qualidade de diretor.
cape s. 1 manto, capa (sem mangas): *Sherlock Holmes loved wearing a cape.* 2 cabo, promontório: *The Cape of Good Hope,* Cabo da Boa Esperança.

capillary s. (pl -ies) vaso ou tubo capilar.
capital adj. 1 capital, sede de governo: *Each state in Brazil has its own capital city.* 2 maiúsculo: *All names begin with capital letters.* **capital punishment**, pena de morte.
capital s. 1 capital: *The capital of Brazil is Brasília.* 2 maiúsculo: *Please write your name in capitals.* 3 capital, fundo, reservas de dinheiro, riqueza: *Our company has a capital of US$ 5.000.000.*
capitalism s. capitalismo.
capitalist s. capitalista.
capitalize v.t. 1 capitalizar, aproveitar ao máximo: *The government capitalizes on the weakness of the opposition.* 2 escrever em letras maiúsculas.
Capitol s. *The Capitol,* o congresso norte-americano.
capitulate v.i. capitular, render-se.
caprice s. capricho, excentricidade, imprevisibilidade: *It rarely snows in this country, but when it does snow, it's just a caprice of nature.*
capricious adj. inconstante, imprevisível, excêntrico: *Artists are generally very capricious people.*
Capricorn s. Capricórnio, a décima casa do zodíaco. **Tropic of Capricorn**, trópico de Capricórnio.
capsize v.t. e i. capotar, virar(-se), emborcar: *The ship capsized and sank in the collision.*
capsule s. cápsula: *space capsule,* cápsula de nave espacial. *This medicine comes in capsules,* Este remédio vem em cápsulas.
captain s. capitão, comandante: *team captain,* capitão do time; *ship captain,* comandante de um navio.
caption s. 1 legenda de desenho, ilustração de uma publicação. 2 cabeçalho ou título de um artigo ou matéria de uma publicação.
captivate v.t. fascinar, encantar, cativar: *We were all captivated by the beauty of our new colleague at work.*

captivating

captivating adj. cativante, fascinante, atraente, encantador: *That politician has a captivating way of making speeches. Everybody listens to him.*
captive s. prisioneiro, preso. **be taken captive,** ser preso.
captivity s. cativeiro, prisão: *Many wild animals do not reproduce in captivity.*
captor s. captor.
capture s. captura, apreensão.
capture v.t. apreender, capturar, prender: *His music captured the attention of every body. The police captured the thieves.*
car s. 1 carro, automóvel. 2 bonde: *tram car.* 3 vagão, carro de trem: *sleeping-car, dining-car,* carro-leito, carro-restaurante. **drive a car,** dirigir, guiar um carro. **carferry,** balsa usada para a travessia de carros. **carpark,** estacionamento de carros.
caramel s. caramelo.
carat s. quilate: 18 *carat gold,* ouro de 18 quilates.
caravan s. 1 trailer, reboque tipo casa, puxado por um carro, usado para camping. 2 caravana (de pessoas, peregrinos, etc).
carbohydrate s. carboidrato: *a carbohidrate free diet,* dieta livre de carboidratos.
carbon s. carbono, carbônio. **carbon paper,** papel carbono. **carbon copy,** a) cópia carbono. b) cópia perfeita.
carburettor s. carburador.
carcass s. 1 carcaça, esqueleto. 2 estrutura, armação (de edifícios).
card s. cartão, carta: *birthday card, Christmas card,* cartão de aniversário, de Natal; *postcard* cartão postal; *visiting card,* cartão de visitas. **card index,** fichário. **put one's cards on the table,** abrir o jogo, falar francamente. **have a card up one's sleeve,** ter um trunfo na mão.
cardboard s. cartolina, papelão.
cardiac adj. cardíaco: *cardiac surgery,* cirurgia cardíaca.
cardigan s. cardigã, casaco ou jaqueta de malha de lã.
cardinal adj. cardeal, cardinal, principal, fundamental: *cardinal numbers,* números cardinais; *cardinal points,* pontos cardeais (norte, sul, leste, oeste).
cardinal s. cardeal.
care s. 1 cuidado, cautela, precaução: *Take care!* Tome cuidado. 2 proteção, responsabilidade: *When her mother died, she was left in the care of her aunt.* **take care of,** cuidar de, ser responsável por: *I take care of the financial sector. The maid takes care of the child in the afternoons.* **care of** (também C/O), aos cuidados de: *I sent the letter care of the Director,* Mandei a carta endereçada aos cuidados do Diretor. 3 preocupação: *He hasn't a care in this world,* Ele não tem nenhuma preocupação.
care v.i. 1 preocupar-se, interessar-se: *He doesn't care about what will happen if he fails his exams.* **care to,** estar a fim de: *Would you care to go with me?* **care for,** a) gostar: *I don't care for classical music. Do you care for Chinese food? Would you care for a drink?* b) cuidar de: *If I go to work, who will care for the children?*
career adj. de carreira, profissional: *His father's a career politician.*
career s. carreira, profissão, ocupação: *follow a career,* seguir uma carreira.
career v.i. correr, mover-se com rapidez, sem rumo: *After the explosion, everybody carreered about the streets..*
careful adj. cuidadoso, cauteloso, atento: *Be careful!* Fique atento!
carefully adv. cuidadosamente, cautelosamente.
careless adj. descuidado, negligente, desleixado, indiferente.
carelessly adv. descuidadamente, negligentemente, desatentamente.

carelessness s. descuido, negligência, desatenção.
caress s. carícia.
caress v.t. acariciar.
cargo s. (pl -es) carga, frete: *cargo ship, navio de carga.*
caricature s. caricatura, paródia.
caricature v.t. caricaturar, ridicularizar.
carnage s. carnificina, massacre.
carnal adj. carnal, sensual: *carnal pleasures,* prazeres da carne.
carnation s. cravo, craveiro.
carnival s. carnaval, folia.
carnivorous adj. carnívoro.
carol s. hino de Natal.
carp s. carpa (peixe).
carpenter s. carpinteiro.
carpentry s. carpintaria.
carpet s. tapete.
carpet v.t. atapetar.
carriage s. 1 carruagem. 2 carro, vagão (de trem). 3 frete: *The cost of carriage has been included in the price.* 4 porte: *She has a very graceful carriage.*
carrier s. 1 carregador. 2 companhia de transporte (aéreo, marítimo, rodoviário, etc) e frete. 3 suporte para carregar coisas. 4 transmissor, portador de doenças. *aircraft carrier,* porta-aviões. *carrier bag,* sacola de papelão.
carrot s. cenoura.
carry v.t. e i. 1 carregar, transportar, levar, apoiar: *This box is too heavy to carry. He always carries an umbrella wherever he goes. I told her about our marriage and she carried the news to the whole town. She carries the baby the whole day.* 2 incluir, implicar em: *The job of Director carries several privileges.* 3 aprovar (decreto, lei, proposta, moção): *After they counted the votes, the new law was carried.* 4 portar-se: *She carries herself like a queen.* **be carried away,** deixar-se levar por: *He was carried away by her charm.* **carry it off (well),** ter sucesso, ser bem sucedido em algo. *carry on*

with, a) continuar, levar adiante: *Stop talking and carry on with your work.* b) ter um caso amoroso com: *The doctor is carrying on with one of his nurses.* **carry out,** levar adiante, pôr em prática: *He carried out all his plans successfully.* **carry through,** levar adiante: *His courage will carry him through.*
cart s. carreta, carroça, carrinho de mão, carro (de boi).
cart v.t. 1 transportar. 2 levar, carregar: *I spent the whole day carting the visitor from one place to another.*
cartilage s. cartilagem.
cartography s. cartografia.
carton s. caixa de papelão, embalagem: *a carton of cigarettes.*
cartoon s. 1 charge política. 2 caricatura. 3 desenho animado.
cartridge s. cartucho.
carve v.t. e i. 1 esculpir, entalhar: *The lovers carved their names on the tree.* 2 cortar, trinchar: *The roast beef was very easy to carve.*
cascade s. cascata, cachoeira.
case s. 1 caso, ocorrência: *There were three cases of violence last weekend.* **in that case,** nesse caso. **if that's the case,** se esse for o caso. **in case,** caso: *In case you arrive early, phone me,* Caso chegue cedo (...). **in no case,** de forma alguma. **in any case,** em todo caso, seja como for. 2 caixote, caixa, embalagern. *book-case,* estante.
cash s. dinheiro. **pay cash,** pagar à vista. **cash down,** pagamento à vista. **cash on delivery,** pagamento contra entrega. **be short of cash,** estar sem dinheiro. **small cash,** troco, moedas. **cash register,** caixa registradora.
cash v.t. e i. 1 converter em dinheiro: *cash a cheque,* descontar um cheque. 2 aproveitar, tirar proveito de, explorar: *She cashed in on her beauty and became a famous model.*
cashew s. caju. **cashew-nut,** castanha de caju.

cashier s. caixa (encarregado de caixa) de loja, banco, etc.
casing s. revestimento protetor: *The wires have plastic casing*, Os fios são revestidos de plástico.
casino s. (pl -s.) cassino.
cask s. barril, tonel.
casket s. 1 porta-jóias, caixa pequena. 2 (EUA) caixão, ataúde.
casserole s. 1 caçarola. 2 ensopado.
cassock s. batina.
cast s. 1 lance, jogada (de rede, anzol). 2 jogada (de dados). 3 molde. 4 fundição. 5 elenco: *The play has a famous cast*.
cast v.t. e i. 1 jogar, lançar. 2 fundir. 3 distribuir papéis. *cast a vote*, votar. *cast one's eyes over*, escrutinar. *cast aside*, rejeitar algo, alguém. *cast iron*, ferro fundido.
castle s. castelo, fortaleza. *build castles in the air*, sonhar acordado.
castor oil s. óleo de mamona ou rícino.
castor sugar, açúcar refinado.
casual adj. 1 casual, fortuito, eventual: *a casual meeting*. 2 informal, descuidado: *casual clothes*, roupas informais, roupa esporte; *a casual glance*, um olhar desatento. 3 irregular, ocasional, avulso: *casual labourers*, trabalhadores avulsos, ocasionais, temporários.
casually adv. casualmente, desatentamente, informalmente, por acaso.
casualty s. (pl -ies) 1 acidente, desastre, sinistro 2 baixas, vítimas: *The enemy suffered more casualties than we did*. **Casualty Department**, Pronto-socorro de um hospital.
cat s. gato. *let the cat out of the bag*, revelar um segredo, dar com a língua nos dentes.
cataclysm s. 1 cataclismo. 2 mudança súbita (revolução política, golpe de estado, terremoto, inundação, catástrofe, etc), desastre.
catacombs s. pl catacumbas.
catalog s. catálogo. (GB *catalogue*).

catalog v.t. catalogar, classificar. (GB *catalogue*).
catalyst s. catalisador.
catapult s. estilingue, catapulta.
cataract s. 1 catarata. 2 cachoeira, salto.
catastrophe s. catástrofe, calamidade, desgraça.
catastrophic adj. catastrófico.
catch s. 1 ato de apanhar ou prender. 2 presa, captura: *a good catch of fish*. Uma boa pescaria. 3 truque, ardil, armadilha: *This contract must have a catch in it*. 4 lingüeta (de fechadura), fecho: *She locked the catch on the door*.
catch v.t. e i. 1 apanhar. pegar. tomar: *catch a bus/train/taxi*, tomar um ônibus/trem/táxi. *He caught the ball*. 2 alcançar: *He was walking very fast, but I caught up with him*. *catch up with*, pôr-se em dia: *When she got back from Europe she wanted to catch up with all the news*; 3 contrair, pegar: *He caught a cold*, Ele pegou um resfriado. *The house caught fire*, A casa pegou fogo.
catching adj. cativante, atraente, contagioso: *His laughter was very catching*.
catchy adj. cativante, atraente: *a catchy tune*, uma música que chama a atenção, fácil de cantar.
catechism s. catecismo.
catechize v.t. catequizar.
categorical adj. categórico, explícito, enfático.
categorically adv. categoricamente, explicitamente, enfaticamente.
category (pl -ies) s. categoria, classe, série, grupo.
cater v.i. 1 *cater for* prover, fornecer comida, suprir: *She is a professional cook. She caters for large companies*.
caterer s. fornecedor profissional de comida, dono do buffet.
caterpillar s. 1 lagarta, larva. 2 trator.
cathedral s. catedral.
catholic adj. católico.

catholic s. **Catholic**, Católico. **Roman Catholic**, adepto da religião católica.
Catholicism s. Catolicismo.
catrate v.t. castrar, capar.
cattle s. gado, rebanho bovino.
caught v. (passado do verbo *catch*).
cauliflower s. couve-flor.
cause s. 1 causa, razão, origem: *His inexperience was the cause of the problem*. 2 motivo: *There is no cause for complaints*. 3 causa, benefício: *to work for a good cause*, trabalhar para uma boa causa.
cause v.t. causar, ser motivo de, originar: *Speeding causes many car accidents everyday*.
caustic adj. 1 corrosivo: *caustic soda*, soda cáustica. 2 mordaz, sarcástico: *He always makes caustic remarks about his ex-wife*.
caution s. 1 cautela, prudência: *Driving in heavy traffic requires a lot of caution*. 2 advertência: *The police gave him a caution for his agressive behaviour*.
caution v.t. advertir, avisar.
cautious adj. cauteloso, precavido, prudente.
cave s. caverna, gruta.
cave v.t. e i. **cave in**, desmoronar, desabar: *Because of the rains, many of the houses on the hillside caved in*.
cavern s. caverna, gruta.
cavity s. (pl-*ies*) 1 cavidade, espaço, buraco. 2 cárie.
cease v.t. e i. 1 cessar, parar, interromper *The captain ordered the soldiers to cease fire*. 2 fazer cessar, fazer parar, suspender.
ceaseless adj. incessante, constante.
cedar s. cedro.
ceiling s. 1 forro do teto. 2 nível máximo. *The ceiling looks very good in beige*.
celebrate v.t. 1 comemorar, festejar, fazer festa: *He always celebrates his birthday at his parent's house*. 2 celebrar, observar: *In non-Christian countries, Christmas is not celebrated*.
celebrated adj. célebre, famoso, afamado: *Our President is a celebrated writer*.
celebration s. comemoração, festejo, celebração. *The celebrations have been canceled due to the rains*.
celebrity s. celebridade, rama, renome. *Celebreties usually have their way of getting round things*.
celery s. aipo, salsão.
celestial adj. celestial, celeste, divino.
celibacy s. celibato. *Celebacy is an important part of being a priest*.
celibate adj. celibatário.
cell s. 1 cela, cubículo, divisão pequena. 2 célula: *All living organisms are composed of cells*. 3 pilha elétrica. 4 unidade subsidiária de uma organização política, religiosa, etc.
cellar s. 1 porão. 2 adega: *wine cellar*.
cello s. violoncelo.
Celsius s. (rel a termômetro) medida de temperatura graus centígrados, Celsius.
cement s. 1 cimento (usado em construções): *Where civil engineering be without cement?*. 2 elemento que une, argamassa: *The cement the dentist used to fill my teeth is made of plastic*.
cement v.t. 1 cimentar, unir, argamassar. 2 fortalecer: *The birth of their child cemented their relationship*.
cemetery s. (pl -*ies*) cemitério.
censor s. censor, crítico, censurador.
censor v.t. censurar, aplicar censura (em publicações, filmes, etc): *That film was heavily censured in Catholic countries*.
censure s. repreensão, crítica, desaprovação, censura
censure v.t. condenar, criticar, repreender, desaprovar, censurar: *Her parents always censure her for not having ambition*.
census s. censo, recenseamento.
cent s. centésima parte, centavo. **per cent**, por cento (%). **one hundred per cent**, completo, completamente bem.

centennial

centennial s. centenário.
center s. (GB *centre*) centro, núcleo, sede principal.
centigrade adj. grau de temperatura, centígrado.
centimeter s. (GB *centimetre*) centímetro.
central adj. 1 central, relativo ao centro, principal: *The central idea of his argument is solid.* 2 próximo ao centro: *This district is very central.* **central heating**, aquecimento central, calefação.
centralize v.t. centralizar, concentrar: *They centralized their attentions on the problem.* **city-centre/town-centre**, centro da cidade. **shopping-centre**, centro comercial.
centre v.t. e i. concentrar, centralizar: *They centrered all their investments in only one bank.*
century s. (pl *-ies*) século. **at the turn of the century**, na virada do século. **the last century**, o século passado.
ceramic adj. cerâmico.
cereal s. cereal, grão comestível. **breakfast cereals**, flocos de milho, mingau, aveia, etc, geralmente comidos durante o café da manhã.
cerebral adj. cerebral, do cérebro. *The child suffers from cerebral paralysis.*
ceremonial adj. formal, cerimonial. *The ceremonial pageant will only be held if it doesn´t rain.*
ceremonious adj. formal, cerimonioso, cheio de cerimônias, formalidades e cortesias: *Her father is a very ceremonious person.*
ceremony s. (pl *-ies*) 1 cerimônia, solenidade, rito. 2 etiqueta, formalidade. **stand on ceremony**, fazer questão de formalidades.
certain adj. 1 certo, verdadeiro, indubitável: *His victory is certain. He just can't lose.*
certainly adv. 1 certamente, sem dúvida: *He promised he would do it and he certainly will.*

certainty s. certeza: *There is no certainty that they will succeed.*
certificate s. certidão, certificado: *birth certificate*, certidão de nascimento; *marriage certificate*, certidão de casamento.
certify v.t. e i. declarar, certificar, atestar. *This letter certifies that he is who he says he is.*
cession s. cessão, renúncia, cedimento: *cession of rights*, cessão de direitos.
chafe v.t. e i.1 irritar-se. 2 irritar, esfolar: *His new shirt was chafing his neck.* 3 esfregar as mãos, a pele, para se esquentar.
chagrin s. desgosto, sentimento de frustração, pesar, decepção, vexação.
chain s. 1 corrente, cadeia: *a gold chain*, corrente de ouro. **in chains**, algemado. 2 cordilheira, cadeia de montanhas: *The Rocky Mountain chain*, a cordilheira das Montanhas Rochosas. 3 série, rede, cadeia: *chain of events,* uma série de acontecimentos sucessivos; *chain of shops, restaurants, supermarkets,* cadeia de lojas, etc. **chain reaction**, reação em cadeia.
chain v.t. algemar, acorrentar, prender com corrente.
chair s. 1 cadeira, assento com costas. 2 cátedra. 3 presidência, presidente. **take the chair**, presidir (uma reunião). **be in the chair**, estar na presidência. **chair a meeting**, presidir uma reunião.
chairman, (pl *-men*) presidente de uma reunião, associação, comissão.
chairperson, pessoa que preside uma reunião, associação, comissão.
chalet s. chalé. *They have a chalet in Florianópolis*
chalice s. cálice, taça. *Is that the chalice King Henry used to make a toast on his wedding day?*
chalk s. giz. *Chalk is a thing of the past, nowadays teachers prefer to use marking pens.*
chalk v.t. desenhar, escrever com giz, esboçar.

challenge s. 1 desafio, provocação The challenge was way beyond his capability. 2 grito de alerta e pedido de senha de uma sentinela.
challenge v.t. desafiar, provocar. I dare you to challenge him to a fight.
chamber s. 1 câmara, quarto, aposento. 2 câmara legislativa: the Upper (Lower) Chamber. 3 (PI) tribunal superior de justiça. 4 gabinete de advogado. **chambermaid**, camareira, arrumadeira. **chamber of commerce**, câmara do comércio.
chamois s. 1 camurça.
champ s. campeão.
champagne s. champanha, cor de champanha.
champion s. 1 campeão, vencedor. 2 defensor, paladino: a champion of liberty.
champion v.t. patrocinar, defender: He champions the Independence Movement.
championship s. campeonato. The championship has had only one winner since he started competing.
chance adj. casual, acidental: a chance meeting.
chance s. 1 oportunidade, chance: He missed his greatest chance. **stand a chance (of)**, ter uma oportunidade. 2 acaso, sorte, fortuna. **by chance**, por acaso. **take one's chance**, arriscar-se.
chance v.t. e i. 1 acontecer acidentalmente.
chancellor s. chanceler.
chandelier s. lustre, candelabro.
change s. 1 mudança, alteração, variação. 2 troco (de dinheiro): Do you have change for a U$ 10 bill? **change over**, mudança grande, importante.
change v.t. e i. 1 mudar, trocar. You can't change your mind now.
changeable adj. mutável, variável.
channel s. 1 canal: The English Channel, o Canal da Mancha. 2 leito navegável. 3 meio, via, canal: the official channels. 4 faixa de freqüência.

chant s. canto, cântico, salmo. The native warriors chanted all night long.
chaos s. caos, confusão, desordem. Chaos broke loose when the bomb went off in the shopping mall.
chaotic adj. caótico, confuso, em desordem. The event was chaotic due to the lack of organization.
chap s. sujeito, rapaz.
chap v.t. e i. (-pp-) (rel a pele) rachar, ficar aspera.
chapel s. 1 capela. 2 santuário (particular). 3 serviço religioso em capela.
chaplain s. capelão. The platoon chaplain Said a prayer before the soldiers set off.
chapter s. 1 capítulo. 2 período, episódio: a significant chapter in history.
char v.t. e i. carbonizar, reduzir a carvão: charred wood. **charwoman**, arrumadeira, faxineira.
character s. 1 caráter, cunho, personalidade, natureza, gênio, temperamento: He's a man of good character. 2 personagem (em livros, peças, etc). 6 letras, caracteres: Japanese characters.
characteristic s. característica, qualidade ou marca distintiva.
characterize v.t. 1 caracterizar, descrever as características especiais de. 2 ser característico para: This area is characterized by strong winds.
charade s. charada. They couldn't figure the charade.
charcoal s. carvão vegetal.
charge v.t. acusar : He was charged with drunken driving. 2 carregar. If you want that car to work you'll need to charge its battery.
chargeable adj. 1 cobrável. 2 oneroso, custoso. 3 acusável, responsável.
chariot s. carro romano de corrida ou batalha, biga. The first time I saw a chariot was in the movie Ben-Hur.
charitable adj. caridoso, bondoso.
charity s. 1 caridade, misericórdia. 2

charm

auxílio, esmoIa. 3 instituição ou fundo de caridade. *The money made at the concert was donated to charity.*
charm s. charme, encanto, fascinação, graça. 2 talismã, amuleto: *a charm against evil spirits.*
charm v.t. e i. 1 encantar, fascinar, cativar: *He was charmed with her presence.* 2 enfeitiçar, encantar.
charming adj. encantador, fascinante, charmoso. *Sean Connery is considered to be a very charming man.*
chart s. 1 carta hidrográfica ou marítima. 2 mapa de tabelas ou gráficos, tabela, gráfico, quadro.
chart v.t. fazer mapa, tabela ou gráfico, demonstrar graficamente. *The pilot charted the trip.*
charter s. carta patente, título, aIvará, licença. 2 fretamento: *charter flights.*
chase s. 1 perseguição, caça. 2 animal caçado. *The car chases are the best part of the movie 60 seconds.*
chase v.t. e i. 1 perseguir, caçar. 2 afugentar, tocar: *Our dog chased the neighbour's cat from the garden.*
chase v.t. gravar, esculpir, entalhar.
chasm s. 1 brecha, fenda na terra. 2 divergência acentuada (de opiniões, interesses).
chaste adj. 1 casto, puro, virtuoso. 2 decente, reservado, modesto. 3 simples, singelo.
chasten v.t. 1 punir, castigar, disciplinar. 2 purificar.
chastise v.t. punir, castigar, açoitar.
chastisement s. castigo, punição.
chastity s. 1 castidade, pureza. 2 decência, modéstia. 3 simplicidade, singeleza.
chat v.i. conversar informalmente, bater papo, prosear. *We were just chatting.*
château s. castelo, mansão. *The wedding is to be at one of the most beautiful chateaus in France.*
chatter s. 1 conversa fiada, palavreado oco. 2 sons rápidos e inarticulados.
chatter v.i. 1 tagarelar. 2 emitir sons inarticulados. 3 bater os dentes.
chatterbox, tagarela, falador. *Sandy is a real chatter box, she just can´t stop talking.*
chatty adj. falador, conversador.
chauffeur s. chofer, motorista particular. *Driving Miss Daisy is a lovely story about an old woman and her chauffer.*
cheap adj. 1 barato, de preço baixo. 2 econômico. 3 de pouco valor, inferior, desprezível: *Don't be so cheap!*
cheapen v.t. 1 baratear, regatear. 2 depreciar. 3 rebaixar, humilhar.
cheaply adv. a preço baixo, barato.
cheat s. 1 trapaceiro, enganador, impostor. 2 fraude, engano.
cheat v.t. e i. enganar, trapacear, iludir, burlar: *to cheat in an examination.*
check s. 1 controle. 2 exame, controle. 3 talão, senha, bilhete. 4 (EUA) cheque bancário. 7 (EUA) conta de restaurante.
checkup, qualquer exame mais detalhado – médico, mecânico etc.
check s. cheque *(GB cheque).* **chequebook**, talão de cheques.
check v.t. e i. 1 verificar, conferir: *I'd like to check the bill to see if it is correct*
check in, registrar-se em hotel/vôo.
check out, deixar o hotel. *You can check in at any time, but you must check out before 12 or pay for another day.*
checkmate v.t. dar xeque-mate (jogo de xadrez).
cheek s. 1 bochecha, face, maçã do rosto. 2 descaramento, imprudência: *She had the cheek to tell me not to go.*
cheer s. 1 aIegria, satisfação. 2 ânimo: *He's a man of good cheers.* 3 grito de aplauso, viva. **three cheers**, vivas.
cheer v.t. e i. 1 alegrar, encorajar, animar: *You cheered me with your talk.* 2 confortar, alegrar-se, criar ânimo: *She cheered up when she saw him.* 3 aplaudir, dar vivas.

cheerful *adj.* alegre, contente, animado, satisfeito. *Bob is a really cheerful guy.*
cheerless *adj.* triste, desanimado, desconsolado: *a cheerless day.*
cheery *adj.* alegre, contente, jovial.
cheese *s.* queijo.
chef *s.* cozinheiro-chefe. *The chef graduated in France.*
chemical *adj.* químico.
chemical *s.* substância química.
chemist *s.* 1 químico. 2 farmacêutico (EUA *druggist*): *chemist's shop,* farmácia.
chemistry *s.* química.
cherish *v.t.* 1 estimar, tratar com carinho. 2 lembrar (com prazer), nutrir, alimentar (esperança, *etc*): *For years he cherished the hope of being elected president.*
cherry *adj.* vermelho-cereja.
cherry *s.* (pl *-ies*) cereja, cerejeira.
cherub *s.* 1 querubirn. 2 criança bela e inocente.
chess *s.* xadrez, jogo de xadrez.
chessboard *s.* tabuleiro de xadrez.
chest *s.* 1 caixão, arca, bau. 2 tórax, peito. *get off your chest,* desabafar, abrir-se. *chest of drawers,* cômoda (mobília).
chestnut *s.* 1 castanheiro, castanha. 2 cor castanha.
chew *s.* 1 mastigação. 2 bocado.
chew *v.t. e i.* mastigar, mascar. **chewing-gum**, goma de mascar, chiclete. *Every once in a while you see cowboys chewing tobacco in movies.*
chic *s.* elegância, bom gosto.
chick *s.* 1 pintinho. 2 passarinho recém-saído do ovo. 3 criança pequena. 4 garota. *Helen is the best looking chick in class.*
chicken *s.* 1 frango. 2 carne de frango. 3 covarde *I knew he was chicken from the start, he has no guts.* **chickenpox**, catapora.
chicory *s.* chicória.
chide *v.t. e i.* ralhar, admoestar.
chief *adj.* 1 principal, mais importante, essencial. 2 primeiro, superior, supremo. *The chief reason we're here is because you let the dog go.*
chief *s.* 1 chefe, comandante, dirigente, cabeça. 2 chefe de tribo.
chiefly *adv.* principalmente, sobretudo.
chieftain *s.* chefe ou cacique de tribo ou clã.
child *s.* (pl *children*) 1 criança. 2 filho ou filha. **childbirth**, parto. **childhood**, infância.
childish *adj.* infantil, imaturo. *Her attitude was childish to say the least.*
childless *adj.* sem filhos.
childlike *adj.* pueril, infantil, inocente, simples.
chill *adj.* 1 frio, gélido. 2 com frieza, indiferente: *a chill welcome.*
chill *s.* 1 frio, sensação de frio, friagem. 2 depressão, desânimo. 3 resfriamento, calafrio: *He caught a chill.*
chill *v.t. e i.* 1 esfriar(-se), resfriar(-se), gelar. 2 sentir frio.
chilly *adj.* 1 friozinho, friorento: *It's a chilly day.* 2 frígido, reservado.
chime *s.* 1 carrilhão. 2 toque, repique (de sinos).
chime *v.t. e i..* 1 tocar carrilhão, repicar sinos, bater horas. **chime in,** entrar (na conversa), interromper.
chimney *s.* 1 chaminé. 2 racha, abertura na montanha ou rocha (para passagem). *Do you think Farther Christmas will be able to come down that chimney?*
chimpanzee *s.* chimpanzé.
chin *s.* queixo.
china *s.* louça, porcelana.
chink *s.* tinido, som vibrante de vidro ou moedas.
chip *s.* 1 fragmento, lasca, pedaço (de madeira, pedra, louça, etc). 2 fatia, pedaço (de batata, etc). 3 batatinhas fritas. 4 lugar lascado ou de onde se cortou um pedaço. 6 ficha (para jogo).
chip *v.t. e i.* (*-pp-*) 1 lascar, cortar. 2 cortar batatas em pedaços pequenos. *chip in,* a) intrometer-se na conversa. b) contribuir (com dinheiro).

chiropodist s. pedicuro.
chirpy adj. alegre, jovial, vivo.
chisel s. formão, cinzel, talhadeira. *Please don't use that chisel.*
chisel v.t. 1 cinzelar, esculpir, talhar.
chit-chat s. bate-papo. *Stop the chit-chat and get on with your homework.*
chivalry s. 1 ordem, regras de cavalaria. 2 cavalheirismo.
chloride s. cloreto.
chlorinate v.t. clorar, esterilizar com cloro.
chocolate s. chocolate, cor de chocolate.
choice adj. escolhido, selecionado, seleto.
choice s. 1 escolha, seleção, preferência *He had no choice, but to go to Vietnam.* 2 sortimento, variedade: *a large choice of shoes.*
choir s. 1 coro, coral, grupo de cantores. 2 balcão da igreja onde se canta.
choke s. 1 sufocação, asfixia, ruído de sufocação. 2 afogador.
choke v.t. e i. 1 engasgar-se, sufocar-se: *She choked with rage.* 2 sufocar, asfixiar, abafar. 3 obstruir, entupir, tapar: *The roads were choked with snow.*
cholera s. cólera.
choose v.t. e i. 1 escolher, selecionar. 2 optar, decidir-se, achar melhor: *He chose to leave at once.*
choosy adj. difícil de contentar.
chop s. 1 talho, corte. 2 costeleta, posta de carne.
chop v.t. e i. cortar, talhar, picar, cortar em pedaços pequenos. *If you don't help me chop the wood we won't be able to survive the winter.*
chopper s. 1 helicóptero. 2 machado de açougueiro, cutelo, cortador. *Choppers were the main means of transportation in the Vietnam war.*
choppy adj. 1 encrespado, encapelado.
chopsticks s. pauzinhos com que os chineses e japoneses comem.

chore s. 1 pequena tarefa, trabalho ou afazer (doméstico). 2 incumbência desagradável. *She hated doing the household chores.*
chorus (pl -es) 1 coro, conjunto de cantores. 2 composição musical para coro. 3 trecho de canção que se repete, refrão. 4 coro (de vozes): *a chorus of approval.*
chose V (passado do verbo choose) *He chose not to go to the party.*
christen v.t. 1 batizar. 2 dar nome.
Christian adj., s. 1 cristão. **Christian name**, nome de batismo.
Christianity s. cristianismo.
Christmas (Day) s. Natal, dia de Natal.
chrome s. cromo, elemento de composição. *Those chrome bumpers look very well on your car.*
chronic adj. crônico, constante.
chronicle s crônica.
chronological adj. cronológico.
chronology s. cronologia.
chronometer s. cronômetro.
chubby adj. gordo, rechonchudo, bochechudo. *He is a little chubby to be a quarter back, isn't he?*
chuckle s. risada à socapa, riso (baixo) de satisfação.
chuckle v.i. rir discretamente, disfarçadamente (com a boca fechada).
chummy adj. íntimo, muito amigo.
chunk s. pedaço grande, naco (de pão, carne, etc).
church s. 1 igreja, templo cristão. 2 serviço religioso na igreja: *What time does church begin?* **churchyard**, terreno em volta da igreja usado como cemitério.
chutney s. molho/conserva picante (de pimenta, frutas e ervas).
cicada s. cigarra.
cider s. sidra, vinho de maçã.
cigar s. charuto.
cigarette s. cigarro.
cinder s. brasa, carvão parcialmente queimado.

cinema s. 1 cinema (EUA *movie theater*).
cinnamon s. canela, cor de canela.
cipher s. 1 cifra: a) zero. b) um algarismo arábico. 2 pessoa ou coisa sem importância. 3 escrita enigmática, secreta.
cipher v.t. e i. cifrar, escrever em código.
circa *prep* cerca de, perto de, aproximadamente (para datas).
circle s. 1 círculo, superfície do círculo, circunferência. 2 grupo, coroa, anel: *a circle of chairs*. 3 assentos em forma de círculo no balcão de teatro. 4 círculo, roda, grupo de pessoas: *He is well-known in business circles*.
circle v.t. e i. 1 circular, girar, rodar. 2 circundar, rodear.
circuit s. 1 circuito, giro, volta. 2 rota, percurso de viagens repetidas. 3 circuito, condutor: *short circuit*, curto-circuito. 4 âmbito, perímetro. 5 circuito, cadeia (de cinemas, teatros. etc).
circular *adj*. circular, redondo, que se move em círculo: *a circular trip*.
circular s. circular, aviso.
circulate v.t. e i. 1 circular, espalhar-se: *The news circulated quickly*. 2 pôr em circulação, difundir(-se).
circulation s. 1 circulação. 2 distribuição, tiragem de livros, etc. 3 dinheiro, moeda em circulação.
circumcision s. circuncisão.
circumference s. circunferência.
circumscribe v.t. circunscrever, restringir, confinar.
circumspect *adj*. circunspeto, prudente, cauteloso.
circumstance s. 1 circunstância, pormenores. *in/under the circumstances*, sob tais condições, nessas circunstâncias.
circumstantial *adj*. 1 circunstancial, acidental. 2 pormenorizado, minucioso, detalhado. *The evidence presented was circumstancial*.
circumvent v.t. 1 tirar vantagem de, enredar. 2 evitar, frustrar, enganar.

clang

circus s. (pl *-es*) 1 circo, espetáculo circense.
citation s. 1 citação, menção. 2 intimação.
cite v.t. 1 citar, mencionar, referir-se a. 2 intimar para comparecer em juízo.
citizen s. cidadão.
citizenship s. cidadania.
city s. 1 cidade grande e importante, metrópole
civic *adj*. cívico.
civil *adj*. 1 civil: *civil law*, direito civil. 2 público: *The Public Service*, o Serviço Público. 3 cortês, polido: *Can't you give a civil answer?*
civilian s. e *adj*. civil, paisano, que não é militar.
civility s. civilidade, cortesia, polidez.
civilization s. civilização. *Atlantis is said to have been one of the most advanced civilizations*.
civilize v.t. 1 civilizar. 2 refinar, educar.
clad *adj*. vestido: *richly clad*, ricamente vestido.
claim s. 1 reclamação, reivindicação. uma petição sobre alguma coisa.
claim v.t. e i. 1 reivindicar, requerer seu direito: *He claimed to be the father of the child*. 2 alegar, afirmar, declarar como fato: *She claims to be a good student*. 3 requerer, exigir: *These problems claimed my attention*.
clairvoyance s. clarividência.
clairvoyant s. vidente.
clam s. marisco.
clammy *adj*. frio e úmido, pegajoso, gosmento, viscoso: *hands clammy with sweat*.
clamor s. clamor, alarido, reclamação barulhenta (GB *clamour*).
clamor v.i. clamar, gritar, berrar, protestar (GB *clamour*).
clan s. clã, tribo.
clandestine *adj*. clandestino, secreto.
clang v.t. e i. ressoar, tinir, soar: *The preacher clanged his bell to call people's attention*.

clank

clank v.t. e i. tinir, renir, tilintar: We heard the prisoners clanking their chains.
clap v.t. e i. 1 aplaudir, bater palmas: clap one's hands. 2 bater, dar um tapinha: clap sb on the back.
clarification s. 1 esclarecimento. 2 clarificação, purificação.
clarify v.t. e i. 1 esclarecer(-se), explicar(-se). 2 purificar, clarificar.
clarinet s. clarineta.
clarity s. clareza, limpidez.
clash s. 1 estrondo, estrépito. 2 choque, conflito. 3 desacordo, discordância: a clash of opinions. 4 desarmonia.
clash v.t. e i. 1 estrepitar, produzir som de choque entre dois objetos. 2 colidir, entrar em conflito: The people participating in the protest clashed with the police in the streets. 3 discordar, estar em desacordo: Our opinions always clash. 4 não combinar, estar em desarmonia. 5 coincidir.
clasp s. 1 fivela, fecho, gancho, colchete. 2 abraço, aperto (de mão).
clasp v.t. e i. 1 apertar, segurar firmemente, abraçar, entrelaçar (as mãos): He clasped his arms around her.
class s. 1 classe, categoria. 2 classe (na sociedade), camada social: Society is divided into upper, middle, and lower classes. 3 aula. 4 (EUA) turma de alunos da mesma classe: the class of 1965. 5 excelência, distinção, alta categoria: She's a top class dancer.
classroom, sala de aula.
class v.t. classificar, colocar em uma certa classe ou categoria.
classic adj. 1 de primeira, qualidade, clássico, excelente. 2 clássico. 3 clássico, famoso: Games between major teams are always a classic event in Brazil. 4 sóbrio, tradicional.
classic s. 1 clássico (autor, obra, etc, de valor excepcional). 2 escritor grego antigo ou latino.
classification s. classificação.
classified adj. 1 classificado: classified ads, anúncios classificados. 2 confidencial, secreto.
classify v.t. classificar, agrupar.
clatter s. 1 tinido, barulho de objetos duros se chocando. 2 algazarra, vozerio: We could hear the clatter of people outside the courtroom.
clatter v.t. e i. retinir, fazer tinir ou ressoar.
claw s. 1 garra, pata com unhas afiadas. 2 pinças, tesouras (de caranguejo, lagosta).
claw v.t. arranhar, prender ou ferir com garras.
clay s. argila, barro.
clean adj. 1 limpo, asseado. 2 puro, imaculado, inocente: He has a clean record with the police. **clean-shaven**, de barba feita.
clean s. limpeza: Give your shoes a good clean.
clean v.t. e i. limpar.
cleaner s. limpador (máquina, pessoa ou coisa que limpa): You should send these clothes to the (dry) cleaner, tintureiro.
cleanse v.t. 1 limpar (um ferimento, corte, etc). 2 purificar
clear adj. 1 claro, límpido, brilhante: clear water; a clear sky. 2 sem culpa: I have a clear conscience. 3 distinto, nítido, claro: a clear voice.
clear adv. 1 distintamente, claramente: Try to be clear.
clear v.t. e i. 1 limpar, remover: The streets will have to be cleared of all the litter.
clearance s. 1 liberação, desobstrução. 2 espaço, área livre, folga.
clearing s. 1 clareira. 2 acerto de contas, compensação de cheques.
clearly adv. 1 distintamente, claramente. 2 obviamente, indubitavelmente. He was clearly not interested in listening to me.

cleavage s. 1 rachadura, divisão. 2 decote, espaço entre os seios.
clemency s. 1 clemência. 2 brandura (de temperamento ou clima).
clement adj. 1 clemente, misericordioso. 2 brando (temperamento ou clima).
clench v.t. cerrar, apertar, agarrar. *He clenched his sword with great strength.*
clergy s. clero.
clerical adj. 1 clerical, eclesiástico.
clerk s. 1 escriturário, funcionário (de escritório, banco). 2 oficial de cartório ou de justiça. 3 sacristão.
clever adj. 1 esperto, inteligente, engenhoso. 2 hábil: *a clever speech.*
cleverness s. inteligência, esperteza, habilidade.
client s. cliente, freguês.
cliff s. penhasco, rochedo íngreme.
climate s. clima, condições metereológicas. 2 atmosfera, clima, condições: *the political climate.*
climax s. (pl -es) climax, ponto culminante.
climb v.t. e i. subir, ascender, escalar.
climber s. escalador, alpinista.
clinch v.t. e i. resolver, encerrar (assunto, discussão), assegurar. *He clinched the World Heavy Weight Title.*
cling v.i. agarrar-se, apegar-se, grudar. *Whatever you do, don't cling to the past.*
clinic s. clínica, ambulatório.
clink s. tinido, som de vidro ou pedaços de metal batendo.
clink v.t. e i. tinir, fazer retinir: *a clink of keys/glasses.*
clip s. clipe, grampo.
clip v.t. segurar com clipe.
clip v.t. tosquiar, tosar, cortar (com tesoura), aparar, podar.
clipping s. recorte (de jornal, p ex).
cloak s. manto, capa sem mangas.
cloakroom, chapelaria de teatro.
clock s. relógio (de parede, de mesa).
clock v.t. e i. registrar o tempo de.
clog v.t. e i. 1 entupir(-se), obstruir. 2 bloquear, encher: *All this is useless information. Don't clog your memory with it.*
close adj. 1 próximo, perto
close adv. 1 rente, de perto, junto: *Don't stand too close.*
close s. fim, término, conclusão: *at the close of day; at the close of the party.*
close v.t. e i. 1 fechar (= shut). 2 barrar, bloquear, fechar: *That street will be closed to traffic until tomorrow.* 3 terminar, concluir, chegar a um acordo: *The meeting has just been closed.*
closet s. armário embutido, despensa, quarto pequeno para guardar objetos.
closure s. fechamento, encerramento.
clot s. coágulo.
clot v.t. e i. coagular, coalhar.
cloth s. 1 pano, tecido. 2 pedaço de pano ou tecido: *a table cloth*, toalha de mesa.
clothes s. roupas, vestes, vestuários. **clothes-line**, varal.
clothing s. roupa, vestuário.
cloud s. 1 nuvem. 2 sombra, aflição: *a cloud of grief.*
cloud v.t. e i. 1 cobrir(-se) de nuvens, nublar(-se). 2 anuviar, entristecer (-se): *Her face was clouded with grief.*
cloudy adj. 1 nublado, nebuloso. 2 turvo.
clove s. bulbo, dente de alho.
clove s. cravo da índia.
clover s. trevo.
clown s. palhaço.
club s. 1 taco, porrete: *golf club.* 2 naipe de paus (baralho): *king of clubs,* rei de paus.
club s. clube, grêmio, sociedade: *He's playing tennis at the club.*
club v.i. 1 bater, abater, golpear. 2 unir-se, reunir- se, associar-se.
clue s. 1 indício, vestígio: *The police doesn't have any clue about the murder.* 2 dica, pista: *I don't know the answer. Give me a clue!*
clumsily adv. desajeitadamente.

clumsiness

clumsiness s. 1 falta de jeito, de graça. 2 rudeza.
clumsy adj. 1 desajeitado: *clumsy behaviour*. 2 grosseiro, rude, indelicado: *a clumsy speech*.
clung V. (pret do verbo *cling*).
cluster s. 1 cacho. 2 enxame, bando, cardume: *a cluster of insects*. 3 ajuntamento: *a cluster of stars*.
cluster v.i. 1 crescer em cachos. 2 aglomerar-se, agrupar-se, ajuntar-se.
clutch v.t. e i. 1 apertar, agarrar, pegar com força: *The old lady clutched the money in her hand*. 2 acionar a embreagem.
clutter s. 1 confusão, desordem. 2 tumulto, algazarra.
clutter v.t. 1 atravancar, tumultuar, amontoar: *Don't clutter up my house*. 2 armar confusão.
coach s. 1 carruagem, vagão. 2 (EUA) ônibus: *We travelled by coach*.
coach s. 1 treinador, técnico de esportes: *football coach*. 2 professor particular.
coach v.t. e i. ensinar, treinar, preparar (para exames, competições): *The only way to improve a players performance is to coach them*.
coagulation s. coagulação.
coal s. carvão. **coal mine**, mina de carvão.
coallition s. coalizão, união, aliança: *The coalition of the two parties was desirable*.
coarse adj. 1 grosso, grosseiro, rude, vulgar: *coarse behaviour*. 2 áspero: *coarse fabric*, tecido áspero. 3 não refinado: *coarse salt*.
coast s. costa, praia, beira-mar, litoral: *on the coast*.
coast v.t. e i. andar junto à costa, costear: *The boat coasted the beaches from Santos to Paraty*. **coastguard**, guarda costeira, polícia marítima. **coastline**, litoral, contorno da costa.
coat s. 1 paletó, sobretudo, casaco, capa. 2 pelo, plumagem, pele, casca. **coat of arms**, brasão.
coating s. camada, demão, revestimento: *coat of paint*, camada de tinta.
coax v.t. e i. 1 persuadir, lisonjear. 2 obter mediante palavras lisonjeiras: *She coaxed him into buying her a new dress*.
cobble s. 1 paralelepípedo arredondado. 2 remendo.
cobble v.t. 1 pavimentar com pedras arredondadas: *The streets were cobbled in the last century*. 2 consertar sapatos.
cobweb s. teia de aranha.
cocaine s. cocaína.
cock s. 1 galo, *frango: fighting cock*, galo de briga. 2 macho de ave. 3 pênis.
cockney adj. 1 nativo de classe social baixa de Londres. 2 dialeto londrino.
cockpit s. cabine do piloto de avião pequeno ou de corrida.
cockroach s. barata.
cocktail s. 1 coquetel. 2 mistura de bebidas.
cocoa s. cacau, chocolate: *cocoa butter*, manteiga de cacau.
coconut s. coco: *coconut palm*, coqueiro.
cocoon s. casulo.
cod s. bacalhau: *cod fish*. **cod-liver oil**, óleo de fígado de bacalhau.
code s. código: *telegraphic/ Morse code*.
codify v.t. codificar.
coerce v.t. coagir, forçar: *The boss coerced the workers to accept the unwanted rules*.
coercion s. coerção.
coercive adj. coercivo, coercitivo.
coffee s. café: *a cup of coffee; coffee powder*. **coffee break**, intervalo numa programação para o café. **coffee-pot**, bule para café, cafeteira. **coffee-shop**, lanchonete, bar onde bebidas alcoólicas não são servidas.
coffer s. arca, cofre.
coffin s. caixão mortuário, esquife.
cogitation s. cogitação.
cognac s. conhaque.

cognate *adj.* cognato, relacionado pela origem: *information and informação are cognate words.*
cognate *s.* cognato.
cohere *v.i.* 1 aderir. 2 ter coerência: *Does the development of your ideas cohere?*
coherence *s.* coerência: *There's not much coherence in what he says.*
coherent *adj.* coerente.
cohesion *s.* coesão: *We have to have more cohesion if we want to win.*
coil *v.t. e i.* 1 enrolar bobina. 2 enrolar (-se), espiralar: *The snake coiled itself in the grass.*
coin *s.* moeda: *false coin.*
coin *v.t.* 1 cunhar moedas. 2 inventar, forjar.
coincide *v.i.* 1 coincidir. 2 corresponder, combinar.
coincidence *s.* coincidência, concordância.
coincident *adj.* coincidente, simultâneo.
coincidental *adj.* coincidente, simultâneo.
coke *s.* abreviação de Coca-Cola, coca.
cold *adj.* 1 frio, gélido. 2 insensível, impassível: *a cold look*. **cold-blooded**, cruel. **cold war**, guerra fria.
cold *s.* 1 frio, tempo frio. 2 resfriado: *a bad cold*, resfriado forte; *catch a cold*, pegar resfriado.
collaborate *v.i.* 1 colaborar, cooperar. 2 colaborar com o inimigo, trair.
collaboration *s.* colaboração.
collapse *s.* 1 colapso, desmaio. 2 queda, falência.
collapse *v.t. e i.* 1 cair, ruir, desmoronar: *The roof of the house collapsed.* 2 desfalecer, desmaiar: *She collapsed after the terrible news.*
collar *s.* 1 colarinho, gola. 2 coleira: *The dog had a silver collar.*
colleague *s.* colega.
collect *s.* coleta.
collect *v.t. e i.* 1 colecionar, juntar. 2 cobrar, receber contas, arrecadar.

collection *s.* coleção.
collector *s.* colecionador.
college *s.* estabelecimento de ensino superior, faculdade, academia, universidade. 2 colégio: *college of Cardinals*, colégio dos Cardeais.
collide *v.i.* 1 colidir, abalroar. 2 discordar: *Your opinions collide with mine.*
collision *s.* 1 colisão, abalroamento. 2 antagonismo.
colloquial *adj.* coloquial.
collusion *s.* conspiração.
colon *s.* dois pontos (:).
colonel *s.* coronel: *lieutenant colonel*, tenente-coronel.
colonialism *s.* colonialismo.
coloniall *adj.* colonial: *colonial house.*
colonization *s.* colonização.
colonize *v.t.* colonizar.
colony *s.* 1 colônia. 2 grupo, agrupamento: *the Japanese colony in São Paulo.*
color *s.* 1 cor, colorido. 2 corante, pigmento, tinta. (GB *colour*). **colour-blind**, daltônico.
colossal *adj.* colossal, enorme.
colossus *s.* pessoa ou coisa enorme.
coloured *adj.* 1 colorido, em cores. 2 de cor, de raça negra ou não branca.
colouring *s.* coloração, corante.
colt *s.* 1 potro. 2 marca de revólver.
column *s.* coluna, pilar.
coma *s.* coma, inconsciência: *go into a coma*, entrar em coma.
comb *s.* 1 pente. 2 favo de mel: *honey comb.*
comb *v.t.* 1 pentear. 2 vasculhar, pesquisar.
combat *s.* combate, luta.
combat *v.t.* combater, lutar.
combination *s.* combinação.
combine *v.t. v.i.* combinar.
combustion *s.* combustão.
come *v.i.* 1 chegar, vir, aproximar-se: *The bus came into the station two hours late.* 2 aparecer, surgir: *You can come whenever you want.* 3 chegar, alcançar: *The water came to my knees.* 4 vir a acontecer: *How did you come to be*

comedian

here? 5 resultar: *Success comes when you are lucky and work a lot*. **come back**, voltar, retornar: *I go to work at 7 a.m. and come back at 5 p.m.* **come from**, ser originário de, ter nascido em: *They come from France*.
comedian s. comediante.
comedy s. comédia.
comet s. cometa.
comfort s. conforto, consolo.
comfort v.t. confortar, consolar, aliviar, animar.
comfortable adj. confortável, cômodo.
comic adj. cômico, engraçado, divertido: *a comic story*.
comic s. 1 comediante. 2 gibi, revista em quadrinhos. **comic strip**, história em quadrinhos.
coming adj. próximo, futuro: *this coming Saturday*, no próximo sábado. **comings and goings**, idas e vindas.
comma s. vírgula. **inverted commas**, aspas.
command s. 1 comando, mando, ordem. 2 domínio.
command v.t. e i. 1 comandar, dirigir, chefiar. 2 mandar, ordenar. 3 dominar.
commander s. chefe, comandante, oficial de exército.
commandment s. 1 ordem, direção. 2 mandamento: *The Ten Commandments*, os Dez Mandamentos.
commemorate v.t. comemorar, celebrar.
commemoration s. comemoração, festa.
commit v.t. 1 confiar, entregar. 2 submeter. 3 comprometer-se, empenhar-se: *She commited herself to have it ready by 3 o'clock*.
commitment s. compromisso, promessa: *You should honour your commitments*.
committee s. comitê, comissão.
commodity s. 1 artigo, objeto de utilidade. 2 mercadoria, artigo: *Commodities are exchanged in the market*.
common adj. 1 comum, o que é geral, usual. 2 popular, geral. 3 vulgar, ordinário. **common sense**, senso comum.
common s. terreno comum, para uso da comunidade.
commonly adv. geralmente, freqüentemente.
commotion s. 1 distúrbio, tumulto. 2 comoção, agitação.
communal adj. 1 da comunidade, comum. 2 popular.
communicate v.t. e i. 1 comunicar(-se). 2 transmitir.
communication s. 1 comunicação, transmissão. 2 informação, notificação. 3 carta, mensagem. 4 intercâmbio, relação.
communicative adj. comunicativo, falante.
communion s. comunhão: *Holy Communion*, Santa Comunhão.
communism s comunismo.
community s. 1 comunidade. 2 público, povo, sociedade; *community centre; community relations*.
commute v.t. e i. 1 comutar, trocar, intercambiar. 2 viajar diariamente para o trabalho: *I commute from Santos to São Paulo every day*.
compact adj. compacto, conciso, breve, resumido. **compact disk/ CD**: disco laser, disco compacto.
compact v.t. 1 comprimir, apertar, compactar. 2 condensar, resumir.
company s. 1 companhia; *in company*, em companhia; *to keep company*, fazer companhia. 2 sociedade, empresa, associação. 3 grupo teatral.
comparable adj. comparável.
comparative adj. comparativo.
compare v.t. e i. 1 comparar(-se), confrontar. 2 igualar(-se).
comparison s. 1 comparação, confronto: *by comparison*, em comparação. 2 semelhança.
compartment s. compartimento.
compass s. 1 bússola. 2 compasso para desenho. 3 perímetro, circunferência, extensão.
compassion s. compaixão, piedade.

conclusion

compatible *adj.* compatível.
compensate *v.t. e i.* 1 compensar, recompensar, retribuir. 2 equilibrar, contrabalançar, estabilizar.
compete *v.i.* competir.
competence *s.* competência, aptidão, habilidade, capacidade.
competent *adj.* 1 competente, apto, capacitado, 2 apropriado, adequado.
competition *s.* competição.
competitive *adj.* competitivo, concorrente; *competitive prices,* preços sem igual, sem concorrência.
complain *v.i.* queixar-se, lamentar-se, reclamar, protestar: *People complained about the high prices.*
complaint *s.* 1 queixa, reclamação, denúncia. 2 doença, enfermidade.
complementary *adj.* complementar.
complete *adj.* 1 completo, íntegro, total, pleno. 2 terminado, acabado.
complete *v.t.* completar, complementar.
complex *adj.* complexo, complicado.
complex *s.* 1 conjunto. 2 (psicol) complexo: *inferiority complex.*
complicate *v.t.* complicar(-se), dificultar.
complicity *s.* cumplicidade.
compliment *s.* 1 cumprimento, elogio: *to pay a compliment,* fazer um elogio.
comply *v.t.* concordar, consentir, ceder.
component *s.* componente, ingrediente.
compose *v.t. e i.* 1 compor, formar, integrar. 2 acalmar(-se), compor(-se).
composer *s.* compositor, escritor.
composition *s.* 1 composição (escrita, musical, literária). 2 arranjo, ajuste.
composure *s.* calma, compostura, tranqüilidade.
compound *s.* composto, mistura, combinação.
comprehension *s.* compreensão.
comprehensive *adj.* amplo, abrangente.
compress *v.t.* 1 comprimir, apertar. 2 condensar, reduzir.

compromise *s.* 1 compromisso, acordo. 2 concessão mútua, meio-termo: *We reached a compromise at last.*
compromise *v.t. e i.* 1 chegar a um acordo. 2 comprometer(-se). 3 prejudicar.
compulsion *s.* 1 compulsão. 2 coerção, coação, obrigação.
compulsive *adj.* compulsório, compulsivo: *a compulsive eater.*
compulsory *adj.* obrigatório, compulsório: *Portuguese is a compulsory subject in schools in Brazil.*
computer *s.* computador.
conceal *v.t.* 1 esconder, ocultar. 2 guardar segredo, dissimular.
conceit *s.* vaidade, presunção.
conceited *adj.* convencido, presunçoso, orgulhoso.
conceivable *adj.* concebível, possível, imaginável.
conceive *v.t. e i.* 1 conceber. 2 imaginar, pensar. 3 engravidar.
concentrate *v.t. e i.* 1 concentrar. 2 condensar, intensificar.
concentrated *adj.* 1 concentrado, condensado. 2 intenso.
concentration *s.* concentração.
concept *s.* conceito, noção, concepção.
conception *s.* concepção, conceito, noção, idéia, impressão.
concern *s.* 1 interesse: *I have no concern in this matter.* 2 preocupação, inquietação: *with great concern,* com grande preocupação.
concern *v.t.* 1 dizer respeito a, interessar: *This does not concern me.*
concerned *adj.* 1 preocupado, aflito: *I'm concerned,* Estou preocupado. 2 interessado, participante, envolvido: *As far as I am concerned,* No que me diz respeito.
concert *s.* 1 (mus) concerto.
concession *s.* concessão.
concise *adj.* conciso, breve, resumido.
conclude *v.t. e i.* concluir.
conclusion *s.* 1 conclusão, fim, término. 2 dedução, inferência.

conclusive

conclusive adj. 1 conclusivo, final. 2 definitivo, decisivo.
concoct v.t. 1 preparar (combinando ingredientes), misturar. 2 tramar, planejar.
concrete adj. concreto, real, material. *There's no concrete evidence to bring him to court.*
concrete s. 1 concreto, idéia ou coisa concreta. 2 concreto de cimento e pedregulhos.
concubine s. concubina, amante.
concussion s. 1 choque, abalo. 2 (med) concussão.
condemn v.t. 1 condenar. 2 censurar, desaprovar. 3 sentenciar. 4 refutar, reprovar, rejeitar.
condensation s. 1 condensação. 2 substância ou produto condensado. 3 resumo.
condescend v.i. 1 condescender, ser condescendente: *The president has condescended to attend the workers meeting.* 2 rebaixar-se. 3 tratar alguém como se fosse inferior.
condescending adj. 1 condescendente, transigente. 2 com ares de superioridade.
condiment s. condimento, tempero (Cf. *seasoning*).
condition s. 1 condição.
condition v.t. 1 condicionar. 2 ser ou estar condicionado. 3 estipular. 4 restringir, limitar: *They conditioned the expenditure this year,* Eles limitaram os gastos este ano.
conditional adj. condicional (também gram): *conditional acceptance,* aceitação condicional.
conditioned adj. condicionado: *conditioned reflex.*
condom s. preservativo, camisinha.
conduct s. 1 conduta, comportamento. 2 direção, condução, administração, gestão: *The share holders were not satisfied with the conduct of the negotiations* , Os acionistas não estavam satisfeitos com a condução das negociações.

conduct v.t. e i. 1 conduzir, guiar: *He conducted the group to the best museums;* 2 dirigir, administrar, controlar. 3 comportar-se. 4 reger (orquestra). 5 transmitir, conduzir (corrente elétrica, calor).
conductor s. 1 regente, maestro. 2 cobrador: *bus conductor.* 3 condutor (de calor, eletricidade, etc).
cone s. 1 cone. 2 objeto cônico (p ex casquinha de sorvete). 3 pinha.
confederacy s. (pl *-ies*) confederação, liga, aliança.
confederation s. 1 confederação, federação. 2 união, aliança.
conference s. 1 conferência. 2 consulta. 3 reunião. 4 assembléia (também ecles): *Everybody attended the conference,* Todos foram à assembléia.
confess v.t. e i. 1 confessar, admitir: *He confessed his crime to the police.* 2 confessar-se: *He confessed to the priest,* Ele confessou-se ao padre.
confidant s. confidente, amigo íntimo.
confide v.t. e i. 1 confiar, ter confiança em: *You may confide in him,* você pode confiar nele. 2 confidenciar: *She confides all her troubles to her mother.*
confidence s. 1 confiança: *to place/show confidence in someone,* depositar confiança em alguém. *in strict confidence,* estritamente confidencial. 2 audácia, ousadia: *He had the confidence to say all that,* Ele teve a ousadia de dizer tudo aquilo. 3 segurança, confiança em si próprio: *He took the test with confidence,* Ele fez o teste seguro de si.
confident adj. 1 confiante, seguro. 2 confiante em si mesmo: *He feels confident of passing the test.*
confidential adj. 1 confidencial, reservado: *confidential information.*
confinement s. 1 limitação. 2 prisão, reclusão: *He was placed in confinement,* Ele foi preso.
confirm v.t. 1 confirmar. 2 verificar. 3 aprovar, ratificar, 4 colaborar. 5 fortalecer, firmar. 6 (ecles) crismar.

confirmation s. confirmação, ratificação, comprovação.
confirmed adj. 1 confirmado.
confiscate v.t. 1 confiscar, apreender: *The goods were confiscated by Customs,* As mercadorias foram apreendidas pela alfândega.
conflict s. 1 conflito, luta. 2 oposição, discordância, desacordo: *He came into conflict with,* Ele entrou em conflito com.
conflict v.i. 1 estar em conflito com. 2 colidir, chocar-se com. 3 divergir. 4 lutar, combater.
conform v.t. e i. t. 1 conformar-se, obedecer, sujeitar-se. 2 corresponder, ser igual a. 3 adaptar(-se), ajustar-se.
conformity s. 1 conformidade, semelhança. 2 concordância, acordo: *He acts in conformity with the law,* Ele age de acordo com a lei.
confront v.t. 1 enfrentar, defrontar, afrontar: *He was confronted with difficulty,* Ele enfrentou dificuldades. 2 comparar.
confrontation s. 1 confrontação.
confusion s. 1 confusão, mistura. 2 desordem, perturbação.
congenial adj. 1 compatível (personalidade, interesse): *He is congenial to* me. 2 agradável: *congenial climate,* clima agradável.
congenital adj. congênito, inato: *congenital blindness,* cegueira congênita.
conglomerate adj. conglomerado, composto de fragmentos heterogêneos.
conglomeration s. conglomerado, aglomeração.
congratulate v.t. congratular, felicitar, dar parabéns: *congratulate her on her birthday.*
congratulation s. congratulação, felicitação, parabéns: *Give my congratulations to her.*
congress s. 1 congresso, convenção, assembléia. 2 *Congress,* Congresso, Parlamento: *The Congress of the USA.*
conjecture s. conjetura, hipótese, suposição.
conjugate v.t. e i. 1 (gram) conjugar. 2 (biol) unir, ligar.
conjunction s. 1 (gram) conjunção. 2 união, associação, combinação. *in conjunction with,* em combinação com, juntamente com.
connect v.t. e i. 1 ligar(-se), unir (-se), juntar(-se): *The two cities are connected by a bridge.* 2 relacionar (coisas ou pessoas): *to connect Brazil with samba and carnival.*
connection s. 1 conexão, ligação: *I can't see the connection of his ideas. connection with,* com relação, com referência a: *He wants to see you in connection with your documents.*
conquer v.t. 1 conquistar, ganhar em guerra. 2 vencer por força, subjugar, dominar.
conscience s. consciência, escrúpulo, senso moral.
conscientious adj. 1 consciencioso, escrupuloso. 2 cuidadoso.
conscious adj. 1 consciente, cônscio: *He is conscious of his problems,* Ele tem consciência de seus problemas.
consecutive adj. 1 consecutivo, sucessivo: *He went there on three consecutive days.* 2 conseqüente.
consecutively adv. consecutivamente, sucessivamente.
consent s. 1 permissão, consentimento. 2 acordo. *age of consent* (jur), maioridade. *by common consent,* de comum acordo. *Silence gives consent,* Quem cala, consente.
consent v.i. consentir, permitir, concordar: *to consent to a proposal,* concordar com uma proposta.
consequence s. 1 conseqüência, resultado, efeito. 2 importância, influência: *of no consequence,* sem importância.
consequent adj. conseqüente, resultante.

conservative adj. 1 conservador (também partido político). 2 cauteloso, moderado.
consider v.t. 1 refletir, ponderar, considerar. 2 ter em conta, tomar em consideração. 3 julgar, pensar. *all things considered*, considerando todos os fatos.
considerable adj. 1 considerável, notável, importante. 2 muito, grande.
considerably adv. consideravelmente, notavelmente.
considerate adj. atencioso, que mostra consideração: *It was considerate of you to bring me home!*
consideration s. 1 consideração, atenção. *in consideration of*, em vista de. *out of consideration for*, em consideração a *take into consideration*, levar em consideração.
considering prep. em vista de, considerando que, levando em consideração: *He does a lot of things, considering his age.*
consignment s. consignação, remessa, despacho. *on consignment*, em consignação.
consist v.i. 1 *consist of*, constituir-se ou compor-se de: *The group consists of five people*
consistency s. (pl -ies) 1 consistência, solidez, estabilidade: *The consistency of his actions makes him respectable.* 2 grau de densidade ou viscosidade. 3 persistência, perseverança.
consistent adj. 1 consistente, sólido, firme. 2 compatível, conforme: *His plans are consistent with the new regulations.* 3 espesso, denso.
consolidate v.t. e i. 1 consolidar, firmar: *consolidate one's political relations.* 2 fundir, incorporar: *The two companies were consolidated.*
consolidation s. 1 consolidação. 2 fusão de empresas. 3 combinação.
consommé s. caldo de carne.
consonant s. consoante.
consort s. 1 cônjuge, consorte: *the prince consort.* 2 companheiro, sócio, associado. 3 navio que navega junto com outro.
conspicuous adj. 1 conspícuo, distinto. 2 proeminente, notável.
conspiracy s. (pl -ies) 1 conspiração. 2 intriga, trama.
conspire v.i. 1 conspirar, tramar. 2 (rel a fatos) agir em conjunto, cooperar: *Everything conspired to make him go bankrupt.*
constable s. guarda policial: *Chief constable*, chefe de polícia. (GB).
constantly adv. constantemente, incessantemente, regularmente.
constellation s. constelação.
constituency s. (pl -ies) 1 eleitorado de um distrito. 2 distrito eleitoral.
constitution s. 1 (polit) constituição. 2 compleição corporal, natureza: *He is a man of strong constitution.* 3 estrutura, configuração.
constitutional adj. 1 constitucional, relativo ao temperamento. 2 conforme à legislação ou constituição: *constitutional reforms.*
constrain v.t. 1 constranger, compelir, obrigar: *I felt constrained to go to his house.* 2 confinar. 3 reprimir, refrear.
constraint s. 1 constrangimento. 2 restrição. 3 coerção, coação: *to act under constraint*, agir sob coação.
construct v.t. 1 construir, erigir. 2 formar, planejar, arquitetar: *to construct a good plan.*
construction s. 1 construção, edificação: *under construction*, em construção. 2 prédio, edifício. 3 (gram) construção de frases.
constructive adj. 1 construtivo, útil. 2 estrutural.
consul s. cônsul.
consulate s. 1 consulado. 2 cargo ou autoridade do cônsul.
consultant s. 1 consultor. 2 consultante. 3 consulente.
consultation s. 1 consulta. 2 conversa, troca de idéias. 3 conferência.

consume v.t. e i. 1 comer ou beber. 2 consumir, esgotar, desgastar. 3 destruir, queimar, devorar (fogo): *He is consumed with envy,* Ele se consome de inveja.
consumer s. consumidor.
consuming adj. que consome, domina: *a time consuming occupation.*
contact s. 1 contato. **be in contact with**, estar em contato com. **make contact with**, estabelecer contato com. 2 ligação, conexão: *They have many business contacts in Europe.* **contact lens**, lente de contato.
contact v.t. 1 entrar ou pôr em contato com. 2 comunicar-se com: *contact the manager as soon as possible.*
contagious adj. 1 contagioso, contagiante: *contagious happiness.* 2 infeccioso.
contain v.t. 1 caber, conter, incluir: *This book contains forty illustrations.*
container s. recipiente (vasilha, caixa, lata, etc).
contaminate v.t. 1 contaminar, contagiar. 2 sujar, poluir. 3 corromper.
contamination s. 1 contaminação, infecção. 2 corrupção.
contemplate v.t. 1 contemplar, olhar. 2 estudar, pensar. 3 tencionar, pretender, esperar.
contemplation s. 1 contemplação. 2 pensamento, meditação. 3 intenção, plano. **in contemplation**, em vista.
contemporary adj. contemporâneo: *He was contemporary with Shakespeare. I like contemporary music.*
contempt s. 1 desprezo, desdém: *They felt contempt for the weak.* 2 (jur) desrespeito, desobediência: *in contempt of all the rules.* **contempt of court**, (jur) desacato à autoridade de um tribunal.
contend v.t. e i. 1 lutar, combater. 2 competir, despertar: *to contend for a prize.* 3 discutir, argumentar, sustentar.
contender s. contendor, rival.

content adj. 1 contente, satisfeito, alegre. 2 disposto, com boa vontade.
content s. 1 conteúdo: *the contents of a book.* 2 volume, capacidade: *the contents of a bottle.* 3 teor, assunto: *I couldn't understand the content of that article.* **table of contents**, índice.
content s. contentamento, satisfação.
content v.t. contentar, satisfazer: *We must content ourselves with the few things we have.*
contest s. 1 luta. 2 controvérsia, debate. 3 competição.
contest v.t. e i. 1 contestar. 2 debater, discutir. 3 competir, concorrer.
contestant s. concorrente, contendor, competidor.
context s. contexto.
contextual adj. contextual, relativo a contexto.
continent s. 1 continente. **The Continent**, o continente europeu.
continental adj. 1 continental: *a continental climate.* 2 europeu, estrangeiro (em relação aos britânicos).
contingency s. (pl -ies) 1 contingência. 2 acontecimento acidental ou inesperado.
contingent adj. (fml) 1 incerto, duvidoso. 2 contingente, eventual.
contingent s. 1 contingente (de soldados). 2 quota, parte (de um grupo).
continual adj. contínuo, sucessivo, ininterrupto.
continually adv. continuamente, continuadamente.
continue v.t. e i. 1 continuar, prosseguir. 2 recomeçar. 3 durar, perdurar.
continuous adj. contínuo, ininterrupto, sucessivo.
contort v.t. contorcer, torcer, distorcer: *He contorted with pain.*
contortion s. contorção, deformação.
contour s. 1 contorno, perfil. 2 curva de nível. **contour map**, carta topográfica.

contra- *prefixo* que indica oposição, antagonismo.
contraband *s.* contrabando.
contraception *s.* controle de natalidade, contracepção.
contraceptive *s.* preservativo, anticoncepcional.
contract *s.* contrato, acordo, compromisso: *I made a contract with the owner of the house. The work will be done by private contract.*
contract *v.t. e i.* 1 contratar, fazer contrato: *to contract to build a bridge.* 2 assumir compromisso. fazer dívidas. 3 contrair moléstia: *to contract measles.* 4 formar, adquirir maus hábitos.
contract *v.t. e i..* 1 abreviar, contrair. 2 contrair, apertar. enrijecer: *Her muscles contracted with pain.*
contraction *s.* contração (também gram), encolhimento, abreviação.
contractor *s.* contratante, fornecedor, empreiteiro. *The contractor had little idea of the difficulties he would face.*
contradict *v.t.* contradizer, contestar, negar, contrariar: *This contradicts what was said earlier.*
contradiction *s.* 1 contradição, contestação. 2 oposição. 3 inconsistência, incoerência: *His declarations today are in contradiction with what he said yesterday.*
contradictory *adj.* 1 contraditório. 2 contrário, oposto.
contraption *s.* (infml) engenhoca, aparelho, dispositivo.
contrary *adj.* 1 contrário, oposto: *I'm contrary to his decision.* 2 desfavorável, adverso. 3 perverso, antagônico.
contrary *s.* (pl *-ies*) 1 contrário, oposto: *The contrary of cold is hot.* 2 contradição. **on the contrary**, pelo contrário. **to the contrary**, em contrário.
contrast *s.* contraste, diferença: *In contrast with his brother he is intelligent.*
contrast *v.t. e i.* 1 contrastar. 2 comparar. 3 formar contraste, destacar-se.

contravention *s.* contravenção, violação, infração.
contribute *v.t. e i.* 1 contribuir, subvencionar, dar dinheiro ou auxílio: *contribute to charity.* 2 colaborar (em jornal): *She contributes to a newspaper.* 3 colaborar: *Everything contributed to his failure.*
contribution *s.* 1 contribuição, colaboração. 2 taxa, tributo.
contributor *s.* 1 contribuinte. 2 colaborador de jornal ou revista.
contrite *adj.* 1 contrito, arrependido. 2 penitente.
contrition *s.* contrição, arrependimento, penitência.
contrivance *s.* 1 aparelho, instrumento. 2 idéia, habilidade de invenção, perspicácia. 3 plano.
contrive *v.t. e i.* 1 inventar. 2 planejar, tramar: *He contrived means for his liberation.* 3 efetuar, conseguir: *They contrived to escape from prison.*
control *s.* 1 força, autoridade, direção, poder: *He was in control of the situation.* **under control,** sob controle. **without control,** descontrolado. **lose control (of),** perder o controle de. **take control (of),** assumir o controle de. 2 fiscalização. 3 (Pl) controle, comando: *the controls of an aircraft.*
control *v.t. (-ll-)* 1 controlar, regular: *to control expenditure.* 2 controlar-se, conter-se: *to control oneself.* 3 regular, fiscalizar.
controller *s.* controlador, fiscal, tesoureiro.
controversial *adj.* 1 controverso. 2 polêmico, controvertido. 3 duvidoso.
controversy *s.* (pl *-ies.*) controvérsia, discussão, disputa, polêmica.
convalescence *s.* convalescência.
convalescent *s., adj.* convalescente.
convene *v.t. e i.* 1 reunir-se, encontrar-se (para reunião, etc). 2 convocar, intimar.
convenience *s.* 1 conveniência. 2 condição ou tempo conveniente. 3

comodidade. aparelho, utensílio útil: *Her house is full of modern conveniences.*
at your convenience, quando você puder.
convenient *adj.* 1 conveniente. 2 cômodo, confortável: *Is it convenient for you to get there at 7 o'clock?*
convent *s.* convento, mosteiro, claustro.
convention *s.* 1 conferência. 2 convenção, combinação. 3 regra. 4 (pl) etiqueta. uso consagrado: *She's a woman against conventions.*
conventional *adj.* 1 convencional, usual, formal: *conventional greetings.* 2 tradicional: *a conventional design for a house.*
converge *v.t. e i.* 1 convergir, tender para o mesmo ponto. 2 fazer convergir.
conversation *s.* 1 conversação, conversa, troca de idéias. 2 relações, intercâmbio social.
conversion *s.* 1 conversão, troca. 2 câmbio (de moeda).
convert *s.* convertido: *a convert to Christianity.*
convert *v.t.* 1 transformar, converter. 2 mudar de religião ou de partido. 3 inverter, transpor.
convertible *adj.* convertível, conversível (também automóvel).
convex *adj.* convexo, curvado, abaulado.
convey *v.t.* 1 carregar, transportar. 2 transmitir, conduzir. 3 exprimir, comunicar: *He can't convey his feelings in words.* 4 (jur) transferir (propriedade): *The land was conveyed to his wife.*
convict *s.* condenado, sentenciado.
convict *v.t.* 1 provar a culpa de um reu. 2 condenar, sentenciar: *He was convicted of murder.*
conviction *s.* 1 condenação, prova de culpabilidade. 2 convicção. certeza: *I have a strong conviction that he is telling the truth.* 3 persuasão: *She carried much conviction,* Ela foi convincente.
convince *v.t.* convencer, persuadir: *I couldn't convince him that he was wrong.*
convincing *adj.* convincente: *convincing proof.*
convoy *s.* 1 ação de comboiar ou escoltar. 2 escolta, proteção. 3 comboio.
convoy *v.t.* comboiar, proteger, escoltar.
convulse *v.t.* 1 convulsionar, agitar: *The country was convulsed by civil war.* 2 contorcer-se (de rir, de dores): *He was convulsed with laughter.*
convulsion *s.* 1 convulsão, contração muscular violenta. 2 acesso de riso. 3 distúrbio violento. 4 (pl) convulsões nervosas: *They took him to hospital because of his frequent convulsions.*
cook *s.* cozinheiro.
cook *v.t. e i.* 1 cozinhar, fazer comida. 2 ser cozido: *The vegetables were cooked an hour ago.*
cooker *s.* fogareiro, fogão: *a gas cooker.*
cookery *s.* arte culinária. **cookery-book,** livro de receitas.
cookie *s.* (EUA) bolinho, doce, biscoito.
cool *adj.* (-er, -est) 1 frio, fresco. 2 calmo, tranqüilo, ponderado: *He kept cool during the robbery.* 3 indiferente, apático: *The visitors had a cool reception.* 4 arrojado, descarado.
cool *v.t. e i.* 1 esfriar, resfriar. **cool down/off,** acalmar(-se): *I asked him to cool down.*
cooperate *v.i.* cooperar.
cooperation *s.* cooperação, colaboração.
cooperative *adj.* cooperativo, cooperante: *cooperative Society.*
cooperative *s.* cooperativa: *agricultural cooperatives.*
coordinate *adj.* 1 igual em importância. 2 coordenado, ajustado. 3 (gram) coordenado.

coordinate

coordinate v.t. 1 coordenar, igualar. 2 ajustar, harmonizar.
coordination s. coordenação, igualdade de condições.
cop s. (gír) guarda, policial, tira.
cope v.i. *cope with*, lidar (com), agüentar, enfrentar: *He wasn't able to cope with the difficulties he had.*
copious adj. 1 copioso, abundante. 2 cheio, rico. 3 prolixo.
copiously adv. copiosamente, abundantemente: *She cried copiously during the film.*
copper s. 1 cobre. 2 utensílio de cobre. 3 moeda (de cobre ou bronze dos EUA e GB). 4 cor avermelhada.
copulate v.i. (esp animais) copular, ter relações sexuais.
copy s. (pl -ies) 1 cópia, duplicata. 2 modelo, exemplo. 3 exemplar (de livro, revista). 4 manuscrito pronto para ser composto. *rough copy*, rascunho.
copy v.t. e i. 1 copiar, transcrever: *He copied the address from the board.* 2 imitar, reproduzir. 3 (fig) tomar como modelo: *Why don't you copy his good manners?*
copy-cat s. (infml) pessoa que imita outra, que macaqueia.
copyright s. direitos autorais, propriedade literária e artística.
coral s. 1 coral (pólipos marinhos), banco de coral. 2 coral (cor). *coral reef*, recife de coral.
cord s. 1 corda, cordão, (eletr) fio. 2 (anat) estrutura anatômica em forma de cordão: *the vocal cords, the spinal cord.*
cordial adj. cordial, sincero, estimulante.
cordiality s. cordialidade, afetuosidade, sinceridade.
cordon s. 1 cordão de isolamento ou de guarda. 2 cordão, galão, fita.
corduroy s. 1 tecido canelado, veludo cotelê. 2 (Pl) calças desse tecido: *a pair of corduroys.*

core s. 1 caroço, miolo de frutas. 2 centro, núcleo. 3 âmago, essência. *rotten to the core*, (fig) completamente estragado.
cork s. 1 cortiça. 2 rolha de cortiça.
cork-screw s. saca-rolhas.
corn s. 1 cereal, grão (esp trigo).
corn s. calo, calosidade: *He trod on my corns,* Ele pisou nos meus calos (também fig).
corn v.t. salgar, conservar carne em salmoura: *corned beef,* carne enlatada.
corn-cob, (EUA) espiga de milho. *corn-flour*, amido de milho, maisena, fubá.
corner s. 1 canto, ângulo. 2 esquina: *He went to the shop at the corner.* 3 lugar retirado, esconderijo. 4 região remota. 5 apuro, situação difícil. *He was in tight corner,* Ele estava em apuros. *to turn the corner,* (fig), vencer as dificuldades. *just round the comer,* muito perto, próximo. *to cut corners,* usar o caminho mais curto, simplificar.
corner v.t. e i. 1 encurralar, acossar, apertar: *The robber was cornered by the police.* 2 encontrar-se em canto ou esquina.
corner-stone s 1 pedra fundamental. 2 (fig) base, alicerce: *Hard work was the corner-stone of his success.*
corny adj. (-ier; -iest) (gír) 1 piegas, ultrapassado (piadas, música, etc). 2 simples, rústico, caipira.
coronary s. (anat) coronária.
coronation s. coroação.
coroner s. 1 investigador de casos de morte suspeita. 2 médico legista. *coroner's inquest*, autópsia.
corporal adj. corporal, corpóreo: *corporal punishment,* punção corporal.
corporate adj. 1 incorporado, que forma corporação. 2 combinado, associado. *corporate body*, pessoa jurídica.
corporation s. corporação. 3 sociedade, associação.
corps s. 1 unidade militar. 2 corporação.

count

3 corpo (de baile, diplomático): *corps de ballet*.
corpse *s.* cadáver, defunto.
corpulent *adj.* (fml) corpulento, obeso, gordo.
corpuscle s glóbulo, molécula, corpúsculo.
corral *s.* curral.
correct *adj.* 1 correto, certo, preciso. 2 próprio, justo, apropriado: *The correct clothes for the party*.
correct *v.t.* 1 corrigir: *He didn't correct his mistake*. 2 censurar, repreender. 3 punir, castigar.
correspond *v.i.* 1 corresponder, estar em harmonia: *The price of the goods does not correspond with/to their quality*. 2 corresponder-se, trocar correspondência (cartas): *They've been corresponding with each other since they were children*. **correspond to**, ser igual, ser parecido: *This picture does not correspond to her description*.
correspondence *s.* 1 correspondência, concordância, semelhança: *There is not much correspondence between our views on this subject*. 2 troca de correspondência, de cartas: *She keeps all the correspondence between her mother and her father*.
corresponding *adj.* correspondente, conforme.
corroborate *v.t.* corroborar, validar, confirmar.
corrosion *s.* corrosão.
corrugate *v.t., v.i.* corrugar, ondular, enrugar.
corrugation *s.* enrugamento, dobra, ondulação.
corrupt *adj.* 1 corrupto, desonesto: *a corrupt politician*. 2 alterado, deturpado: *a corrupt form of French*.
corrupt *v.t. e i.* corromper, subornar, adulterar, alterar.
corruption *s.* corrupção, desonestidade, suborno, alteração, adulteração.
cosmetic *s.* (ger pl) cosmético(s).
cosmic *adj.* cósmico, universal.

cosmopolitan *adj., s.* cosmopolita.
cosmos *s.* cosmos, universo.
cost *s.* 1 preço, custo: *the cost of living*, custo de vida. 2 gasto: *She gave a party to 300 guests without regard to costs*. **at all costs**, a qualquer preço. **count the cost**, pensar nas conseqüências. **to one's cost**, por conta própria.
cost *v.i.* 1 custar: *A car costs a lot of money nowadays*. 2 causar, trazer prejuízo.
cost *v.t.* determinar o custo, orçar: *The company put all its money to cost the Subway line*.
costly *adj.* (-ier; -iest) valioso, caro, dispendioso.
costume *s.* 1 roupa, traje, fantasia. 2 tailleur.
cosy *adj.* (-ier, -iest) confortável, aconchegante: *a cosy room*.
cot *s.* 1 berço. 2 cama portátil de lona.
cottage *s.* cabana, casa pequena, chalé.
cotton *s.* algodão, fibra de algodão.
couch *s.* 1 divã, sofá, canapé. 2 cama.
cough *s.* 1 tosse: *She has a bad cough*.
cough *v.t. e i.* tossir. **cough up**, expelir através do ato de tossir.
could *v.* (pret. do verbo *can*).
council *s.* conselho, assembléia, junta administrativa.
councilor *s.* conselheiro, membro de um conselho (GB *councillor*).
counsel *s.* 1 conselho, troca de idéias, opinião, recomendação, parecer. 2 (pl) jurisconsulto, advogado.
counsel *v.t.* (fml) aconselhar.
counselor *s.* conselheiro, consultor. (GB *counsellor*).
count *s.* 1 contagem. 2 conta, soma. 3 (jur) acusação: *The man was found guilty on all counts*.
count *v.t. e i.* 1 contar, enumerar: *count from 20 to 50*. 2 incluir, ser incluído em um cálculo: *We had 50 peoplefor lunch, not counting the children*. 3 considerar, julgar: *He counts himself*

countable

fortunate in finding his documents. 4 considerar, ter importância: *The fact that she didn't speak other languages didn't count.* **count (sth) against (sb)**, considerar desvantagem, ser considerado desvantagem: *His father is the president of the company but don't count that against him.* **count down**, fazer contagem regressiva. **count in**, incluir: *The waiter didn't count the drinks in the bill.* **count on**, esperar, contar com: *You can count on me to help you type all those letters.* **count out**, a) declarar vencido por nocaute: *The boxer was counted out in the fifth round.* b) não incluir, deixar de fora: *I'm not going to the beach for the weekend; count me out.*

countable *adj.* contável.

countenance *s.* (fml) 1 rosto, semblante: *a person with a sad countenance.* 2 apoio: *Her family refused to give her countenance when she decided to live alone.*

counter *adv.* **counter to,** contrário: *She married Paulo counter to her wishes.*

counter prefixo que indica contra, na direção oposta a: *counter attack; counter balance.*

counter *s.* balcão de loja, banco ou lanchonete.

counter *v.t. e i.* opor, agir contra: *The director countered the request for new employees by pointing out the company expenses.*

counteract *v.t.* contrariar, neutralizar: *The vaccine will counteract the effects of the poison.*

counterbalance *s.* contrapeso, compensação.

counterbalance *v.t.* contrabalançar.

counterfeit *adj.* falso, falsificado, forjado: *counterfeit money.*

counterfeit *s.* imitação, simulação, falsificação.

counterfeit *v.t.* falsificar, forjar, simular, fingir: *to counterfeit sb's handwriting.*

counterfoil *s.* canhoto (de talão de cheque, recibo), protocolo.

counterpart *s.* 1 duplicata, cópia. 2 sósia.

countess *s.* condessa.

countless *adj.* incontável, inúmero.

country *adj.* rústico, do campo: *country life; country house.*

country *s.* (pl -ies) 1 país, território: *South-American countries.* 2 pátria: *Brazil is my own country.* 3 povo, nação. 4 campo, interior, zona rural: *Some people prefer to live in the country.*

countryside *s.* zona rural, interior.

county *s.* (pl -ies) condado, município, comarca.

coup d'état *s.* golpe de estado.

couple *s.* dupla, casal, par.

couple *v.t. e i.* 1 juntar, unir, ligar. 2 acasalar.

coupling *s.* 1 acoplamento, ligação. 2 acasalamento. 3 engate entre vagões.

coupon *s.* cupom, bilhete, talão.

courage *s.* coragem, bravura.

courageous *adj.* corajoso, audaz, bravo, valente.

courier *s.* 1 mensageiro. 2 acompanhante de viagem.

course *s.* 1 curso, rumo, trajeto, transcurso: *the course of a river; in the course of the year;* 2 campo de esporte, pista: *a golf course.* 3 plano de ação: *You have to decide what course of action you want to take.* 4 curso: *an English course.* 5 curso escolar ou universitário: *a 3 year History course.* **in the course of,** durante, ao longo de, no decorrer de: *in the course of construction.* **(as) a matter of course,** como uma coisa natural, lógica: *You don't have to invite Pedro; he'll come as a matter of course.* **in due course**, na ocasião oportuna, no devido tempo. **of course,** naturalmente.

court *s.* 1 tribunal, corte de justiça: *a court of law.* 2 corte real: *the British court.* 3 pessoas da corte real.

court *s.* área para esportes, quadra: *a tennis court.*

court v.t. e i. 1 cortejar, galantear: *He is courting his old uncle in the hope to get his money.* 2 namorar, fazer a corte: *Paulo has courted Sandra for some time but they haven't decided to marry yet.* 3 tentar obter: *He's working hard in the hope to court their approval.*
courtesy s. (pl -*ies*) cortesia, atenção.
court-martial s. (pl *courts-martial*) corte marcial, conselho de guerra.
courtship s. namoro, corte.
cousin s. primo, prima.
covenant s. 1 (jur) contrato, acordo, pacto. 2 convênio.
covenant v.t., v.i. concordar, comprometer-se sob contrato.
cover v.t. 1 cobrir, tampar: *He spoke in such a loud voice that we had to cover our ears with our hands.* 2 abrigar, proteger: *We covered the children from the rain. I had my car covered against damage.* 3 percorrer uma certa distância: *We had already covered 600 km when the car broke down.* 4 ser o suficiente: *The money we got this month has only just covered the payment of the rent.* 5 incluir, abranger: *The doctor's article in the newspaper only covers part of the subject.* 6 fazer uma cobertura jornalística: *A lot of reporters covered the president's trip to South Africa.* **be covered with**, ter, existir em grande quantidade: *The city was covered with ads of the new product.*
coverage s. cobertura dos acontecimentos: *a TV coverage of the world championship.* (= *cover*).
covert adj. oculto, secreto, velado, dissimulado.
covet v.t. desejar, cobiçar, ansiar.
covetous adj. ávido, que cobiça.
cow s. 1 vaca. 2 fêmea de mamíferos. (elefante, rinoceronte, baleia, etc.)
cowboy, vaqueiro, boiadeira.
cow v.t. intimidar, amedrontar: *The boy had a cowed look.*

coward s. covarde.
cowardice s. covardia.
coy adj. (-*er*, -*est*) modesto, tímido, reservado.
crab s. caranguejo, siri.
crack s. 1 rachadura, fenda: *a crack in the glass.* 2 estrondo: *a crack of thunder.* 3 estampida: *the crack of a gun.* 4 golpe: *She gave him a crack on the head.*
crack v.t. e i. 1 rachar. 2 mudar de voz (na adolescência).
cracker s. 1 biscoito, bolacha bem torrada. 2 bombinha, estalos (p ex, usadas em festas juninas). *nut-cracker*, quebra-nozes.
crackle v.i. estalar.
crackling s. 1 estalido. 2 pele de parco torrada, torresmo.
cradle s. 1 berço. 2 lugar de origem.
cradle v.t. embalar: *cradle a baby in one's arms.*
craft s 1 embarcação, navio. 2 aeronave.
craft s. 1 ofício que implica habilidade no uso das mãos: *wood craft*, artesanato em madeira; *handicraft*, artesanato. 2 astúcia, manha: *Be careful when you deal with her; she's full of craft.*
craftsman s. (pl -*men*) artífice, artesão, profissional.
cram v.t. e i. (-*mm*-) 1 abarrotar, encher: *At rush hours, buses are always crammed with people. Don't cram food into your mouth.*
cramp s. cãibra: *The swimmer was seized with cramp.*
cramp v.t. 1 ficar com cãibra. 2 limitar, restringir: *The lack of money cramped their creativity.*
crane s. 1 garra. 2 guindaste.
crane v.t. e i. esticar o pescoço: *He craned his neck to see better.*
cranial adj. craniano.
cranium s. (med) crânio.
crank s. manivela.
crank s. 1 pessoa esquisita, excêntrica. 2 pessoa mal-humorada, irritadiça.

cranky

cranky *adj.* (-ier, -iest) 1 esquisito, excêntrico. 2 desengonçado, desarranjado.
crash *s.* 1 estrondo causado pela queda. 2 colisão, batida, desastre: *They were killed in a plane crash.* 3 falência, colapso, ruína: *the great crash on Wall Street in 1929.* **crash-course/ programme**, curso rápido. **crash diet**, regime de efeito rápido. **crash-helmet**, capacete protetor.
crash *v.t. e i.* 1 colidir: *The car crashed into a wall.* 2 espatifar-se: *The plane crashed.* 3 falir, ir à ruína: *His great financial scheme crashed.*
crass *adj.* 1 crasso. 2 grosseiro, estúpido.
crate *s.* engradado, caixote.
crate *v.t.* engradar, encaixotar.
crave *v.t. e i.* desejar ardentemente, suplicar, necessitar: *crave for a glass of water.*
craving *s* desejo, necessidade: *a crave for a drink.*
crawl *s.* 1 rastejo. 2 estilo de natação.
crawl *v.i.* 1 arrastar, engatinhar. 2 mover-se lentamente: *Because of the rain the streets were full of cars and the traffic crawled.*
crayon *s.* lápis de cera, creion.
craze *v.t.* enlouquecer: *a crazed look.*
craziness *s.* loucura.
crazy *adj.* (-ier; -iest) 1 louco, demente: *a crazy person.* 2 louco por: *I'm crazy about dancing.*
creak *s.* rangido, chiado.
creak *v.i.* ranger, chiar.
cream *s.* 1 nata, creme de leite. 2 comida que parece creme: *ice cream,* sorvete; *cream cheese.* 3 cosmético, pomada: *face cream.* 4 cor creme.
creamy *adj.* cremoso, rico em gordura.
crease *s.* ruga, prega, dobra, vinco.
crease *v.t. e i.* enrugar, dobrar, fazer pregas, vincar.
create *v.t.* 1 criar, produzir, inventar, realizar.

creation *s.* 1 criação, criação artística: *the creation of the best works of art.* **the Creation**, a Criação, o universo criado por Deus.
creative *adj.* criativo, inventivo.
creator *s.* 1 criador. **the Creator,** o Criador, Deus.
creature *s.* criatura, ser humano, animal.
credence *s.* crédito, crença. **give attach/credence to,** (fml) dar crédito a, acreditar.
credentials *s.* (pl) referências, credenciais, cartas de recomendação.
credibility *s.* credibilidade.
credible *adj.* digno de crédito: *credible witness.*
credit *s.* 1 crédito: *He has no credit in that department store.* 2 dinheiro pago adiantado (por um serviço), dinheiro emprestado (por um banco): *The bank refused credit to that company.* 3 trabalho acadêmico que conta pontos para um exame: *He has credits in English Language and Literature.* **credit account,** sistema de pagamento a prazo. **credit card,** cartão de crédito.
credit *v.t.* 1 acreditar, ter fé em, confiar: *Miraculous powers are credited to that old man.* 2 creditar em conta: *They credited the money to my account.*
credulity *s.* credulidade, ingenuidade.
credulous *adj.* crédulo, ingênuo.
creed *s.* credo, doutrina.
creek *s.* córrego, riacho, ribeirão.
creep *v.i.* 1 arrastar-se, rastejar, mover-se lentamente: *The cat crept silently towards the mouse.* 2 chegar gradativamente: *We almost don't notice how old age creeps up on us.* 3 (plantas) trepar, rastejar. 4 arrepiar: *His flesh crept at the sight of death.*
creeper *s.* 1 réptil. 2 planta trepadeira.
creepy *adj.* (-ier, -iest) arrepiado de medo: *The story he told us made us all creepy.*
cremate *v.t.* queimar, incinerar.

cremation s. cremação, incineração.
crept v. (pret. do verbo *creep*).
crescendo adj., adv. (mus) em crescendo.
crescendo s. (mus) crescendo.
crescent s. 1 (lua) quarto crescente. 2 objeto em forma de meia-lua.
crest s. 1 crista (ave). 2 penacho. 3 cume, topo. *on the crest of a wave*, na crista da onda.
crest v.t. alcançar o cume.
crestfallen adj. desanimado, abatido.
crew s. 1 tripulação (návio, avião). 2 turma de trabalhadores.
crib s. 1 mangedoura. 2 presépio de Natal (representação ao vivo). 3 berço.
cricket s. criquete.
cricket s. grilo.
cried V. (pret. do verbo *cry*).
crime s. crime, delito: *He is in prison because he committed a serious crime.*
crime-wave, onda de crimes.
criminal s. e adj. criminoso.
criminally adv. criminalmente, criminosamente.
crimson adj., s. vermelho forte, rubro, carmim.
cringe v.i. 1 encolher-se de medo. 2 bajular, agir servilmente.
crinkle v.i. e t. dobrar, amarrotar, amassar.
cripple s. aleijado, coxo, paralítico.
cripple v.t. e i. mutilar, aleijar, incapacitar: *The war crippled many people.*
crisis s. (pI *crises*) 1 crise, alteração sobrevinda no curso de uma doença no curso da vida ou da história. 2 conjuntura perigosa, momento decisivo.
crisp adj. (-er, -est) 1 alimento tostado e quebradiço: *crisp biscuits.* 2 tempo frio: *a crisp winter day.* 3 fresco, viçoso: *crisp vegetables; crisp fruit.* 4 encaracolado: *crisp hair.*
crisp s. batata frita (seca e torrada) vendida em saquinhos.
critic s. 1 crítico, examinador: *art critic*; *musical critic; literary critic.* 2 pessoa que gosta de criticar: *Maria is a severe critic, she's always finding faults in other people's works.*
critical adj. 1 crítico, criterioso: *I read some critical opinions about his last book in the papers.* 2 crítico, difícil, perigoso: *The doctor advised the patient's family to send him to hospital because of his critical condition.* 3 crítico, desaprovador: *His teacher made some critical remarks about his behaviour at school.*
criticism s. 1 desaprovação, censura. 2 analise, apreciação, julgamento.
criticize v.t. e i. criticar, censurar, julgar, apreciar.
crochet s. crochê, trabalho de croche.
crockery s. louça de barro.
crocodile s. crocodilo: *crocodile tears,* lágrimas de crocodilo.
crook s. vigarista, trapaceiro, escroque.
crooked adj. 1 desonesto, trapaceiro, vigarista. 2 torto, torcido.
crooked adj. curvo, torto, arqueado: *a crooked old woman.*
crop s. 1 colheita, safra, produção. 2 grupo, coleção: *There is a new crop of college students this year.*
crop v.t. e i. (-pp-) 1 aparar, cortar a ponta: *The gardener cropped the grass short.* 2 cortar, aparar, tosquiar (cabelo de pessoa, rabo de cavalo, oreIha de animal). 3 semear, plantar: *to crop the land with coffee.* 4 produzir uma safra: *The rice has cropped badly this year.*
cross adj. 1 (infml) mal-humorado, zangado: *I was really cross when a man hit my car.* 2 cruzado, contrário, oposto: *crossed winds.*
cross s. 1 qualquer marca em forma de cruz, p ex *x*, +. 2 cruz: *the Cross,* a cruz de Cristo. 3 sofrimento, aflição, atribulação: *to bear one's cross.* 5 cruzamento, encruzilhada. 6 cruzamento, mistura (de raças).
cross v.t. e i. 1 cruzar, atravessar, transpor: *cross a river/sea/bridge.* 2

cruzar, tirar, eliminar: *His name had been crossed off the list.* 3 cruzar: *cross one's legs.* **cross one's mind**, ocorrer, vir a idéia. *The idea that he can go with us has just crossed my mind.* **keep one's fingers crossed**, torcer para que nada atrapalhe os planos de alguém. **cross one-self**, fazer o sinal da cruz.

crossfire s. fogo cruzado.

crossing s. 1 travessia. 2 cruzamento (ruas, estradas, linhas férreas, etc).

cross-purposes s. (pl) **be at cross-purposes**, existir/haver um mal entendido.

cross-reference s. citação de uma parte de um livro em outra (para maiores esclarecimentos), remissão recíproca.

crossroad s. 1 rodovia transversal. 2 (pl usado com verbo no sg) cruzamento, encruzilhada: *When we came to the crosswords we noticed there was a terrible car accident.*

crossword s. palavras cruzadas (= crossword puzzle).

crouch v.i. agachar-se, curvar-se.

crow s. corvo. **as the crow flies**, em linha reta. **crow's feet**, rugas perto dos olhos, pés-de-galinha (no rosto).

crow v.i. 1 cantar (galo). 2 gritar de alegria (bebê). 3 exultar.

crowd s. 1 multidão, massa popular. 2 (infml) grupo, turma: *I did not like The crowd I went out with last night.* 3 grande número de coisas:*His desk was covered with a crowd of magazines, newspapers, books.*

crowd v.t. e i. 1 aglomerar-se, afluir em multidão, encher: *crowd a room with people.* 2 (infml) fazer pressão sobre: *Don't crowd me! I've got to think about what to do.*

crowded adj. abarrotado, cheio, repleto: *crowded buses.*

crown s. 1 coroa. 2 poder real. 3 coroa de louros, prêmio. 4 copa de chapéu. 5 parte superior do dente. 8 perfeição.

crown v.t. 1 coroar, entronizar. 2 honrar, premiar. 3 estar no cume de.

crucial adj. crucial, decisivo, crítico: *At the crucial moment, the doctor arrived.*

crucifix s. crucifixo.

crucifixion s. crucificação. **the Crucifixion**, a crucificação de Cristo.

crucify v.t. crucificar.

crude adj. (-r; -st) 1 cru, não refinado, bruto: *crude oil.* 2 rude, grosseiro: *crude people.* 3 mal feito, imperfeito: *crude projects.*

crudity s. crueza, rudeza, grosseria, imperfeição, realismo.

cruel adj. (-er; -est) 1 cruel, brutal, selvagem. 2 desumano, sem piedade.

cruelty s. (pl -ies) crueldade, maldade, desumanidade.

cruise s. cruzeiro: *We went on a cruise down the Amazon.*

cruise v.i. fazer um cruzeiro.

cruiser s. 1 cruzador, navio de guerra. 2 lancha, barco a motor com acomodação para dormir a bordo.

crumb s. 1 migalha, farelo. 2 pedacinho, pouco: *crumbs of information.*

crumble v.t. e i. cair aos pedaços, desintegrar-se, esmigalhar-se: *She lived in a very old house. In fact the house was crumbling.*

crumple v.t. e i. amassar, amarrotar: *She crumpled all her clothes because she did not know how to pack.* **crumple up**, amassar: *The students crumpled up all the papers.*

crunch s. mastigação ruidosa, ruído da trituração.

crunch v.t. e i. 1 mastigar ruidosamente. 2 triturar, amassar, esmagar: *The little stones crunched under our feet.*

crusade s. 1 cruzada, guerra religiosa. 2 campanha a favor/contra: *a crusade against the construction of underground parking lots.*

crusade v.i. empenhar-se em uma campanha.

crush s. multidão, aglomeração: *There was a crush at the theatre waiting for the doors to open.* **have a crush on sb**, (gír) imaginar-se apaixonado: *She has a crush on him.*
crush v.t. e i. 1 amassar, esmagar: *The tree fell down on the house and crushed it.* 2 amarrotar: *When she unpacked, all her clothes were crushed.*
crushing adj. 1 esmagadora: *a crushing victory.* 2 desconcertante: *a crushing reply.*
crust s. 1 crosta do pão, casca torrada de torta, pastel. 2 camada: *a crust of ice.* 3 crosta: *the earth's crost.*
crustacean s. crustáceo.
crusty adj. (-ier, -iest) 1 que tem crosta ou casca: *a crust pie.* 2 (pessoa) grosseiro, ríspido, irritável.
crutch s. 1 muleta: *a pair of crutches.* 2 (fig) apoio moral.
crux s. (pl -es) ponto essencial, ponto crítico, nó: *the crux of the matter is.*
cry s. (pI *cries*) 1 grito, pranto, choro, latido: *a cry for help.* 2 proclamação, pregão: *the cry of a newspaper seller.*
cry v.t. e i. 1 gritar, chorar, latir, berrar: *The poor woman was crying because she had been robbed.* 2 anunciar a venda: *The newspaper seller cried the news about the economic changes.*
crying adj. que clama vingança, clamoroso: *a crying need.*
cryptic adj. secreto, escondido, oculto.
crystal s. 1 cristal de rocha, objetos de cristal. 2 substância cristalina: *sugar crystals.*
crystallize v.t. e i. 1 cristalizar: *crystallized fruit.* 2 tornar-se claro, definido: *His plans crystallized after so much study.*
cubbyhole s. cubículo.
cube s. (geom, mat) cubo.
cubic adj. cúbico: *5 cubic meters.*
cubicle s. cubículo, pequeno compartimento usado para dormir, vestir-se.
cubism s. (arte) cubismo.
cuckoo s. cuco. **cuckoo clock**, relógio cuco.
cucumber s. pepino.
cuddle s. abraço, carinho, afago.
cuddle v.t. e i. 1 abraçar, acariciar, afagar: *The girl likes to cuddle her dog.* 2 acomodar-se confortavelmente, aninhar-se.
cue s. 1 (teat) deixa. 2 sugestão, palpite, dica.
cue s. taco de bilhar.
cuff s. punho de manga. **cuff-link**, abotoadura.
cuff v.t. dar palmadas, esbofetear.
cuisine s. 1 arte de cozinhar, estilo de cozinhar: *French cuisine.* 2 aIimentação, modo de preparar a comida: *That restaurant has an excellent cuisine.*
cul-de-sac s. beco sem saída.
culinary adj. culinário, relativo à culinária.
culminate v.t. culminar.
culpable adj. culpável, censurável.
culprit s. culpado, criminoso, réu, acusado.
cult s. 1 culto, veneração. 2 ritual religioso. 3 admiração, adoração, devoção.
cultivate v.t. 1 cultivar. 2 cultivar amizade: *cultivated friendship.* 3 educar: *cultivate the mind*
cultivated adj. culto, refinado.
cultural adj. cultural, relativo à cultura.
culture s. 1 cultura, refinamento, ilustração: *the culture of the mind.* 2 cultura, desenvolvimento intelectual de uma raça: *the Greek culture.* 3 desenvolvimento, educação: *The objective of our courses is to bring culture to our students.* 4 cultura de plantas ou animais: *culture of flowers.* 6 cultura de germes.
cultured adj. culto, civilizado, refinado.
cumbersome adj. incômodo, embaraçoso.
cumulative adj. cumulativo, crescente.

cumulus

cumulus s. (pl -li) cúmulo (nuvem branca).
cunning adj. esperto, astuto, matreiro: *a cunning old fox. He's very cunning.*
cunning s. habilidade, astúcia: *His boss showed his cunning when he managed to make him accept that job.*
cunt s. (vulg) vagina, boceta.
cup s. 1 xícara, conteúdo de uma xícara: *a cup of coffee; a tea cup.* 2 taça: *As Brasil won the soccer championship, they got the Cup.* 3 cálice usado na comunhão. **not my cup of tea**, (infml) não é aquilo que eu gosto: *Watching television is not my cup of tea. Let's go out.*
cup v.t. (-pp-) dar forma de xícara ou taça.
cupboard s. armário (de cozinha ou de quarto).
curable adj. curável.
curator s. administrador de museu ou galeria de arte.
curb s. 1 freio. 2 restrição, controle.
curb v.t. 1 controlar um cavalo através do freio. 2 moderar, refrear: *curb one's anger.*
curdle v.t. e i. 1 coalhar: *The milk has curdled.* 2 coagular, congelar (também fig): *His blood curdled when he heard the scream.*
cure s. 1 cura, tratamento, remédio, medicamento. 2 processo de conservar ou curar carne, peixe, etc.
cure v.t. e i. 1 curar através de medicamento: *The medicine cured him from his stomachache.* 2 curar, defumar, salgar peixe, carne, etc.
curfew s. toque de recolher.
curiosity s. (pl -ies.) 1 curiosidade: *He's dying of curiosity to know how she did in her test.* 2 objeto raro ou estranho.
curious adj. 1 desejoso de saber: *He was curious to know about the content of the letter.* 2 indiscreto: *She was curious about her neighbour's lives.* 3 estranho, esquisito: *a curious looking woman.*

curiously adv. curiosamente.
curl s. 1 cacho, anel, caracol de cabelo. 2 qualquer coisa em forma de caracol /espiral: *a curl of smoke.*
curl v.t. e i. 1 enrolar, torcer: *It was Autumn; the leaves became brown and curled up.* 2 crescer em cachos: *Her hair is beautiful; it curls naturally.*
curly adj. (-ier; iest) encaracolado, encrespado: *curly hair.*
currency s. (pl -ies) 1 dinheiro ou moeda corrente. 2 circulação, voga.
current adj. 1 circulante, corrente, em voga: *current beliefs.* 2 presente, atual, em vigor: *current year.*
current s. 1 corrente: *a current of air.* 2 correnteza.. 3 corrente elétrica. 4 andamento, curso, direção geral.
curriculum s. (pl -s. ou -la) currículo.
curriculum vitae s. descrição escrita da vida de uma pessoa (educação, empregos) utilizada quando se procura emprego.
curry s. (pl -ies) carril, prato preparado com carril.
curry v.t. preparar pratos com carril: *curried meat.*
curse s. maldição, praga, desgraça.
curse v.t. e i. amaldiçoar, maldizer, rogar praga contra: *She cursed the salesman for having cheated her.* **be cursed with**, sofrer, afligir: *She is cursed with her drunken husband and idle sons.*
cursory adj. superficial, apressado, sem atenção.
curt adj. rude, áspero, bruto: *He has manners. He gave me a curt reply.*
curtail v.t. reduzir, encurtar: *curtail public spending, curtail cost gastos públicos.*
curtain s. 1 cortina: *open/draw the curtains,* abrir/fechar as *cortinas.*
curtain v.t. colocar cortina, cobrir, esconder.
curtsey (-sy) s. (pl -s) gesto de reverência (dobrar os joelhos) feito somente por muIheres.
curvature s. curvatura, dobramento.
curve s. curva: *a curve in the road.*

curve v.t. e i. curvar, dobrar, fazer curva: *The road curved to the left.*
cushion s. almofada, travesseiro.
cushion v.t. 1 almofadar, 2 proteger contra choques.
custard s. molho doce de ovos e leite.
custody s. custódia, detenção. *be in custody,* estar preso aguardando julgamento.
custom s. 1 costume, hábito, prática: *social custom.* 2 freguesia, clientela. 3 (pl) taxas, direito alfandegário. *The Customs,* alfândega. *custom-made clothes,* roupas feitas sob encomenda.
customary adj. habitual, costumeiro, usual.
customer s. 1 freguês, comprador, cliente. 2 pessoa esquisita.
cut s. 1 corte, abertura, ferida: *a serious cut in his hand.* 2 redução: *a cut in prices/expenses.* 3 cortes: *There are lots of cuts in the film.* 4 corte de cabelo, de roupa. 5 participação, parte: *The state has a 30% cut in the car industry.*
cut v.t. 1 cortar: *He cut his finger. I'm going to have my hair cut. The censor cut two scenes from the film.* 2 reduzir: *He cut our salary.* 3 estar ausente: *He cut class today.* **cut sb dead,** fingir que não vê, que não conhece. **cut sth/sb loose,** cortar laços, viver vida independente. **cut sth open,** fazer um buraco: *He fell down and cut his head open.* **cut and dried,** a) imutável, inflexível. b) rotineiro. **cut sth back,** a) podar b) reduzir: *cut back production.* **cut sth/sb down,** a) causar a queda: *cut down a tree.* b) matar: *He was cut down by 2 boys.* c) reduzir a quantidade: *cut down smoking.* d) reduzir o comprimento: cut *down a pair of trousers.* **cut in,** interromper (uma conversa). **cut out,** parar de funcionar (motor). **cut sth out,** a) remover, cortar: *I cut this article out of today's newspaper; it's very interesting.* b) cortar em tamanho menor: *cut out a dress.* c) deixar de lado, omitir: *I'm going to type this letter but I'm going to cut out all those details.* d) (infml) deixar de: *My doctor advised me to cut out smoking. - it out!* Pare de fazer isso. **cut sth/sb up,** cortar em pedaços, destruir.
cute adj. (-er, -st) 1 esperto, inteligente. 2 (infml) engraçadinho, bonitinho, atraente.
cutlery s. 1 talheres. 2 instrumentos cortantes, cutelaria.
cutlet s. fatia de carne ou peixe, posta.
cut-price adj. barato, de preço reduzido.
cutting adj. 1 cortante, penetrante: *a cutting wind.* 2 mordaz, sarcástico.
cutting s. 1 recorte de jornal ou revista. 2 muda de planta.
cycle abrev de *bicycle.*
cycle s. 1 ciclo. 2 coleção, série completa, conjunto: *a cycle of French films.* 3 abrev de *bicycle.*
cyclist s. ciclista.
cyclone s. ciclone.
cylinder s. cilindro, qualquer corpo cilíndrico.
cynic s. cínico, misantropo.
cynical adj. cínico.
cynicism s. cinismo.
cypher V. *cipher.*
cypress s. (bot) ciprestre.
queixa, acusação: *bring a charge against sb,* apresentar acusações contra alguém. 2 investida, carga, ataque. 3 preço de venda, custo, despesas: *free of charge,* grátis. 4 carga explosiva. 5 carga elétrica (de bateria). 6 cuidado, encargo: *I'm in charge of the work here.* **take charge of,** tomar conta de.

d D

D, d 4ª letra do alfabeto.
dab s. 1 pincelada. 2 palmadinha, aplicação sobre uma superfície com batidas leves.
dab v.t. e i. tocar levemente, bater ligeiramente: *She dabbed the baby's face with a little wet towel.*
dabble v.t. e i. 1 chapinhar, bater com as mãos ou os pés na água. 2 interessar se, entremear-se, estudar, sem intenções sérias: *to dabble in politics/philosophy.*
dad (**daddy**) s. papai, paizinho.
daffodil s. narciso silvestre.
dagger s. punhal, adaga.
daily adj. diário, cotidiano: *a daily paper.*
daily adv. diariamente.
daily s. (pl -ies.) diário, jornal diário.
dainty adj. 1 delicado, gracioso: *a dainty girl; dainty plates and glasses.* 2 caprichoso, afetado, difícil de agradar: *He's quite dainty about his clothes.* 3 (comida) delicado, delicioso.
dairy s. (pl -ies.) 1 leiteira, estabelecimento de laticínios. 2 indústria de laticínios. **dairy cattle**, gado leiteiro.
dais s. plataforma, tablado, estrado.
daisy s. (pl-ies.) margarida.
dam s. barragem, represa.
dam v.t. 1 represar. 2 impedir, barrar: *She was trying to dam her crying up.*
damage s. 1 dano, prejuízo, perda.
damage v.t. danificar, prejudicar, causar prejuízo.
dame s. título de um membro feminino da Ordem do Império Britânico: *Dame Margot Fonteyn.*
damn s. **not give a damn**, não se importar absolutamente.
damn v.t. 1 amaldiçoar. 2 condenar, desaprovar. 3 condenar a maldição eterna. 4 (interjeição usada como expressão de raiva, impaciência, etc): *Damn you! From the deep of my heart!*
damnation s. danação, maldição.
damp adj. úmido, levemente úmido: *The air is rather damp during the summer in São Paulo.*
damp s. umidade.
damp v.t. e i. 1 umedecer.
damper s. 1 abafador de fogo. 2 pessoa ou coisa que desanima, desmancha-prazeres.
dance s. 1 dança. 2 baile.
dance v.t. e i. 1 dançar, bailar. 2 fazer dança, executar dançando: *She danced all the night long.*
dandelion s. dente-de-leão.
dandruff s. caspa.
dandy s. (pl -ies.) dândi, narcisista.
danger s. perigo, risco.
dangerous adj. perigoso, arriscado.
dangle v.t. e i. 1 balançar(-se), estar dependurado, oscilar. **dangle round/about**, ficar em volta de alguém (para obter um favor, como admirador).
dapple v.t. malhar, salpicar com pintas ou manchas *a dappled horse.*
dare v. aux. ousar, atrever-se: *How dare you say all these horrible things to me?*
dare v.t. e i. 1 ousar, atrever-se a: *He wouldn't dare to lie to me again.* 2 encarar sem medo, desafiar: *He dares any kind of challenge.* 3 desafiar (alguém): *I dare you to ask Mary to dance.*
daredevil s. indivíduo temerário, valentão.
daring adj. audacioso, intrépido, atrevido.
dark adj. 1 escuro, sombrio. 2 moreno, escuro, trigueiro. 3 misterioso, secreto. **keep it dark**, manter em segredo. 4 lúgubre, triste: *I told her not to look only on the dark side of things.* 5 sombrio, obscuro, apagado. **the Dark Ages**, Idade Media (entre os séculos VI e XII).

dark *s.* escuridão, trevas, sombra. **befor/after dark**, antes/depois do anoitecer. 2 ignorância, falta de conhecimento: *She was left in the dark after knowing his decision.*
darken *v.t. e i.* 1 escurecer(-se), assombrear. 2 obscurecer.
darkness *s.* escuridão.
darling *s.* querido.
darn *v.t. e i.* cerzir, remendar.
dart *s.* 1 disparada, arremesso, pulo ou movimento brusco e súbito. 2 dardo, seta.
dart *v.t. e i.* sair correndo, disparar: *We darted away when we saw the dog.*
dash *s.* 1 arremetida, movimento violento. 2 ruído da água batendo com força contra uma superfície dura: *the dash of the waves on the cliff.* 3 uma pequena quantidade, um pouquinho: *coffee with a dash of milk.* 4 travessão (sinal de pontuação).
dash *v.t. e i.* 1 arremessar(-se), lançar com ímpeto, projetar: *She simply dashed the vase to peaces.*
dashboard painel de instrumentos.
dashing *adj.* impetuoso, enérgico, vivo.
data *s.* (pl) dados, fatos. **data bank**, banco de dados. **database**, banco de dados. **data processing**, processamento de dados.
date *adj.* fora de moda, antiquado.
date *s.* 1 data. 2 época, era, período. **be out of date**, estar fora de moda, obsoleto. **to date**, ate agora. **be up to date**, estar na moda, atual. b) em dia. 3 encontro, compromisso. 4 namorado(a).
date *s.* tâmara.
date *v.t. e i.* 1 datar, marcar data.
daub *s.* argamassa, reboco, qualquer material pegajoso.
daub *v.t. e i.* 1 cobrir ou revestir com argamassa, barro, tinta, etc. 2 sujar, borrar, manchar: *Regina always comes from school with her uniform daubed with paint.* 3 pintar (quadros grosseiramente).
daughter *s.* filha.

daughter-in-law *s.* nora.
dawn *s.* 1 alvorada, amanhecer. 2 começo, despertar: *Today you will study the dawn of the Roman civilization.*
dawn *v.i.* 1 amanhecer. 2 aparecer, começar a manifestar-se, (mente, pensamento) clarear: *Now it dawned on me that I might have told the truth.*
day *s.* 1 dia, luz ou claridade do dia. **by day**, durante o dia (em oposição à noite). **day after day**, dia após dia. **day in, day out**, continuamente, dia a dia. **the other day**, há alguns dias atrás. **daybreak**, aurora, alvorada. **day-care centre**, creche, berçário. **day-dream**, devanear; devaneio. **daylight**, luz do dia.
daze *s.* In a daze, aturdido, ofuscado, estonteado.
daze *v.t.* ofuscar, entorpecer, aturdir.
dazzle *v.t.* ofuscar, turvar a vista pela ação de muita luz, deslumbrar: *dazzling beauty.*
dead *adj.* 1 morto. 2 inanimado, sem vida: *Stones are dead matter.* 3 completo, total: *dead silence.* 4 sem possibilidade de uso, sem o poder necessário: *Only now I realize the telephone has been dead since yesterday.*
dead *adv.* completamente, extremamente: dead *tired.*
dead *s.* 1 morto ou mortos. 2 período inativo: *in the dead of winter.*
deadline *s.* prazo final (para fazer algo).
deadlock *s.* impasse, beco sem saída: *After months the negotiation came to a deadlock.*
deadly *adj.* 1 mortal. 2 implacável, mortal: *deadly enemies.*
deadly *adv.* mortalmente.
deaf *adj.* 1 surdo. 2 que não quer ouvir, insensível.
deafen *v.t.* ensurdecer.
deafness *s.* surdez.
deal *s.* 1 acordo, negociação, transação. 2 vez de dar as cartas (em jogo). 3 tratamento recebido: *a raw deal*, tratamento ruim.

deal

deal s. porção, uma quantidade considerável: She spends a good deal of money on clothes.
deal v.t. e i. 1 distribuir, repartir: When the police arrived the thieves were dealing out the money. 2 dar as cartas (de baralho). 3 negociar, comerciar, vender, comprar, fazer negócios: My husband deals with precious stones.
dealer s. 1 negociante, mercador, comerciante. 2 jogador que dá as cartas.
dealing s. 1 procedimento, conduta: We were forced to accept an unfair dealing.
dean s. 1 deão, decano, diácono. 2 diretor de faculdade.
dear adj. 1 querido, prezado, caro. 2 prezado, caro (tratamento usado em cartas): Dear Mr Jones
dear s. querido(a), amado(a).
dearly adv. 1 muito: I would dearly love to be with my children but I have to work a bit more. 2 a preço ou custo elevado.
death s. 1 morte, falecimento. **sick to death of**, extremamente cansado, entediado com. **to bore to death**, entediar ao extremo. **put to death**, executar, matar. **death-certificate**, atestado de óbito. **death-duties**, imposto sobre herança. **death rate**, índice de mortalidade. **death-trap**, lugar ou circunstância que põem a vida em risco.
deathly adj. mortal, fatal.
debase v.t. humilhar, rebaixar, aviltar, depreciar.
debasement s. aviltamento, humilhação, adulteração.
debatable adj. contestável, debatível.
debate s. debate, discussão, controvérsia, polêmica.
debate v.t. e i. debater, discutir, argumentar.
debauchery s. devassidão, depravação.
debility s. debilidade, fraqueza.

debit s. débito, dívida.
debris s. escombros, ruínas.
debt s. dívida, obrigação.
debunk v.t. revelar a verdade, expor a verdade, desmascarar.
decade s. década.
decaf s. café descafeinado.
decaffeinated adj. descafeinado.
decant v.t. decantar, passar um líquido de uma vasilha para outra.
decapitate v.t. decapitar, degolar.
decay v.i. decair, deteriorar, enfraquecer-se, estragar-se: decaying teeth, dentes cariados.
decease s. falecimento, óbito.
deceased adj. falecido.
deceit s. engano, fraude, falsidade.
deceitful adj. enganoso, fraudulento.
deceive v.t. enganar, iludir, lograr.
deceiver s. enganador, impostor.
December s. dezembro.
decency s. decência, decoro.
decent adj. 1 decente, respeitável, conveniente, apropriado. 2 bom, satisfatório, razoável: a decent bedroom.
decentralize v.t. descentralizar.
deception s. engano, fraude, logro.
deceptive adj. enganoso, enganador, ilusório.
decide v.t. e i. 1 decidir, resolver. 2 solucionar, decidir(-se), determinar.
decided adj. 1 definido, evidente: They are twins but there's a decided difference between the two. 2 decidido, determinado, resoluto.
decimate v.t. dizimar, destruir.
decipher v.t. decifrar.
decision s. 1 decisão, resolução. 2 determinação, firmeza.
decisive adj. decisivo.
deck s. 1 convés, tombadilho. 2 assoalho de ônibus ou avião. 3 baralho de cartas.
deck v.t. decorar, enfeitar: The garage will be decked with balloons for the party.
declaim v.t. e i. 1 declamar, recitar. 2 falar alto e em tom declamatório.
declaration s. declaração.

declare v.t. e i. declarar, anunciar, tornar público.
decline s. 1 declínio, decadência. 2 diminuição, baixa (de preços, taxas. etc)..
decline v.t. e i. 1 recusar, declinar, rejeitar educadamente: *She finally declined the invitation.* 2 diminuir, baixar: *After the change of the health programs for the northernpart of Brazil death rates are declining more and more.* 3 deteriorar, decair.
declutch v.i. pisar na embreagem (do carro) para mudar de marcha.
decode v.t. decodificar, decifrar.
decompose v.t. e i. 1 decompor, separar as partes componentes. 2 apodrecer, decompor-se.
decomposition s. decomposição.
decorate v.t. 1 decorar, enfeitar, adornar. 2 pintar uma casa, colocar papel em parede. 3 condecorar: *During the war, he was decorated for his bravery.*
decoration s. 1 decoração. 2 artigos de decoração. 3 condecoração.
decorator s. 1 decorador. 2 pintor de casas.
decoy s. 1 chamariz, ave usada para atrair outras. 2 atrativo, chamariz.
decoy v.t. atrair com situação enganosa, enganar, engabelar.
decrease s. diminuição, redução.
decrease v.t. e i. decrescer, diminuir, reduzir.
decree s. 1 decreto: *to rule by decree.* 2 sentença, julgamento.
decree v.t. decretar.
decrepit adj. decrépito, muito velho e gasto.
dedicate v.t. 1 dedicar(-se), devotar. 2 consagrar(-se) (a Deus).
dedication s. 1 dedicação. 2 dedicatória.
deduce v.t. deduzir, chegar a uma conclusão.
deduct v.t. deduzir, subtrair.
deduction s. 1 dedução, subtração, redução. 2 dedução, conclusão, inferência.

defensive

deed s. 1 feito, ação, façanha. 2 título, escritura.
deep adj. 1 profundo, fundo: *a deep hole in the ground.* 2 sério, penetrante, profundo: *a deep mind.* 3 (rel a sons) grave, baixo.
deep adv. fundo, profundamente: *He has to look deep into the matter before giving his opinion.*
deepen v.t. e i. aprofundar, afundar, tornar-se mais profundo.
deer s. nome genérico dos cervídeos, que compreendem veados, cervos, corços, etc.
deface v.t. desfigurar, destruir.
defamation s. difamação, calúnia.
defamatory adj. difamatório, calunioso.
defame v.t. difamar, caluniar.
default s. 1 falta, omissão, negligência: *São Paulo won the game by default, after the other team refused to play.* 2 falta de comparecimento em juízo. 3 falta de pagamento. *In default of*, na ausência de.
default v.i. negligenciar o cumprimento de um dever, o pagamento de uma dívida ou o comparecimento em juízo.
defeat s. 1 derrota, revés. 2 malogro.
defeat v.t. derrotar, vencer. 2 anular, frustrar, destroçar: *His plans were defeated by negligence.*
defect s. defeito, imperfeição.
defect v.i. desertar, sair de um partido, grupo para entrar em outro.
defection s. 1 deserção. 2 defecção.
defective adj. defeituoso, imperfeito, defectivo: *The defective parts of the machine are going to be changed this afternooon.*
defenceless adj. indefeso, desamparado, desprotegido.
defend v.t. defender, proteger, preservar, amparar.
defense s. defesa, defensa: *Ministry of Defense.* (GB *defence*).
defensive adj. defensivo, protetor, defensor.

defer

defer v.i. submeter-se, acatar, condescender: *defer to one's advice*.
defer v.t. adiar, protelar, transferir, retardar.
deference s. deferência, respeito, acatamento.
deferential adj. deferente, respeitoso.
defiance s. 1 desafio, provocação, rebeldia, oposição. 2 desprezo, desdém.
defiant adj. 1 desafiante, provocador. 2 desdenhoso.
defiantly adv. 1 acintosamente, desafiadoramente. 2 desdenhosamente.
deficiency s. deficiência, imperfeição, insuficiência.
deficient adj. deficiente, falho, imperfeito, defeituoso.
deficit s. déficit, falta.
define v.t. 1 definir, explicar, descrever. 2 limitar, delimitar.
definite adj. 1 definitivo,decisivo, final. 2 definido, preciso, exato.
definitely adv. 1 definitivamente. 2 categoricamente, absolutamente.
definition s. definição, explicação.
definitive adj. definitivo, decisivo, final.
deflate v.t. 1 esvaziar, tirar o ar (de pneu, bola). 2 deflacionar.
deflation s. 1 deflação. 2 esvaziamento.
deflect v.t. e i. desviar(-se), flexionar, derivar.
defletionary adj. deflacionário.
deform v.t. 1 deformar, alterar. 2 estragar, deturpar.
deformed adj. 1 deformado, alterado. 2 estragado, deturpado.
deformity s. deformidade, deformação.
defrost v.t. degelar, descongelar: *I have to defrost the fridge urgently*.
deft adj. esperto, destro, agil: *a deft performance*.
defy v.t. desafiar, provocar: *I defy you!*
degenerate adj. degenerado, corrompido.
degenerate v.i. degenerar, decair.
degradation s. degradação, rebaixamento, degeneração.
degrade v.t. degradar, rebaixar, degenerar-se.
degree s. 1 grau: *People have different degrees of intelligence*. 2 degrau, passo. 3 qualidade, proporção, medida. 4 categoria, classe, estágio: *a person of high degree*. 5 intensidade, força. 6 unidade de medida de temperatura, de ângulo, longitude e latitude: *Water freezes at zero degrees centigrade*.
dehydrate v.t. desidratar.
deify v.t. divinizar, idolatrar: *Lots of people deify money and fame*.
deign v.t. dignar-se, condescender.
deity s. divindade.
dejected adj. triste, deprimido.
delay s. 1 demora. 2 atraso, retardamento: *We had a delay of 2 hours at the airport*. 3 adiamento.
delay v.t. e i. 1 demorar(-se). 2 atrasar, deter. 3 adiar: *The meeting was delayed twice*.
delegate s. 1 delegado, representante. 2 deputado.
delegate v.t. delegar, incumbir, encarregar.
delegation s. delegação.
delete v.t. 1 apagar, riscar: *Let's delete all the old files*. 2 anular, cancelar.
deletion s. 1 anulação. 2 extinção, supressão.
deliberate adj. deliberado, considerado, intencional, calculado.
deliberate v.t. e i. deliberar, ponderar, considerar.
deliberation s. 1 deliberação, consideração, consulta. 2 discussão, debate.
delicacy s. 1 delicadeza, cortesia, gentileza. 2 guloseima, gulodice.
delicate adj. 1 delicado, atencioso, cortês. 2 suave, sensível.
delicatessen s. 1 mercearia fina. 2 comestíveis finos, guloseimas.
delicious adj. delicioso, gostoso, saboroso.

delight s. delícia, deleite, prazer.
delight v.t. e i. deliciar(-se), encantar, alegrar(-se).
delightful adj. delicioso, agradável, encantador: *It'll be a delightful experience for her!*
delinquency s. delinqüência, ofensa, delito.
delinquent s. delinqüente, culpado.
delirious adj. 1 delirante. 2 louco, excessivo.
delirium s. delírio: *The crowd used to go into a delirium when the Beatles appeared.*
deliver v.t. 1 libertar, soltar, salvar: *God! Deliver us from evil!* 2 dar a luz: *she delivered the baby.* 3 entregar, distribuir.
deliverance s. 1 libertação. 2 exoneração. 3 entrega, distribuição. 4 pronunciamento, declaração.
delivery s. 1 libertação, soltura. 2 estilo, forma de discursar. 3 entrega, envio, descarga. 4 parto.
delta s. delta.
delude v.t. iludir, enganar: *All his promises deluded me.*
deluge s. dilúvio, inundação.
delusion s. ilusão, desilusão, decepção, engano.
delusive adj. ilusório, enganador.
deluxe adj. de luxo: *The dress is a deluxe model.*
demagogue s. demagogo.
demand s. 1 exigência. 2 pedido: *on demand*, a pedido, 3 procura, demanda: *in great demand.*
demand v.t. pedir, exigir, requerer, reclamar: *I demand you to pay attention.*
demarcate v.t. demarcar.
demarcation s. demarcação.
demented adj. maluco, louco
demerara s. açúcar mascavo.
demise s. morte, falecimento.
demo s. abrev de *demonstration*, passeata: *There was a demo for free elections.*
demobilize v.t. desmobilizar.

democracy s. democracia.
democrat s. democrata.
democratic adj. democrático.
demolish v.t. 1 demolir, destruir. 2 arruinar, aniquilar.
demolition s. demolição.
demon s. demônio, demo.
demonstrate v.t. e i. 1 demonstrar, mostrar, revelar. 2 participar de uma manifestação pública: *Lots of people went on a protest march to demonstrate against the war.*
demonstration s. 1 demonstração. 2 manifestação pública, passeata, comício.
demonstrative adj. 1 demonstrativo 2 expansivo: *demonstrative behaviour.*
demoralize v.t. desmoralizar.
demure adj. sério, reservado, grave.
den s. 1 toca, covil, caverna. 2 antro: *a den of thieves; a den of corruption.*
deniable adj. negável.
denial s. 1 negação, negativa. 2 recusa.
denim s. tecido de algodão azul para fazer jeans, macacões: *My favorite clothes are jeans made of pure denim.*
denomination s. 1 denominação, designação. 2 nome, apelido. 3 designação geral das congregações eclesiásticas e seitas.
denominator s. denominador.
denote v.t. denotar, significar, simbolizar.
denounce v.t. 1 denunciar, acusar, delatar. 2 condenar, censurar.
dense adj. denso, compacto, espesso.
density s. densidade, espessura.
dent s. depressão causada em uma superfície devido a batida ou pressão: *a dent in the car,* um amassado no carro.
dent v.t. e i. 1 dentear. 2 amassar, danificar: *Both cars were completely dented in the collision this morning.* 3 entalhar.
dental adj. dental, dentário.
dentist s. dentista.
dentistry s. odontologia.

denture

denture s. dentadura.
denunciation s. denúncia, acusação.
deny v.t. 1 negar, dizer não: *He can't deny what everybody says about him.* 2 desmentir, contradizer. 3 rejeitar, repudiar.
deodorant s. desodorante, desinfetante.
deodorize v.t. desodorizar, desinfetar.
depart v.i. 1 partir, deixar alguém, irse embora. 2 morrer. *the departed*, morto, defunto.
department s. departamento, seção. *department store*, loja de departamentos.
departure s. partida, saída: *Let's check the arrival and departure of international flights.*
depend v.i. 1 depender de. 2 contar com.
dependable adj. confiável, fidedigno, seguro, certo.
dependence s. dependência.
dependent s. dependente, subordinado.
depict v.t. pintar, retratar, representar.
depiction s. retrato, descrição, pintura.
deplete v.t. esvaziar, exaurir: *The survivors were depleted of all energy.*
deplorable adj. deplorável, lamentável, lastimável.
deplore v.t. deplorar, lamentar.
deport v.t. deportar, banir, exilar.
deportation s. deportação.
deposit s. depósito, armazém.
deposit v.t. depositar, assentar.
deprave V/ v.t. depravar.
depraved adj. depravado, corrupto.
depravity s. depravação.
depreciate v.t. e i. depreciar.
depreciation s. depreciação.
depress v.t. 1 deprimir, entristecer. 2 pressionar, comprimir.
depression s. 1 depressão. 2 cavidade.
deprivation s. privação, perda.
deprive v.t. privar, tirar.

deprived adj. privado: *Even nowadays Women are deprived of all their rights in many countries.*
depth s. profundeza, profundidade: *the depth of the sea. In depth*, em profundidade.
deputy s. deputado, delegado.
derail v.t. descarrilar: *The train was derailed by the accident, but no one was hurt.*
derailment s. descarrilamento: *There was a terrible train derailment this evening.*
deranged adj. louco, demente.
derelict adj. abandonado, negligente: *a derelict house.*
derisive adj. irrisório, zombeteiro, ridículo.
derivative adj. derivado.
derive V/ v.i. derivar, deduzir.
dermatologist s. dermatologista.
dermatology s. dermatologia.
derogate v.t. (fm) rebaixar, depreciar.
derogation s. depreciação, detrimento.
derogatory adj. depreciador. aviltante: *His boss' derogatory comments about his work are completely disproportionate and make him feel bad.*
derrick s. guindaste.
descend v.t. e i.1 descer, abaixar. *be descended from*, descender, provir, originar-se: *Our neighbors are descended from Italian immigrants.* 2 rebaixar(-se), decair.
descendant s. descendente: *Lots of brazilians are descendants of Portuguese and Italian immigrants.*
descent s. descida, ladeira, declive.
describe v.t. descrever.
description s. descrição.
descriptive adj. descritivo.
desecrate v.t. profanar, secularizar.
desecration s. profanação, sacrilégio.
desert adj. deserto, desolado, desabitado: *a desert island.*
desert s. deserto: *Sahara desert.*
desert v.t. e i. desertar, abandonar: *She was deserted by her husband.*

deserted adj. abandonado, deserto.
deserter s. desertor.
deserve v.t. e i. merecer: *She deserves the best because she is a really good person.*
deserving adj. meritório, digno.
design s. 1 desenho, esboço. 2 projeto, planejamento: *design for a garden, design for a dress.*
designate adj. designado, nomeado.
designate v.t. designar, nomear, indicar.
designation s. 1 designação, indicação. 2 denominção.
designer s. 1 desenhista, projetista: *car designer; fashion designer.* 2 planejador.
desirable adj. desejável, agradável.
desire s. 1 desejo, vontade. 2 cobiça, paixão.
desire v.t. desejar, querer, cobiçar.
desist v.i. (fml) desistir, renunciar.
desk s. 1 escrivaninha: *There are always lots of papers on my desk.* 2 carteira escolar.
desolate adj. 1 desolado, triste, infeliz. 2 abandonado, ermo, deserto.
desolate v.t. e i. desolar, despovoar, devastar.
desolation s. desolação, devastação, deserto, solidão.
despair s. desespero, desesperança.
despair v.i. desesperar, desanimar.
desperate adj. desesperado.
desperation s. desespero, desesperança.
despicable adj. desprezível, baixo.
despise v.i. desprezar.
despite prep. apesar de, a despeito de: *Despite my father's opinions, he is a nice person.*
despondency s. desânimo, desespero.
despondent adj. desesperado, desanimado.
despot s. despota.
despotic adj. despótico.
dessert s. sobremesa: *I love ice cream and fruits for dessert.*

destination s. destino, direção: *I like to go out on weekends without a certain destination.*
destine v.t. destinar, designar: *This money is destined for buying a new car.*
destiny s. destino, sorte: *Destiny some times seems to be cruel, but in reality you are the only one responsible for it.*
destitute adj. destituído.
destitution s. destituição.
destroy v.t. destruir, desfazer, aniquilar.
destroyer s. 1 destruidor, aniquilador. 2 destróier, navio torpedeiro.
destructible adj. destrutível.
destruction s. destruição, demolição, ruína.
destructive adj. destrutivo, destruidor.
detach v.t. separar, desunir, desligar: *Please, detach the sheet of paper you wrote the composition on and put it on my table.*
detachable adj. desligável, separável.
detached adj. 1 destacado, separado: *detached house,* casa isolada. *semi-detached house,* casa geminada de um lado. 2 desinteressado, imparcial.
detachment s. desinteresse, imparcialidade: *I can't forgive her detachment from the family problems.*
detail s. detalhe, pormenor, minúcia.
detail v.t. detalhar, pormenorizar, particularizar.
detain v.t. deter, reter, retardar.
detect v.t. detectar, descobrir, revelar.
detectable adj. detectável.
detection s. detecção.
detective s. detetive, investigador. *detective story,* contos, romances policiais.
detector s. detector.
detention s. 1 detenção, prisão. 2 demora.
deter v.t. intimidar, atemorizar: *The whole world was deterred by the Al Qaeda attacks.*

detergent

detergent s. adj. detergente: *detergent soap.*
deteriorate v.t. e i. deteriorar(-se), estragar(-se).
deterioration s. deterioração, estrago, ruína.
determination s. determinação.
determine v.t. e i. determinar, estabelecer.
deterrent s. impedimento.
detest v.t. detestar, odiar.
detonate v.t. e i. detonar, explodir: *A time-bomb was detonated at 2 o'clock sharp and imploded the Carandiru complex.*
detonation s. detonação.
detonator s. detonador.
detour s. volta, desvio: *make a detour.*
detour v.t. rodear, fazer uma volta.
detract v.i. 1 diminuir, depreciar. 2 prejudicar.
detractor s. caluniador, difamador.
detriment s. detrimento, dano, prejuízo.
detrimental adj. prejudicial, danoso.
devastate v.t. devastar, assolar, arruinar, destruir: *Many towns were devastated by floods this summer.*
devastation s. devastação, ruína, destruição.
develop v.t. e i. 1 desenvolver(-se), progredir, evoluir. 2 revelar-se, mostrar. 3 revelar um filme. ***develop a disease,*** contrair uma doença.
development s. 1 desenvolvimento, crescimento, aumento. 2 manifestação, desenlace, desfecho.
deviate v.i. desviar-se, afastar-se: *to deviate from the rules.*
deviation s. desvio, afastamento, divergência.
device s. 1 projeto, plano, truque: *a device to discover the thieves.* 2 invenção, dispositivo, aparelho: *new electronic devices.* 3 sinal, emblema.
devil s. 1 demônio, diabo, pessoa má. 2 pessoa infeliz, desgraçada: *Oh! Poor devil!* Oh! Pobre diabo! 3 *What the devil!*, Que diabo! Com o diabo!
devious adj. 1 divergente, desviado, desencaminhado. 2 tortuoso. 3 trapaceiro, desonesto: *Now after the investigations it's proved he got rich by devious means.*
devise v.t. inventar, tramar, planejar: *The group devised a plan to rob the Central Bank.*
devoid adj. ***devoid of,*** destituído, desprovido, livre: *devoid of sense,* sem sentido.
devote v.t. devotar, dedicar: *He devoted his life to the study of medicine.*
devoted adj. devotado, leal: *a devoted friend.*
devotee s. devoto, partidário, fanático: *a devotee of music.*
devotion s. 1 devoção, dedicação. 2 afeto, zelo.
devour v.t. 1 devorar, comer avidamente. 2 consumir, destruir, gastar: *The fire devoured the complete building in one hour.*
devout adj. 1 devoto, religioso.
dew s. orvalho, sereno. ***dewdrop,*** gota de orvalho.
dexterity s. destreza, agilidade, perícia.
diabetes s diabete.
diabetic s diabético.
diabolic adj. diabólico, maligno, cruel.
diagnose v.t. diagnosticar.
diagnosis s. 1 diagnóstico. 2 diagnose.
diagonal adj. diagonal, linha diagonal.
diagram s. diagrama, gráfico, esquema.
dial s. 1 mostrador (de relógio, rádio, etc). 2 disco (de telefone).
dial v.t. discar, ligar (telefone): *Dial the police right away.*
dialect s. dialeto.
dialogue s. diálogo.
diameter s. diâmetro.
diametrically adv. diametralmente, completamente, inteiramente.
diamond s. 1 diamante: *a diamond ring.* 2 ouros (no jogo de cartas): *the king of diamonds.*

diaper s. (GB nappy), fralda.
diaphragm s. diafragma.
diarrhrhea s. diarreia.
diary s. (pl -ies.) agenda.
dice s. pl dados (de jogo).
dice v.t. e i.1 jogar dados. 2 cortar alimentos (por ex.; cenouras) em pedaços.
dichotomy s. (pl -ies.) dicotomia.
dictate v.t. e i. 1 ditar: *dictate a letter.* 2 dar ordens, impor, decretar: *Pay attention as I'm going to dictate the rules for the game.*
dictation s. 1 ditado. 2 ordem, preceito.
dictator s. ditador, tirano.
dictatorship s. ditadura.
diction s. dicção, estilo de dizer, expressão.
dictionary s. (pl -ies.) dicionário.
did v. pretérito de *do.*
didactic adj. didático, instrutivo.
die v.i. (pretérito -d.) 1 morrer, falecer: *Her dad died five years ago.* 2 desejar muito, estar louco por: *The kids are dying for a coke.* 3 desvanecer, desaparecer. 4 secar, murchar (flores). *die away,* definhar, evaporar-se. *die for,* sacrificar-se por. *die out,* extinguir-se, cessar.
diet s. 1 dieta, regime: *I'm on a diet.* 2 alimento, sustento.
diet v.t. e i.1 fazer dieta. 2 nutrir, alimentar-se.
dietary adj. dietético.
differ v.i. 1 diferir, ser diferente: *They are twins, but differ from each other a lot.* 2 divergir, discordar: *I differ from you on that matter.*
difference s. 1 diferença. 2 divergência, desacordo.
different adj. 1 diferente: *She is different from everybody else.* 2 distinto, diverso: *I visited the exposition on two different days.*
differentiate v.t. 1 diferenciar, distinguir. 2 fazer diferença ou distinção.
difficult adj. 1 difícil, 2 árduo, penoso. 3 difícil de entender ou contentar: *She is a difficult person to live with.*
difficulty s. (pl -ies.) 1 dificuldade. 2 obstáculo, impedimento. 3 (pl) embaraço financeiro: *financial difficulties.*
diffidence s. falta de confiança em si, timidez, modéstia.
diffident adj. tímido, acanhado, inseguro: *He was diffident about asking her to go out.*
diffuse v.t. e i.1 difundir, espalhar: *diffuse new ideas.* 2 dispersar(-se), dissipar. 3 misturar.
diffusion s. 1 difusão. 2 dispersão. 3 propagação, divulgação.
dig s. 1 escavação. 2 empurrão. 3 observação sarcástica.
dig v.t. e i.1 cavar, escavar, revolver a terra. 2 desenterrar.
digest s. condensação, sumário, resenha.
digest v.t. e i.1 digerir, fazer digestão.
digestion s. digestão.
digestive adj. digestivo: *the digestive system,* o aparelho digestivo.
digger s. 1 cavador. 2 máquina ou ferramenta que cava, revolve a terra.
digit s. 1 dígito, algarismo. 2 dedo da mão ou pé.
digital adj. digital.
dignified adj. 1 digno. 2 honrado, nobre.
dignify v.t. 1 dignificar, tornar digno. 2 engrandecer, exaltar.
dignitary s. (pl -ies.) dignitário.
dignity s. (pl -ies.) 1 dignidade, decência, respeitabilidade. 2 posto, título ou ofício honorífico.
digress v.i. fazer uma digressão, desviar.
digression s. digressão, divagação.
dike s. dique, barragem.
dilapidated adj. dilapidado, em ruínas, estragado.
dilapidation s. dilapidação, estrago, decadência.
dilate v.t. e i. 1 dilatar(-se), expandir (-se), estender(-se).

dilemma s. (pl -s.) 1 dilema. 2 embaraço.
diligence s. 1 diligência, aplicação. 2 zelo, atenção.
diligent adj. aplicado, estudioso, zeloso, atento, assíduo.
dilute v.t. diluir, misturar com água, dissolver.
dilution s. diluição.
dim adj. 1 escuro, ofuscado, turvo, sombrio: *dim memories.*
dime s. moeda norte-americana de valor correspondente a dez centavos.
dimension s. dimensão, extensão, tamanho: *After calculating the dimensions of the room you can ask for the paint.*
diminish v.t. e i. diminuir, tomar menor, reduzir, minorar.
diminutive adj. 1 diminuto, diminutivo.
diminutive s. (gram) diminutivo.
dimly adv. obscuramente, opacamente: *a dimly lit room,* uma sala fracamente iluminada.
dimple s. 1 covinha (nas faces ou no queixo). 2 ondulação das águas.
din s. estrondo, ruído contínuo, rumor.
dine v.t. e i. jantar. **to din out,** jantar fora de casa.
diner s. (EUA) lanchonete, pequeno restaurante.
dinghy s. (pl -ies.) escaler, qualquer pequeno barco ou bote.
dingy adj. sujo, esquálido, sombrio, desbotado: *a dingy place.*
dining room sala de jantar.
dining-car vagão-restaurante.
dinner s. jantar: *It's time for dinner.*
dinner-jacket smoking. (EUA) **tuxedo.**
dinner-set/service s. aparelho de jantar.
diocese s. diocese.
dip s. mergulho.
dip s. molho, patê.
dip v.t. e i. 1 mergulhar, molhar, imergir: *I like to dip the french fries into tomato sauce.* 2 abaixar por um momento (p ex faróis). 3 declinar, desaparecer, pôr-se no horizonte.
diphtheria s. difteria.
diploma s. (pl -s.) diploma.
diplomacy s. 1 diplomacia. 2 habilidade, astúcia.
diplomat s. diplomata.
diplomatic adj. 1 diplomático. 2 que tem tato, hábil.
dire adj. horrendo, medonho, terrível, triste: *dire necessity.*
direct adj. 1 direto, reto: *a direct line.* 2 imediato, o mais próximo, o mais curto. 3 sem rodeios. 4 sincero, franco, claro: *I prefer to have a direct way of speaking.*
direct v.t. e i. 1 dirigir, conduzir, guiar: *The tourist guide directed me to the hotel.* 2 endereçar (cartas, palavras). 3 administrar, gerir, controlar. 4 apontar, mostrar, indicar.
direction s. 1 direção. 2 administração, diretoria. 3 objetivo, rumo, curso: *The dog was founded in the opposite direction of the house.* 4 ordem, instrução: *Even following all the directions given in the manual I can't make it.*
directive s. diretivas, instruções.
director s. diretor. **board of directors,** diretoria.
directory s. (pl-ies.) 1 lista telefônica. 2 anuário, livro de endereços.
dirt s. 1 sujeira, lixo. 2 pó, lama. 3 obscenidade.
dirty adj. 1 sujo. 2 (rel a tempo) chuvoso, tempestuoso. 3 obscuro. 4 vil, baixo.
dirty v.t. e i. sujar, manchar: *The children dirtied their clothes at the party.*
dis prefixo que indica separação, falta, negação, oposto de: *dislike, disadvantage.*
discriminate against tomar partido contra, ter preconceito contra.
disability s. (pl -ies.) 1 inabilidade, incapacidade, impotência. 2 invalidez.
disable v.t. 1 tornar inapto, incapacitar. 2 aleijar, mutilar: *Many americans were disabled in the Vietnan war.*

disadvantage s. 1 desvantagem, prejuízo. 2 inferioridade, condição inferior: *He is at a disadvantage but it's not impossible for him to win.* Ele está em desvantagem mas não é impossível de ganhar.
disagree v.t. 1 discordar, divergir: *I disagree with what you said.*
disagreement s. 1 discordância, divergência. 2 desavenças: *disagreements of a couple.*
disappear v.i. desaparecer, perder-se de, retirar-se.
disappearance s. desaparecimento.
disappoint v.t. desapontar, decepcionar.
disappointed adj. desapontado, decepcionado: *I felt pity because he looked so disappointed.*
disappointing adj. que causa desapontamento, desconcertante: *The party was disappointing.*
disappointment s. 1 desapontamento, contratempo. 2 pessoa ou coisa que causa desapontamento.
disapproval s. desaprovação, censura, reprimenda.
disarm v.t. e i. desarmar: *The criminal was disarmed by the police.*
disaster s. desastre, desgraça, infortúnio, calamidade.
disastrous adj. desastroso, desastrado, ruinoso, calamitoso.
disbelief s. descrença, incredulidade, dúvida.
discard v.t. 1 descartar. 2 livrar-se de, desfazer-se.
discern v.t. discernir, distinguir, compreender.
discernment s. discernimento, capacidade de discernir.
discharge s. 1 descarga, descarregamento. 2 dispensa. 3 libertação.
discharge v.t. e i. 1 descarregar, tirar a carga de. 2 desembocar, esvaziar, expelir, derramar: *That industry discharges too much chemicals in the river:* 3 disparar 4 demitir, mandar embora. 6 pagar uma dívida. 8 emitir, irradiar, fornecer.
disciple s. discípulo.
disciplinary adj. disciplinar: *to take disciplinary action.*
discipline s. 1 disciplina, educação, auto-controle. 2 ordem. 3 regras de conduta. 4 matéria num currículo escolar.
discipline v.t. disciplinar.
disclaim v.t. negar, renunciar, recusar, repudiar.
disclose v.t. 1 descobrir. 2 revelar, divulgar: *to disclose a secret/a plan.*
disclosure s. 1 revelação, descoberta. 2 manifestação, participação, divulgação.
discolour v.t. e i. 1 descorar(-se), descolorar. 2 manchar.
discolouration s. descoloração.
discomfort s. 1 desconforto, incômodo. 2 desconsolo, mágoa, inquietação, preocupação.
disconcert v.t. 1 desconcertar, inquietar, perturbar. 2 malograr, frustrar (planos).
disconnect v.t. separar, destacar, desligar.
disconnected adj. 1 desconexo. 2 incoerente, entrecortado: *His speech is so disconnected that I can't understand his ideas.*
disconsolate adj. desconsolado, sem esperanças.
discontent s. descontentamento, insatisfação, inquietação.
discontented adj. descontente, insatisfeito, inquieto.
discontinuous adj. descontínuo, interrompido.
discord s. 1 discórdia, desarmonia, discussão. 2 dissonância.
discordant adj. 1 discordante, contraditório. 2 dissonoro, dissonante.
discount s. desconto, abatimento, ágio.
at a discount, com desconto.
discount v.t. 1 descontar, deduzir. 2 não levar em conta, não fazer caso: *I will*

discourage

discount a great deal of what you say as I know you're not aware of the truth.

discourage *v.t.* 1 desencorajar, tirar o ânimo ou a coragem. 2 dissuadir, impedir.

discouragement *s.* desencorajamento, desânimo.

discourse *s.* 1 discurso, raciocínio, discussão formal. 2 conversa.

discourse *v.i.* 1 discursar, discorrer. 2 falar, conversar.

discover *v.t.* descobrir, revelar, achar, explorar: *Colombo discovered America.*

discoverer *s.* descobridor, explorador.

discovery *s. (pl -ies.)* descoberta, descobrimento, revelção: *new discoveries in Medicine.*

discredit *s.* 1 descrédito, perda de crédito ou reputação. 2 dúvida, descrença.

discredit *v.t.* 1 desacreditar, desonrar. 2 duvidar, descrer.

discreet *adj.* discreto, prudente, cauteloso.

discrepancy *s. (pl -ies.)* discrepância, divergência, disparidade.

discretion *s.* 1 discrição, prudência. 2 critério, liberdade de ação, discernimento: *I will trust in your discretion in this case!*

discriminate *v.t. e i.* 1 discriminar, distinguir, diferenciar. 2 separar, apartar.

discriminating *adj.* 1 discriminatório. 2 diferencial, arguto, perspicaz.

discrimination *s.* discriminação: *racial discrimination.*

discursive *adj.* 1 discursivo. 2 digressivo, divagante.

discuss *v.t.* discutir, debater, questionar.

discussion *s.* discussão, argumentação, debate: *His plan has been under discussion all the last week.*

disdain *s.* desdém, desprezo, escárnio, zombaria.

disdain *v.t.* desdenhar, desprezar, escarnecer.

disease *s.* 1 doença, enfermidade, moléstia. 2 incômodo físico ou moral.

disenchant *v.t.* desencantar, desiludir: *The politians disenchanted the citizens of our country.*

disentangle *v.t. e i.* 1 desembaraçar, desemaranhar. 2 livrar(-se) de, sair ileso.

disfigure *v.t.* desfigurar, deformar, deturpar.

disgrace *s.* 1 desgraça, descrédito. 2 vergonha, desonra: *His mother considers him a disgrace to her family.* **bring disgrace on**, causar vergonha a. **in disgrace**, desacreditado.

disgrace *v.t.* 1 desgraçar, causar desgraça a. 2 desonrar, envergonhar.

disgraceful *adj.* infame, vergonhoso.

disgruntled *adj.* descontente, desapontado: *I feel disgruntled at her unexpected attitude.*

disguise *s.* 1 disfarce, máscara. 2 dissimulação, engano. **in disguise**, mascarado.

disguise *v.t.* 1 disfarçar, mascarar: *I didn't notice she was disguising her voice.* 2 dissimular, fingir. 3 encobrir.

disgust *s.* desgosto, aversão, náusea, repugnância.

disgust *v.t.* repugnar, revoltar, causar asco.

disgusting *adj.* repugnante, nojento, repulsivo: *Her behaviour at the party was disgusting.*

dish *s.* 1 prato, comida, iguaria: *an Italian dish.* 2 travessa, prato grande. **dish cloth**, pano de pratos. **dish washer**, máquina de lavar pratos.

dishevelled *adj.* desmazelado, despenteado, desarrumado.

dishonest *adj.* desonesto, infiel, desleal.

dishonour *s.* 1 desonra, desgraça, vergonha.

dishonour *v.t.* 1 desonrar, envergonhar.

disillusion *s.* desilusão, desengano, decepção.

disillusion *v.t.* desiludir, causar decepção.
disinfect *v.t.* desinfetar, sanear: *They came to disinfect the plane.*
disinfectant *adj. s.* desinfetante.
disinherit *v.t.* deserdar.
disinheritance *s.* deserdação.
disintegrate *v.t. e i.* desintegrar(-se), despedaçar(-se), desfazer(-se): *A big explosion disintegrated the planet.*
disintegration *s.* desintegração, fragmentação.
disinterested *adj.* 1 desinteressado, abnegado: *disinterested dedication.* 2 imparcial, sem preconceito.
disjointed *adj.* deslocado, desarticulado, incoerente: *a disjointed speech/text.*
disk (GB *disc*) *s.* 1 qualquer objeto plano e circular. **disk jockey**, locutor de rádio.
disk s. disco.
dislike aversão, antipatia, desagrado, desgosto: *I have a dislike of horror films.*
dislike *v.t.* não gostar de, ter aversão a, antipatizar com: *I dislike cleaning the house.*
dislocate *v.t.* 1 deslocar, desconjuntar: *He dislocated his shoulder so many times that he had to have it operated on.* 2 desarranjar, transtornar, perturbar (tráfego, máquinas).
dislodge *v.t.* desalojar(-se), expulsar: *The combatants were dislodged by the enemies.*
disloyal *adj.* desleal.
dismal *adj.* triste, melancólico, sombrio, desolador.
dismantle *v.t.* 1 desmantelar. 2 demolir, desmanchar, desmontar (máquina).
dismay *s.* desalento, desânimo, consternação: *The doctor's report struck them with dismay.*
dismay *v.t.* assombrar, atemorizar, desanimar, consternar.
dismember *v.t.* 1 desmembrar, mutilar. 2 separar uma ou mais partes de um todo, dividir: *The coalision was dismembered after the end of the war.*
dismiss *v.t.* 1 despedir, demitir: *He'll be dismissed for arriving late everyday.* 2 rejeitar, pôr de lado, descartar: *He dismissed the question as being useless.*
dismissal *s.* demissão, exoneração, dispensa.
disobedience *s.* desobediência, rebelião.
disobedient *adj.* desobediente, rebelde.
disobey *v.i.* desobedecer, transgredir, violar.
disorder *s.* 1 desordem, confusão: *She left the room in great disorder.* 2 tumulto, desordem política. 3 enfermidade, indisposição, desarranjo: *mental disorder*, perturbação mental.
disorder *v.t.* causar desordem, confusão, desordenar, perturbar.
disorganization *s.* desorganização.
disorganize *v.t.* desorganizar, desordenar.
disown *v.t.* negar, repudiar, renegar: *He was disowned by his father.*
disparage *v.t.* desacreditar, apreciar, menosprezar.
disparate *adj.* diferente, discrepante, que não se pode comparar.
disparity *s.* disparidade, desigualdade, diferença.
dispassionate *adj.* desapaixonado, desinteressado, imparcial, moderado.
dispatch *s.* 1 despacho, expedição: *She is in charge of the dispatch of all the letters.* 2 rapidez, presteza, prontidão: *act with dispatch*, agir com presteza.
dispatch *v.t.* 1 despachar, enviar (cartas, telegramas). 2 terminar, concluir
dispel *v.t.* dissipar, dispersar (nuvens, medo, dúvidas).
dispensary *s.* (pl *-ies.*) dispensário.
dispensation *s.* 1 dispensação, distribuição.
dispense *v.t.* 1 distribuir, repartir, atribuir. 2 aviar receitas, preparar

dispenser

medicamentos. **dispense with**, dispensar ou prescindir de, não precisar de: *to dispense with the lawyer's services.*
dispenser *s.* farmacêutico, boticário.
dispersal *s.* dispersão, debandada.
disperse *v.t. e i.* dispersar, desfazer, dissipar: *All the people were dispersed by the police arrival.*
dispirited *adj.* deprimido, desanimado, desencorajado.
displace *v.i.* 1 deslocar, desalojar, remover. 2 transferir, substituir.
displacement *s.* desalojamento, remoção, deslocamento.
display *s.* exibição, exposição, desfile: *a fashion display.*
display *v.t.* 1 exibir, mostrar, expor, revelar, mostrar.
displease *v.t.* desagradar, descontentar, irritar: *I was displeased with the way they are acting.*
displeasing *adj.* desagradável, antipático, irritante.
displeasure *s.* desagrado, desprazer, insatisfação, irritação.
disposable *adj.* 1 disponível, a disposição. 2 descartável.
disposal *s.* disposição, disponibilidade. **at one's disposal**, à disposição de alguém.
dispose *v.t. e i.* 1 dispor, livrar-se de, descartar: *to dispose of rubbish.* 2 predispor-se, inclinar-se: *She's not disposed to help him again.*
dispossess *v.t.* desalojar, despejar, desapropriar: *All the people were dispossessed of houses because they couldn't prove they payed for them.*
disproportionate *adj.* desproporcional, desigual.
disputable *adj.* discutível, contestável, disputável.
dispute *s.* 1 debate, discussão: *The matter in dispute was the position of sales director.* 2 controvérsia, briga, contenda.
dispute *v.t. e i.* 1 debater, discutir, brigar.

2 discutir, questionar a validade: *to dispute a decision.* 3 opor-se, resistir.
disqualification *s.* desqualificação, incapacidade, inabilitação.
disqualify *v.t.* (pretérito *ied*) desqualificar, inabilitar, incapacitar.
disquiet *v.t.* inquietar, desassossegar, perturbar: *The bad news about the Pope's health disquieted people all over the country.*
disregard *s.* negligência, desatenção, falta de respeito.
disregard *v.t.* negligenciar, fazer pouco caso, tratar sem respeito: *She disregards everything her mother says.*
disrepair *s.* mau estado: *My grandmother's house was in terrible disrepair.*
disrepute *s.* má reputação, descrédito.
disrespect *s.* desrespeito, desacato, rudeza.
disrespectful *adj.* desrespeitoso, indelicado, rude.
disrupt *v.t.* romper, rachar, separar.: *A terrible accident disrupted the railway services completely all over the town.*
disruption *s.* ruptura, rompimento, quebra.
dissatisfaction *s.* descontentamento, insatisfação, desagrado.
dissatisfy *v.t.* (pretérito *ied*) desagradar, não satisfazer, tornar descontente: *The employees of Petrobrás are dissatisfied with their salaries.*
dissect *v.t.* dissecar, cortar, analisar, examinar.
disseminate *v.t.* disseminar, espalhar; propagar, difundir: *The Pope's beliefs have been disseminated all over the world in the past thirty years.*
dissemination *s.* disseminação, propagação, difusão.
dissension *s.* divergência, discórdia, desavença.
dissertation *s.* dissertação, ensaio.
dissident *s.,adj.* dissidente.
dissipate *v.t. e i.* 1 dissipar, espalhar, dispersar: *dissipate fear; dissipate*

ignorance. 2 esbanjar, desperdiçar: *dissipate a fortune.*
dissipated *adj.* desregrado.
dissociate *v.t.* separar, dissociar: *Her public life should be dissociated from her professional life.*
dissolute *adj.* imoral, devasso, desregrado: *a dissolute life.*
dissolve *v.t. e i.* 1 dissolver: *Water dissolves sugar.* 2 dissolver uma sociedade, rescindir, anular: *to dissolve a business/ a marriage.*
dissonance *s.* 1 dissonância, discordância. 2 desafinação.
dissuade *v.t.* dissuadir, desaconselhar: *His father dissuaded him from going to live abroad.*
distance *s.* 1 distância. 2 espaço de tempo: *a distance of 10 years.*
distant *adj.* 1 distante: *From the hotel we had a distant view of the competition.* 2 não evidente, não aparente, leve: *We are distant relations, but we look alike.* 3 reservado, discreto.
distaste *s.* desagrado, desprazer, aversão: *a distate for cooking.*
distasteful *adj.* desagradável, ofensivo, de mau gosto.
distend *v.t. e i.* expandir, alargar, dilatar: *a distended stomach.*
distiller *s.* destilador, fabricante de bebidas alcoólicas.
distillery *s.* destilaria.
distinct *adj.* 1 diferente, diverso: *Those two plans are quite distinct.* 2 claro, nítido, evidente: *a distinct smell of burning.*
distinction *s.* 1 distinção, diferenciação, discriminação: *The rich and the poor countries should be given the same treatment, with no distinction.* 2 diferença: *I can find no distinction between these cards.* 3 qualidade superior. 4 honra, honraria: *Because of her great work in favor of the poor children, the highest distinctions were given to her.*

distinctive *adj.* característico, diferente, inconfundível.
distinctly *adv.* claramente, distintamente.
distinguish *v.t. e i.* 1 distinguir: *He can't distinguish which cat is his.*
distinguished *adj.* distinto, famoso, ilustre.
distort *v.t.* 1 contorcer: *a face distorted with anger/pain.* 2 distorcer: *The press usually distorts the people words.*
distortion *s.* distorção, deturpação.
distract *v.t.* distrair, desviar a atenção de alguém.
distraction *s.* 1 distração, desatenção: *The music was a distraction when I was trying to pay attention to the teacher.* 2 divertimento, entretenimento: *Reading is the best distraction for him.* 3 loucura: *The children drove her to distraction with so many complaints and requests.*
distraught *adj.* distraído, perturbado.
distress *s.* 1 causa de tristeza, angústia, mágoa: *He was a cause of distress to his parents.* 2 pobreza, miséria, necessidade, perigo: *people in distress.*
distress *v.t.* afligir, angustiar.
distribute *v.t.* 1 distribuir. 2 espalhar: *She distributes food to the poor people every Friday night.* 3 agrupar, classificar.
distribution *s.* distribuição, repartição, mecanismo de distribuição.
distributor *s.* distribuidor.
district *s.* distrito, zona, bairro.
distrust *s.* dúvida, suspeita, desconfiança.
distrust *v.t.* desconfiar, suspeitar: *We can't believe in politicians anymore. In fact, we have to distrust everything they do.*
distrustful *adj.* desconfiado.
disturb *v.t.* perturbar, incomodar: *We had to whisper not to disturb the patients who could finally sleep.* 2 preocupar: *She was disturbed by the news her son sent her.*

disturbance

disturbance s. perturbação, tumulto, desordem: *There is an enormous religion disturbance in those countries.*
disuse s. desuso: *This kind of expression has fallen into disuse a long time ago.*
ditch s. fossa, vala, rego.
ditch v.t. e i. 1 drenar. 2 livrar-se de: *Her television set was so old that he decided to ditch it.*
ditto s. idem, palavra, expressão já dita, o mesmo.
divan s. diva.
dive s. 1 mergulho. 2 espelunca, casa de bebidas e jogo de má reputação.
dive v.i. 1 mergulhar. 2 submergir. 3 descer rapidamente. **diving board**, trampolim. **diving suit**, traje de mergulhador.
diver s. mergulhador.
diverge v.t. divergir: *I don't think we'll have an agreement because our opinions diverge too much.*
divergence s. divergência.
diversify v.t. diversificar, variar.
diversion s. 1 desvio: *the diversion of a river; traffic.* 2 diversão, distração, passatempo: *Crosswords is his diversion.*
diversity s. variedade, diversidade.
divert v.t. 1 desviar: *divert a river from its course.* 2 divertir, entreter: *My grandfather is always diverting the children.*
divide v.t. e i.1 separar, dividir: *They divided the candies equally.*
dividend s. dividendos, lucro de uma empresa.
divine adj. 1 divino, sagrado. 2 excelente, muito bonito: *I think you'll look divine in that blue dress.*
divinity s. 1 divindade: *the divinity of Christ.* 2 teologia. 3 pessoa/coisa divinizada.
divisible adj. divisível, que se pode dividir exatamente: *10 is divisible by 5.*
division s. 1 divisão. 2 operação de dividir. 3 resultado de uma divisão. 4 linha divisória.

divorce s. 1 divórcio.
divorcee s. mulher divorciada.
divulge v.t. divulgar.
dizziness s. vertigem, tontura.
dizzy adj. 1 tonto, atordoado, cambaleante. 2 que causa vertigem: *a dizzy height.*
dj s. disk jockey.
do v. aux. 1 presente: a) *Do you go out on Saturdays?* b) negativa *don't*: *We don't go to school on Saturdays* (usado com *I, we, you, they*). c) *does*: *Does she drive?* d) negativa *doesn't*: *She doesn't speak Spanish* (usado com *he, she, it*). 2 passado: a) *did*: *Did he travel last weekend?* b) negativa *didn't*: *She didn't go to the movies.*
do v.t. e i.1 fazer, executar, efetuar: *What are they doing? They're doing their homework.* 2 criar, produzir: *The editor has done 2 books.* 3 estar ocupado com, trabalhar: *He does the cooking and she does the cleaning,* Ele cozinha e ela limpa. 4 estudar, aprender: *I'm doing American and British literature at school this year.* 5 atuar, desempenhar o papel de: *Meryl Streep did Sophie in Sophie's Choice.* 6 arrumar, arranjar: *She does her hair every Friday evening.* 7 limpar, arrumar: *A cook is doing the special dishes.* 8 ser suficiente: *I think $ 200 will do.* 9 cozinhar: *They do sashimi very well at "Japa's Restaurant".* 10 cozinhar no ponto certo: *How would you like your steak done?* **How do you do?** (fórmula utilizada em apresentações), Muito prazer. **How are you doing?**, Como vai? **Do it yourself**, a) faça você mesmo. b) fazer consertos sem contratar profissionais especializados. **do away with**, extinguir, abolir: *This course was done away with last year.* **do without**, passar sem, dispensar: *We'll have to do without a maid.*
docility s. docilidade.
dock s. 1 doca, ernbarcadouro.
dock v.t. e i. entrar no cais do porto, atracar.
docker s. estivador.

doctor s. 1 médico. 2 pessoa que recebeu o mais alto grau de uma faculdade, doutor.
doctor v.t. 1 medicar. 2 adulterar, falsificar. **witch doctor**, curandeiro.
doctorate s. doutorado, grau de doutor.
doctrine s. doutrina, princípios.
document s. documento.
document v.t. documentar, provar com documentos.
documentary adj. documentário, autêntico: *documentary proof.*
documentary s. documentário (filme).
dodge s. 1 movimento súbito. 2 trapaça, truque, peça.
dog s. 1 cão. 2 macho de animais (lobo, raposa etc). 3 pessoa vil, baixa, de má índole. **go to the dogs**, estar arruinado: *This government is going to the dogs.* **let sleeping dogs lie**, não procurar problemas. **dog-collar**, coleira de cachorro. **dog-eared**, folhas de um livro marcadas por dobras.
dogged adj. obstinado, teimoso.
dogma s. 1 dogma, ponto fundamental, indiscutível de uma doutrina religiosa ou sistema. 2 doutrina.
dogmatic adj. dogmático.
dole s. 1 doação. 2 auxílio-desemprego (pago semanalmente). **be on the dole**, receber auxílio-desemprego, estar desempregado.
dole v.t. distribuir, repartir dinheiro, comida com os pobres.
doll s. boneca.
doll v.t. e i. embonecar-se: *She dolls herself up every time she meets a new date.*
dollar s. dólar, moeda dos EUA, Canadá, Austrália, etc.
dolly s. *(pl -ies.)* 1 boneca (termo infantil). 2 plataforma levadiça.
dolphin s. golfinho.
dolt s. pessoa estúpida, pateta.
domain s. 1 domínio, propriedade. 2 área de conhecimento, de ação: *in the domain of science.*
dome s. cúpula.
domestic adj. 1 doméstico: *domestic problems.* 2 nacional: *All domestic flights have been cancelled.* 3 doméstico, que é criado em casa: *Dogs and cats are the most common domestic animals.*
domestic s. empregada doméstica.
domesticity s. vida familiar.
dominance s. dominância, predominância, domínio.
dominant adj. 1 dominante, influente. 2 que sobressai: *The Twin Towers were the dominant buildings on the island.*
dominate v.t. e i.. 1 dominar, controlar: *The director liked to dominate everybody in the company.* 2 oferecer vista do lugar mais alto: *The new house dominates the whole street.*
domination s. dominação, controle.
domineer v.i. dominar, tiranizar: *No one likes to work with Marta as she likes to domineer (over everyone).*
domino s. jogo de dominó.
donate v.t. dar, contribuir, doar.
donation s. doação: *donation to the fund of the abandoned children.*
done v. particípio passado do do.
donkey s. (pl -s) asno, burro.
donor s. doador: *a blood donor.*
don't v. forma negativa do do.
doom s. fim, julgamento, Juízo Final.
doom v.t. condenar: *Their marriage is doomed to fail.*
door s. 1 porta. 2 caminho, meio: *the door to success.* **next door**, vizinho, ao lado. **out of doors**, ao ar livre.
doorbell campainha.
doorkeeper porteiro.
doorman porteiro de hotel, cinema.
doormat capacho (de porta).
doorstep degrau em frente a porta.
doorway portal, entrada da porta.
dope s. entorpecente, narcótico.
dope v.t. dopar.
dormant adj. adormecido, inativo: *a dormant volcano.*
dormitory s. (pl -ies.) dormitório (escolas, instituições).

dorsal

dorsal *adj.* dorsal.
dose *s.* dose.
dose *v.t.* administrar dose(s).
dossier *s.* dossiê, documento, processo.
dot *s.* 1 ponto, pingo (sobre as letras i e j, p ex) 2 pingo. *on the dot,* em ponto, no exato momento.
dot *v.t.* fazer, pôr pontos, pontilhar: *a dotted line,* uma linha pontilhada.
dote *v.i.* demonstrar muita afeição.
double *adj.* 1 duplo, dobrado. 2 feito para duas pessoas: *a double bed.*
double *adv.* 1 duas vezes mais: *The meal at that Japanese restaurant is very good, but is expensive.*
double *v.t. e i.*1 dobrar: *to double one's salary.* 2 fazer papel duplo em uma mesma peça: *She's doubling the part of both twins in the play.*
doubt *s.* dúvida.
doubt *v.t. e i.* duvidar, questionar: *She doubted my word but I could prove I was telling her the truth.*
doubtful *adj.* duvidoso, incerto, questionável.
doubtless *adj.* indubitável, certo, sem dúvida.
dough *s.* 1 massa de farinha, pasta.
dour *adj.* severo, rígido, sombrio.
dove *s.* 1 pomba. 2 símbolo da paz, mensageiro da paz.
dove V. passado de *dive.*
dovetail *v.t. e i.* ir ao encontro de, juntar-se com.
dowdy *adj.* desleixado, desalinhado, desajeitado, fora de moda.
down *adj.* 1 em posição baixa, derrubado, caído: *At six p.m. the sun is down,* O sol se põe. *The plane was* shot down, O avião foi derrubado, caiu. 2 em baixo: *Nobody is down yet,* Ninguém desceu ainda.
down *adv.* 1 para baixo, para uma posição inferior, de cima para baixo: *The cat climbed* down *from the tree,* desceu da árvore. *The sun goes down at six o'clock,* o sol se põe. *The old lady bent down to pick up her package,* ela abaixou. *The child fell down again,* caiu. 2 em uma posição inferior, de um lugar inferior: *There's something down there on the floor,* Há alguma coisa lá no chão. *The owner has been told to keep his prices* down, manter os preços como estão. 3 em posição sentada ou deitada: *Sit down on the sofa,* 4 para um volume inferior: *Please, turn the radio down,* Abaixe o rádio.
down *prep.* para baixo, ao longo de, em sentido descendente, perto de, no fim de, em, dentro de: *Her bicycle went quickly down the hill,* A bicicleta desceu a ladeira com rapidez.
down *s.* penugem, penas, pêlo fino.
down-and-out *adj.* desprovido, deprimido, abandonado, indigente.
downfall *s.* 1 queda. 2 aguaceiro. 3 ruína, decadência, desgraça.
downpour *s.* aguaceiro.
downright *adj.* 1 honesto, íntegro: *He's such a downright person.*
downright *adv.* totalmente, absolutamente.
downstairs *adj.* de baixo, inferior, do andar inferior: *our downstairs neighbours,* vizinhos do andar inferior.
downstairs *adv.* escada abaixo, em baixo, para baixo, no térreo, no andar inferior: *She lives downstairs.*
downtown *adv.* em direção de, perto do, no centro da cidade: *I'd like to live downtown.*
downward *adj.* que vai para baixo, descendente, em declive, decrescente.
dowry *s.* dote de noiva.
doze *v.i.* cochilar, passar o tempo cochilando: *The conversation was so boring, I dozed off.* *have a doze,* cochilar: *People in some contries in South America have a doze after lunch.*
dozen *s.* doze, duzia. *dozen of,* muitos, muitas: *dozens of people.*

drab *adj.* monótono, banal, pouco atraente: *a drab existence.*
draft *s.* 1 rascunho, minuta, esboço: *You sould make a draft of your speech.* 2 ordem de pagamento: *He said he would pay with a bank draft.*
draft *v.t.* 1 rascunhar, esboçar, projetar, minutar. 2 recrutar: *Her son was drafted into the army.*
drag *s.* chato, chatice: *Our new classmate is such a drag.*
drag *v.t. e i.* 1 arrastar, puxar: *The children dragged the box with the toys up the stairs.* 2 arrastar-se, mover-se com dificuldade: *As he had no one to help him, he dragged himself to the hospital*
dragon *s.* dragão.
dragonfly *s.* libélula.
drain *s.* 1 bueiro, esgoto, rego, fossa, vala. 2 dreno, tubo para drenagem. **go down the drain,** ir por água abaixo: *My plans of buying a new car went down the drain.*
drain *v.t. e i.* 1 escoar, drenar. 2 esgotar, exaurir: *The country was drained of its nature.*
drainage *s.* drenagem, sistema de escoamento.
drainpipe *s.* cano, tubo de esgoto, ladrão.
drama *s.* 1 drama. 2 acontecimento dramático, dilema.
dramatic *adj.* dramático.
dramatize *v.t.* dramatizar.
drape *s.* cortina. **open the drapes,** (EUA) abrir as cortinas.
drape *v.t.* 1 drapejar. 2 vestir, cobrir de pano. 3 colocar cortinas.
drastic *adj.* drástico: *The new government took drastic measures to change the actual situation.*
drastically *adv.* drasticamente.
draught beer chope.
draught *s.* 1 corrente de ar: *Shut the wiondows, there's a cold draught coming in.*
draughtsman *s.* projetista, desenhista.

draw *s.* empate: *The basketball match ended in a draw again.*
draw *v.t. e i.* 1 puxar, extrair, tirar, retirar: *draw the curtains,* puxar as cortinas. *He drew water from the well,* Puxou água do poço. *He drew the cork from the bottle,* Tirou a rolha. *He drew a gun,* Ele puxou uma arma. 2 sacar, obter: *He always draws money from the bank at night.* 3 tomar fôlego, aspirar: *He drew a deep breath,* Respirou fundo. 4 atrair: *Children like to draw attention.* 5 desenhar: *She likes to draw landscapes,* desenhar paisagens. **draw the line (at),** traçar limites, recusar: *He drew the line at stealing. I'm sorry, that's where I draw the line,* Não vou além disso.
drawback *s.* problema, obstáculo: *He said he'd like to travel to Patagonia but there's one big drawback : he has no money.*
drawer *s.* gaveta.
drawing *s.* desenho, esboço, arte de desenhar. ***drawing board,*** prancheta. ***drawing pin,*** percevejo, tachinha. ***drawing room,*** sala de visitas.
drawl *v.t. e i.* falar arrastado.
dread *s.* terror, pavor: *My mother has a dread of rats and cockroaches.*
dread *v.t. e i.* odiar, ter pavor de: *My cat dreads being left alone.*
dream *s.* 1 sonho: *a terrible dream.* 2 ambição: *She has dreams of fame and wealth,* Ela tem ambições de ficar rica e famosa.
dream something up imaginar, criar.
dream *v.t. e i.* sonhar, imaginar: *I dream of going to Russia every night.*
dreamy *adj.* 1 vago, irreal. 2 distraído.
dreary *adj.* monótono, chato, deprimente: *a dreary job.*
dregs *s. pl* 1 restos, borra, detritos. 2 escória: *the dregs of society.*
drench *v.t.* ensopar, molhar: *The rain drenched everybody.*
dress *s.* 1 vestido de mulher. 2

dress

vestimenta, traje, roupa: *In her family they give a lot of importance to dresses.* **evening dress**, traje de gala, a rigor. **dress maker**, costureiro. **dress rehearsal**, ensaio geral.
dress v.t., v.i. vestir(-se): *She dresses her baby in blue.* **dress up**, vestir-se formalmente, vestir-se bem: *I always dress up for dinner.* **dress a salad**, temperar uma salada. **dress a wound**, tratar, cuidar de uma ferida. **dress a window**, enfeitar uma vitrine.
dressing s. curativo, atadura. **salad dressing**, tempero, molho de salada. **dressing gown**, roupão. **dressing room**, quarto de vestir. **dressing table**, penteadeira.
drew v. passado de *draw*.
dribble v.t. e i. 1 pingar, gotejar. 2 babar. 3 driblar.
dried v. passado de *dry*.
drift s. 1 impulso, correnteza, movimento. 2 tendência. 3 nevasca. 4 deriva.
drift v.t. e i. 1 ser levado pela correnteza, ir à deriva. 2 vaguear, ser levado pelas circunstâncias: *He got so nerouvs that he just drifted along the rest of the day.*
drifter s. indigente, vadio.
drill s. 1 furadeira, broca. 2 exercício, treino.
drill v.t. e i. treinar, praticar, exercitar (-se).
drink s. 1 bebida. **soft drink**, bebida não alcoólica, refrigerante. 2 bebida alcoólica.
drink v.t. e i.1 beber. 2 ingerir bebidas alcoólicas em excesso: *Her husband drinks a lot every time they go out.*
drip s. 1 aquilo que cai gota a gota: *The drip of rain made a constant noise at the front window.*
drip v.t. e i. 1 gotejar, pingar, cair gota a gota. **dripping wet**, encharcado.
drive s. 1 passeio de carro, ônibus: *They take the children for a rideeverytime they can.* **go for a drive**, passear de carro. 2 caminho, entrada para carros em propriedades particulares, jardins públicos: *The car turned off the road and into the drive.* **driveway**, entrada particular para carros, entrada da rua para uma garagem.
drive v.t. e i. 1 impeIir, ameaçar, empurrar, jogar, conduzir: *The farmer drove his cattle to the feeding groonds.* **take driving lessons**, aprender a dirigir. 3 ir de carro: *He drives to work every morning.* 4 levar alguém de carro: *I drove my father to the hospital this morning.* **drive-in**, cinema ao ar livre onde os espectadores entram de carro.
driven V. particípio de *drive*.
driver motorista, chofer.
drizzle s. garoa, chuvisco.
drizzle v.t. chuviscar, garoar: *Let's go quickly, it's drizzling.*
drone s. zumbido: *The drone of the train irritates him.*
drone v.t. e i. zumbir, zunir, falar/cantar em tom monótono: *The singer droned out an old song and everybody went away.*
droop v.t. e i.1 murchar: *You have to change the flowers that drooped in the vase.* 2 desanimar-se, ficar abatido: *They drooped with so many things to be done.* .
drop s. 1 gota, pingo: *rain drops*, gotas de chuva; *tear drops*, lágrimas. 2 baixa, queda: *a drop in temperature; a drop in prices.*
drop v.t. e i. (-pp-) 1 cair, deixar cair: *The temperature dropped ten degrees last night* . 2 baixar, diminuir, cair, reduzir: *The altitude of the plane dropped drastically.* 3 abandonar, desistir: *Let's drop the subject, someone's listening,* vamos mudar de assunto.
dropout s. estudante que abandonou os estudos.
drought s. seca, estiagem: *Every year there's a drought in Brazil.*
drove V. passado de *drive*.
drown v.t. e i.1 afogar(-se), morrer afogado. 2 encharcar: *She was drowning in tears when he arrived.* 3

abafar um som: *The sound of the music drowned the conversation..*
drowse *v.t. e i.* cochilar, estar sonolento: *She drowsed all through the film.*
drowsiness *s.* sonolência.
drowsy *adj.* 1 sonolento, 2 algo que faz adormecer: *The film was so drowsy that we quit in the middle of it.*
drug *s.* remédio, droga, tóxico, entorpecente: *As she can't sleep she takes a lot of drugs.*
drug *v.t. e i.* drogar, entorpecer.
drugaddict *s.* toxicômano, viciado, drogado.
drugstore *s.* (EUA) loja que vende e avia receitas de remédios, vende comida e bebida e vários outros artigos.
drum *s.* 1 tambor. 2 recipiente cilíndrico, tambor, barril: *a drum of oil.* **play the drums,** tocar tambor. **ear-drum,** tímpano.
drum *v.t. e i.* 1 tocar tambor, batucar. 2 martelar, repetir até fazer alguém lembrar.
drummer *s.* baterista.
drunk *adj.* bêbado, embriagado. **get drunk,** ficar bêbado, embriagar-se.
drunk *s.* bêbado, alcoólatra.
drunk V. particípio de *drink.*
drunken *adj.* bêbado, embriagado.
drunkenness *s.* embriaguez, bebedeira.
dry *adj.* árido, seco: *dry weather; dry climate.*
dry *v.t. e i.* 1 secar, enxugar: *dry your hands on the towel.* 2 chegar ao fim, esgotar: *My imagination has dried up after so many years working with the same products. I feel dried up after doing so many things.* **dry-clean,** lavar a seco.
dryer *s.* secador: *a hair dryer.*
dryness *s.* secura.
dual *adj.* dual, duplo, dividido em dois: *dual control.*
dubious *adj.* 1 dúbio, duvidoso: *My father said he feels dubious about letting me go to her party.*
duchess *s.* duquesa.

duck *s.* 1 pato, marreco. 2 súbita inclinação, mergulho.
duck *v.t. e i.* 1 abaixar-se rapidamente, desviar a cabeça ou o corpo rapidamente, esquivar-se, evitar: *She threw a ball at them, but they ducked just in time.*
duckling *s.* filhote de pato, marreco: *The ugly duckling,* O patinho feio.
duct *s.* tubo, conduto, ducto.
dud *s.* idiota, otário.
due *s.* 1 tudo que é devido, que pertence a alguém por direito: *Electricity fees are due every 10th*, a conta de luz vence todo dia 10. 2 esperado, aguardado *When is the baby dog due?* Quando chega o cachorrinho? 3 devido , *With all due respect I have for you*, com o devido respeito que eu tenho por você.
duel *s.* duelo.
duffle (duffel) *s.* japona com capuz: *duffle coat ; duffle bag,* mochila de forma cilíndrica, amarrada com cordão num extremo.
dug v. passado de *dig.*
duke *s.* duque.
dull *adj. 1* chato, monótono, enfadonho: *a dull person.* 2 escuro, nebuloso, fosco, opaco: *a dull day.* 3 lerdo, inativo, estúpido: *Don't be so dull!.* 4 sem corte,cego: *All these knives don't cut, They're dull.*
dull *v.t. e i.*1 tornar monótono, escuro, fosco, cego. 2 reduzir: *This medicine dulls the pain.*
duly *adv.* devidamente, adequadamente: *He said my suggestion has been duly noted, but I don't believe.* Ele me disse que a minha sugestão foi devidamente notada mas eu não acredito.
dumb *adj.* 1 mudo, calado, silencioso, emudecido. 2 chato, estúpido, idiota: *Don't be so dumb!*
dumbfound *v.t.* estontear, emudecer, abalar: *She was dumbfounded by her mother's revelations.*
dummy *s.* 1 simulacro, imitação, efígie: *That gun's a dummy,* Essa arma é um

dump

brinquedo. 2 boneco, manequim (de alfaiate, de vitrina): *Look how funny the dummies in that shop window!*
dump s. 1 depósito de lixo, entulho.
dump v.t. 1 descarregar (lixo, p ex). 2 vender ou importar, a preço baixo, mercadorias supérfluas ou invendáveis.
dumpling s. bolinho de massa cozida.
dumpster s. lixeira.
dunce s. estúpido, lerdo para aprender.
dune s. duna.
dung s. esterco, estrume.
dungarees s. pl macacão.
dungeon s. masmorra.
dupe v.t. enganar, lograr: *The man duped the old lady.*
duplicate s. duplicado, duplicata, cópia, segunda via, réplica. *in duplicate,* em duplicata, com cópia.
duplicate v.t. copiar, fazer cópia de, duplicar, reproduzir.
durability s. durabilidade.
durable adj. durável, duradouro, sólido.
duration s. duração.
duress s. coação: *under duress,* sob coação.
during prep. durante, enquanto: *I couldn't stop crying during the film.*
dusk s. crepúsculo, anoitecer. *from dawn to dusk,* de sol a sol.
dust s. pó, poeira.
dustbin lata de lixo.
duster s. pano de pó, espanador.
dustman s. lixeiro.
dustpan pá de lixo.
dusty adj. empoeirado.
Dutch adj. holandês. *go dutch (with someone),* rachar as despesas com alguém: *Let's go dutch!*
dutiful adj. obediente.
duty s. 1 dever, função, atribuição, obrigação: *He did his duty. be on duty,* estar de plantão. *be off duty,* estar de folga. 2 impostos, taxa: *We had to pay duties at the Customs,* Tivemos de pagar impostos na alfândega. *duty*

free, isento de impostos.
dwarf s. (pl -s.) anão.
dwell v.t. 1 habitar, morar.
dwelling s. casa, moradia, habitação.
dwindle v.i. diminuir, reduzir-se: *All the money she had in her bank account dwindled to nothing.*
dye s. tintura, tinta corante.
dye v.t. e i.1 tingir: *She dyes her hair.*
dynamic adj. dinâmico, enérgico: *a dynamic person.*
dynamite s. dinamite.
dynamite v.t. dinamitar.
dynastic adj. dinástico.
dynasty s. (pl -ies.) dinastia.
dysentery s. disenteria.

e E

E, e 5ª letra do alfabeto.
each *adj.* cada: *each student should know his duties.*
each *pron.* cada, cada um, cada qual: *each one,* cada um. ***each other,*** mutuamente: *They kissed each other passionately.*
eager *adj.* 1 ansioso: *I'm eager to meet them.* 2 ávido, ambicioso: *The film director is eager for success.*
eagerness *s.* 1 avidez, ânsia. 2 impetuosidade, impaciência.
eagle *s.* águia.
ear *s.* 1 ouvido, orelha. ***play (sth) by ear,*** tocar de ouvido. ***turn a deaf ear to,*** fazer ouvidos moucos. ***earache,*** dor de ouvido. ***earring,*** brinco.
ear *s.* espiga de milho, espiga.
earl *s.* alto título da nobreza britânica, conde.
early *adj.* 1 cedo. 2 adiantado: *The bus was early.* 3 precoce: *The baby had an early development.*
early *adv.* 1 cedo: early *in the morning.* 2 antecipadamente, prematuramente.
earn *v.t.* 1 ganhar, lucrar: *He earns a lot of money.* 2 merecer: *He earned a medal for his efforts in the war.*
earnest *adj.* sério, severo, determinado. sincero: *He was very earnest about his job.*
earnings *s. pl* salário, ordenado: *His earnings are enough for a modest living.*
Earth *s.* planeta Terra.
earth *s.* 1 terra, chão, solo, terreno: *The dry earth was an obstacle for his farm.* 2 globo terrestre, mundo: *The best person on earth.* ***down to earth,*** prático, pés no chão: *a down to earth idea.*
earthly *adj.* 1 terrestre, terreno, (não espiritual, não divino): *Our earthly lives should be devoted to good deeds.* 2 mundano: *earthly pleasures; earthly joys.*

earthquake *s.* terremoto, abalo sísmico.
earthworm *s.* minhoca.
earthy *adj.* (rel a pessoas) interessado em prazeres do corpo: *John is a very earthy person; he's interested in good food and beautiful women.*
ease *s.* tranqüilidade, sossego, bem-estar: *Rich people have a life of ease.* ***at ease,*** à vontade, despreocupado: *She's very much at ease now, after the problems were solved.*
ease *v.t. e v.i.* 1 aliviar, reconfortar, atenuar, consolar: *I took an aspirin to ease my headache.* 2 facilitar.
easily *adv.* facilmente, sossegadamente: *She doesn't accept things easily.*
east *s.* este, leste, oriente. ***The East,*** Oriente, o Leste.
Easter *s.* Páscoa. ***Easter egg,*** ovo de Páscoa.
eastern *adj.* oriental.
eastward *adj.* em direção leste: *in an eastward direction.*
easy *adj.* (-ier, -iest) 1 fácil, cômodo, confortável. 2 despreocupado, tranqüilo: *I'm an easy person.* 3 ocioso, vadio, preguiçoso. ***easy chair,*** espreguiçadeira. ***easygoing,*** à vontade, despreocupado, desembaraçado: *an easygoing person.*
eat *v.t. e v.i.* comer, consumir: *Lions eat meat.* 2 tomar refeição: *eat your dinner!*
eatable *adj.* comestível: *Are these fruit eatable or are they wild fruit?*
eavesdrop *v.i.* (-pp-) bisbilhotar, intrometer-se (na conversa): *The manager was eavesdropping in the director's conversation.*
ebony *s.* ébano.
ebullient *adj.* 1 efervescente, fervente. 2 exuberante, entusiasmado: *ebullient personality.*
eccentric *adj.* excêntrico, extravagante:

eccentricity

What eccentric behaviour! They went to the beach fully dressed.
eccentricity s. excentricidade, extravagância.
ecclesiastic s. eclesiástico, sacerdote, padre, clérigo.
echo s. (pl -es) 1 eco. 2 repetição, imitação: Those students are an echo of their teacher.
echo v.i. e v.t. 1 ecoar: Our voices echoed in the empty room. 2 ressoar, repercutir: The Minister's eccentric opinions echoed in society.
éclair s. bomba (doce com recheio de creme).
eclipse v.t. eclipsar, nublar, escurecer: The sun is eclipsed by the moon.
eclipse s. eclipse.
ecological adj. ecológico: an ecological study.
ecology s. ecologia.
economic adj. 1 econômico: The country is in a good economic state
economical adj. econômico, que gasta pouco, moderado, previdente: She is an economical housewife.
economics s. ciência econômica: They did a good course in economics at that university.
economist s. economista.
economize v.t. e v.i. economizar, poupar.
economy s. economia: Export will improve the economy of small countries. **economy class**, classe econômica em transportes (esp aéreo).
ecstasy s. 1 êxtase, enlevo, arrebatamento: in an ecstasy of joy. 2 droga.
ecstatic adj. enlevado, pasmado: He felt ecstactic when he saw the scene.
ecumenical adj. ecumênico.
edge s. (pl -ies) redemoinho, turbilhão: The letter fell into the edge of the river and disappeared.
edge s. extremidade, margem, canto: a white towel with pink edges; the edge of a plate.

edgy adj. 1 anguloso, aguçado. 2 irascível, irritável: He's a bit edgy because business is not so good.
edible adj. comestível: The taste of this food is unusual, but it is edible.
edifice s. edifício, prédio grande e pomposo.
edit v.i. 1 editar, publicar: The company edited all the plays and short stories. 2 editorar: The film was edited by a famous professional.
edition s. 1 edição, publicação: the first edition of the book. 2 tiragem, impressão.
editor s. editor, redator.
editorial s. e adj. editorial.
educate v.i. educar, ensinar, instruir: He was educated at a very good school.
education s. 1 educação, instrução: high level education; primary education. 2 ensino: system of education. 3 *education*, pedagogia.
educational adj. educacional, educativo, pedagógico: educational establishment.
eel s. enguia.
eerie (eery) adj. misterioso, sinistro: It is eery to go to a haunted house at night.
effect s. efeito, resultado. *in effect*, de fato, (jur) em vigor. *of no effect*, sem efeito, inócuo.
effective adj. 1 efetivo, eficaz, eficiente, útil: It was an effective speech! 2 real, verdadeiro: His father is the director of the company, but he is the effective decision-maker.
effectiveness s. eficácia, eficiência.
effectual adj. eficaz, efetivo, eficiente: Let's take effectual action against poverty in the world.
effeminate adj. efeminado: He had effeminate manners, so people laughed at him.
efficiency s. 1 eficiência, eficácia.
efficient adj. eficiente, competente: an efficient professional; an efficient machine.

effort s. esforço, empenho: *He made such an effort to climb the stairs of success.*
effusive adj. efusivo, expansivo, exagerado: *His effusive greetings startled uso.*
e.g. abrev. por exemplo (=p.ex).
egalitarian adj. igualitário: *Idealists have always pursued igalitarian societies.*
egg s. 1 ovo: *lay eggs,* pôr ovos. 2 óvulo. **a bad egg**, pessoa desonesta. **egg plant**, berinjela. (esp EUA *aubergine*).
egg-shell, casca de ovo. **egg-whisk**, utensílio para bater ovos, batedeira de ovos.
ego s. ego.
egocentric adj. egocêntrico.
eight adj. e s. numeral oito.
eighteen adj. e s. dezoito.
eighteenth adj. e s. décimo-oitavo.
eighth adj. e s. oitavo.
eightieth adj.e s. octogésimo.
eighty adj. e s. (pl -*ies*) 1 oitenta. 2 (pl) **the eighties**, os anos oitenta.
either adj 1 um ou outro (de dois): *He bought a small car and a big car but he doesn't use either car.* 2 um e outro (de dois): *The neighbours on either side of his house were noisy and impolite.*
either conj. **either(...)or**, ou(...)ou: *either you love me or her! either you work harder or you will be dismissed!*
either adv. também, tampouco: *I haven't done the test and my friend hasn't, either.*
eject v.t. e v.i. lançar, ejetar.
elaborate adj. elaborado, esmerado: *an elaborate machine.*
elapse v.i. passar, decorrer, transcorrer, expirar: *Ten minutes elapsed between the telephone call and the bell.*
elastic adj. elástico, flexível.
elastic band s. elástico.
elbow s. 1 cotovelo. 2 canto, ângulo.
elder adj. 1 mais antigo: *The elder member of the club.* 2 mais velho: *My elder brother.*

elderly adj. de idade avançada, idoso: *elderly people.*
eldest adj. o mais velho, primogênito: *The eldest son.*
elect v.t. eleger, nomear por votos: *They elected him President.*
election s. 1 eleição, votação: *The results of the election will be known tonight.* 2 escolha, preferência.
electric adj. 1 elétrico: *eletric shock; eletric storm.* 2 animado, vibrante, eletrizante: *The speech had an eletric effect on the listeners.*
electrical adj. elétrico: *an eletrical engineer.*
electrician s. eletricista.
electricity s. eletricidade.
electrify v.t. eletrificar.
electrocute v.t. eletrocutar.
electron s. elétron.
electronic adj. eletrônico.
electronics s. ciência da eletrônica, eletrônica.
elegance s. elegância, graça, distinção.
elegant adj. elegante, gracioso, distinto: *an elegant woman.*
element s. 1 elemento, componente: *chemical elements.* 2 (pl) fundamentos, princípios: *He doesn't understand the elements of marriage.*
elementary adj. 1 elementar. 2 básico, fácil: *elementary exercises at school.* 3 fundamental, essencial.
elephant s. elefante. **white elephant**, algo inútil.
elevate v.t. 1 elevar, levantar: *He elevated his voice slowly.* 2 melhorar o espírito: *We should elevate our minds through meditation.*
elevation s. 1 elevação. 2 altura, altitude: *There is an elevation of about 200 m near their farm.*
elevator s. 1 elevador de carga. 2 (EUA) elevador (Cf. *lift*).
eleven adj. e s. numeral onze.
eleventh adj. e s. décimo-primeiro, undécimo.
elf s. duende, gnomo, elfo.

elicit

elicit v.t. extrair: *He elicited the facts from the report.*
eligible adj. qualificado, elegível, vantajoso: *eligible for promotion.*
eliminate v.t. 1 eliminar, excluir, remover. 2 executar, matar: *The men eliminated the criminal.*
elite s. elite, flor, nata.
elixir s. elixir.
ellipse s. (geom, gram) elipse.
eloquent adj. eloqüente.
else adv.(esp usado após um pron indefinido ou interrog) 1 outro, diverso, diferente, além disso: *Anything else?* Algo mais? *Nobody else*, Ninguém mais. *What else?* Que mais? 2 em outro lugar, de outra maneira: *How else?* De que outra forma? *somewhere else*, em alguma outra parte. *or else*, ou então, senão: *Hurry or else you'll get there too late.*
elude v.t. (fml) enganar, iludir, esquivar-se.
elusive adj. 1 enganoso, ilusório, difícil de compreender: *an elusive word.* 2 fugidio, esquivo, elusivo.
emaciate v.t. (fml) emagrecer, definhar, emaciar.
e-mail s. correio eletrônico.
emanate v.i. (fml) emanar, provir, brotar: *Heat emanated from his body.*
emancipate v.t. emancipar, libertar: *She is an emancipated woman.*
embankment s. dique, aterro, barragem, terraplanagem.
embargo s. (pl -es) impedimento, embargo. *lay an embargo on*, embargar. *be under an embargo*, estar sob embargo.
embark v.t. e v.i. 1 embarcar (em navio): *The passengers embarked for the Caribbean.* 2 aventurar-se, envolver-se num negócio ou empresa: *embark on/upon an enterprise.*
embarrass v.t. 1 embaraçar, complicar. 2 desconcertar, perturbar: *embarassing questions.*
embarrassment s. embaraço, confusão, constrangimento.
embassy s. (pl -ies) embaixada.
embedded adj. embutido, incrustado, encaixado.
embellish v.t. embelezar, enfeitar, adornar.
ember s. (ger pl) brasa.
embezzlement s. desfalque.
embittered adj. 1 amargurado, angustiado.
embody v.t. 1 personificar, encarnar, expressar. 2 reunir, incorporar, juntar: *That film embodies many new special effects.*
embrace v.t. e v.i. 1 abraçar(-se): *She embraced her mother warmly. They embraced when he arrived.* 2 adotar, seguir. 3 aproveitar (oportunidade).
embroider v.t. e v.i. 1 bordar, adornar, enfeitar. 2 (fig) exagerar, florear (uma estória).
embroidery s. 1 bordado, ornamento. 2 (fig) exagero.
embryo s. (pl -s) 1 (zoo) embrião. 2 (med) feto. 3 (fig) estado embrionário, embrião: *That's the embryo of a future multinational organization.*
emend v.t. emendar, corrigir, retificar (textos).
emerald s. esmeralda, verde-esmeralda.
emerge v.i. 1 emergir, sair, aparecer. 2 (fig) desenvolver-se, formar-se, surgir: *New ideas emerged during the meeting.*
emergency s. (pl -ies) 1 emergência, necessidade urgente, situação crítica: *In case of emergency, call the police.* 2 (usado como adjetivo): *emergency exit,* saída de emergência; *emergency cable,* cabo de segurança; *emergency call,* chamada telefônica de urgência.
emigrant s. emigrante.
emigrate v.i. emigrar: *They emigrated to Australia.*
eminent adj. (fml) 1 eminente. 2 (fig) notável, famoso, célebre: *He became eminent as a painter.*
emission s. 1 emissão: *emission of heat.* 2 derramamento, irradiação.

emit v.t. (-ti-) 1 emitir. 2 pôr em circulação: *He emitted false banknotes.* 3 publicar. 4 manifestar-se, exprimir (opinião).
emotion s. 1 emoção, comoção. 2 sentimento.
emotional adj. emocional, emotivo, sentimental: *an emotional nature.*
emotive adj. emotivo, emocional: *an emotive speech.*
empathy s. (psicol) empatia.
emphasis s. (pl –ses) 1 ênfase. 2 importância: *She lays great emphasis on reading.* 3 acentuação.
emphasize v.t. enfatizar, salientar: *She emphasized the importance of studying hard.*
emphatic adj. enfático, expressivo, enérgico.
empire s. 1 império. 2 soberania, poder absoluto.
employ v.t. 1 empregar, dar serviço a: *He is employed in a bank.* 2 usar, aproveitar: *He employs his spare time repairing things.*
employee s. empregado.
employer s. empregador.
employment s. 1 emprego, trabalho. 2 uso. ***employment agency***, agência de empregos.
empress s imperatriz.
empty adj. (-ier, -iest) vazio, oco: *an empty stomach. His words are empty of sense*, Suas palavras não fazem sentido. ***empty-handed***, de mãos vazias. ***empty-headed***, cabeça oca.
empty v.t. e v.i. esvaziar, evacuar, descarregar: *They emptied the room in five minutes.*
enable v.t. capacitar, possibilitar, habilitar.
enact v.t. 1 promulgar uma lei, sancionar, decretar. 2 desempenhar um papel (no teatro).
enamel s. 1 esmalte, esmalte dos dentes. 2 laqueação, esmaltação.
enamel v.t. (-ll-) laquear, esmaltar.
encase v.t. 1 encaixotar, encerrar. 2 revestir, envolver.

enchant v.t. encantar, maravilhar, cativar, enfeitiçar. ***be enchanted (at)***, estar encantado (com).
enchanting adj. encantador, maravilhoso, fascinante.
enchantment s. encantamento, feitiço, magia, fascinação.
encircle v.t. rodear, cercar.
enclose v.t. 1 fechar. 2 murar, cercar. 3 incluir, anexar: *The pamphlets are enclosed.*
enclosure s. 1 cerco. 2 muro, tapume. 3 recinto cercado. 4 anexo.
encounter v.t. 1 encontrar (-se) casualmente, deparar com alguém. 2 enfrentar (um inimigo).
encourage v.t. 1 encorajar, animar. 2 apoiar, favorecer. 3 incitar: *They encouraged him to travel abroad.*
encouragement s. encorajamento, incitação, estímulo.
encyclopedia (-paedia) s. (pl -s) enciclopédia.
end s. 1 fim, término: *the end of the story.* ***put an end to***, pôr fim a, destruir, abolir, parar. 2 extremidade, ponta: *a candle end.* 3 termo, conclusão. 4 morte: *She's nearing her end.* 5 propósito, finalidade: *He achieved his ends.* ***in the end***, no fim, afinal. ***on end***, a) sem interrupção: *He went there three days on end.* ***be at an end***, estar prestes a terminar. ***make both ends meet***, viver dentro de seu orçamento.
end v.i. e v.t.terminar, concluir, acabar (-se). ***end up***, (gír) terminar por, acabar: *He ended up going home,* Ele acabou indo para casa.
endanger v.t. comprometer, pôr em perigo, expor.
endear v.t. 1 mostrar-se, tornar-se amável. 2 encarecer, fazer subir o preço.
endearment s. ternura, afeição.
endeavour s. (fml) esforço, empenho. (EUA *endeavor*).
endemic s. e adj. (med) endemia, doença endêmica.

ending

ending s. 1 fim, término. 2 morte, desenlace: *I loved the ending of that story.*
endless adj. interminável, sem fim: *an endless love story.*
endorse v.t .1 endossar (cheque). 2 (fig) apoiar, defender.
endorsement s. endosso.
endow v.t. 1 dotar, estabelecer uma renda para. **endowed with**, dotado com: *to be endowed by nature with a talent for music.*
endowment s. dotação, talento, dom.
endurance s. paciência, tolerância, resistência, sofrimento. **past/beyond endurance**, insuportável.
endure v.t. e v.i. 1 sofrer, suportar: *I can't endure that any longer.* 2 durar, preservar: *His teachings will endure forever.*
enduring adj. 1 duradouro, durável. 2 permanente, contínuo. 3 paciente, tolerante.
enemy s. (pl -*ies*) inimigo, adversário, antagonista.
energetic adj. energético, ativo, eficaz.
energy s. (pl -*ies*) 1 energia, atividade. 2 força, vigor: *Although he is eighty, he has got a lot of energy.* 3 eficácia.
enforce v.t. 1 forçar, obrigar. 2 impingir. 3 fazer cumprir uma lei. 4 reforçar: *He gave evidence to enforce his arguments.*
enforcement s. 1 coação, imposição. 2 execução de uma lei. 3 reforço.
engage v.t. e v.i. 1 empregar, contratar: *They engaged her as a secretary.* **be engaged (in)**, a) dedicar-se a, concentrar-se em: *He is engaged in a new business.* a) estar ocupado: *The line is engaged,* A linha está ocupada. 2 combinar noivado, casamento: *He is engaged to Mary.*
engagement s. 1 compromisso, encontro: *I can't meet you, I have an engagement at seven.* 2 noivado: *She broke off her engagement,* Ela rompeu o noivado. **engagement ring**, anel de noivado.
engaging adj. atraente, sedutor, simpático.
engender v.t. (fml) engendrar, gerar, produzir, causar: *Violence engenders more violence.*
engine s. 1 máquina, motor. 2 instrumento.
engineer s. 1 engenheiro: *a civil engineer.* 2 maquinista de locomotiva.
engraving s. 1 estampa, gravura. 2 arte de gravar, gravação.
engross v.t. ocupar totalmente o tempo ou a atenção: *That text engrossed my attention.*
enhance v.t. aumentar, acentuar, realçar: *A diamond necklace enhanced her beauty.*
enigma s. (pl -*s*) enigma.
enjoy v.t. desfrutar, gostar de, apreciar: *I enjoyed myself,* Eu me diverti.
enlarge v.t. e i. 1 alargar(-se), estender (-se). 2 ampliar: *an enlarged edition.* 3 prolongar (discurso).
enlighten v.t. 1 aclarar, iluminar. 2 (fig) esclarecer, instruir, iluminar (o espírito).
enlist v.t. e i. 1 (mil) alistar-se. 2 inscrever(-se). 3 atrair, angariar (apoio).
enormous adj. 1 enorme, imenso. 2 monstruoso, perverso, atroz.
enough adj, s. e adv. 1 bastante, suficiente: *Two are enough. I have had enough of it,* Estou farto disso. 2 por mais que pareça: *curiously enough,* por incrível que pareça; *oddly enough,* por estranho que pareça.
enrich v.t. 1 enriquecer. 2 adubar, fertilizar: *You should get the soil enriched.* 3 intensificar, mentar (qualidade, conhecimento).
enroll (-rol) v.t. e v.i. 1 registrar (-se), matricular(-se). 2 inscrever(-se), associar(-se): *He enrolled in that club.* 3 catalogar.
ensure v.t. e v.i. 1 assegurar, garantir:

epilogue

His last record ensured his fame. This medicine will ensure you a good night's sleep. 2 resguardar, proteger: *These documents will ensure you against any action.*
entangle *v.t.* 1 emaranhar, embaraçar, ficar preso: *When he went fishing, he got entangled with the fishing nets.* 2 envolver, complicar: *Poor Pedro! He is entangled with money-lenders.*
enter *v.t. e v.i.* 1 entrar, passar por dentro: *We entered the room.* 2 tornar-se membro, inscrever-se, matricular-se: *She entered university.* 3 alistar-se, ingressar: *He entered the army.* **enter into sth,** iniciar (um emprego), abrir: *We entered into a contract with an engineering company.*
enterprise *s.* 1 empresa, empreendimento, organização: *Souza & Sons is one of the largest enterprises of its kind in Brazil.* 2 arrojo, coragem, espírito empreendedor: *Dr Silveira is a man of great enterprise.*
enterprising *adj.* empreendedor, ativo, ousado.
entertain *v.t.* 1 hospedar, receber, acolher: *Chiquinho entertains a lot.* 2 entreter, divertir, interessar: *The clowns were entertaining the children at the party.* 3 levar em consideração, considerar: *They entertained all the suggestions/proposals.*
entertaining *adj.* divertido, alegre, agradável: *We spent hours listening to entertaining stories.*
entertainment *s.* 1 recepção, acolhida, hospedagem: *The hotel is famous for its entertainments.* 2 espetáculo, divertimento: *Going to the circus is an excellent entertainment.*
enthusiasm *s.* entusiasmo, interesse, admiração: *enthusiasm for classical music.*
enthusiastic *adj.* entusiástico, muito interessado: *enthusiastic about the show.*
entirely *adv.* inteiramente, completamente, totalmente: *She was entirely wrong to argue with him.*
entitle *v.i.* 1 intitular, chamar, denominar: *a record entitled "Blue Train":* 2 dar o direito de, autorizar: *Policemen are entitled to travel on buses without paying the fares.*
entity *s.* (pl *-ies*) entidade, existência.
entrance *s.* 1 entrada, porta, portão: *the entrance to the stadium.* 2 ingresso, entrada: *the entrance exam to the university,* o exame vestibular. 3 (teat) entrada em cena. 4 permissão para entrar: *He was refused entrance at the disco.* **entrance fee,** taxa de matrícula.
entrepreneur *s.* empresário.
entrust *v.t.* incumbir, encarregar, entregar aos cuidados de: *entrust the task to someone,* incumbir alguém de uma tarefa.
entry *s.* (pl *-ies*) 1 entrada, ingresso. 2 porta, vestíbulo, saguão. 3 item, registro, inscrição em lista: *dictionary entries.* 4 inscrição na lista de competidores: *a large entry for the tennis championship.*
enunciate *v.t. e v.i.* 1 enunciar, pronunciar: *He's a good actor and he enunciates clearly.* 2 expressar, explicar uma teoria.
envelop *v.t.* envolver, cobrir: *He was enveloped in doubt.*
envelope *s.* envelope, invólucro.
envious *adj.* invejoso.
environment *s.* 1 meio ambiente. 2 arredores.
envy *s.* inveja: *His new car was an object of envy to his friends.*
envy *v.t.* invejar, cobiçar, desejar: *All his friends envied his new car.*
epidemic *s.* epidemia, peste.
epigram *s.* poesia breve e satírica, sátira, epigrama.
epilepsy *s.* epilepsia.
epileptic *adj.* epilético.
epilogue *s.* epílogo. (EUA *epilog*).

equal

equal *adj.* igual, idêntico, equivalente: *equal salaries for both men and women; equal oportunities; equal parts.* **equal to,** capaz de, apto a, à altura de: *He is equal to making such a mistake.*
equality *s.* igualdade, uniformidade.
equation *s.* equação.
equestrian *adj.* eqüestre.
equestrian *s.* equitador, cavaleiro.
equidistant *adj.* eqüidistante, separados por distâncias iguais.
equilateral *adj.* eqüilateral, que tem os lados iguais.
equilibrium *s.* equilíbrio: *maintain one's equilibrium,* manter o equilíbrio; *lose one's equilibrium,* perder o equilíbrio.
equine *adj.* eqüino.
equinox *s.* equinócio.
equip *v.t.* (*-pp-*) equipar, preparar: *equip a soldier with weapons.*
equipment *s.* equipamento, aparelhamento.
equivalent *adj.* equivalente.
equivocal *adj.* equívoco, duvidoso, ambíguo: *an equivocal reply.*
era *s.* era, época: *the Christian era.*
eradicate *v.t.* 1 desarraigar, extirpar. 2 erradicar, exterminar: *eradicate polio; eradicate crime.*
erase *v.t.* apagar: *erase the blackboard.*
eraser *s.* borracha, apagador: *blackboard eraser,* apagador.
erect *v.t.* 1 construir, erguer, levantar: *erect a building.* 2 erigir, elevar: *erect a flagstaff.*
erection *s.* ereção, construção, erguimento.
erosion *s.* erosão, desgaste, corrosão: *soil erosion.*
erotic *adj.* erótico.
err *v.i.* errar, cometer erros, falhar: *To err is human.*
errand *s.* recado, mensagem: *to run errands for sb,* fazer pequenos serviços/tarefas por alguém.
erratic *adj.* 1 excêntrico, estranho. 2 irregular.
erroneous *adj.* errôneo, incorreto.

error *s.* erro, engano, equívoco: *pronunciation errors; spelling errors.*
erupt *v.i.* 1 (vulcão) lançar fora, estourar, explodir. 2 irromper: *Violence erupted in the stadium when the favourite team lost the game.*
eruption *s.* 1 (rel a vulcão) erupção, explosão. 2 erupção cutânea.
escalate *v.i.* aumentar em intensidade: *Inflation has escalated.*
escalator *s.* escada rolante.
escapade *s.* escapada, fuga.
escape *s.* 1 fuga, evasão: *There have been plenty of escapes from this prison.* 2 saída: *a fire escape.* 3 fuga da realidade.
escape *v.t. e i.* 1 escapar, fugir, libertar-se: *More than 50 prisoners escaped from Ilha Anchieta.* 2 livrar-se, desvencilhar-se: *You were lucky to escape from the English winter.* 3 ficar de fora, não ser percebido ou lembrado: *I'm sorry but your name escapes me.*
escapism *s.* escapismo, fuga da realidade desagradável através de devaneio e imaginações.
eschew *v.t.* (fml) abster-se de, evitar: *eschew wine.*
escort *v.i.* escoltar, comboiar, acompanhar: *Pedro is escorting Jane home.*
esoteric *adj.* secreto, esotérico, oculto.
especially *adv.* especialmente, particularmente: *She likes all kinds of books, especially novels.*
espionage *s.* espionagem.
essay *s.* 1 ensaio, dissertação. 2 experiência, tentativa.
essence *s.* 1 essência, alma. 2 extrato: *essence of roses; vanilla essence.*
essential *adj.* 1 necessário, essencial: *Honesty is an essential quality in man's character.* 2 fundamental, indispensável: *Good manners are essential in a good receptionist.*
establish *v.t.* 1 fundar, estabelecer: *establish a business; establish a government.* 2 fixar, assentar: *We*

established our office in the new Trade Centre. 3 instituir: *The established religion in the country is Buddhism.* 4 colocar (em posto), nomear: *They established him as minister.*
establishment s. 1 fundação, estabelecimento: *the establishment of a new industry.* 2 casa, estabelecimento comercial.
estate s. 1 fazenda, propriedade rural. 2 patrimônio, propriedade. *(real) estate egent*, corretor imobiliário.
esteem v.t. (fml) 1 estima, respeito: *The old man was esteemed by all his friends.* 2 considerar, apreciar, reconhecer: *I do not esteem him to be an honest man.*
esteem s. estima, apreço, consideração, opinião: *His friends hold him in great esteem.*
esthetic adj. V. aesthetic.
esthetics s. V. aesthetics.
estimate v.t. e v.i. calcular, avaliar, orçar: *The engineers estimate the cost of the bridge at 8 million dollars. They estimate that the work will be finished in a week.*
estimate s. estimativa, cálculo, orçamento, avaliação: *I got 3 estimates before having the house painted. My estimate of her abilities was wrong.*
eternal adj. 1 eterno, perpétuo, imortal: *eternal life.* 2 (infml) incessante, constante.
eternally adv. 1 eternamente. 2 incessantemente.
eternity s. (pl -ies) eternidade, imortalidade.
ethic s. ética, regras, condutas e princípios morais: *The Christian ethic.*
etiquette s. 1etiqueta, regras de comportamento na sociedade. 2 ética profissional: *medical etiquette.*
etymology s. etimologia, origem das palavras.
eucalyptus s. (pl -es) eucalipto.
euphemism s. eufemismo.
euphoria s. euforia.
euphoric adj. eufórico.
European s. e adj. europeu.

euthanasia s. eutanásia.
evacuate v.t. evacuar, abandonar, desocupar, esvaziar, retirar(-se): *The firemen evacuated the building. During the war, the population of this town was evacuated,* (...) a população foi retirada. *The police made everybody evacuate the building,* A polícia obrigou a todos a evacuar/abandonar o prédio.
evacuation s. evacuação.
evade v.t. 1 evadir(-se), iludir, sonegar. 2 escapar, fugir, livrar-se de, evitar: *He was caught for evading income tax,* Foi preso por sonegar impostos.
evaluate v.t. avaliar, estimar o valor, calcular.
evangelic adj. evangélico.
evaporate v.t. e i. 1 evaporar-se. 2 desidratar, secar. 3 desaparecer: *Our hopes evaporated.* **evaporated milk**, leite condensado sem açúcar.
evaporation s. evaporação.
evasion s. 1 evasão, fuga: *The cat's evasion of the dogs was incredible. The thief's evasion of the police was well planned.* 2 sonegação, evasão, fuga: *tax evasion,* sonegação de impostos. *The evasion of foreign currency from this country is enormous,* A evasão de divisas estrangeiras (...) 3 subterfúgio: *The politician's speech was full of evasions.*
eve s. véspera. *New Year's Eve,* véspera do Ano Novo. *Christmas Eve,* véspera de Natal:
even adj. 1 plano, chato, liso: *The surface of this table is not very even.* 2 regular, uniforme, invariável: *The temperature here is very even. We walked at an even pace.* 3 igual, empatado, equiparado, emparelhado: *Both teams have 5 points. They are now even.* **be even with**, ficar quites: *Now we're even, I owe you nothing.* **get even with**, vingar-se de (alguém): *One day I'll get even with him, just wait and see.* 4 número par: *even numbers and odd numbers,* números pares e ímpares.

even

even *adv.* 1 mesmo, até: *even in summer it rains every day. even his own father hates him.* 2 mesmo se, ainda que, mesmo que: *even if you don't like wine, try this one. It's fantastic.*
evening *s.* o anoitecer, as primeiras horas da noite e do fim da tarde. **evening dress**, vestido a rigor, trajes formais.
event *s.* 1 evento, acontecimento, incidente, ocorrência: *The debate was an important event. Her wedding was the event of the year.* 2 (esporte) prova, competição: *a swimming/riding event.* **in that event**, nesse caso (...) **in the event of**, no caso de: *In the event of fire, press the alarm.*
eventual *adj.* eventual, contingente, possível: *We have to be prepared for an eventual crisis.*
eventuality *s.* (pl *-ies*) eventualidade, possibilidade.
ever *adv.* 1 já, alguma vez: *Have you ever been to Rio?* Você já esteve no Rio? 2 sempre: *I will love you for ever,* (...) para sempre. 3 desde que: *ever since he left home, he's been drinking,* Desde que ele saiu de casa (...).***Yours ever*** (infml) (usado como despedida em cartas), sempre seu (amigo, etc). **Thank you ever so much**, muito obrigado.
everlasting *adj.* perpétuo, eterno, durável.
evermore *adv.* eternamente, sempre.
every *adj.* 1 cada, cada um, todos, todas: *I've seen every film that they've shown at that cinema,* Já vi todos os filmes que (...). *every citizen must respect his country,* Todo cidadão, cada cidadão deve respeitar (...). **every few weeks/minutes/years**, a cada poucas semanas/minutos/anos, etc. **every other one**, alternadamente, um sim, um não: *There were lots of cheap things on sale, but practically every other one had a defect, or was broken.* **every now then**, de vez em quando, às vezes. **every time**, sempre, toda vez. (Cf. *each*).
everybody *pron.* todos, toda gente, todo mundo, cada um, cada qual: *Over here everybody knows everybody,* (...) todos se conhecem.
everyday *adj.* comum, corriqueiro, diário: *an everyday occurrence,* um acontecimento corriqueiro. *These are his everyday shoes,* (...) de uso diário.
everyone *pron.* = everybody.
everything *pron.* tudo: *He told me everything about you.*
everywhere *adv.* em toda parte, em todo lugar: *She's been everywhere but she didn't find him.*
evict *v.t.* despejar: *If you don't pay your rent, you'll be evicted.*
eviction *s.* despejo.
evidence *s.* prova, evidência, testemunho, depoimento de testemunha. **give evidence**, prestar depoimento. **a piece of evidence**, uma prova. **in evidence**, em evidência: *His new book is very much in evidence.*
evident *adj.* evidente, claro.
evidently *adv.* evidentemente.
evil *adj.* mau, maligno, malvado, nocivo. **think evil of sb**, pensar mal de alguém.
evolution *s.* evolução, desenvolvimento: *theory of evolution.*
evolve *v.t. e v.i.* desenvolver(-se) evoluir: *Our politicians are evolving gradually to maturity.*
ex- prefixo ex-, antigo: *his ex-wife; the ex-president.*
exact *adj.* exato, preciso, correto, justo, certo: *the exact sciences,* as ciências exatas. *What is your exact age?*
exact *v.t.* exigir, extorquir, cobrar: *They exacted payment from the company,* Eles exigiram pagamento (...). *The government exacts heavy taxes,* (...) cobra impostos altos.
exactly *adv.* 1 exatamente, precisamente, justamente. 2 (como resposta ou confirmação) é isso mesmo: *It's getting late: "Exactly ! I have to go".*

exaggerate v.t. e v.i. exagerar.
exam (infml) abrev de *examination*.
examination s. exame, análise, teste.
examine v.t. examinar, analisar, estudar, ler com atenção: *The doctor examined the patient. The judge examined the evidence. The policemen examined my documents.*
example s.1 exemplo. 2 amostra: *Here is an example of his work.* **set a good/bad example**, dar bons/maus exemplos. **by way of example**, para citar um exemplo. **let sth be an example to sb**, que (isto) sirva de lição/exemplo. **for example**, por exemplo. **make an example of**, castigar para servir de exemplo, fazer com que algo sirva de exemplo: *The judge sentenced the criminal to life imprisonment. He made an example of him.* **follow sb's example**, seguir o exemplo de alguém.
exasperate v.t. irritar, exasperar, frustrar.
exceed v.t. ultrapassar, superar, exceder: *The cost will not exceed R$ 1.000,00. He was arrested for exceeding the speed limit.*
excel v.t. e v.i. (-ll-) (fml) distinguir-se, sobressair.
excellence s. excelência.
excellent adj. excelente, ótimo.
except prep. 1 salvo, exceto, fora, com exclusão de: *I work every day, except Sunday.* **except for**, à parte, a não ser por, com exceção de: *The show was excellent, except for a few problems with the lighting.* 2 (infml) só que: *I'd love to stay, except it's too late. I wanted to accept that new job, it's too far.*
exception s. exceção: *Everybody must be punctual. I will make no exceptions.* **take exception to**, objetar, criticar, protestar: *I take exception to his arrogance.*
exceptional adj. excepcional.
exceptionally adv. excepcionalmente:

exclusive

He's an exceptionally intelligent student.
excess s. 1 excesso, demasia. 2 (Pl) excessos, arbitrariedades, abusos: *The police committed several excesses during the riot: many people were injured.*
excessive adj. excessivo, demasiado.
exchange s. 1 troca, permuta, intercâmbio: *an exchange of shots*, fogo cruzado, troca de tiros; *a student exchange*, intercâmbio de estudantes; *an exchange of insults*, troca de insultos, ofensas; *exchange of views*, troca de idéias. **in exchange for**, em troca de: *In exchange for the favour, he gave me a present.* 2 câmbio (de dinheiro e moedas internacionais): *currency exchange.* 3 central telefônica: *telephone exchange.* **Stock Exchange**, Bolsa de Valores.
exchange v.t. e v.i. trocar, permutar, cambiar: *They exchanged greetings*, se cumprimentaram. *We exchanged favours*, Trocamos favores. *They exchanged blows*, brigaram, trocaram bofetadas.
excite v.t. 1 excitar, estimular: *The story excited the children. Coffee excites my nerves.* 2 instigar, incitar: *The suffering of the people excited them to react violently against the governor.*
excitement s. excitação: *When we got the news of his victory, there was excitement everywhere.*
exciting adj. excitante.
exclaim v.t. e v.i. exclamar, gritar: *"How terrible!": she exclaimed.*
exclude v.t. excluir, excetuar, eliminar: *The doctors excluded the possibility of cancer. He has been excluded from the committee. Everyone is under suspicion. No one is being excluded.*
exclusion s. exclusão: *He arrived at the answer by exclusion*, Chegou à resposta por exclusão.
exclusive adj. exclusivo: *an exclusive restaurant; an exclusive interview.*

excursion

excursion s. excursão. *go on an excursion*, viajar de excursão.
excuse s. 1 desculpa, justificativa: *He's always giving excuses for being late*, Ele está sempre pedindo desculpas por chegar atrasado. 2 pretexto: *He's looking for an excuse to go home. The bus strike was an excuse for many people not to go to work.*
excuse v.t. 1 desculpar, justificar, perdoar: *excuse my curiosity, but how old are you? Excuse me!*, expressão usada para chamar a atenção de alguém: *Excuse me! Could you tell me the time, please?*
execute v.t. 1 executar, levar a cabo, pôr em prática: *They executed their plan perfectly.*
execution s. 1 execução, realização. 2 pena de morte.
executive s. executivo. *The Executive*, os ministros do governo.
executive adj. executivo: *executive powers*, poder executivo.
exemplary adj. exemplar: *exemplary behaviour*, comportamento exemplar.
exempt adj. isento: *His earnings as a senator are exempt from tax.*
exemption s. isenção.
exercise s. 1 exercício: a) treino, adestramento. b) uso, prática: *The exercise of imagination is essential to fiction writers.* c) ginástica, exercício físico. d) lição escolar. 2 (Pl) exercícios, manobras (militares).
exercise v.t. e v.i. 1 exercitar(-se), praticar. 2 exercer, usar: *All citizens should be able to exercise their civil rights.*
exert v.t. 1 empregar, aplicar, exercer: *His family is exerting a lot of pressure on him to accept the job. exert oneself*, empenhar-se, esforçar-se.
exertion s. empenho, esforço.
exhale v.t. e v.i. 1 expirar: *You'll feel better if you breathe deeply and then exhale slowly.* 2 exalar(-se), emanar, evaporar(-se).

exhaust s. 1 escape, escapamento. 2 vapor ou gás de escape. *exhaust pipe*, cano de escapamento.
exhaust v.t. 1 exaurir, esgotar, extenuar: *I feel exausted after all that hard work.* 2 esvaziar. 3 esgotar (um assunto).
exhausting adj. exaustivo, fatigante.
exhibit s 1 objeto posto em exposição. 2 (jur) prova, evidência.
exhibit v.t. 1 exibir, expor. 2 mostrar, demonstrar: *She exhibited great cleverness in dealing with the robber.*
exhibition s. 1 exibição, exposição, mostra. 2 demonstração: *an exhibition of one's courage.*
exhibitor s. expositor.
exhilaration s. alegria, regozijo.
exile s. 1 exílio. 2 exilado.
exile v.t. exilar.
exist v.t. 1 existir. 2 viver, subsistir.
existence s. existência, vida.
exit s. saída, ato de sair, lugar por onde se sai.
exonerate v.i. exonerar, desobrigar, liberar.
exorbitant adj. exorbitante, excessivo, muito alto.
exorcize (-cise) v.i. exorcizar, tirar um mau espírito.
exotic adj. exótico, estranho, invulgar.
expand v.t. e v.i. expandir(-se), espalhar(-se) difundir(-se), alargar (-se). 2 abrir, desabrochar. 3 (rel a pessoas) expandir(-se), tornarse efusivo.
expanse s. extensão, espaço, vastidão.
expansion s. 1 expansão, dilatação, extensão. 2 ampliação, alongamento.
expansive adj. 1 expansivo, dilatável. 2 (fig) expansivo, bem-humorado.
expatriate v.i. expatriar, desterrar, deportar.
expect v.i. 1 esperar, aguardar, contar com, supor: *He arrived without being expected. I expect you to be home when I arrive. be expecting (a baby)*, estar grávida.

expression

expectancy s. expectativa: *an air of expectancy.*
expectation s. 1 expectativa: *He sat there in expectation of some money.* 2 perspectiva. **expectation of life**, estimativa de duração da vida de uma pessoa.
expedient adj. expediente, conveniente, útil.
expedient s. expediente, meio, recurso.
expedition s. expedição, viagem com um propósito definido.
expel v.t. (-ll-) expulsar, expelir.
expend v.t. expender, gastar, despender: *She expended all her energy doing something totally useless.*
expenditure s. (fml) despesa, gasto: *an expenditure of US$ 300.*
expense s. gasto, despesa, custo: *With the illness of their father, they had a lot of extra expenses last month.* **at the expense of**, à custa de.
expensive adj. caro, dispendioso.
experience s. experiência. **by/from experience**, por experiência.
experience v.i. experimentar, conhecer: *We experienced a lot of difficulties in our work.*
experiment s. experimento, experimentação, tentativa, ensaio: *an experiment in nuclear physics.*
experiment v,i, (on, with) experimentar, fazer experiências, tentar.
expert s. perito, especialista.
expertise s. perícia, habilidade.
expiration s. expiração (de um período de tempo, de um prazo), fim, término.
expire v.i. 1 expirar, vencer (prazo).
explain v.t. 1 explicar, esclarecer, elucidar. 2 explicar(-se), justificar (-se).
explanation s. explicação, explanação, esclarecimento.
explanatory adj. explanatório, explicativo.
explicable adj. explicável.
explicit adj. explícito, claro.

explode v.t. e v.i. 1 explodir, estourar. 2 (rel a sentimento) explodir, dar vazão a. 3 destruir, demolir (idéia, teoria).
exploit s. proeza, façanha, bravura.
exploit v,t, 1 explorar, utilizar (mina, água, outros recursos naturais). 2 explorar, aproveitar-se de: *Workers are exploited when they are made to work for very low pay.*
exploitation s. 1 exploração, utilização (de recursos naturais). 2 exploração, aproveitamento abusivo.
explore v.t. 1 explorar (um país, p ex). 2 estudar, pesquisar, explorar, investigar.
explorer s. explorador, desbravador.
explosion s. 1 explosão, estouro. 2 (rel a sentimentos) manifestação violenta: *an explosion of anger.*
explosive adj. e s. explosivo.
export s. 1 exportação, o ramo da exportação. 2 produto de exportação: *The money earned with exports will be applied in the expansion of the industry.*
export v.t. e v.i. exportar.
expose v.t. 1 expor, deixar descoberto. 2 exibir, expor, mostrar. 3 revelar, desmascarar: *His lies have been exposed.* 4 expor (filme fotográfico, p ex) à luz.
exposition s. 1 exposição, explanação. 2 exposição, exibição, mostra.
exposure s. 1 exposição, exibição: *A short exposure to sunlight will be good for the baby.* 2 (fot) tempo de exposição à luz, pose.
express adj. 1 expresso, claro, explícito: *an express command.* 2 expresso, rápido.
express adv. por via expressa.
express v.t. 1 expressar, exprimir, demonstrar: *He finds it difficult to express his feelings.* 2 enviar (cartas, mercadorias) por mensageiro especial. 3 espremer, comprimir.
expression s. 1 expressão, demonstração. 2 frase, locução: *an*

expressionless

idiomatic expression. 3 expressão (facial, vocal, etc. 4 expressão algébrica.
expressionless adj. inexpressivo.
expressive adj. expressivo, indicativo.
exquisite adj. excelente, perfeito, extraordinário, admirável, primoroso.
extend v.t. e v.i. 1 estender, alargar, ampliar, prolongar. 2 estender, esticar: *extend one's hand.*
extension s. 1 extensão, ampliação. 2 anexo, acréscimo: *We built an extension to our house.*
extensive adj. extenso, largo, vasto.
extent s. 1 extensão, alcance, tamanho. 2 grau, ponto: *to a certain extent*, até um certo ponto.
extenuate v.t. atenuar, abrandar: *The extenuating circumstances will help the criminal.*
exterior adj. e s. exterior, externo: *the exterior of a house.*
extermination s. extermínio.
external adj.externo, exterior.
extinct adj. 1 extinto, inativo: *an extinct volcano*. 2 extinto, morto: *Dinosaurs became extinct millions of years ago.*
extinguish v.i. 1 extinguir, apagar (fogo). 2 destruir, aniquilar (esperança, amor, paixão, etc).
extinguisher s. extintor.
extortionate adj. extorsivo, exorbitante, muito caro.
extra adj. extra, adicional.
extra s. 1 extra(s), acréscimo(s). 2 figurante em teatro ou filme. 3 edição extra de jornais.
extract v.i.1 extrair, arrancar, tirar. 2 (fig) obter (pela força): *They tried to extract money from him by threatening to tell his wife about his past life.* 3 extrair (um trecho de um livro, artigo, etc.)
extract s. 1 extrato: *beef extract*, extrato de carne. 2 trecho extraído de livro, artigo, etc.
extraordinary adj. extraordinário, notável, singular.

extrapolate v.t. e v.i. extrapolar, deduzir.
extravagant adj. extravagante.
extreme adj. 1 extremo, último, excessivo: *in extreme danger.* 2 (rel a pessoas, idéias) extremo, extremista, radical: *the extreme left in politics.*
extremist adj. e s. extremista, radicalista.
extremity s. (pl *-ies*) 1 extremidade, fim, limite. 2 (pl) mãos e pés. 3 último grau, extremo: *an extremity of happiness.* 4 (ger pl) medidas extremadas.
extricate v.t. *(from)* desembaraçar, libertar, livrar, desenredar: *They are trying to extricate the company from the accusations.*
extrovert s. pessoa extrovertida, mais interessada nas coisas ao seu redor que em si mesmo ou em seus pensamentos.
exude v.t. e i. (fml) exsudar, transpirar.
exult v.i. exultar, regozijar-se, triunfar: *He exulted at his success.*
exultation s. exultação, júbilo.
eye s. 1 olho. **In the eyes of the law**, baseado na lei. **under/before one's very eyes**, a) na frente de, na presença de. b) à vista, às claras. **with an eye to**, em vista de. **have an eye for**, ter olho clínico (para). **keep an eye on**, vigiar. **make eyes at**, lançar olhares meigos. **see eye to eye (with sb)**, ter a mesma opinião (de alguém). **set/clap eyes on**, ver, encontrar: *I set my eyes on him for the last time when he moved to Europe.* 2 buraco, cavidade, orifício: *the eye of a needle.*
eyebrow, sobrancelha. **eyelash**, cílio. **eyelid**, pálpebra. **eyesight**, visão: *to have good eyesight.* **eye-witness**, testemunha ocular.

f F

F, f 6ª letra do alfabeto.
fable s. 1 fábula, lenda, mito. 2 ficção. 3 mentira, invenção.
fabric s. 1 tecido, pano: *silk fabric*. 2 estrutura, construção: *the fabric of the house*.
fabricate v.t. 1 fabricar, manufaturar. 2 inventar (uma mentira ou história). 3 falsificar: *They fabricated my signature*.
fabrication s. 1 fabricação, construção. 2 (fig) ficção, invenção, mentira.
fabulous adj. 1 fabuloso, legendário, fictício. 2 incrível, admirável. 3 falso, imaginário.
face s. 1 face, rosto, cara. **face to face**, cara a cara: *We woke up face to face*. **to be twofaced**, ter duas caras. **to one's face**, na presença de, na cara. **pull a face/faces**, fazer careta. 2 fisionomia, semblante: *a shiny face*. **to pull a long face**, aparentar tristeza, desânimo. 3 parte ou lado principal de alguma coisa. **on the face of it**, diante das circunstâncias: *On the face of it, we have to work hard*.
face v.t. e i. 1 encarar, enfrentar, afrontar: *He will have to face justice after all*. 2 fazer face a, resistir, defrontar(-se) com: *to face fears*. 3 revestir, forrar (paredes). **to face the music**, agüentar as conseqüências.
facility s. (pl *-ies*) 1 facilidade. 2 (Pl) meios, recursos: *economical facilities*.
fact s. 1 fato. 2 acontecimento, ocorrência. 3 realidade, verdade: *She has to learn how to distinguish fact from fiction*. **as a matter of fact**, em verdade, realmente. **in fact**, de fato. **The fact remains that**, o fato é que, acontece que.
faction s. 1 facção, partido político. 2 disputa entre facções.
factor s. 1 fator, elemento. 2 (mat) fator, coeficiente.

factory s. (pl *-ies*) fábrica, manufatura.
factual adj. factual, real.
faculty s. (pl *-ies*) 1 faculdade, talento, aptidão: *mental faculties*. 2 faculdade: *the faculty of Medicine of that university*.
fade v.t. e i. 1 debilitar, enfraquecer, murchar. 2 descolorir, desbotar (p ex cortinas). 3 desaparecer gradualmente: *The signs faded away*.
fag s. 1 (somente no sg) trabalho duro. 2 (fig) cigarro. 3 (gír) (EUA) homossexual, bicha.
Fahrenheit s. escala de temperatura na qual o ponto de congelamento é 320 e o de ebulição é 212º (Cf. *centigrade*).
fail v.t. e i. 1 falhar, fracassar: *fail a test*. 2 reprovar: *The teachers failed him*. 3 acabar-se, extinguir-se: *The supplies failed*. 4 (rel a saúde, olhos) enfraquecer, debilitar-se. 5 negligenciar, deixar de fazer algo: *He never fails to pick him up*. 6 falir: *His business failed*.
failure s. 1 falha, fracasso. 2 a pessoa que falha ou fracassa. 3 omissão, negligência. 4 falência, ruína.
faint adj. (-er, -est) 1 fraco, pálido: *We saw a faint light*. 2 tímido, medroso: *a faint smile*. 3 sufocante, abafadiço. 4 fraco, vago: *I don't have the faintest idea*, Não tenho a mínima idéia.
faint v.i. desmaiar.
fair adj. (-er, -est) 1 honesto, justo, leal: *a fair share*, uma parte justa; *fair play*, um jogo imparcial, justo. 2 médio, regular, razoável: *a fair chance of starting a business*. 3 (rel ao tempo) bom, favorável. 4 (rel à pele, cabelos) claro, louro: *a fair haired child*. 5 cortês, amável, agradável. 6 legível, limpo: *a fair copy of the homework*.
fair adv. honestamente, imparcialmente. **play fair**, ser justo e honesto. **fair enough**, razoável.

fair

fair s. 1 feira, exposição. 2 quermesse, bazar. **fairy-tale**, conto de fadas.
faith s. 1 fé, crença, confiança: *I have some faith in my father*. 2 religião. 3 promessa, compromisso: *to keep/break faith with somebody*, ser leal, desleal com alguém. 4 lealdade, sinceridade: *in good/bad faith*, de boa/má fé.
faithful adj. 1 fiel, leal: *He's faithful to what he promised me*. 2 exato, verdadeiro: *a faithful feeling*.
fake s. 1 fraude, imitação, cópia. 2 simulador, impostor, charlatão.
fake v.t. fraudar, falsificar: *They faked all the documents*.
fall s. 1 caída, queda: *a fall in taxes*. 2 (pl) queda d'água, cachoeira, catarata: *Niagara Falls*. 3 quantidade (de chuva, neve) que cai/caída de um rio. 4 (EUA) outono.
fall v.i. e t. 1 cair, tombar: *The book fell from my hands*. 2 desmoronar, desabar, ruir. 3 baixar, descrever, diminuir (temperatura, maré, preço). 4 (rel a um forte, a cidade): ser capturado, tomado, derrotado, derrubado. 5 incidir, recair: *Carnival falls in March next year*. **fall apart**, desintegrar-se, cair aos pedaços (também fig). **fall back/upon**, recorrer a. **fall backward**, cair de costas. **fall behind**, atrasar-se, ficar para trás. **fall in love**, apaixonar-se. **fall off**, cair, diminuir.
fallible adj. falível.
fallow adj. e s. terra arada, alqueivada.
false adj. 1 falso, errôneo, incorreto: *a false alarm*. 2 mentiroso, desonesto, desleal: *a false smile*. 3 artificial, postiço, duplo: *false teeth*, dentadura.
falsehood s. falsidade.
falsification s. falsificação.
falsify v.t. falsificar, adulterar.
fame s. fama, reputação (esp boa).
familiarity s. (pl -ies) familiaridade, intimidade.
familiarize v.t. familiarizar(-se): *I am famliarized with his way of being*.
familiar adj. 1 **be familiar with**, conhecer: *I am very familiar with the rules of football*. **familiar to**, conhecido, familiar: *This road is familiar to me*.
family s. (pl -ies) família. **family life**, vida doméstica. **family man**, caseiro, pai de família. **family name**, sobrenome. **family tree**, árvore genealógica.
famine s. 1 fome. 2 carestia, penúria. 3 escassez absoluta de qualquer produto.
famish v.t. e i. **be famished**, estar esfomeado, passando fome.
famous adj. famoso, célebre.
fan s. (infml) fã, admirador.
fan s. ventilador, leque.
fanatic s., adj. fanático.
fanaticism s. fanatismo: *religious fanaticism*.
fancy adj. 1 (esp objetos pequenos) decorado, enfeitado, profusamente colorido: *fancy cake*. 2 extravagante, incomum: *fancy dress*, fantasia. 3 (EUA) luxuoso, caro, de bom gosto. **fancy ball**, baile à fantasia.
fancy s. (pl -ies)1 fantasia, ilusão. 2 opinião ou idéia vaga: *He didn't fancy her very much*. 3 capricho, desejo, vontade: *When I was pregnant, I had a fancy for some strange juices*. **take a fancy to**, tomar gosto por, ter simpatia por: *I have taken a fancy to you*.
fantastic adj. 1 fantástico, irreal: *fantastic dreams*. 2 impossível, absurdo: *fantastic plans*. 3 (infml) maravilhoso(a): *What a fantastic suggestion!*
fantasy s. (pl -ies.) fantasia, imaginação, ilusão.
far adj. (farther, farthest, further, furthest) remoto, distante, afastado. **on the farside of**, do lado mais afastado ou remoto, do outro lado de.
far adv. 1 (rel a tempo e espaço) longe, distante, remoto: *He walked far*. **(to be)**

far from, (estar) longe de: *I´m far from home.* **far away,** distante, remoto: *far away places.*
fare *s.* 1 passagem, preço de passagem: *What is the fare?,* Quanto é a passagem? 2 passageiro. 3 comida, alimentação. **bill of fare,** cardápio.
fare *v.i.* progredir, avançar: *How are you faring in your business?*
farewell *interj* (liter) adeus.
farewell *s.* despedida: *a farewell card.*
farm *s.* 1 fazenda, propriedade rural.
farm *v.t. e i.* 1 cultivar, lavrar (terra), criar gado: *He farms cattle.*
farmer *s.* fazendeiro, agricultor.
farmhouse *s.* sede de fazenda.
farther *adv.* V. *far, further.*
farthest V. *far.*
fascinate *v.t.* 1 fascinar, hipnotizar, encantar. 2 imobilizar, enfeitiçar.
fascinating *adj.* fascinante, encantador: *a fascinating look.*
fascination *s.* fascinação, encanto.
fascism *s.* fascismo.
fashion *s.* 1 maneira de fazer as coisas, comportamento: *He behaves well when he´s far from his mother.* 2 moda, uso, costume: *offshore fashion.* **in fashion,** na moda. **set the fashion,** ditar a moda. **come into/go out of fashion,** entrar na moda/sair da moda.
fashionable *adj.* 1 que está na moda, que segue a moda: *fashionable clothes.* 2 (rel a lugares) na moda: *a fashionable night club.*
fast *adj.* (-er, -est) 1 veloz, rápido: *a fast plane.* 2 (rel a relógios) adiantado: *The clock is 20 minutes fast.* 3 (rel a pessoa, seu modo de viver) dissoluto, desregrado.
fast *adv.* 1 firmemente, fortemente. 2 (rel a sono) profundamente: *fast asleep,* em sono profundo! **hold fast,** segurar firmemente. **play fast and loose with somebody,** enganar, explorar alguém: *He's playing fast and loose with his girlfriend´s affections.*

fast *adv.* rapidamente, velozmente: *to run fast.*
fast *v.i.* jejuar, fazer abstinência.
fasten *v.t. e i.* 1 fixar, prender, amarrar, apertar, segurar, *fasten yourseat belt.* 2 trancar, aferrolhar: *to fasten doors and windows.* 3 ser fixado, abotoado: *to fasten jackets.*
fastidious *adj.* difícil de contentar, exigente, enfadonho, melindroso.
fat *adj.* (-ter, -test) 1 gordo: *He´s a really fat man.* 2 gorduroso, oleoso: *fat meat.* 3 cheio, abastecido, recheado. 4 fértil, lucrativo: *fat lands.*
fat *s.* 1 gordura, óleo de certas sementes. 2 graxa, sebo. 3 abundância. 4 a melhor parte ou a mais desejada de qualquer coisa.
fatal *adj.* 1 fatal, inevitável. 2 mortal.
fatalism *s.* fatalismo.
fatality *s.* (pl *-ies*) 1 fatalidade, predestinação. 2 desgraça, calamidade. 3 morte.
fatally *adv.* fatalmente.
fate *s.* 1 destino, sorte: *Her fate was a tragedy.* 2 morte, destruição, fim: *The jury will decide his fate.* **as safe as fate,** certo como a morte.
father *s.* 1 pai. 2 fundador, criador. 3 padre, sacerdote. **The Holy Father,** o Papa. **Father Christmas,** Papai Noel.
father *v.t.* 1 criar, originar (uma idéia, plano, etc). 2 atribuir a paternidade ou autoria de um livro *(on/upon): He wants to father the child,* Ele quer assumir a paternidade da criança.
fatherhood *s.* paternidade.
father-in-law *s.* (pl *-s-in-law*) sogro.
fatherless *adj.* 1 órfão, órfã. 2 bastardo, ilegítimo. 3 (fig) anônimo, de autoria desconhecida.
fatherly *adj.* paterno, paternal: *fatherly love.*
fatigue *s.* 1 fadiga, cansaço, esgotamento.
fatten *v.t. e i.* 1 engordar: *fatten the pigs.* 2 ficar gordo, aumentar o peso.

fatty

fatty adj. (-ier, -iest) 1 gorduroso, oleoso. 2 (med) adiposo.
faucet s V. tap.
fault s. 1 falta, erro, imperfeição, defeito. **at fault**, errado, equivocado. **find fault with**, procurar defeitos e apontálos, criticar: *She likes to find fault with me*, Ela gosta de me criticar. 2 culpa, responsabilidade por um erro: *It's not his fault*. 3 (geol) falha.
faultless adj. perfeito, impecável.
faulty adj. (-ier, -iest) defeituoso, falho, imperfeito: *They were using a faulty method to study the desease*.
favor s. 1 favor, obséquio: *Can you do me a favor?* Você pode me fazer um favor? 2 concessão, privilégio. 3 parcialidade, proteção: *He could play by favor of the directors of the club*. **be in favor of**, ser a favor de: *Are you in favor of the President?* **be in favor with**, contar com o apoio de. **lose favour**, cair em desgraça (GB *favour*).
favor v.t. 1 favorecer, auxiliar, proteger. 2 preferir: *They favor young people for the show*. 3 assemelhar-se a, parecer-se com: *I favor my brother: we both are tall*. (GB *favour*).
favorable adj. 1 favorável, propício: *a favorable moment*. 2 vantajoso: *favorable agreement* (GB *favourable*).
favorite s., adj. favorito, predileto (GB *favourite*).
fear s. 1 medo, pavor, temor. **for fear of**, com receio de. **be in fear of**, temer, estar com medo: *They are in fear of her attitudes*.
fear v.t. e i. 1 temer, ter medo de, recear: *He fears not being able to finish his report*.
fearful adj. 1 terrível, horrendo: *a fearful night*. 2 medroso, receoso. 3 (infml) extraordinário, espantoso, enorme.
fearless adj. intrépido, corajoso, destemido.
feasible adj. 1 praticável, exeqüível. 2 possível, plausível: *His report sounds feasible*, Seu relato parece plausível.

feat s. feito, proeza, façanha.
feather s. pena, *pluma*. **as light as a feather**, leve como uma pluma.
feature s. 1 feição, traço. 2 (Pl) feições fisionômicas, rosto: *a woman of beautiful features*. 3 característica, ponto saliente. 4 filme de longa metragem.
feature v.t. 1 retratar, representar: *That film features life in the XV century*.
February s. fevereiro.
fed v. (pretérito do verbo *feed*).
federal adj. federal, federativo: *the federal administration*.
federation s. 1 federação, confederação. 2 liga, aliança.
fee s. 1 taxa, pagamento: *enrollment fee*, taxa de matrícula. 2 honorários (de médico, advogado, etc).
feeble adj. (-r, -st) fraco, delicado, frágil: *a feeble person*. **feeble-minded**, a) débil mental b) indeciso, irresoluto.
feed s. 1 alimentação. 2 forragem, ração. 3 comida, refeição.
feed v.t. e i. (pret, pp *fed*) 1 alimentar, dar de comer a: *Have you fed the children?* **be fed up with**, (gír) estar farto.
feedback s. 1 (eletron) eletrocarga. 2 (eletr) realimentação. 3 (infml) informação, dados (p ex do consumidor para o fornecedor).
feel s. 1 tato, sensação, percepção: *I'm sure it's soft*. 2 ato de tocar, sentir: *Let me feel it*.
feel v.t. e i. (pret, pp *felt*) 1 tocar, apalpar, reconhecer através do tato: *Peter usually recognizes objects by feeling them*. 2 reconhecer, achar. 3 estar em determinado estado físico, mental, emocional. 4 sentir, perceber.
feeling s. 1 sensibilidade: *He lost all feelings in his legs*. 2 sensação. 3 opinião geral. 4 (Pl) aspecto emocional da natureza humana: *Don't hurt his feelings*. 5 simpatia, compaixão: *He has no feelings for children*. 6 comoção.

7 sentimento, emoção, sensibilidade: Maria Callas sang *with feeling*.
feet s. V. *foot*.
fell V. (pretérito do verbo *fall*).
fellow s. 1 (infml) homem ou rapaz: *He's a good fellow*. 2 (pl) companheiros. 3 (usado como adj) da mesma classe, espécie: fellow *citizens*. 4 membro de conselho universitário.
fellowship s. 1 coleguismo, companheirismo. 2 associação, grupo, sociedade. 3 bolsa de estudos.
felony s. (pl *-ies*) crime, delito grave (como assalto à mão armada, homicídio, etc).
felt s. feltro.
felt V. pretérito do verbo *feel*).
female adj. 1 fêmea: *a female bird*. 2 planta feminina. 3 feminino.
feminine adj. 1 feminino. 2 (gram) gênero feminino.
feminism s. feminismo.
fence s. cerca, grade, cercado. *sit/be on the fence*.
fence v.t. cercar, murar: *The palace is fenced with electrical wire*.
ferocious adj. feroz, cruel, violento.
ferocity s. (fml) 1 ferocidade, violência, crueldade. 2 ato cruel.
ferret s. furão.
ferry s. 1 barca, balsa. 2 estação de balsas. **ferry-boat**, balsa. **ferry-man**, balseiro.
fertile adj. 1 fértil, produtivo: *fertile country*. 2 criativo: *a fertile mind*.
fertility s. fertilidade, fecundidade.
fertilization s. fertilização, fecundação, polinização.
fertilize v.t. fertilizar, adubar.
fertilizer s. fertilizante.
fervent adj. 1 ardente, muito quente. 2 intenso, apaixonado: *a fervent defender*.
festival s. 1 festa, festividade, celebração pública: *The festival is bringing new people to town*. 2 festival, festa artística.

festive adj. festivo, alegre, divertido.
festivity s. (pl *-ies*) festejo, festividade.
festoon s. grinalda, decoração de flores, folhas e fitas.
festoon v.t. decorar: *to festoon the classroom with balloons*.
fetch v.t. e i. 1 ir buscar, trazer: *Please ask her to fetch my CDs*. 2 emocionar, comover. **fetch a deep breath/asigh**, respirar fundo.
fête s. festa, festejo.
fetid adj. fétido, fedido.
fetish(fetich) s. (pl *-es*) fetiche, talismã, amuleto.
feudal adj. feudal.
feudalism s. feudalismo, sistema feudal.
fever s. 1 febre: *The baby had a high fever last night*. 2 febre amarela: *yellow fever*. 3 agitação, perturbação.
feverish adj. febril.
few adj. (*-er*, *-est*) pron. 1 poucos, poucas: *few students came to class*. 2 alguns, um pequeno número. **no fewer than**, não menos do que.
fiancé s. noivo.
fiancée s. noiva.
fiasco s. (pl *-s* EUA *-es*) fiasco, fracasso: *Their presentation was a fiasco*.
fib s. (infml) mentira, lorota.
fiber s. 1 fibra, filamento. 2 estrutura, textura. 3 força, caráter: *a man of fiber* (GB *fibre*). **fiberglass**, fibra de vidro.
fibrous adj. fibroso.
fickle adj. (rel a temperamento, tempo) inconstante, variável, instável.
fiction s. 1 ficção, literatura de ficção. 2 ramo da literatura relativo a romances, novelas etc.
fictitious adj. fictício, imaginário, falso: *His statement was quite fictitious*.
fiddle s. 1 violino, violoncelo, viola. 2 (gír) trapaça, fraude.
fiddler s. 1 violinista. 2 trapaceiro.
fidelity s. 1 lealdade, fidelidade: *They vowed fidelity to each other*. 2

fidget

exatidão, precisão: *the fidelity of the transmission.*
fidget *v.t. e i.* 1 inquietar, incomodar. 2 mexer-se, impacientar-se.
field *s.* 1. campo, área (ger cercado): *He's working in the field.* 2 mina, jazida: *a coal field.* 3 campo de batalha: *the battlefield.* 4 setor, atividade: *They are researching a new field in genetics.* 5 campo, área aberta: *a soccer field.* 6 campo de visão.
fiend *s.* 1 demônio. 2 pessoa cruel. 3 pessoa fanática ou viciada: *a drug fiend.*
fierce *adj. (-r, -st)* 1 violento, cruel: *fierce enemy.* 2 intenso, forte: *fierce love.*
fiery *adj. (-ier, -iest)* 1 ardente, flamejante: *a fiery red dress.* 2 (rel a pessoas) colérico, inflamado, impetuoso: *a fiery temper.*
fiesta *s.* (pl *-s*) festa religiosa, dia santo.
fifteen *adj.* quinze.
fifteenth *adj.* décimo quinto.
fifth *adj.* quinto.
fiftieth *adj.* qüinquagésimo.
fifty *adj.* cinqüenta. **on a fifty-fifty basis**: dividir em partes iguais. **a fifty-fifty chance**, chance igual. **The Fifties**, os anos 50.
fig *s.* figo, figueira.
fight *s.* luta, briga, combate: *a fight between two nations.*
fight *v.t. e i.* (pret, pp *fought*) lutar, combater, brigar: *The Americans fought against the Nazis.* **fight back**, a) usar a força, resistir a um ataque. b) fazer esforço e resistir: *The patients are fighting back the disease.*
fighter *s.* 1 pugilista. 2 avião de combate. 3 combatente: *a fighter marine.*
figment *s.* ficção, imaginação.
figurative *adj.* figurativo, representativo, simbólico.
figure *s.* 1 algarismo, dígito. 2 (Pl) números: *My mother is very good at figures.* 3 figura geométrica, ilustração. 4 figura, imagem de pessoa ou animal. 5 corpo: *I've been on a diet for a while.* 6 personagem iminente.
figure *v.t. e i.* 1 imaginar, formar uma idéia. 2 tomar parte, salientar-se: *The Pope figures in history.* **figure (sb/sth) out.** calcular, avaliar, imaginar. **figure of speech**, figura de linguagem.
filament *s.* filamento.
file *s.* fichário, arquivo, pasta. **on file**, no arquivo
file *s.* lima, lixa.
file *v.t.* arquivar: *The secretary has filed all the latest reports.*
file *v.t. e i.* limar, lixar.
fillet *s* filé.
fill *v.t. e i.* 1 encher: *Claudia filled the tank with gas last night.* 2 preencher, ocupar: *I'm sorry, the vacancy has already been filled.* **fill up**, encher.
film *s.* 1 névoa. 2 filme para máquina fotográfica. 3 filme, película. **film star**, astro/estrela de cinema. **film test**, teste fotográfico para futuros atores.
film *v.t. e i.* 1 cobrir com uma película. 2 filmar: *The director filmed that scene twice.*
filmy *adj.* fino, embaçado.
filter *s.* 1 Filtro.
filter *v.t. e i.* 1 filtrar. 2 vazar, penetrar: *The oil filtered through to every pipe.*
filth *s.* 1 sujeira, imundície. 2 obscenidade.
filthy *adj.* 1 sujo, imundo. 2 obsceno.
fin *s.* 1 barbatana, nadadeira. 2 rabo do avião: *tail fin.*
final *adj.* 1 final, último: *I loved the final episode of Friends.*
final *s.* (ger pl) o último de uma série: *His students refused to take the finals.*
finalist *s.* finalista.
finality *s.* fim, caráter final.
finalize *v.t.* finalizar.
finally *adv.* 1 finalmente, por último. 2 em conclusão.
finance *s.* 1 finança(s). 2 (pl) estado

financeiro de um país: *The company's finances are not stable.*
financial *adj.* financeiro: *The city is in financial difficulties.*
financier *s.* financista.
find *s.* achado: *This beach house is a real find.*
find *v.t.* (pret, pp *found*) 1 achar, encontrar: *He never found the wallet he lost.* 2 descobrir através de pesquisa, experiência ou esforço: *Scientists are finding a cure for cancer.* 3 descobrir por acaso. 4 constatar, notar.
finder *s.* pessoa que encontra algo perdido: *The owners are going to reward the finder of the little boy.*
fine *adj.* (-r, -st) 1 (tempo) claro, bonito: *The weather was fine during the afternoon.* 2 boa saúde, bom. 3 excelente, admirável, agradável. 4 delicado, leve. 5 fino, bem feito. 6 (metais) puro: 7 refinado.
fine *s.* multa.
fine *v.t.* multar.
finger *s.* dedo. **keep one's finger's crossed**, cruzar os dedos. **lay one's finger on**, indicar com exatidão alguma coisa errada. **not lift a finger (to help sb)**, fazer nada para ajudar. **fingernail**, unha. **fingerprint**, impressão digital. **fingertip**, ponta do dedo.
finish *s.* 1 fim, conclusão. 2 polimento. 3 acabamento.
finish *v.t. e i.* 1 terminar, completar: *Have you finished your homework?* 2 aperfeiçoar, retocar, dar/fazer acabamento. 3 acabar em.
fire *s.* 1 fogo. 2 incêndio: *His house is not insured against floodings.* 3 disparo: *Stop firing.* 4 entusiasmo, ardor, ímpeto. **on fire**, pegando fogo, queimando. **catch fire**, começar a pegar fogo. **set fire to**, atear fogo. **fire department**, corpo de bombeiros. **firefighter**, bombeiro. **fireman**, bombeiro. **fire escape**, escada de incêndio. **fireplace**, lareira. **fireproof**, à prova de fogo. **firework(s)**, fogos de artifício.
fire *v.t. e i.* 1 atear fogo, incendiar: *The prisoners fired the police cars.* 2 detonar, descarregar arma de fogo. 3 excitar, incitar. 4 despedir um empregado.
firm *adj.* (-er, -est) 1 firme, sólido, duro: *firm muscles.* 2 estável, resoluto, inflexível: *The teacher has to be firm with the students.*
firm *s.* firma, empresa, sociedade.
firm *v.t. e i.* manter-se inabalável, firmar-se.
firmly *adv.* firmemente.
first *adj.* (abrev *1s.t*) primeiro: *She was the first girl to arrive.* **first thing**, na primeira oportunidade. **at first sight**, à primeira vista. **first aid**, primeiros socorros. **first class**, primeira classe. **first-hand**, em primeira mão. **first night**, noite de estréia de uma peça. **first offender**, criminoso, réu primário. **first-rate**, de primeira ordem, excelente.
first *adv.* 1 primeiramente: *first of all.* 2 em primeiro lugar: *André is allowed to leave but first he has to finish his homework.* **firstborn**, filho mais velho.
first *s.* 1 **at first**, no início.
fish *s* (pl *-es*) peixe, pescado. **have other fish to try**, ter coisas mais importantes a fazer. **fish-hook**, anzol. **fish-knife**, faca de peixe.
fish *v.t. e i.* 1 pescar: *He loves to go fishing.* 2 pesquisar, procurar, tentar obter (indiretamente). 3 retirar. **fishing**, pesca. **fishing-rod**, vara de pescar.
fisherman *s.* (pl *-men*) pescador.
fishy *adj.* (-ier, -iest) 1 que tem cheiro ou gosto de peixe. 2 (infml) duvidoso, suspeito: *a fishy comment.*
fist *s.* punho cerrado.
fit *adj.* (-ter, -test) 1 conveniente, adequado, apropriado, bom: *This outfit is not fit for the occasion.* 2 gozando de

fit

boa saúde, em boa forma. **keep fit**, manter a boa forma. **keep fit classes**, ter aulas de ginástica. **think/see fit to do something**, resolver, fazer alguma coisa, optar por fazer alguma coisa.
fit s. acesso, crise, ataque: *a fit of anger.* **have a fit**, ter/sofrer um ataque, crise, ficar chocado, com raiva, etc.
fit v.t. e i. (-ll-) 1 servir, ajustar(-se): *I think this blouse fits me perfectly.* 2 colocar, instalar. **fit in**, harmonizar-se com o ambiente, adaptarse, acostumar-se: *The new immigrants didn't fit in.*
fittings s. pl acessórios, instalações: *electronics fittings.*
five s., adj. cinco.
fix s. apuro, dificuldade.
fix v.t. e i. 1 1 fixar, prender: *She fixed the towel to the table.* 2 determinar, estabelecer, decidir: *They've fixed the date for their examination.* 3 fixar os olhos em, olhar para. 4 fraudar: *They fixed last elections.* **fix up a friend**, acomodar um amigo.
fixed adj. fixo, imutável, imóvel: *He had a fixed idea.*
fixtures s. (pl) instalações. (Cf. fittings).
flabbergasted adj. surpreso, pasmo.
flabby adj. flácido, mole.
flag s. bandeira.
flag v.i. (-gg-) **flag down**, fazer sinal para parar: *The policeman flaggged down the convoy.*
flagrant adj. (rel a crimes) atroz, flagrante, evidente, vergonhoso, aparente: *a flagrant lie.*
flair s. tendência, inclinação, tino, habilidade: *a flair for music.*
flake s. floco, lasca, partícula.
flamboyant adj. vistoso, extravagan-te: *a flamboyant way of dress.*
flame s. chama, labareda, flama, fogo ardor, paixão: *in flames,* em chamas. **burst into flames**, incendiar-se.
flame v.i. flamejar, arder, brilhar, resplandecer: *The autumn leaves were flaming with colours.*
flan s. torta (de frutas, p ex): *a chocolate flan.*
flank s. flanco, lado, parte lateral, encosta.
flannel s. flanela, toalha de algodão.
flap s. 1 aba, borda, fralda.
flap v.t. e i. (-pp-) bater, oscilar, vibrar, mover(-se): *The bird is going to flap its wing.*
flare s. chama, brilho, lume, explosão, sinal de luz ou fogo.
flare v.i. arder, tremeluzir, resplandecer: *The lamp flared and lit the bedroom.*
flare up, a) chamejar, explodir em chamas. b) encolerizar, irritar-se.
flash s. 1 clarão, lampejo, brilho repentino, jato de luz, aparecimento repentino: *a flash of recognition.* 2 (fot) flash: *She had to use the flash on her camera.* **in a flash**, num abrir e fechar de olhos.
flash v.t. e i. 1 Iampejar, chamejar, reluzir, brilhar: *When he arrived he told her about the trip.* 2 transmitir rapidamente: *The TV flashed the news of the Pope's death.* 3 passar como um relâmpago: *The red car flashed by the house.*
flashlight V. torch.
flashy adj. (-ier, -iest) 1 brilhante, reluzente. 2 vulgar, de mau gosto, vistoso, espalhafatoso: *She likes to wear flash clothes.*
flask s. frasco, cantil. **thermos flask**, garrafa térmica.
flat adj. (-ter, -test) 1 plano, liso, chato, raso, nivelado: *The surface of the floor is flat.* 2 (rel a bebidas gasosas) sem gás. 3 (rel a pés) chato: *The soccer player has flat feet.*
flat s. 1 apartamento: *I live in a one bedroom flat.* 2 (infml) pneu furado: *She had a flat tire on the road.* 3 superfície, parte plana.

flatten v.t. e i. achatar, nivelar: *She sat on the cushions and flattened them.*
flatter v.t. elogiar, lisonjear, bajular: *She was flattered with his compliments.*
flatterer s. bajulador, lisonjeador.
flattery s. bajulação, louvor, falta de sinceridade, lisonja: *Stella doesn't like flattery*
flaunt v.t. e i. ostentar, exibir, fazer ostentação de: *She always flaunts her jewels.*
flavor s. sabor, gosto, aroma, cheiro: *This italian dish has a wonderful flavour.* (GB *flavour*).
flaw s. falha, defeito, imperfeição: *There is a serious flaw in his character.*
flawless adj. perfeito, sem falhas, sem imperfeições, irrepreensível: *The lawyers presented a flawless statement.*
flea s. pulga. **flea-market**, mercado de pulgas.
fleck s. partícula, mancha.
fled V. (pretérito do verbo *flee).*
flee v.t. e i. (pret, pp *fled*) fugir, abandonar, escapar(-se): *The prisoners fled the concentration camp.*
fleet s. frota: *fleet of taxis.*
fleeting adj. fugidio, ligeiro: *a fleeting affair.*
flesh s. 1 carne, do homem e dos animais. 2 polpa de frutas. **In the flesh**, em carne e osso. **besomebody's own flesh and blood**, ser parente consangüíneo.
flew V. fly.
flex s. fio elétrico flexível.
flex v.t. flexionar (membros do corpo, músculos): *He flexed his legs.*
flexibility s. flexibilidade.
flexible adj. flexível, adaptável.
flick v.t. 1 bater de leve, com o dedo, a mão etc: *He flicked on the button.*
flicker v.i. tremeluzir, vacilar, bruxulear: *The light flickered in the old house.*
flight s. 1 vôo. 2 fuga, evasão. 3 viagem aérea. 4 revoada: *a flight of birds.* 5 lance de escadas: *flight ofstairs/steps.* **in flight**, em vôo.
flimsy adj. (-ier, -iest) leve, fino, frágil: *a flimsy nightdress.*
flinch v.i. recuar, hesitar, titubear, vacilar: *He never flinches from his duties.*
fling v.t. e i. (pret pp *flung*) 1 arremessar, atirar, jogar, lançar: *The students flung their books at the wall.* 2 derrubar(-se), atirar-se, lançar(-se) ao chão: *She flung herself into his arms.* **have a fling**, ter um caso.
flip v.t. e i. (-pp-) estalar (os dedos), mover algo com um estalo dos dedos: *He flipped the coins just for fun.*
flippant adj. irreverente, impertinente, frívolo: *The teacher always gives flippant answers.*
flirt s. pessoa que flerta, flertador: *She is a real flirt.*
flirt v.i. 1 flertar, namorar: *She enjoys flirtinging with different guys.*
float v.t. e i.1 flutuar, boiar, pairar no ar: *A kite floats in the wind.* **float around**, (infml) estar por aí, andar por aí: *I lost my pen. it must be floating around somewhere.*
flock s. 1 rebanho, manada, bando: *a flock of wild dogs.* 2 (rel a pessoas) multidão: *I get afraid whenever Isee a Flock of people.*
flood s. 1 enchente, inundação, cheia: *Whenever it rains in são Paulo, we have to be careful with floods downtown.* 2 efusão, torrente (de chuva, ira, lágrimas, palavras etc): *a flood of complaints about sth.*
flood v.t. e i. inundar, alagar.
floodlight s. holofote.
floor s. 1 assoalho, chão (de lugar coberto), piso: *Don´t let it flow onto the floor.* 2 piso, andar, pavimento: *His office is on the third floor.* **ground floor** (EUA *first floor*) piso, andar térreo. **have/take the floor**, ter/tomar a palavra, fazer um discurso.
floor v.t. 1 derrubar, derrotar, abater,

flop

tomar de surpresa: *He floored me with his comments.* 2 pavimentar, assoalhar.

flop *s.* 1 tombo: *He fell with a flop to the floor,* Caiu com um tombo. 2 (infml) fracasso: *The cerimony was a real flop.*

flop *v.t. e i.* (-pp-) 1 deixar-se cair pesadamente: *I was so tired I flopped onto my bed last night.* 2 falhar, fracassar: *The product flopped because the cost was too high.*

floppy *adj.* mole, pendente, frouxo, desajeitado: *a floppy blouse.*

florid *adj.* 1 ornamentado, floreado, elaborado, ornado: *a florid text.* 2 (rel a rosto) corado, rubicundo, avermelhado: *He has a florid cheek.*

florist *s.* floricultor, florista.

flounce *v.i.* bufar (de raiva): *I flounced out of the room in anger with what she said.*

flour *s.* farinha, polvilho. *wheat flour*: farinha de trigo.

flourish *v.t. e i.* 1 prosperar, estar, andar bem, ter sucesso: *I´m sure our business is going to flourish.* 2 brandir, agitar: *The man came in flourishing his hands, trying to stop the bus.*

flout *v.t.* desprezar, recusar, fazer pouco, zombar de: *Those kids really like to flout the other group.*

flow *s.* fluxo, torrente, derramamento, correnteza: *the flow of blood.*

flow *v.i.* (pret, pp -ed) fluir, correr (líquido), derramar: *The river flows to the sea.*

flower *s.* 1 flor. 2 (fig) o melhor: *in the flower of sb youth,* na flor da juventude.

flown V. (particípio passado do verbo *fly*).

flu *s.* gripe (abrev de *influenza*).

fluctuate *v.i.* (rel a preços, temperatura, níveis, etc) flutuar: *Taxes constantly fluctuate.*

fluctuation *s.* flutuação.

fluency *s.* fluência.

fluent *adj.* fluente.

fluently *adv.* fluentemente: *She speaks German fluently.*

fluffy *adj.* felpudo. **fluffy toys**, brinquedos de pelúcia.

fluke *s.* golpe de sorte: *I got a lot of money in a fluke!* **by fluke**, por sorte.

flunk *v.t. e i.* reprovar, ser reprovado (em testes, exames etc): *He flunked his tests.*

flush *s.* 1 descarga de banheiro: *Don´t forget to press the flush.* 2 efusão, torrente: *a flush of criticisms.* 3 acesso: *flush of fever,* acesso de febre; *flush of anger,* acesso de raiva.

flush *v.t. e i.* 1 dar descarga: *to flush the toilet.* 2 corar, ficar vermelho, ruborizar-se: *She flushed when she saw him.* 3 inundar: *The President flushed with complaints from the public.*

fluster *s.* agitação, nervosismo: *I´m in a fluster today.*

fluster *v.t.* confundir, agitar, desconcertar: *talking people fluster her when she´s speaking.*

flute *s.* flauta.

flutter *s.* ato de esvoaçar, agitação. **be in flutter**, estar agitado, nervoso.

flutter *v.t. e i.* 1 esvoaçar, bater as asas: *The bird fluttered around the flowers.* 2 tremular: *Her heart fluttered with excitement when she arrived.*

flux *s.* 1 fluxo, sucessão: *The flux of images.* 2 mudanças contínuas. **be in a state of flux**, estar incerto, continuar sem solução: *Our lives have been in a state of flux since we got married.*

fly *s.* (pl *flies*) mosca. **fly-ridden**, infestado de moscas.

fly *v.t. e i.* (pret *flew* pp *flown*) 1 voar, andar de avião, transportar de avião: *We flew to Rio last week.* 2 flutuar, agitar-se no ar, pairar, hastear, desfraldar: *The pirates fly a black flag.* 3 correr, passar velozmente: *Time flies.* 4 pilotar: *My boyfriend flies jets.* **fly into a temper**,

irritar-se, ter um acesso de ira/raiva. *fly a kite,* empinar um papagaio/pipa.
foam *s.* espuma, escuma.
foam *v.i.* 1 espumar, fazer espumar. 2 (fig) espumejar, babar.
focus *s.* (pl *-es.* ou *foci*) 1 foco, distância focal: *in/out of focus*, em/fora de foco. 2 foco, centro, ponto de convergência.
focus *v.t. e i.* (*-s* ou *osso*) 1 focar, enfocar, focalizar. 2 concentrar, focalizar: *Let´s focus our attention on this point.*
fodder *s.* forragem, grãos, capim, usado como comida para gado, cavalos, etc.
foe *s.* (poet) inimigo.
foetus(fe-) *s.* (pl *-es*) feto.
fog *s.* 1 nevoeiro, neblina, cerração, bruma. 2 obscuridade, sombra (em fotografia). *in a fog* (infml), num estado de confusão mental, de perplexidade.
fog *v.t.* (*-gg-*) 1 enevoar(-se), cobrir de névoa. 2 obscurecer (fotografia). 3 tornar perplexo, confundir: *I'm fogged by all the mess they made.*
foggy *adj.* (*-ier, -iest*) 1 enevoado, nebuloso. 2 obscuro, confuso: *I haven't the foggiest idea,* Não tenho a mínima idéia.
foil *s.* 1 folha ou chapa delgada de metal: *aluminium foil,* folha de alumínio. 2 pessoa ou coisa que realça as qualidades do outro pelo contraste.
foil *v.t.* frustrar, impedir (planos, p ex).
fold *s.* dobra, prega, vinco.
fold *v.t. e i.* 1 dobrar(-se): *We need a table that folds for camping.* 2 cruzar (os braços), entrelaçar (os dedos, as mãos). 3 cobrir, envolver. 4 abraçar, enlaçar, prender nos braços: *She folded the baby in her arms. fold (up),* (infml) fracassar: *The agreement they made over salaries has folded (up).*
folder *s.* 1 pasta para papéis. 2 folheto dobrado.
folk *s.* 1 (usado com verbo no plural) pessoas, povo, gente: *country folk.* 2 (pl) (infml) parentes: *He misses his folks. folk-dance,* dança folclórica.

folklore, folclore, tradições populares.
folk music/song, música/canção popular, folclorística.
follow *v.t. e i.* 1 seguir, acompanhar, suceder. 2 ir ao longo de, prosseguir. 3 compreender: *It's difficult to follow his words.* 4 exercer, abraçar (uma profissão, atividade). 5 seguir, acatar, aceitar: *follow one´s advice.*
follow through, executar, levar até o fim (ordem, projeto). **follow-up,** seguimento, prosseguimento, manutenção do trabalho.
follower *s.* seguidor, adepto, discípulo, partidário.
following *s.* 1 o(s) seguinte(s). 2 séquito, grupo de adeptos.
folly *s.* (pl *-ies*) tolice, loucura, insensatez.
foment *v.t.* 1 fazer compressas. 2 fomentar, incitar, instigar (algo ruim, desagradável).
fond *adj.* (*-er, -est*) 1 afetuoso, carinhoso, afeiçoado, gentil, amoroso. **be fond of,** gostar, apreciar, gostar muito: *She is fond of cake.*
fondle *v.t.* acariciar, afagar.
fondly *adv.* 1 afetuosamente, ternamente. 2 ingenuamente, credulamente: *She fondly believed she wolud win the lottery.*
food *s.* comida, alimento, comestíveis.
food for thought, algo para meditar.
fool *s.* pessoa tola, estúpida, idiota. **make a fool of sb,** fazer alguém de bobo. **play the fool,** bancar o tolo.
fool *v.t. e i.* 1 agir tolamente, brincar (de maneira tola, vazia), desperdiçar (tempo): *Stop fooling around and work a little bit more.* 2 enganar, fazer alguém de bobo.
foolery *s.* (pl *-ies*) tolice, asneira, bobagem.
foolhardy *adj.* temerário, imprudente, destemido, atrevido.
foolish *adj.* tolo, bobo, insensato.
foolishness *s.* tolice, loucura, insensatez.

foolproof

foolproof *adj.* perfeitamente seguro, à prova de descuidos.
foot *s.* (pl *feet*) 1 pé. **on foot**, a) à pé. b) ativo, em movimento, em andamento. **be on one's feet**, a) em pé. b) levantar, ficar em pé. c) (fig) estar em boa forma (depois de doença, p ex). **be rushed off one's feet**, estar extremamente ocupado. **be caught on the wrong foot**, ser pego de surpresa. **fall on one's feet**, (infml) sair de uma dificuldade. **put one's foot down**, (infml) objetar, protestar, teimar. **put one's foot in it,** (infml) meter os pés pelas mãos. **sweep sb off his feet**, entusiasmar, arrebatar alguém. 2 andar leve: *light of foot.* 3 pé, base: *at the foot of the page.* 4 medida de comprimento equivalente a 30,48 cm. 5 pé, divisão de um verso. **football**, a) bola de futebol. b) futebol. **football pools**, loteria esportiva. **foothills**, colinas baixas ao pé de montanhas. **foothold**, a) apoio para os pés. b) (fig) posição segura. **footnote**, nota de rodapé. **footpath**, senda, trilha. **footprint**, pegada. **footstep**, som de passo, passada. **follow in sb's footsteps**, seguir o exemplo de alguém. **footwear**, calçados.
for *conj* (fml ou liter) pois, visto que: *She went home, for she was missing her parents.*
for *prep* 1 para, em direção a, com destino a: *Take a train for Porto Alegre.* 2 para, destinado a: *This gift is for you.* 3 para, indicando preparação: *get ready for a trip.* 4 para, com o objetivo de, a fim de: *What's this machine for?* **stand for,** representar. **for certain,** com certeza.
foray *s.* saque, pilhagem, incursão: *make/go on a foray.*
forbade V. (pretérito do verbo *forbid*).
forbid *v.t. (pret forbade* pp *-den)* proibir, vedar, impedir.
forbidding *adj.* severo, duro, ameaçador: *a forbidding look.*

force *s* 1 força, vigor, poder. 2 potência, força: *Air Force.* 3 força militar, naval, policial: *The armed forces.* 4 pressão, coerção, influência.
force *v.i.* 1 forçar, obrigar, coagir: *a forced manner.* 2 arrombar: *He forced the window open.* 3 apressar a maturação (de plantas).
forceful *adj.* forte, potente, vigoroso, enérgico: *a forceful speech.*
forcible *adj.* forçado, forçoso, feito por força.
fore *adj.* anterior, dianteiro.
fore- *prefixo* 1 na frente, dianteiro, ante, primeiro.
forearm *s.* antebraço.
forebode *v.i.* (fml) 1 pressagiar. 2 pressentir, ter pressentimento de.
forecast *s.* previsão, prognóstico.
forecast *v.i.* (pret, pp *-ou -ed*) prever, prognosticar, predizer.
forefathers *s.* pl antepassados, ancestrais.
forefinger *s.* dedo indicador.
forehead *s.* testa.
foreign *adj.* 1 estrangeiro. **foreign to,** estranho a, não natural para: *Being in silence is foreign to my baby's nature.* 3 estranho, externo: *I found a foreign body in my milk.*
foreigner *s.* estrangeiro.
foreman *s.* (pl *-men*) 1 capataz, mestre de obras, chefe de turma (em oficina). 2 (jur) primeiro jurado.
foremost *adj., adv.* primeiro, mais importante, o principal. **first and foremost**, em primeiro lugar, antes de tudo.
foresight *s.* visão, previdência, previsão, presciência.
forest *s.* floresta (também fig).
forestall *v.t.* antecipar-se a alguém, evitar que alguém faça algo primeiro: *to forestall an enemy action.*
foretell *v.t.* (pret, pp *foretold*) predizer, prever, profetizar.

forethought s. previdência, premeditação, providência.
forever adj. para sempre.
foreword s. prefácio, introdução.
forfeit s. coisa confiscada ou perdida, penalidade, pena: *Losing his girlfriend was the forfeit he paid for not being trustfull.*
forgave V. (pretérito do verbo *forgive*).
forge s. forja, fornalha, oficina de ferreiro, fundição.
forge v.i. *forge ahead*, progredir, avançar gradual mas constantemente, tomar a dianteira.
forge v.t. 1 forjar (peças de metal). 2 (fig) moldar, formar: *A new educational method is being forged.* 3 forjar, falsificar: *a forged document.*
forgery s. (pl -*ies*) falsificação, coisa imitada ou inventada (documento, assinatura).
forget v.t. e i. (pret *forgot*, pp *forgotten*) esquecer.
forgetful adj. esquecido, que tende a esquecer, que tem memória fraca.
forgive v.t. e i. (pret *forgave*, pp -*n*) perdoar, desculpar.
forgiveness s. perdão, absolvição, clemência.
forgiving adj. que perdoa, bondoso, pronto a perdoar.
forgot(-gotten) V. (pretérito do verbo *forget*).
fork s. 1 garfo. 2 forcado (ferramenta). 3 bifurcação de uma estrada, forqueta (de um galho).
fork v.t. e i. 1 levantar, erguer com um forcado. 2 (rel a estradas) bifurcar(-se). 3 (rel a pessoas) tomar o caminho da direita ou da esquerda: *Go ahead and fork right at the drugstore.*
form s. 1 forma, aparência exterior, contorno, aspecto. 2 vulto, figura: *A strange form appeared in the dark.* 3 organização, estrutura, feição, forma: *different forms of administration.* 4 (gram) forma gramatical: *The plural form of "man" is "men".*

fortuitous

form v.t. e i. 1 formar, dar forma a. 2 desenvolver, conceber, formar, adquirir: *form good relations.* 3 fazer parte de: *This book forms part of a complete collection.* 4 organizar, criar: *form a club.* 5 formar-se, transformar-se em, tomar forma, surgir: *A new radio station was formed.* 6 pôr em forma, dispor: *to form the cars into lines in the parking lot.*
formal adj. formal.
formality s. (pl -*ies*) 1 formalidade. 2 formalismo.
formation s. formação, disposição, estrutura: *rock formations.*
former adj. 1 anterior, precedente: *My former husband was a lawyer, now I´m married to a doctor.* 2 (usado como s) o primeiro mencionado entre dois (Cf. *latter*): *Between eating and sleeping, he preferred the former one.*
formerly adv. anteriormente, antigamente.
formidable adj. 1 aterrorizante, temível. 2 tremendo, enorme, formidável: *formidable friends.*
formula s. (pl -*s*) 1 fórmula (de cumprimento, de palavras, matemática, médica, química, etc). 2 mamadeira.
formulate v.t. formular, expressar claramente.
forsake v.t. (pret *forsook*, pp -*n*) abandonar, desamparar, desertar.
fort s. forte, fortaleza.
forth adv. *and so forth*, e assim por diante. *back and forth*, para trás e para frente, para lá e para cá.
forthcoming adj. 1 próximo, futuro, prestes a aparecer: *forthcoming movies.* 2 disponível. 3 (infml) prestativo.
forthright adj. direto, franco, sincero, objetivo.
fortify v.t. (pret e pp -*ied*) fortificar, fortalecer, reforçar.
fortnight s. quinzena, duas semanas.
fortress s. fortaleza, cidade fortifícada, praça fortificada.
fortuitous adj. fortuito, acidental, casual.

fortunate

fortunate *adj.* afortunado, feliz, venturoso.
fortunately *adv.* felizmente, por sorte.
fortune *s.* 1 boa sorte, fortuna, ventura, prosperidade. *come into a fortune*, herdar uma fortuna. *make a fortune*, fazer fortuna. 2 sorte (boa ou má), sina, destino. *tell sb's fortune*, ler a sorte de alguém. **fortune teller**, adivinho, cartomante, ledor de sorte.
forty *adj.*, *s* quarenta.
forum *s.* (pl -*s*) 1 forum, foro, 2 lugar de debate.
forward *adj.* 1 dianteiro, para frente, antecipado, futuro: *forward planning*. 2 avançado, precoce, adiantado. 3 ansioso, solícito, disposto. 4 avançado, extremo, moderno: *forward views on cel phone business*.
forward *v.t.* 1 enviar, expedir, remeter. 2 ajudar, promover, incentivar, fazer crescer: *We are trying to forward our family business*.
forward(s) *adv.* 1 para frente, adiante, avante: *to look forward*. 2 para a frente, para um lugar de proeminência. *backward(s) and forward(s)*, para cá e para lá, de um lado para o outro.
foster *v.t.* 1 criar, alimentar, promover, nutrir: *foster good feelings*. 2 criar, educar, adotar (sem as formalidades legais): *foster a child found abandoned*. **foster-brother/sister**, irmão/irmã de criação. **foster-child/-parent**, filho/pai adotivo.
fought V. (pretérito do verbo *fight*).
foul *adj.* (-*er*, -*est*) 1 feio, imundo, repugnante, sujo, fétido. 2 vil, obsceno, indecente: *foul signals*. 3 (rel a tempo) borrascoso, mau tempo. *foul play*, a) infração, falta. b) crime violento.
foul *s.* (rel a esporte) falta.
foul *v.t. e i.* 1 sujar(-se), poluir. 2 (rel a esporte) cometer uma falta.
found V. (pretérito do verbo *find*).
found *v.t.* 1 fundar, construir, edificar: *José de Anchieta founded the city of São Paulo*. 2 basearse, fundar-se: *The church was founded in Rome*. 3 fundir, derreter: *They founded gold to build rings*.
foundation *s.* 1 fundação, ato de fundar, estabelecer: *The foundation of São Paulo is celebrated on the 25th of January*. 2 alicerce, fundação: *the foundation of the building*. 3 princípio, fundamento: *The argument has no legal foundations*. **foundation-stone**, pedra fundamental.
founder *s.* fundador, iniciador, criador.
fountain *s.* 1 fonte, nascente, bica: *a fountain of water*. 2 origem, causa: *He is the fountain of my problems*. **fountain-pen**, caneta tinteiro.
four (num) numeral quatro.
fourteen (num) quatorze, catorze.
fourteenth *adj.* (num) décimo-quarto.
fourth *adj.* (num) quarto.
fox *s.* 1 raposa, pele de raposa. 2 (fig) pessoa esperta, astuta: *As smart as a fox*.
foxy *adj.* 1 semelhante à raposa. 2 astuto, esperto, sagaz: *The boy has a foxy look on his face*.
foyer *s.* foyer, vestíbulo de teatro.
fraction *s.* fração: *a fraction of a second*.
fractional *adj.* fracionário, fracionado.
fractious *adj.* zangado, mal humorado, rabugento, ranheta (principalmente referindo-se a crianças e velhos).
fracture *s.* 1 fratura, quebra: *fracture of the arm*. 2 rachadura.
fragile *adj.* frágil, quebradiço.
fragility *s.* fragilidade.
fragment *s.* fragmento.
fragmentary *adj.* 1 fragmentário. 2 desconexo, trincado: *fragmentary pieces of the story*.
fragrance *s.* fragância, aroma, perfume.
fragrant *adj.* perfumado, aromático, fragrante.
frail *adj.* frágil, delicado: *That woman has a frail aspect*.

French windows

frailty s. 1 fragilidade. 2 fraqueza, falha (moral ou comportamental).
frame s. 1 armação, carcaça, madeiramento, estrutura: *a moto frame*. 2 esqueleto, ossatura, constituição física: *a person's frame*. 3 moldura: *The frame of the picture*. **frame of mind**, estado de espírito.
frame v.t. e i. 1 moldar, modelar, ajustar, armar, projetar, compor: *frame na action*. 2 encaixar, enquadrar, emoldurar. 3 (gír) incriminar sob acusação falsa.
framework s. estrutura, armação, alicerce: *a wooden framework for a ship*.
franchise s. 1 privilégio, direito, isenção, franquia. 2 cidadania, direito de voto.
frank adj. 1 franco, aberto, sincero: *Be frank with me*. 2 liberal, generoso.
frankfurter s. um tipo de salsicha.
frankly adv. francamente, sinceramente.
frantic adj. frenético, desvairado.
frantically adv. freneticamente.
fraternal adj. fraternal, fraterno.
fraternity s. 1 fraternidade. 2 irmandade, confraria.
fraternization s. fraternização.
fraternize v.i. confraternizar, fraternizar(-se).
fraud s. 1 fraude. 2 engano, trapaça, impostura. 3 impostor.
fraudulent adj. 1 fraudulento: *She got all she wanted using fraudulent means*. 2 mentiroso, trapaceiro.
fraught adj. 1 repleto, cheio, carregado (com conseqüência desagradável): *The adventure was fraught with emotions*. 2 (infml) preocupado: *He looks a little fraught, doesn't he?*
freak s. 1 excentricidade, extravagância. 2 anomalia, aberração, monstruosidade: *A person with two heads is a freak*. 3 pessoa esquisita. 4 (infml) adepto: *a rock freak*.
freakish adj. 1 esquisito, excêntrico:

freakish party. 2 grotesco, monstruoso: *freakish a aspect*.
freckle s. sarda: *frecled face*.
free adj. 1 livre, independente, autônomo: *I want to be free*. 2 solto, desprendido: *free movements*. 3 desimpedido, desobstruído: *The taxi is free*. 4 acessível, público: *a free show*. 5 gratuito, grátis: *free tickets*. 6 desocupado, descompromissado: *I'm free this week*. **free-and-easy**, informal, despreocupado. **freelance**, jornalista, escritor, fotógrafo independente, colaborador. **free-shop**, lojas francas (aeroportos), onde não se cobram impostos. **free speech**, direito de livre expressão. **freeway**, estrada para alta velocidade, com várias pistas. **free will**, liberdade de escolha e decisão, livre arbítrio.
free v.t. libertar.
freedom s. 1 liberdade, independência, autonomia: *The master gave the slave his freedom*. 2 isenção, dispensa, desobrigação.
freely adv. livremente: *You can dance freely here*.
freeze v.t. e i. (pret *froze*, pp *frozen*) 1 gelar, congelar, refrigerar: *Water freezes at 0°C*. 2 (fig) esfriar, mostrar-se reservado, indiferente: *a freezing look*. 3 (fig) congelar (preços, salários, crédito, etc.). **freezing-point**, ponto de congelamento. **freeze-dry**, preservar alimentos por congelamento rápido e embalagem a vácuo.
freezer s. congelador.
freight s. 1 frete. 2 carga, transporte de mercadorias.
freight v.i. fretar, carregar (um navio).
freighter s. cargueiro, navio cargueiro.
French dressing s. molho de salada feito de vinagre, azeite e sal, molho vinagrete.
French fry s. batata frita.
French windows (-doors) s. janela balcão, porta-janela.

frenetic

frenetic adj. frenético, desvairado.
frenzied adj. frenético, desvairado, delirante, agitado: *He gave a frenzied shout when I arrived.*
frenzy s. frenesi, furor, delírio: *He fainted in a frenzy of fear.*
frequency s. (pl -ies) 1 freqüência: *frequency of accidents.* 2 freqüência de ondas de rádio.
frequent adj. 1 freqüente, repetido. 2 habitual: *Her visits to her father are frequent.*
frequently adv. freqüentemente, habitualmente.
fresco s. (pl -s ou -es) afresco.
fresh adj. (-er, -est) 1 fresco: *fresh air.* 2 novo, recente: *fresh news.* 3 viçoso: *fresh flowers.*
fresh-water s. água doce.
fret v.t. e i. (-ti-) enfadar(-se), atormentar(-se), irritar(-se).
fretful adj. irritável, impaciente, agitado.
friar s. frade, monge.
friction s. fricção, atrito.
Friday s. sexta-feira: *on Friday,* na sexta-feira. **Good Friday,** sexta-feira da Paixão, sexta-feira santa.
fridge s. refrigerador, geladeira.
fried adj. frito: *fried eggs.*
friend s. 1 amigo. 2 conhecido, colega, companheiro. **boyfriend,** namorado, **girlfriend,** namorada.
friendless adj. sem amigos, desamparado.
friendliness s. amabilidade, afabilidade.
friendly adj. amigável, amistoso, cordial: *Brazilians are considered a friendly people.*
friendship s. amizade, afeição: *Their friendship is very beautiful.*
fright s. medo, susto, pavor, terror: *What a fright night!.*
frighten v.t. atemorizar, amedrontar, aterrar, assustar: *The darkness frightened the kids.*
frightened adj. atemorizado, assustado, amedrontado: *The kids were frightened because of the darkness.*
frightening adj. assustador, atemorizador: *a frightening noise.*
frightfully adv. horrivelmente, assustadoramente.
frigid adj. frígido, gelado, frio.
frigidity s. frigidez, frieza, indiferença.
frill s. 1 babado. 2 (pl) adornos, rebuscamento.
fringe s. 1 franja. 2 orla. **fringe benefit,** benefícios extras em um emprego: *The company oferred him a car as a fringe benefit.*
frisk v.t. e i. saltar, pular, dançar (ger crianças): *The children frisked in the park all afternoon.*
frisky adj 1 brincalhão, travesso, traquina. 2 alegre, vivo: *a frisky cat.*
frivolous adj. frívolo, fútil.
frizz v.t. frisar, encrespar, eriçar (cabelo).
frizzle v.t. e i. 1 crepitar, frigir: *The eggs were frizzling in the pan.* 2 encrespar, frisar cabelo.
frizzy adj. crespo, frisado, eriçado: *I have frizzy hair.*
frock s. 1 vestido. 2 hábito, roupa de monges.
frog s. sapo, rã. **a frog in one's throat,** (infml) rouquidão. **frogman,** homem rã, mergulhador.
frolic v.i. (pret, pp -ked) brincar, gracejar, divertir-se: *The dogs were frolicking around the house with the kids.*
from prep. 1 de, proveniente de: *Where are you from?* 2 de, desde: *from the moment I saw him, I knew I loved him.* 3 originário de: *the man from Buenos Aires.* **from time to time,** de vez em quando. **from here to,** daqui até.
front s. 1 frente: *the front window.* 2 fachada, aparência: *the front of the house.* **in front,** na frente. **in front of,** na frente de: *The drugstore is in front of the supermarket.* 3 massa de ar frio ou quente, frente: *a cold/warm front.* **front door,** porta da frente.

frontal *adj.* frontal, dianteiro.
frontier *s.* fronteira: *Brazil has frontiers with Uruguai and Argentina.*
frost *s.* 1 geada, gelo: *frost may affect coffee plantations.* 2 frio. **frost-bite**, queimadura de frio.
frosty *adj.* 1 gelado, congelado: *It was a cold and frost day.* 2 (fig) gélido: *She gave me a frost look.*
froth *s.* espuma: *She doesn't want froth on her beer.*
froth *v.i.* espumar: *froth at the mouth*, espumar de raiva.
frothy *adj.* (*-ier, -iest*) espumoso, espumante.
frown *v.i.* franzir o cenho, fechar a cara: *The President frowned when he saw the reports coming.*
froze (frozen) V. (pretérito do verbo *freeze*).
frugal *adj.* econômico, barato, frugal: *She has frugal habits in her house.*
frugality *s.* frugalidade, parcimônia.
fruit *s.* 1 fruta, frutas, fruto. 2 resultado, fruto: *This method is the fruit of years of study.*
fruitful *adj.* frutífero, bem sucedido: *a fruitful meeting.*
fruitless *adj.* infrutífero, sem fruto, inútil: *a fruitless conversation.*
fruity *adj.* (*-ier, -iest*) 1 com sabor ou cheiro de frutas: *fruity candy.* 2 saboroso.
frustrate *v.t.* frustrar.
frustration *s.* frustração.
fry *v.t. e i.* fritar, frigir. **frying-pan**, frigideira.
fuck *v.t. e i.* (vulg) praticar sexo, foder. **not give a fuck**, não dar a mínima, não dar atenção. **fucking hell!** Que droga! **fuck off/fuck you!**, dane-se! vá pro inferno!
fudge *s.* 1 doce de leite.
fuel *s.* combustível: *I ran out of fuel.*
fugitive *s.* 1 fugitivo: *He's a fugitive from justice.* 2 refugiado, exilado.
fulfil *v.t.* (*-ll-*) 1 cumprir uma promessa: *He will fulfil his promise.* 2 satisfazer desejo, consumar, preencher. 3 realizar.
fulfilment *s.* cumprimento, execução, realização.
full *adj.* (*-er, -est*) 1 cheio, repleto, preenchido: *a cup full of coffee.* 2 lotado, ocupado, completo: *The bus is full.* 3 inteiro, total: *full name.* 4 satisfeito: *I don't want to eat anymore. I'm full.* **full-length**, de corpo inteiro, tamanho natural. **full moon**, lua cheia. **full stop**, ponto final (.).**full-time**, tempo integral.
fully *adv.* completamente, plenamente, integralmente, fartamente: *I fully agree with you.* **fully-grown**, maduro, adulto.
fumble *v.t. e i.* 1 tatear, apalpar, remexer: *fumbling around in the dark.* 2 atrapalhar-se: *He fumbled with the words and nobody understood him.*
fume *s.* fumo, fumaça, vapores, gás: *The toxic fumes poisoned that city.*
fumigate *v.t.* defumar, fumigar, dedetizar.
fumigation *s.* fumigação, defumação, dedetizar.
fun *s.* brincadeira, graça, galhofa, pilhéria, gracejo, divertimento: *Let's have fun!* **for fun, for the fun of it, for the fun of the thing**, só para se divertir. **make fun of**, rir de, caçoar.
function *s.* função, prática, funcionamento.
function *v.t.* funcionar, operar, atuar.
functional *adj.* prático.
fund *s* fundo: *a fund for research.*
fundamental *adj.* fundamental.
funeral *s.* funeral, enterro. **funeral march**, marcha fúnebre.
fungicide *s.* fungicida.
fungus *s.* (pl *-ses* ou *-gi*) fungo, cogumelo.
funnel *s.* 1 funil. 2 cano, chaminé, duto.
funny *adj.* (*-ier, -iest*) 1 engraçado, vertido, cômico: *That's a funny story.* 2 esquisito, estranho: *funny manners.*

fur

fur s. pele, pêlo de animal: *fur coat.*
furious *adj.* 1 furioso, violento. 2 irritado, irado. 3 impetuo: arrebatado.
furiously *adv.* furiosamente, violentamente.
furnace s. forno, fornalha.
furnish *v.t.* 1 mobiliar, equipar, aparelhar: *furnish a house.* 2 fornecer, suprir, prover.
furnishings s. 1 mobília, mobiliário. 2 acessórios, guarnições.
furniture s. 1 mobília, móveis, acessórios.
furry *adj.* (-ier, -iest) peludo, de pele.
further *adj.* 1 mais, posterior, mais adiante: *He is suspended until further notice.* 2 adicional: *a further show.*
further *adv.* 1 mais, além, mais longe, adiante: *He can go further than I can* (= farther). 2 além disso, ademais: *There's nothing further to be done.*
furthermore *adv.* ademais, além disso, outrossim: *I'm tired and furthermore, I'm hungry.*
furthermost *adj.* o mais afastado, remoto ou distante: *In the furthermost part of the farm, there's a beautiful river.*
furthest *V.far.*
furtive *adj.* furtivo, oculto, secreto.
furtively *adv.* furtivamente.
fury s. (pl -ies) 1 fúria, furor. 2 violência, ferocidade, impetuosidade.
fuse s. 1 fusível. ***blow a fuse*** a) queimar um fusível. b) irar-se. 2 estopim, detonador.
fuse *v.t. e i.* 1 fundir(-se), derreter (-se).
fuselage s. fuselagem.
fusion s. fusão, derretimento, fundição: *fusion of metals.*
fuss s. 1 espalhafato, estardalhaço, rebuliço: *What's all this fuss about?* 2 exagero. ***make a fuss (about)***, fazer onda.
fuss *v.i.* 1 preocupar-se com ninharias: *She is always fussing.* 2 encher de atenções, mimar: *He fusses over his son.*

futile *adj.* fútil, vão, frívolo.
futility s. futilidade, frivolidade.
future *adj.* futuro.
future s. futuro, porvir.
futureless *adj.* sem futuro.
fuzz s. 1 flocos, felpa.
fuzzy *adj.* 1 peludo, felpudo. 2 confuso, impreciso 3 borrado.

g G

G, g 7ª letra do alfabeto.
gab s. (infml) tagarelice, loquacidade.
gabble s. 1 tagarelice. 2 sons confusos. 3 besteira, disparate.
gabble v.i. e t. conversar, tagarelar, cantarolar.
gadget s. (infml) dispositivo, aparelho; *home gadgets*, utilidades domésticas.
gaffiti s. grafite, pichação, insçrição feita em parede.
gag s. 1 mordaça. 2 brincadeira, piada introduzida por um ator.
gag v.i. e t. (-gg-) 1 amordaçar. 2 silenciar, impedir de falar.
gage s. e v.t. V. *gauge*.
gaiety s. (pl -ies) alegria, divertimento, folia.
gain s. 1 ganho, lucro, vantagem. 2 aumento: *a gain in weight*.
gain v.i. e t. 1 obter: *You may use the job to gain experience*. 2 progredir, melhorar, avançar. 3 adiantar (relógio): *gain time*. 4 alcançar, atingir, chegar a: *The dog gained the street and ran away*. *gain on/upon*, alcançar, aproximar-se, ganhar terreno.
gait s. passo, porte, modo de andar.
galaxy s. (pl -ies) 1 galáxia. 2 grupo de pessoas: *a galaxy of handsome men*.
gale s. 1 ventania, vendaval. 2 barulho, tumulto.
gall s. 1 bílis. 2 amargor, rancor, ódio.
gallery s. (pl -ies) 1 galeria de arte. 2 (teat) balcão, galeria. 3 sacada, plataforma. 4 galeria (de mina).
galley s. (pl -ies) 1 galera. 2 cozinha navio.
gallop v.i e t. 1 galopar, andar a galope. 2 apressar-se, movimentar-se rapidamente.
galoshes s. galochas.
gamble v.i e t. jogar jogos de azar, cartas, especular: *He got money gambling at the cassino*.

gambler s. jogador de jogos de azar.
gambling s. jogo a dinheiro, jogo de azar.
game s. 1 jogo, partida: *soccer game*. 2 (pl) jogos, competição: *the Olympic Games*. 4 partida. 5 plano, esquema, ardil. 6 caça.
gang s bando, quadrilha, turma.
gangster s ladrão, criminoso, membro de quadrilha.
gaol s. prisão, cadeia. (EUA *jail*).
gap s. 1 abertura, brecha: *a gap in the plan*. 2 lacuna: *He has gaps in his memory*. *generation gap*, divergências, falta de comunicação e entendimento entre velhos e jovens.
gape s. olhar pasmo, bocejo.
gape v.i. embasbacar-se, ficar boquiaberto.
garage s. 1 garagem. 2 posto de serviço.
garbage s. lixo. *garbage can*, lata de lixo.
garble v.t. deturpar, distorcer (notícias, declarações): *The reporters gave a garbled description of the accident*.
garden s. 1 jardim, horta. 2 parque, horto, lugar de passeio: *zoological garden*.
gardener s. jardineiro.
gardening s. jardinagem, horticultura.
gargle s. gargarejo.
gargle v.i. e t. gargarejar.
garish adj berrante, espalhafatoso: *garish shirts*.
garland s. grinalda, coroa de flores, guirlanda.
garlic s. alho.
garment s. artigo de vestuário.
garnish v.t. enfeitar, decorar, guarnecer: *meat garnished with slices of mango*.
garrison s. guarnição, tropas.
garrotte (ga-) v.t. executar através de estrangulamento.
garter s. liga (de meia).

gas

gas (pl -es) 1 gás. 2 gasolina. *gas-cooker*, fogão a gás. *gas-mask*, máscara contra gases. *gas-meter*, medidor, relógio de gás. *gas-oven*, forno a gás. *gas-ring*, queimadores do fogão. *gas-station*, posto de gasolina.
gash s. corte profundo, talho.
gasify v.i. e t. (pret, pp -ied) gaseificar.
gasoline s. V. petrol.
gasometer s. gasômetro, reservatório de gás.
gasp s. respiração difícil, ofegante.
gasp v.i. e t. 1 ofegar, respirar com dificuldade. 2 falar de modo ofegante.
gastric adj gástrico.
gastronomy s gastronomia.
gate s. 1 portão, porta, *porteira, barreira, cancela*. 2 comporta. *gate-crasher*, penetra. *gateway*, portão de entrada e saída.
gather v.i. e t. 1 juntar-se, reunir-se, agrupar-se: *People gathered around the table to eat*. 2 colher, apanhar: *gather fruits*. 3 obter, adquirir aos poucos: *gather experience*. 4 concluir, deduzir, inferir: *I didn't gather much from the teacher's explanation*. 5 franzir, preguear (tecido). 6 inchar e formar pus.
gathering s. reunião, assembléia, multidão.
gaudy adj (-ier, -iest) espalhafatoso, berrante, vistoso mas sem gosto.
gauge s. 1 medida-padrão.
gauge v.t. medir, avaliar, estimar, calcular. (EUA *gage*).
gaunt adj 1 (rel a pessoa) magro, esquelético.
gauze s. 1 gaze. 2 tela de janela.
gave V. (pretérito do verbo *give*).
gawky adj (-ier, -iest) tolo, tímido, desajeitado.
gay adj (-er, -est) 1 homossexual. 2 (antiquado) alegre, divertido.
gaze v.i. olhar fixamente, fitar.
gazette s. 1 jornal oficial. 2 jornal.

gear s. 1 câmbio de automóvel: *change gear*, mudar marcha. 2 engrenagem. 3 equipamento esportivo.
geese V. goose.
gelatine s. gelatina.
gem s. 1 pedra preciosa, gema. 2 pessoa ou coisa de valor.
Gemini s. Gêmeos (signo do zodiaco).
gender s. (gram) gênero (masculino/feminino).
genealogical adj genealógico: *genealogical tree*.
genealogy s. (pl -ies) genealogia, estudo da origem das famílias.
general adj 1 geral, total, genérico: *general information*. 2 não detalhado, vago, indefinido: *Do you have a general idea about what's going to happen? as a general rule, in general,* geralmente, na maioria das vezes.
general s. (mil) general.
generality s. (pl -ies) 1 generalidade. 2 regra geral.
generalize v.i e t. 1 generalizar. 2 falar de modo geral. 3 difundir.
generally adv 1 geralmente, por via de regra: *I generally wake up at 8 o'clock*. 2 amplamente: *The new director was generally accepted*. 3 em geral, sem ligar para detalhes: *generally speaking*.
generate v.t. gerar, produzir, criar: *generate heat*.
generation s. 1 criação, produção. 2 geração: *the young generation*.
generator s. gerador.
generic adj 1 genérico. 2 relativo a um grupo.
generous adj generoso, mão aberta: *He is a generous man*.
genesis s. (pl -eses) gênese, origem, início: *the genesis of civilization*.
genetics s. genética, ramo da biologia que estuda as leis da transmissão dos caracteres hereditários nos indivíduos.
genital adj. genital.
genitals s. (pl) órgãos genitais.

genius s. (pl -es) 1 genialidade, imaginação. 2 gênio: *Einstein was a genius.* 3 habilidade, capacidade, talento: *Tony Ramos has a genius for acting.* 4 espírito de uma época: *The genius at the Renaissance period.*
genocide s. genocídio, qualquer crime contra a humanidade.
gentile s. e adj. pessoa que não é judia.
gentle adj. (-r, -st) 1 bondoso, nobre, gentil, suave, dócil: *gentle smilie.* 2 suave: *gentle slope.*
gentleman s. (pl -men) 1 cavalheiro. 2 senhor: *My father was a gentleman.* 3 forma educada de se referir a uma platéia: *Ladies and gentlemen!* **be a gentleman,** ser cortês.
gently adv. suavemente, docemente, delicadamente.
genuine adj. autêntico, sincero, genuíno: *This is a genuine painting.*
geographer s. geógrafo.
geography s. geografia.
geologist s. geologista.
geology s. geologia.
geometric (-cal) adj. geométrico.
geometry s. geometria.
geranium s. gerânio.
geriatrics s. (pl) geriatria.
germ s. 1 germe, micróbio. 2 (fig) o começo de algo: *There is a germ of misunderstanding among the employees.*
gesticulate v.i. gesticular, fazer gestos.
gesture s. 1 gesto, aceno, sinal: *a gesture of refusal.* 2 gesto, sinal: *This present is a gesture of my love.*
get v.i. e t. (pret *got,* pp *got, gotten*) 1 conseguir, arranjar: *He got a new idea for the project.* 2 comprar: *I got him a new bicycle.* 3 ganhar, receber: *He got a new book from his girlfriend.* 4 buscar, trazer: *I'll get you at 6 o'clock.* 5 ficar, estar, tornar-se: *It's getting late.* 6 conseguir, fazer com que: *He got himself elected the general director,* *Ele conseguiu eleger-se diretor geral.* 7 contrair, sofrer, pegar (uma doença): *I got a cold.* 8 mandar fazer algo: *I got my hair cut.* 9 obter, ter, adquirir, receber: *He got a letter from his mother.* **get the sack,** ser despedido. **get the worst of sth,** sofrer as conseqüências de algo. **get told off,** ser repreendido. 10 entender, compreender: *Do you get me?,* Você me entende? 11 **have got,** ter, possuir: *They have got two guittars.* 12 **have got to,** ter de, ser obrigado: *I have got to finish this.* **get along,** a) dar-se bem com alguém: *They don't get along with each other.* b) sair-se bem: *I can't get along without you.* **get at,** a) conseguir alcançar: *I can't get at those lamps; they're too high.* b) agredir (-se): *He and his brother are always getting at each other.* **be getting at,** querer dizer: *What are you getting at?* **get away with sth,** obter sucesso com algo: *The kids got away with the plan.* **get down to,** lidar com algo seriamente: *Let's get down to business.* **get off,** sair, partir: *What time do you get off work?* **get on,** progredir: *How is he getting on at his new job.* **get on one's nerves,** irritar, dar nos nervos: *She gets on my nerves.* **get on with (sth),** continuar: *He gets on very well with his job.* **get to the point,** ir direto ao assunto: *Get to the point, or forget it.* **get together,** festa, reunião social: *We get together every weekend.* **get up,** levantar-se: *I get up at 6 o'clock every day.*
ghetto s. gueto.
ghost s. fantasma, espírito.
giant s. gigante.
gibberish s. falatório, tagarelice, balbúrdia.
giddy adj. (-ier, -iest) aturdido, tonto, zonzo.
gift s. 1 presente, dádiva. 2 dom: *He has a gift for kids.*
gifted adj. talentoso, prendado, dotado.

gigantic

gigantic *adj.* enorme, gigantesco.
giggle *v.i.* dar risadinhas.
gilt *adj.* dourado.
gimmick *s.* 1 truque, segredo. 2 algo usado para atrair atenção.
gin *s.* gim.
ginger *s.* 1 gengibre. 2 ruivo, cor de cenoura (vermelho-amarelado): *ginger hair,* cabelo ruivo. **ginger ale/beer**, refresco de gengibre.
gingerly *adj. e adv.* cauteloso, cautelosamente.
gipsy (gypsy) *s.* cigano.
giraffe *s.* girafa.
girdle *s.* 1 cinta. 2 cinturão, faixa em volta de algo: *There was a girdle of policemen around the thief.*
girl *s.* 1 moça, menina. 2 (infml) namorada.
girlfriend *s.* 1 namorada. 2 amiga.
girlish *adj.* feminino, como moça.
girth *s.* 1 circunferência, medida de cintura, largura.
gist *s.* significado geral, essência, ponto principal: *Can you tell me the gist of this film?*
give *v.i. e t.* (pret *gave*, pp - *n*) 1 dar, presentear, doar, conceder: *He gave me a present.* 2 entregar, oferecer, ceder: *The governor gave a new building to the school.* 3 fornecer, render, prover: *Cows give milk.* 4 conferir, atribuir, confiar, incumbir: *He gave me the responsibility of administering half of his business.* 5 causar, ocasionar, proporcionar: *It gives me great pleasure to talk to you all.* 6 transmitir, comunicar: *They gave us the bad news.* 7 citar: *You can give my name as a reference.* 8 ceder, não resistir: *The chair gave with his weight and he fell on the floor.* **give and take**, jogo de cintura, capacidade de negociar: *It has to be give or take or there will be no negotiation.* **given name**, primeiro nome, prenome. **give or take**, aproximadamente: *That building must be about 80m high, give or take a few metres* **be given**

to (doing) sth, a) ser adepto de: *He's given to sports.* b) ser devotado a: *She's given to her family.* c) ser inclinado a: *He's given to lying.* **give away**, a) distribuir: *The government gave away food and medicine to the victims of the disaster.* b) doar: *He gave away some money to the university.* c) perder (uma oportunidade): *Don´t give away your chance of promotion.* **give sth back**, devolver, restituir. **give (sb) a hand**, ajudar, dar uma mão. **give sth in**, entregar: *You have to give in your homework next class.* **give off**, emitir, produzir: *That factory gives off a terrible smell.* **give on to**, dar para: *My house gives on to the park.* **give (sth) out**, distribuir. **give up**, a) desistir: *I've had enough of this.* b) abandonar: *He gave up his English course.* c) desistir de um hábito: *I gave up smoking.*
given *adj.* estipulado: *You must finish the project in the given time.*
given *prep.* dado, levando em conta, tendo em mente: *given their real situation, they made a good job.*
given *v.* (pp *give*).
glacier *s.* geleira.
glad *adj.* (-*der*, -*dest*) contente, satisfeito: *glad to meet you,* Prazer em vê-lo. **be/look/feel glad about sth**, estar satisfeito, contente.
glamour *s.* charme, beleza, encanto. (EUA *glamor*).
glamourous *adj.* glamoroso, encantador, belo. (EUA *glamorous*).
glance *s.* olhada rápida, olhadela: *Take a glance at this book.*
glance *v.i. e t.* dar uma olhada rápida, passar os olhos por: *I glanced round the room and I found them.*
gland *s.* glândula.
glandular *adj.* glandular.
glare *s.* 1 claridade, clarão. 2 olhar penetrante, geralmente de raiva ou ódio: *He looked at his wife with a glare.*
glare *v.i. e t.* 1 resplandecer, brilhar,

luzir: *The sun glared strongly through the clouds.* 2 olhar raivosamente: *The teacher glared at her when she gave the wrong answer.*
glaring *adj.* 1 brilhante, ofuscante: *The glaring lights of the street confused him.* 2 raivoso, feroz: *a glaring look.* 3 evidente, conspícuo: *a glaring mistake.*
glass *s.* 1 vidro: *a cup of glass.* 2 copo: *a glass of water.* 3 espelho. **glasshouse**, estufa de plantas. **looking-glass**, espelho. **magnifying-glass**, lupa, lente.
glasses *s.* (pl) óculos: *I can't read without glasses.*
glassy *adj.* (-ier, -iest) 1 vítreo. 2 opaco, fixo: *a glassy look.*
glaze *v.i. e t.* 1 envidraçar. 2 vitrificar.
glazier *s.* vidraceiro.
gleam *s.* 1 brilho, raio. 2 (fig) manifestação fraca ou passageira: *a gleam of hope,* um raio de esperança.
gleam *v.i.* brilhar, bruxulear, cintilar: *We saw the lights of the city gleaming down the hill.*
glide *v.i.* deslizar, planar.
glider *s.* planador.
glimmer *s.* 1 luz fraca. 2 (fig) manifestação fraca de algo: *a glimmer of hope in her eyes.*
glimmer *v.i.* luzir fracamente, bruxulear.
glimpse *s.* 1 olhada rápida: *He caught a glimpse of the racing cars.* 2 olhar rápido: *He saw her in a glimpse.*
glimpse *v.t.* olhar rapidamente, olhar de relance: *He glimpsed at the movie on TV.*
glisten *v.i.* brilhar, cintilar, reluzir.
glitter *s.* brilho, resplendor.
gloat *v.i.* gabar-se: *He's always gloating over his success.*
globe *s.* 1 globo, esfera. **the globe**, a Terra.
gloom *s.* 1 semi-obscuridade. 2 tristeza, melancolia, depressão.

gloomy *adj.* (-ier, -iest) 1 escuro, obscuro. 2 triste, melancólico.
glorify *v.t.* (pret, pp -ied) glorificar, exaltar.
glorious *adj.* glorioso, magnífico, maravilhoso: *a glorious day.*
glory *s.* 1 glória, fama. 2 glória, glorificação: *Glory to God!* 3 magnificência, maravilha, esplendor.
gloss *s.* 1 brilho, lustro. 2 (fig) aparência externa (enganosa): *He hides under a gloss of hope.* 3 brilho labial.
glossary *s.* glossário.
glossy *adj.* (-ier, -iest) lustroso, brilhante: *glossy dress.*
glove *s.* luva. **fit like a glove**, servir como uma luva.
glow *s.* brilho, fulgor, ardor, rubor.
glow *v.i.* 1 brilhar, fulgir, incandescer, arder: *The fire was glowing in the fireplace.* 2 estar rubro, corado. 3 resplandecer (com cores quentes).
glue *s.* cola.
glue *v.t.* colar, grudar (também fig): *He glued the paper on the wall.*
glum *adj.* (-mer, -mest) triste, melancólico, lúgubre.
glutton *s.* glutão, comilão, pessoa insaciável.
gnarled *adj.* (rel a troncos de árvore) retorcido, nodoso, áspero.
gnaw *v.i. e t.* 1 roer. 2 atormentar, consumir, corroer: *His anger was gnawing (at) his heart.*
gnome *s.* gnomo, duende, espírito que habita o interior da terra.
go *v.i.* (pret *went,* pp *gone*) 1 ir, mover-se, passar, (de um ponto a outro, distanciando-se), partir: *He has gone to Europe,* Ele foi a Europa. 2 estender-se, conduzir, levar, chegar (a certos limites): *Where does this street go to?* 3 tornar-se, ficar (+ adj): *go blind/mad,* ficar cego/louco; *go bad,* estragar-se. 4 caber, conter: *It's obvious that 10 people won't go into this small car.* 5 (rel a máquinas) andar, trabalhar, funcionar: *This machine only goes on*

go

electricity. **6** (+ *prep* + *s*) passar de uma condição a outra: *Things are going from bad to worse,* As coisas vão de mal a pior. **go out off fashion,** sair da moda; **go out of print,** estar esgotado (livros); **go to sleep,** adormecer. **7** freqüentar: *go to school.* **8** andar, estar, viver: *Poor children often go sick.* **9** estar progredindo: *How's the new job going?* **go slow,** (rel a trabalhadores em fábrica) trabalhar num ritmo lento como protesto, fazer operação tartaruga. **go on a journey/trip,** fazer uma viagem. **go for a walk,** etc, sair para um passeio, etc. **go swimming/shopping,** etc, ir nadar/às compras, etc. **go a long way,** durar: *You'll have to make your money go a long way if you don't want to use your credit card.* **go too far,** ir longe demais, exceder os limites. **let oneself go,** relaxar, deixar-se levar. **let go,** soltar, largar: *Let go of my hair!* **go Dutch (with sb),** dividir as despesas (com alguém). **go about,** passar de uma pessoa para a outra: *There's a strange comment going about.* **go about sth,** tratar de, empreender, cuidar de: *Are you sure this is the right way to go about this problem?* **go after sb/sth,** procurar, tentar obter: *He's going after a good house to live in.* **go ahead,** ir em frente, continuar: *Please, go ahead with you explanetion.* **go along,** prosseguir, continuar. **go along with sb,** a) acompanhar. b) concordar: *You and him will never go along on that point.* **go back,** a) voltar. b) datar de (uma época anterior): *The castle goes back to the 12th century.* **go back on,** voltar atrás, desdizer-se (numa promessa, etc). **go by,** passar: *Time sometimes goes by very slowly.* **go by sth,** guiar-se por, basear-se em: *We have a script to go by.* **go by/under the name of,** chamar-se, ser conhecido pelo nome de. **go down,** a) (rel a navios) afundar. b) (rel ao sol, à lua) pôr-se. c) (rel à preços) decrescer, baixar. **go for,** a) buscar. b) atacar, avançar contra alguém. c) referir-se a, ser aplicável a: *What my mother said goes for all of us.* d) (infml) gostar, apreciar: *Carol seems to go for sports clothes.* **go into sth,** a) entrar, ingressar: *to go into business.* b) examinar, ocupar-se de: *to go into the details.* **go off,** a) (rel a armas, explosivos, etc), explodir, disparar. b) (rel a comida), estragar. c) (rel a eventos, planos, etc) ser bem/mal sucedido. *The show went off very well.* **go of sb/sth,** perder o interesse ou o gosto por: *He has gone off computers games.* **go on,** a) (rel a tempo) passar. b) estar acontecendo, estar se passando: *Can you tell me what's going on?* c) continuar, prosseguir: *Try not to bother about the kids; go on with your homework.* **go out,** a) sair (para passear, etc): *Let's go out tonight?* b) (rel a fogo ou luz) apagar-se. **go out with sb,** (infml) estar constantemente na companhia de alguém: *You and my brother have been going out together for a long time.* **go over sth,** a) examinar cuidadosamente, inspecionar: *I'd like to go over the contract once again before signing it.* b) revistar, ensaiar: *Let's go over this scene again.* **go over to sb/sth,** mudar (de partido, opinião, etc). **go round,** a) bastar, ser suficiente. b) desviar-se, (tomar um outro caminho para chegar ao destino): *Since the main road was blocked, we had to go round.* **go through,** a) (rel a leis, planos, etc) ser aprovado: *The Act did not go through.* b) examinar, discutir em detalhe. c) procurar, dar uma busca: *The police went through my neighbor's things again.* d) passar por, sofrer: *She has gone through a lot of suffering since her father died.* e) terminar, chegar ao fim: *He's gone through all his money.* **go through with sth,** completar, fazer algo (em geral com dificuldade), levar até o fim: *She says she's going to go*

through with her plan to run away with him. **go under**, a) afundar (navio). b) (fig) perecer, falhar, arruinar-se. **go up**, a) aumentar, subir: *Taxes have gone up again.* b) ser destruído por incêndio ou explosão: *The house went up in flames.* **go with sb/sth**, (rel a cores, roupas, mobília, etc) combinar, ir bem com: *The new sofa doesn't go with the curtains.* **go without (sth)**, passar sem (alguma coisa): *I couldn't get chocolate so we'll have to go without (it).* **go without saying**, não ser preciso dizer: *It goes without saying that she's the best teacher we have.*
goal *s.* 1 meta, baliza, ponto de chegada. 2 (futebol) gol, ponto, *to score a goal.* 3 (fig) meta, objetivo, fim. **goalkeeper**, goleiro.
goat *s.* bode, cabra.
gobble *v.i. e t.* devorar, engolir (compressa e gula).
go-between *s.* mediador, intermediário.
goblet *s.* taça, cálice.
god *s.* 1 deus, ídolo, divindade. *God,* Deus. *God willing,* se Deus quiser. **godchild/daughter/son**, afilhado/a. **godfather/mother/parent**, padrinho, madrinha. **godfearing**, temente a Deus. **godforsaken**, (rel a lugares) desgraçado, abandonado (por Deus). **godsend**, dádiva divina.
goddess *s.* deusa.
godless *adj.* ímpio, perverso, irreligioso.
godlike *adj* divino, semelhante a um deus.
godly *adj* (-ier, -iest) piedoso, devoto, religioso.
goggles *s.* (pl) óculos de proteção contra vento, poeira, água, etc.
gold *s.* 1 ouro. 2 riqueza, fortuna. 3 (fig) precioso, excelente: *a heart of gold.* 4 (também usado como adj) dourado, cor de ouro, amarelo-ouro. **goldfish**, peixe-vermelho (próprio para aquários domésticos). **goldsmith**, ourives.

golden *adj* 1 de ouro, dourado: *A golden* (também *gold*) *watch is expensive.* 2 excelente, favorável, precioso: *a golden opportunity.*
golf *s.* golfe.
gone V. (pp *go*).
goner *s.* (gír) pessoa arruinada, caso perdido.
gong *s.* gongo.
good *adj (better, best)* 1 bom, satisfatório, excelente. 2 benéfico, saudável: *Exercise is good for health.* 3 bom, eficiente, competente: *She's good at math.* 4 bom, agradável. **have a good time**, divertir-se. **(all) in good time**, na hora, no devido tempo. **in good time**, em tempo hábil, em boa hora. 5 amável, solícito. **good-looking**, bonito, vistoso. **good-natured**, amável, bondoso, prestativo. **good sense**, bom senso. **good-tempered**, bem-humorado, jovial.
good *s.* 1 bem, mercadoria.
goodbye *interj. e s.* até logo, adeus.
goodness *s.* 1 bondade, afabilidade. 2 excelência, boa qualidade, essência, propriedades: *If you boil the vegetables for too long, all the goodness in them will be boiled out.* 3 (em exclamações) *Nossa! Meu Deus! My goodness!*
goodwill *s.* 1 boa vontade, benevolência.
goody *s.* (ger pl) guloseima, coisas boas, agradáveis, atraentes.
goof *s.* 1 (gír) bobo, pateta. 2 (gír esp EUA) um erro bobo.
goose *s.* (pl *geese*) 1 ganso. 2 (infml) pessoa tola, simplória. **goose-flesh**, pele arrepiada (por frio ou medo).
gooseberry *s.* (pl *-ies*) groselha espinhosa.
gorge *s.* 1 garganta entre montanhas, desfiladeiro.
gorgeous *adj* magnífico, maravilhoso, deslumbrante, esplêndido.
gorilla *s.* gorila.
gory *adj (-ier, -iest)* 1 (liter) ensangüentado. 2 violento, sangrento:

gosh

She told us all the gory details of the film.
gosh interj (exclamação de surpresa) Puxa! Nossa!
gospel s. 1 *Gospel*, Evangelho. 2 verdade, princípios verdadeiros e confiáveis.
gossip s. 1 fofoca, mexerico, bisbilhotice. 2 pessoa fofoqueira, mexeriqueira.
gossip v.i. (-pp) fofocar, mexericar.
got (gotten) V. (pretérito do verbo *get*).
gout s. gota, artritismo.
govern v.i. e t. 1 governar, administrar. 2 controlar(-se), dominar(-se). 3 influenciar, determinar: *He is governed by his desires.*
governess s. governanta, preceptora, professora contratada para ensinar e educar crianças em casa de família.
government s. governo.
governor s. 1 governador. 2 membro da diretoria de uma instituição.
gown s. 1 vestido, esp para ocasiões especiais. 2 toga, beca.
grab s. ato de agarrar, de arrebatar.
grab v.i. e t. (-bb-) agarrar, arrebatar, apoderar-se de: *The kid grabbed the candy and ran away.*
grace s. 1 graça, elegância, encanto. 2 (ger pl) graça, boas maneiras, refinamento. 3 favor, benevolência: *days of grace*, período de prorrogação, tolerância (após o vencimento de uma dívida). 4 graça divina, perdão divino. *in a state of grace*, em estado de graça. *fall from grace*, a) deixar de estar nas graças de alguém. b) ter um lapso de boa conduta. 5 oração de graça (antes ou após uma refeição). *do sth with a good/bad grace*, fazer algo de boa/má vontade. 6 como título usado para arcebispo, duque ou duquesa: *His/Her/Your Grace*, Vossa Graça, Vossa Eminência.
grace v.t. 1 ornar, enfeitar. 2 agraciar, honrar.
graceful adj gracioso, elegante, educado.
graceless adj sem graça, desairoso, mal-educado.
gracious adj 1 gracioso. 2 cortês, afável, agradável: *She was gracious to invite us to see her house.* 3 luxuoso, chique: *gracious living.*
gracious interj Meu Deus: *Good Gracious!*
graciously adv graciosamente, cortesmente: *She looked at him graciously.*
graciousness s. cortesia, bondade.
gradation s. graduação, gradação.
grade s. 1 grau, categoria. 2 (EUA) classe de escola: *I'm in the 6th grade.* 3 (EUA) nota (em prova, exame).
grade v.t. classificar, nivelar: *We will have a test to grade all the candidates.*
gradual adj gradual, paulatino: *There's a gradual increase of prices.*
graduate s. pessoa diplomada.
graduate v.i. e t. 1 graduar(-se), diplomar(-se): *I graduated from university last year.* 2 graduar (medida). 3 classificar, categorizar.
graft s. 1 enxerto. 2 transplante: *a heart graft.*
graft s. logro, fraude, corrupção, suborno: *This money he got through graft and corruption.*
graft v.t. 1 enxertar. 2 (med) transplantar: *graft a new heart.*
grain s. 1 grão, semente. 2 cereais, grãos. *with a grain of salt*, com certa dúvida: *He listened to this explanation with a grain of salt.*
gram (gramme) s grama: *100 gramme.*
grammar s. 1 gramática. 2 livro de gramática: *grammar book. grammar school*, (GB) curso secundário, colégio secundário.
grammarian s. gramático, filólogo.
grammatical adj gramatical.
gramophone s. gramofone, fonógrafo.
grand adj 1 maravilhoso, imponente,

majestoso: *This is a grand landscape.* 2 grandioso, enorme, grande: *a grand theater.* 3 principal, supremo, superior: *The show was for grand personalities only.* **grandad/grandpa**, vovô. **grandaunt**, tia-avó. **grandchild**, neto, neto. **granddaughter**, neta. **grandfather**, avô. **grandma**, vovó. **grandmother**, avó. **grand piano**, piano de cauda. **Grand Prix,** Grande Prêmio. **grandson**, neto. **grandstand**, arquibancada. **granduncle**, tio-avô.
grange *s.* granja, sítio.
granite *s.* granito.
granny (grannie) *s.* avó, vovó.
grant *v.t.* 1 conceder, dar, outorgar: *We granted him our best wishes.* 2 conferir, confirmar: *The winner will be granted a prize and a photo in the newspaper.* **take sth for granted**, supor, dar por certo: *I took it for granted that he was coming.*
granular *adj* granular, granulado.
grape *s.* uva, videira.
grapefruit *s.* pomelo, toranja, grapefruit.
graph *s.* gráfico, diagrama. **graph paper**, papel quadriculado.
graphic *adj* 1 gráfico, relativo a gráfica. 2 descritivo: *a graphic picture.*
graphite *s.* grafite. (Cf. *graffiti).*
grapple *v.i.* (infml) 1 agarrar, abraçar. 2 lutar, brigar.
grasp *s.* 1 alcance: *Success is within our grasp.* 2 controle: *The company is in the grasp of the manager.* 3 compreensão: *These ideas are far from my grasp.*
grasp *v.i. e t.* 1 apertar, agarrar, segurar: *The child grasped her mother's hand.* 2 compreender, perceber: *I grasped the main idea of the book.*
grass *s.* 1 capim, grama, pasto. 2 gramado. 3 (infml) maconha, marijuana.
grasshopper *s.* gafanhoto.
grate *s.* grelha, grade.
grate *v.i. e t.* ralar, moer, raspar, triturar, ranger: *granted cheese,* queijo ralado.
grateful *adj* grato, agradecido: *I'm very grateful for your help.*
gratification *s.* 1 gratificação, recompensa. 2 satisfação.
gratify *v.t.* 1 gratificar, recompensar. 2 satisfazer, agradar.
gratifying *adj* gratificante, recompensador: *gratifying situation.*
gratitude *s.* gratidão, agradecimento.
gratuitous *adj* 1 gratuito, gracioso. 2 desnecessário, sem merecer: *He made a gratuitious rude comment about her dress.*
gratuity *s.* gratificação, gorjeta, presente.
grave *adj* 1 importante, pesado. 2 grave, sério, solene: *He had a grave face when he told her about her job.*
grave *s.* sepultura, túmulo. **from the cradle to the grave**, do nascimento à morte. **dig one's own grave,** cavar sua própria cova. **make someone turn in his grave**, fazer alguém virar na cova.
gravely *adv* gravemente.
graven *adj* gravado, esculpido.
gravitate *v.i.* gravitar.
gravitation *s.* gravitação.
gravity *s.* 1 gravidade, força da gravidade. 2 seriedade, solenidade: *Everyone should behave with gravity at a cerimony.*
gravy *s.* caldo de carne, molho de carne.
gray *s. e adj.* V. **grey**.
graze *v.i e t.* pastar: *The cattle are grazing in the field.*
graze *v.i. e t.* esfolar, arranhar a pele: *I fell down and grazed my hands.*
grease *s.* banha, graxa, gordura.
greasy *adj* 1 gorduroso, oleoso, gordurento: *greasy skin*, pele oleosa. 2 escorregadio: *Stop being so greasy and tell me what happened.*
great *adj* (-er, -est) 1 grande, vasto, extenso, desmedido, descomunal:

greatly

Brazil is a great country. 2 famoso, poderoso: He's a great man. 3 magnífico, excelente: What a great idea! **Great Britain**, Grã-Bretanha. **Great Lakes**, Grandes Lagos.
greatly adv em grande parte, muito: His success happened greatly because of his father..
greed s. ganância, voracidade, cobiça: His greed for money made him a lonely person.
greedy adj guloso, ganancioso: The greedy child ate all the cake before the party.
green adj 1 cor verde. 2 fresco, cru, não maduro: green banana. 3 inexperiente, novato, ingênuo: He's still green at this job. **green with envy**, morto de inveja. **green belt**, cinturão verde (ao redor de uma cidade). **green grocer**, quitandeiro. **green-house**, estufa para plantas.
green s. 1 verde, gramado. **greens**, folhagem, verdura.
greenery s. plantas, folhagem.
greet v.t. 1 cumprimentar, saudar: He greeted her with a kiss. 2 receber, acolher: His words were greeted with cheers.
greeting s. saudação, cumprimento.
gregarious adj gregário, amigável.
grenade s. granada de mão.
grew V. (pretérito do verbo grow).
grey s., adj cinza, de cor cinza. (EUA também gray).
greyhound s. cão galgo.
greyish adj acinzentado, cinzento.
grid s. 1 grade, grelha.
grief s. tristeza, aflição, mágoa: She cried with grief after he left her. **come/be brought to grief**, ter muitos desgostos, fracassar, arruinar-se.
grievance s. queixa, injustiça, mágoa.
grieve v.i. e t. afligir, lamentar, entristecer: The mother is still grieving for the sickness of her son.
grill s. 1 grelha. 2 comida grelhada.
grill v.t. e i. 1 grelhar, assar, torrar. 2 (fig) torrar ao sol. 3 (infml) (p ex polícia) submeter a interrogatório cerrado.
grille s. grade.
grim adj (-mer, -mest) 1 severo, austero, rígido: a grim look. 2 cruel, implacável.
grimace s. careta, trejeito.
grimly adv severamente: My father looked at us grimly.
grin v.i e t. arreganhar, sorrir falsamente, sorrir exageradamente.
grind v.i. e t. (pret, pp ground) 1 moer, triturar: grind coffee beans. 2 amolar, afiar: grind the knives and scissors. 3 ranger: grind the teeth. **grind to a halt**, (fig) parar: The strike brought the industry to a grinding halt.
grinder s. 1 amolador. 2 moedor: meat grinder.
grip v.i. e t. (-pp-) 1 agarrar, segurar, pegar: She gripped her son's hand. 2 fascinar: a gripping story. 3 compreender, entender.
grisly adj horrível, terrível: a grisly murder.
grit s. 1 grão, pedregulho. 2 coragem, resolução.
grizzle v.i. 1 (gír) resmungar, choramingar. 2 tornar-se grisalho.
groan v.i e t. 1 gemer, suspirar, roncar: The man who had hurt himself was groaning in bed. 2 sofrer, queixar-se: People groan about the president actions.
grocer s. merceeiro, comerciante de secos e molhados.
grocery s. mercearia, armazém, empório.
groggy adj grogue, embriagado, cambaleante: After drinking I felt quite groggy.
groin s. 1 virilha.
groom s. 1 noivo. 2 cavalariço, tratador de cavalos.
groom v.t. 1 arrumar-se: She was grooming herself for the ball. 2 tratar de cavalos. 3 reparar/treinar alguém para um determinado fim.

groove s. ranhura, encaixe, entalhe.
groovy adj 1 ondulado.
grope v.i e t. (for, after) tatear com a mão, procurar no escuro: *He groped for the matches to light the candles*.
gross adj 1 grosseiro, vulgar, nojento, repugnante: *vulgar manners*. 2 (rel a erro, injustiça) grosseiro, crasso. 3 (rel a pessoa) obeso, corpulento. 4 total, bruto: ***gross income***, renda bruta; ***gross weight***, peso bruto. (Cf. *net*).
gross s. (pl -) grosa, doze dúzias, 144.
grossly adv 1 grosseiramente. 2 inteiramente. 3 totalmente.
grotesque adj grotesco, absurdo, bizarro.
ground s. 1 terra, chão, solo. 2 terreno, área, espaço. ***cover (much) ground***, viajar, ir longe: *The executive covers much of the new ground*. ***gain ground***, ganhar terreno. ***give ground***, ceder terreno. ***hold/stand one's ground***, manter-se firme, não arredar pé. ***shift one's ground***, mudar de posição, tática. 3 campo de esporte, gramado: *a play ground*. 4 (pl) terras, jardins: *the Palace grounds*. ***have/give grounds for***: ter/dar razões, motivos para: *I have good grounds for calling him*.
ground floor, andar térreo.
ground V. (pretérito do verbo *grind*).
ground v.i. e t. 1 (rel a navios) encalhar. 2 (rel a aviões) ficar retido, impedido de decolar: *All aircraft were grounded by the rain yesterday*. 3 estar bem fundamentado, basear: *a well grounded investigation*.
grounding s. instrução básica sobre um assunto: *a good grounding in English*.
group s. grupo.
group v.i. e t. agrupar(-se).
grove s. alameda, bosque.
grow v.i e t. (pret *grew*) 1 crescer, aumentar, florescer. ***grow out of***, ficar grande demais (para as suas roupas) ou velho demais (para ter certos hábitos): *She has grown out of playing with dolls*. ***grow up***, a) tornar-se adulto ou maduro. b) desenvolver-se: *I grew up an African country*. 2 tornar-se, ficar. ***grow old***, envelhecer: *I'm growing old*.
growl s. 1 rugido, trovoada. 2 (fig) resmungo (de raiva/descontentamento).
growl v.i. e t. 1 rosnar, rugir, troar. 2 (fig) murmurar, resmungar.
grown-up (rel a pessoas) adulto.
growth s. 1 crescimento, desenvolvimento. 2 aumento, incremento. 3 cultivo, produção. 4 tumor, câncer.
grudge s. 1 rancor, ódio. 2 má vontade. ***bear/have a grudge against***, ter ressentimento contra algo ou alguém.
grudge v.i. 1 invejar. 2 fazer ou dar com má vontade.
gruelling adj cansativo, exaustivo, duro: *a gruelling trip*.
gruesome adj horrendo, medonho, repulsivo.
gruff adj (rel a uma pessoa, sua voz, seu comportamento) áspero, rude, grosseiro.
grumble v.i e t. 1 resmungar, reclamar: *He grumbled out a reply*. 2 grunhir, roncar, retumbar (trovão).
grumpy adj (-ier, -iest) rabugento, mal-humorado.
grunt s. grunhido, resmungo.
guarantee s. 1 garantia. 2 garantia, fiança, aval. 3 avalista, fiador. 4 (infml) garantia, certeza: *Beauty is not always a guarantee of happiness*.
guarantee vt 1 garantia, fiar, afiançar, segurar. 2 (infml) prometer: *They guarantee their products for 1 year*.
guard s. 1 guarda, vigia, sentinela. ***off-guard***, desprevenido. ***on guard***, prevenido.
guard v.t. e i. 1 proteger, defender, vigiar. 2 proteger-se, tomar precauções: *to guard against deseases*.
guardian s. 1 protetor. 2 (ecles) guardião. 3 (jur) tutor, curador. ***guardian angel***, anjo da guarda.

guava

guava s. 1 goiaba. 2 goiabeira.
guerrilla (illa) s. guerrilha, guerrilheiro.
guess s. suposição, conjetura, palpite: *I can guess at who is calling her.*
guess v.i. e t. 1 adivinhar, conjeturar: *guess my name.* **guess right,** acertar. 2 crer, pensar, julgar: *I guess so,* Acho que sim.
guest s. 1 hóspede, convidado, visita: *We have guests for lunch.* **guest room,** quarto de hóspede.
guidance s. 1 orientação. 2 direção, governo.
guide s. 1 guia, cicerone. 2 padrão, modelo: *Pacience is a good guide.* **guide book,** guia (esp de turismo). 3 manual.
guide v.i. guiar, conduzir, ciceronear: *He guided her to the theater.*
guillotine s. guilhotina.
guilt s. culpa, culpabilidade, delito, pecado.
guilty adj (-ier, -iest) 1 culpado: *to have a guilty conscience.*
guitar s. (mús) violão.
gulf s. 1 golfo, baia. 2 abismo, redemoinho, precipício. 3 (fig) linha divisória, divergência.
gull s. gaivota.
gull v.i. enganar, lograr, seduzir.
gullible adj crédulo, ingênuo.
gulp v.i. e t. 1 engolir, tragar apressadamente (ger usado com *down*).
gum s. (ger no pl) gengiva, chiclete.
gun s. 1 canhão, espingarda, arma de fogo. **stick to one's gun,** manter a opinião ou os princípios, não ceder. 2 atirador, pessoa com arma de fogo. **gun powder,** pólvora. **gun shot,** tiro, distância de tiro.
gurgle v.i. 1 gorgolejar, fazer gugu (bebê):*The baby was gurgling to her mother.*
gust s. 1 rajada de vento, temporal.
gut s. 1 (pl) intestinos, tripas. 2 (pl) (infml) coragem, determinação: *a man with a lot of guts.* 3 (infml) conteúdo, substância.
gutter s. 1 sarjeta (também fig).
guy s. 1 espantalho. 2 (gir) pessoa, sujeito.
guzzle v.i. e t. (infml) beber e comer em demasia, empanturrar-se.
gym s. (gir) abrev de *gymnasium, gymnastics.*
gymnasium s. (pl -s) ginásio de esportes.
gymnast s. ginasta.
gymnastics s. (pl) ginástica.
gynaecologist s. ginecologista.
gynaecology s. ginecologia.
gypsy s. V. *gipsy.*

h H

H, h 8ª letra do alfabeto.
haberdashery s. loja de miudezas, armarinho.
habit s. 1 hábito, costume: *the habit of going reading.* ***fall/get into bad habits,*** adotar maus costumes. ***get out of a habit,*** deixar o hábito de. ***be in the habit of,*** ter o hábito de. 2 roupa, traje, (relig) hábito.
habitat s. habitat.
habitation s. habitação, moradia.
habitual adj. habitual, costumeiro, comum.
hack v.i. e t. 1 cortar, talhar, picar, golpear. 2 invadir algo ilegalmente.
had V. (pretérito do verbo *have*).
haddock s. hadoque, peixe da família do bacalhau.
haemophilia s. V. *hemophilia*.
haemorrhage s. hemorragia.
hag s. bruxa, mulher velha e feia.
haggard adj. pálido, preocupado, cansado.
haggle v.i. discutir, regatear, pechinchar: *They always. haggle over the price of the service they want.*
hail s. 1 granizo, chuva de pedra. 2 chuva de ofensas, golpes, elogios, etc: *We gave him a hail of blows.* ***hailstone,*** pedra de granizo. ***hailstorm,*** tempestade de granizo.
hail v.t.e i. 1 chover pedras. 2 saudar, aclamar: *They hailed me as. a hero.* 3 chamar: *He hailed a taxi.*
hair s. cabelo, pêlo. ***keep your hair on,*** (gír) não perca a calma. ***let one's hair down,*** relaxar, soltar-se: *I wanna try to let my hair down on weekends.* ***make one's. hair stand on end,*** horrorizar. ***split hairs,*** discutir detalhes desnecessários, discutir o sexo dos anjos. ***hair's breadth,*** por um fio de cabelo, por pouco: *The cat escaped by a hair's breadth.* ***hair-cut,*** corte de cabelo. ***hairdo,*** (infml) estilo de cabelo. ***hairdresser,*** cabeleireiro. ***hairdryer,*** secador de cabelos. ***hair stylist,*** cabelereiro.
hairy adj. (-ier, -ies.t) cabeludo, cheio de pelo.
half (pl *halves*.) s metade.
half adj. adv. meio, em parte, parcialmente: *I prefer my steak only half cooked.* ***go halves (with sb),*** dividir, compartilhar. ***one's better half*** (infml) cara-metade, esposo, esposa. ***half-dead,*** (infml) exausto, cansado. ***not half!*** (infml) Claro!, Certamente! ***not half bad,*** (infml) bastante bom. ***half-back,*** (futebol) médio. ***half-brother/-sister,*** meio irmão/irmã. ***half-day,*** meio período: *I prefer to work half day.* ***half-hearted,*** indiferente, sem entusiasmo, desanimado: *a half hearted smile,* um sorriso indiferente. ***half-price,*** metade do preço normal. ***half-time,*** meio período: *a half time job.* ***half-way,*** a meio caminho. ***half-wit,*** imbecil, otário.
hall s. 1 salão, sala. 2 saguão, vestíbulo. 3 mansão, edifício.
hallo interj. alô!
Halloween s. Dia das Bruxas, 31 de outubro.
hallucination s. alucinação.
halo s. (pl *-es, -s*) auréola.
halt s. parada, pausa. ***call a halt (to),*** mandar parar. ***come to a halt,*** parar.
halt v.t. e i. 1 parar: *The bike halted when the signal turned red.* 2 terminar, acabar com: *The President is trying to halt the raise of inflation.*
halting adj. hesitante, cauteloso: *The doctor spoke in a halting tone.*
halve v.t. 1 dividir ao meio. 2 cortar, reduzir pela metade: *Costs have been halved.*
ham s. 1 presunto.

hammer

hammer s. martelo.
hammer v.t. e i. 1 martelar, pregar, golpear. 2 (infml) bater, vencer.
hammock s. rede de dormir.
hamper s. cesto, baú de vime.
hamper v.t. e i. dificultar, estorvar, obstruir: *The rally was hampered by the inexperience of some of the drivers.*
hand s. 1 mão. *at hand*, à mão, próximo, ao alcance. *by hand*, à mão, em mãos: *This dress was made by hand. from hand to hand*, de mão em mão: *The baby was passed from hand to hand. in hand*, reservado, de reserva: *I had no money in hand to buy a new house. hand in hand*, de mãos dadas. *go hand in hand*, andar juntos: *Love and passion go hand in hand. be in good hands*, estar em boas mãos. *have sth on one's hands*, ter algo sob a responsabilidade de alguém. *out of hand*, fora de controle: *This teacher always lets her students get out of hand. give/lend a hand*, dar uma mão, ajudar. *have one's hands full*, estar ocupado. *have/get the upper hand*, ter vantagem sobre algo/alguém. *not lift a hand*, não mexer um dedo, não fazer nenhuma tentativa para ajudar. *shake hands*, dar a mão, apertar a mão. *wash one's hands of sth*, lavar as mãos com respeito a algo. *change hands*, mudar de mão, mudar de dono. *first-hand*, de/em primeira mão: *first hand information. second-hand*, de segunda mão. 2 ajudante: *The farmer needs three extra hands to help him.* 3 indicador, ponteiro: *the hands of the clock.* 4 posição, direção. *on the one hand*, por um lado. *on the other hand*, por outro lado. 5 letra: *He has a good hand*, Ele tem uma letra boa. 6 mão (de cartas). 7 (infml) aplauso: *Let's give him a hand!*, Vamos aplaudi-lo.
hand v.t. passar: *Please hand me the water. hand out*, distribuir. *hand over*, entregar.
handbag s. bolsa de mulher.
handbrake s. freio de mão.
handcuff s. algema.
handcuff v.t. algemar.
handful s. 1 mão-cheia, um pouco, um punhado. 2 pessoa ou coisa difícil: *That old man is a real handful.*
handicap s. desvantagem, handicap, empecilho.
handicapped adj., s deficiente. *mentally handicapped*, deficiente mental. *physically handicapped*, deficiente físico.
handkerchief s. lenço.
handle s. alça, manivela, cabo, maçaneta, puxador, alavanca. *door handle*, maçaneta. *pan handle*, cabo de panela.
handle v.t. 1 manusear, manipular, pegar, tocar. 2 lidar com, manejar. 3 controlar, conduzir: *The manager handled the meeting very well.*
handlebar s. guidão.
hand-made adj. feito a mão.
handout s. panfleto.
hand-picked s. selecionado.
handrail s. corrimão.
handshake s. aperto de mão.
handsome adj. 1 atraente, belo. 2 generoso: *a handsome gift.*
handwriting s. letra, escrita, caligrafia.
hang v.i. enforcar: *Tiradentes was hanged.*
hang v.t. e i. (pret, pp *hung*) 1 pender, pendurar, suspender. 2 pairar. 3 vadiar. *hang about/(a)round*, vadiar, andar/estar por aí. *hanger-on*, (rel a pessoa) parasita, tiete. *hang on*, a) segurar: *hang on to these dresses for a moment.* b) (infml) esperar: *hang on a minute!* Espere um pouco. *hangover*, ressaca (de bebedeira). *hang together*, ficar juntos: *Let's hang together and finish this book. hang up*, a) desligar (o telefone). b) sensação de frustração, complexo: *He has a hang up about talking to people.*

hangar s. hangar.
haphazard adv., adj. puro acaso, por acidente, acidental, por acaso.
happen v.i. 1 ocorrer, acontecer, ter lugar.
happening s. acontecimento, evento.
happiness s. alegria, felicidade, contentamento. **be filled with happiness**, estar muito feliz.
happy adj. (-ier; -ies.t) contente, feliz, alegre: *She is happy with her new job*.
happy-go-lucky, despreocupado: *He doesn't take anything seriously. He's a happy-go-lucky person*.
harass v.t. 1 vexar, assolar, incomodar, molestar: *The police were looking for drugs and harassed them*. 2 cansar: *He felt harassed after 15 years. doing the same job*.
harbinger s. presságio, prenúncio.
harbor s. 1 porto, ancoradouro: *Santos has a wonderful natural harbour*. 2 (fig) abrigo, asilo, refúgio. (GB *harbour*).
harbor v.t e i. 1 abrigar, proteger, acolher: *She was accused of harboring the criminals who escaped*. 2 nutrir, fomentar (um sentimento): *He harbors an ambition of being the president of the company*. (GB *harbour*).
hard adj. (-er, -est) 1 duro, sólido, rígido, firme. 2 difícil, dificultoso: *It is hard to please my mother*. **have a hard time**, passar por uma experiência difícil. 3 opressivo, severo, cruel, inflexível: *His father is a hard man*. **learn sth the hard way**, aprender algo a grande custo. **take a hard line**, adotar a linha dura, tomar medidas enérgicas. 4 dedicado, aplicado: *a hard student*. **hard and fast**, inalterável: *The rules of the school are hard and fast*. **hard of hearing**, surdo, deficiente auditivo: *Her mother is hard of hearing*. **hard-boiled egg**, ovo cozido. **hard cash**, dinheiro vivo, dinheiro à vista. **hard currency**, moeda forte, divisas estrangeiras fortes. **hard drugs**, drogas que viciam. **hard feelings**, ressentimentos: *No hard feelings!* Sem ressentimentos. **hard headed**, obstinado, sisudo, sério. **hard hearted**, frio, cruel, desumano. **hard luck**, má sorte. **hard on**, (vulg) ereção, tesão. **hard up**, duro, sem dinheiro: *I'm always hard up. I have no money*. **hard working**, trabalhador, diligente, aplicado.
hard adv. duramente, severamente, fortemente, energicamente: *You have to work hard to succeed*. **be hard pressed**, estar em apuros, estar em grande aperto.
harden v.t e i. endurecer(-se), solidificar(-se).
hardly adv. 1 com dificuldade, mal: *He was so surprised, he could hardly speak*, Ele ficou tão surpreso que mal conseguia falar. 2 quase nunca, quase ninguém, quase nada: *We hardly go to the movies* 3 apenas, mal: *We had hardly arrived when the class began*. 4 desnecessário, improvável: *He can hardly expect us to go everywhere he wants*.
hardship s. sofrimento, apuro, dificuldade: *He likes an easy life and can't support the thought of hardship*.
hardware s. 1 ferragens, artigos de metal. 2 equipamento de computação.
hare s. lebre. **hare-brained**, descuidado, negligente, estonteado: *Don't be such a hare brained idiot!*
harem s. harém.
harm s. mal, dano, prejuízo: *There is no harm in asking him for help*, Não há mal nenhum em lhe pedir ajuda. **mean no harm**, não querer ofender: *I meant no harm by saying that*. **do harm**, causar danos, prejuízo: *My dog can't do any harm*. **do sb harm**, atacar/ferir/atingir alguém: *Don't worry, they can't do us any harm*. **come to harm**, ser ferido: *They had an accident but they didn't come to harm*.
harm v.t. ferir, ofender, atingir, danificar, prejudicar: *Working hard doesn't harm anyone!* **would(n't) harm a fly**, ser

harmful

inofensivo: *He's very kind. He wouldn't harm a fly.*
harmful *adj.* prejudicial, perigoso, nocivo: *Pollution can be very harmful.*
harmless *adj.* inofensivo, inócuo: *Don't be afraid of that dog, it's harmless.*
harmonious *adj.* harmonioso.
harmony *s.* harmonia, concórdia.
harness *v.t.* 1 arrear. 2 explorar, aproveitar a força de algo: *The river was harnessed for hydroelectric energy in that city.*
harp *s.* harpa. **harp on**, bater na mesma tecla, insistir: *My son is always harping on about how he wants me to buy him a bike.*
harsh *adj.* (*-er, -es.t*) 1 severo, duro, áspero: *a harsh personality*. 2 (rel a cores) berrante: *harsh colours* 3 cruel, insensível: *a harsh comment.*
harvest *s.* 1 colheita, safra, ceifa. 2 produto, resultado, conseqüência: *The new laws produced a harvest of complaints from the public.*
has V. have.
hash *s.* (infml) haxixe.
hashish (-eesh) *s.* haxixe.
hassle *s.* (infml esp EUA) 1 discussão difícil. 2 luta (corporal ou mental): *It was a real hassle to persuade her to give me a better remark.*
haste *s.* pressa, rapidez, urgência: *Make haste, could you?*
hasten *v.i. e t.* apressar(-se), acelerar.
hasty *adj.* (*-ier, -iest*) apressado, precipitado, impetuoso.
hat *s.* chapéu. **old hat**, antiquado, fora de moda. **talk through one's hat**, (infml) dizer tolices.
hatch *s.* 1 portinhola, postigo, abertura entre a sala de jantar e a cozinha por onde se passa comida. 2 escotilha do tombadilho (em navio).
hatchet *s.* machadinha. **bury the hatchet**, fazer as pazes, pôr fim às hostilidades.
hate *s* ódio, rancor.
hate *v.t.* odiar, detestar.

hateful *adj.* odioso, detestável.
hatred *s.* ódio.
hatter *s.* chapeleiro.
haughtiness *s.* arrogância, altivez.
haughty *adj.* (*-ier, -iest*) arrogante, insolente, altivo.
haul *s.* 1 ação de puxar, arrastamento. 2 distância ou quantidade puxada: *The fishermen got a good haul (of fish).* 3 (infml) produto ganho (esp de coisas roubadas).
haul *v.t. e i.* puxar (com esforço), arrastar, rebocar: *The car had to be hauled.*
haunt *s* antro, lugar freqüentado, retiro: *That bar is a haunt of motor-cyclists.*
haunt *v.t.* 1 freqüentar, visitar assiduamente. 2 (rel a fantasmas) assombrar. 3 (reI a memórias, idéias, etc) assolar, assaltar, perseguir: *The fear of being dismissed haunted him.*
have *v.* anômalo (usado na interrogativa e negativa sem do no uso britânico, em alguns casos, mas ger com do no uso americano; no estilo informal ger substituído por *have got*). 1 ter, possuir: *How much money do you have? She has beautiful long hair.* 2 permitir, admitir: *I won't have you come to my house to insult me.*
have *v. aux.* ter, usado como auxiliar nas formas compostas do pretérito: *She has/she's arrived. I haven't seen him since he went to Manaus. The patient had just died when the doctor arrived.*
have *v.t.* (usado na negativa e interrogativa com do) 1 ter, receber, obter: *What did you have for Christmas?* 2 tomar, escolher, pedir, ter: *What would you like to have for dinner?* 3 usado em expressões com um substantivo que podem ser substituídas por um único verbo: *have a walk*, dar um passeio. *have a try*, fazer uma tentativa. *have a look*, dar uma olhada. 4 experimentar, passar por, ter a experiência: *He had a lot of difficulty in his life.* **have sth done**, fazer com que alguém faça

algo (para você): *I must have my car overhauled,* Preciso mandar fazer uma revisão no carro. *She had her hair cut very short,* Ela cortou (alguém cortou para ela) o cabelo bem curto. **have sb to do sth**, querer, desejar, esperar: *I would have you know that your proposal has. been accepted.* **have sth done**, sofrer a ação de alguém: *He had his car stolen,* Roubaram-lhe o carro. 5 Blograr, enganar: *Be careful! He'll have you if you don't say anything.* 6 conseguir vantagem sobre (alguém), derrotar: *I finally had him in his own game.* **have sth back**, ter, receber de volta: *I must have these CDs back next week.* **have sb in**, ter, receber alguém no aposento, na casa, etc: *Have him in,* Faça-o entrar. **have sb on**, (infml) enganar alguém: *He was trying to have you on when he said you were not the right person for the job.* **have sth on**, a) estar vestindo: *The girl in the photo had a white skirt.* b) ter um compromisso: *We have nothing on for tonight, we colud go to the movies.* **have it out with (sb)**, chegar a um entendimento com alguém: *There's some misunderstanding here. Let's have it all out.*
have *v.t.* 1 ter de, ser obrigado a: *He had to do the homework again, it was wrong the first time he did it.* 2 ter, sofrer de: *Do you ever have headaches?* 3 dar à luz, parir: *Our dog had five puppies.* 4 entreter: *Can you have some of my guests for a while?*
haven *s.* (fig) abrigo, refúgio.
havoc *s.* estrago, ruína, destruição, devastação.
hawk *s.* falcão.
hay *s.* feno. **hay fever**, alergia, febre de feno. **haywire**, (gír) desorganizado, em grande confusão.
hazard *s.* risco, perigo: *You must be prepared for the hazards of being a lawyer, if you want to be one.*
hazard *v.t.* 1 arriscar(-se), expor(-se) ao perigo. 2 arriscar (uma opinião, uma suposição).
hazardous *adj.* arriscado.
haze *s.* 1 névoa, neblina, bruma. 2 (fig) falta de clareza, confusão mental.
hazel *s.* 1 aveleira. 2 (esp olhos) cor de avelã.
hazy *adj.* (-ier, -iest) enevoado, nebuloso. 2 (fig) vago, incerto, confuso: *I don't know what to do. I'm hazy about what´s going on.*
he *pron.* ele.
he'd 1 contração de *he would.* 2 contração de *he had.*
he'II contração de *he will: he'll be there soon.*
he's contração de *he is: he's coming.* 2 contração de *he has: he's. got two beautiful cars.*
head *s.* 1 cabeça. 2 intelecto, mente: *It won't enter his head that he is not wanted here anymore.* 3 topo, extremidade ou parte superior, ponta: *the head of a page.* 4 cabeceira (de cama, de rio). 5 cara (de moeda): *heads or tails,* cara ou coroa. **be unable to make head or tail of sth**, estar completamente confuso a respeito de algo. 6 pessoa, cabeça (na frase **so much a/per head**, tanto por cabeça). 7 chefe, comandante, diretor, pessoa em posição de comando: *the head of a department.* 8 cabeça, como medida de altura ou distância: *He's half a head taller than his brother.* 9 cabeça de prego, alfinete, martelo, etc. 10 (pl invariável) cabeça de gado. 11 (rel a plantas) flores ou folhas na ponta do caule: *a head of lettuce.* 12 firmeza, aptidão natural para uma atividade: *He has a good head for math.* 13 posição ou lugar mais importante: *at the head of the table.* 14 pressão de água ou vapor para fins industriais. 15 cabeçalho, título. 16 espuma de cerveja, colarinho. **come to a head**, chegar a um ponto crítico. **eat/talk/ laugh/shout one's head off**, comer/

head

falar/rir/gritar muito, repetidamente ou muito alto. *go to one's head,* subir à cabeça. *head over heels,* a) de pernas para o ar. b) profundamente, completamente: *He is head over heels in love. keep one's head,* manter-se calmo, sob controle. *lose one's head,* perder a cabeça, perder a calma. *off one's head,* fora de si. *put out/your/their heads together,* pensar, resolver juntos. *put sth out of one's head,* tirar da cabeça, parar de pensar sobre algo. *have a swollen head,* ser ou estar cheio de si. *turn sb's head,* virar a cabeça. *(go) over sb's head,* (passar) por cima de alguém (sem pedir permissão). *headache,* dor de cabeça. *headlight,* farol (de automóveis). *headline,* manchete (de jornal). *headmaster,* diretor de escola. *headmistress,* diretora de escola. *head-on,* de frente: *a head on car crash. headphones,* fone de ouvido. *headquarters,* quartel-general, centro de operações. *headstrong,* cabeçudo, obstinado. *headway,* progresso.

head *v.t. e i.* 1 encabeçar, abrir: *Adams headed the list.* 2 dirigir-se, ir: *The plane is heading south. head sth/sb off,* desviar.

heading *s.* cabeçalho, tópico, título.

heal *v.t. e i.* 1 curar, sarar, cicatrizar. 2 (fig) apaziguar: *to heal a quarrel.*

health *s.* saúde.

healthy *adj. (-ier, -iest)* saudável, são.

heap *s.* 1 monte, pilha: *a heap of books.* 2 (infml) montão, grande quantidade: *I have heaps of work to do.*

heap *v.t.* 1 empilhar, amontoar, encher: *The stock room is big, you can heap the books there.* 2 acumular, cumular: *to heap favours. upon s.b.*

hear *v.t. e i.* (pret, pp *heard*) 1 ouvir, escutar. 2 ouvir, ser informado: *We heard that he was coming. hear from sb,* receber notícias de alguém. *hear of sb/sth,* ficar sabendo, ter conhecimento. 3 prestar atenção, dar ouvidos: *I want you to hear what he has to say.*

hearing *s.* 1 audição, ouvido, ação de ouvir. 2 alcance do ouvido. *within/out of hearing,* ao alcance/fora do alcance do ouvido. 3 audiência, oportunidade de ser ouvido.

hearsay *s.* boato, rumor.

heart *s.* 1 coração. 2 âmago, centro, essência: *the heart of the situation.* 3 afeição, amor, inclinação. 4 ânimo, coragem. *lose heart,* perder o ânimo. *take heart (from),* criar coragem. *have the heart (to)* ter coragem (de): *I didn't have the heart to get back to school after so long.* 5 objeto em forma de coração, copas (naipe de baralho). *at heart,* basicamente, na realidade. *heart and soul,* de corpo e alma. *learn/know sth by heart,* decorar. *a change of heart,* uma mudança para melhor. *have one's heart in one's mouth,* com o coração na boca, ansioso, assustado. *have one's heart set on sth,* afeiçoar-se, desejar muito. *take sth to heart,* ressentir-se. *heartache,* mágoa, inquietação. *heart attack,* ataque cardíaco. *heartbeat,* batida do coração. *heartbreak,* mágoa, desgosto. *heartbreaking,* de partir o coração. *hearbroken,* de coração partido. *heartburn,* azia, queimação. *heartfelt,* sincero, profundo.

hearth *s.* 1 (chão da) lareira. 2 (fig) lar.

heartily *adv.* 1 corajosamente, sinceramente. 2 com grande apetite: *The kids heartily ate the cake she made.*

heartless *adj.* cruel, sem coração, insensível.

hearty *adj. (-ier, -iest)* 1 sincero, genuíno: *a hearty feeling.* 2 forte, sadio, bem disposto. 3 (rel a refeições, apetite) substancioso, grande.

heat *s.* 1 calor. 2 (fig) calor, ardor, arrebatamento. 3 (esporte) corrida, páreo para eleição dos finalistas. *be in heat* (GB *on heat*), estar no cio.

heat-stroke, insolação. **heatwave**, onda de calor.
heat *v.t. e i.* 1 aquecer, esquentar. 2 inflamar: *They had a heated discussion the other day.*
heatedly *adv.* excitadamente, acaloradamente.
heater *s.* aquecedor.
heath *s.* 1 (bot) urzal, charneca, matagal.
heave *s.* 1 levantamento, hasteamento. 2 puxão, arremesso. 3 ondulação, ação de levantar a intervalos regulares: *The heave of waves is something that's able to calm me down.*
heave *v.t. e i.* 1 levantar, içar, alçar, erguer: *to heave the anchor of the boat.* 2 arfar, ofegar, soltar (suspiro, gemido, etc).
heaven *s.* 1 céu, paraíso, morada de Deus. 2 (infml) felicidade, paraíso. 3 (ger **Heaven**) céu(s), Deus: *Thank Heavens!* Graças a Deus!, *God heavens!* Meu Deus!
heavenly *adj.* 1 celestial, divino. 2 (infml) muito agradável, maravilhoso.
heavily *adv.* pesadamente, severamente, em grande quantidade.
heaviness *s.* peso, lentidão, indolência.
heavy *adj. (-ier, -iest)* 1 pesado. 2 de grande quantidade, tamanho, força, intensidade, etc: *São Paulo always has heavy traffic.* 3 (rel a pessoas, escritos, etc) monótono, aborrecido, difícil. 4 inerte, preguiçoso: *I'm a heavy sleeper.* **heavyweight**, (boxeador) peso-pesado.
hectic *adj.* excitado, agitado, muito movimentado: *We've had a hectic day.*
hedge *s.* 1 sebe, cerca viva. 2 (fig) proteção (contra perda): *He invested in gold as a hedge against the Government plans.*
hedge *v.t. e i.* 1 cercar (com sebe). 2 (fig) restringir, limitar, cercar. 3 esquivar-se (de uma resposta direta).
hedgehog *s.* ouriço.

heed *v.t.* (fml) prestar atenção, atender, acatar: *He should heed his father's comments.*
heedless *adj.* desatento, descuidado.
heel *s.* calcanhar, salto (de sapato). **at/on sb's heel(s)**, (fig) nos calcanhares, no encalço. **down at heel**, andrajoso, maltrapilho. **come to heel**, a) (rel a um cão) seguir alguém de muito perto. b) (fig) submeter-se, obedecer. **take to one's heels**, fugir, dar no pé.
heel *v.t. e i.* **heel over**, (rel a navio) inclinar-se, adernar.
hefty *adj. (-ier, -iest)* (infml) grande, forte, robusto.
height *s.* 1 altura, altitude: *What is his height?* 2 alto, cume: *We can get a beautiful view from that mountain height.* 3 extremo, auge, cúmulo, apogeu: *It's difficult to be here in the height of summer.*
heighten *v.t. e i.* elevar, aumentar, intensificar: *His anger was heightened by what he saw.*
heir *s.* herdeiro: *my son and heir.*
heiress *s.* herdeira.
heirloom *s.* herança de família, objeto que fica na família, através das gerações.
held V. (pretérito do verbo *hold*).
helicopter *s.* helicóptero.
heliport *s.* heliporto.
helium *s.* gás hélio.
hell *s.* 1 inferno. 2 palavra de baixo calão usada para xingar: *Go to hell!* **a hell of**, intensificador de uma expressão: *What the hell are you doing here?* **for the hell of it**, (infml) à toa, só para se divertir: *We went to the beach for the hell of it.* **like hell**, (infml) muito: *I worked like hell on Saturday to finish my project.* **bloody hell**, expressão de desapontamento ou raiva: *Bloody hell! The car has broken down again!*
hello *interj.* olá! alô! (também usado ao telefone).
helmet *s.* capacete, elmo: *One shouldn't drive a motorcycle without a helmet.*

help

help *interj.* Socorro!
help *s.* 1 ajuda, auxílio, assistência: *Can you give me help?* 2 alívio, socorro, amparo.
help *v.t. e i.* 1 ajudar, auxiliar: *Can you help me?* 2 socorrer, amparar: *The driver helped the victims of the accident.* 3 servir-se: *help yourself,* Sirva-se. **can't help,** não conseguir deixar deixar/parar de: *I couldn't help laughing when he told the joke.* ***I can't help it,*** Nada posso fazer, Não consigo me segurar.
helper *s.* ajudante, auxiliar.
helpful *adj.* útil, que ajuda: *He gave us a helpful suggestion.*
helpfulness *s.* ajuda, assistência.
helping *s.* 1 ajuda. 2 porção de comida, prato de comida: *Would you like a second helping?*
helpless *adj.* desamparado: *I felt so helpless after my parents moved to China.*
helter-skelter *s.* uma brincadeira em parque de diversões onde se escorrega em espiral.
hem *s.* bainha, barra, orla, borda: *take the hem up/down,* encurtar/encompridar a barra.
hemisphere *s.* hemisfério. ***The Northern/Southern hemisphere,*** o hemisfério norte, o hemisfério sul.
hemophilia *s.* hemofIlia.
hemorrhage *s.* V. haemorrhage.
hen *s.* galinha, fêmea de ave. ***henhouse,*** galinheiro.
hence *adv.* conseqüentemente, daí, por isso: *He was. born in Christmas, hence the name, Natalino.* (= whence).
henna *s.* hena, colorante, natural para cabelos.
hepatitis *s.* hepatite.
her *adj. pos.s.* dela, seu, sua: *This is not your dress, it's her dress. That woman is her teacher.*
her *pron* lhe, a ela: *Give this to him,* Dê-lhe isto. *I saw her at school,* Eu a vi na escola.

herald *s.* arauto, mensageiro: *the herald of peace.*
herb *s.* erva: *Cooking with herbs is wonderful.*
herbal *adj.* herbal: *herbal cream.*
herbivorous *adj.* herbívoro.
herd *s.* 1 rebanho, bando, manada: *a herd of elephants.*
here *adv.* aqui, neste lugar, cá: *Come here!* Vem cá! ***here and there,*** espalhado, aqui e lá, disperso. ***hereabouts,*** por aqui, por perto, nas redondezas: *He lives hereabouts.* ***hereafter,*** (fml) depois, daqui em diante. ***hereby,*** (fml) com isto, por isto: *I hereby declare that this doesn't belong to me.* ***herewith,*** (fml) com isto, juntamente, incluso: *I'll send you a copy herewith.*
hereditary *adj.* hereditário.
heredity *s.* hereditariedade.
heresy *s.* heresia.
heritage *s.* herança: *cultural heritage.*
hermetic *adj.* hermético: *a hermetical seal.*
hermetically *adv.* hermeticamente: *hermetically closed.*
hermit *s.* ermitão, eremita.
hernia *s.* hérnia.
hero *s.* herói: *He was a hero to me.*
heroic *adj.* heróico: *heroic behaviour.*
heroin *s.* narcótico, heroína, droga derivada de morfina.
heroine *s.* heroína.
heroism *s.* heroísmo.
hers *pron pos.s.* dela, seu, sua, seus, suas: *It is hers,* Isto é dela. *a friend of his,* um amigo dele
herself *pron. reflex.* ela mesma, a si mesma: *She hurt herself,* Ela se machucou. ***(all) by herself,*** sozinha sem ajuda: *She did it by herself.*
hesitate *v.i.* hesitar, vacilar: *She hesitated between the two dresses.*
hesitation *s.* hesitação, dúvida, incerteza: *We answered without hesitation.*
heterodox *adj.* heterodoxo.

heterogeneous *adj.* heterogêneo.
heterosexual *adj.* heterossexual.
hexagon *s.* hexágono.
hexagonal *adj.* hexagonal.
hey *interj.* ei! eh! (exclamação de surpresa ou chamando atenção de alguém): *Hey! You!*
hi *interj.* (cumprimento informal) olá, alô.
hibernate *v.i.* hibernar.
hibernation *s.* hibernação.
hic-cup (-cough) *s.* soluço: *He heard a loud hiccup in the middle of the night.*
hid V. (pretérito do verbo *hide*).
hide *s.* pele ou couro cru.
hide *v.t. e i.* (pret *hid*, pp *hidden*), esconder -se, ocultar. **hide and seek**, jogo de esconde-esconde. **hiding-place**, esconderijo.
hideous *adj.* terrível, horrível: *They heard a hideous noise during the night.*
hiding *s.* surra, sova: *I'll give you a hiding if you don't stop crying!*
hierarchy *s.* hierarquía: *Hierarchy should be respected in the company.*
hieroglyph *s.* hieróglifo.
high *adj.* 1 alto, elevado: *It's too high for the baby to reach it. That's a very high building. How high is the plane?* 2 (infml) alto, drogado, animado, intoxicado: *He was high on drugs.* **high and dry**, desamparado, em dificuldade: *Without my mother, I felt high and dry.* **highbrow**, intelectual. **highchair**, cadeirão (de criança). **high-class**, classe A, classe alta. **highland**, planalto, região montanhosa. **high-level**, de alto nível: *Manager is a high level position in the company.* **high society**, alta sociedade, aristocracia. **high-spirited**, animado, vivo: *She is so high spirited.* **high street**, rua principal. **highway**, estrada, rodovia.
high *adv.* altamente, elevadamente, em alto grau: *The plane flies high*, O avião voa bem alto. **look/search high and low (for sth)**, procurar por toda parte. **aim/fly high**, ter altas pretensões. **hold one's head high**, manter-se de cabeça erguida.
high *s.* 1 alto nível, subida, elevação, altura: *There's a new high in the prices.* 2 animação produzida por álcool ou drogas.
highness *s.* 1 altura, elevação. 2 alteza: *Your Royal Highness.*
hijack *v.t.* assaltar, raptar, seqüestrar (carro, avião, trem, ônibus, etc): *The plane was hijacked by terrorists.*
hijacker *s.* seqüestrador, assaltante.
hike *v.i.* andar a pé, passear a pé: *We went hiking in the park.*
hilarious *adj.* hilariante, extremamente engraçado.
hilarity *s.* hilaridade, júbilo.
hill *s.* morro, outeiro, colina: *His house is just beyond that hill.* **hillside**, ladeira, declive, encosta. **hilltop**, cume de morro, topo de montanha.
him *pron.* lhe, a ele, o: *I gave him a book*, Eu lhe dei um livro. *I'll call him*, Vou chamá-lo. *Is that him?* É ele? (Cf. *her*).
himself *pron. reflex.* ele mesmo, a si mesmo: *He himself did it*, Ele mesmo o fez. *He saw himself in the mirror.* (Cf. *hers.elf*). **(all) by himself**, sozinho: *He lives (all) by himself.*
hind *adj.* traseiro, posterior: *hind legs*, patas traseiras. **hindsight**, compreensão tardia do que deveria ter sido feito: *I had a hindsight of what I could have done in that situation.* **in hindsight**, retrospectivamente.
hinder *v.t.* impedir, retardar, estorvar, obstruir: *You're hindering my work with your behavior.*
hindrance *s.* obstáculo, embaraço, estorvo: *Traffic is a daily hindrance in São Paulo.*
Hindu *adj.* adepto do hinduísmo, hindu.
Hinduism *s.* hinduísmo.

hinge

hinge s. dobradiça, articulação, junta: *The window is fixed on hinges.*
hint s. 1 sugestão, alusão, insinuação. 2 pista, dica, palpite: *Come on, give me a hint of what is hapenning.*
hip s. quadril, anca, bacia: *Women have rounder hips than men.*
hippo s. (infml) abrev de *hippopotamus*.
hire v.t. 1 alugar, arrendar: *He hired a car.* 2 empregar, contratar: *The factory is hiring new workers.*
his adj. poss. seu, sua, seus, suas, dele: *That's his car,* Aquele é o carro dele.
his pron poss o seu, a sua, os seus, as suas, dele: *That car is his,* Aquele carro é dele.
hiss v.i. e t. assobiar, silvar, sibilar: *The snake hissed when they approached.*
historian s. historiador.
historic adj. histórico.
historical adj. histórico: *historical facts.*
history s. 1 história, historiografia: *History is written by men.* 2 histórico: *She has long medical history of heart problems in her family.*
hit v.t. e i. (pret, pp -) 1 golpear, acertar, atingir: *They hit him with the ball.* 2 afetar, ferir. **be hard hit**, sofrer. **hit the nail on the head**, acertar, "dar uma dentro". **hit someone where it hurts**, tocar o ponto fraco. **hit the bottle**, beber demais, ficar bêbado. **hit the road**, sair em viagem. **hit parade**, parada de sucessos musicais. **hit song**, canção de sucesso.
hitch v.t. e i. 1 puxar, amarrar, ligar. 2 (infml) viajar de carona.
hitchhike v.i. (infml) pedir carona, viajar de carona.
hitchhiker s. pessoa que viaja de carona.
hive s. 1 colméia: *bee hive.* 2 (fig) colméia, lugar onde há muitas pessoas trabalhando.
hoarse adj. rouco, áspero: *She answered with hoarse manners.*
hoarseness s. rouquidão, aspereza.
hoax s. brincadeira, peça, trote.
hobby s. (pl -ies) passatempo: *His hobby is collecting stamps.*
hockey s. hóquei.
hog s. 1 porco castrado. 2 (fig) pessoa suja, gulosa. **go the whole hog**, (gír) ir até o fim, não deixar pela metade.
hoist v.t. 1 içar, hastear: *hoist a flag.* 2 suspender, levantar (esp mecanicamente).
hold s. 1 ação de segurar, pegar, agarrar. **take/catch hold of**, segurar, prender, pegar. **have a firm hold of (on)**, dominar, segurar com mão forte. **it took a hold on me**, impressionou-me. 2 apoio, suporte. 3 influência, impressão. 4 posse.
hold v.t. e i. (pret, pp *held*) 1 pegar, segurar, agarrar: *hold my hands!* **hold the line**, espere na linha (telefone). 2 deter, refrear, reter: *to hold one's tongue,* calar-se. 3 manter (posição, atitude, relação, etc): *Hold your arm up.* 4 conter, caber, encerrar: *This bottle holds a liter. No one knows what the future holds.* 5 julgar, crer, afirmar: *He holds the view that all politicians are corrupt.* 6 possuir: *to hold shares.* 7 ocorrer, presidir, reunir: *The meeting was held by an important director.* **hold back**, a) reter(-se), deter(-se). b) resistir. c) ocultar: *He's holding back information.* **hold down**, a) segurar (evitando que levante). b) controlar, reprimir: *We could sell more if we held prices down.* **hold in**, reter, refrear, reprimir. **hold off**, a) manter à distância. b) refrear ou sustar (ação, p ex). **hold on**, a) agarrar-se. b) continuar, não ceder. c) ocultar. **hold out**, estender, oferecer. **hold out for**, resistir, não ceder: *They are holding out for better conditions.* **hold together**, manter atado, ligado, unido, intacto: *They are here to hold all the people together.* **hold up**, a) suspender. b) perdurar, continuar. c)

deter, atrasar: *I was held up by a traffic jam*. d) deter para roubar: *He was held up by a thief*.

holder *s*. 1 proprietário, dono. 2 portador (de títulos): *share holder*, acionista. 3 cabo, alça. 4 recipiente ou porta-objetos: *key holder*, chaveiro; *book holder*, porta-livros.

holding *s*. 1 realização (de assembléia, p ex). 2 posse, propriedade. 3 (ger pl) posses, esp títulos e ações. ***holding company***, companhia acionista (ger a principal) de outras organizações.

hole *s*. 1 buraco, ofício, furo. ***pick holes in***, achar defeito em. 2 embaraço, dificuldade: *He is in a hole*, Ele está em apuros. 3 cova, toca. 4 habitação pequena e escura, antro.

holiday *s*. 1 feriado. 2 (ger pl) férias. ***on holidays***, de férias.

holiness *s*. 1 santidade. ***His/Your Holiness***, Sua Santidade.

hollow *adj*. 1 oco, vazio. 2 (rel a sons) surdo, abafado. 3 (fig) falso, insincero, sem valor: *hollow joys*, prazeres fúteis; *hollow victory*, vitória fácil, sem valor. 4 fundo, magro, encovado: *hollow eyed*, de olhos fundos.

hollow *s*. 1 buraco, cavidade. 2 vale, depressão.

holocaust *s*. 1 holocausto. 2 extermínio, destruição (esp de vidas).

holy *adj*. (-ier, -iest) 1 santo, divino. ***Holy Week***, Semana Santa. ***the Holy Father***, o Santo Padre, o Papa.

homage *s*. homenagem, respeito, reverência. ***do/pay homage (to sb)***, homenagear: *They came to pay homage to the Holy Father*.

home *s*. 1 casa, lar: *Let´s go home*, Vamos para casa. ***at home***, em sua própria casa, cidade ou país: *I left her at home*. ***make oneself/be/feel at home***, ficar à vontade, sentir-se em casa: *He didn´t feel at home in his father´s house*. 2 asilo, abrigo, instituição de caridade: *a nursing home*. 3 (também como adj) doméstico: *home life*, vida doméstica. 4 habitat: *The jungle is the home of wild animals*. ***home-made***, feito em casa: *home-made bread*. ***homesick***, saudoso da pátria, do lar: *He is homesick for he's been away for a long time*. ***homestead***, casa grande de fazenda, solar. ***home town***, cidade natal. ***homework***, a) trabalho doméstico. b) lições de escola, feitas em casa.

homeless *adj*. que não tem casa, desabrigado.

homely *adj*. (-ier, -iest) 1 simples, sem ornatos. 2 rústico, inculto. 3 caseiro, doméstico. 4 feio: *a homely dog*.

homeopathy *s*. homeopatia. (GB *homoeopathy*).

homicide *s*. 1 homicida, assassino. 2 homicídio.

homogeneous *adj*. homogêneo.

homonym *s*. homônimo.

homosexual *adj*. homossexual.

honest *adj*. 1 honesto, honrado, digno. 2 franco, sincero: *an honest man*. 3 verdadeiro, genuíno.

honesty *s*. 1 honestidade, integridade. 2 franqueza, sinceridade.

honey *s*. 1 mel (de abelhas). 2 (infml) querido, bem, amor. ***honey comb***, favo de mel.

honeymoon *s*. lua-de-mel.

honor *s*. 1 honra, dignidade. ***do honour to***, fazer jus a, ser motivo de honra. 2 retidão, integridade. ***give/on one's word of honour***, dar a/sob palavra de honra. 3 (fml) honra: *May I have the honour of your company?* 4 (pl) honras: *do the honours of the house*, fazer as honras da casa. 5 pessoa ou coisa que traz prestígio: *He is an honour to the company*. 6 (Pl) sinais de respeito, distinção, títulos: *military honours*. 7 (pl) (nas universidades) distinção: *an honours degree; pass with honours*, ser aprovado com louvor e distinção. (GB *honour*).

honor

honor v.t. 1 honrar, respeitar, reverenciar. 2 aceitar: *to honour an invitation*, aceitar um convite. 3 aceitar e pagar (letra, cheque, etc) quando devido: *to honour a cheque*. (GB *honour*).
honorable adj. 1 ilustre, nobre. 2 honesto, decente. 3 (com maiúsc) título honorífico. (GB *honourable*).
honorary adj. honorário, honorífico: *an honorary title*.
hood s. 1 capuz. 2 capota. 3 capô (de carro).
hoof s. (pl -s ou *hooves*) casco, pata (de cavalo, etc).
hook s. 1 gancho, anzol. 2 foice. **by hook or by crook**, de qualquer maneira, custe o que custar. **on one's own hook**, sozinho, sem o auxílio de ninguém. **get the hook**, ser despedido.
hook v.t. e i. 1 enganchar, prender. 2 pescar, fisgar (também fig): *She hooked him*, Ela o fisgou. 3 curvar, dobrar. 4 (infml) roubar.
hooked adj. 1 curvo, em forma de gancho: *a hooked nose*. 2 (gír) viciado em, aficcionado: *She is hooked on marijuana. His mother is hooked on reading novels*.
hooligan s. desordeiro, arruaceiro, vagabundo.
hop s. 1 pulo, salto. 2 viagem curta (de avião). 3 (gír) festa, dança.
hop v.i. e t. (-pp-) 1 pular, saltar. 2 (infml) viajar de avião (a curta distância), dar um pulo: *We could hop over to Rio de Janeiro this weekend*.
hope s. esperança, expectativa, desejo. **in the hope of**, na esperança de: *They went there in the hope of getting a new job*. **give up hope**, perder a esperança. **raise sb's hopes**, encorajar alguém.
hope v.t. e i. 1 esperar, desejar: *We hope you come back soon*. 2 ter esperança: *They hope they'll make it to the end*.
hopeful adj. 1 esperançoso. 2 promissor, auspicioso: *His future seems to be hopeful*.

hopefully adv. esperançosamente, confiantemente.
hopeless adj. 1 desesperado, desanimado. 2 incorrigível, irremediável: *a hopeless crisis*. 3 (rel a pessoas) sem cura, desenganado: *a hopeless desease*.
hopscotch s. amarelinha (brincadeira de crianças).
horde s. 1 horda, multidão. 2 bando. 3 tribo errante.
horizon s. horizonte.
horizontal adj. horizontal.
hormone s. hormônio.
horn s. 1 chifre, corno.
hornet s. vespa.
horoscope s. horóscopo.
horrible adj. horrível, horrendo, terrível.
horrid adj. horrível, desagradável, ruim.
horrific adj. horrendo, horroroso.
horrify v.t. (pret, pp -ied) 1 horrorizar, atemorizar. 2 escandalizar, chocar: *She horrified everybody with the story she told*.
horror s. 1 horror, medo, pavor. 2 (infml) alguém ou alguma coisa desagradável, feia.
horse s. 1 cavalo, garanhão. **hold one's horses** (infml) controlar-se, ter calma. 2 cavalete, suporte. **horseback**, lombo de cavalo: *He is on horseback*, Ele está a cavalo. **horseman**, cavaleiro, tratador de cavalos. **horsemanship**, equitação. **horsepower**, (abrev HP) cavalo-vapor. **horsewoman**, amazona.
horticulture s. horticultura.
hose s. (pl) meias.
hose s. mangueira, tubo de borracha.
hose v.t. esguichar, regar com mangueiras.
hospitable adj. hospitaleiro.
hospital s. hospital, clínica.
hospitality s. hospitalidade.
host s. 1 anfitrião, dono da casa. 2 hoteleiro, hospedeiro. 3 (biol) hospedeiro de parasitas.

host s. grande quantidade: *She has hosts of things to do today.*
hostage s. 1 refém: *One of the managers was kept as a hostage by the terrorists.* 2 condição de refém. 3 garantia, penhor.
hostel s. 1 hospedaria, albergue: *youth hostel.*
hostess s. 1 dona da casa, anfitriã. 2 recepcionista (de restaurante, teatro, etc). *air-hostess*, aeromoça.
hostile adj. hostil, adverso, inimigo: *hostile enemy; hostile look.*
hostility s. (pl-ies) 1 hostilidade, inimizade. 2 (pl) guerra, hostilidades.
hot adj. (-ter, test) 1 quente: *hot weather; hot water.* 2 apimentado, picante: *People in Bahia like hot food.* 3 violento, explosivo: *a man with a hot temper.* **hot-blooded**, impetuoso, de sangue quente. **hot-tempered**, exaltado, esquen-tado, bravo.
hotel s. hotel.
hound s. cão de caça.
hound v.t. 1 caçar, perseguir. 2 preocupar, pressionar, incomodar: *I have to call my father today so I don't have him hounding me all the time.*
hour s. 1 hora: *a three hour trip*, uma viagem de três horas. 2 (pl) horário, período: *working/office hours*, período de trabalho.
hourly adv. 1 de hora em hora. 2 a qualquer hora. 3 por hora: *The teachers are paid hourly.*
house s. (pl -s) 1 casa, moradia, residência, habitação. 2 linhagem, geração: *the house of Windsor*, a família real britânica. 3 parlamento, câmara: *the houses of Parliament.*
house v.t. abrigar, alojar: *I can house you when you come to Rio.*
household s. família, lar.
householder s. dono da casa, chefe de família.
housekeeper s. governanta, empregada.
housewife s. dona-de-casa.
housework s. trabalho doméstico.
housing s. alojamento, moradia: *The government has to provide housing for the poor.* **housing project**, conjunto habitacional.
hover v.i. 1 pairar, flutuar. 2 aguardar, permanecer (incerto): *She's hovering between life and death.*
how adv. 1 como, a maneira pela qual: *How do you spell your name?* Como se escreve seu nome? 2 introduzindo perguntas sobre: a) estado físico: *How are you today?* Como você está hoje? b) aparência física: *How does he look?* Como ele é? c) distância: *How far is the drugstore from here?* d) duração: *How long does it take to get there?* e) quantidade: *How much sugar do you want in your coffee? How many brothers and sisters do you have?* f) idade: *How old are you?* Quantos anos você tem? g) freqüência: *How often do you go to the movies?* Com que freqüência você vai ao cinema? 3 pedindo uma opinião: *How did you like the movie?* Você gostou do filme? 4 fazendo uma sugestão/convite: *How about going to the movies tonight?* Que tal irmos ao cinema hoje à noite? 5 pedindo uma explicação: *How is that?* Como? 6 pedindo para repetir: *How is that again?* 7 perguntando a razão: *How come?* Por quê? 8 fórmula usada em apresentações formais (para apresentar e para responder a apresentações): *How do you do?*
how conj. como, de que maneira: *Tell me how things happened.*
however adv. de qualquer modo, de qualquer maneira: *however much he pays, I'll refuse to work for him.*
however conj contudo, porém, todavia: *He told me he wouldn't travel again however, he went to Natal.*
howl s. 1 uivo. 2 grito, berro. 3 bramido.
howl v.i. e t. uivar, bramir: *The wind*

hub

howled through the trees during the night.
hub s. centro, eixo.
huddle v.i. e t. 1 acotovelar-se: *The people huddled together in the subway.* 2 encolher-se, aconchegar-se.
hue s. cor, tonalidade, coloração, matiz.
hug s. abraço.
hug v.t. (-gg-) 1 abraçar, envolver. 2 adotar (idéias, princípios): *hug beliefs.*
huge adj. imenso, enorme.
hulk s. pessoa ou objeto grande e desajeitado, brutamontes.
hull s. 1 casco de navio. 2 casca (de ervilha, vagem, etc).
hull v.t. descascar, debulhar.
hullo interj. = hallo.
hum v.i. e t. (-mm-) 1 zumbir, zunir. 2 cantar com os lábios fechados. 3 estar em grande atividade: *A factory huming with activity.* 4 fazer ruídos que exprimem hesitação.
human adj. humano: *a human being,* ser humano.
humanitarian adj., s. humanitário, bondoso, benevolente.
humanity s. 1 humanidade, gênero humano. 2 natureza humana. 3 humanitarismo, bondade, benevolência.
humanize v.i. e t. humanizar.
humble adj. (-r, -st) 1 humilde, modesto. 2 submisso. 3 pobre.
humble v.t. humilhar, rebaixar.
humbug s. trapaça, engano, fraude.
humbug v.t. (-gg-) enganar, tapear.
humdrum adj. monótono, enfadonho.
humid adj. úmido.
humiliate v.t. humilhar, rebaixar.
humiliation s. humilhação.
humility s. humildade.
humor s. 1 humor: *sense of humour.* 2 temperamento, gênio. (GB *humour*).
humorist s. humorista.
humorous adj. engraçado.

hump s. 1 corcunda, corcova. **hunchback**, pessoa corcunda.
hundred adj., s. cem, cento, centena.
hundredth adj., s. centésimo.
hung V. (pretérito do verbo *hang*).
hunger s. 1 fome, apetite. 2 desejo.
hunger v.i. desejar, ansiar: *They hunger for freedom.*
hungry adj. (-ier; -iest) com fome, faminto: *He is always hungry.*
hunk s. fatia grossa, pedaço grande.
hunt s. 1 caça, caçada. 2 busca, procura.
hunt v.i. e t. caçar. **hunt down,** procurar, buscar, apanhar: *hunt down a fugitive.* **hunt for,** procurar, tentar encontrar: *hunt for a lost paper.* **hunt high and low,** procurar por toda parte.
hurdle s. 1 barreira, obstáculo. 2 dificuldade.
hurl v.i. arremessar, lançar, atirar: *The drunk man hurled insults at us.*
hurrah interj. hurra, viva.
hurricane s. furacão.
hurried adj. apressado.
hurry s. pressa. **in a hurry,** a) impaciente: *I'm in a hurry to see my baby.* b) (infml) logo, com boa vontade: */ won't help her again in a hurry, when she's been so ungrateful.* c) (infml) facilmente: */ won't forget the way he helped me in a hurry.*
hurry v.i. e t. (pret, pp -ied) apressar, correr: *We have to hurry if we want to to get to the drugstore before it closes Hurry up!* Apresse-se.
hurt v.i. e t. (pret, pp -) 1 ferir, machucar: *He hurt his leg when he fell.* 2 magoar, ofender: *She was hurt when he told her not to call him again.* 3 sofrer prejuízo: *It won't hurt to wait a bit longer.*
hurtle v.i. arremessar, atirar violentamente.
husband s. marido, esposo.
hush s. silêncio.
hush v.i. e t. silenciar, calar-se: *Hush!* Quieto! **hush sth up,** encobrir,

esconder: *The president hushed up the fact that he had sold weapons to the terrorists.*
husk *s.* casca de sementes ou de grãos.
husk *v.i.* descascar.
husky *adj. (-ier, -iest)* 1 seco. 2 (rel a voz) rouco: *a husky voice.*
hustle *v.i. e t.* 1 empurrar: *The man hustled the thief into the police van.* 2 encaminhar apresadamente: *She hustled the children off to the school bus.* 3 (EUA) vender, ou obter algo através de atividade enganosa.
hut *s.* 1 cabana, choupana. 2 (mil) barraca.
hydrant *s.* hidrante.
hydraulic *adj.* hidráulico.
hydrophobia *s.* hidrofobia.
hygiene *s.* higiene.
hymn *s.* hino religioso.
hypermarket *s.* hipermercado.
hyphen *s.* hífen.
hypnosis *s.* (pl *-ses*) hipnose.
hypochondria *s.* hipocondria.
hypocrisy *s.* (pl *-ies*) hipocrisia.
hypocrite *s.* hipócrita.
hypocritical *adj.* hipócrita.
hypodermic *adj.* hipodérmico: *hypodermic injections.*
hypothesis *s.* (pl *-ses*) hipótese.
hysteria *s.* histeria, histerismo.
hysterical *adj.* histérico: *histerical laughter.*
hysterics *s.* pl ataques de histeria: *go into hysterics.*

i I

I, i 9ª letra do alfabeto.
I *pron.* eu.
I, i letra i
I'd 1 contração de *I would*. 2 contração de *I had*.
I'll contração de *I will*, *I'll be there tomorrow*.
I'm contração de *I am*: *I'm tired*.
I've contração de *I have*.
ice hockey *s.* hóquei sobre o gelo.
ice *s.* gelo.
ice *v.t.e i.* 1 gelar. 2 cobrir (bolo) com glacê.
iceberg *s.* iceberg.
ice-cold *adj.* gelado, frio como gelo.
ice-cream *s.* sorvete.
ice-skate *s.* patim de gelo, patinar no gelo.
ice-skate *v.i.* patinar no gelo
icicle *s.* pingente de gelo.
icily *adv.* inamistosamente, friamente.
icing *s.* cobertura de açúcar para bolo, glacê.
icon *s.* ícone, imagem sacra.
icy *adj.* (*-ier, -iest*) 1 gelado. 2 congelado, coberto de gelo. 3 (fig) inamistoso, frígido: *an icy smile*.
idea *s.* 1 idéia, plano, conceito. 2 opinião. 3 noção. 4 impressão, suposição: *I have no idea of what may be going on*.
ideal *adj., s.* ideal.
idealist *s.* idealista.
idealistic *adj.* idealista.
idealize *v.t.* idealizar, ter, imaginar em termos ideais.
identical *adj.* idêntico, igual.
identification *s.* identificação.
identify *v.t.* (pret, pp *-ied*) 1 identificar. **identify with**, associar com, identificar(-se) com: *I identify myself with his opinion*.
identity *s.* (pl *-ies*) identidade.
ideology *s.* (pl *-ies*) ideologia.
idiocy *s.* (pl *-ies*) idiotismo, idiotice.
idiom *s.* 1 expressão idiomática. 2 linguajar: *the idiom of Bahia city people*.
idiomatic *adj.* idiomático.
idiosyncrasy *s.* (pl *-ies.*) idiossincrasia, modo de pensar ou comportamento particular de um indivíduo.
idiosyncratic *adj.* idiossincrático.
idiot *s.* idiota, estúpido.
idiotic *adj.* idiota, imbecil, estúpido.
idle *adj.* (*-r; -st*) 1 ocioso, não utilizado, desocupado: *idle day*. 2 (rel a pessoas) preguiçoso, indolente. 3 sem valor, inútil: *idle comment*.
idle *v.t.e i.* ficar ocioso/à toa, morgar, vagabundear: *We´d like to idle away the hole weekend*.
idly *adv.* ociosamente, à toa.
idol *s.* ídolo.
idolater *s.* idólatra, adorador de ídolos.
idolatrous *adj.* idolátrico.
idolatry *s.* (pl *-ies*) idolatria.
idolize *v.t.* idolatrar, adorar.
idyll *s.* idílio, período ou cena feliz.
if *conj.* 1 se: *If he has some freetime, he´ll come to the party*. 2 mesmo se, ainda que, embora (ger usado com even): *I'll finish this, even if I get no time to sleep*. 3 se (quando há uma alternativa, usado como *whether*. Cf. *whether*): *Do you know if Mary has finished her part? **if only**, ao menos se: *if only he had told me the truth!*
igloo *s.* (pl *-s*) iglu.
ignite *v.t.e i.* acender, pôr fogo, incendiar(-se).
ignition *s.* 1 ignição. 2 (autom) ignição: *Put the key in the ignition*.
ignominious *adj.* ignominioso, desonroso, vergonhoso.
ignominy *s.* (pl *-ies*) ignomínia, vergonha, infâmia.
ignorance *s.* ignorância.
ignorant *adj.* ignorante.
ignore *v.t.* ignorar, não considerar.

illusion s. ilusão.
illegitimate adj. ilegítimo.
illiterate adj., s. iletrado, analfabeto.
illuminate v.t. 1 iluminar. 2 esclarecer, elucidar.
illumination s. iluminação, luzes.
illusive adj. = illusory.
illusory adj. ilusório.
illustrate v.t. ilustrar.
illustration s. ilustração.
illegible adj. ilegível.
illicit adj. ilícito, proibido.
illiteracy s. analfabetismo. *illiteracy rate*, taxa de analfabetismo.
illogical adj. ilógico, absurdo.
ill adj. 1 doente. *fall/be taken ill*, adoecer. 2 mau, ruim, maléfico: *in an ill temper*, de mau humor.
ill adv. 1 mal, prejudicialmente, desfavoravelmente. 2 mal, não bem, insuficientemente: *I can ill pay my counts*. *be/feel ill at ease*, sentir-se desconfortável, pouco à vontade. *ill-advised*, imprudente. *ill-bred*, malcriado. *ill-mannered*, rude, grosseiro. *ill-natured*, mal-humorado, mau, rude. *ill-timed*, inoportuno, fora de hora. *ill-treat*, maltratar.
ill s. mal, aflição: *the ills of life*.
illegal adj. ilegal.
illness s. doença.
image s. imagem.
imaginable adj. imaginável.
imaginary adj. imaginário.
imagination s. imaginação.
imagine v.i. 1 imaginar. 2 pensar, supor.
imbalance s. desequilíbrio (esp entre dois totais, duas instâncias de uma coisa, duas qualidades, etc): *the imbalance between the rich and the poor*.
imbecile adj., s. imbecil, bobo.
imbue v.t. (fml) imbuir(-se), impregnar: *She is imbued with a sense of responsability*.
imitate v.t. imitar, copiar.
imitation s. imitação, cópia.

impassioned

immaculate adj. imaculado, puro, impecável.
immaterial adj. 1 imaterial. 2 não importante: *The project he gave us is immaterial*.
immature adj. imaturo.
immeasurable adj. imensurável: *immeasurable happiness*.
immediate adj. 1 imediato, o mais próximo, contíguo: *his immediate friends*. 2 imediato, instantâneo: *an immediate photo*.
immense adj. imenso, enorme.
immerse v.t. imergir, afundar, mergulhar.
immersion s. imersão.
immigrant s. imigrante.
immigrate v.i. imigrar.
immigration s. imigração.
imminent adj. iminente, que acontecerá em breve: *There's an imminent danger*.
immobile adj. imóvel.
immoderate adj. imoderado, excessivo: *immoderate sleeping*.
immorall adj. imoral.
immortal adj., s. imortal, eterno.
immovable adj. imóvel, inalterável.
immune adj. imune, imunizado, protegido.
immunize v.t. imunizar.
impact s. 1 impacto, colisão. *on impact*, no momento da colisão: *The plane exploded on impact*.
impair v.t. enfraquecer, prejudicar: *His health has been impaired by stress*.
impart v.t. (fml) dar, conceder, passar (conhecimento, segredo, qualidades, etc): *He imparted his simpathy to his baby*.
impartial adj. imparcial, neutro: *an impartial feeling*.
impassable adj. (rel a estradas, p ex) intransitável.
impasse s. impasse: *The negotiations reached an impasse*.
impassioned adj. (ger rel a discurso) apaixonado: *an impassioned lecture*.

impassive

impassive *adj.* impassível, indiferente.
impatient *adj.* impaciente.
impeach *v.t.* 1 (fml) questionar, duvidar (do caráter de uma pessoa, etc). 2 (jur) acusar, culpar (esp de um crime contra o Estado). 3 (esp EUA) impedir (um funcionário público) de exercer suas funções: *Fernando Collor de Melo has been impeached.*
impediment *s.* 1 defeito físico (esp no falar). 2 impedimento, obstáculo.
impel *v.t.* (-*ll*-) impelir, impulsionar, incitar: *Stress impelled him to take a vacation.*
impending *adj.* iminente, que está por acontecer (ger algo desagradável): *an impending desmiss.*
impenetrable *adj.* impenetrável.
imperative *adj.* 1 imperativo, urgente. 2 autoritário, peremptório. 3 (gram) imperativo.
imperfection *s.* imperfeição, defeito.
imperial *adj.* imperial, majestoso.
imperialism *s.* imperialismo.
imperil *v.t.* (-*ll*-, EUA -*l*-) pôr em perigo: *His bevaviour imperiled his child's life.*
imperious *adj.* (fml) 1 soberbo, imperioso, arrogante. 2 imperativo, urgente.
impersonal *adj.* impessoal.
impersonate *v.t.* representar (um papel), imitar, querer passar por alguém: *He impersonates his mother very well.*
impertinent *adj.* impertinente, insolente.
impervious *adj.* 1 impermeável, impenetrável. 2 (fig) insensível: *impervious to suggestions.*
impetuous *adj.* impetuoso, precipitado.
impinge *v.i.* (on, upon) (fml) interferir, invadir: *impinge on sb's privacy.*
implant *v.t.* implantar idéias, sentimentos, etc.
implement *s.* implemento, instrumento, ferramenta.

implement *v.t.* implementar, efetuar, executar (plano, promessa, idéias, etc).
implicate *v.t.* (fml) implicar, envolver, incriminar, comprometer: *He was wrongly implicated in a crime.*
implicit *adj.* (fml) 1 implícito. 2 inquestionável, irrestrito.
implore *v.t.* implorar, suplicar: *He implored her for help.*
imply *v.t.* (pret, pp -*ied*) 1 sugerir, significar, inferir. 2 implicar, acarretar: *Being famous implies having one's privacy invaded.*
impolite *adj.* indelicado, descortês: *an impolite position.*
import *s.* 1 (ger pl) importações, bens importados. 2 importação, ato de importar. 3 (fml) importância, peso, significado: *You must understand the import of your decision.*
import *v.t.* importar: *The Brazilians import meat from Argentina.*
importance *s.* importância: *This is a problem of no importance.*
important *adj.* importante.
importunate *adj.* (fml) 1 importuno. 2 (rel a negócios) urgente, premente.
impose *v.t.e i.* 1 taxar, fazer incidir (imposto, p ex). 2 impor(-se) (sobre outras pessoas). 3 (on/upon) aproveitar-se (de): *They imposed on his kindness.*
imposing *adj.* imponente, grandioso.
imposition *s.* imposição (de penalidades, impostos, etc), algo imposto.
impossible *adj.* 1 impossível. 2 intolerável.
impostor *s.* impostor, embusteiro.
imposture *s.* impostura, embuste, engano.
impotent *adj.* impotente, incapaz, fraco: *He was impotent solve the company crisis.*
impoverish *v.t.* empobrecer, esgotar, depauperar: *The land was impoverished by the invasors.*
impracticable *adj.* impraticável, ímpossível: *an impracticable act.*

impractical adj. não prático, insensato: John is an impractical adolescent.
impregnable adj. invencível, impenetrável, inconquistável: an impregnable country.
impregnate v.t. 1 impregnar, saturar: The air was impregnated with a terrible scent. 2 fertilizar, fecundar, engravidar.
impress v.t. 1 impressionar, comover: I was impressed by his atitude. 2 imprimir, gravar: The artist impressed his name on the painting. 3 deixar admirado: His courage always impresses me.
impression s. 1 impressão. 2 marca, estampa. 3 edição, impressão: This is the first impression of this dictionary. **under the impression that**, presumindo que.
impressionable adj. 1 impressionável. 2 facilmente influenciável.
impressionism s. impressionismo (em arte).
impressionistic adj. impressionista, baseado na impressão ao invés da razão: These are impressionist arguments.
impressive adj. admirável, impressivo, que causa impressão: What an impressive character!
imprint v.t. 1 carimbar, marcar. 2 estampar, imprimir.
imprison v.t. prender, encarcerar, aprisionar.
imprisonment s. prisão, aprisionamento.
improbability s. (pl -ies) improbabilidade.
improbable adj. improvável: It is possible but not probable.
impromptu adj. improvisado, de improviso: an impromptu article.
improper adj. 1 impróprio, inadequado: Some teenagers have an improper use of grammatical rules. 2 inconveniente, sem fineza.
improperly adv. 1 inadequadamente, impropriamente: Foreigners often use grammar rules improperly. 2 inconvenientemente: When you drink too much you have an improperly behavior.
impropriety s. (pl -ies) impropriedade, indecência.
improve v.t.e i. 1 melhorar, aperfeiçoar: They have to improve their knowledge of Math. 2 progredir: Brazil has improved in the last 10 years.
improvement s. 1 melhora, melhoria, melhoramento, aperfeiçoamento. 2 progresso, aumento.
improvisation s. improvisação.
improvise v.t.e i improvisar: You can improvise a speech at the meeting.
imprudence s. imprudência.
imprudent adj. imprudente: He is an imprudent driver.
impudence s. descaramento, desaforo.
impudent adj. descarado, sem-vergonha, despudorado: She had an impudent smile in her face.
impudently adv. descaradamente, desavergonhadamente.
impulse s. 1 impulso, ímpeto: to act on impulse. 2 estímulo.
impulsive adj. impulsivo: You shouldn´t be so impulsive!
impulsiveness s. impulsividade.
impunity s. impunidade.
impure adj. 1 impuro, adulterado: impure mixture of chemical products. 2 impudico, obsceno: impure feelings.
impurity s. (pl -ies) 1 impureza. 2 obscenidade.
imputation s. imputação.
impute v.t. imputar, atribuir: They imputed the success to the actor.
in adv. (exprime lugar, posição, estado, relação, etc) 1 **be in**, a) estar em casa: He wasn't in when I got there. b) chegar: Are you in already? c) que está na época, que pode ser obtido: Are apples in now? É época de maçã? d) na moda: Pink is in. e) no poder: The Socialists were in before the revolution. **be in for**, a) estar sob a ameaça de. b)

in

estar comprometido a tomar parte em. **in and out**, para dentro e para fora, em vaivém.

in *prep* 1 dentro, em, durante, por, de, a, para: *lay in bed*. 2 cercado por: *cows in the field*. 3 em: *in São Paulo; in Brazil*. 4 temporariamente em um lugar: *in hospital*. 5 (rel a ocupação/atividade) no ramo de: *He works in sales*. 6 (rel a vestimenta) em, de: *the woman in red; dressed in cotton*. 7 (rel a meio de expressão, maneira, material) a: *in pencil*, a lápis; *in ink*, à tinta; *pay in cash*, à vista. 8 (rel a direção) em: *in the south*. 9 (rel a período de tempo) em, a: *in March; in Winter; in 1998; in the morning*. 10 (reI a tempo) dentro de: *He'll be back in a minute*. 11 (rel a inclusão) em: *There are 7 days in a week*. 12 indicando estado/condição: *in good health*, com saúde; *in a hurry*, com pressa; *in order*, em bom estado. **in all**, no total: *We were 60 people there in all*. **in that**, pois que, visto que: *Education is important in that it helps our country to develop*.

in *s*. **the ins and outs**, todos os ângulos da questão: *We thought all the ins and outs of the situation*.

inability *s*. inabilidade, incapacidade, inaptidão: *He couldn't get the job because of his inability to drive*.

inaccessibility *s*. inacessibilidade.

inaccessible *adj*. inacessível.

inaccuracy *s*. (pl *-ies*) incorreção, inexatidão: *The inaccuracy of the information led to serious problems*.

inaccurate *adj*. impreciso, incorreto, inexato.

inactive *adj*. inativo, inerte.

inactivity *s*. inatividade, inércia: *His inactivity is unbelieveble*.

inadequacy *s*. (pl *-ies*) inadequação, inadaptação, insuficiência.

inadequate *adj*. inadequado, impróprio: *His comments were inadequate*.

inadvertent *adj*. inadvertido, inatento, desatento.

inalienable *adj*. inalienável.

inane *adj*. 1 vazio, vão: *an inane discussion*. 2 sem sentido, sem importância.

inanimate *adj*. inanimado, morto.

inapplicable *adj*. inaplicável, inaproveitável: *inaplicable ideas*.

inapproachable *adj*. inacessível, inatingível.

inappropriate *adj*. impróprio, inadequado: *inapropriate clothes for the occasion*.

inapt *adj*. inapto, incapaz, inábil.

inaptitude *s*. inaptidão, incapacidade.

inarticulate *adj*. inarticulado, indistinto, mal pronunciado: *His speech was inarticulate because he was quite nervous*.

inattention *s*. desatenção, falta de atenção.

inattentive *adj*. 1 desatento: *an inattentive worker*. 2 descuidado.

inaudible *adj*. inaudível

inaugural *adj*. inaugural, inicial: *inaugural ceremony*.

inaugurate *v.t.* inaugurar, iniciar: *They are going to inaugurate a new educational building*.

inboard *adv*. a bordo, no navio, na embarcação: *inboard motor*.

inborn *adj*. inato, congênito: *She had an in born talent for writing*.

inbred *adj*. inato, inerente, congênito.

inbuilt *adj*. construído dentro, acopiado, embutido.

incalculable *adj*. incalculável.

incandescent *adj*. incandescente, ardente, em brasa: *an incandescent spirit of freedom*.

incapability *s*. (pl *-ies*) incapacidade, inabilidade.

incapable *adj*. incapaz, inábil: *I'm incapable of playing football*.

incapacitate *v.t.* 1 incapacitar, inabilitar. 2 desqualificar.

incapacity *s*. incapacidade, inabilidade.

incarcerate *v.t.* encarcerar, prender.

incarceration *s*. encarceramento.

incarnation *s*. encarnação, corporificação.

incendiary s. 1 incendiário. 2 (fig) revolucionário, amotinador.
incense s. incenso: *Budists use incense while they prey.*
incense v.t. 1 perfumar, incensar. 2 incitar, inflamar: *The noise incensed his anger.*
incentive s. incentivo, estímulo: *Because of the incentives they got the best position.*
incessant adj. incessante, contínuo, constante: *The incessant movement of the dancers.*
incessantly adv. incessantemente.
incest s. incesto.
incestuous adj. incestuoso: *incestuous relationship.*
inch s. 1 polegada (= 2,54 cm). 2 insignificância: *It isn't worth an inch.*
incidence s. incidência.
incident s. 1 incidente, acidente: *The incident killed two men during the trip.* 2 circunstância, casualidade.
incidental adj. 1 incidental, acidental. 2 casual.
incinerate v.t. incinerar, reduzir a cinzas.
incineration s. incineração.
incinerator s. incinerador.
incipient adj. (med) incipiente, principiante: *incipient fever.*
incise v.t. 1 cortar, fazer uma incisão. 2 gravar, entalhar.
incision s. incisão, corte.
incisive adj. 1 incisivo, decisivo: *incisive doubt.* 2 agudo, penetrante: *an incisive needle.*
incisively adv. incisivamente.
incite v.t. incitar, estimular, provocar: *His speech incited changes in our behaviour.*
incitement s. incitamento, estímulo, incentivo.
inclination s. 1 inclinação: *inclination of the hill.* 2 propensão, tendência.
incline s. inclinação, declive: *a montain incline.*
incline v.t. e i. 1 inclinar(-se), curvar (-se). 2 ter propensão: *He inclines to take a different position from her.*
inclosure s. 1 cerco, cerca, muro, tapume. 2 documentos anexos à correspondência: *an inclosure document.*
include v.t. incluir, abranger, compreender, envolver, implicar: *The price includes hotel and dinner.*
incognito adj. e adv. incógnito, oculto: *Gabriel travels incognito*, Gabriel viaja incógnito.
incoherence s. incoerência: *The incoherence of his speech is obviuos.*
incoherent adj. incoerente, contraditório.
income s. renda, rendimento, receita.
incometax, imposto de renda.
incoming adj. que entra, que chega: *incoming mail.*
incommensurate adj. incomensurável.
incomparable adj. incomparável, sem igual.
incompatibility s. incompatibilidade.
incompatible adj. incompatível.
incompetence (também **-tency**) s. incompetência, incapacidade, inépcia.
incompetent adj. incompetente, inábil, incapaz.
incomplete adj. incompleto.
incomprehensible adj. incompreensível.
inconceivable adj. inconcebível, inacreditável, incrível.
inconclusive adj. inconclusivo, não decisivo, ineficaz.
incongruity s. incongruência, incompatibilidade.
incongruous adj. incongruente, incompatível.
inconsequent adj. 1 inconseqüente, incoerente, ilógico. 2 sem importância.
inconsiderate adj. desconsiderado, desatencioso, impensado: *inconsiderate comments.*
inconsistent adj. inconsistente, discrepante, contraditório.

inconspicious

inconspicious adj. indistinguível, indiscernível, que não atrai atenção.
incontestable adj. incontestável, irrefutável.
inconvenience s. 1 inconveniência, incômodo. 2 transtorno, aborrecimento.
inconvenient adj. 1 inconveniente, incômodo. 2 embaraçoso. 3 inoportuno.
incorporate adj. (fml) incorporado, estreitamente unido, associado.
incorporate v.t. e i. 1 incorporar, dar corpo a. 2 incorporar-se, unir-se, associar-se: *A bigger company is going to incorporate ours.*
incorporation s. incorporação, corporação.
incorrect adj. incorreto, defeituoso, impróprio.
incorrigible adj. incorrigível.
incorruptible adj. incorruptível, íntegro, insubornável.
increase s. 1 aumento, alta. **on the increase**, em aumento, em alta. 2 crescimento.
increase v.t. e i. 1 aumentar, crescer. 2 intensificar: *Our worries are increasing.* 3 avolumar-se.
increasingly adv. cada vez mais, progressivamente.
incredible adj. incrível, inacreditável.
incredulous adj. incrédulo, cético, duvidoso: *Their incredulous look made us change our position.*
increment s. incremento, aumento, acréscimo.
incriminate v.t. incriminar, acusar, culpar: *Your attitudes incriminated you.*
incubator s. 1 incubadora, chocadeira elétrica. 2 estufa.
incumbency s. (pl -ies.) 1 incumbência, encargo. 2 gestão. 3 (ecles) benefício.
incur v.t. (-rr-) 1 incorrer em, exporse a, ficar sujeito a: *to incur a penalty.* 2 contrair (dívida): *to incur debts.*
incurable adj. 1 incurável, irremediável. 2 incorrigível.

indebted adj. 1 endividado, em divida. 2 reconhecido, grato: *I am indebted to you for your help.*
indecent adj. 1 indecente, imoral. 2 inconveniente.
indecision s. indecisão, hesitação.
indeed adv. 1 realmente, de fato, certamente, sem dúvida, naturalmente: *Are you happy your son got the job? Yes, indeed.* 2 (usado como intensificador): *Thank you very much indeed.* 3 (usado como *interj*) é mesmo?: *"He came last week." "Oh, indeed!"*
indefensible adj. indefensável.
indefinite adj. indefinido, vago, incerto: *an indefinite position.* **the indefinite article**, (gram) artigo indefinido.
indefinitely adv. indefinidamente.
indelible adj. 1 indelével, que não pode ser apagado. 2 indestrutível.
indelicacy s. indelicadeza, grosseria.
indelicate adj. indelicado, rude, grosseiro: *indelicate manners.*
indemnify v.t. (pret, pp -ied) 1 (jur, com) proteger, segurar: *to indemnify sb against loss.* 2 (fml) indenizar, reembolsar: *The insurance company will indemnify him for his loss.*
indemnity s. (pl -ies.) 1 proteção ou seguro contra danos ou perdas. 2 indenização, compensação.
indent v.t. e i. 1 dentear, cortar, recortar. 2 recuar, abrir parágrafo: *You must indent that part of the text.*
indentation s. dente, entalhe, recorte, reentrância.
independence s. independência.
independent adj. 1 independente, livre. 2 auto-suficiente. 3 imparcial: *an independent position.*
indestructible adj. indestrutível.
indeterminate adj. indeterminado, indefinido, vago.
index s. (pl -es, ou *indices*) 1 índice, (também mat) tabela, lista. 2 sinal indicador: *an index of satisfaction.* **index finger**, dedo indicador. **index card**, ficha de arquivo.

index v.t. 1 prover de índice. 2 incluir em índice, indexar.
indicate v.t. 1 índicar, apontar, mostrar: *Everything indicates that we´ll finish before time*. 2 significar, implicar, sugerir.
indication s. 1 indicação. 2 sugestão, menção. 3 indício, sinal.
indicative adj. 1 indicador, indicativo (também gram). *indicate mood*, modo indicativo. 2 sugestivo, indicativo.
indicator s. 1 indicador (rel a pessoas ou coisas). 2 ponteiro.
indices V. *index*.
indict v.t. (jur) indiciar, culpar:*The police indicted him for murder.*
indictable adj. indiciável, sujeito à sanção penal.
indictment s. indiciação, acusação.
indifference s. indiferença, desinteresse, apatia.
indifferent adj. 1 indiferente, apático. 2 medíocre: *an indifferent comment.*
indigestible adj. indigesto, indigerível.
indigestion s. indigestão, dispepsia.
indignant adj. indignado, revoltado, furioso: *indignant face.*
indignity s. *(pl-ies)* 1 indignidade, injúria, insulto. 2 ultraje.
indigo s. índigo, corante azul. *indigo blue*, cor de anil.
indirect adj. 1 indireto. 2 dissimulado. *indirect object,* (gram) objeto indireto. *indirect speech*, (gram) discurso indireto.
indiscipline s. indisciplina, desobediência.
indiscreet adj. 1 indiscreto. 2 imprudente.
indiscretion s. 1 indiscrição. 2 imprudência.
indiscriminate adj. indiscriminado, confuso.
indispensable adj. indispensável, imprescindível, essencial: *Air is indispensable to life.*
indisposed adj. (fml) 1 indisposto, adoentado. 2 *(for sth- to do sth)* relutante, não disposto: *They seem indisposed to give me my money back.*
indisputable adj. indisputável, indiscutível, incontestável.
indissoluble adj. (fml) indissolúvel, indestrutível.
individual s. indivíduo, pessoa: *The needs of the individual should be attented in all societies.*
individual adj. 1 individual. 2 particular, peculiar, característico: *He has an individual way of seeing things.*
individuality s. (pl -*ies)* individualidade, personalidade.
individually adv. individualmente, separadamente.
indivisible adj. indivisível.
indoctrinate v.t. doutrinar, instruir, ensinar.
indolent adj. indolente, preguiçoso.
indolence s. indolência, preguiça.
indomitable adj. indômito, indominável, indomável: *indomitable anger.*
indoor adj. interno, interior, que se faz ou se usa dentro de casa: *indoor races.*
indoors adv. dentro de casa ou edifício: *We had to stay indoors because of the weather.*
indubitable adj. (fml) indubitável.
induce v.t. 1 induzir, persuadir: *Who induced you to buy that car?* 2 produzir, causar: *His headache was induced by the strong lights.*
inducement s. persuasão, incentivo.
induct v.t. introduzir, instalar, empossar.
induction s. 1 introdução, iniciação. 2 indução (raciocínio) (Cf. *deduction).*
inductive adj. indutivo: *inductive method.*
indulge v.t. e i. 1 satisfazer, saciar (vontades, desejos): *indulge my desires.* 2 *(in)* entregar-se a, deliciar-se com.
indulgence s. 1 indulgência (também ecles): *The indulgence of the Pope.* 2 prazer, deleite.

indulgent *adj.* indulgente.
industrial *adj.* industrial: *the industrial revolution.*
industrious *adj.* industrioso, trabalhador, esforçado: *an industrious worker.*
industry *s.* (pl *-ies*) 1 indústria, fábrica. 2 trabalho sistemático, esforço, diligência.
inebriate *adj.* (fml) embriagado.
inedible *adj.* não comestível, incomível.
ineffable *adj.* inefável, inexprimível, indizível: *ineffable wishes.*
ineffective *adj.* ineficaz, ineficiente.
inefficient *adj.* ineficiente, incapaz, inapto.
inept *adj.* 1 inepto, impróprio: *inept attitude.* 2 inapto, inepto.
ineptitude *s.* ineptidão, inépcia, tolice.
inequity *s.* (pl *-ies*) injustiça, iniqüidade.
inert *adj.* 1 inerte, inativo. 2 neutro. 3 (rel a pessoas) indolente, lerdo.
inertia *s.* 1 inércia (também fís). 3 indolência, inação.
inestimable *adj.* inestimável.
inexorable *adj.* inexorável, implacável, inflexível.
inexperience *s.* inexperiência, imperícia.
inexplicable *adj.* inexplicável, inexprimível.
inextricable *adj.* inextricável, emaranhado, insolúvel: *inextricable discussion.*
infallible *adj.* infalível, garantido.
infamous *adj.* infame, vil, escandaloso: *infamous man.*
infamy *s.* (pl *-ies*) 1 infâmia, desonra. 2 maldade.
infancy *s.* 1 primeira infância. 2 começo, princípio.
infant *s.* 1 bebê, criança. 2 (usado como *adj*) infantil: *infant mortality.*
infanticide *s.* infanticídio.
infatuate *v.t.* **be infatuated with/by sb**, estar enamorado, enrabichado, obcecado: *He's infatuated with a pretty woman.*
infatuation *s.* paixão louca, desvario, obsessão.
infect *v.t.* 1 infeccionar, infetar, contaminar. 2 (fig) corromper, viciar. 3 (fig) contagiar: *He infected me with his happiness.*
infection *s.* infecção, contágio, contaminação.
infectious *adj.* 1 infeccioso, contagioso *(Cf. contagious).* 2 (fig) contagiante: *infectious laughter.*
infer *v.t.* (*-rr-*) inferir, deduzir, concluir: *I inferred from his words that he'd come.*
inference *s.* inferência, conclusão, dedução. **by inference**, por inferência.
inferior *adj.* inferior: *He feels inferior when he's near his brother.*
inferiority *s.* inferioridade. **inferiority complex**, (psicol) complexo de inferioridade.
infernal *adj.* 1 infernal, diabólico. 2 detestável, abominável.
infertile *adj.* infértil, estéril, improdutivo.
infertility *s.* infertilidade.
infest *v.t.* infestar: *The beach was infested with flies.*
infidelity *s.* (pl *-ies*) infidelidade, deslealdade.
infiltrate *v.t. e i.* infiltrar(-se), penetrar: *The enemy infiltrated our army.*
infinite *adj.* 1 infinito (também mat), ilimitado. 2 imensurável.
infinitely *adv.* infinitamente.
infinitive *adj.* (gram) infinitivo.
infirm *adj.* (liter) fraco, enfermo.
infirmary *s.* (pl *-ies*) enfermaria.
infirmity *s.* (pl *-ies.*) 1 fraqueza, debilidade. 2 enfermidade.
inflame *v.t. e i.* 1 inflamar(-se). 2 incendiar, atear fogo. 3 excitar(-se): *He's inflamed with love.*
inflammable *adj.* 1 inflamável, combustível. 2 (fig) excitável.
inflammation *s.* inflamação (também med).

inflammatory adj. 1 inflamatório, inflamativo (também med). 2 excitante, apaixonante: *an inflammatory book*.
inflate v.t. 1 inflar, inchar (balão, pneu, etc). 2 (fig) ficar inchado: *inflated with pride*, inflado de orgulho. 3 (econ) inflacionar, causar inflação. (Cr. deflate).
inflation s. inflação (também econ).
inflationary adj. inflacionário.
inflect v.t. 1 infletir, modular (voz). 2 (gram) flexionar.
inflection s. 1 (gram) flexão. 2 inflexão, modulação (voz).
inflexible adj. 1 inflexível, rígido. 2 firme, inabalável.
inflict v.t. 1 infligir: *The murderer inflicted fear on the whole family*. 2 impor: *I inflicted myself on them*, Eu impus a minha companhia a eles.
infliction s. 1 inflição. 2 imposição.
influence s. influência, preponderância, prestígio: *You can use your influence to get what you need*. **to be under the influence of**, estar sob a influência de.
influence v.t. influenciar, influir.
influential adj. influente, poderoso.
influenza s. influenza, gripe.
influx s. (pl -es.) influxo, afluxo, afluência.
inform v.t., v.i. 1 informar. 2 denunciar, acusar: *He informed the police about his neighbour*.
informal adj. informal: *informal cerimony*.
information s. 1 informação. 2 conhecimento, notícia.
informative adj. 1 informativo. 2 instrutivo: *informative magazines*.
informer s. informante (esp da polícia).
infringe v.t. e i. 1 infringir, violar, transgredir. 2 *(on/upon)* cometer delito (contra propriedade, pessoa, etc).
infuriate v.t. enfurecer, enraivecer.
infuse v.t. e i. *1* infundir, introduzir: *infuse fear into people*. 2 pôr em infusão, extrair: *infuse herbs*.
infusion s. 1 infusão, maceração. 2 mistura.
ingenious adj. 1 engenhoso, inventivo: *an ingenious person*. 2 bem planejado, bem feito: *an ingenious project*.
ingenuity s. talento, habilidade, destreza.
ingrained adj. enraizado, arraigado. **ingrained prejudices**, preconceitos arraigados.
ingratiate v.t. insinuar-se, engraçar-se: *an ingratiating look*.
ingratitude s. ingratidão.
ingredient s. ingrediente.
inhabit v.t. habitar, morar: *That indian inhabits the mountains*.
inhabitant s. habitante, morador.
inhale v.t. inalar, aspirar: *inhaling smoke*.
inherent adj. inerente, próprio.
inherit v.t. e i. 1 herdar, receber por herança: *Mark inherited all his mother´s properties when she died*. 2 receber por hereditariedade: *She inherited her mother's smile*.
inheritance s. herança.
inhibit v.t. inibir: *an inhibited person*.
inhibition s. inibição.
inhuman adj. desumano, cruel.
in-laws s pl (infml) parentes por afinidade (através do casamento).
iniquitous adj. (fml) iníquo, injusto, perverso.
iniquity s. iniqüidade, injustiça.
initial adj. inicial.
initial s. primeira letra de uma palavra.
initiate v.t. 1 dar início, começar: *initiatite a business*. 2 iniciar alguém em, introduzir, admitir.
initiative s. 1 iniciação. 2 iniciativa. **have/take the initiative**, tomar/ter iniciativa. **act/do sth on one's own initiative**, fazer algo por conta própria.
inject v.t. 1 injetar, introduzir: *inject medicine into the blood-stream*. 2 (fig) (infml) proporcionar, introduzir.

injection

injection s. Injeção
injure v.t. ferir, danificar: *She injured a kid in the accident.*
injured adj. ferido, machucado, danificado.
injured s. (pl) pessoas feridas: *The injured were sent to the nearest hospital.*
injury s. (pl -ies) 1 dano, prejuízo, avaria. 2 ferimento.
injustice s. injustiça.
ink s. tinta de escrever ou de imprimir. **put it in ink,** comprometer(-se) por escrito.
inkling s. vaga idéia: *I have an inkling of what is going on there.*
inland adj. 1 interior: *inland towns.* 2 doméstico, do país, interno: *inland trade,* comércio interno.
inmate s. morador, residente (prisão), interno.
inmost adj. 1 profundo. 2 (fig) íntimo, profundo: *inmost wishes.*
inn s. estalagem, hospedaria.
innate adj. inato, natural.
inner adj. interno, interior.
innocence s. inocência, simplicidade.
innocent adj. 1 inocente, não culpado. 2 ingênuo, simples. 3 inofensivo.
innocuous adj. inócuo, inofensivo.
innovate v.i. inovar, introduzir inovações.
innovation s. inovação: *technical innovations.*
innuendo s. (pl -es) alusão indireta, insinuação.
innumerable adj. inumerável.
inoculate v.t. vacinar.
inoffensive adj. inofensivo: *an innoffensive dog.*
inoperative adj. ineficaz, sem efeito.
inopportune adj. inoportuno, inconveniente.
inordinate adj. (fml) excessivo: *innordinate care.*
inorganic adj. inorgânico.
input s. entrada, dados que alimentam um computador.

inquest s. inquérito, investigação.
inquire v.t., v.i. 1 inquirir, perguntar. 2 informar-se. **inquire into,** investigar.
inquiry s. (pl -ies) 1 pergunta, inquisição, pesquisa. 2 investigação.
inquisition s. investigação judicial. **the inquisition,** a Santa Inquisição.
inquisitive adj. curioso, desejoso de saber.
inroad s. invasão, ataque, avanço: *They made inroads into our technology.*
insane adj. insano, demente.
insatiable adj. insaciável.
inscribe v.t. inscrever, escrever, gravar.
inscription s. inscrição, registro.
insect s. inseto.
insecticide s. inseticida.
insecure adj. inseguro, incerto: *I have an insecure job.*
insensible adj. 1 inconsciente, sem sentidos. 2 insensível. 3 imperceptível.
insensitive adj. insensível.
inseparable adj. inseparável.
insert s. suplemento (em livro, jornal, etc).
insert v.t. pôr, colocar: *insert a tape into a dvd set.*
inset s. 1 inserção, suplemento. 2 encarte.
inshore adv. na costa, próximo da costa.
inside adj. interno: *the inside pages of the book.*
inside adv. dentro: *There's something inside.*
inside s. interior, parte interna: *the inside of a building.* **inside out,** pelo avesso, às avessas: *My son put on his sweater inside out.*
insidious adj. insidioso, traiçoeiro: *an insidious person.*
insight s. compreensão, introspecção, discernimento.
insignificant adj. insignificante, sem importância.
insinuate v.t. insinuar, dar a entender, sugerir.

insipid *adj.* 1 sem sabor, insípido: *insipid desert.* 2 monótono, desinteressante: *insipid book.*
insist *v.t. e i.* 1 insistir: *insist on one's innocence.* 2 sustentar: *He insisted that I accept that offer.*
insistent *adj.* insolente, teimoso.
insolent *adj.* insolente, atrevido.
insoluble *adj.* insolúvel.
insolvent *adj.* insolvente, falido.
insomnia *s.* insônia.
inspect *v.t.* 1 examinar. 2 inspecionar.
inspector *s.* 1 inspetor, superintendente, fiscal. 2 (GB) oficial de polícia.
inspiration *s.* 1 inspiração: *A beautiful landscape is always an inspiration to me.* 2 influência. 3 idéia, entusiasmo artístico. 4 inspiração divina.
inspire *v.t.* 1 inspirar: *inspire confidence.* 2 animar, causar inspiração: *inspired writer.*
install *v.t.* 1 colocar, empossar. 2 instalar, pôr em funcionamento: *install the washing machine.* 3 acomodar: *install in a new house.* (GB *instal*).
installment *s.* 1 prestação: *pay something in installments.* 2 episódios, capítulos: *a soap novel that appears in installments.* (GB *instalment*).
instance *s.* exemplo, caso. *for instance,* por exemplo.
instant *adj.* 1 imediato: *an instant success.* 2 urgente: *in instant telephone call.* 3 instantâneo: *instant coffee.*
instant *s.* momento, instante: *I saw him the instant he shouted.*
instead *adv.* em vez, em lugar de: *I´m not calling him, instead I´m writing him a letter.* **instead of,** em vez de: *I'm going to travel instead of my father.*
instigate *v.t.* instigar, incitar.
instill *v.t.* instilar, inculcar, propor. (GB *instil*).
instinct *s.* instinto, impulso natural: *Most women have an instinct to protect their children.*
institute *s.* instituto, associação, organização (de cunho social ou educacional).

institute *v.t.* 1 instituir, estabelecer. 2 nomear, apontar.
institution *s.* 1 instituição. 2 costume, lei. 3 orfanato, asilo.
instruct *v.t.* 1 ensinar: *He instructed the new worker to use the machine.* 2 ordenar: *They instructed us to change the bus.* 3 informar: *The policeman instructed her to cross the street.*
instruction *s.* 1 instrução, ensino: *instruction in English.* 2 (Pl) ordens: *Instructions on how to work.*
instructor *s.* treinador, professor.
instrument *s.* 1 ferramenta. 2 instrumento musical. 3 meio. 4 documento.
instrumental *adj.* 1 útil. 2 instrumental.
instrumentalist *s.* instrumentalista.
insubordinate *adj.* desobediente, indisciplinado.
insufferable *adj.* insuportável, presunçoso.
insufficient *adj.* insuficiente.
insular *adj.* 1 insular. 2 estreito, limitado: *insular knowledge.*
insulate *v.t.* 1 isolar, separar. 2 proteger.
insult *s.* insulto.
insult *v.t.* insultar, ofender.
insuperable *adj.* insuperável, invencível.
insurance *s.* seguro, prêmio de seguro: *life insurance; car insurance.*
insure *v.t. e i.* 1 assegurar, pôr no seguro: *I have to insure my car.* 2 V. *ensure.*
insurgent *adj.* rebelde.
insurmountable *adj.* insuperável.
insurrection *s.* insurreição, revolta.
intake *s.* 1 entrada. 2 quantidade que entra: *the monthly intake of money.*
intangible *adj.* intangível, incompreensível.
integral *adj.* integral, total, completo.
integrate *v.t.* integrar, completar.
integrity *s.* integridade, honestidade, retidão.

intellect

intellect s. intelecto, inteligência.
intellectual adj. intelectual, inteligente: He´s an intellectual person.
intelligence s. 1 inteligência, faculdade ou capacidade de aprender. 2 informações secretas. 3 informações referentes a acontecimentos importantes.
intelligible adj. compreensível, inteligível.
intend v.t. pretender: I intend to go home after we finish this.
intense adj. 1 intenso, forte. 2 profundo: intense feeling.
intensify v.t. e i. (pret, pp -ied) intensificar.
intent adj. atento, aplicado, concentrado: He's intent on his responsabilities.
intention s. intenção, propósito, finalidade: He had no intention to run away.
interact v.i. reagir, influenciar.
intercede v.t. interceder, intervir: intercede with the teacher on behalf of the student.
intercept v.t. interceptar, interromper, impedir, deter: The man was intercepted at the customs.
interchange s. troca, permuta, intercâmbio: an interchange of culture.
interchange v.t. trocar, cambiar, intercambiar, permutar: They interchanged students throughout the university.
intercom s. interfone (abrev de intercommunications system), sistema de intercomunicação.
intercourse s. 1 interação social, intercâmbio. 2 relações sexuais: sexual intercourse.
interest s. 1 interesse, atração, coisa que interessa: He has no interest in business. She shows no interest in what I´m doing. 2 vantagem, benefício, favor, interesse: It's in your interest to pay your debts, É de seu interesse pagar suas contas. *in the interest of,* para o interesse de: He did it in the interest of the country, Ele o fez para o interesse do país. 3 juros: banks interest. 4 (com) ações, participação: industry interests.
interest v.t. interessar(-se), despertar interesse: Those movies interest me.
interested adj. 1 interessado: I´m interested in listenig to you. 2 envolvido. *interested parties,* partes envolvidas: The interested parties of a problem.
interesting adj. interessante, cativante: an interesting story.
interface s. ponto ou área onde coisas diferentes se encontram e interagem.
interfere v.i. 1 (in) intrometer-se: You shoudn´t interfere in her decision to live abroad. 2 (with) atrapalhar, prejudicar, impedir: His work interferes with his private life. 3 (with) mexer, interferir: Don't interfere with her, she's in a bad mood, Não mexa com ela (Deixe-a em paz), ela está mal-humorada.
interference s. 1 interferência, intervenção, intromissão. 2 (tec) interferência: There is a lot of interference on the celular phone.
interim s., adj. ínterim, interino, provisório. *in the interim,* entrementes, nesse ínterim.
interior adj. 1 interno, interior. 2 doméstico, nacional: Department of the Interior. Secretaria do Interior.
interior s. interior, parte interna. *the interior,* o interior (de um país). *interior decoration,* decoração (de interiores). *interior decorator,* decorador (de interiores).
interjection s. interjeição, exclamação.
interlude s. intervalo, interlúdio.
intermediary s. (pl -ies) adj. intermediário.
intermediate adj. intermediário: intermediate school, escola secundária.
interminable adj. interminável, sem fim.
intermittent adj. com interrupções, intermitente: We´re having intermittent

attacks of asthma because of the dust.

intern s. médico residente, estagiário.

intern v.t. aprisionar, limitar os movimentos de alguém, deter: *The murders were interned until the police made a decision.*

internal adj. 1 interno, interior: *for internal use,* (remédio) para uso interno. 2 doméstico, do país: *internal trade,* comércio interno. 3 inerente, intrínseco.

international adj. internacional.

interpret v.t. e i. interpretar, explicar, traduzir: *How did you interpret his behaviour? The actor asked to interpret Hamlet.*

interpretation s. interpretação, tradução, explicação.

interpreter s. intérprete, tradutor.

interrogate v.t. interrogar, argüir, inquirir, fazer perguntas: *The police was interrogating him.*

interrogation s. interrogação, interrogatório.

interrogative adj. interrogativo.

interrupt v.t. e i. interromper, fazer parar: *He interrupted me when I was speaking.*

intersect v.t. e i. 1 cortar, dividir, seccionar. 2 cortar, cruzar: *The roads intersect near São Paulo.*

intersection s. intersecção, ponto de intersecção, cruzamento.

intersperse v.t. intercalar, salpicar, entremear: *His text was interspersed with bad commetns.*

interval s. intervalo. **at intervals,** a) de tempo em tempo, às vezes: *My aunt visits us at intervals.* b) espaçadamente: *There were houses at 20 metre intervals,* Havia casas a cada 20 metros.

intervene v.i. 1 intervir, interferir, interpor: *He always intervened in my way of taking care of my children.* 2 (rel a tempo) estar entre um acontecimento e outro: *in the intervening hours between day and night.*

intervention s. intervenção, interferência.

interview s. entrevista, encontro: *The pop star gave an interview to the press.*

interview v.t. entrevistar: *We were interviewed to the daily news.*

intestine s. (ger pl) intestino.

intimacy s. intimidade, familiaridade.

intimate adj. 1 interno, familiar, particular: *intimate friends.* 2 aconchegante, íntimo: *an intimate room.* 3 pessoal, particular: *intimate intention.* **be intimate (with sb),** ter relações sexuais (com alguém). **be on intimate terms with sb,** ser amigo íntimo de alguém.

intimate s. amigo íntimo: *He's an intimate friends.*

intimation s. intimação, anúncio, proclamação, sugestão.

intimidate v.t. intimidar, atemorizar.

intimidation s. intimidação.

into prep. 1 para dentro, dentro: *The kids went into the car.* 2 em: *He's gone into business,* Ele entrou no ramo dos negócios. *John is gone into teaching,* John tornou-se professor. *We worked into the night,* Thabalhamos noite adentro. **get into trouble,** estar em apuros. **be into pop music/drugs/astrology,** ser adepto de música popular/drogas/astrologia.

intonation s. entonação, entoação.

intoxicate v.t. 1 inebriar, embriagar, intoxicar. 2 (fig) entusiasmar, excitar: *He's intoxicated with his new job.*

intrepid adj. (fml) corajoso, intrépido.

intricacy s. (pl *-ies*) dificuldade, complexidade, complicação.

intricate adj. complexo, complicado, difícil, intrincado, detalhado: *an intricate report.*

intrigue s. intriga, complô, trama, conspiração.

intrigue v.t. e i. 1 fazer intrigas, conspirar, tramar. 2 excitar a curiosidade, intrigar: *She has an intriguing smile,* Ela tem um sorriso enigmático.

intrinsic

intrinsic *adj.* intrínseco, inerente.
introduce *v.t.* 1 apresentar: *She introduced me to her boyfriend. She introduced herself.* 2 introduzir: *She introduced a new method of education.* 3 *(into)* introduzir, inserir.
introduction *s.* 1 introdução, prefácio: *The introduction to her book.* 2 apresentação: *He doesn't need further introductions.*
introductory *adj.* introdutório, inicial: *introductory comments/remarks,* comentários/observações introdutório(a)s.
introspection *s.* introspecção.
introvert *s.* introvertido.
introverted *adj.* introvertido.
intrude *v.t. e i.* 1 *(into)* intrometer-se, interferir sem ser chamado: *She's always intruding what is not her business.* 2 entrar sem ser convidado: *I didn't invite her. She's intruding.* 3 interromper: *Please, don't intrude me.*
intruder *s.* intruso.
intrusion *s.* intrusão.
intuition *s.* intuição, pressentimento.
invade *v.t.* 1 invadir, tomar: *The enemy invaded the city. Coke invaded all countries.* 2 violar: *I don't want you to invade my privacy.*
invader *s.* invasor.
invalid *adj.* caduco, não válido: *This bank account is invalid.*
invalid *s., adj.* inválido, enfermo. ***invalid chair,*** cadeira de rodas.
invalidate *v.t.* invalidar, cancelar, tornar sem efeito.
invaluable *adj.* Incalculável.
invariable *adj.* invariável, constante.
invasion *s.* invasão, violação.
invective *s.* crítica violenta, ofensa, injúria, palavrão: *Her letter was full of invectives.*
invent *v.t.* inventar, criar, imaginar, idear.
invention *s.* invenção, coisa inventada.
inventive *adj.* inventivo, criativo, original.
inventor *s.* inventor.
inventory *s.* (pl *-ies*) lista, inventário, relação de coisas/artigos.
inverse *adj. e s.* inverso, invertido: *in inverse proportion/relation (to),* em proporção/relação inversa (a).
inversion *s.* inversão.
invert *v.t.* inverter, colocar em ordem inversa, virar. ***inverted commas,*** aspas: *in inverted commas,* entre aspas.
invest *v.t. e i.* 1 investir, empregar dinheiro: *They invested all their money in a car industry.* 2 (infml) comprar: *He prefers to invest in a new apartment.* 3 dar autoridade: *He was invested with full powers,* Foram-lhe dados plenos poderes.
investigate *v.t.* investigar, examinar, pesquisar.
investigation *s.* investigação.
investigator *s.* investigador.
investment *s.* investimento (de dinheiro).
investor *s.* quem faz investimentos, investidor.
inveterate *adj.* (rel a hábitos, emoções) inveterado, arraigado: *an inveterate smoker.*
invigorate *v.t.* revigorar, animar, avivar, fortificar, estimular.
invincible *adj.* invencível.
invisible *adj.* invisível.
invitation *s.* convite.
invite *v.t.* 1 convidar: *He invited me to a beautiful party.* 2 solicitar, pedir: *We invite you to take place in presentation.* 3 atrair, encorajar, provocar.
inviting *adj.* convidativo, atraente: *That site is full of inviting options.*
invoice *s.* (com) fatura.
invoke *v.t.* 1 invocar, implorar, suplicar. 2 chamar, conjurar.
involuntary *adj.* involuntário.
involve *v.t.* 1 envolver(-se), participar, comprometer(-se): *She's involved in the new project.* 2 implicar, exigir, acarretar: *What does his position involve?*

involved *adj.* 1 complexo, complicado. 2 envolvido, incluído. 3 (infml) comprometido, envolvido num relacionamento amoroso: *He's involved with my sister.*
inward *adj.* 1 interno, interior. 2 voltado para dentro. 3 íntimo: *inward desires.*
inwards *adv.* 1 para dentro. 2 intimamente.
iodine(-din) *s.* iodo.
IQ *s.* (abrev de *intelligence quotient*) Q I: *He seems to have a high IQ.*
IRA *s.* (abrev de *Iris.h Republican Army*) Exército Republicano Irlandês, organização separatista da Irlanda do Norte, no Reino Unido, a favor da unificação com a República Irlandesa.
irate *adj.* (fml) colérico, irado, enraivecido.
iris *s.* 1 íris (do olho). 2 íris (flor).
irk *v.t.* irritar, causar, aborrecer: *It irks me to have to what he asked me.*
irksome *adj.* aborrecido, maçante, cansativo, irritante: *It's irksome to have to listen to the same thing again.*
iron *s.* 1 ferro: *The gate of my house is made of iron.* 2 ferro de passar roupa. 3 (pl) ferros, cadeias, correntes. **put sb in irons**, acorrentar alguém, aprisionar alguém. ***iron curtain***, cortina de ferro.
iron *v.t. e i.* passar (roupas) a ferro.
ironing-board, tábua de passar roupa.
ironic(-cal) *adj.* irônico, sarcástico.
ironworks *s.* (pl) siderurgia.
irony *s.* (pl -ies), ironia, sarcasmo: *the irony of fate,* a ironia do destino.
irrational *adj.* irracional, absurdo, ilógico.
irregular *adj.* irregular: *irregular verbs,* verbos irregulares.
irrelavant *adj.* irrelevante.
irreproachable *adj.* irrepreensivel: *He always has an irreproachable behaviour.*
irrespective *adj.* (of) sem consideração de, sem restrição de: *Everybody is allowed to participate irrespective of sex, age or experience.*
irresponsibility *s.* irresponsabilidade.
irresponsible *adj.* irresponsável, descuidado.
irresistible *adj.* irresistível.
irrigate *v.t.* irrigar, regar.
irrigation *s.* irrigação.
irritable *adj.* irritável, sensivel, impaciente.
irritate *v.t.* 1 irritar(-se). 2 inflamar: *Wind irritate her eyes.*
irritation *s.* irritação, inflamação.
is *V.* be.
Islam *s.* Islã.
island *s.* ilha.
islander *s.* ilhéu.
isle *s.* ilha: *The British isles,* as Ilhas Britânicas, Grã-Bretanha.
isn't *V.* be.
isolate *v.t.* isolar, separar, afastar.
isolation *s.* isolação, isolamento.
issue *s.* 1 emissão, descarga, fluxo, escoamento: *an issue of water.* 2 publicação: *the issue of a new cook book.* 3 exemplar, número: *the next issue of the magazine,* último número da revista. ***back issues***, números atrasados. 4 questão, assunto de discussão: *the issues of a meeting.* ***make an issue out of sth,*** criar caso de algo: *I don't want to make an issue out of it, but don't you think you could be more polite with her?,* Não quero criar caso mas você não acha que poderia ser mais educado com ela? 5 (jur) herdeiro: *without issues,* sem herdeiros. ***at issue***, em questão: *What is the topic at issue?* ***take issue with,*** irritar-se com alguém, brigar com alguém.
issue *v.t. e i.* 1 emitir, lançar, pôr em circulação: *The government may issue a new currency to try to solve the inflation problem.* 2 publicar, editar: *They issued a new book about English grammar.* 3 dar, emitir (ordens): *He issues commands to me as if I were his*

it

employee. **4** fazer nascer, brotar, emitir, emanar: *Water issued from the earth*.

it *pron*. **1** usado como sujeito para se referir a coisas inanimadas, grupos de pessoas, animais e a crianças de sexo desconhecido ou quando o sexo da criança é irrelevante: *"Where's the book?" "It's on the table." It´s my dog*. **2** usado para identificar coisas ou pessoas: *"Who's coming?" "it's me"*. **3** usada para falar sobre o tempo: *it's cold/hot/cool*. **4** usado para se referir às horas, ao dia da semana, à estação, ao mês: *it's 4 o'clock; it's midnight; it's Sunday; it's Winter/Spring/ Summer/ Fall,Autumn; it's May*. **5** usado para se referir a distâncias: *it's near/far; it's 600 km from Rio to S. Paulo*. **6** usado como sujeito do verbo *be*: *It's impossible to find to him at houme*, É impossivel encontrá-lo em casa. **7** usado como objeto depois de alguns verbos: *I find it exciting to drive fast*. **That's it,** a) É isso mesmo! b) É tudo! **have had it,** estar em apuros: *We've had it*!.

it'd contração de *it would*: *it'd be better to go now,* Seria melhor ir agora. **2** contração de *it had*: *it'd rained all day,* Choveu o dia todo.

it'll contração de *it will*.

it's contração de *it is:* it's *cheap,* É barato. **2** contração de *it has: it's rained all day*.

italics *s. pl* itálicos.

itch *s*. **1** coceira: *She has an itch on her ears*. **2** desejo de (fazer) algo: *He has an itch to get married,* Ele morre de vontade de se casar.

itch *v.i*. **1** coçar: *My foot itches*. **2** morrer de vontade (de algo); desejar (algo): *He's itching to meet the Pope*. .

itchy *adj. (-ier, -iest)* que provoca coceira.

item *s*. item, ponto. **news item,** notícias em jornal, rádio, TV: *The car race was the principal news item on the TV last night*.

itemize *v.t.* relacionar, elencar, enumerar, especificar por itens: *They itemized what they wanted before they decided to travel on vacation*.

itinerant *adj*. (fml) itinerante, viajante: *itinerant actors*.

itinerary *s*. (pl *-ies*) itinerário, roteiro, plano.

its *adj. poss*. seu, dele, dela: *The horse broke its leg*. (Cf. *it*).

itself *pron. reflex* **1** se, si mesmo(a): *The cat cleaned itself* , O gato se limpou. **2** mesmo, próprio, em si: *Money itself has no value,* O dinheiro em si não tem valor. **by itself**, sozinho: *The baby was playing by itself*.

ivory *s, adj*. **1** marfim. **2** cor de marfim.

ivy *s* (bot) hera. **poison ivy**, erva venenosa.

j J

J, j 10ª letra do alfabeto.
jab v.t. e i. (-bb-) 1 apunhalar, esfaquear: He jabbed his knife into the steak. 2 espetar, golpear, socar: Don't jab him. He's drunk.
jack s. 1 (mec.) macaco. 2 valete (carta do baralho)
jackal s. 1 (zoo) chacal.
jacket s. jaqueta, paletó: He's wearing a beautiful jacket.
jack-in-the-box s. caixa de surpresa.
jack-knife s. (pl jack-knives) canivete grande.
jackpot s. bolada, prêmio de loteria, rifa, sorte grande. **hit the jackpot**, ganhar a bolada, o prêmio total.
jade s. 1 jade, pedra preciosa verde, cor verde.
jaded adj. 1 cansado, exausto. 2 velho, gasto, muito usado.
jagged adj. recortado, entalhado, denteado.
jaguar s. jaguar, onça pintada.
jail s. cadeia.
jam s. 1 esmagamento, aperto: There was a jam at the entrance of the show. **traffic jam**, congestionamento de trânsito. **jam session**, (gír EUA) reunião de músicos para apresentação e improvisação de peças populares. **be in a jam**, estar com problemas.
jam s. geléia de frutas.
jam v.t. e i. (-mm-.) 1 apertar(-se), comprimir(-se), esmagar: I was jammed in the crowd in the subway. 2 empurrar, impelir: He jammed the door to come in. 3 emperrar, obstruir: The car was jamming the traffic.
jamboree s. 1 farra, festa barulhenta, quermesse. 2 concerto de música folclórica. 3 congresso de escoteiros.
jangle v.t. e i. 1 chiar, desafinar, soar estridentemente. 2 discutir.
janitor s. porteiro, zelador de prédio.
January s. janeiro.

jar s. 1 jarro, jarra, vaso, pote. 2 som estridente ou áspero, dissonância.
jar v.t. e i. 1 fazer ou provocar som estridente ou áspero, ranger. 2 brigar, disputar.
jargon s. jargão, calão, gíria profissional.
jarring adj. discordante, desafinado, dissonante: We always have jarring opinions.
jasmine s. (bot) jasmim.
jaundice s. 1 inveja, ciúme: She looked at him with jaundice. 2 (med) icterícia.
jaunt s. passeio, caminhada, excursão.
jaunty adj. animado, vivo: a jaunty music.
jaw s. 1 maxilar, mandíbula. **lower/upper jaw**, maxilar inferior/superior. 2 (pl) região maxilar incluindo boca e dentes. 3 (pl) desfiladeiro, garganta. 4 qualquer instrumento que abra e feche para segurar alguma coisa (torno, chave, etc). **jay walker**, pedestre imprudente.
jazz s. 1 (mús) jazz.
jazz v.t. 1 tocar ou adaptar ao jazz. **jazz up** (gír), alegrar, dar vida a, animar: Let's jazz up this party.
jazzy adj. (-ier, -iest) 1 relativo a jazz. 2 (gír) animado, jovial, vívido (p ex cores).
jealous adj. 1 ciumento: He's a jealous man. 2 invejoso: They are going to be jealous of our success. 3 zeloso, cioso: He is jealous of his needs.
jealousy s. (pl -ies) 1 ciúme. 2 desconfiança, suspeita. 3 zelo. 4 inveja.
jeans s. (pl) calças de brim.
jeep s. jipe.
jeer s. zombaria, mofa, chacota.
jeer v.t. e i. escarnecer, zombar, fazer chacota.
jelly s. (pl -ies) 1 geléia. 2 gelatina ou substância gelatinosa. (jello EUA)

jelly-fish s. 1 medusa, água-viva. 2 (fig) molenga.
jeopardize v.i. 1 pôr em risco, arriscar. 2 comprometer, prejudicar: *His attitudes are going to jeopardize his family.*
jeopardy s. risco, perigo, prejuízo: *His behaviour may put his job in jeopardy.*
jerk s. 1 empurrão, solavanco, puxão. 2 contração muscular, espasmo. 3 (gír) tolo, burro.
jerk v.t. e i. 1 empurrar, atirar, arremessar. 2 mover-se abruptamente, aos trancos: *The car jerked along the old road.*
jerky adj. (-ier, -iest) espasmódico, convulsivo, abrupto.
jersey s. (pl -s) 1 (tecido) jérsei. 2 camisa, colete ou suéter de lã.
jest s. gracejo, pilhéria, brincadeira. ***in jest***, de brincadeira.
jest v.i. gracejar, brincar, caçoar.
jet s. 1 jato, jorro. 2 esguicho. 4 propulsão a jato. ***jet plane***, avião a jato. ***jet propulsion***, propulsão a jato.
jet v.t. e i. (-tt-) esguichar, jorrar.
jettison v.t. 1 alijar carga ao mar. 2 jogar fora, descartar: *The pilot was jettisoned.*
jew s. judeu, israelita.
jewel s. 1 jóia, pedra preciosa. 2 diadema, gema. 3 (fig) pessoa ou coisa de grande valor.
jeweler (GB jeweller) s. joalheiro.
jewelry (GB jewllery) s. jóias.
jewish adj. judaico.
jigsaw s. (também *jigsaw puzzle*) quebra-cabeça.
jihad s. guerra santa dos maometanos.
jingle s. 1 tinido, som metálico de chaves, guizos etc. 2 melodia simples, em ritmo constante (para atrair a atenção): *advertising jingles.*
jingle v.t. e i. 1 tinir, soar: *She jingled her keys to the baby.* 2 rimar.
jinx s. (gír) 1 pessoa ou coisa que traz má sorte, pé-frio, 2 maldição, praga: *He's sure there's a jinx on him.*
jitters s. (pl) (gír) nervosismo antes de um acontecimento: *I've got the jitters about that party.*
job s. 1 obra, empreitada, tarefa. 2 (infml) emprego, colocação: *He has a good job at a library.* ***on the job***, ocupado, empregado. ***make a good job of sth***, executar bem um serviço. ***odd jobs***, fazer bicos, fazer biscates. ***a good job***, bom negócio. ***have a hard job doing/to do sth***, ter, encontrar grande dificuldade em fazer algo. ***just the job***, exatamente o que era procurado.
jockey s. (pl -s) jóquei.
jocular adj. (fml) jocoso, alegre, cômico, engraçado.
jocund adj. (fml) alegre, divertido.
jog v.t. e i. (-gg-) 1 sacudir, cutucar, empurrar: *He jogged the kid and made him cry.* 2 fazer cooper, correr. ***jog sb's memory***, fazer alguém lembrar-se de algo.
jogger s. corredor.
join v.t. e i. 1 ligar, juntar, unir (dois pontos ou coisas): *join two points together.* 2 confluir, encontrar-se: *Parallel lines never join.* 3 associar-se, ingressar: *join the army.* 4 ir junto, juntar-se: *I'll join you later.* ***join hands***, apertar as mãos. ***join forces with***, trabalhar junto, unir em ação.
joint adj. comum, em comum: *joint position.* ***joint account***, conta conjunta. ***joint-stock company***, sociedade anônima. ***joint-venture***, empresa mista (de recursos particulares e governamentais).
joint s. 1 junta, encaixe. 2 articulação: *finger joints.* 3 quarto de carne: *a joint of beef.* 4 (gír) espelunca, lugar onde se bebe, se joga e se consomem drogas. 5 (gír) cigarro de maconha.
joint v.i. 1 juntar, unir, ligar. 2 desmembrar, desarticular.

joke s. piada, brincadeira. **play a joke on sb**, pregar uma peça em alguém.
joke v.i. fazer piadas.
joker s. 1 brincalhão. 2 (baralho) curinga.
jolly adj. (-ier, -iest) espirituoso, alegre, jovial.
jolt v.t. e i. sacudir, balançar, andar aos trancos: *The car jolted over the rough road*.
jostle v.t. e i. empurrar, acotovelar.
jot v.i. (-tt-) **jot sth down**, tomar nota de: *jot down the telephone number*.
jotter s. bloco para anotações.
journal s. 1 periódico, revista. 2 registro de acontecimentos diários.
journalism s. jornalismo.
journalist s. jornalista, repórter.
journey s. (pl -s) viagem, jornada: *It´s a long journey to Europe*. **go on a journey/make a journey**, viajar, fazer uma viagem. **break one´s journey**, interromper a viagem, pernoitar, parar: *Let´s break our journey in Paris*.
jovial adj. jovial, alegre.
joy s. prazer, alegria: *It gave me great joy to see him*.
jubilant adj. exultante, triunfante.
jubilee s. aniversário, jubileu, comemoração especial de um aniversário. **diamond jubilee**, comemoração do 60° aniversário. **golden jubilee**, comemoração do 50° aniversário, bodas de ouro. **silver jubilee**, comemoração do 25° aniversário, bodas de prata.
judge s. 1 juiz, árbitro: *the football judge*. 2 (infml) conhecedor.
judge v.t. e i. 1 julgar, sentenciar. 2 considerar, decidir, opinar: *Judging from what I have heard, it may be ready tomorrow*, A julgar pelo que ouvi dizer, deve estar pronto amanhã.
judgement s. 1 julgamento, condenação. 2 discernimento.
judicious adj. (fml) ponderado, prudente.
judo s. judô.

jug s. jarro, caneca: *a jug of milk*.
juggernaut s. 1 (infml) caminhão basculante. 2 força destruidora.
juggle v.t. e i. fazer malabarismo.
juice s. 1 suco, sumo: *orange juice*.
juicy adj. (-ier, -iest) 1 suculento, sumarento. 2 (infml) interessante, picante (com referência a escândalos, fofocas, etc): *That's a piece of juicy gossip*, Essa é uma fofoca quentíssima.
July s. julho.
jumble v.t. e i. misturar desordenadamente, remexer, confundir: *His socks were jumbled together*, Suas meias estavam amontoadas. *Her thoughts were jumbled*, Ela estava confusa. **jumble-sale**, bazar (de caridade).
jump s. salto, pulo, sobressalto.
jump v.t. e i. saltar, pular, saltitar: *He jumps from one subject to another during his speech*. **jump at**, aceitar com entusiasmo: *He jumped at the chance of a promotion*. **jump on**, repreender: *My parents jump on me whenever I´m late*.
jumper s. 1 blusão. 2 saltador, animal ou pessoa que pula.
jumpy adj. nervoso, tenso: *The traffic in this town makes me jumpy*.
junction s. 1 junção, ligação, conexão. 2 entroncamento, ramificação (em rodovias, ferrovias, etc).
June s. junho.
jungle s. selva, floresta tropical.
junior s., adj. 1 (rel a pessoa) mais moço, inferior, subordinado. 2 (EUA) estudante no terceiro ano da escola ou faculdade.
junk s. 1 (infml) refugo, sucata, lixo. 2 (gír) heroína (droga).
junk s. junco, barcaça chinesa de fundo chato.
junkie (junky) s. (pl -ies) viciado em heroína.
jurisdiction s. jurisdição, alçada.

jurisprudence

jurisprudence s. jurisprudência, ciência do direito e das leis.
jurist s. jurista, especialista em direito.
jury s. (pl -ies) júri, grupo de jurados.
just adj. 1 justo, imparcial. 2 merecido, justificado, razoável. 3 correto, exato.
just adv 1 usado com um verbo para indicar o passado imediato: *He has just called you.* 2 exatamente: *This is just what I was saying.* **just as**, a) exatamente como: *Leave the bathroom just as you found it.* b) no momento em que: *just as I was coming in, the phone rang.* c) do mesmo modo que, na mesma proporção: *I like you just as mush as you like me.* 3 agora mesmo, naquele/ neste exato momento: *I was just going.* 4 apenas, mal: *He just had time to sit and the train started running.* 5 apenas, somente: *just a moment.* 6 (infml) simplesmente, verdadeiramente: *You look just wonderful!*
justice s. justiça. **do justice to**, a) tratar com justiça. b) fazer honra, reconhecer o valor de.
justify v.t. (pret, pp -ied) justificar, comprovar, corroborar.
jut v.i. (-tt-) **jut out**, projetar-se, salientar-se, formar saliência
jute s. juta.
juvenile adj. juvenil, jovem. **juvenile delinquency**, delinqüência juvenil.
juxtapose v.i. justapor, pôr junto, pôr ao lado.

k K

K,k letra K.
kaleidoscope s. 1 caleidoscópio. 2 qualquer coisa que muda ou varia constantemente.
kangaroo s. canguru.
keel s. (náut) quilha. **on an even keel,** horizontal, equilibrado.
keel v.t. e i. 1 (náut) virar quilha para cima. **keel over** (infml) virar, emborcar. 2 (rel a pessoas) desmaiar.
keen adj (-er, -est) 1 agudo, afiado: *a keen knife*. 2 (fig) intenso, cortante: *a keen wd*. 3 forte, profundo: *We have a keen interest in our research*. 4 penetrante, perspicaz, vivo: *keen sighted*. 5 veementes, ardentes, entusiásticos: *a keen writer*. **be keen on,** ter grande entusiasmo por, gostar muito de.
keenly adv. intensamente, sutilmente, ardentemente.
keep s. 1 manutenção, sustento, meios de sustento: *She earns her keep working as a teacher*. **for keeps** (gír), para valer, para sempre.
keep v.t. e i. (pret, pp kept) 1 ter, possuir, guardar: *He keeps a lot of notes*. 2 conservar, reter num estado ou posição: *to keep silence*. **keep an eye on** (infml), ficar de olho. **keep fit,** manter a forma (física). **keep going,** não pare, não desista. **keep sth in mind,** não se esquecer de algo. 3 manter a continuidade de um estado ou processo: *keep walking*. 4 observar, obedecer, cumprir: *Mary always keeps her word*, Mary sempre cumpre a sua palavra. **keep sb/sth from doing sth,** deter, impedir. **keep sth to oneself,** guardar segredo, não revelar: *He kept all the information to himself*. 5 alimentar, sustentar, prover: *He is the one who keeps the family*. 6 respeitar, comemorar, celebrar (p ex dia santo): *Keep Christmas*. 7 ter em estoque ou à venda. **keep at sth,** persistir, empenhar-se: *Keep at studying*. **keep away (from),** manter-se afastado, não se envolver: *Keep away from the dog*. **keep sb back,** reter, não deixar avançar. **keep sb down,** reter, reprimir. **keep sth down,** controlar, limitar: *You have to keep down your expenses*. **keep in with,** manter-se nas boas graças de. **keep off,** afastar, impedir que se aproxime: *Keep off the river*. **keep on (doing sth),** continuar, persistir: *Keep on dancing!* **keep out,** não entrar, não se intrometer. **keep to sth,** seguir, obedecer, aderir completamente. **keep up (with),** manter, acompanhar o ritmo: *She couldn't keep up with her friends*.
keeper s. 1 guarda, zelador. 2 carcereiro. 3 (em compostos) pessoa com uma função específica: *goal keeper*, goleiro; *shop keeper*, lojista, comerciante.
keeping s. 1 zelo, cuidado: *in safe keeping*, seguro, bem guardado. **in/out of keeping with,** de acordo/em desacordo com: *His actions aren't in keeping with his heart*.
keepsake s. lembrança, recordação, mimo, regalo.
kennel s. canil, abrigo para cães.
kept v. (pretérito do verbo *keep*).
kerb s. meio-fio. (EUA *curb*).
kerchief s. lenço de cabeça ou pescoço.
kernel s. 1 semente contida em noz ou caroço de fruta. 2 miolo de semente. 3 (fig) cerne, parte central, núcleo, âmago.
kerosene s. querosene.
ketchup s. molho picante de tomate.
kettle s. chaleira.
key s. 1 chave. 2 explicação, solução de um problema ou mistério. 3 respostas para exercícios. 4 tecla (piano, órgão, computador, etc). 5 (mús) escala,

key

tonalidade. 6 estilo de expressão. 7 (usado como *adj*) lugar que oferece, dá o controle da rota/área: *key position*. 8 (usado como *adj*) essencial: *key word*. **keyboard**, teclado (de piano, órgão, máquina de escrever). **key note**, a) (mús) nota tônica. b) idéia básica. **keyring**, chaveiro.
key *v.t.* **key up**, incitar, estimular, enervar: *Let's key them up about the situation.*
keystone *s.* 1 pedra principal de um arco. 2 princípio, base.
khaki *s., adj* cáqui, tecido utilizado na confecção de uniformes militares.
kick *s.* 1 chute, pontapé. 2 (infml) emoção, excitação, prazer: *Driving a motocycle at a high speed gives him kick.* 3 força, energia: *She has no kick to keep going.*
kick *v.t. e i.* 1 chutar: *kick the ball.* 2 (rel a arma de fogo) recuar, retroceder. **kick the bucket** (gír), morrer. **kick against/at**, detestar. **kick off**, começar o jogo.
kid *s.* 1 garoto. 2 irmão ou irmã mais novo (a): *He's my kid brother.* 3 cabrito 4 (pele) pelica. **handle sb with kid gloves**, lidar com alguém gentilmente, tratar com luvas de pelica.
kid *v.t.* (-*dd*-) (gír) brincar, caçoar: *He must be kidding!*
kidnap *v.t.* (-*pp*-, EUA -*p*-) seqüestrar.
kidnapper *s.* seqüestrador.
kidney *s.* (pl -*s*) rim.
kill *v.t. e i.* 1 matar: *The thief killed the man in order to steal his money.* 2 neutralizar, tornar sem efeito devido ao contraste: *The light color of the furniture kills the effect of the dark carpet.* 3 destruir, estragar: *He killed his chances of being promoted.* **kill sb/sth off**, livrar-se de, pôr um fim a: *The insecticides killed off most of the insects.* **kill time**, matar o tempo.
killer *s.* matador, assassino.
killing *adj* fatigante, exaustivo: *a killing quiz.*

kilo *s.* (pl -*s*) quilograma.
kilogram (-gramme) *s.* 1000 gramas, quilograma.
kilometer *s.* quilômetro, 1000 metros. (GB *kilometre*).
kilt *s.* 1 saia escocesa.
kimono *s.* (pl -*s*) quimono, roupão.
kin *s.* família, parentes. **next of kin**, parentes mais próximos.
kind *adj* (-*er*, -*est*) amável, bondoso, gentil: *a kind person.* **kind-hearted**, bondoso, generoso, de bom coração.
kind *s.* 1 raça, tipo, espécie: *mankind.* 2 caráter, índole: *They are different in kind.* **nothing of the kind**, nada do tipo, nada disso. **a kind of**, vago: *I had a kind of feeling that he would do that.* **in kind**, a) (pagamento) em espécie. b) (fig) na mesma moeda.
kindergarten *s.* jardim de infância.
kindle *v.t. e i.* 1 pegar fogo, acender: *Let's kindle the fire.* 2 excitar-se, entusiasmar-se, despertar: *His speech kindled the interest of everybody.*
kindred *s.* 1 parentesco consangüíneo. 2 parentes, família.
king *s.* rei. **king-size**, extra grande: *a king size bed.*
kingdom *s.* reino: *animal kingdom.* **the United Kingdom**, o reino unido da Grã-Bretanha e Irlanda do Norte.
kinky *adj* (-*ier*, -*iest*) (infml) estranho, esquisito.
kinship *s.* 1 parentesco 2 semelhança de personalidade.
kiosk *s.* quiosque, (rel a telefones) orelhão, banca (de jornais, flores, informações, etc).
kiss *s.* beijo.
kiss *v.t. e i.* beijar.
kit *s.* conjunto/estojo (de apetrechos), acessórios, equipamento, instrumentos, etc: *first-aid kit*, caixa/estojo de primeiros socorros; *make-up kit*, estojo de maquilagem.
kitchen *s.* cozinha.
kite *s.* papagaio de papel, arraia, pipa.
kitten *s.* gatinho, filhote de gato.

knack s. (infml) jeito, habilidade, tino: He has a knack for new business.
knapsack s. mochila.
knead v.t. amassar, ligar, misturar (farinha, massa, barro, etc).
knee s. joelho. **be on/go (down) on one's knees**, ficar de joelhos. **kneecap**, rótula de joelho. **knee-deep**, com profundidade até os joelhos: The water is knee-deep, A água chega até os joelhos
kneel vi (pret, pp knelt) ajoelhar-se.
knelt v. (pretérito do verbo kneel).
knew v. (pretérito do verbo know).
knickers s. pl 1 calcinhas (de mulher) (= panties).
knick-knack s. (infml) um objeto pequeno.
knife s. (pl knives) faca, punhal. **pocketknife**, canivete.
knife v.t. esfaquear, apunhalar.
knight s. 1 cavaleiro, fidalgo, aristocrata (em tempos medievais). 2 (GB) pessoa que recebe o título 'Sir' por serviços prestados à Pátria.
knit v.t. e i. (pret, pp -ted ou knit) (-tt) 1 fazer tricô, tricotar: My mother likes to knit. 2 entrelaçar, ligar. **closely-knit**, uniforme, unido, junto: a closely- knit family, uma família unida. **knit one's brows**, franzir a testa.
knitting s trabalho de tricô. **knitting needle**, agulha de tricô.
knives V. knife.
knob s. 1 puxador, maçaneta. 2 (infml) botão (de aparelhos eletrodomésticos).
knock s. golpe, pancada, batida.
knock v.t. e i. 1 bater: You should knock at the door before coming in.. 2 (infml) criticar, falar mal de: Don't knock things you don't understand. 3 (infml) surpreender, chocar: Her actions always knock us. **knock about**, atacar, espancar alguém. **knock off work**, (infml) parar/terminar de trabalhar. **knock out,** a) nocaute (boxe), golpe decisivo. b) (gír) mulher muito bonita,

"uma gata!": She is a knock out. **knock over, knock down**, derrubar, atropelar.
knocker s. batedor, aldrava.
knot s. 1 nó, laçada. 2 (fig) vínculo, união. 3 laço. 4 dificuldade, problema. 5 nó de madeira ou ramo. 6 aglomeração. 7 (náut) nó, medida de velocidade para navios.
knot v.t. e i. (-tt-) dar um nó, amarrar (com nós).
know s. **in the know**, (infml bem informado, ao par de: He's always in the know about what's going on.
know v.t. e i. (pret knew) 1 saber, ter gravado na mente. **know a thing or two**, ter experiência. **know one's own mind**, saber o que se quer. 2 conhecer. 3 reconhecer, distinguir. **know about/of**, tomar conhecimento, receber informação de. **know-how**, experiência, técnica, prática.
knowing adj inteligente, esperto, bem informado, próprio de quem sabe: a knowing look.
knowingly adv 1 intencionalmente. 2 espertamente, sabiamente, com jeito de quem sabe.
knowledge s. conhecimento. **to the best of my knowledge**, pelo que eu sei.
knowledgeable adj bem informado, instruído.
knuckle s. nós dos dedos (em animais), junta (do joelho ou pé).
knuckle v.i. **knuckle down to**, trabalhar com afinco. **knuckle under,** submeter-se, render-se.
kosher adj. 1 (rel a alimento) preparado segundo os preceitos da lei judaica.
kowtow v.i. mostrar submissão, obedecer cegamente: Don't kowtow to your father!

/ L

L, l 12ª letra do alfabeto.
lab s. (infml) abrev de *laboratory*.
label s. rótulo, etiqueta, marca, legenda.
label v.t. (-ll-) rotular, classificar, qualificar.
Labor Day s. dia do trabalho. *labour party*, partido trabalhista britânico.
labor s. 1 trabalho. 2 tarefa, obra. 3 mão-de-obra: *That company only uses skilled labor.* 4 trabalho de parto. (GB *labour*).
labor v.t. e i. 1 trabalhar, labutar. 2 esforçarse, mover-se ou respirar com dificuldade: *Usually old men labor up the stairs.* 3 elaborar (em detalhes). *labor under*, ser vítima de, sofrer por: *The man labored under a false accusation.* (GB *labour*).
laboratory s. (pl *-ies.*) laboratório.
labored adj. 1 elaborado, difícil. 2 forçado, não natural. (GB *laboured*).
laborer s. trabalhador braçal. (GB *labourer*).
laborious adj. 1 laborioso, árduo, penoso. 2 laborioso, diligente.
labyrinth s. labirinto.
lace s. 1 renda. 2 cordão de sapatos.
lace v.t. 1 amarrar com cordões: *My baby brother doesn't know how to lace his shoes.* 2 colocar álcool em bebidas não-alcoólicas: *I like coke laced with rum.*
lacerate v.t. dilacerar, rasgar.
lack s. falta, carência, insuficiência.
lack v.t. e i. faltar, carecer de: *You lack energy to take care of kids.*
laconic adj. (fml) lacônico, conciso, breve.
lacy adj. (*-ier, -ies.t*) rendado, imitando renda.
lad s. rapaz, jovem.
ladder s. 1 escada de mão. 2 (fig) meio usado para progredir, escada: *He was her ladder to success.*

laden adj. (with) carregado: *The trees are laden with flowers in his farm.*
lading s. carga, frete. *bill of lading*, relação da carga de um navio.
ladle s. concha (para servir líquido).
lady s. (pl *-ies.*) 1 senhora, dama: *All the ladies in the room wanted to see the popstar.* 2 esposa, dona de casa. 3 amada: *She's my lady. ladies and Gentlemen!* Senhoras e Senhores!
lady s. (pl *-ies.*) título de nobreza, filha ou esposa de nobres: *Lady Di. our Lady*, Nossa Senhora.
ladylike adj. elegante, de boas maneiras (como uma dama).
lag s. 1 retardamento, intervalo, hiato: *time lag*. *jet lag*, exaustão física causada por brusca mudança de fuso horário.
lag v.i. (-gg-) atrasar-se, ficar atrás.
lag v.t. (-gg-) isolar termicamente: *He lagged the food to be transported.*
lager s. tipo de cerveja leve.
lagoon s. laguna, lagoa.
laid V. (pretérito do verbo *lay*.
lain V. pretérito do verbo *lie*.
lair s. toca, covil: *Be careful! A great brown beal has a lair around here.*
laity s. 1 laicidade, os leigos religiosos. 2 pessoas sem treinamento profissional.
lake s. lago.
lama s. lama, sacerdote do Tibete ou Mongólia.
lamb s. 1 cordeiro, carneiro. 2 carne de carneiro.
lambaste v.t. (gír) espancar, bater, atacar violentamente com palavras: *He lambasted the woman for no reason at all.*
lame adj. 1 coxo, manco. 2 imperfeito, defeituoso, fraco: *The student gave lame excuses for his mistakes. lame duck*, a) (EUA) patinho feio. b) pessoa incapaz.

lament v.t. e i. (aver) lamentar, lastimar, deplorar.
lamentable adj. lamentável, lastimoso.
lamentation s. lamentação, lamento, pranto.
laminate v.t. e i. 1 laminar, cortar em lâminas. 2 laminar, cobrir com lâminas de plástico, metal, etc.
lamp s. lâmpada, lanterna, lamparina, lampião: *table lamp*; *infrared lamp*; *ultraviolet lamp*. **lamplight**, luz de lâmpada. **lamp-post**, poste de iluminação. **lampshade**, abajur.
lampoon s. sátira: *Did you read the lampoon in the magazine about our President?*
lance s. lança.
lance v.t. 1 lancear. 2 lancetar.
land s. 1 terra, região, país: *the land of the Indians*. 2 terras, solo, terreno: *His land is really beautiful, but quite far from here*. 3 propriedade: *That river flows through my land*. **see how the land lies**, ver como andam as coisas. **land-agent**, corretor, administrador de terras. **landholder**, proprietário de terras. **landlady**, proprietária que aluga sua propriedade. **landlord**, proprietário que aluga sua propriedade. **landmark**, a) placa de sinalização em estradas. b) objeto que demarca limites, marco, baliza.
land v.t. e i. 1 aportar, pousar, aterrisar: *The plane landed 10 minutes ago*. 2 desembarcar: *Mary landed in London yesterday*. 3 ir parar, acabar em: *The murderer landed in jail*.
landed adj. pousado, aportado: *The landed ship is waiting to leave*.
landing s. 1 aterrissagem: *The plane landed very smoothly*. 2 desembarque.
landless adj. e s. sem-terra.
landowner s. proprietário de terras.
landscape s. paisagem. **landscape gardening/architecture**, paisagismo.

lane s. alameda, viela, travessa, passagem.
language s. 1 língua, linguagem: *Human language isn't something learned in school*. 2 modo de falar ou escrever, estilo: *This poet has a very good language*. 3 língua de um povo: *His native language is Portuguese but he learned two foreign languages*. **language laboratory**, laboratório de línguas.
languid adj. 1 lânguido. 2 desanimado, vagaroso, lento.
languidly adv. languidamente, fracamente.
languish v.i. 1 languescer. 2 ficar infeliz: *She languished when she knew he would come*. 3 definhar, abater-se: *The murderer languished in prison*.
lank adj. 1 magro, delgado: *His lank figure was something that impressed me*. 2 (cabelo) sem volume e sem vida: *That blond girl has lank hair*.
lanky adj. muito magro, alto e desajeitado.
lanolin s. lanolina.
lantern s. lanterna, farol.
lap s. (em provas de corridas, de natação) cada volta do percurso: *the best lap of a car racing*.
lap s. colo, regaço. **in the lap of luxury**, afundado em luxo: *Many people have the wish of living in the lap of luxury*.
lap v.t. e i. (-pp-) lamber (maneira de cães e gatos beberem água).
lapel s. lapela: *He wore a flower on the lapel of his jacket during the cerimony*.
lapse s. 1 lapso, descuido, deslize: *a moral lapse*. 2 espaço de tempo: *a lapse of time*.
lapse v.i. 1 descuidar, decair, declinar. 2 passar, cair: *The sick man lapsed into silence*.
larceny s. (pl -*ies*) (jur) furto, roubo.
lard s. toicinho, banha.
larder s. despensa.
large adj. (-*r*, -*st*) 1 grande, largo,

lark

extenso: *a large river.* 2 generoso, liberal: *My father has a big heart.* 3 amplo: *large powers.* ***at large,*** a) à solta, livre: *The cat that ran away from the little girl is still at large.* b) em geral: *People at large are quite sympathetic to his situation.* ***large-scale,*** em grande escala: *They produce chocolate in a large scale.*

lark *s.* (infml) diversão, folia: *We would like to do it for a lark.*

larva *s.* (pl -e) larva.

larynx *s.* laringe.

lascivious *adj.* (fml) sensual, lascivo.

lash *s.* 1 parte flexível de um chicote. 2 pestana.

lash *v.t. e i.*1 surrar, chicotear, açoitar: *The waves lashed the rocks during the night.* 2 amarrar com corda. ***lash out,*** atacar violentamente (com socos ou palavras): *He lashed out against the President's words.*

lass *s.* garota, moça.

lassitude *s.* (fml) cansaço, desinteresse.

last *adj.* 1 último: *Last December we went to visit my grandmother in Rio.* 2 (contrário de *next*) passado: *last night,* ontem à noite; *last week,* semana passada. 3 derradeiro, final: *This is my last day in this company.* 4 o menos provável: *He's the last person I thought would come here.* Ele é a última pessoa que eu pensei que viria. ***last but not least,*** o último, mas não o menos importante.

last *adv.* 1 (oposto de *firs.t*) por último: *Gilberto Gil is going to sing last at the show tonight.* 2 pela/na última vez; *He was very happy when I last saw him.*

last *s.* *the last,* o último de: *This is the last of his shoes.* ***at last,*** finalmente: *At last, you are home.*

last *v.i.* durar, continuar: *How long will it last?,* Quanto tempo vai durar?

lasting *adj.* durável, duradouro, permanente.

lastly *adv.* finalmente, por fim.

latch *s.* trinco, ferrolho, tranca.

latch *v.t., v.i.* trancar. ***latch on to,*** (infml) a) entender. b) recusar-se a deixar alguém, agarrar-se a alguém.

late (*-r, -st*) 1 atrasado: *I´m late today.* 2 no final: *in the late afternoon.* 3 anterior, recente: *the late President.* 4 já falecido: *Her late husband.* ***of late,*** ultimamente, recentemente.

late *adv.* (contrário de *early*) tarde: *get up late.*

lately *adv.* recentemente, há pouco tempo, ultimamente: *Have you been to Rio lately?*

latent *adj.* latente, oculto.

later *adv.* mais tarde. ***later on,*** depois. ***sooner or later,*** cedo ou tarde: *Sooner or later the truth will appear.*

lateral *adj.* lateral.

latest *adj.* recente, último: *in the latest fashion show.* ***at the latest,*** no mais tardar.

lather *s.* 1 espuma de sabão. 2 baba, espuma de suor.

lather *v.t. e i.*1 ensaboar. 2 espumar, fazer espuma.

Latin *adj.* latino: *Latin America,* América Latina; *the Latin peoples,* os povos latinos. ***the Latin Church,*** Igreja Católica Apostólica Romana.

Latin *s.* latim.

latitude s 1 latitude. 2 (pl) regiões. 3 liberdade de ação e de opinião: *latitude in political belief.*

latter *adj.* 1 posterior, recente. 2 último: *the latter years.* ***the latter,*** entre duas coisas ou pessoas, a que é mencionada em segundo lugar: *Between the house and the apartment, the latter is more apropriate for what you need.* (Cf. *former*).

lattice *s.* treliça: *a lattice door.*

laugh *s.* riso, risada, gargalhada. ***have the last laugh,*** rir por último, vencer depois de uma derrota.

laugh *v.t. e i.* 1 rir, gargalhar, dar risada. 2 escarnecer. ***laugh at,*** a) rir-se de: *You shouldn´t laugh at a person who*

falls. b) tratar com indiferença, fazer pouco de: *laugh at difficulties*. **laugh in sb's face**, rir na cara de alguém, desrespeitar. **laugh up one's sleeve**, rir para consigo mesmo.
laughing *adj*. risonho, divertido. **That's no laughing matter**, É sério.
laughter *s*. riso, risada. **burst into laughter**, desatar a rir.
launch *s*. lancha.
launch *v.t. e i*. 1 lançar (navio na água): *launch a new ship*. 2 lançar (foguete, míssil), disparar: *launch a spacecraft; launch a missile*. 3 iniciar (um negócio): *launch a new business*. **launching-pad**, plataforma de lançamento.
launder *v.t. e i*. lavar e passar roupa.
launderette *s*. lavanderia automática (operada através de fichas).
laundress *s*. lavadeira e passadeira.
laundry *s*. (pl *-ies*) 1 lavanderia. **the laundry**, roupa para lavar.
laureate *adj*. laureado, coroado.
laurel *s*. glórias, homenagens. **rest on one's laurels**, criar fama e deitar se na cama.
lav *s*. (infml) abrev de *lavatory*.
lava *s*. lava de vulcão.
lavatory s (pl *-ies*) 1 banheiro. 2 lavabo.
lavender *adj. e s*. alfazema.
lavish *adj*. 1 generoso, liberal: *He's lavish in giving money to the poor*. 2 abundante, excessivo: *lavish care*.
lavish *v.t*. esbanjar, desperdiçar, dar generosamente: *lavish care on an only child*.
law *s*. 1 lei: *When anyone breaks the law, They must be punished*. **the law**, a polícia. 2 Direito, advocacia: *a law student*. 3 especialidades do Direitos: *Civil Law; Commercial Law*. 4 regra, regulamento, norma (de jogo, artes etc): *the laws of football*. **have the law on**, mover ação contra, processar. **lay down the law**, dar ordens, ditar a lei.
lawn *s*. 1 gramado. 2 área gramada usada para jogos. **lawn-mower**, cortador de grama.
lawyer *s*. advogado.
lax *adj*. 1 negligente, desatento. 2 (med) diarréico.
laxative *s*. laxativo.
lay *adj*. 1 leigo, secular. 2 leigo, estranho ou alheio ao assunto: *He's not na expert on that subject. He has a lay opinion about it*. **layman**, leigo.
lay *v.t. e i*.(pret, pp *laid*) 1 pôr, colocar: *He laid his head on the pillow*. 2 assentar: *The workman laid the bricks yesterday*, O pedreiro assentou os tijolos ontem. 3 arrumar, colocar: *Can you help me lay the table?* 4 (rel a aves, insetos) produzir, pôr ovos: *The hens lay eggs every day*. 5 apostar: *He laid 10 dollars on the lottery*. 6 (ger passiva) passar: *The story is laid in Europe, in the 19th century*, A história passa-se na Europa, no séc. 19. 7 cobrir com camada, pintar, revestir. 8 deitar-se, encostarse, reclinar-se. 9 assentar, abaixar: *The woman was sprinkling water on the road to lay the dust*. **lay (one's) hands on sth/sb:** a) tocar. b) agarrar. c) (rel a sacerdócio) confirmar, consagrar, ordenar. **lay the blame on sb**, pôr a culpa em alguém. **lay sb to rest**, enterrar. **lay sth bare**, revelar. **lay aside**, a) abandonar, deixar de lado: *lay aside fear*, deixar de lado o medo. b) economizar: *He lays aside money to buy a new house*. **lay down**, a) pagar, apostar: *How much can you lay down?* b) estocar, armazenar (esp vinho): *lay down porto*. c) começar a construir: *lay down a new house*. **lay down one's arms**, depor as armas, render-se. **lay down the law**, impor regras. **lay down one's life**, sacrificar-se. **lay sth in**, estocar, armazenar. **lay into sb**, a) assaltar, atacar. b) criticar. **lay off**, (infml) a) interromper: *He laid off the discussion for a few moments*. b) parar: *lay off shouting!* **lay sb off**: despedir funcionários

layby

temporariamente: *Industries laid off a lot of workmen last year.*
layby *s.* (rel a estradas) acostamento.
layer *s.* 1 camada. 2 galinhas poedeiras: *good/bad layers.* 3 apostador.
layette *s.* enxoval de bebê.
layoff *s.* dispensa temporária de empregados.
layout *s.* desenho, plano, esquema.
laze *v.t. e i.* vadiar, folgar, morgar: *We like to laze in the sun.*
laziness *s.* preguiça, ócio.
lazy *adj.* (*-ier, -ies.t*) preguiçoso, ocioso, indolente, vadio: *a lazy man.*
lead *s.* 1 chumbo. 2 grafite (de lápis).
lead *s.* 1 conduta, guia, comando. **take the lead**, assumir o comando, tomar a iniciativa. 2 primeiro lugar, primeira posição, ponta: *His horse gained the lead in the race.* 3 corrente para conduzir cachorro. 4 (teat) papel principal, ator principal. 5 (rel a jogos de cartas) mão.
lead *v.t. e i.*(pret, pp *led*) 1 guiar, conduzir. **lead the way (to)**, mostrar o caminho, preceder. 2 conduzir pela mão ou através de uma corda, puxar: *lead a blind person.*
leaded *adj.* chumbado.
leaden *adj.* 1 feito de chumbo. 2 (cor) cinza-chumbo: *leaden clouds.*
leader *s.* 1 condutor, guia: *leader of the group.* 2 chefe, comandante: *Leader of the Democratic Party.*
leadership *s.* guia, chefia, comando, liderança.
leading *adj.* principal, mais importante: *the leading actress,* atriz principal.
leaf *s.* (pl *leaves*) 1 folha de plantas. 2 folha de livro. 3 parte dobrável de uma mesa. 4 chapa fina de metal, ouro ou prata. **turn over a new leaf**, (fig) mudar de vida, começar de novo. **leaf through a book**, folhear um livro rapidamente.
leaflet *s.* 1 folhinha. 2 folheto.
league *s.* 1 liga, aliança. 2 confederação: *the international football league.*
leak *s.* goteira, vazamento, rombo, fenda.
leak *v.t. e i.* 1 vazar, pingar: *Rain water is leaking into the car.* 2 vazar informações, passar informações/notícias secretas: *Someone leaked the information about the new company plan.*
lean *adj.* (*-er, -est*) 1 (reL a carne) magro. 2 (rel a pessoa) magro. 3 improdutivo, de baixa qualidade: *lean food.*
lean *v.t. e i.* (pret, pp -*ed*) 1 inclinar-se. 2 encostar: *lean a ladder against the wall.* 3 suportar, apoiar: *He leaned against her shoulder not to fall.* 4 confiar, apoiar-se: *lean on a friend's help.* **lean towards**, tender para, ter tendência para.
leaning *s.* inclinação, propensão: *He has political leanings.*
leap *s.* pulo, salto. **by leaps and bounds**, às pressas, aos trancos e barrancos. **take a great leap forward**, fazer grandes avanços. **leap-frog**, um tipo de brincadeira infantil. **leap-year**, ano bissexto.
leap *v.t. e i.*(pret, pp -*ed* ou -*t*) pular, saltar, galgar (um obstáculo).
learn *v.t. e i.*(pret, pp -*t* ou -*ed*) 1 aprender, decorar, estudar, instruir-se: *They're learning English.* **learn sth by heart**, decorar. 2 ser informado, ter conhecimento: (fml) *Her mother learned of the murder through the news.*
learned *adj.* instruído, culto, erudito.
learning *s.* 1 saber, erudição. 2 aprendizado, estudo.
lease *s.* 1 arrendamento, locação, aluguel. 2 período de arrendamento. **be on lease (to)**, estar arrendado/alugado.
lease *v.t.* arrendar, alugar por período definido.
leash *s.* correia, coleira (de animais).
least *adv.* menos: *It happened when we least expected,* Aconteceu quando menos esperávamos. **last but not least**, por último, porém de não menor

importância. ***not in the least***, de modo algum, de maneira alguma: *I'm not in the least sad with you.*
least *s., adj.* (sup de *little*) o menor, mínimo, a mínima parte, o mínimo: *This is the least we could do for him.* ***at least***, ao menos, no mínimo, pelo menos: *I'll be travelling for at least three weeks this month.*
leather *s.* couro: *a leather jacket.*
leave *s.* licença, permissão: ***be on leave***, estar de licença. ***ask for leave***, pedir licença (férias). ***two/three months' leave***, licença de dois/três meses. ***take leave of sb***, despedir-se de alguém. ***leave of absence***, licença, permissão de se ausentar.
leave *v.t. e i.*(pret, pp *left*) 1 partir, sair: *We are leaving in five minutes.* 2 deixar, sair de: *The car left the road and hit the other car*, O carro saiu da estrada e bateu no outro carro. 3 abandonar: *He left school*, Ele abandonou a escola. *She left her husband.* 4 deixar, esquecer: *I left my keys in the car,* Esqueci minhas chaves no carro. *She left the doors open*, Ela deixou as portas abertas. 5 deixar: *Someone left a message for you*, Alguém deixou um recado para você. *His mother left him a lot of money*, Sua mãe deixou-lhe muito dinheiro. ***leave sb/sth alone***, deixar algo/alguém em paz. ***leave sb/sth be***, deixar algo/alguém em paz. ***leave for***, partir para: *They're leaving for Spain next week.* ***leave sb/sth behind***, esquecer, deixar algo, alguém para trás. ***leave sth/sb out***, omitir, excluir, esquecer algo/alguém.
lecture *s.* conferência, palestra, aula a nível universitário. ***give somebody a lecture***, repreender, passar sermão em alguém: *My father gave me a lecture when I got bad grades.*
lecture *v.t. e i.* dar conferências.
led V. (pretérito do verbo *lead*).
ledge *s.* borda, saliência. ***window ledge***, peitoril de uma janela.

ledger *s.* livro caixa.
leech s sanguessuga, parasita.
leek *s.* alho-porró.
leer *s.* olhar cobiçoso ou malévolo, olhar de soslaio.
leeway *s.* 1 (náut) espaço lateral adicional. 2 tempo, dinheiro, etc de reserva: *We have enough leeway for a three week trip. After that we'll need to get back.* 3 jogo de cintura, espaço ou margem para ação: *You should give the kids some leeway, so they can make their own decisions.*
left *adj.* lado esquerdo: *the left side of the river.* ***left-handed***, canhoto. ***left hand***, lado esquerdo: *the left hand side of the road.*
left *adv.* à esquerda: *Turn left at the next street*, Vire à esquerda na próxima rua.
left *s.* esquerda. ***The Left***, (polít) a Esquerda. ***left wing politics***, política da esquerda, esquerdismo.
left V. (pretérito do verbo *leave*).
leftist *s.* esquerdista.
leg *s.* 1 perna, pata. ***pull sb's leg***, fazer alguém de tolo.
legacy *s.* (pl *-ies*) legado, herança.
legal *adj.* legal, lícito.
legalize *v.i.* legalizar.
legend *s.* lenda, fábula.
legendary *adj.* lendário, legendário, famoso.
legible *adj.* legível.
legion *s.* legião, multidão.
legislate *v.i.* legislar.
legislative *adj.* legislativo.
legitimate *adj.* legítimo, legal, justificável.
leisure *s.* lazer, folga, ócio, tempo livre: *Weekends are my only leisure.*
leisurely *adj., adv.* despreocupado, sem pressa, vagarosamente: *He works at a leisurely pace,* Ele trabalha com calma, sem pressa.
lemon *s.* limão.
lemonade *s.* limonada.
lend *v.t.* (pret, pp *lent*) emprestar. ***lend***

length

a hand, ajudar. **land itself/oneself to**, prestar-se a, servir para.
length s. comprimento, extensão, duração: *The length of the class was 50 minutes. The truck has a length of 10m.* **keep sb at arms' length**, manter alguém à distância, evitar intimidade com alguém. **go to any length(s)**, não medir esforços. **at length**, finalmente, detalhadamente: *He described her mother at length*, Ele descreveu a mãe dela detalhadamente.
lengthy adj. (-ier, -iest) muito longo, prolixo, cansativo.
lenient adj. clemente, suave, brando, compassivo, complacente.
lens s. (pl -es) lente, objetiva.
lent s. Quaresma.
lent V. (pretérito do verbo *lend*).
lentil s. lentilha.
Leo s. Leão (signo do zodíaco).
leopard s. leopardo.
leper s. leproso.
leprosy s. lepra.
lesbian s. lésbica, homossexual feminina.
less adj. menos, menor, inferior: *less time*. **less than**, menos que: *He has less pacience than you*, Ele tem menos paciência que você. (Cf. *little, few, least*).
less adv. menos: *He reads less than me*, Ele lê menos que eu. **the less** (...), quanto menos: *The less you shout the better you will feel*, Quanto menos você gritar, tanto melhor você se sentirá. **nonetheless**, da mesma forma, do mesmo modo, mesmo assim.
less prep. menos, sem.
less s. menor quantidade, porção, tempo, etc: *She wants less of this and more of that*.
lessen v.t. e i. diminuir, reduzir, rebaixar.
lesser adj. menor, menos, inferior. **get lesser and lesser**, diminuir(-se) aos poucos.
lesson s. lição, aula.
let v.t. e i.(pret, pp *let*) (-tt-) 1 permitir, deixar, concordar: *Her father didn't let her go*, Seu pai não permitiu que ela fosse. **let alone**, (infml) sem mencionar, sem contar, sem falar em: *it wasn't the dress we needed, it was the wrong size, too hot, too dark, let alone the price which was too expensive.* 2 usado em imperativos: *Let him go!* Deixe que ele vá. *Let them come in!* Deixe que eles entrem. *Let me see...* Deixe-me ver... 3 (usado em imperativos com *us*) a) permita(m)-nos/permita(m) que nós... (nunca abreviado): *Please let us talk for a while. Please let us give you a gift.* b) (usado para indicar sugestões, convites) vamos (ger abreviado): *Let 's go home*, Vamos para casa. **Let's face it**, Vamos dizer a verdade/não háoutra saída/não tem jeito: *Let 's face it, we're not being very seccesfull*, Vamos dizer a verdade, não estamos tendo muito sucesso. 4 alugar: *They let their farm out for the summer*, Alugaram sua fazenda durante o verão. **To let**, Aluga-se. **let sb know**, avisar: *Let me know when you're coming*. **let sb down**, desapontar, decepcionar alguém: *Don't let me dowm, I trust you*. **let sb in**, deixar alguém entrar. **let sb/sth out**, deixar sair. **let sb/sth through**, deixar passar. **let up**, diminuir, parar.
let's V. *let*.
lethal adj. letal, mortal.
lethargic adj. apático, letárgico, preguiçoso.
letter s. 1 letra: *capital letters*, letra maiúscula. *small letter*, letra minúscula. 2 carta, mensagem: *I´ll write you a letter*. 3 (pl) letras, literaturas: *He's a man of letters*, Ele é um homem de letras, um literato.
lettuce s. alface.
level adj. plano, nivelado. **level treaded**, (rel a pessoa) equilibrada. **level clossing**, passagem de nível.
level s. 1 nível. 2 linha ou superfície paralela ao horizonte. **sea level**, nível do mar. 3 nível social: *He is not of my level*.

level v.t. e i.(-ll- EUA -l-) 1 nivelar, igualar, aplainar. ***level off***, estabilizar(-se): *Inflation has levelled off to a rate of 5%*. 2 mirar, dirigir a: *The insults were levelled at the President.*
lever s. alavanca, manivela.
lewd adj. obsceno, lascivo.
liable adj. 1 *liable for*, responsável por. ***be liable to***, a) estar sujeito a: *If you do that, you're liable to be arrested*, Se você fizer isso, estará sujeito a ser preso. b) ser passível/capaz de: *He is liable to make things wrong.*
llama s. lhama.
liar s. mentiroso.
liberal adj. 1 farto, generoso: *There was a liberal amount of money at the bank*. 2 (rel a pessoas) liberal, aberto, sem preconceitos.
liberate v.t. liberar, libertar.
liberation s. liberação, libertação.
liberty s. (pl -*ies*) liberdade. ***at liberty***, em liberdade, livre. ***take liberties with***, tomar liberdades com, agir com familiaridade excessiva.
Libra s. Libra, Balança (signo do zodíaco).
librarian s. bibliotecário.
library s. (pl -*ies.*) biblioteca.
license (-cence) v.t. dar licença, autorização, licenciar.
license s. 1 licença, autorização: *a driving license*. 2 liberdade demasiada, licenciosidade. (GB *licence*).
licentious adj. licencioso, devasso, libertino.
lick s. lambida.
lick v.t. e i.1 lamber. ***lick sb's boots*** (infml) ser servil. 2 (rel a ondas, chamas) tocar de leve, lamber. 3 (infml) vencer, derrotar.
licking s. (infml) surra, derrota.
licorice s. V. *liquorice*.
lid s. 1 tampa: *the lid of a shoe box*. 2 pálpebra (= *eyelid*).
lie s. mentira: *tell lies.*
lie v.i. (pret *lay*, pp *lain*) 1 deitar-se, estar deitado: *He lay in bed until late every day.* 2 (rel a objetos) repousar estendido sobre uma superfície: *The newspaper is lying on the sofa*. 3 ser mantido, permanecer, encontrar-se: *He lay in prison for 5 years*. ***lie down under***, submeter-se sem protesto. ***lie in***, ficar na cama até mais tarde. ***lie low***, (infml) esconder-se.
lie v.i. (pret, pp -*d*) mentir.
lieutenant s. 1 tenente. 2 (em compostos) *lieutenant colonel*, tenente-coronel.
life s. (*pl lives*) 1 vida, existência. 2 vida, coisas vivas. 3 o existir de seres vivos. ***come to life***, a) recobrar os sentidos. b) mostrar interesse, entusiasmo. ***run for one's life***, correr para se salvar. ***take sb's life***, matar alguém. ***take one's (own) life***, suicidar-se. 4 duração da existência: *The murderer was sentenced to imprisonment for life*. ***have the time of one's life***, divertir-se imensamente. 5 vivacidade, animação, atividade. 6 modo de viver, conduta: *country life*. 7 biografia. 8 período de atividade, duração: *the life of a machine*. ***Not on your life!*** Certamente não! ***Not for the life of me!*** Por nada deste mundo. ***lifeboat***, bote salva-vidas. ***lifeguard***, salva-vidas (nas praias). ***life jacket***, colete salva-vidas. ***lifelike***, semelhante, tal como a vida: *a lifelike story*. ***lifelong***, vitalício.
life-span, tempo de vida. **lifetime**, (duração da) vida, existência: *She had enough worries for a lifetime.*
lifeless adj. 1 inanimado. 2 morto. 3 sem vida, desanimado.
lift s. 1 elevador. 2 ação de levantar. 2 carona (em um veículo): *I gave him a lift.*
lift v.t. e i. 1 levantar, erguer, suspender, elevar: *to lift a car*. *Don't lift (up) your voice*. ***lift off***, decolar (nave espacial). 2 (rel a nuvens, neblina, etc) desaparecer, dissipar-se. 3 (infml) roubar. 4 suspender (proibição, bloqueio, imposto, etc).

light

light adj. (-er, -es.t) 1 leve: *light clothes for hot day; light beverage; a light meal.* 2 (rel a livros, música, peças) alegre, jocoso. 3 (rel a trabalho) fácil. 4 sem importância, leve: *a light cold.* ***light-fingered***, de toque leve, hábil para furtar. ***light-headed***, a) tonto, delirante. b) frívolo, tolo. ***light-hearted***, alegre, despreocupado. ***lightweight***, peso-leve (boxeador).
light adj. (-er, -es.t) claro, luminoso: *a light room; light blue.*
light adv. leve, levemente: *He travels light,* viajar com pouca bagagem.
light s. 1 luz, claridade, iluminação. 2 fonte de luz (vela, fosforo, lâmpada, etc). ***in a good/bad light***, sob um ângulo favorável/desfavorável. 3 conhecimento ou fato esclarecedor: *His comments have given a new light to the lecture.* ***in the light of***, à luz de, levando em consideração. 4 luz, ângulo, ponto de vista. ***lighthouse***, farol. ***light year***, ano luz.
light v.t. e i.(pret, pp *lit*) 1 acender, iluminar: *She lit (up) a candle.* 2 clarear, iluminar: *A beautiful light lit the room.* 3 (rel à expressão facial) iluminar (-se), tornar brilhante: *An expression of happiness lit (up) her face.* ***light up***, acender as luzes.
lighten v.t. e i. 1 iluminar, brilhar. 2 relampejar: *It thundered and lightened during the rain.*
lighten v.t. e i. aliviar, tornar mais leve.
lighter s. acendedor, isqueiro.
lightly adv. 1 levemente. 2 com pouco esforço, facilmente. ***get off lightly***, (infml) safar-se com pouco castigo.
lightning s. relâmpago, raio. ***lightning-rod/-conductor***, condutor de pára-raios.
lilac s. 1 (bot) lilás. 2 de cor lilás.
lily s. (pl *-ies*) lírio, açucena, flor-de-lis.
like adj. semelhante, parecido.
like conj. (infml) como: *Do the homework like I told you.*
like prep. 1 como (da mesma forma/maneira que, com as mesmas características/qualidades de): *My brother is like my father. I work like a dog. She is like a mother to me. What is she like?* (pedindo uma descrição) Como ela é? ***feel like***, ter vontade de, inclinado a: *I don't feel like sleeping now.* ***look like***, assemelhar-se, parecer, ser provável: *It looks like a good day to work hard.* 2 (infml) por exemplo, tal como: *I prefer sports, like tennis and volley.*
like v.t. 1 gostar de, apreciar, achar bom: *I like coffee.* ***would/should like***, gostaria, desejaria: *Would you like something special to eat?* 2 preferir, querer: *How do you like your juice, with or without sugar? Do as you like,* Faça como você quiser.
likelihood s. probabilidade: *There's not much likelihood of finding the food she wants.*
likely adj. (-ier, -iest) 1 provável, plausível: *Where would be a likely place to find him?* 2 provável, esperado: *It's likely to rain later.*
likely adv. provavelmente: *He will likely accept the job you're offering him.* ***as likely as not***, muito provavelmente.
likeness s. semelhança: *There isn't much likeness between the two twin brothers.*
likewise adv. 1 igualmente, da mesma forma: *I'll show you how I do it and you do it likewise.*
liking s. gosto, preferência, afeição: *He has a liking for driving fast.* ***to one's liking***, a seu gosto.
lilt s. 1 cadência, ritmo marcado. 2 canção alegre e rítmica.
limb s. 1 membro (braço, perna, asa). 2 galho (de árvore). ***be out on a limb***, estar sem apoio, estar em posição vulnerável, estar num mato sem cachorro.

limbo s. limbo, esquecimento, ostracismo.
lime s. cal. **limelight**, a) luz oxídrica. b) publicidade, ribalta. **be in the limelight**, ser o centro das atenções.
limestone, pedra calcária. 2 lima, limeira.
limit s. limite, marco. **within limits**, com moderação.
limit v.t. limitar, restringir.
limitation s. limitação, restrição.
limited adj. limitado, restrito. **limited liability company**, companhia limitada.
limitless adj. ilimitado.
limp adj. flácido, mole, sem firmeza.
limp s. coxeadura, um andar claudicante: He walks with a limp since he hurt his leg in the accident.
limp v.t. mancar, coxear.
limpid adj. límpido, claro, transparente.
limpidly adv. limpidamente, claramente.
line s. 1 linha. 2 linha, corda, fio, arame: a telefone line; a clothes line, varal para roupas. 3 linha na palma da mão, no rosto, ruga. 4 (pl) contorno, forma: a car with modern lines. 5 fila, fileira: a line of trees along the road. **stand in line**, formar fila. 6 fronteira, limite: The line between sanity and insanity is very fine. **draw the line at**, estabelecer um limite (e não ir além). 7 sistema de transporte organizado: a bus line, uma companhia de ônibus. 8 via, ferrovia. 9 direção, curso, caminho: He is on the wrong line, Ele está no caminho errado. **between the lines**, (fig) ler nas entrelinhas.
line v.t. e i. 1 traçar linhas. 2 alinhar(-se), enfileirar(-se): The streets were lined with people who wanted to see the rock star. 3 formar rugas: a face lined with worry. **line up**, formar fila, colocar em fila.
line v.t. forrar, revestir: This jacket is wool lined.
lineage s. (fml) linhagem, estirpe.
linear adj. 1 linear, composto de linhas. 2 de comprimento.
linen s. 1 linho. 2 roupa branca (de cama, mesa).
liner s. navio ou avião de carreira.
linesman s. (esporte) bandeirinha, juiz de linha.
line-up s. 1 alinhamento: a line-up of countries in favour of the poor. 2 formação dos jogadores no campo antes de ser dada a saída.
linger v.i. demorar-se, deixar-se ficar, tardar: She lingered about until I offered to take her home.
lingering adj. longo, prolongado, demorado (para acabar): a lingering date.
linguist s. lingüista, estudioso de línguas.
linguistic adj. lingüístico.
linguistics s. lingüística, ciência da linguagem e das línguas.
liniment s. ungüento, linimento.
lining s. 1 forro, revestimento. 2 tecido para forro.
link s. 1 (pl) terreno para jogo de golfe. 2 (pl) terreno arenoso perto do mar. 3 abotoadura de camisa.
link s. elo, conexão, ligação, vínculo: There is a link between man and animals. Is there an air link between the two airports?
link v.i. 1 ligar, conectar, vincular: The new road links the city to my farm. 2 (up, together) You should link up the pieces of information to make sense.
linoleum s. linóleo: Let's cover the garage floor with linoleum to protect it from grease and dirt.
lion s. 1 leão. 2 pessoa forte e corajosa, celebridade. **the lion's share of sth**, a parte do leão, a maior parte de algo: He had the lion's share of the cake.
lioness s. leoa.
lip s. 1 lábio, beiço. 2 (pl) boca, lábios: He kissed her on the lips. **lip-reading**, leitura labial usada por surdos. **lipstick**,

liquefy

batom: *She always has lipstick on to protect her lips.*
liquefy *v.t. e i.*(pret, pp *-ied*) 1 liquidificar, liquefazer: *There are gases that may be liquefied.* 2 derreter, dissolver: *You had better liquefy the butter by heating it.*
liqueur *s.* licor: *The waiter served liqueur after the meal.*
liquid *adj.* 1 líquido, fluido. 2 transparente, claro: *He likes to paint in very liquid colours.*
liquid *s.* líquido, fluido: *Water is a liquid.*
liquidate *v.t. e i.* 1 liquidar: *He liquidated all his old stuff.* 2 saldar, suprimir: *liquidate a debt.* 3 (infml) matar: *The terrorists will liquidate him.* 4 entrar em concordata, falir: *He liquidated his business because he couldn't pay his debts.* **go into liquidation**, entrar em concordata.
liquidity *s.* 1 liquidez financeira: *The company's finances have a good liquidity.*
liquor *s.* 1 (fml) bebida alcoólica. 2 (EUA) bebida de alto teor alcoólico: *Whisky is a liquor.*
liquorice *s.* alcaçuz, bala de alcaçuz.
lisp *v.t. e i.* 1 pronunciar defeituosamente, com língua presa: *I can´t undrestand him because he lisps when he speaks.* 2 balbuciar, ciciar: *The child lisped something that only his mother could understand.*
list *s.* lista, rol, relação, catálogo: *a list of members of the church; a shopping list.*
list *v.t. e i.* listar, arrolar, especificar: *She listed all the things she wanted to buy.*
listen *vi* 1 escutar, ouvir: *Listen to what he´s saying because it may be useful.* 2 obedecer: *Now, listen to me!*
listener *s.* ouvinte.
listless *adj.* 1 desatento, indiferente: *What a listless boy!* 2 lânguido: *Drugs make people listless.*
lit *V.* (pretérito do verbo *light*).

litany *s.* litania, ladainha em igrejas cristãs quando o padre diz algo e os fiéis respondem sempre da mesma forma.
litchi *s.* (bot) lechia (uma fruta asiática).
liter *s.* litro (GB *litre*).
literacy *s.* alfabetização, capacidade de ler e escrever: *The literacy rate has to be increased.*
literal *adj.* literal, ao pé da letra.
literally *adv.* 1 literalmente, realmente: *I was literally doing nothing there, so I went away.* 2 literalmente, ao pé da letra: *Don´t take what is written literally.*
literary *adj.* literário: *a literary work.*
literate *adj.* 1 letrado. 2 alfabetizado.
literature *s.* 1 literatura: *Brazilian literature is very rich.* 2 folhetos, material impresso: *I need more literature about the new products.*
litigate *v.t. e i.* pleitear, questionar em juízo.
litigation *s.* litígio, demanda.
litigious *adj.* litigioso: *a litigious argument.*
litter *s.* 1 lixo, principalmente de papéis: *I have to throw away all this litter.* 2 ninhada: *The cat had a litter of six kittens last night.* **litter-basket/-bin**, lixeira.
litter *v.t. e i.* fazer desordem ou sujeira, desarrumar: *The kids littered the room with papers.*
little *adj.* 1 pouco: *Give me a little water.* 2 pequeno: *a little dog.* 3 jovem: *my little brother.* 4 breve, exíguo: *I have little time to write it down.* 5 sem importância: *Little things sometimes are the most important ones.*
little *adv.* (les.s., leas.t) 1 pouco: *He knew very little about the plan.* 2 nada (com verbos de sensação): *He cares very little about their problems.*
little *s.* pouco: *I know very little about him.* **little by little**, pouco a pouco: *little by little she got back her position.*
livable (live) *adj.* 1 (rel à vida)

locomotion

suportável, aceitável. 2 habitável: *The house is simple I but it is livable.*
live *adj.* 1 vivo: *I have never seen a live panda.* 2 ao vivo: *They organized a live show.*
live *v.t. e i.* 1 viver, existir: *He lives with his family.* 2 morar, habitar: *I live in a beautiful house.* 3 viver intensamente: *They really know how to live life, they enjoy it.* **live and learn**, vivendo e aprendendo. **live and let live**, viva e deixe viver. **live on**, a) viver de: *I live on my own job.* **live through**, sobreviver apesar das dificuldades. **live together**, viver junto: *We have been living together for ten years without getting married.* **live up to**, manter o padrão.
lively *adj. (-ier, -ies.t)* 1 vivo, vívido, vivaz, alegre: *What a lively man.* 2 animado, vigoroso: *They were watching a very lively film.*
liven up *v.t. e i.* animar, alegrar.
liver *s.* fígado.
liverish *adj.* (infml) que sofre do fígado após comer ou beber em demasia.
livestock *s.* animais de fazenda, rebanho.
livid *adj.* lívido, pálido.
living *adj.* 1 vivo, ativo: *a living teacher.* 2 existente, contemporâneo: *a living language.*
living *s.* vida, meio de vida, sustento: *I make my living in teaching.* **cost of living**, custo de vida. **living-room**, sala de estar, sala de visitas. (= *sitting room*).
lizard *s.* lagarto, lagartixa, camaleão.
load *s.* 1 carga, carregamento: *The truck is carryng an important load.* 2 peso, opressão: *The responsibility of her job was a heavy load for her.* **loads of, a load of**, abundância: *There were loads of beverage the party.*
load *v.t. e i.* 1 carregar: *Load the car!* 2 colocar, carregar: *Load the film into the camera.*
loaded *adj.* 1 carregado, pesado.

loaf *s.* (pl *loaves*) um pão, filão de pão: *a loaf of bread.*
loan *s.* empréstimo: *I´m planning to ask for a loan in the bank.*
loathe *v.t.* repugnar, detestar.
lobby *s.* 1 vestíbulo, saguão, antecâmara: *a hotel lobby.* 2 pressão política exercida sobre parlamentares por membros do público.
lobby *v.t. e i.* (pret, pp *-ied*) 1 pedir votos. 2 tentar influenciar parlamentares na aprovação de projetos de lei: *The Government Party lobbied the deputy.*
lobe *s.* lóbulo: *ear lobe.*
lobster *s.* lagosta: *I like to eat lobster near the sea.*
local *adj.* 1 local: *our local office.* 2 (med) localizada: *a local infection.* 3 (rel a pessoa) nativo do lugar: *The local people came to see the new show.* **local anaesthetic**, anestesia local. **local authority**, autoridade local. **local color**, características locais, cor local. **local election**, eleição local. **local government**, governo local. **local time**, hora local.
locale *s.* (fml) localidade: *The small city was the locale of the crime.*
locality *s.* (pl *-ies*) localidade.
locate *v.t.* colocar, situar: *I couldn't locate the hotel.*
location *s.* situação, posição, localização.
loch *s.* lago, braço de mar na Escócia: *Loch Ness.*
lock *s.* fechadura, cadeado, fecho: *Don't forget to put the lock on the door.*
lock *s.* mecha, anel de cabelo.
lock *v.t. e i.*1 fechar, trancar: *Don't forget to lock the door.* 2 travar: *Lock the wheels to avoid spinning.* **lock-out**, dispensa de trabalhadores para obrigá-los a aceitar condições dos patrões.
locker *s.* 1 gaveta, baú com fechadura. 2 armário em clubes onde se deixam os pertences trancados: *She forgot her handbag in the locker.*
locomotion *s.* (téc) locomoção.

locomotive s. locomotiva.
locust s. gafanhoto.
lodge s. 1 alojamento, casa de guarda, pavilhão.
lodge v.t. e i. 1 alojar, hospedar, abrigar: *We'll lodge at a friend's house in German.* **lodge a complaint**, apresentar uma queixa.
lodger s. 1 locatário, inquilino. 2 pensionista.
lodging s. 1 alojamento, residência temporária: *He'll find you a lodging for tonight.* 2 (pl) aposentos, quarto alugado numa casa.
loft s. 1 sótão. 2 celeiro. 3 apartamento.
lofty adj. alto, elevado, imponente: *lofty desires.*
log s. 1 tronco de árvore. **sleep like a log**, dormir como uma pedra. 2 livro de registros, diário de bordo: *a log book.* **logcabin**, cabana de troncos de árvores.
log v.t. cortar árvores, derrubar árvores.
logarithm s. logaritmo.
logic s. lógica, raciocínio.
logical adj. lógico, racional: *logical thinking.*
logically adv. logicamente: *Logically, the more you eat, the more you may get fat.*
loin s. lombo, quadril de animal (= sirloin).
loiter v.t. e i. demorar-se, tardar, vadiar.
lollipop s. pirulito. **ice-lolly**, sorvete de palito.
loll v.t. e i. (about, around) refestelar-se, recostar-se: *I was lolling in my bed thinking about my life when he came in.*
lone adj. 1 solitário, só: *a lone walker.* 2 abandonado.
loneliness s. solidão, abandono: *Loneliness is not good for anybody.*
lonely adj. (-ier, -iest) 1 solitário: *She felt lonely at home.* 2 abandonado.
lonely hearts, pessoas solitárias que querem companhia do sexo oposto.
lonesome adj. (infml) solitário, só.
long adj. longo, comprido, extenso: *long hair.* **long-distance**, longa distância. **long-term**, a longo prazo.
long adv. 1 durante muito tempo: *He hasn't been here very long.* 2 há tempos: *It happened a long time ago.* **as/so long as**, contanto que: *You can come with us as long as you take care of yourself.*
long s. intervalo longo, longo tempo.
long v.i. desejar sinceramente, querer muito: *I long for your attention.*
longing s. 1 saudade. 2 desejo.
look s. 1 olhar, olhadela. **take a look at**, dar uma olhada rápida. 2 expressão, aspecto: *I like the look of that house.* 3 (pl) (rel a pessoas) aparência: *good looks*, beleza.
look v.t. e i. 1 olhar, ver: *He's looking at her.* 2 parecer: *He looks sad.* **look one's age**, parecer que tem a idade que tem. **look about (for sth)**, olhar em torno, estar vigilante, procurar: *Are you still looking about for a new place to live?* **look after sb/sth**, cuidar de, assistir, atender: *She is always looking after her baby.* **look alike**, parecer-se, assemelhar-se: *She and her sister look alike.* **look back (on sth)**, relembrar: *He looked back on his school days.* **look down upon**, desprezar: *He looks down upon stupid people.* **look for**, esperar, procurar, buscar: *I'm looking for a new car.* **look forward to**, aguardar ansiosamente: *I'm looking forward to seeing you.* **look into sth**, examinar, investigar: *The doctor is looking into what's happening to him.* **look out**, tomar cuidado, estar alerta, procurar. **look over**, examinar: *Look over the car before buying it.*
looking glass s. espelho.
look-out s. 1 vigia, espreita. 2 futuro, perspectiva. **That's your own look-out!** Isso é problema seu.

loom s. tear, tecelagem.
loom v.i. 1 assomar, avultar. 2 surgir envolto em bruma.
loop s. 1 volta, curva fechada. 2 laço, laçada. 3 (eletr) circuito completo. 4 alça, presilha, gancho.
loophole s. 1 buraco, fenda. 2 brecha, escape, saída.
loose adj. (-r, -st) 1 solto, livre, desatado. **become loose**, soltar-se, afrouxar. **break/get loose**, soltar-se, liberar-se. **set/turn loose**, libertar, soltar. 2 folgado, amplo. 3 frouxo, solto: *a loose tooth*. 4 relaxado, negligente.
loosen v.t., v.i. soltar(-se), largar(-se), alargar(-se).
loot s. 1 saque, pilhagem. 2 ganhos ilícitos.
loot v.t. e i. pilhar, saquear: *The poor looted the supermarkets.*
lop-sided adj. torto, desigual, desequilibrado, bambo.
lord s. 1 soberano, chefe supremo. **The Lord**, Deus. **Lord's Prayer**, (ecles) Padre Nosso. 3 nobre, fidalgo.
lordly adj. (-ier, -iest) 1 arrogante. 2 nobre, altivo, soberbo.
lore s. sabedoria, conhecimento (esp de determinado assunto): *folklore*, folclore, conhecimento das tradições e costumes.
lorry s. (pl -ies) caminhão. (EUA truck).
lose v.t. e i.(pret, pp *lost*) 1 perder: *She lost her cell phone.* **lose one's heart**, enamorar-se, apaixonar-se. **lose one's mind**, enlouquecer. **lose one's temper/head**, perder a calma. **be/get lost**, estar perdido, perder-se: *The child got lost in the fair.* **be lost in sth**, estar absorto: *He's always lost in his dreams.*
loser s. perdedor, vencido, derrotado.
loss s. 1 perda, dano, prejuízo: *loss of health.* 2 (Pl) (mil) baixas: *There are always heavy losses in wars.* **(be) at a loss for sth/to do sth**, estar embaraçado, perplexo. *He was at a loss for words,* Ele não sabia o que falar.
lost V. (pretérito do verbo *lose*).
lot s. (infml) 1 *the (whole) lot,* o todo, tudo: *She wants to get the whole lot.* **a lot (of) lots (and lots) (of)** muito, muitos, bastante: *I have a lot of things to do today.* 3 (como adv) muito: *He's feeling a lot better today.*
lot s. 1 sorte, sorteio. **draw/cast lots**, tirar a sorte. 2 sorte, destino, sina. **fall to one's lot**, ser a sina de alguém. 3 lote (de leilão). **be a bad lot**, não prestar, não valer nada: *He is a bad lot.* 4 área, lote.
lotion s. loção.
lottery s. (pl -ies) loteria.
loud adj. (-er, -est) 1 alto, sonoro, barulhento: *loud music.* 2 (rel a cores, comportamentos, etc) berrante, espalhafatoso, vulgar.
loudly adv. 1 ruidosamente. 2 espalhafatosamente.
loudness s. 1 sonoridade. 2 ruído. 3 espalhafato.
loud-speaker s. alto-falante.
lounge s. 1 sala de estar, lugar de descanso: *the hotel lounge.* 2 preguiça, ociosidade.
lounge v.i. 1 passar o tempo ociosamente, morgar. 2 vadiar. 3 espreguiçar-se. 4 passear sem destino certo.
louse s. (pl *lice*) 1 piolho, parasita de plantas e animais. 2 (gír) patife, verme.
lousy adj. (-ier, -iest) 1 piolhento. 2 (gír) vil, nojento. 3 (infml) ruim, que não presta: *He's a lousy football player.* 4 (gír) cheio de: *He's lousy with money,* Ele é cheio do dinheiro.
lovable adj. adorável, amável, digno de amor.
love s. 1 amor, afeição, ternura. **for the love of**, por amor de: *Don't do that for the love of God.* **no love lost between**, nenhuma afeição ou simpatia entre duas pessoas: *There's no love lost between us.* **not for love or money**,

love

Por nada deste mundo, jamais. **be/fall in love (with sb)**, estar apaixonado, apaixonar-se. **make love (to sb)**, acariciar, beijar, ter relações sexuais com. **love-affair**, caso amoroso. **love-match**, casamento por amor.
love v.t. 1 amar, querer, gostar de: *She loves her husband.* 2 apreciar, gostar de: *I love movies.*
loveliness s. beleza, encanto, graça, amabilidade.
lovely adj. 1 belo, atraente, agradável: *a lovely kid.* 2 delicioso, gracioso: *a lovely weekend.* 3 adorável: *a lovely person.*
lover s. 1 amante, amado, namorado. 2 (Pl) casal de namorados. 3 pessoa que tem grande predileção ou paixão por: *a lover of radical sports.*
loving adj. amoroso, afetuoso, terno: *a loving boy.*
lovingly adv. amorosamente, carinhosamente, afetuosamente.
low adj. (-er, -est) 1 baixo: *a low wall.* 2 humilde, pobre. 3 inferior, vulgar: *low manners.* **bring sb/sth low**, abater, fazer cair de posição. 4 fraco, debilitado: *in a low state of health.* **feel low**, estar deprimido. **be/run low**, escassear.
low adv. baixo, embaixo. **lay low**, derrubar, prostrar, matar. **lie low**, esconder-se: *The children were lying low so their parents could not see them.*
lower v.t. e i.1 abaixar, baixar. 2 baratear, reduzir: *lower the prices.* 3 rebaixar, diminuir, degradar: *I would never lower myself to work with him.*
loyal adj. leal, fiel: *She's loyal to her boyfriend.*
loyalty s. (pl -ies) lealdade, fidelidade.
lozenge s. 1 (geom) losango. 2 pastilha, bala. **cough lozenges**, pastilha para tosse.
lubricant s. lubrificante.
lubricate v.t. lubrificar, azeitar.
lubrication s. lubrificação.
lucid adj. 1 claro, facilmnente compreensível: *a lucid lecture.* 2 lúcido.
luck s. sorte, destino, fortuna, sucesso: *to have good/bad luck.* **be in luck**, estar com sorte. **be out of luck**, estar sem sorte. **try one's luck**, tentar a sorte. **Good luck!** Boa sorte.
luckily adv. por sorte, felizmente.
lucky adj. (-ier, -iest) com sorte, feliz, afortunado: *a lucky man.*
lucrative adj. lucrativo, rendoso.
ludicrous adj. ridículo, cômico.
lug s. puxão, arranco.
luggage s. bagagem (= *baggage*). **luggage-rack**, porta-bagagem de mão (em ônibus, trem, etc).
lugubrious adj. (fml) lúgubre, triste, fúnebre, sombrio.
lukewarm adj. 1 morno, tépido. 2 (fig) indiferente, insensível.
lull s. calmaria, período de calma, bonança: *a lull in the storm.*
lull v.t. e i.1 embalar: *lull a baby to sleep.* 2 acalmar, aquietar. 3 acalmar-se.
lullaby s. (pl -ies) canção de ninar, acalanto.
lumber 1 atravancar, obstruir com trastes: *a room lumbered up with the kids books.* 2 mover-se pesada e desajeitadamente. 3 (EUA) cortar e serrar madeira. **lumberjack**, (EUA) lenhador. **lumber-room**, quarto de despejo.
lumber s. 1 (EUA) madeira serrada (= timber).
luminary s. (pl -ies) 1 qualquer corpo luminoso. 2 (fig) grande líder moral ou intelectual.
luminosity s. 1 luminosidade, brilho. 2 clareza, lucidez.
luminous adj. 1 luminoso, brilhante. 2 claro, lúcido: *a luminous comment.*
lump s. 1 monte, pedaço, tablete: *a lump of chocolate.* 2 caroço, protuberância, inchaço. **have a lump in one's throat**, sentir um nó na garganta (de medo, emoção, etc).

lump v.t. 1 amontoar, aglomerar, agrupar: *Let´s lump together all these objects and clean up the room.* 2 encaroçar(-se).
lumpy adj. (-ier, -iest) 1 encaroçado. 2 pesado, desajeitado.
lunacy s. 1 demência. 2 insensatez, grande tolice.
lunar adj. lunar: *lunar month.*
lunatic s., adj. lunático, doido, maluco.
lunatic asylum, hospício.
lunch s. almoço, merenda.
lunch v.t. e i. 1 dar almoço a. 2 almoçar.
luncheon s. (fml)=lunch.
lung s. pulmão.
lunge v.i. investir, dar o bote: *He lunged at the murderer without thinking.*
lurch s. 1 balanço brusco, guinada.
leave sb in the lurch, deixar (alguém) em apuros, abandonar.
lurch v.i. 1 dar guinadas, desviar subitamente. 2 cambalear.
lure s. 1 engodo, isca. 2 (fig) atração, fascinação: *the lures of women.*
lure v.t. atrair, tentar, seduzir, fascinar.
lurid adj. 1 vívido, lúrido. 2 chocante, sensacional. 3 violento, apavorante: *a lurid description of the murder.*
lurk v.i. 1 espreitar, emboscar. 2 mover-se furtivamente: *The thieves were lurking around the building.*
luscious adj. 1 delicioso, saboroso. 2 açucarado, melado. 3 (rel a arte, música, etc) exuberante, sugestivo, sensual.
lush adj. (rel a plantas) luxuriante, viçoso. 2 (infml) extravagante, exagerado.
lust s. luxúria, lascívia, desejo ardente (esp sexual).
lust v.i. desejar ardentemente: *lust for/after power.*
luster s. V. lustre.
lustful adj. 1 luxurioso, libidinoso. 2 ansioso, desejoso, sensual.
lustre s. 1 lustre, brilho, esplendor. 2 (fig) glória. (EUA *luster*).
lustrous adj. lustroso, brilhante; resplandecente.
lusty adj. (-ier, -iest) forte, vigoroso, robusto: *a lusty boy.*
luxuriance s. 1 luxúria, viço, exuberância. 2 opulência, profusão.
luxuriant adj. 1 luxuriante, viçoso. 2 fértil, profuso.
luxuriate v.i. (fml) deleitar-se, viver opulentamente, regalar-se: *If we could, we´d like to luxuriate in the sun all day.*
luxurious adj. 1 luxuoso: *a luxurious house.* 2 luxurioso, sensual, voluptuoso.
luxury s. (pl -ies) 1 luxo, fausto: *to live in luxury.* 2 delícia, prazer, regalo.
lynch v.t. linchar, executar sumariamente.
lynx s. lince.
lyre s. (mús) lira.
lyric adj. lírico.
lyric s. 1 poema lírico. 2 (pl) letra de música.
lyrical adj. 1 lírico. 2 emocionado, entusiasmado.

m M

M, m letra do alfabeto.
ma s. (infm) mamãe.
macabre adj. fúnebre, macabro.
macaroni s. macarrão.
machete s. machete, facão.
machination s. trama, intriga, maquinação.
machine s. 1 máquina, mecanismo, engenho: *washing machine*, máquina de lavar roupa. ***machine-gun***, metralhadora. ***machine-made***, feito à máquina. ***machine tool***, instrumento/ferramenta mecanizado(a).
machinery s. maquinário, mecanismo.
mackintosh s. capa de chuva.
mad adj. *(-der, -dest)* 1 louco, doido, demente. ***drive sb mad***, enlouquecer alguém. 2 (infml) louco por: *He's mad about his work.* 3 (infml) furioso, enraivecido: *He was mad he missed the show.* ***like mad***, (infml) como um louco, com rapidez/força/entusiasmo, (rel a som) alto: *They were dancing all night like mad.*
madam s. senhora, madame.
madden v.i. enlouquecer, enfurecer, irritar: *The noise was maddening.*
made V. (pretérito do verbo *make*).
madly adv. loucamente, furiosamente.
madness s. loucura, fúria, demência, doidice.
magazine s. 1 revista, periódico. 2 armazém, depósito de armas. 3 câmara de rifle. 4 lugar de cartuchos (de balas, de filmes) em armas e máquinas fotográficas.
magenta s. e adj. magenta (rosa forte)
maggot s. larva de inseto ou mosca, verme.
magic s. 1 magia, feitiçaria. 2 mágica, truque. 3 (fig) charme, encanto: *the magic of Paris.* ***as if by magic/like magic***, de forma inexplicável, bem feito, com rapidez: *She prepared the bithday party as if by magic.* ***black magic***, magia negra.
magic adj. mágico, encantado.
magician s. mágico, feiticeiro, prestidigitador.
magistrate s. juiz de paz, magistrado.
magnate s. magnata, homem rico e poderoso.
magnesia s. magnésia.
magnesium s. (quím) magnésio.
magnet s. ímã.
magnetic adj. 1 magnético. 2 encantador: *a magnetic appeal.*
magnetism s. 1 magnetismo. 2 encanto, charme: *He possesses an incredible magnetism.*
magnetize v.t. 1 magnetizar. 2 encantar, atrair.
magnificent adj. magnífico, esplêndido, notável, excelente, grandioso: *a magnificent house.*
magnify v.t. (pret, pp *-ied*) 1 magnificar, ampliar, aumentar. 2 exagerar: *The problem was magnified.* 3 louvar (a Deus).
magnifying-glass s. lente de aumento, lupa.
magnitude s. grandeza, magnitude.
mahogany s. mogno.
maid s. 1 criada, empregada doméstica. 2 (liter) donzela. ***maid of honour***, dama de honra. ***old maid***, solteirona.
maiden s. 1 (liter) donzela, moça. 2 primeiro, anterior, inaugural: *maiden voyage*, viagem inaugural 3 solteira: *maiden name*, nome de solteira.
mail s. 1 sistema postal: *by air mail*, via aérea. ***send sth by mail***, mandar algo pelo correio. 2 correspondência, mala postal: *The mail has been delayed.* ***mail-bag***, mala postal. ***mail-box***, (EUA) caixa de correio. ***mail-man***, (EUA) carteiro. ***mail-order***, reembolso postal.

mail v.t. enviar, despachar, mandar pelo correio.
maim v.t. aleijar, mutilar.
main adj. principal, essencial: *the main reason*, a razão principal. *I live on the main street*, Eu moro na rua principal.
mainland, terra firme, continente.
mainstream, tendência dominante.
main s. 1 condutor principal (de gás, luz, água). 2 *in the main*, na maior parte.
mainly adv. principalmente, essencialmente.
maintain v.t. 1 manter, sustentar, conservar: *Mary and Paul care and maintain their brothers and sisters*. 2 afirmar: *He maintained his beliefs*. 3 defender: *They maintained their positions*.
maintenance s. manutenção, sustento, conservação.
maize s. milho. (EUA *com*).
majestic adj. majestoso, grandioso, sublime.
majesty s. (pl *-ies*) majestade, grandiosidade. ***His/Her/Your Majesty***, Sua/ Vossa Majestade.
major adj. maior, principal.
major v.i. cursar, especializar-se em (a nível universitário): *Peter majored in literature and Arts*.
majority s. (pl-ies) 1 maioria: *The majority of workers don't have university degrees*. 2 maioridade, idade adulta: *the age of majority*.
make v.t. e i. (pret, pp *made*) 1 fazer, fabricar, construir, criar, produzir, elaborar, compor: *She makes delicious chocolate cakes. This product is made in Brazil. She makes her own dresses.* 2 causar, motivar, suscitar: *They made a lot of trouble when they were young.* 3 fazer(-se) tornar (-se). 4 fazer, persuadir, obrigar, forçar: *He's the only one who can make her move.* ***make acquaintance (with sb)***, travar relações (com alguém). ***make amends for***, compensar, indenizar. ***make an apology***, dar uma desculpa. ***make an application***, fazer um pedido de emprego. ***make believe (that)***, fingir, imaginar: *he likes to make believe we're rich.* ***make one's blood boil***, enfurecer, irritar. ***make a decision***, tomar uma decisão. ***make do (with sth)***, (infml) virar-se (com) sobreviver (com*)*: *We have to make do with our salary.* ***make ends meet***, fazer face às despesas. ***make fun of***, ridicularizar. ***make one's hair stand on end***, chocar, apavorar, horrorizar. ***make one's living***, ganhar a vida: *He makes a living singing and dancing.* ***make out***, a)(infml) namorar (ficar) b)compreender, discernir: *I can't make out what he means.* b) emitir: *He made out a cheque of 2,000 for me.* ***make place/room***, fazer espaço. ***make sense***, fazer sentido: *It doesn't - sense.* ***make-shift***, improvisado. ***make sure***, certificar-se, verificar: *He made sure no one was looking.* ***make up***, a) compor: *The band is made up of 3 people.* b) compensar: *He made up for his mistakes.* c) criar, inventar: *He made up an incredible excuse.* d) fazer as pazes: *They kissed each other and made up.* ***make up one's mind***, decidir-se, tomar uma resolução. ***make way***, abrir caminho.
make s. marca: *What make is his television set?* **maker**, fabricante.
making s. fabricação ***be the making of***, ser responsável por tornar alguém/ uma pessoa melhor.
malady s. (fml) doença, enfermidade.
male adj. masculino, macho, viril.
male s. macho, homem, varão.
malice s. malícia, maldade.
malicious adj. malicioso, maldoso.
malignant adj. 1 (rel a pessoas) malévolo, maléfico. 2 (rel a doenças) maligno, nocivo, pernicioso.
mall s. centro comercial, shopping center.
malnutrition s. desnutrição, subnutrição.
malt s. malte.

maltreat

maltreat v.t. (fml) maltratar, injuriar.
mammal s. mamífero.
mammoth s. mamute, algo imenso, gigantesco: *a mammoth project.*
man s. (pl *men*) 1 homem, varão. 2 ser humano, raça humana 3 pessoa, indivíduo **the man in/on the street**, o cidadão comum, o homem do povo. **man of the world**, homem do mundo, boêmio. **man-power**, mão-de-obra.
manslaugh-ter, homicídio não premeditado.
man v.t. (-nn-) tripular, equipar, guarnecer: *The soldiers manned the castle.*
manage v.t. e i. 1 gerir, controlar, dirigir, manejar, administrar: *She manages the Educational Deparment. She can't manage her own life.* 2 sair-se bem, conseguir, virar-se: *Don't worry, the children can manage,* Não se preocupe, as crianças podem se virar.
manageable adj. controlável, tratável, manejável.
management s. 1 gerência, administração, direção: *That restaurant is under new management.* 2 manejo, controle.
manager s. gerente, diretor, administrador.
managing director s. diretor geral.
mandate s. mandato, ordem, delegação.
mandolin s. bandolim.
mane s. juba, crina, cabeleira.
maneuver s., v.t. e i. V.(GB *manoeuvre)*: manobra.
manger s. manjedoura: **be a dog in the manger**, ser egoísta.
mangle v.t. dilacerar, destroçar, desfigurar.
mango s. (pl-s, -es) manga. **mango tree**, mangueira.
mania s. 1 mania, loucura. 2 obsessão por, entusiasmo por: *They have a mania for leather clothes.*
maniac adj. 1 louco, maníaco. 2 entusiasta, adepto: *These people are jazz maniac.*

manicure s. manicura, manicure.
manicure v.t. 1 tratar das unhas.
manifest adj. evidente, claro, óbvio: *Fear was manifest on their faces.*
manifest v.t. manifestar, revelar, declarar, expressar:
manifestation s. manifestação, revelação, expressão, declaração.
manifesto s. (pl -s, -es) declaração, manifesto, proclamação.
manifold adj. múltiplo, vários, diversos: *The students have manifold interests in the conference.*
manipulate v.t. 1 manipular, manejar: *As the president of the company he manipulates people all the time.* 2 operar, dirigir, manobrar: *He is learning to manipulate the new machines.*
mankind s. gênero humano, humanidade: *Mankind must be protected against violence.*
manner s. 1 modo, maneira: *He walked in a strange manner.* 2 (pl) educação: *Her children have good manners at the table.* 3 atitude, comportamento.
manpower s. mão-de-obra.
mansion s. mansão.
mantelpiece s. console de lareira.
mantle s.1 manto, capa.
manual adj. manual, feito à mão: *manual work,* trabalho braçal,
manual s. 1 compêndio, manual: *It's important to read the manual before we operate the machine.*
manufacture v.t. 1 fabricar, manufaturar. 2 inventar, criar: *They manufacture some of the best hardwear.*
manufacture s.1 manufatura, fabricação. 2 (pl) artigos manufaturados, industrializados.
manufacturer s. fabricante.
manure s. adubo, esterco, estrume.
manuscript s. manuscrito, original de um livro, texto, partitura, etc.
many adj. e s. 1 muitos, muitas, numerosos,vários: *She bought many beautiful things at the shop.* 2 **How many**, quantos, quantas: *How many*

children do you have? How many sandwiches have you eaten? 3 **a good/ great many**, um grande número de. 4 **in so many words**, nessas palavras exatas, exatamente: *He didn't tell us the truth in so many words*. **many-sided**, a) multifacetado. b) (fig) com vários significados/qualidades: *a many sided question*.

map s. mapa, planta.

map v.t. (-pp-) 1 projetar, desenhar mapas ou plantas. 2 traçar, delinear. **map out**, projetar, planejar: *They mapped out the finacial budget for the nexr year.*.

maple s. bordo, àrvore típica do Canadá. **maple-sugar/syrup**, açúcar/xarope obtido da seiva do bordo.

marathon s. maratona.

marble s. 1 mármore. 2 (pl) esculturas em mármore. 3 bola de gude: *My brother likes to play marbles*.

March s. março.

march s. 1 marcha. 2 (fig) marcha, progresso. 3 (mus) marcha.

march v.i e i. marchar, fazer marchar: *The soldiers marched to war*.

mare s. égua. **mare's nest**, logro, boato, algo tido como descoberta valiosa que se revela um logro.

margarine s. margarina.

margin s. margem.

marginal adj. marginal.

marijuana(-huana) s. maconha.

marine adj. 1 marinho.

marine s. 1 marinha. 2 fuzileiro naval.(EUA)

marital adj. marital. **marital status**, estado civil.

maritime adj. 1 marítimo, naval. 2 costeiro: *maritime town*.

mark s. 1 marca: *The children left their mark on the walls*. 2 sinal, mancha: *a birth mark*, sinal de nascença.

mark v.t. 1 marcar, assinalar, indicar: *The students marked the correct alternatives*. 2 dar notas: *The English teacher has many tests to mark for tomorrow*. 3 prestar atenção. 4 marcar, distinguir, caracterizar. 5 marcar, denotar. **mark down/up**, reduzir/ elevar preços. **mark sth off**, demarcar (para separar uma área de outra). **mark out**, a) demarcar (com um traçado de linhas), b) (for) designar, escolher (alguém) para (p ex promoção).

marked adj. marcado, acentuado, marcante.

marker s. marcador, anotador, indicador.

market s. 1 mercado, feira: *street market*. 2 mercado, comércio, condições de comércio. **in the market for (sth)**, pronto para comprar. **on the market**, à venda. **market research**, pesquisa de mercado.

market v.i e i. 1 vender ou comprar no mercado. 2 colocar no mercado (para venda).

marketing s. mercadologia.

marmalade s. geléia de frutas cítricas (esp laranja).

maroon adj. e s. castanho-avermelhado.

marquis (-quess) s. marquês.

marriage s. casamento, matrimônio.

married adj. casado. **get married**, casar.

marrow s. 1 medula, tutano. 2 (fig) essência, ponto capital. 3 (também *vegetable marrow*) abóbora.

marry v.t. e i. (pret, pp -ied) 1 casar (-se), desposar. 2 unir em matrimônio. 3 dar em casamento.

Mars s. Marte.

marsh s. pântano, brejo, charco.

marshal s. 1 marechal: *Field Marshal*, Marechal de Campo. 2 oficial responsável por eventos públicos importantes.

marshal v.t. (-ll- EUA -l-) 1 dispor, pôr ordem. 2 dirigir, guiar alguém (cerimoniosamente).

marshy adj. (-ier, -iest) pantanoso.

martial adj. 1 marcial, militar: *martial court*. 2 bravo, guerreiro, belicoso.

martyr s. mártir.

martyr

martyr v.i. martirizar, torturar.
martyrdom s. martírio.
marvel s. 1 maravilha, prodígio.
marvel v.i. *(GB ll- EUA -l-) (at)* maravilhar-se, surpreender-se com.
marvelous adj. maravilhoso, admirável, surpreendente. (GB *marvellous*).
mascara s. rímel.
masculine adj. 1 masculino, viril. 2 do gênero masculino.
mash s. mingau, pasta, mistura. *potato mash/mashed potatoes*, purê de batatas.
mash v.t. amalgamar, misturar, triturar.
mask s. máscara, disfarce, subterfúgio.
mask v.t. 1 mascarar, disfarçar, dissimular, encobrir, ocultar. 2 mascarar-se, disfarçar-se.
mason s. pedreiro, maçom.
masonry s. 1 alvenaria. 2 maçonaria.
masquerade s. 1 mascarada, baile de máscaras. 2 disfarce, simulação.
masquerade v.i. mascarar-se, passar por, disfarçar-se.
Mass s. missa.
mass s. massa, montão, grande número, a maior parte, a maioria, grande quantidade. *the masses*, as massas, o povo.
mass v.t. e i. 1 concentrar (tropas). 2 amontoar. 3 congregar, reunir em massa.
massacre s. massacre, chacina, carnificina.
massacre v.t. massacrar, chacinar.
massage s. massagem.
massage v.t. massagear, fazer massagem.
mass-comunication s. meios de comunicação de massa, mídia.
masseuse s. massagista.
massive adj. 1 enorme, maciço, pesado: *a massive construction*. 2 (fig) impressionante, substancial.
mass-media s. meios de comunicação de massa, mídia.

mast s. 1 mastro (de navio, de bandeira). 2 haste, antena. 3 torre (de rádio, de televisão).
master s. 1 dono, senhor, amo, patrão. 2 mestre. 3 capitão de navio mercante. 4 chefe de família. 5 artista. *master bedroom*, suite principal. *Master of Arts/Science*, Mestre em letras, ciências. *Master of Ceremonies*, mestre de cerimônias.
master v.t. 1 vencer, controlar, dominar, subjugar. 2 tornar-se perito em, ser mestre em. 3 dominar a fundo um assunto.
masterful adj. 1 autoritário, dominador. 2 perito.
master-key s. chave mestra.
masterly adj. 1 magistral, perfeito, profissional. 2 consumado.
mastermind s. pessoa com inteligência superior, mentor.
masterpiece s. obra-prima.
masturbation s. masturbação.
mat s. 1 capacho, esteira. 2 descanso de travessas.
match s. palito de fósforo.
match s. 1 competição, luta, jogo: *a basketball match*. 2 adversário, competidor em igualdade de condições. *be a match for*, igualar, estar à altura: *He's not a match for the other players. meet one's match*, encontrar um páreo duro. 3 combinação, semelhança: *This dress matches your jacket.*
match v.t. e i. 1 competir. 2 enfrentar (adversário com a mesma força). 3 ser igual a (em qualidade).
matchless adj. incomparável, inigualável, impar.
matchpoint s. momento num jogo (esp tênis) no qual o jogador que está ganhando pode vencer a partida se fizer o ponto seguinte.
mate s. 1 colega, companheiro, parceiro.
mate v.t. e i. acasalar-se, unir, formar par. *the mating season*, período de acasalamento.

material *adj.* 1 material: *the material world*. 2 relevante, essencial.
material *s.* 1 material, matéria, substância.
materialism *s.* materialismo, interesse pelas coisas materiais/pelos prazeres da vida.
materialist *s.* ateu, materialista.
materialistic *adj.* materialista.
materialize *v.i.* materializar-se, corporificar-se.
materialize *v.t.* aparecer, concretizar
maternal *adj.* materno, maternal: *maternal grandparents*, avós por parte de mãe.
maternity *s.* maternidade.
math(s) *s.* abrev de *mathematics*.
mathematician *s.* matemático.
mathematics *s.* matemática.
matriarch *s.* matriarca.
matricide *s.* matricídio, ato de matar a própria mãe.
matrimonial *adj.* nupcial, matrimonial, conjugal.
matrimony *s.* casamento, matrimônio.
matrix *s.* (pl *matrices* ou *-es*) 1 matriz, molde para fundição de tipos. 2 manancial.
matron *s.* 1 enfermeira-chefe. 2 título dado à mulher encarregada da supervisão do bem-estar dos alunos em uma instituição. 3 matrona.
matter *s.* 1 matéria, substância. 2 assunto, negócio, questão: *it's an official matter*. **matter of course**, um fato lógico, natural. **as a matter of act**, de fato, na verdade. **for that matter**, quanto a esse assunto.
matter *v.i.* importar, significar: *It doesn't matter how much money he needs*.
mattress *s.* colchão.
mature *v.t. e i.* amadurecer, madurar: *When he got married he had to mature very fast*.
mature *adj.* 1 maduro, amadurecido, *She made a mature decision*. 2 aperfeiçoado, desenvolvido.
maturity *s.* maturidade, pleno desenvolvimento.

maudlin *adj.* piegas, sentimental.
maul *v.t.* 1 (esp rel a animais) seviciar, machucar (com as garras), espancar: *The vet was mauled by a lion*. 2 (fig) malhar, criticar severamente.
mausoleum *s.* mausoléu.
mauve *adj.* cor de malva, lilás claro.
maxi *s.* (infml) roupa de comprimento longo: *maxi-dress*.
maximize(-mise) *v.t.* maximizar: *Please maximize the company resources*.
maximum *s.* (pl *-s* ou *-ma*) máximo, a maior quantidade: *The temperature will reach a maximum of 38°C this afternoon*.
maximum *adj.* máximo: *The maximum speed allowed is 150 km/h*.
may *v aux* (pret *might*) 1 possibilidade: *He may come home early*. 2 permissão: *May I come in?* 3 incerteza: *I wonder who may be there*
May *s.* maio. **May Day**, dia 1º Maio, celebrado como dia do trabalho.
maybe *adv.* talvez, possivelmente: *Maybe we'll get a free ticket*.
mayday *s.* pedido de socorro, S.O.S.
mayonnaise *s.* maionese.
mayor *s.* prefeito: *The mayor of New York spoke to the city representatives*.
maze *s.* 1 labirinto.
me *pron.* me, mim, a mim: *Tell me everything, please*.
meadow *s.* prado, campina.
meager *adj.* 1 magro, descarnado. 2 parco, fraco, escasso: *a meagre salary*. (GB *meagre*).
meal *s.* refeição.
meal *s.* farinha de qualquer cereal: *soya meal*, farinha de soja.
mean *adj.* (*-er, -est*) 1 (rel a comportamento e caráter) desprezível, vil, ignóbil: *He has a mean personality*. 2 inferior, pobre, medíocre. 3 mesquinho, sovina, egoísta: *He is mean about his things*.
mean *v.i.* (pret, pp *-t*) 1 significar, querer dizer: *What does it mean?* 2 pretender, tencionar: *I'm sorry, I didn't*

mean to interrupt you. 3 significar, ter importância: *Your friendship means a lot to me.* 4 destinar. 5 **mean well**, ter boas intenções, tentar (embora talvez sem resultado).
mean *adj.* médio, mediano.
meander *v.i.* 1 (rel a um curso d'água) meandrar, serpentear, correr em linhas sinuosas. 2 vaguear, andar a esmo.
meaning *s.* significado, sentido.
meaning *adj.* significativo, expressivo, *It's a meaning song for them.*
meaningful *adj.* significativo, importante.
meaningless *adj.* sem sentido, sem motivo.
means *s.* (pl) (ger com sentido sg) 1 meio, forma, modo: *I see no means of getting there.* **by all means**, certamente, sem dúvida. **by no means**, de jeito nenhum, absolutamente. **by means of**, por meio de, através de. 2 recursos, meios, riqueza: *He is a person of great means.* Ele é uma pessoa de recursos abastado. **live within/beyond one's means**, viver dentro/além de suas possibilidades.
meant *V.* (pretérito do verbo *mean*).
meantime *s.* ínterim, o intervalo entre dois eventos. **in the meantime**, enquanto isso, nesse meio-tempo.
meantime *adv.* (infml) entretanto, enquanto isso.
meanwhile *adv.* (fml) entrementes, entretanto.
measles *s.* sarampo.
measurable *adj.* mensurável.
measure *s.* 1 medida. **made to measure**, feito sob medida. **for good measure**, para completar. 2 instrumento para medição: *a tape measure*, fita métrica. 3 extensão (esp em **beyond measure**, desmedido, sem limite). **in some measure**, até certo ponto. **in great/large measure**, em grande parte. 4 providência, medida: *take measures against violence.*

measure *v.t. e i.* medir, mensurar: *measure the size of the living-room.*
measure up, estar à altura: *We have to measure up to the job.*
measurement *s.* medição, medida.
meat *s.* 1 carne (alimento). **meatball**, almôndega.
mechanic *s.* mecânico.
mechanical *adj.* 1 mecânico: *mechanical problem.* 2 (rel a pessoas e suas ações) mecânico, automático, involuntário.
mechanics *s.* mecânica.
mechanism *s.* mecanismo.
mechanize *v.i.* mecanizar.
medal *s.* medalha.
medallion *s.* medalhão.
meddle *s.* (in, with) intrometer-se, interferir, imiscuir-se. *She likes to meddle in the company's finances.*
media *s.* 1 mídia, meio de comunicação. 2 **the media**, os meios de comunicação de massa (jornais, televisão, etc): *The students got a lot of attention from the media.*
mediaeval *adj.* V. medieval.
mediate *v.t e i.* mediar, servir de mediador, ser intermediário: *The judge mediates between the employees and the company.*
mediation *s.* mediação, intercessão.
medical *adj.* médico, medicinal: *He is a medical student at USP.*
medicinal *adj.* medicinal, curativo.
medicine *s.* 1 medicina. 2 medicamento, remédio.
medieval *adj.* medieval.
mediocre *adj.* medíocre, vulgar, comum.
mediocrity *s.* (pl -ies) mediocridade.
meditate *v.t. e i.* 1 (on, upon) meditar, refletir. 2 cogitar, planejar: *medidate upon the future.*
meditation *s.* meditação, reflexão.
medium *s.* (pl -s ou *media*) 1 meio, veículo de comunicação, forma de expressão.
medium *adj.* médio, mediano: *She is medium height.*

medley s. (pl -s) mistura, miscelânea: *A medley of popular rock tunes.*
meek adj. (-er, -est) meigo, dócil, humilde, brando, fraco.
meekly adv. meigamente, docilmente, humildemente.
meet v.t. e i. (pret, pp *met*) 1 encontrar (-se): *Let's meet outside the station.* 2 travar conhecimento, ser apresentado a: *Nice to meet you!.* 3 juntar-se, tocar: *Their lips met in a passionate kiss.* **make ends meet**, ser cuidadoso nos gastos de modo a igualar as despesas com a receita. **meet sb halfway**, ceder metade de cada lado para chegar a um acordo. **There is more (in/to sth) than meets the eye**, Há mais (em alguma coisa) do que se pode ver.
meeting s. reunião, assembléia, sessão, encontro.
melancholic adj. melancólico, triste.
melancholy s. melancolia, depressão.
mellow adj. (-er, -est) 1 (rel a frutas e vinho) adocicado e suave (porque maduro). 2 (rel a cores e superfícies) suave, macio. 3 (rel a sons) melodioso, suave. 4 experiente, amadurecido.
mellow v.t. e i. 1 amadurecer, sazonar. 2 suavizar(-se), abrandar.
melodious adj. melodioso, harmonioso.
melody s. (pl -ies) 1 melodia. 2 ária, canção.
melon s. melão.
melt v.t. e i. 1 derreter, dissolver, *melt the butter.* 2 (rel a pessoas, sentimentos) enternecer, comover. 3 dissipar(-se). **melt away**, desaparecer, dissolver: *All of a sudden she felt her fears melt away.* **melt sth down**, fundir (objeto metálico) para uso da matéria-prima. **melting point**, ponto de fusão. **melting pot**, a) mistura (de pessoas diferentes, de idéias, de raças, etc): *Brazil is a melting pot of races and cultures.*
melting adj. enternecedor, terno.
member s. 1 membro, sócio de um clube. 2 (fml) membro do corpo. 3 **Member of Parliament**, (GB) deputado.
membership s. 1 qualidade de membro ou sócio, sociedade. 2 número de membros ou sócios.
membrane s. membrana.
memento s. (pl -s, -es) memento, (objeto que causa) lembrança, recordação: *Teenagers keep mementos of everything good.*
memo s. (pl -s) abrev de *memorandum.*
memoir s. 1 biografia. 2 (pl) memórias, autobiografia.
memorable adj. memorável, notável.
memorandum s (pl -da ou -s) 1 memorando. 2 lembrete, apontamento.
memorial s. 1 monumento comemorativo: *a Tiradentes Memorial.* 2 feriado, evento, cerimônia comemorativa (em memória de uma pessoa, etc). 3 memorial.
memorize v.t. memorizar, decorar.
memory s. (pl -ies) 1 memória. 2 lembrança, recordação. **to the best of my memory**, até onde eu consigo lembrar. **within living memory**, na lembrança de muitos.
men V. *man.*
menace s. ameaça.
menace v.t. (fml) ameaçar.
menacingly adv. (fml) ameaçadoramente.
mend v.t. e i. 1 consertar, reparar, remendar: *It's hard to mend a brokenheart.* 2 corrigir, melhorar (esp em **mend one's ways**, melhorar suas maneiras). 3 (rel a saúde) restabelecer-se.
mend s. conserto, remendo, emenda. **on the mend**, restabelecendo-se: *After the surgery he is on the mend.*
mendacious adj. (fml) mendaz, mentiroso, falso.
mendacity s. (fml) mendacidade, falsidade.
menfolk s. (pl) (infml) homens (esp os membros masculinos de uma família): *All the menfolk of the family were present.*

menial

menial adj. 1 doméstico, braçal: *menial jobs*. 2 vil, desprezível, mesquinho.
menstruate v.i. menstruar. (Cf. *period*).
mentality s. (pl -ies) 1 mentalidade, intelecto. 2 mentalidade, atitude mental: *a liberal mentality*.
mention v.t. mencionar, aludir, referir-se a: *Don't mention it*, (em resposta a um agradecimento) Não há de quê, de nada.
mention s. menção, alusão, referência.
menu s. cardápio, menu.
mercantile adj. mercantil, comercial.
mercenary adj. mercenário, interesseiro: *a mercenary soldier*
mercenary s. (pl -ies) mercenário: *A mercenary is a soldier of fortune who fights for money, not for ideals*.
merchandise s. mercadoria.
merchandise v.t. e i. comerciar, negociar.
merchant s. (fml) mercador, negociante. *The merchant navy*, marinha mercante.
merciful adj. misericordioso, clemente: *Merciful God*.
mercury s. (quim) mercúrio.
Mercury s. 1 planeta Mercúrio. 2 Mercúrio, deus dos antigos romanos.
mercy s. (pl -ies) clemência, piedade, compaixão, misericórdia: *The prisoner asked for mercy*. **at the mercy of**, à mercê de.
merge v.t. e i. 1 fundir, amalgamar: *They merged the metals to make a beautiful ring*.
merger s. fusão, aliança, reunião de várias empresas em uma só: *The merger of their companies created a big comotion*.
meridian s. 1 meridiano: *The meridian of Greenwich*. 2 o ponto mais alto atingido pelo Sol em relação a um ponto na Terra, apogeu.
meringue s. merengue, suspiro.
merit s. 1 mérito.

mermaid s. sereia.
merry adj. (-ier, -iest) 1 alegre, feliz: *Merry Christmas; a merry song*. 2 engraçado. **merry-go-round**, carrossel, gira-gira.
mesh s. 1 malha, trama, entrelaçamento de tecidos. 2 armadilha, cilada.
mess s. 1 desordem, confusão: *His room is a mess*. 2 dificuldade, apuros, embaraço: *The teacher said she was in a big mess*.
mess v.t. e i. sujar, fazer confusão: *They are messing the kitchen*.
message s. mensagem, comunicação, bilhete: *Would you like to leave a message?*
messenger s. mensageiro.
messiah s. messias.
messy adj. (-ier, -iest) 1 confuso, desordenado, sujo: *Oh no! This bedroom is so messy!*
met V. (pretérito do verbo *meet*).
metabolism s. metabolismo.
metal s. metal, liga metálica.
metallic adj. metálico, *a metallic color*.
metamorphosis s. (pl -ses) metamorfose, transformação.
metaphor s. metáfora.
meteor s. meteoro, estrela cadente.
meteoric adj. 1 meteórico. 2 (fig) rápido, efêmero: *a meteoric carreer*.
meteorite s. meteorito.
meteorological adj. meteorológico.
meteorologist s. meteorologista.
meteorology s. meteorologia.
meter s. 1 medidor, relógio medidor (de consumo de gás, água, eletricidade, etc): *a gas meter*. 2 fita métrica.
method s. método.
methodical adj. metódico, sistemático: *She leads a methodical life*.
methodology s. metodologia.
meticulous adj. meticuloso: *He's a meticulous guy*.
meter s. metro, unidade do sistema métrico. (GB *metre*).
metric adj. métrico, relativo ao metro,

à metrificação: *The metric system is based on metres and kilograms.* **metric system**, sistema métrico.
metropolis s. (pl -es) metrópole, cidade principal.
metropolitan adj. metropolitano, urbano: *São Paulo is a metropolitan city.*
miaow s. miau, miado.
mice V. *mouse.*
micro- prefixo que indica que algo é pequeno, micro: *microwave, microscope, microphone, microcomputer.*
microbe s. micróbio.
microcosm s. microcosmo, mundo pequeno.
microfiche s. microficha.
microfilm s. microfilme.
micro-organism s. microorganismo.
microphone s. microfone.
microscope s. microscópio.
microscopic adj. 1 microscópico. 2 minucioso.
microwave s. microonda: *They bought a new microwave for the kitchen.*
mid adj. meio, médio
midday s. meio-dia.
middle s. *the middle,* meio, centro: *The boat was caught in the middle of the hurricane.* **the Middle Ages**, Idade Média. **middle-aged**, de meia-idade. **middle class**, classe média. **the Middle East**, Oriente Médio. **middleman**, (pl -men) intermediário entre compra e venda de produtos. **middle name**, a) nome entre o primeiro e o sobrenome: *My middle name is Amorim.* b) (infml) característica de alguém: *Honesty is his middle name.* **middle school**, (GB) escola média, de segundo grau. **middle-weight**, (em boxe) peso médio.
midnight s. meia-noite: *at/before/after midnight.*
midsummer s. solstício de verão, meio do verão, pleno verão.
midway adj., adv. no meio do caminho: *There's a restaurant midway between the two banks.*

midwife s. (pl *midwives*) parteira.
might v. aux. (forma negativa *mightn't*) 1 expressa possibilidade: *I might travel to Rio.* 2 usado como passado de *may*: *I thought it might rain.* 3 deveria, mas não o fez: *You might at least have paid for the restaurant bill.* **might well**, a) pode até ser que: *You might at least have paid... sb) might as well*, (alguém) poderia.
might s. poder, força.
mighty adj. (fml, liter) (-ier, -iest) 1 poderoso, forte, potente: *a mighty force*
migraine s. enxaqueca.
migrant s. migrante, emigrante.
migrate v.i. migrar: *In winter birds migrate to the south.*
migration s. migração.
migratory adj. migratório.
milage s. V. *mileage.*
mild adj. (-er, -est) suave, brando, moderado: *Last winter was mild.* 2 meigo, indulgente.
mile s. milha, medida de comprimento equivalente a 1609 m: *I live three miles from the road.* **milestone**, a) marco, demarcação à beira de estradas indicando quilometragem ou milhagem. b) marco histórico: *Computers and the Internet are milestones.*
mileage s. milhagem, contagem de milhas: *The car I'm going to buy has low mileage.*
militant s. militante. *In the USA, the Republicans have less militants than the Democrats.*
military adj. militar. **the Military**, os soldados, o exército, os militares.
milk s. 1 leite. *It's no use crying over spilt milk*, É inútil chorar sobre o leite derramado. 2 suco leitoso de algumas plantas: *coconut milk.* 3 preparado medicinal: *milk of magnesia.* **milkman**, leiteiro. **milk pudding**, arroz doce, pudim de leite. **milktooth**, dente de leite. (EUA *baby tooth*). **milk-white**, branco como leite.

milk

milk v.t. e i. 1 tirar leite de animais, ordenhar. 2 tirar informações ou dinheiro por meios ilícitos: milk money.
milky adj. (-ier, -iest) 1 leitoso, lácteo. 2 opaco, turvo. 3 brando, efeminado, tímido. **the Milky Way**, Via Láctea.
mill s. 1 moinho: wind mill, moinho de vento. 2 fábrica, usina: steel mill. 3 moedor de grãos: a corn mill.
millennium s. (pl millenia) milênio, mil anos.
miller s. moleiro, quem trabalha em moinho.
milli- prefixo que indica um milésimo: millimetre, millilitre, milligram.
million adj. e s. 1 milhão. **make a million**, tornar-se rico, ganhar um milhão em dinheiro, ganhar uma bolada de dinheiro. 2 grande número: millions of cars.
milllionaire s. milionário.
millipede s. centopéia.
mime v.t. e i. fazer mimica, imitar.
mimic s. mimico, imitador.
mimic v.t. (pret, pp mimicked) imitar: The boy mimicked the the teacher's manners, the class laughed.
minaret s. minarete.
mince v.t. e i. 1 moer, picar (carne, etc). 2 **mince matters/words**, medir palavras. 3 **make mincemeat of**, aniquilar, humilhar, destruir completamente um argumento. 4 andar de modo afetado. **mince meat**, recheio de frutas secas e cristalizadas para tortas, carne moída **mincer/mincing machine**, moedor de carne.
mind s. 1 mente, cérebro, intelecto: Keep your mind on your work! 2 imaginação, memória, lembrança. **have in mind**, lembrar-se de. **keep/bear in mind**, não esquecer, ter em mente, concentrar-se. 3 parecer, intenção, opinião: change one's mind, mudar de opinião. **speak one's mind**, dar opinião. **to one's mind**, na opinião de. **make up one's mind**, chegar a uma decisão. 4 disposição, ânimo.
to have a mind to, estar disposto a. 5 desejo, vontade, gosto. **set one's mind on**, querer muito. **out of sight, out of mind**, longe dos olhos, longe do coração.
mind v.t. e i. 1 prestar atenção, estar alerta: Mind the gap! 2 objetar: I don't mind a vegeterian diet. 3 cuidar, olhar. **mind you**, advertência: Mind you, it's dangerous out there. **mind your own business**, não se meta onde não é chamado. **never mind!** Não se preocupe! Paciência! Deixa pra lá!
mindful adj. (of) cônscio, consciente: She isn't mindful of her obligations.
mine pron. poss. meu, meus, minha, minhas: Mary is a friend of mine.
mine s. 1 mina para retirar minérios. 2 mina explosiva: The mine was detonated by a car. **mine field**, campo minado.
mine v.t. e i. 1 minar, colocar minas.
miner s. mineiro, minerador.
mineral s. e adj. 1 mineral, minério. 2 mineral: mineral water.
mingle v.t. e i. (with) misturar(-se): She mingled with the other girls at the party.
mini- prefixo pequeno, curto: mini blouse.
miniature s. miniatura: He collects miniatures.
miniature adj. em miniatura: a miniature car.
minimize v.t. minimizar, reduzir: minimize a problem.
minimum s. (pl -s) 1 mínimo: **reduce sth to a minimum**. 2 (usado como adj.) mínimo: **minimum wage**, salário mínimo.
mining s. mineração.
minister v.i. (fml) 1 (ecles) ministrar. 2 prestar assistência.
minister s. 1 ministro: the Prime Minister, o Primeiro Ministro.
ministry s. ministério: the ministry of Education.
mink s. 1 pele de marta: She bought a very expensive mink coat.

minor adj. menos importante, sem importância.
minor s. menor de idade: *He is a minor.*
minority s. (pl *minorities*) 1 minoría.
minstrel s. menestrel.
mint s. 1 menta, hortelã: *I like mint drops.*
minus adj. 1 sinal de menos (-). 2 negativo, abaixo de zero.
minus prep. 1 menos.
minuscule adj. minúsculo.
minute s. 1 minuto. 2 pouco tempo: *I'll read the report in a minute.* 3 medida de ângulos. 4 minuta. **the minute that**, no exato momento: *He fell in love the minute he saw her.* **minute-hand**, ponteiro de relógio que indica minutos.
miracle s. milagre.
miraculous adj. milagroso.
mirage s. miragem.
mirror s. espelho: *She watched herself in the mirror for hours.*
mirror v.t. refletir, espelhar: *The water mirrored their reflections.*
mis- prefixo mal, errôneo, erroneamente: *misunderstand, misbehave, mislead.*
misadventure s. (fml) desventura, azar.
misbehave v.t. e i. portar-se mal.
misbehavior s. má conduta, mau comportamento: *The prisoners misbehavior will be punished.* (GB *misbehaviour*).
miscalculate v.t. e i. calcular mal.
miscalculation s. erro de cálculo.
miscarriage s. 1 aborto espontâneo: *She had three miscarriages.*
miscarry v.i. (pret, pp *-ied*) 1 abortar.
miscellaneous adj. variado, misturado.
miscellany s. (pl *-ies*) variedade, sortimento, mistura, miscelânea: *There was a miscellany of sounds at the party.*
mischief s. travessura, brincadeira: *The children are always up to some mischief.* **make mischief (between people)**, causar discórdia.
mischievous adj. 1 travesso, brincalhão
misconceive v.t. e i. 1 entender mal: *His friends misconceived his plans.*
misconception s. juízo falso, mal entendido: *The lecture brought a misconception of ideas.*
misconduct s. (fml) 1 má conduta, mau procedimento.
misconduct v.t. 1 proceder mal. 2 administrar mal.
miser s. avarento, sovina: *The miser lives alone in his castle.*
miserable adj. 1 infeliz: *He felt miserable because of the war.* 2 miserável: *The weather is miserable! It is so cold.* 3 desprezível: *Lying is a miserable thing to do.*
misery s. miséria, penúria.
misfire v.i. 1 negar fogo, falhar. 2 falhar (motor). 3 (infml) (rel a piada, plano, brincadeira, etc) não surtir efeito.
misfit s. 1 roupa que não assenta bem. 2 (fig) pessoa não talhada para sua posição, pessoa desajustada.
misfortune s. desventura, infortúnio, má sorte.
misguide v.t. guiar/dirigir/orientar mal, desencaminhar: *Her school activities were totally misguided.*
mishandle v.t. manipular ou manejar mal, maltratar
mishap s. acidente, infortúnio, percalço: *We arrived there without mishaps.*
misinform v.t. 1 informar mal. 2 dar informações falsas ou erradas a: *The Congress was accused of misinforming the public.*
misinterpret v.t. interpretar/entender mal: *Her boss misinterpreted all her comments.*
misjudge v.t. e i. julgar, incorreta ou injustamente.
mislay v.t. (pret, pp *mislaid*) 1 pôr ou colocar em lugar errado. 2 extraviar,

mislead

perder: *The secretary mislaid the documents for the meeting.*
mislead *v.t.* (pret, pp *misled*) 1 desencaminhar, corromper. 2 enganar, iludir.
misplace *v.t.* 1 pôr ou colocar em lugar errado: *She misplaced her documents.* 2 (na voz passiva) dedicar amor, confiança a quem não merece: *Her love for her boyfriend is misplaced.*
misprint *s.* erro de impressão.
mispronounce *v.t.* pronunciar mal ou incorretamente.
miss *s.* título dado a uma mulher jovem ou solteira, senhorita: *Miss Johnson arrived late for her birthday party.*
miss *v.t. e i.* 1 falhar, errar, não acertar (o alvo): *The pilot missed the landing spot.* 2 perder (ônibus, trem, aula, etc): *I missed the bus!* 3 sentir a falta de: *I miss you!*
misshapen *adj.* (rel ao corpo) mal formado, disforme.
missile *s.* projétil, míssil.
missing *adj.* ausente, desaparecido, perdido. **be missing sb**, a) sentir a falta de alguém: *I'm missing you.* b) estar ausente, perdido, desaparecido: *There are many missing children in Brazil.*
mission *s.* 1 missão. 2 compromisso, obrigação, dever.
misspell *v.t.* (pret, pp *-ed* ou *misspelt*) soletrar ou grafar erradamente: *He is not a good student, he always mispells my name.*
mist *s.* 1 névoa, neblina, cerração.
mist *v.t. e i.* 1 enevoar(-se).: *Her eyes misted with tears.*
mistake *s.* engano, equívoco, erro: *Don't worry! everybody makes mistakes.*
mistake *v.t. e i.* (pret *mistook*, pp *-n*) 1 errar, enganar-se. 2 entender, interpretar mal alguma coisa. 3 confundir, tomar uma coisa pela outra
mistaken *adj.* 1 errado, enganado, errôneo: *If I'm not mistaken, this is my book.* 2 enganado, equivocado.

be mistaken for, ser tomado por, ser confundido com: *He is often mistaken for an actor.*
mistaken *V.* (pretérito do verbo *mistake*).
mister *s.* (sempre escrito *Mr*) senhor, (título): *Could you call Mr Santos for me, please?*
mistress *s.* 1 senhora, dona de casa, patroa. 2 mestra, preceptora. 3 amante, concubina: *He keeps a mistress in another town.*
mistrust *s.* desconfiança, suspeita.
mistrust *v.t.* desconfiar (de), suspeitar (de): *She mistrusts everybody that comes near her family.*
misty *adj.* (*-ier*, *-iest*) 1 enevoado, nevoento. 2 embaciado, indistinto, vago: *memories/ideas.*
misunderstand *v.i e i.* (pret, pp *-stood*) compreender, entender ou interpretar mal: *She always misunderstands the instructions, that's why the results of her tests are inadequate.*
misunderstanding *s.* 1 equívoco, mal-entendido. 2 desentendimento, desavença.
misuse *v.t.* 1 abusar, usar ou empregar mal: *Don't misuse my words.* 2 maltratar.
misuse *s.* uso ou emprego incorreto, impróprio.
mitigate *v.t.* aliviar, abrandar, mitigar: *The medicine mitigated his pains.*
mitigation *s.* alívio, lenitivo, mitigação.
mitten *s.* 1 luva com separação somente para o polegar. 2 meia-luva.
mix *s.* mistura, mescla: *like mixed cereals for breakfast.*
mix *v.t. e i.* 1 misturar, mesclar, combinar: *Water and oil don't mix.* 2 (rel a pessoas) relacionar-se, agrupar-se. 3 **be/get mixed up (in/with sth)**, envolver-se em, ver-se atrapalhado com.
mixed *adj.* 1 misto, misturado: *a mixed drink.* 2 confuso.

mixer s. 1 misturador, batedeira (de cozinha). 2 (infml) pessoa sociável.
mixture s. mistura, mescla, composição.
mix-up s. 1 (infml) confusão. 2 briga.
moan s. gemido, lamento: *I could hear the moans of the injured soldiers from the field.*
moan v.i e i. gemer, queixar-se, lamentar-se.
mob s. 1 multidão. 2 populacho, ralé. 3 (gír) quadrilha de criminosos.
mobile s. 1 (GB telefone celular) móvel 2 mutável, versátil.
mobility s. 1 mobilidade. 2 inconstância, volubilidade.
mobilize v.t. e i. mobilizar, reunir (forças, recursos, etc).
mock adj. falso, fingido, simulado: *a mock exam.*
mock v.t. e i. 1 zombar de, ridicularizar: *The boys were mocked by the teacher.* 2 enganar, desapontar. 3 desafiar: *They have mocked the courage and resistance of their enemies.*
mockery s. (pl -ies) 1 ridículo, escárnio, zombaria. 2 imitação, arremedo: *That examination was a mockery of honesty.*
make a mockery of, ridicularizar.
modal adj. (mús, lóg, gram) modal: *modal auxiliary*, verbo auxiliar modal (p ex *can, may*).
model s. 1 modelo, molde, cópia. 2 exemplo. 3 manequim, modelo. 4 (usado *como* adj.) exemplar, perfeito: *a model wife.*
model v.t. e i.(GB -ll- EUA -l-) 1 moldar, modelar: *The girl modeled for a fashion show.* 2 servir de modelo, de manequim.
moderate adj. 1 moderado, comedido: *moderate actions.*
moderate s. pessoa moderada, comedida (esp em política).
moderate v.t. e i. 1 moderar, abrandar: *He should moderate his tone when he's talking to his boss.*
moderation s. moderação. **in mode-**

ration, com moderação, sem excesso.
modern adj. moderno, recente, atual.
modernity s. 1 modernidade. 2 novidade.
modernize v.t. modernizar, renovar, dar aspecto moderno: *They spent a lot of money modernizing his old house.*
modest adj. 1 modesto, humilde, despretensioso. 2 moderado, comedido. 3 recatado: *a modest girl.*
modesty s. 1 modéstia. 2 simplicidade. 3 recato.
modicum s. (somente sg) pequena quantidade ou quantia: *a modicum of good sense.*
modify v.t. (pret, pp *-ied*) 1 modificar, alterar, transformar. 2 moderar, abrandar: *The police have modified their tactics.*
modulate v.t. e i. 1 regular, ajustar, adaptar. 2 (mús) modular. 3 alterar a freqüência de sons, ondas elétricas, etc.
modulation s. (mús, rádio) modulação.
module s. módulo.
moist adj. úmido, aquoso: *moist hand cream*, creme hidratante para mãos.
moisten v.t. e i. umedecer(-se), umectar(-se).
moisture s. 1 umidade leve. 2 líquido em estado de condensação ou em pequenas gotas.
mold v.t. 1 moldar, modelar: *The craftsman molded the new frames.* 2 (fig) moldar (o caráter de uma pessoa), controlar, influenciar: *mold a person's personality.* (GB *mould*).
mold s. mofo, bolor, fungo. (GB *mould*).
mold v.i. mofar, embolorar: *His house is so old that the walls were molded .* (GB *mould*).
molder v.i. deteriorar, desfazerse, esfarelar: *These ancient books are molding away quickly.* (GB *moulder*).
molding s. 1 moldagem, modelagem. 2 moldura. (GB *moulding*).

mole

mole s. mancha ou sinal congênito na pele.
molecular adj. molecular.
molecule s. molécula.
molest v.t. molestar, importunar, aborrecer.
mollify v.t. (pret, pp -ied) 1 amo-lecer, abrandar. 2 apaziguar, pacificar: *He was mollified by their attitude.*
molten adj. 1 liquefeito, derretido: *molten lava.* 2 fundido, vazado.
mom s. mamãe.*(GB mum).*
moment s. instante, momento. **at any moment**, a qualquer momento. **at the moment**, atualmente, neste momento, agora. **for the moment**, por enquanto.
momentary adj. 1 momentâneo, transitório. 2 iminente, pendente: *After the discussion there was a momentary silence.*
monarch s. monarca, soberano.
monarchy s. (pl -ies) monarquia.
monastery s. (pl -ies) mosteiro, convento.
monastic adj. monástico, monacal.
Monday s. segunda-feira.
monetary adj. monetário: *The monetary policy in that country is strict.*
money s. dinheiro, moeda, papel moeda. **be short of money**, estar sem dinheiro. **be in the money**, (gír) estar rico. **make money**, fazer ou ganhar dinheiro. **put money into**, investir dinheiro em, **put money on**, apostar dinheiro em.
moneyed adj. rico, abastado, endinheirado.
mongrel s. 1 vira-lata. 2 planta ou animal híbrido, mestiço.
monitor s. 1 monitor. 2 (rádio, telev) pessoa que controla transmissões.
monitor v.t. e i. (rádio, telev) controlar, vigiar, escutar transmissões.
monk s. monge, frade.
monkey s. 1 macaco. 2 criança travessa. **monkey business**, algo estranho, ilícito.
monkey v.i. **monkey about (with)**, fazer traquinagens (com), palhaçada. **monkey with**, bulir, mexer. **monkey wrench** s (mec) chave inglesa, chave de expansão.
mono- prefixo mono, um, único.
monogamy s. monogamia.
monogram s. monograma.
monograph s. monografia.
monologue s. monólogo.
monopolize v.t. monopolizar.
monopolist s. monopolista.
monopoly s. (pl -ies) monopólio.
monorail s. monotrilho.
monosylable s. monossílabo.
monotonous adj. monótono, enfadonho: *a monotonous tune.*
monotony s. monotonia.
monsoon s. monção, estação de ventos e chuvas na Ásia.
monster s. 1 monstro (também fig). 2 (como adj.) monstruoso, imenso: *a monster building.*
monstrosity s. (pl -ies) monstruosidade.
monstrous adj. 1 monstruoso, disforme, horrendo. 2 (infrnl) absurdo, incrível: *monstrous expenses.*
month s. mês.
monthly adj. e adv. mensal, mensalmente.
monument s. 1 monumento, marco. 2 mausoléu.
monumental adj. monumental.
moo s. e v.i. mugido, mugir.
mood s. 1 humor, estado de espírito, disposição. *Her mood changed drastically after the accident.* 2 mau humor, *in a bad mood.* 3 bom humor, *in a good mood.* **in the mood for**, com vontade de, com disposição para: *I'm in the mood for love.*
moodily adv. soturnamente.
moodiness s. mau humor, melancolia, tristeza.
moody adj. (-ier, -iest) malhumorado, triste, taciturno.
moon s. 1 lua: *a new moon*, lua nova; *a*

half moon, meia-lua; *a full moon*, lua cheia. *once in a blue moon*, uma vez na vida, outra na morte. ***promise sb the moon***, prometer o impossível.
moonlight *s.* 1 luz da lua. 2 (usado como *adj.*) enluarado: *a moonlight serenade*.
moonlight *v.i.* ter um segundo emprego (fazer um bico). *The students moonlight as waiters in that restaurant*.
moor *v.t. e i.* ancorar, atracar.
moor *s.* pântano, charco, brejo.
mop *s.* 1 esfregão de assoalho, pano de chão. 2 chumaço de cabelo.
mop *v.t.* (*-pp-*) esfregar/limpar com pano de chão: *Mary had to mop the floor after her drink spilled all over it*.
mope *v.i.* agir desanimadamente, sentir-se deprimido.
moral *adj.* 1 moral, ético. 2 honesto, virtuoso: *a moral man*. **moral philosophy**, ética.
moral *s.* 1 moral (de uma história). 2 (Pl) princípios de conduta, costumes: *She's a woman without morals*.
morale *s.* moral, disposição, estado de espírito: *The captain needs to improve the morale of his men*.
moralist *s.* moralista.
morality *s.* (pl *-ies*) 1 moralidade, decência. 2 ética.
moralize *v.t. e i.* 1 moralizar, interpretar moralmente. 2 extrair a moral de.
morbid *adj.* 1 mórbido. 2 doentio: *a morbid personality*.
more *adj.* 1 mais, em maior quantidade. 2 adicional, extra: *They need more people to help in the kitchen*. (Cf. *many, most, much*).
more *s.* 1 mais, uma quantidade maior: *What more does she need?* 2 quantidade ou número adicional: *You said 10 dollars but we need more than that*.
more *adv.* 1 (na formação do grau comparativo de muitos adjetivos e advérbios) mais: *She's more beautiful than her sister*. 2 mais, em maior grau ou extensão: *You should eat more vegetables than you do now*. 3 novamente: *Don't do that any more*. ***once more***, mais uma vez. ***more and more***, cada vez mais ***more or less***, aproximadamente.
moreover *adj.* além do mais, além disso.
morgue *s.* morgue, necrotério.
morning *s.* 1 manhã, alvorada: *I went for a walk early in the morning*. 2 (usado como *adj.*) matutino, matinal: *a morning exercise*. ***morning star***, estrela d'alva, estrela da manhã.
moron *s.* pessoa idiota, imbecil: *You moron!*
morphine *s.* morfina.
morphology *s.* (hiol, gram) morfologia.
morrow *s.* (liter) dia seguinte, período seguinte.
morsel *s.* bocado, naco, pedacinho: *The little boy only got a morsel of the chocolate cake..*
mortal *adj.* 1 mortal, humano. 2 fatal. 3 extremo, muito grande: *mortal combat*.
mortality *s.* 1 mortalidade, humanidade.
mortally *adv.* 1 mortalmente: *mortally wounded*. 2 implacavelmente, extremamente.
mortar *s.* argamassa.
mortgage *s.* hipoteca.
mortgage *v.t.* hipotecar, empenhar.
mortification *s.* 1 mortificação, aflição. 2 humilhação. 3 gangrena.
mortuary *s.* (pl *-ies*) sala ou capela mortuária, morgue.
mosaic *s. e adj.* mosaico.
mosque *s.* mesquita.
moss *s.* musgo.
most *adj.* 1 o maior número, a maior parte, o maior: *Most of my students came late to class yesterday morning*. 2 a maioria, quase todos: *He's read most of the books from the school library.*(Cf. *many, more, much*).
most *s.* o mais, o máximo: *The doctors did*

most

the most they could to save the victims. *at the (very) most*, não mais do que. *make the most of*, tirar o máximo proveito de: *We should try to make the most of this embarassing situation*. *for the most part*, geralmente, na sua grande maioria.

most *adv*. 1 (usado na formação do grau superlativo de adjetivos e advérbios de mais de uma sílaba o mais, os mais: *the most expensive city, the most beautiful girls*. 2 mais, muitíssimo. 3 muito, demais: *The woman was most rude to everybody*.

mostly *adv*. 1 geralmente, na maioria das vezes: *On Saturday night I mostly stay home*. 2 essencialmente: *The decision was mostly political*.

motel *s*. hospedaria para motoristas de caminhão e pessoas que viajam de carro (onde, além dos quartos, há área de estacionamento, abastecimento, etc).

moth *s*. traça, mariposa. *moth-ball*, naftalina.

mother *s*. 1 mãe. 2 freira, madre. *mother-in-law*, sogra.

mother *v.t.* 1 servir de mãe, cuidar como mãe: *She mothers her single friends*.

motherhood *s*. maternidade.

motif *s*. 1 tema de uma peça musical. 2 traço principal de uma obra de arte.

motion *s*. 1 movimento, deslocação. 2 gesto: *He made a motion with his body that showed impatience*. 3 moção, proposta: *The motion was accepted by the directors*. *put/set sth in motion*, pôr em funcionamento. *motion picture*, filme, película, fita.

motion *v.t. e i*. guiar por gestos: *The policemen motioned the cars to the express highway*.

motionless *adj*. imóvel, inerte.

motivate *v.t.* motivar, encorajar: *Family and friends have to motivate them to go on with their lives*.

motivation *s*. motivação.

motive *s*. motivo, causa, razão.

motley *adj*. 1 colorido, multicolor. 2 variado, heterogêneo.

motor *s*. motor.

motor *adj*. motorizado: *motor vehicles*.

motorbike *s*. (infml) bicicleta motorizada, motocicleta.

motorcycle *s*. motocicleta.

mottled *adj*. estampado, pintado.

motto *s*. (pl *-es* ou *-s*) 1 lema, mote. 2 palavras, sentenças ou frase musical usada no início de um capítulo para caracterizá-lo.

mount *s*. monte, colina, montanha (abrev *Mt*): *Mt Everest*.

mount *v.t. e i*. 1 escalar, subir (montanha, escada, etc). 2 montar (cavalo), colocar alguém no dorso de um cavalo. 3 aumentar: *His anxiety mounted after he was fired from his job*. 4 afixar, colocar, prender. 5 encenar uma peça (no teatro ou na TV): *It costs a fortune to mount a musical on Broadway*. *mount an offensive*, atacar, montar uma ofensiva.

mountain *s*. 1 montanha: *In South America the highest mountain is the Aconcagua*.

mountaineer *s*. 1 alpinista. 2 montanhês.

mourn *v.i e i*. lamentar, estar de luto, chorar a morte: *They are still mourning their loss*.

mournful *adj*. pesaroso, triste.

mourning *s*. 1 lamento, pranto. 2 uso de roupas pretas em sinal de luto. *in mourning*, de luto.

mouse *s*. (pl *mice*) 1 camundongo. 2 pessoa tímida. *play cat and mouse with sb*, brincar de gato e rato com alguém. *mousetrap*, ratoeira.

mousy *adj*. (-ier, -iest) 1 (cabelo) castanho-acinzentado. 2 (pessoa) quieto, tímido, feio, sem atrativos.

mouth *s*. (pl *-s*) 1 boca. 2 embocadura, foz. 3 boca (de saco, garrafa, túnel). *by word of mouth*, (rel a notícias) oral ou verbalmente. *never look a gift-horse*

muddy

in the mouth, a cavalo dado não se olham os dentes. *put words in sb's mouth*, a) dizer que outra pessoa disse algo quando não o fez. b) sugerir que alguém diga algo. *take the words of sb's mouth*, tirar as palavras da boca de alguém. **mouth-organ, gaita**. **mouthpiece**, a) bocal (de cachimbo, de instrumento musical). b) porta-voz.
mouth *v.t. e i.* 1 falar afetadamente. 2 balbuciar.
move *s.* 1 (rel a xadrez) lance: *The chess player made a sudden move and surprised his opponent.* 2 movimento. 3 mudança: *They have plans to move to a bigger house.* *on the move*, a caminho. *get a move on*, (gír) apressar-se. *make a move*, a) ir, partir: *Let's move now!* b) começar a agir.
move *v.t. e i.* 1 mover, deslocar: *Could you move those boxes out of the way, please?* 2 comover: *It's a moving story.* 3 induzir, incitar, ter vontade 4 passar 5 tomar a iniciativa: *You should make the first move, don't you think!* *move heaven and earth*, fazer o possível, tentar todos os meios. *move out*, desocupar um imóvel: *His family moved out last month.* *move on*, mudar de lugar, avançar, continuar, seguir em frente: *You should make on, there's more to life than that.*
movement *s.* 1 movimento, ação: *There was no movement in the area.* 2 movimento: *There is a movement to obtain higher salaries.* 3 (mús) principal divisão de uma obra musical, com estrutura própria.
movie *s.* (infml ou EUA) 1 filme. 2 o cinema, *the movies.*
mow *v.t.* (pret *-ed*, pp *-n* ou *-ed*) cortar grama. *lawn mower*, cortador de grama.
Mr (forma de tratamento) senhor: *Mr Johnson.*
Mrs (forma de tratamento) senhora: *Mrs Johnson.*
Ms título usado por moças ou senhoras que preferem não revelar seu estado civil: *Ms Johnson..*
much *adj.* (*more, most*) 1 muito, em grande quantidade (usado com substantivos sg): *I don't eat much at night..* 2 tanto quanto: *It wasn't as much as they had expected.* *too much*, demasiado, demais. *how much*, a) quanto(a), que quantidade: *How much money did you get?* b) quanto custa: *How much is that TVt?* *not much of a*, não é bom, não é bem: *She is not much of a singer.* *in fact*, de fato.
much *s.* muito, grande quantidade. *this/that much*, a quantidade indicada. *make much of*, a) exagerar, considerar importante: *He makes much of his new position.* b) entender. *not think much of*, não ter boa opinião sobre: *I don't think much of that new teacher..*
much *adv.* 1 muito, quase como: *This city district is much the same as the other one.* 2 (modificando comparativos e superlativos) muito: *John is much cleverer than his friend.* 3 (modificando o verbo): *I liked that movie very much.* *much as,* embora. *much the same*, a mesma. *much to*, para minha, dele, etc grande.
muck *s.* 1 esterco, estrume. 2 sujeira, lixo.
muck *v.t. e i.* *muck sth up,* (infml) sujar, emporcalhar.
mucus *s.* muco, mucosidade.
mud *s.* lama, barro, lodo. *throw mud at,* caluniar, difamar. **mudguard**, páralama.
muddle *v.t. e i.* 1 confundir, desorganizar: *The salesperson got muddled with so many questions about the product.*
muddle *s.* confusão, desordem: *He left his bedroom in a muddle.* **muddle-headed**, confuso, trapalhão.
muddy *adj.* (*-ier, -iest*) 1 enlameado, barrento: *muddy car.* 2 confuso: *muddy mind.* 3 impuro, turvo.
muddy *v.t.* (pret, pp *-ied*) enlamear: *You've muddied the entire room.*

muffin

muffin s. bolinho semelhante a um sonho.
muffle v.t. 1 encapotar, agasalhar.
muffler s. 1 cachecol. 2 pano usado para amortecer o som, silencioso (mec).
mug s. 1 caneca: *a coffee mug.*
mug v.t.(-gg-) **mug sth up,** (infml) familiarizar-se com a matéria do exame.
mug v.t.(-gg-) (gir) atacar uma pessoa violentamente e roubar, assaltar com violência. **mugger** s (gir) assaltante.
mugging s. assalto com violência.
mulberry s. (pl -*ies*) amora, amoreira.
mule s. mula. *as obstinate/stubborn as a mule,* teimoso, cabeçudo como uma mula.
mule s. chinelo sem salto.
mull v.t. preparar bebida quente feita com vinho, cerveja e condimentos: *mulled wine,* vinho quente.
mull v.t. **mull sth over,** ponderar, meditar.
mullion s. barra vertical entre as partes de uma janela.
multi- prefixo multi-, muitos: *multi flavors.*
multiple adj. múltiplo.
multiple s. múltiplo: *15 is a multiple of 3. common multiple,* múltiplo comum.
multiplicity s. (fml) multiplicidade.
multiply v.t. e i. (pret, pp -*ied*) 1 multiplicar.
multitude s. 1 multidão, bando. 2 povo, massa.
mumble v.t. e i. murmurar, resmungar: *She is always mumbling like a child.*
mumify v.t. (pret, pp -*ied*) mumificar, embalsamar.
mummy s. (pl -*ies*) múmia.
mummy s. (pl -*ies*) (infml) mãe, mamãe.
mumps s. (verbo no sg) caxumba.
munch v.t. e i. mascar, mastigar ruidosamente.
mundane adj. 1 mundano. 2 monótono, rotineiro: *mundane activities.*
municipal adj. municipal.

munition v.t. municionar, abastecer (com munições).
munitions s. (pl) munição, munições, equipamentos de guerra.
mural s. e adj. mural.
murder s. assassinato, homicídio. *commit a murder,* cometer um assassinato. *get away with murder,* (infml) escapar impune.
murder v.t. 1 matar, cometer homicídio. 2 (fig) assassinar, executar mal: *murder the music.*
murderer s. assassino.
murderous adj. assassino, homicida, mortal: *a murderous person.*
murmur s. 1 murmúrio, sussurro. 2 resmungo, reclamação.
murmur v.i e i. 1 murmurar, sussurrar: *murmur a song.* 2 resmungar, reclamar: *murmur against his orders.*
muscle s. 1 músculo.
muscle v.i. **muscle in (on),** (gír) abrir caminho à força.
muscular adj. 1 muscular. 2 musculoso.
muse s. musa.
muse v.i. *muse over/on/upon,* meditar, refletir, ponderar: *She was musing over last night.*
museum s. museu.
mush s. 1 papa, mingau. 2 (infml) pieguice.
mushroom s. 1 cogumelo, fungo. 2 algo que cresce com grande rapidez.
mushroom v.i. 1 colher cogumelos. 2 espalhar ou crescer rapidamente, pipocar.
music s. música. *face the music,* enfrentar dificuldades ou críticas corajosamente. *set/put sth to music,* musicar. *music box,* caixa de música. *music-hall,* teatro de variedades. *music-stand,* estante de música. *music-stool,* banquinho de piano.
musical adj. 1 musical, apreciador de música. 2 musical, agradável de se ouvir. *musical comedy,* comédia musical.

musical instrument, instrumento musical (piano, violino, etc).
musician s. músico.
musk s. almíscar.
musky adj. (-ier, -iest) almiscarado.
muslin s. musselina.
mussel s. mexilhão.
must v. aux. (forma negativa must not, mustn't) (não é flexionado, não tem infinitivo, nem particípio; usado como auxiliar seguido de infinitivo sem to) dever, precisar, ser necessário, ter de. Usado para expressar: 1 obrigação/necessidade: *You must be careful with your words.* (no passado, é substituído por had to: *They had to be careful with their words.* 2 proibição: *You must not enter this area.* 3 certeza. 4 possibilidade/dedução. 5 predição.
must s. (mfml) 1 obrigação, necessidade, algo obrigatório: *Speaking English is a must nowadays.*
mustache s. bigode *(GB moustache)*.
mustard s. mostarda.
muster s. ajuntamento de tropas para revista. ***pass muster***, passar por inspeção e ser aprovado.
muster v.t. e i. juntar, reunir.
musty adj. (-ier, -iest) 1 mofado, bolorento: *a musty room.* 2 (fig) antiquado: *a person with musty ideas.*
mutable adj. (fml) mutável, mudável.
mutation s. mudança, alteração, mutação.
mute adj. 1 mudo, silencioso.
mutilate v.t. mutilar, deformar, aleijar.
mutiny s. (pl -ies) motim.
mutter v.t. e i. sussurrar, murmurar, resmungar.
mutton s. carne de carneiro.
mutual adj. mútuo, recíproco.
muzzle s. 1 focinho. 2 focinheira. 3 boca de arma de fogo.
muzzle v.t. 1 amordaçar. 2 impedir uma pessoa, um jornal, etc de emitir opiniões livremente.

my adj. poss meu, minha, meus, minhas: *Have you seen my wife?*
my interj (exclamação de surpresa ou prazer) Puxa! Minha nossa!: *Oh My!*
myopia s. miopia.
myopic adj. miope.
myriad adj. grande quantidade: *a myriad of colors.*
myself pron. 1 (reflex): a mim mesmo: *I hurt myself*, Eu me machuquei. 2 (enfático) eu mesmo: *I myself will solve the problem.* ***be myself***, ser eu mesmo, estar me sentindo bem: *I was not myself at the meeting.* ***(all) by myself***, a) sozinho. *I like to travel all by myself.* b) sem ajuda: *I wrote the book all by myself.*
mysterious adj. misterioso, enigmático.
mysteriously adv. misteriosamente.
mystery s. (pl -ies) 1 mistério, enigma: *There is a big mistery around that crime.* 2 segredo, mistério: *I like movies full of mistery.*
mystic adj. e s. místico.
mystical adj. V. mystic.
mysticism s. misticismo.
mystification s. mistificação.
mystify v.t. (pret, pp -ied) 1 mistificar, iludir. 2 tornar perplexo, confundir.
myth s. 1 mito. 2 fábula. 3 pessoa ou coisa imaginária: *His stories are a mith.* 4 pessoa ou coisa lendária: *Airton Senna became a mith for brazilian people.*
mythical adj. 1 mítico.
mythological adj. mitológico, irreal.
mythology s. (pl -ies) 1 estudo dos mitos. 2 mitologia, coleção de mitos: *the Greek and Roman Mithology.*

N

N,n letra do alfabeto.
nag *v.t e.i (-gg-)* resmungar (continuamente), importunar, apoquentar: *His mother nagged at him all day long because he had not tidied his bedroom.*
nagger *s.* resmungão, pessoa que resmunga e amola sem parar.
nail *s.* 1 unha. 2 prego, cravo. *hit the nail on the head,* acertar em cheio. *on the nail,* imediatamente. **nail-file,** lixa de unhas. **nail-varnish/-polish,** esmalte para unhas.
nail *v.i.* pregar, cravar. *nail sb down,* forçar alguém a dizer o que pretende, a contar seus planos.
naive (naïve) *adj.* ingênuo, inocente, simples.
naivety (-eté) *s.* ingenuidade, simplicidade.
naked *adj.* 1 nu, despido. 2 descoberto, exposto, desguarnecido: *a naked light.* *With the naked eye,* a olho nu.
nakedness *s.* nudez.
name *s.* 1 nome. *call sb names,* xingar, insultar alguém. *in name only,* apenas aparentemente, não de fato. 2 reputação, renome, fama: *Their firm has a good name in import and export.* 3 pessoa renomada: *a famous name.*
namesake, homônimo, xará.
name *v.t.* 1 dar nome: *He was named Henry. He was named after his father,* Foi lhe dado o nome do pai. 2 mencionar, citar, dizer o nome: *Try to name all the objects you saw in the room.* 3 especificar, mencionar: *name your price for the house.* 4 nomear, indicar: *The President named him chairman.*
nameless *adj.* 1 sem nome, anônimo, desconhecido, ignorado. 2 inominável: *nameless crimes.*
namely *adv.* isto é, a saber, mais especificamente: *Only one person knew his secret, namely his wife.*
nanny *s.* (pl *-ies*) babá, pajem.
nap *s.* soneca, cochilo: *She always takes a nap after lunch.*
nape *s.* nuca.
napkin *s.* 1 *(table napkin)* guardanapo. 2 (fml) fralda (V. *nappy*).
nappy *s.* (pl *-ies*) fralda (para bebê). (EUA *diaper*).
narcissism *s.* narcisismo.
narcissus *s.* (pl - es ou -*cissi*) (bot) narciso.
narcotic *s. e adj.* 1 narcótico. 2 viciado em narcóticos.
narrate *v.t.* narrar, contar, relatar.
narrative *s.* narrativa, história.
narrator *s.* narrador.
narrow *adj.* (*-er, -est*) 1 estreito. 2 limitado, restrito: *a narrow group of people.* 3 apertado, com pequena margem: *In the accident he had a narrow escape from death.* 4 exato, estrito: *in the narrow sense of the word.* **narrow-minded,** de mentalidade tacanha, bitolado.
narrow *v.t. e i.* 1 estreitar. 2 limitar, restringir, reduzir.
nasal *adj.* nasal.
nasty *adj.* (*-ier, -iest*) 1 desagradável, ruim, sujo: *nasty weather; a nasty smell.* 2 sórdido, vil, indecente. 3 danoso, ruim, grave: *It was a nasty accident.* 4 perigoso, ameaçador: *a nasty snowstorm.*
nation *s.* nação, país. **nationwide,** de âmbito nacional.
national *adj.* nacional. **national service,** serviço militar. (EUA *draft service*).
national *s.* cidadão de uma nação: *They are Brazilian nationals.*
nationalism *s.* nacionalismo.
nationality *s.* (pl-ies) nacionalidade: *They are of Chilean nationality.*
nationalize *v.t.* nacionalizar, naturalizar.

native s. nativo, natural: *He is native of South Africa. This plant is a native of Brazil.*
native adj. 1 nativo, natural: *my native country,* minha pátria; *my native language,* minha língua materna. 2 inato, inerente: *She has a native ability to take care of plants.* 3 *(to)* (rel a plantas e animais) originário: *The kangaroo is native to Austrália.*
nativity s. (pl -ies) 1 natividade. 2 *the Nativity,* a Natividade de Jesus Cristo.
natural adj. 1 natural: *a country's natural resources,* as reservas naturais de um país. *He died of natural causes. It's natural to feel anxious in a situation like this.* 2 nato: *She's a natural musician.*
naturalism s. 1 naturalismo (em arte e como sistema filosófico). 2 nudismo.
naturalist s. 1 naturalista (pessoa especialista em História Natural ou adepto do naturalismo). 2 nudista.
naturalistic adj. naturalista: *a naturalistic painter.*
naturalize v.t. e i. 1 naturalizar, nacionalizar: *He became a naturalized Brazilian. The word "lay-out" is now naturalized into Portuguese.* 2 aclimatar.
naturally adv. naturalmente: *She spoke very naturally. "Do you know what to do?" "Naturally!"*
nature s. natureza: *to live close to nature,* viver em contato com a natureza. *It is part of his nature to help others. It's human nature to be selfish. What was the nature of his question? He's kind by nature,* Ele é gentil por natureza. *let nature take its course,* deixe as coisas seguirem seu curso natural.
naughtiness s. desobediência, maldade, malvadeza.
naughty adj. (-ier, -iest) 1 desobediente, travesso, malcriado. 2 impróprio: *naughty jokes.*
nausea s. náusea, enjôo.

nauseate v.t. nausear, enjoar.
nautical adj. náutico, marítimo.
naval adj. naval, marítimo: *a naval base/officer.*
nave s. nave (de igreja).
navel s. umbigo.
navigate v.t. e i. navegar, dirigir um navio ou avião.
navigation s. navegação, pilotagem.
navy s. (pl -ies) 1 marinha de guerra, frota. 2 conjunto das forças navais.
navy blue, azul-marinho.
near adj. (-er, -est) 1 perto, próximo: *the near future.* 2 contíguo, vizinho: *the nearest house.* 3 familiar, íntimo: *my near relatives; my nearest and dearest friends.*
near adv. 1 próximo, perto: *Christmas is drawing near,* O Natal está chegando. 2 quase: *Your answer was near (the right one). near at hand,* à mão: *It was near at hand, but I couldn't see it.*
near-sighted, míope.
near prep. 1 junto a: *Come near me.* 2 perto de: *My house is near the station. She lives near me.*
nearby adj., adv., prep perto, próximo: *I'm sure you'll find a nearby drugstore. She lives nearby.*
nearly adv.1 quase, por pouco: *We nearly won the game. He nearly died in the accident.* 2 aproximadamente: *It costs nearly a hundred pounds. not nearly,* nem de longe, de jeito algum: *She's not nearly a good student.*
neat adj. (-er, -est)1 cuidadoso, caprichado: *neat writing; a neat worker.* 2 limpo, asseado: *a dress; a neat room.* 3 (re neat I à aparência) (infml) agradável: *The dancer had a neat figure.* 4 bem feito, claro, conciso: *a neat reply.* 5 (rel a bebidas alcoólicas) puro: *He drinks his whisky neat.*
neatness s. 1 asseio, limpeza. 2 clareza, nitidez.
nebulous adj. 1 nebuloso: *a nebulous liquid.* 2 vago: *a nebulous speech; nebulous ideas.*

necessarily *adv.* necessariamente: *Beautiful things are not necessarily expensive.*
necessary *adj.* necessário, indispensável: *Food is necessary for one's health. It's necessary for us to go now.* **necessary evil,** mal necessário: *This medicine tastes horrible but it is a necessary evil.*
necessitate *v.t.* (fml) necessitar, precisar: *Developing countries necessitate foreign investments.*
necessity *s.* (pl *-ies*) 1 necessidade: *There are some basic necessities in life: food, shelter and love. Is there any necessity to repeat what was said?* 2 pobreza, míngua: *necessity forced him to steal food.* 3 exigência: *These are some necessities you have to fulfil to get the job.*
neck *s.* 1 pescoço, colo: *a stiff neck,* torcicolo. **by a neck,** (ganhar ou perder) por pouco. **get in the neck,** (infml) levar na cabeça, ser punido: *You'll get it in the neck if you argue with the director.* **a pain in the neck,** algo/alguém chato. 2 gargalo: *the neck of a bottle.* **necklace,** colar: *a pearl necklace.* **neckline,** gola, decote.
nectar *s.* 1 néctar: *Bees collect nectar from flowers.* 2 (fig) néctar, delícias: *She is tasting the nectar of success.*
nectarine *s.* nectarina, tipo de pêssego.
need *s.* 1 necessidade: *There is no need for such strong responses. The needs of the school are various.* 2 dificuldade, emergência: *You can call us in case of need. A friend in need is a friend indeed,* Os amigos se conhecem nas horas difíceis.
need *v. aux.* (usado somente na interrogativa e neg) (forma negativa *needn't*) ter que, dever, precisar: *We needn't go now. You needn't speak so loud.*
need *v.t.* necessitar, precisar: *I need two bottles of milk and some eggs. Children need milk. I need you.*
needful *adj.* 1 necessário, indispensável: *These books are needful for my studies.* 2 necessitado.
needle *s.* 1 agulha de costura, tricô, crochê. 2 agulha de instrumentos (bússola, tocadiscos). 3 agulha médica: *acupuncture needle; hypodermic needles for injections.* **look for a needle in a hay stack,** procurar uma agulha no palheiro. **needlecraft/ work,** trabalho manual de agulha, bordado, tricô, crochê.
needless *adj.* desnecessário: *Needless to say, you should go,* Não é preciso nem dizer que você deve ir.
negation *s.* negação.
negative *adj.* 1 negativo, contrário: *a negative answer to my request; negative opinion.* 2 negativo: *a negative number; a negative profit; a negative sign (-). The result of the test was negative.*
neglect *v.t.* 1 negligenciar, descuidar, desleixar: *Don't neglect to lock the door. Don't neglect your appearance.* 2 omitir: *The government has neglected the schools.*
negligence *s.* 1 negligência, descuido. 2 (jur) negligência: *criminal negligence.*
negligent *adj.* negligente, descuidado: *He's been so negligent about his business.*
negotiable *adj.* negociável, vendável: *This contract is negotiable.*
negotiate *v.t. e i.* negociar, transacionar: *The two parties had to negotiate their participations in the government. We don't negotiate foreign currency.*
negotiation *s.* negociação, transação: *After long negotiations the agreement was possible.*
negro *s.* (pl -es) (téc) (ofensivo) homem negro, preto.
neighbor *s.* 1 vizinho: *She's my next door neighbor.* 2 próximo: *All the neighbors were invited to the community meeting.* (GB *neighbour*).

neighborhood s. 1 vizinhança *It's a quiet neighborhood.* 2 cercania, proximidade: *There are no big shops in the neighborhood.* (GB *neighbourhood*).
neither adj. nenhum, nenhum dos dois: *neither road is very good after the rain. neither men said a word.*
neither conj. nem: *He neither drinks nor smokes. neither my friends nor I went to the party.*
neither pron. nenhum, nem um nem outro: *Which of the books do you want? neither of them.*
neo- prefixo que indica novo: *neologism, neolithic, neoclassical.*
neon s. neon. **neon light**, a) luz de neon, luz fria: *I was fascinated by the neon lights of the city.* b) lâmpada fluorescente. **neon sign**, propaganda de neon: *Her name was written in the big neon sign at the entrance of the theatre.*
nephew s. sobrinho.
nepotism s. nepotismo, favoritismo.
nerve s. 1 (anat, bot) nervo: *nerve cell,* célula nervosa; *nerve centre,* centro nervoso. 2 (pl) nervosismo, histeria: *He is suffering from nerves.* **get on one's nerves**, irritar, aborrecer, dar nos nervos: *She gets on my nerves.* 3 (fig) coragem, sangue-frio: *As a policeman he needs plenty of nerve .* **have the nerve to do sth**, a) ter coragem para fazer algo. b) ter a ousadia de fazer algo: *He had the nerve to say I am fat.* **lose/regain one's nerve**, perder/recuperar a coragem: *I wanted to tell the whole truth but I lost my nerve when I saw him.*
nervous adj. 1 nervoso: *the nervous system.* 2 exaltado, nervoso, irritado: *a nervous smile.* **make someone nervous**, irritar alguém: *She made me nervous with her stories.* **nervous breakdown**, esgotamento nervoso.
nervy adj. (infml) nervoso.
nest s. 1 ninho, viveiro, toca. 2 recanto, lugar confortável. 3 antro: *a nest of criminals.*

nest v.i. fazer ninho, aninhar-se: *Most birds nest in trees.*
nest egg s. (fig) pé-de-meia, pecúlio, economias.
nestle v.t. e i. 1 aninhar-se, aconchegar-se, acomodar-se: *She nestled down (into the big chair) and began to read.* 2 aproximar-se, aninhar-se afetuosamente: *She nestled her head against his shoulder.*
net s. 1 rede. 2 filó, tule. 3 (rel a esportes) bola que bate na rede.
net adj. 1 (com) peso/salário líquido: *net price/weight,* preço/peso líquido.
network s. rede de contatos, complexo: *a network of railways/friends.*
neuralgia s. (med) neuralgia, nevralgia.
neurology s. neurologia.
neurosis s. (pl *-ses*) neurose.
neuter adj. 1 (gram) neutro, palavra do gênero neutro. 2 (biol) assexuado, estéril.
neutral adj. 1 neutro: *neutral territory.* 2 cor vaga, indefinida. 3 (quím) nem ácido, nem alcalino. 4 (eletr) nem positivo, nem negativo. 5 (mec, autom) ponto morto: *She left the car in neutral.*
neutrality s. neutralidade.
neutralize v.t. 1 tornar neutro: *to neutralize a territory during the war.* 2 neutralizar, anular: *to neutralize an acid.*
never adv. 1 nunca, jamais, de modo algum: *He never does his homework. never do such a thing!* 2 substituto enfático para *not*: *I will never accept that.* **Never fear!** Não tenha receio, não tenha medo. **Never mind!** Não se preocupe, não se importe.
nevermore adv. nunca mais.
nevertheless adv. e conj. todavia, contudo, entretanto, no entanto; *I can't do what you're advising me to; nevertheless thank you for your help.*
new adj. (-er, -est) 1 novo, inédito, moderno: *a new film.* **as good as**

new

new, em ótimas condições. 2 recém descoberto: *They discovered a new star.* 3 estranho, original, fresco. 4 renovado, novo: *new moon,* lua nova: 5 **new to,** pouco familiarizado, não acostumado a: *She's new to that job.*
new *adv.* 1 recentemente, novamente. 2 de um modo novo.
newborn *adj.* 1 recém nascido. 2 renascido.
newcomer *s.* recém-chegado.
newfangled *adj.* novo, moderno, estranho (por isso, indesejável): *Those newfangled ideas are useless.*
newly *adv.* 1 recentemente: *a newly built building.* 2 de um novo modo: *an old plan newly presented.*
newness *s.* 1 novidade, inovação. 2 falta de prática, inexperiência.
news *s.* (usado com verbo no sg) 1 notícia(s), nova(s), novidade(s): *What's the news?* O que há de novo? *a piece of news,* notícia. 2 informação, noticiário, jornal. *a news item,* uma notícia.
newsagency *s.* agência de notícias.
newscast *s.* (rádio, telev) noticiário.
newsletter *s.* boletim informativo, circular (carta).
newspaper *s.* jornal, periódico.
newsprint *s.* papel de imprensa, papel de jornal.
newsstand *s.* banca de jornais.
next *adj., s.* 1 seguinte: *If I miss the bus, I'll catch the next after that.* 2 próximo, vizinho, ao lado, pegado: *He always sits next to me.* **next-door,** a (na) casa ao lado: *She lives next door to a famous actress. We are next door neighbours.* 3 (rel a tempo) próximo, futuro: *Is he coming this Sunday or next Sunday?* **next time,** da próxima vez.
next *adv.* 1 logo a seguir, depois: *When I last met him, he was desperate.* **come next,** vir depois, vir a seguir: *What comes next?* 2 **next to,** (infml) quase: *We are next to giving up.* 3 **next to nothing,** quase nada: *We earn next to nothing.*
nib *s.* 1 bico de pena ou de pássaro. 2 pena. 3 ponta.
nibble *v.t. e i.* 1 mordiscar, beliscar (isca). **nibble at,** beliscar (comida). 2 (fig) mostrar intenção de aceitar (oferta), concordar, sem ser definitivo.
nice *adj.* (-r, -st) 1 agradável, satisfatório, encantador, bom. 2 delicado (que exige atenção), sutil: *That's a nice difference between the two meanings.* 3 (irônico) difícil, ruim: *I've got no money left. That's a nice state of affairs!* 4 escrupuloso, exigente: *He's nice in his business methods.*
nicely *adv.* 1 agradavelmente, satisfatoriamente, 2 minuciosamente, habilmente.
nicety *s.* (pl -ies) 1 precisão, exatidão, cuidado, esmero: *nicety of judgement,* precisão de julgamento. 2 requinte, refinamento, sutileza: *the niceties of criticism,* o refinamento da crítica.
niche *s.* 1 nicho, vão. 2 (fig) boa colocação, lugar ou posição adequada: *He found the right niche for himself,* Ele encontrou o lugar certo para si.
nick *s.* 1 entalhe, brecha, fenda. 2 **in the nick of time,** na hora H, no momento crítico. 3 (gír) prisão.
nickel *s.* 1 (quím) níquel. 2 (EUA) moeda de 5 centavos.
nickname *s.* apelido, alcunha.
nickname *v.t.* apelidar, alcunhar: *They nicknamed him "Fats" because of his weight.*
nicotine *s.* nicotina.
niece *s.* sobrinha.
nigger *s.* (pejorativo) negro.
niggle *v.i. e t.* 1 preocupar-se com ninharias, ser minucioso em demasia: *I got angry because he niggled over my work all day long.* 2 irritar: *His manners niggled me.*
night *s.* noite: *on Friday night.* **night after night,** por várias noites. **all night (long),** a noite inteira. **night and day,** continuamente. **at night,** à noite,

de noite. **by night**, durante a noite: *to travel by night*. **have a good/bad night**, dormir bem/mal. **make a night of it**, (infml) fazer uma noitada.
nightdress s. camisola.
nightfall s. cair da noite, anoitecer.
nightingale s. rouxinol (também fig).
nightly adj. adv. 1 noturno, de noite, à noite. 2 toda noite: *a play performed nightly.*
nightmare s. pesadelo (também fig).
nil s. nada, zero: *Our team lost 2-nil,* (...) perdeu de 2 a zero.
nimble adj. (-r, -st) 1 ágil, ligeiro: *a piano player with nimble fingers.* 2 vivo, esperto: *a nimble imagination.*
nincompoop s. bobalhão, paspalhão, pateta.
nine adj. e s. nove: *She's nine (years old).*
nineteen adj., s. dezenove.
nineteenth adj. e s. décimo-nono.
ninetieth adj. e s. nonagésimo.
ninety adj. e s. (pl -ies) noventa. **ninety-nine times out of a hundred**, quase sempre.
ninth adj., s. nono.
ninepins s. (pl) (usado com verbo no sg) jogo de boliche.
ninny s. (pl -ies) tolo: *You ninny! That's the telephone ringing, not the doorbell!*
nip v.t. e i. (-pp-) 1 beliscar, prender, morder: *The dog nipped the child on the leg. I nipped my finger in the door.* 2 queimar pela ação da geada: *The cold weather has nipped all the vegetables.* 3 (infml) ir/vir rapidamente, dar uma saída rápida: *I'll nip out and get the newspaper.*
nip s. 1 beliscão, mordida. 2 gole, trago: *a nip of vodka.* 3 frio, vento frio: *There's a nip in the air this morning.*
nipping adj. (frio) intenso: *It was cold yesterday.*
nipple s. 1 mamilo. 2 niple, bocal roscado. 3 *(EUA)* = teat.

nippy adj. (-ier, -iest) (infml) frio: *a nippy morning.*
nirvana s. nirvana.
nitwit s. (infml) pateta, bobalhão.
no adj. 1 nenhum(a): *They had no car. I'm no fool!*, Não sou nenhum bobo. 2 (em placas, avisos, etc, indicando o que é proibido): *no smoking*, É proibido fumar. *no parking*, É proibido estacionar. 3 indicando o oposto da palavra que se segue: *We'll be there in no time*, Chegaremos lá rapidamente. *It's no distance to the bank*, O banco é bem perto daqui. **there's no knowing/telling/saying**, (infml) é impossível dizer: *He's such a strange person that there's no saying what he'll do next.* **no end of**, (infml) muito, uma grande quantidade: *There's no end of what he spends with his wife.* **be no good/no use**, é inútil: *It's no use asking her what she's going to do. She won't tell.*
no adv. 1 não, oposto de Yes: *"Are you going to school?" "No, to the club."* 2 para dar ênfase a uma negativa. 3 usado com comparativos: *We talked no more than 5 minutes,* Conversamos não mais que 4 minutos. *He drove no farther than two blocks,* Ele dirigiu somente dois quarteirões.
no s. resposta negativa, recusa, voto negativo: *I won't take no for an answer,* Não aceito sua recusa.
nob s. (gír) grã-fino.
nobble v.t. 1 (gír) dar algo a um cavalo de corrida para diminuir suas chances de ganhar. 2 (infml) desviar atenção para obter vantagem. 3 (infml) obter algo desonestamente.
nobility s. 1 grandeza, nobreza de caráter. 2 nobreza, aristocracia: *a member of the nobility.*
noble adj. (-r, -st) 1 nobre, aristocrata. 2 digno, de caráter, generoso: *a noble person; a woman of noble mind.* 3 imponente, majestoso: *a noble looking horse.* **nobleman**, nobre, fidalgo.
nobody pron. (pl -ies) 1 ninguém:

nocturnal

nobody likes her. He invited nobody but me, Ele convidou somente a mim. 2 joão-ninguém: *I'm tired of being a nobody. I want to become famous.* **nobody else,** ninguém mais: *nobody else can help me.*

nocturnal *adj.* noturno: *The owl is a nocturnal bird.*

nocturne *s.* (mús) noturno, tipo de composição musical: *Chopin composed several nocturns.*

nod *v.t. e i.* (-dd-) 1 acenar com a cabeça (cumprimentando ou concordando): *He nodded as if to say yes. He nodded when he passed me in the street.* 2 deixar pender a cabeça (como se estivesse com sono): *He nodded several times during the lecture.* 3 indicar com um aceno de cabeça: *He nodded his approval.* **nod off,** adormecer.

nodule *s.* nódulo.

noise *s.* barulho: *the noise of a motorcycle.* **make a noise (about sth),** fazer barulho para chamar a atenção.

noise *v.t.* tornar público: *It was noised that the famous singer had killed his wife.*

noiseless *adj.* silencioso, quieto.

noisy *adj.* (-ier, -iest) 1 barulhento: *noisy children.* 2 ruidoso: *noisy room.*

noisily *adv.* ruidosamente.

nomad *s.* nômade, errante.

nomenclature *s.* (fml) nomenclatura, terminologia: *medical nomenclature.*

nominal *adj.* 1 nominal, que existe só em nome. 2 insignificante, sem importância: *The house was sold at a nominal price,* A casa foi vendida por um valor abaixo do valor real. 3 (gram) nominal, relativo ao substantivo: *nominal phrase.*

nominate *v.t.* 1 (for) nomear. 2 designar: *The president nominated the minister his representative at the meeting.*

nomination *s.* nomeaçâo.

nominative *adj. e s.* nominativo.

nominee *s.* pessoa nomeada.

non- *prefixo* que indica falta de, não; anti-. **non-aggression,** não agressão. **non-aligned,** não alinhados: *non-aligned countries.*

nonchalance *s.* 1 indiferença, desinteresse. 2 calma, tranqüilidade.

nonchalant *adj.* 1 indiferente, desinteressado. 2 calmo, tranqüilo.

noncommittal *adj.* evasivo, que não expressa opinião: *When I asked him on whom I should vote he gave me a noncommital answer.*

nondescript *adj.* indefinível, sem graça, insípido.

none *pron.* nenhum: *She asked me to lend her some money but had none. None of us were able to go to the party.* **none but,** somente: *none but a very brave policeman could have arrested him.* **none other** (than), nenhum outro, senão: *The man who caused problems at the airport was none other than Paulo.*

none *adv.* **none the** (antes de um comparativo), de modo algum, absolutamente: *He spent a week in hospital but he's none the better for it.* **none too,** não muito: *The story is none too interesting.*

nonentity *s.* (pl -ies) 1 pessoa sem importância: *The government is full of political nonentities.* 2 algo que não existe.

nonetheless *adv.,conj* = nevertheless.

nonfiction *s.* literatura em prosa baseada em fatos reais, não-ficção.

non-flammable *adj.* não-inflamável.

non-payment *s.* falta de pagamento.

nonplus *v.t.* (-ss- EUA os-) confundir, embaraçar: *His reaction nonplussed all the members of the committee.*

non-resident *adj. e s.* não residente: *The hotel restaurant is also open to non-residents.*

nonsense *s.* 1 absurdo, despropósito, bobagem: *What he said was nonsense. Nonsense! Don't believe him!* 2 contrasenso: *What (a) nonsense!*

non-skid *adj.* antiderrapante: *non-skid tyres*, pneus antiderrapantes.
non-smoker *s. e adj.* nãofumante.
nonstick *adj.* (panelas) antiaderente.
non-stop *adj. e adv.* 1 sem parada: *a non-stop flight to New York.* 2 ininterrupto, contínuo: *music playing non-stop all day long.*
non-verbal *adj.* não-verbal, que não é marcado pelo uso de palavras: *non-verbal communication.*
noodle *s.* macarrão, talharim: *noodle soup.*
nook *s.* recanto, lugar retirado.
noon *s.* meio-dia: *She usually sleeps until noon.*
no one *pron.* = *nobody.*
noose *s.* laço, nó.
nope *adv.* (gír) não: *"Want something to drink?" " Nope. I just had a coke."*
nor *conj.* 1 (usado entre 2 ou mais alternativas, depois de *neither*) nem: *She wants neither coffee nor tea.* 2 também não: *He can't speak Italian, nor can I.*
norm *s.* 1 norma, padrão, tipo, modelo 2 regras, padrões de comportamento: *social norms.*
normal *adj.* normal, regular, comum: *High temperatures are not normal in the South in July.*
north *s.* 1 **the north**, o norte. (um dos 4 pontos cardeais). 2 (usado como *adj.*) (situado no/originário do) norte: *north winds.*
north *adv.* para/em direção ao norte: *birds flying north.*
northeast *s., adj. e adv.* nordeste.
northeastern *adj.* para/no/situado no nordeste.
northern *adj.* do norte, setentrional: *the northern hemisphere.* **the northern lights**, a aurora boreal.
northward *adj., adv.* para/em direção ao norte.
northwest *s., adj. e adv.* noroeste.
northwestern *adj.* para/no/situado no noroeste.

nose *s.* 1 nariz. 2 bico, ponta (de avião, navio). 3 (fig) faro: *a reporter with a good nose for sensational news.* 4 olfato. 5 focinho. **as plain as the nose on one's face**, óbvio. **follow one's nose**, a) seguir sempre em frente. b) seguir seus instintos. **pay through the nose**, pagar preço exorbitante. **poke/stick one's nose into**, intrometer-se. **right under one's very nose**, bem em frente, à vista, debaixo do nariz.
nose *v.t. e i.* 1 forçar o caminho: *The dog nosed the door open. The car nosed into the heavy traffic.* 2 (fig) procurar, farejar: *The reporter nosed about for sensational news.* 3 descobrir pelo cheiro: *The dog nosed out a mouse.*
nosebleed *s.* sangramento pelo nariz.
nosey(nosy) *adj.* (-ier, -iest) (gír) inquisitivo, xereta.
nostalgia *s.* nostalgia.
nostril *s.* narina.
not *adv.* (forma contraída: *n't*, p ex *don't*) não (usado para fazer a forma negativa). Usado: 1 com verbo no infinitivo, gerúndio ou particípio: *He advised me not to be late for the appointment,* Ele me aconselhou a não chegar atrasado ao encontro. 2 com verbos como *appear, believe, expect, fear, fancy, hope, seem, trust*: *Do you think it's going to rain? I hope not.* **not a few**, muitos. **not seldom**, freqüentemente. **not at all**, de modo algum.
notable *adj.* notável, extraordinário.
notable *s.* pessoa notável.
notary *s.* tabelião, escrivão.
notation *s.* anotação, nota.
notch *s.* entalhe, corte.
notch *v.t.* entalhar, marcar.
note *s.* 1 bilhete, lembrete, memorando: *a note of thanks*, um bilhete de agradecimento. *He wrote me a note.* 2 nota, anotação, apontamento, minuta: *The secretary took notes during the meeting. He used his notes to make a speech,* Ele usou suas anotações para

note

fazer um discurso. 3 nota musical. 4 importância, reputação, atenção: *a writer of note* um escritor de fama. **worthy of note**, digno de nota. **noteworthy**, digno de nota, famoso, conhecido: *a note actress*. **take note (of)**, prestar atenção (a): *He didn't take note of my warning*, Ele não prestou atenção a meu aviso. **take notes**, anotar, tomar nota: *As the teacher spoke, I took notes*. **compare notes (on)**, comparar/trocar impressões/opiniões (sobre): *They compared notes on their new jobs*. **bank note**, cédula, nota: *a $ 10 bank note*. **note-book**, agenda, caderno de apontamentos. **note-paper**, papel de carta.
note *v.t.* 1 notar, observar, prestar atenção: *I didn't note how they fixed it.* 2 anotar, tomar nota: *He noted down the number of my car.*
noted *adj.* conhecido, famoso *(for, as)*: *He's noted for his opinions on politics.*
nothing *adv.* de modo algum, absolutamente: *This house is nothing near as big as the other one. This food is nothing like as good as mine*, Essa comida não é de modo algum tão boa quanto a minha.
nothing *s.* nada, coisa nenhuma: *nothing will make her laugh. He eats nothing. There's nothing like a cold beer*, Não há nada igual a uma cerveja gelada. **come to nothing**, dar em nada: *Our efforts came to nothing.* **make nothing of**, não compreender: *We could make nothing of what he said*, Não conseguirmos entender o que ele disse. **have nothing to do with**, a) evitar, não tomar conhecimento de: *You should have nothing to do with that boy. He's terrible.* b) não ser do interesse de, não dizer respeito a: *This conversation has to do with you.* **to say nothing of**, sem levar em conta, sem mencionar: *He's a powerful man with lots of money, to say nothing of his political influence*. **good for nothing**, imprestável. **nothing but**, apenas, só: *He did nothing but laugh*, Ele apenas riu. **nothing doing**, nada feito, **nothing else**, nada mais, apenas isto. **next to nothing**, quase nada.
notice *s.* 1 anúncio, informação: *There is a notice on the wall which says "closed".* 2 aviso, notificação, advertência: *These prices can be changed without notice.* **at short notice**, de repente, sem aviso: *The doctor arrived at short notice.* **at 10 minute's/a week's/a month's notice**, dentro de 10 minutos/uma semana/um mês. 3 aviso prévio: *His boss gave him 2 months' notice* 4 atenção, reparo, conhecimento: *His behaviour was brought to the notice of his parents*, Seu comportamento foi levado ao conhecimento de seus pais. *Don't take any notice of him*, Não tome conhecimento dele. 5 **till/untill further notice**, até segunda ordem. **notice board**, quadro de avisos.
notice *v.t. e i.* observar, perceber, notar: *You didn't notice I was wearing a new dress. We've noticed that things are getting better. So I've noticed*, Já percebi.
noticeable *adj.* notável, visível, perceptível.
notification *s.* comunicado, notificação.
notify *v.t.* (pret, pp *-ied*) notificar, avisar, comunicar, informar: *The police were notified about the robbery. They notified the press.*
notion *s.* noção, idéia, opinião: *The notion that Portuguese are ignorant is common in Brazil. I haven't the faintest notion*, Não tenho a mínima idéia.
notoriety *s.* notoriedade.
notorious *adj.* notório, de má fama.
notwithstanding *prep.* (fml) não obstante, apesar de: *notwhitstanding his refusal, the police arrested him.*
notwithstanding *adv.* (fml) todavia, porém: *They tried to stop him but he escaped notwhitstanding.*

notwithstanding *conj.* embora: *They had never heard of him notwhitstanding he wrote several books.*
nought *s.* nada, zero. ***noughts and crosses***, jogo da velha.
noun *s.* (gram) substantivo.
nourish *v.t.* 1 nutrir, alimentar. 2 (fig) nutrir, alimentar (esperança, ódio): *They nourished the hope of independence. He nourished a dislike for speaking in public.*
nourishment *s.* alimento, nutrição, alimentação: *They went without nourishment for three days.*
nova *s.* (pl *-s, -e*) nova, estrela que aumenta e diminui seu brilho repentinamente.
novel *adj.* novo, inusitado, inédito: *novel ideas.*
novel *s.* romance: *Henry James wrote many novels.*
novelist *s.* romancista, escritor de romances.
novelty *s.* (pl *-ies*) novidade.
November *s.* novembro.
novice *s.* noviço, novato, principiante: *He is a novice driver/a novice at driving.*
now *adv.* agora, ora, já, presentemente. ***now and again/now and then***, de vez em quando. ***by now***, nessa(s) altura(s): *They must have arrived by now*, A esta altura, já devem ter chegado. ***from now on***, de agora em diante. ***just now***, agora mesmo, há pouco. ***now or never***, agora ou nunca. ***right now***, já, imediatamente. ***up till now***, até agora. ***Now then!*** Ora!
nowadays *adv.* hoje em dia: *nowadays petrol is extremely expensive.*
no way *adv.* de forma alguma, de maneira alguma: *You are in no way to blame*, Você de forma alguma é culpado. *"Can you do this for me?" "No way!"*
nowhere *adv.* em nenhuma parte, em nenhum lugar.
noxious *adj.* nocivo, prejudicial.

nozzle *s.* bocal, bico (de mangueira, torneira).
nuclear *adj.* nuclear. ***nuclear-bomb***, bomba atômica. ***nuclear energy***, energia nuclear. ***nuclear power***, a) energia nuclear, b) poder nuclear.
nucleus *s.* (pl *nuclei*) núcleo, centro.
nude *adj.* nu, despido.
nude *s.* nu. ***in the nude***, nu, despido.
nudge *v.t.* cutucar (com o cotovelo).
nudge *s.* cutucada, cotovelada.
nudity *s.* nudez.
nugget *s.* pepita (de ouro), pedaço.
nuisance *s.* 1 transtorno, aborrecimento. 2 pessoa incômoda: *Don't be a nuisance!*
null *adj.* nulo, inválido, anulado, sem efeito. ***null and void***, sem validade.
numb *adj.* adormecido, insensível, entorpecido, dormente: *numb with cold/shock/surprise*, paralisado pelo frio/choque/surpresa.
numb *v.t.* adormecer, entorpecer: *They were numbed with shock.*
number *s.* 1 número, algarismo: *What number is written here?* 2 total, soma, quantidade. ***a large number of***, muitos, um(a) grande número/quantidade de. 3 exemplar: *the current, number* o exemplar deste mês, desta semana, de hoje; *back number*, números/exemplares atrasados. 4 número, item de um programa, show, repertório: *He's now going to sing his latest number.*
number plate, placa (de carro).
number *v.t.* 1 numerar, enumerar. 2 somar, totalizar: *They numbered more than 20*, Havia mais de vinte. 3 incluir: *He numbers among her friends.* 4 contar: *His days are numbered*, seus dias estão contados.
numerable *adj.* inumerável.
numeral *s.* numeral.
numerical *adj.* numérico.
numerous *s., adj.* numeroso, abundante: *She had numerous friends.*
nun *s.* freira, monja.
nuptials *s.* (pl) núpcias, bodas.

nurse

nurse *s.* 1 enfermeira. 2 babá, pajem. **nurse-maid**, babá, pajem de crianças. 3 (fig) defensor, protetor.
nurse *v.t.* 1 amamentar: *She nurses her child.* 2 acalentar uma criança. 3 servir de enfermeira. 4 cuidar de, criar. **nurse a cold**, cuidar-se enquanto resfriado/gripado, recuperar-se de um resfriado. 5 (fig) acalentar, nutrir: *She nurses feelings of hate.*
nursery *s.* (pl *-ies*) 1 berçário, quarto de criança. 2 viveiro de plantas. **day nursery**, berçário. **nursery rhymes**, versos infantis. **nursery school**, pré-escola. **nursery tales**, contos infantis.
nurture *v.t.* criar, educar, cuidar de.
nut *s.* 1 noz, castanha. **walnut**, noz. **peanut**, amendoim. **ground nut**, amendoim. **brazil-nut**, castanha do pará. **cashew-nut**, castanha de caju. 2 porca (de parafuso). 3 (gír) cabeça. **nutcrackers**, quebrador de nozes. **nutcase**, maluco, louco. **nuthouse**, (gír) asilo de loucos. **nutshell**, casca de noz. **in a nutshell**, em poucas palavras, em resumo.
nutmeg *s.* noz-moscada.
nutrient *adj.* nutriente, nutritivo.
nutrition *s.* nutrição, nutrimento.
nutritious *adj.* nutritivo.
nuts *adj.* (gír) louco. **be nuts about/over sb/sth**, estar louco por alguém/algo: *He's over rock music.*
nuzzle *v.t. e i.* aninhar, focinhar.
nymph *s.* ninfa.

O o

O,o 15ª letra do alfabeto.
o *interj.* (esp poét) que expressa emoção = *oh*.
o *s.* (oh) usado para expressar zero.
oak *s.* carvalho: *an ancient oak*.
oaken *adj.* feito de carvalho: *an oaken door*.
oar *s.* remo. **put one's oar in**, (infml) interferir, intrometer-se: *Don't put your oar in without being asked*. **rest on one's oars**, descansar, dormir sobre os louros.
oasis *s.* 1 oásis: *an oasis in the desert*. 2 (fig) lugar aprazível: *To find them was like an oasis in the desert*.
oat *s.* (ger pl) aveia. **oat meal**, aveia para tomar com leite.
oath *s.* (pl -s) 1 juramento. 2 declaração solene: *The President made an oath before Congress*. **be on/under oath**, (jur) estar sob juramento. **swear/take an oath**, prometer solenemente (uma aliança, lealdade).
obedience *s.* obediência: *Soldiers act in obedience to superior orders*.
obedient *adj.* obediente: *an obedient child*.
obelisk *s.* obelisco.
obese *adj.* (fml) obeso, muito gordo.
obesity *s.* (fml) obesidade.
obey *v.t. e i.* obedecer: *obey orders; obey the teacher*.
obituary *s.* (pl -ies) 1 obituário, notícia impressa sobre a morte de alguém. 2 (usado como *adj.*) *obituary notices*, obituário em jornal.
object *s.* 1 objeto, coisa: *There are many interesting decorative objects in this store*. 2 objeto de: *an object of love/hate*. 3 razão, objetivo: *It's important to have a specific object in life*. 4 (gram) objeto: *direct object, indirect object; prepositional object*.
object *v.t. e i.* 1 objetar, opor-se: *She objects to all arguments presented to her*. 2 protestar: *They objected to the new plans*.
objection *s.* 1 objeção, desaprovação: *I don't have any objection to the job*. 2 protesto: *I have strong objections to his government*.
objective *adj.* 1 objetivo: *objective point of view; objective discussion*. 2 (gram) relativo ao objeto: *objective case*.
objective *s.* objetivo, mira: *Do you see those lights down there? That's our objective*.
objectivity *s.* objetividade, imparcialidade: *objectivity is essential to write a scientific report*.
obligation *s.* promessa, obrigação, dever: *All citizens have moral obligations*. **be under an obligation to (do sth)**, estar obrigado a (fazer algo).
obligatory *adj.* obrigatório (por lei, costume, regras): *In Brazil voting is obligatory*.
oblige *v.t.* 1 obrigar: *The state is obliged to provide education and health care for the children*. 2 dever, ter que: *He was obliged to accept the job in another town*. 3 fazer um favor: *Please, oblige me and stay a bit longer*. **I'm (very) much obliged to you**, Estou muito agradecido a você.
obliging *adj.* prestativo: *My co-workers are very obliging*.
oblique *adj.* oblíquo: *an oblique angle; an oblique line*.
obliterate *v.t.* obliterar, destruir, aniquilar, liquidar.
oblivion *s.* completo esquecimento, olvido, inconsciência. **sink/fall into oblivion**, cair no esquecimento.
oblong *adj.* oblongo, retangular: *an oblong table*.
obnoxious *adj.* desagradável, ruim: *He's an obnoxious person*.
oboe *s.* oboé.

obscene

obscene adj. obsceno, ofensivo: obscene words; obscene thoughts; obscene sexual behaviour.

obscenity s. (pl -ies) obscenidade, linguagem/atos ofensivos à moral: In the past this book was considered an obscenity.

obscure adj. 1 obscuro: There are some obscure meanings in your interpretation of the book. 2 escuro, escondido, anuviado: an obscure place. 3 desconhecido: He was an obscure poet before he became a success.

obscurity s. (pl -ies) 1 obscuridade: This philosophical essay is full of metaphisical obscurities. 2 anonimato, desconhecimento: He lived his whole life in obscurity and only became famous after death.

obsequious adj. obsequioso, demasiadamente prestativo ou respeitoso: He is too obsequious to the author of the play.

observance s. observância, manutenção de costumes, leis, tradições: Some people keep observance of religious customs.

observant adj. 1 observador: She is an observant child, she notices every detail about everything. 2 observante de costumes: Their family is very observant of the social rules.

observation s. 1 observação: His hobby is star observation **be/keep under observation**, estar/manter sob observação: The doctor kept him under medical observation. 2 poder de observação: He is a man of no observation at all; he never notices his wife's new clothes or haircut.

observatory s. (pl -ies) observatório.

observe v.t. e i. 1 observar: He observed her movements through the window. 2 observar regras: In Christian countries people observe Easter. 3 comentar: He observed that her make-up was too heavy.

observer s. observador: an observer of nature; an observer of religious ceremonies.

obsess v.t. ter obsessão: They were always obsessed by the fear of death. He was obsessed by the memory of his first lover.

obsession s. obsessão: Work is his only obsession. He has some strange obsessions that come from his childhood.

obsessive adj. obssessivo: Sometimes he has some obsessive fits about cleanliness.

obsolete adj. obsoleto, fora de uso: This machine is quite obsolete, there are many new models.

obstacle s. obstáculo: He had to overcome many obstacles before reaching his present position in the company. **obstacle race**, corrida de obstáculos.

obstetrician s. obstetra.

obstetrics s. obstetrícia.

obstinate adj. 1 teimoso, obstinado: Don't be so obstinate; try to understand my views. 2 difícil de superar: an obstinate disease.

obstruct v.t. obstruir, bloquear: The flood obstructed the main roads.

obstruction s. obstrução, bloqueio: There was an obstruction on the bridge so that nobody could pass.

obstructive adj. obstrutivo: This decision is obstructive to our plans.

obtain v.t. e i. obter, conseguir: He obtained what he wanted. Where did you obtain this rare object?

obtrusive adj. inoportuno, intrometido: His obtrusive behaviour is very unpleasant.

obtuse adj. 1 (geom) obtuso: An angle between 90 and 180 is an obtuse angle. 2 obtuso, insensível, estúpido: His comment was surprisingly obtuse.

obvious adj. óbvio.

obviously adj. obviamente: Obviously, their marriage was arranged by their families.

occasion s. 1 ocasião, oportunidade: *On that occasion, he looked so well. We have few occasions to speak English.* **on occasion**, de vez em quando: *I see my grandmother on occasion* 2 razão, causa, necessidade: *I have no occasion to talk to him about it.*

occasional adj. 1 ocasional, de vez em quando: *I make occasional visits to the doctor.* 2 relativo a uma ocasião especial.

occasionally adv. ocasionalmente, de vez em quando: *I occasionally go to see him.*

occupant s. ocupante (de casa, sala, escritório): *All the occupants must leave the room because the alarm has sounded.*

occupation s. 1 ocupação (de um lugar): *the occupation of a building.* 2 ocupação, profissão. 3 ocupação, atividade: *Reading was his main occupation during his free time.*

occupational adj. ocupacional, profissional. **occupational hazards**, riscos da profissão, insalubridade da profissão. **occupational therapy**, terapia ocupacional.

occupier s. ocupante: *He is the present occupier of the Presidency.*

occupy v.t. (pret, pp -ied) 1 ocupar (locais): *The students occupied the campus as a protest against the educational policy.* 2 ocupar, preencher (espaço, tempo, atenção, etc): *All the seats were occupied. He occupies a very important position in the company.*

occur v.i. (-rr-) 1 ocorrer, acontecer: *An accident occurred with the electric device.* 2 **occur to**, vir à mente: *His words occurred to me when I heard his son's voice. It occurred to me that they might have gone home.*

occurrence s. ocorrência, evento: *This sort of occurrence of the disease is very rare. The fortunate occurrence saved our lives.*

ocean s. 1 oceano: *the Atlantic ocean; the Pacific ocean.* 2 (infml) grande quantidade: *There were oceans of food at the party.*

o'clock partícula usada com horas: *The train arrives at 2 o'clock sharp and leaves at about 5 o'clock.*

October s. Outubro.

octopus s. (pl -es) polvo.

ocular adj. (fml) ocular: *There is ocular proof that he is the murderer.*

oculist s. oculista.

odd adj. 1 (rel a números) ímpar: *odd numbers are not exactly divisible by two.* 2 único de um par ou série: *an odd shoe; an odd record of a collection.* 3 (-er, -est) esquisito, estranho: *His behaviour is quite odd. She wears the oddest clothes I've ever seen. How odd!* 4 ocasional: *odd job.* 5 (infml) (depois de um número) tanto, poucos: *Some 20 odd years passed,* Passaram-se uns 20 e tantos anos.

oddity s. (pl -ies) esquisitice, estranheza: *oddity of behaviour.*

oddly adv. de maneira estranha, surpreendente: *oddly enough,* por estranho que pareça.

odds s. pl chances (a favor ou contra): *The odds are for/against us.* **be at odds (with sb) (over sth)**, estar em desacordo (com alguém) (sobre algo). **odds and ends**, quinquilharias, miudezas, coisas pequenas e de pouco valor.

odious adj. odioso, repulsivo: *That was the most odious creature I've ever seen.*

odour s. odor, cheiro (agradável/desagradável): *Where does this strange odour come from?* (EUA odor).

odyssey s. odisséia: *Our trip was quite an odissey because of all the unexpected adventures.*

of prep. de, do, da. Expressa: 1 origem: *the plays of Shakespeare.* 2 causa, motivo: *die of hunger; die of pneumonia; the cause of the accident.* 3 substância, material: *a dress of cotton;*

off

a house of bricks. **4** posse: *the brown eyes of the baby; a friend of mine.* **5** atribuição: *the city of New York; the art of painting.* **6** comparação: *the older of the two; the nicest of all.* **7** qualidade: *a woman of no importance.* **8** após certos adjetivos e particípios: *It's nice of you,* É bondade sua. *He's fond of Mary,* Ele gosta de Mary. **8** propriedade; *the color of your dress. the wheels of the car; members of the team.* **10** conteúdo: *a bag of apples of; a pack of cigarettes.* **11** quantidade: *3 pounds of sugar; a great part of the day; 2 hours of good sleep; lots of sugar.* **12** com datas: *the 18th of July.*

off *adj.* **1** mais distante, mais longe, mais afastado: *the off side.* **2** de folga: *He came to see me on his day off ,* Ele veio me ver num dia de folga. **on the off chance**, no caso de, se por acaso: *I went there on the off chance that she might be there.* **off season**, fora de temporada.

off *adv.* **1** indica distância ou afastamento no tempo e espaço: *He ran off to catch the plane,* Ele saiu correndo para pegar o avião. *She went to the docks to see a friend off,* Ela foi ao cais para se despedir de um amigo que partia. *That town is two miles off,* Aquela cidade fica a duas milhas daqui. *Take your coat off,* Tire seu casaco. **2** interrupção, quebra de continuidade: *Turn off the radio,* Desligue o rádio. *They broke off relations,* Eles cortaram relações. *Our agreement is off,* Nosso acordo está desfeito. **3** ausência ou suspensão de trabalho: *She took three weeks off,* Ela tirou três semanas de férias. **4** até o fim, tudo, completamente: *Kill off the mice,* Extermine os ratos. **5** erro, equívoco: *My figures are off ,* Meus cálculos estão errados. **6** diminuição, decréscimo, queda: *Attendance fell off last month,* A freqüência diminuiu no mês passado. *twenty per cent off,* com abatimento de vinte por cento. **on and off/off and on**, intermitentemente: *It rained on and off all day.* **right off**, imediatamente. **be better/worse off**, estar em melhor/pior situação. **be off**, (rel a tempo) daqui a, dentro de: *Her wedding is a month off,* O casamento dela é daqui a um mês. **be well/badly off**, estar em boa/má situação financeira: *They are well off.*

off *prep.* **1** fora de, afastado de: *He fell off the ladder,* Ele caiu da escada. *Keep off the grass,* Não pise na grama. **2** perto de, próximo a: *an island off the coast.* **3 be off**, faltar a, perder: *A button was off his coat,* Faltava-lhe um botão no casaco. *She's off smoking,* Ela parou de fumar (perdeu o vício). *I'm off my food,* Estou sem apetite.

offbeat *adj.* (infml) fora do comum, excêntrico, original.

offence *s.* **1** delito, crime. **2** falta, pecado: *an offence against God.* **3** ofensa, ultraje. **4** desconsideração: *take offence,* ofender-se, ressentirse, magoar-se. (EUA **offense**).

offend *v.t. e i.* **1** ofender, ferir (bons costumes, leis): *to offend against good manners/the law.* **2** magoar, insultar: *He offended her.*

offender *s.* **1** ofensor. **2** pecador. **3** (jur) transgressor, infrator. **first offender**, infrator primário.

offense *s.* V. **offence**.

offensive *s.* ofensiva, ataque. **on the offensive**, na ofensiva. **take the offensive**, tomar a ofensiva.

offensive *adj.* **1** ofensivo, insultante: *offensive language.* **2** desagradável, repugnante. **3** agressivo: *offfensive weapons.*

offer *s.* **1** oferta, oferecimento. **2** proposta: *I've had a good offer for the house.*

offer *v.t. e i.* **1** oferecer, fazer oferta: *They offered me $ l,000 for the dress.* **2** oferendar (a Deus): *to offer (up) prayers.* **3** apresentar, dar sinal de: *They didn't offer resistance. She told*

me to take the first opportunity they offfered.
offering s. 1 oferecimento, oferta. 2 contribuição.
offertory s. (pl -ies) (ecles) ofertório.
offhand adj. 1 de improviso, de imediato: *I can't give an answer offhand*. 2 (rel a comportamento) descuidado, sem cerimônia: *in an offhand way; an offhand answer*.
office s. 1 escritório, gabinete. 2 consultório (de médico ou dentista): *doctor's office*. 3 repartição pública. 4 (pl) préstimos, ajuda. **be in office**, estar no poder (partido político). **take office**, tomar posse, entrar em exercício, assumir função.
officer s. 1 oficial (no exército, força aérea, marinha e polícia). 2 alto funcionário (esp do governo ou autarquias). *officers of state*, ministros de estado; *the officers of a club*, os diretores de um clube. 3 policial.
official s. funcionário público.
official adj. 1 oficial, autorizado: *official statements*. 2 formal: *an official style*.
officially adv. oficialmente, publicamente.
officiate v.i. oficiar (também ecles), celebrar: *to officiate as chairman*, exercer as funções de um presidente de sessão; *to officiate at a marriage ceremony*, celebrar um casamento.
offing s. 1 ao largo, mar alto (ainda à vista do litoral): *a ship in the offing*. 2 (fig) em futuro próximo, iminente: *Promotion is in the offing*.
offish adj. (fml) arisco, arredio.
offset v.t. 1 compensar, contrabalançar. 2 imprimir em off-set.
offshoot s. 1 ramo, galho. 2 ramificação, ramal (família, cadeia de montanhas, etc).
offshore adj.1 (rel ao mar) que ruma ou está situado ao largo. 2 (rel a vento) que sopra da praia: *offshore breeze*.
offspring s. (pl-) 1 descendência, prole. 2 filho(s): *He is the offspring of a very famous politician*. 3 resultado, produto.
often adv (more -, most -, mais usado que -er, -est) freqüentemente, muitas vezes: *I go there quite often*. **as often as not/more often than not**, geralmente, freqüentemente: *At that time of the day the buses are late more often than not*. **how often**, quantas vezes, com que freqüência: *How often do you go to the theatre?* **not often**, raramente, poucas vezes.
oh interj. Oh! Ah! Puxa!
oil s. 1 óleo. 2 azeite. 3 petróleo. 4 (Pl) tintas a óleo. 5 pintura a óleo. **burn the midnight oil**, fazer serão, estudar até altas horas. **strike oil**, a) encontrar petróleo. b) (fig) enriquecer de repente. **oil-cloth**, oleado, encerado. **oil-colours**, **oil paint**, tinta a óleo. **oil-field**, campo petrolífero. **oil-skin**, tecido impermeável.
oily adj. (-ier, -iest) 1 oleoso, gorduroso. 2 (fig) bajulador.
ointment s. ungüento.
okra s. quiabo.
okay (OK) adv. (infml), de acordo, (tudo) bem: *He drives okay*.
okay (OK) adj. (infml) bom, satisfatório: *That film was okay*.
okay (OK) v.t. (infml) (pret, pp okayed, oked) aprovar: *The director okayed our project*.
old adj. (-er, -est) 1 rel a idade: *She's twenty years old*, Ela tem 20 anos de idade. *How old are you?* Quantos anos você tem? 2 velho, idoso. 3 antigo, velho, gasto: *old times/dress*. 4 conhecido há muito tempo, familiar: *an old friend*. 5 veterano: *an old Boy's Dance*, um baile de veteranos. 6 experimentado, maduro: *He's an old member of the club*. 7 (infml) termo de afeição: *old boy/fellow*, meu amigo. (Cf. **elder**, **eldest**). **old age**, velhice. **old-fashioned**, desatualizado, fora de moda. **old man**, a) (gír) o velho, pai. 2 (gír) autoridade (chefe, patrão,

old

comandante). ***old-time***, do tempo antigo, antigo.
old *s.* 1 *the old,* gente velha. 2 *of old,* de tempos antigos, de outrora.
oldish *adj.* velhote, velhusco, um tanto velho.
oleaginous *adj.* oleaginoso, gorduroso.
oligarchy *s.* (pl *-ies*) oligarquia.
olive *s.* 1 (bot)oliveira. 2 oliva, azeitona: *olive oil.* 3 ramo de oliveira. 4 verde-oliva.
omelet (-lette) *s.* omelete.
omen *s.* augúrio, agouro, presságio: *a good/bad omen.*
ominous *adj.* agourento, ameaçador, sinistro: *ominous words.*
omission *s.* omissão, negligência.
omit *v.t.* (*-tt-*) 1 omitir, preterir. 2 negligenciar, deixar de fazer: *Don't omit doing your homework.*
omnipotence *s.* onipotência.
omnipotent *adj.* onipotente.
omniscient *adj.* onisciente.
on *adv.* 1 indicando colocação ou posição em lugar subentendido: *He put his coat on,* Ele pôs o casaco. 2 indicando continuação ou ação contínua: *She talked on,* Ela continuou falando. 3 indicando avanço, movimento para frente: *Go on!,* Continue, prossiga. ***get on in life,*** progredir na vida. ***from that day on,*** daquele dia em diante. 4 ato de pôr em funcionamento: *Turn on the TV/light,* Ligue a televisão/a luz. 5 indicando direção: *to look on,* olhar, assistir (a um jogo). 6 (usado com *be* e *have*): *What's on?* Qual o programa? O que está acontecendo? *I've nothing on until 7 o'clock,* Não tenho compromisso até as 7 horas. ***and so on,*** e assim por diante. ***on and off,*** a intervalos, intermitentemente. ***on and on,*** sem parar, interminavelmente.
on *prep.* 1 no, na, sobre, em contato com: *a bottle on the table.* 2 indicando tempo, hora: *on Mondays,* às 2ªˢ feiras; *on that occasion,* naquela ocasião. ***on time,*** na hora, pontualmente: *She always gets to school on time.* 3 sobre, a respeito de: *a lecture on Ecology.* 4 indicando qualidade de, membro ou sócio: *Who is on the committee?* Quem é membro do comitê? 5 indicando a base ou razão de algo: *A report based on real facts.* 6 perto de, próximo, junto: *a city on the coast; on the river,* à margem do rio; *on my right/left,* à minha direita/esquerda. 7 indicando modo ou estado: *be on holiday,* estar de férias; *be on sale,* estar à venda.
once *adv.* 1 (só) uma vez, ocasião: *I visited her once,* Eu a visitei só uma vez. ***once more,*** novamente, outra vez: *Explain it to me once more.* ***once or twice/once in a while,*** de vez em quando, algumas vezes. ***once and again,*** mais de uma vez, repetidamente. ***once and for all,*** de uma vez por toda *once s.* 2 em tempos passados, outrora: *She once lived in the USA,* Ela já viveu nos EUA. O*nce upon a time there was a king* (...), Era uma vez um rei (...). 3 nunca, nem uma vez: *He didn't offer to help me.* 4 ***at once,*** a) agora, já, imediatamente: *Start your work at once.* b) ao mesmo tempo, simultaneamente: *He can't do two things at once.*
once *conj.* assim que, logo que, quando: *once you arrive, phone me.*
one *adj.* e *s.* 1 um, uma. ***one and all,*** todos. ***one or two,*** poucos: *I'll stay there one or two days.* ***one by one,*** um por um: *I checked the documents one by one.* 2 algum, um certo, um tal: *one day, we finally met him.* 3 ***for one thing,*** em primeiro lugar: *I can't do that. For one thing, I think it's useless.*
one-way, de uma só direção, de mão única: *a one way street.*
one *pron. indef.* 1 um(a), o(s), a(s): *He was the first one,* Ele foi o primeiro. *one of these days I'll visit him,* Um dia desses eu o visito. 2 alguém: *Consult someone who can help you,* Consulte alguém que

possa ajudar você. 3 aquele, aquela: *I bought a book in a shop near the one we went to yesterday.* 4 (usado depois de o, a, aquele(a) ou depois de adj): *Those books are good ones. I'll buy that one.* 5 **which one**, qual entre vários: *Which one (s) do you want?*
one *pron.* 1 uma pessoa, criatura específica: *The Holy one* , Deus. 2 **one another('s)**, um ao outro, um do outro: *They hate one another. They were trying to spoil one another's pieces of work.*
one *pron.* se, qualquer pessoa: *one cannot understand what he says,* Não se consegue entender o que ele diz.
onerous *adj.* (fml) 1 oneroso. 2 pesado, laborioso.
oneself *pron. reflex.* 1 si mesmo, si próprio: *dress oneself*, vestir-se; *enjoy oneself*, divertir-se. 2 (enfático) (si) mesmo, (si) próprio: *To do something oneself is better than getting someone do it,* fazer algo você mesmo é melhor que solicitar alguém para fazê-lo. **to be oneself**, a) sentir-se bem física ou mentalmente. b) ser natural, ser o que é.
ongoing *adj.* em progresso, presente, contínuo: *ongoing research has modified his theories.*
onion *s.* cebola.
onlooker *s.* espectador.
only *adj.* 1 único: *Pedro is the only person who sings that song. Mariana is an only child,* Mariana é filha única. *We were the only people who spoke their language,* Nós éramos as únicas pessoas que falavam a língua deles. 2 o melhor: *Boots were the only thing to wear there. Betty is the only girl for him.* **the one and only**, O primeiro e o único: *Steve was her one and only boyfriend.*
only *adv.* somente, apenas, unicamente: *only 5 minutes more. Ladies only! He only spoke to Jone.* **if only**, quem me dera, tomara: *If only I had met him before Joana.* **only just**, há pouco: *He's only just arrived,* Ele chegou há pouco. **only too**, muito: *We're only too pleased to have you here.*
only *conj.* (infml) mas, porém, só que: *The show was good, only it was too crowded.*
onset *s.* ataque, começo, princípio (de algo ruim): *the onset of a disease.*
onslaught *s.* ataque violento, ataque furioso.
onus *s.* 1 responsabilidade, dever, carga: *The onus of proof lies on you.* 2 culpa: *He tried to put the onus on me.*
onward *adj.* avançado, adiantado, progressivo: *the onward march of events.*
onward(-s) *adv.* para frente, em diante: *from lunch onward (s).*
ooze *v.t. e i.* 1 escoar, escorrer, correr lentamente: *blood oozing from the wound,* sangue escorrendo do ferimento. 2 (fig) evaporar-se, esvair-se: *When they saw the police, their courage oozed away.*
opacity *s.* opacidade.
opaque *adj.* opaco, fosco.
op art *s.* forma de arte moderna que cria ilusões óticas de movimento através de padrões geométricos.
open *adj.* 1 aberto: *open doors; open eyes. They slept with the windows open.* 2 aberto, que não é cercado ou fechado: *open sea.* 3 aberto, que não é coberto: *an open boat.* 4 não decidido, não fechado: *an open question.* 5 aberto a novas idéias: *an open mind.* 6 não preenchido: *The position of sales manager is still open* . 7 honesto, franco: *You should be open with each other.* 8 pronto, aberto ao público: *The supermarket is not open yet.* 9 pronto para ser usado: *He kept his account open at the bank.* 10 público, franqueado: *an open championship.* **in the open air**, ao ar livre. **with open arms**, de braços abertos. **open to**, que dá margem à dúvida: *This book is open*

open

to misunderstanding. **open market**, mercado aberto, de livre concorrência. **open society**, sociedade aberta, sem uma rígida estrutura de classes. **Open University**, universidade britânica na qual os cursos são ministrados através de programas de rádio e TV.

open *v.t. e i.* 1 abrir: *open the door.* 2 abrir caminho, rasgar: *open a new road.* 3 criar condições de desenvolvimento: *open up undeveloped land.* 4 descerrar, destampar, desembrulhar: *open a parcel; an envelope.* 5 começar, iniciar: *open an account; open a new hospital; open a new life.* 6 abrir ao público: *open a shop; open an office.* **open fire**, abrir fogo, atirar. **open with**, iniciar: *The story opens with a wedding ceremony.* **open one's mind/heart to**, abrir o coração, falar sobre seus sentimentos.

open-handed *adj.* generoso, liberal.

open-hearted *adj.* bondoso, generoso.

opening *s.* 1 abertura, orifício. 2 início, começo: *the opening of a lecture.* 3 vaga, oportunidade: *They have openings for secretaries in that multinational company.* 4 (rel a jogo de xadrez) abertura.

opening *adj.* inicial, primeiro: *The opening words of her speech showed her enthusiasm.*

open-minded *adj.* compreensivo, não preconceituoso, liberal, de vistas largas.

open-mouthed *adj.* surpreso, boquiaberto.

opera *s.* ópera, drama inteiramente cantado com acompanhamento de orquestra. ***soap opera***, novela de televisão. ***opera house***, teatro.

operate *v.t. e i.* 1 (fazer) funcionar, movimentar, acionar: *operate a machine; operate a factory.* 2 operar, executar uma intervenção cirúrgica. **operating-theatre**. 3 (mil) sala de operações, teatro de operações.

operation *s.* 1 funcionamento: *Is the new machine in operation yet?* 2 ação, efeito: *When does the new law come into operation?* 3 (Pl) manobra militar: *the army's operations in the south of the country.* 4 movimento militar cujo nome aparece em código: *operation Alpha.* 6 intervenção cirúrgica: *The doctor will perform an operation on her for a failing kidney.* 6 operação matemática.

operational *adj.* 1 operacional: *operational costs.* 2 pronto para uso: *The new machine is not yet operational.*

operative *adj.* operante, em ação: *The new plan became operative last month.*

operative *s.* operador, trabalhador.

operator *s.* operador: *telephone operator*, telefonista.

opinion *s.* 1 opinião, ponto de vista: *What's your opinon about the President? In my opinon, the vacations should be longer.* 2 parecer: *the doctor's opinon on the case.* **be of the opinion that**, ser de opinião que: *I'm of the opinon that he should be punished.* **opinion poll**, pesquisa de opinião pública. ***public opinion***, opinião pública

opium *s.* ópio.

opponent *s.* oponente.

opportune *adj.* (fml) 1 propício, favorável, oportuno: *an oportune moment.* 2 oportuno, conveniente: *an oportune remark.*

opportunist *adj.* oportunista.

opportunity *s.* (pl -ies) chance, oportunidade: *a good opportunity; get/find an opportunity ; have no opportunity for studying.* **take the opportunity of doing/to do sth**, aproveitar a chance/oportunidade de fazer algo.

oppose *v.t.* 1 opor-se: *oppose the Government.* 2 lutar/resistir contra: *oppose a new law.*

opposite *adj.* 1 oposto, do lado oposto: *Her house is opposite (to) mine.* The

bank is on the opposite side of the street. 2 contrário, completamente diferente: Her ideas are completely opposite to her mother's.
opposite s. oposto, contrário: Pedro is nice and friendly; his girlfriend is the opposite.
opposite prep. defronte, em frente a: The car stopped opposite the house.
opposition s. 1 oposição: The Democrats were in opposition. 2 resistência.
oppress v.t. 1 oprimir, tiranizar. 2 (fig) molestar, incomodar: The poor woman was oppressed with worry/the heat.
oppression s. opressão, tirania, abatimento.
oppressive adj. 1 cruel, injusto: oppressive laws. 2 opressivo, sufocante: oppressive weather/taxes/heat.
oppressor s. opressor.
opt v.i. optar, decidir, escolher: Few students are opting for Engineering nowadays. **opt out of**, decidir não participar de algo.
optic adj. ótico.
optical adj. ótico, visual. **optical ilusion**, ilusão ótica. **optical instrument**, aparelho tal como o telescópio, microscópio.
optician s. oftalmologista.
optimism s. otimismo.
optimist s. pessoa otimista.
optimistic adj. otimista, confiante.
optimum adj. mais favorável, ótimo, mais apropriado.
option s. 1 opção, poder/direito de escolha. 2 (com) privilégio de compra e venda a preço e prazo determinados. 3 preferência. 4 alternativa.
optional adj. opcional, facultativo, de livre escolha: optional subjects at school.
opus s. opus, obra, composição musical (abrev op): Chopin's Nocturne, Op 9.
or sufixo que indica pessoa que desempenha uma ação: actor, inventor, governor.
or conj. ou 1 (introduz uma alternativa):

order

Do you prefer tea or coffee? 2 (introduz uma série, com exceção do primeiro item): I'd like it in blue, green or gray. 3 (introduz uma explicação): This medicine, or drug, caused a lot of problems to pregnant women. **or (else)**, do contrário, senão: You'd better put on a coat, or (else) you'll catch a cold. **or so**, mais ou menos: I had to wait half an hour or so.
oracle s. oráculo.
oral adj. 1 oral: an exam. 2 (med) por via oral: oral medicine.
orange s. laranja. **orange tree**, laranjeira.
orange adj. cor de laranja, alaranjado.
orate v.i. (fml) discursar, falar publicamente.
orator s. orador.
oratory s. oratória, eloqüência.
orb s. mundo, globo.
orbit s. 1 órbita: Several satelites have been put in orbit round the earth. 2 esfera de ação.
orbit v.t. e i. colocar em órbita.
orchard s. pomar.
orchestra s. 1 orquestra. 2 poço de orquestra.
orchestral adj. orquestral: orchestral music.
orchid s. orquídea.
ordeal s. provação, experiência penosa. **trial by ordeal**, julgamento através de provação (p ex prova de fogo).
order s. 1 ordem, seqüência: in alphabetical order. 2 boa condição de uso/trabalho: My passport isn't in order. My TV set is out of order. Minha televisão está quebrada. 3 ordem social: During the strike, the army was supposed to keep order. 4 disciplina, ordem: The teacher couldn't keep order in the classroom. Her father's orders were for her to be home by 11. 5 regulamento: Soldiers must obey orders. 6 pedido: Waiter! I'd like to place an order. 7 encomenda: We received a message from our

order

dressmaker saying our order was ready. 8 ordem de pagamento: *money order.* 9 intenção, propósito, objetivo. 10 categoria, classe social: *the lower orders,* trabalhadores, empregados. 11 ordem religiosa, sociedade religiosa. 12 classe de pessoas a quem a ordenação religiosa é conferida: *the order of Priests; the order of Bishops.* 13 grupo de pessoas a quem foi conferido um título como recompensa ou em sinal de honra: *the order of Merit.* 14 insígnias, comendas que identificam um membro de uma ordem.

order *v.t.* 1 ordenar, determinar, resolver: *The judge ordered the murderer to await trial in prison.The doctor ordered me to stay in bed for a week.* 2 pedir: *I've already ordered something to drink,* Já pedi o que vamos beber. 3 encomendar: *She ordered 3 new dresses. He forgot to order a taxi,* Ele esqueceu de chamar um táxi. 4 dirigir: *He must order his affairs better,* Ele deve organizar melhor seus negócios. **order sb about/around**, aborrecer uma pessoa de tanto dar ordens.

orderly *adj.* 1 em ordem, ordeiro: *an orderly room/desk.* 2 metódico. 3 pacífico, bem comportado: *orderly behaviour.*

orderly *s.* 1 ordenança. 2 assistente de hospital.

ordinal *s.* numeral ordinal: *1st (first), 2nd (second), 3rd (third).*

ordinance *s.* lei, decreto.

ordinary *adj.* normal, costumeiro, comum: *an ordinary man; an ordinary day's work; in ordinary clothes.* **in the ordinary way,** do modo normal, comum. **out of the ordinary,** fora do comum.

organ *s.* 1 (mús) órgão. 2 (Pl) mídia, meios de comunicação de massas. 3 (biol) parte de animal ou planta. 4 (ger oficial) organização.

organic *adj.* 1 orgânico. 2 vital. 3 coordenado, sistemático, estrutural.

organism *s.* 1 (biol) organismo. 2 organismo, sistema, estrutura.

organization *s.* organização.

organize *v.t.* organizar, constituir, ordenar, formar, dispor.

organized *adj.* organizado, ordenado, formado, constituído.

orgasm *s.* orgasmo.

orgy *s.* (pl *-ies*) orgia.

orient *v.t.* orientar-se, encaminhar, guiar. (GB orientate)

oriental *adj., s.* oriental. **Oriental,** oriental, habitante do oriente.

orifice *s.* orifício.

origin *s.* origem, fonte, início, ascendência: *He is of Arab origin.*

original *adj.* 1 original, primitivo, inicial. 2 novo, inédito. 3 inventivo, engenhoso, criativo: *He's a very original artist.* **original sin,** pecado original.

original *s.* (rel a texto) original: *Compare the copy with the original.*

ornament *s.* ornamento, enfeite, adorno.

ornament *v.t.* ornamentar, adornar, enfeitar.

ornate *adj.* pomposo, floreado, ornamentado: *an ornate speech.*

ornithology *s.* ornitologia, estudo das aves.

orphan *s.* órfão.

orphan *v.t.* deixar órfão: *He was orphaned at the age of three.*

orphanage *s.* orfanato.

orthodox *adj.* ortodoxo.

oscillate *v.t. e i.* oscilar, fazer oscilar.

ostensible *adj.* (fml) ostensivo, aparente.

ostentation *s.* ostentação, pompa, alarde.

ostentatious *adj.* pomposo, ostentoso, aparatoso.

ostracize *v.t.* recusar-se a ver/falar/aproximar-se de alguém, recusar-se a lidar com alguém socialmente: *Because of her radical political views, she was ostracized by her colleagues and friends.*

ostrich s. (pl - es) avestruz.
other adj., pron. 1 outro, outra, outros, outras: *These cars are expensive, but the others are cheap*. 2 **the other** (sg), o segundo, o outro: *the other side of the street. Don't take that book, take the other*. **on the other hand**, por outro lado. 3 **any other**, qualquer outra. 4 **each other**, um ao outro: *They love each other. They see each other every day*. 5 **every other**, a) todos os outros: *He was saved, but every other victim of the accident died*. b) alternado: *He comes here every other Sunday*. **one after the other**, sucessivamente, um depois do outro: *They left the room one after the other*. **the other day**, outro dia, uns dias atrás. **other than**, exceto por, a não ser, fora: *There's nobody here other than me*.
otherwise conj. senão, caso contrário: *You'd better do as I say; otherwise there'll be trouble*, É melhor fazer o que eu digo; caso contrário haverá problemas.
ouch interj. (expressão de dor) ai!
ought v. aux. (neg *ought not, oughtn't*) dever. 1 indicando o que é desejável, aconselhável: *You ought to arrive early*, Você deveria chegar cedo. 2 indicando obrigação: *You ought to be here at 7 o'clock*, Você tinha que (tem que) estar aqui às 7. 3 indicando probabilidade: *That ought to be enough*, Isso deveria ser suficiente.
ounce s. (abrev *oz*) onça (28,350 gramas).
our adj. poss. nosso(s), nossa(s).
ours pron. poss. (o)nosso(s), (a)nossa(s): *That car is ours. ours is green, theirs is blue. A friend of ours*.
ourselves pron. reflex. nos, nós próprios, nós mesmos: *We did it ourselves*. **(all) by ourselves**, sozinhos, sem ajuda: *We fixed the car all by ourselves*.
out adv. 1 fora, para fora: *She opened the door and let the cat out*, Ela abriu a porta e deixou o gato sair. *He left his keys in the office and he was locked out*. 2 ausente: *"Can I talk to Mr Silva?" "I'm afraid he's out"*. **be out for**, tentar/procurar obter, dominar, apossar-se de: *Be careful, they're* out *for your money*. **be out to**, tentar, procurar, estar a fim de: *He's out to get you*, Ele está a fim de te pegar/atingir. **be out and about**, estar recuperado: *She's now* out *and about*. **have sth out with sb**, discutir algo com alguém: *They had it out with each other*, Eles discutiram um com o outro.

out prep. **out of** 1 fora de, para fora de: *take your things* out *of the bag. His money fell* out *of his pocket*. 2 (no sentido de exclusão de um grupo) entre: *9* out *of 10 women prefer this beauty soap*. **out of one's mind/senses**, louco, fora de si: *You must be* out *of your mind!* Você deve estar louco. 6 **out of the way**, remoto, incomum, estranho, esquisito: *Their house is really out of the way*, A casa deles é distante, remota.
outbreak s. surto, explosão: *an outbreak of malaria*, um surto de malária; *an outbreak of violence*, um surto de violência.
outbuilding s. anexo, dependência, edícula.
outburst s. explosão, erupção, eclosão: *an outburst of anger/laughter*.
outcast s. proscrito, pária, desterrado.
outcome s. resultado, conseqüência, efeito: *What's the outcome of the new government measures?*
outcry s. clamor, tumulto, grito: *The violence of the police caused a public outcry*.
outdated adj. ultrapassado, antiquado, obsoleto.
outdo v.t. (pret -*did*) exceder, sobrepujar: *He doesn't like to be outdone*, Ele não gosta de ser sobrepujado.
outdoor adj. ao ar livre: *an outdoor life*, uma vida vivida ao ar livre.
outer adj. externo, exterior. **outer**

outfit

space, espaço sideral. **outermost**, o mais afastado, externo.

outfit s. 1 equipamento, aparelhamento, enxoval, roupa: *a baby outfit*; *military outfit*, equipamento militar.

outgoing adj. 1 de partida, de saída: *the outgoing train*, o trem que está de saída. 2 extrovertido.

outgrow v.t. (pret *-grew*, pp *-grown*) 1 exceder, superar alguém/algo em crescimento: *Girls tend to outgrow boys at the age of 10 or 11*. 2 (rel a roupas) ficar pequeno: *He outgrew his shoes*, Seus sapatos ficaram pequenos.

outing s. passeio, excursão: *go for an outing*, passear.

outlandish adj. esquisito, estranho: *an outlandish way of dressing*.

outlast v.t. sobreviver, exceder em duração.

outlaw s. proscrito, fora de lei.

outlaw v.t. condenar alguém como marginal, marginalizar, declarar ilegal: *Video-poker has been outlawed in Brazil*.

outlet s. 1 ponto de venda. 2 passagem, saída, escoamento. 3 meio para dar vazão a coisas ou sentimentos.

outline s. contorno, esboço, resumo, rascunho.

outline v.t. esboçar, resumir, rascunhar, delinear: *He outlined his proposal*.

outlive v.t. sobreviver, viver mais que: *That old woman will outlive all of us!*

outlook s. perspectiva, vista, panorama. **be on the outlook (for sth)**, estar à procura (de algo).

outnumber v.t. exceder em números: *Girls outnumber boys*.

outpatient s. paciente externo, não internado.

outpost s. posto avançado.

output s. rendimento, produção.

outrage s. ultraje, atrocidade, afronta, abuso.

outrage v.t. ultrajar, escandalizar, afrontar.

outrageous adj. ultrajante, escandaloso: *His decision was outrageous*.

outright adj. 1 sincero, franco. 2 completo, total: *Our products are an outright success*, Nossos produtos são um sucesso total.

outright adv. 1 completamente, inteiramente. 2 diretamente, imediatamente. 3 francamente.

outset s. início, princípio. **at/from the outset**, no/desde o início.

outside adj. externo, exterior: *The President called outside help*, O Presidente chamou ajuda externa.

outside adv. para fora, fora: *We had our drinks outside the hotel. It's hot outside*.

outside prep. 1 fora, fora de, de fora, para fora: *The workers are waiting outside the factory*.

outside s. 1 lado externo, exterior. 2 aparência: *The outside of the house has a modern look*. 3 extremo. **at the very outside**, ao máximo. **outside in**, do avesso.

outsider s. forasteiro, leigo, estranho: *It's difficult for an outsider to understand our culture*.

outskirts s. pl. arredores, cercanias, periferias: *Some language schools are on the outskirts of the cities*.

outspoken adj. franco, sincero.

outstanding adj. 1 saliente, excepcional, destacado, importante: *Her students had an outstanding performance at the examination board*. 2 pendente: *an outstanding situation*.

outstrip v.t. (-pp-) 1 andar mais depressa que, ultrapassar. 2 exceder, sobrepujar: *Mary outstripped her brothers and sisters in all competitions*.

outward adj. 1 externo, exterior. 2 visível, aparente: *The outward appearance of the houses has not changed lately*. 3 para fora, de saída: *the outward voyage*, a viagem de ida. **to all outward appearances**, aparentemente.

outward(-wards) *adv.* 1 para fora: *They ran outwards.* 2 externamente.
outweigh *v.t.* exceder em peso ou valor.
outwit *v.t.* *(-tt-)* 1 exceder em esperteza. 2 lograr, passar a perna em, levar a melhor: *There are times when a child outwits an adult.*
oval *s. adj.* (objeto de forma) oval.
ovary *s. (pl -ies)* (anat) ovário.
ovation *s.* ovação, aclamação: *a standing ovation*, aclamação em pé.
oven *s.* forno. **ovenware**, louça ou cerâmica refratária.
over *adv.* 1 (sugerindo movimento de cair de uma posição vertical) de um lado a outro. 2 (sugerindo movimento por sobre uma superfície e para fora). 3 (sugerindo do começo ao fim), completamente: *You must think it over before making a decision.* **(all) over again**, tudo novamente. **over and over (again)**, repetidas vezes. 5 (sugerindo movimento) através de uma distância, um período de tempo ou de uma pessoa a outra: *He gave all his money over to an orphanage. Come over to my house tonight.* 6 (sugerindo sobra), excedente: *Is there anything left over in the fridge?*
over *prep.* 1 sobre, por cima de: *She spread a new towel over the dining table.* 2 sobre, acima de. 3 (de um lado a outro) por cima de: *to jump over the obstacles.* 4 por toda parte: *The movie is a big hit all over the country.* 5 (indicando comando ou controle): *She commands* over *her subordinates.* 6 acima de, superior a: *A school principal is over a school teacher.*
overact *v.t. e i.* representar de modo exagerado, não natural.
overall *adj.* global, total.
overall *s.* 1 avental, guarda-pó. 2 (pl) macacão.
overbalance *v.t. e i.* 1 desequilibrar-se, fazer perder o equilíbrio. 2 preponderar, prevalecer, ultrapassar.

overbear *v.t.* (pret *-bore*, pp *-borne*) (fml) dominar, subjugar, preponderar.
overbearing *adj.* dominador, arrogante, autoritário: *That little girl has an overbearing behavior.*
overboard *adv.* 1 ao mar (por sobre a murada do navio): *The sailor fell overboard during the storm.* 2 **go overboard for/about**, (infml) sentir-se extremamente atraído ou entusiasmado por.
overcast *adj.* 1 (rel ao céu) coberto, nublado. 2 (fig) coberto, entristecido, toldado.
overcharge *v.t. e i.* 1 cobrar demais. 2 sobrecarregar (um circuito elétrico, uma arma, etc).
overcoat *s.* sobretudo.
overcome *v.t.* (pret *–came*, pp *-come*) 1 dominar, superar, levar a melhor: *to overcome difficulties.* 2 (ger passiva) vencer: *He was overcome by frustration.*
overcrowd *v.t.* abarrotar, apinhar: *Teenagers overcrowded the Mall.*
overdo *v.t.* (pret *-did*, pp *-done*) 1 exagerar, exceder, fazer/trabalhar demais: *Charles overdid the length of his project.* 2 cozinhar demais: *overdone vegetables.*
overdose *s.* dose excessiva (de alguma droga).
overdraft *s.* (rel a conta bancária) saque a descoberto.
overdraw *v.t. e i.* (pret *-drew*, pp *-drawn*) 1 sacar (um cheque) a descoberto. 2 exagerar.
overdress *v.t. e i.* exagerar no modo de se vestir.
overdue *adj.* atrasado (na chegada), vencido e não pago (título): *My rent is overdue.*
overflow *v.t. e i.* (pret, pp *-ed*) inundar, transbordar.
overgrown *adj.* 1 excessivamente grande ou crescido. 2 coberto (de vegetação): *the grass is overgrown.*
overhang *v.t. e i.* (pret, pp *-hung*)

overhaul

projetar-se sobre, estar suspenso sobre, pender: *branches overhanging a river.*
overhaul *v.t.* revisar, inspecionar, vistoriar.
overhead *adv.* em cima, acima (da cabeça): *The balloon is flying overhead.*
overhead despesas gerais/operacionais, despesas geradas por áreas de suporte ao negócio: *overhead expenses.*
overhear *v.t.* (pret, pp –d) 1 ouvir por acaso. 2 ouvir furtivamente.
overland *adv.* por terra, por via terrestre.
overlap *v.t. e i.* (-pp-) 1 sobrepor(-se), cobrir parcialmente. 2 (fig) sobrepor-se, coincidir em parte: *Sometimes my tastes don't overlap that of my friend's.*
overlap *s.* sobreposição, justaposição.
overleaf *adv.* no verso (da folha).
overlook *v.t.* 1 olhar de cima, do alto, ter uma vista (de algo ou alguém) do alto: *My apartment overlooks the park.* 2 deixar de ver ou notar, não tomar conhecimento: *to overlook the signals.* 3 deixar de punir: *The manager overlooked his absences.*
overnight *adv.* 1 na noite anterior: *They moved all the furniture overnight.* 2 durante a noite: *Let's stay overnight with her.* 3 de repente, de uma hora para outra: *The gossip spread overnight.*
overnight *adj.* noturno, para a noite, durante a noite.
overpower *v.t.* dominar, sobrepujar, subjugar: *The government was overpowered by congress.*
overpowering *adj.* extremamente forte ou dominante, muito poderoso: *an overpowering feeling.*
overrate *v.t.* superestimar, supervalorizar: *an overrated style..*
overreach *v.t.* **overreach oneself,** fracassar por ter ambição desmedida.
override *v.t.* (pret -*rode*, pp -*ridden*) passar por cima, não levar em conta, não aceitar (um pedido, uma ordem, uma opinião, etc): *The students overrode the teacher's orders and left the classroom.*
overrule *v.t.* rejeitar, indeferir, revogar: *The law was overruled by Congress.*
overrun *v.t.* (pret -*ran*, pp -) 1 invadir, assolar, infestar: *The rotten smell overran the whole district.* 2 ultrapassar, exceder, ir além: *You are overruning the expected time for the lecture.*
overseas *adj. e adv.* ultramarino, estrangeiro (de além-mar), transoceânico: *They live overseas.*
oversee *v.t.* (pret -*saw*, pp -*seen*) supervisionar, inspecionar.
overshadow *v.t.* 1 obscurecer, toldar. 2 (fig) ofuscar, eclipsar: *The audience's reaction overshadowed the artists.*
oversight *s.* descuido, lapso, omissão (acidental): *Actually we didn't forget the appointment, it was simply an oversight.*
oversleep *v.i.* (pret, pp -*slept*) dormir demais, passar da hora (dormindo): *She arrived late for the class because she overslept.*
overstate *v.t.* exagerar (em descrição ou relato): *Don't overstate the situation.*
overstep *v.t.* (-pp-) exceder, ultrapassar (limites aceitáveis): *He over-stepped the limits of reason.*
overstrung *adj.* demasiado tenso, hipersensível.
overt *adj.* (fml) público, manifesto, aberto, evidente: *They showed overt emotion.*
overtake *v.t.* (pret -*took*, pp -*taken*) 1 ultrapassar, alcançar: *He was driving so fast that nobody could overtake his car.* 2 (rel a algo desagradável) surpreender, colher de surpresa: *We were overtaken by the new rules.*
overthrow *v.t.* (pret -*threw*, pp -*thrown*) derrotar, derrubar, depor: *overthrow the democratic government.*
overtime *s. e adv.* trabalho extraordinário, horas extras, fora das horas normais de trabalho: *work overtime.*

overtly *adv.* abertamente, publicamente.
overture *s.* 1 (mús) abertura.
overweight *s. e adj.* (com) excesso de peso, (com) sobrecarga.
overwhelm *v.t.* subjugar, esmagar, oprimir, dominar completamente: overwhelmed *by all the suport.*
overwork *v.t. e i.* (fazer) trabalhar demais, extenuar.
owe *v.t. e i.* dever, ter dívidas ou obrigações: *owe money/ loyalty.*
owl *s.* coruja.
own *adj. e s.* próprio (usado com os possessivos para dar ênfase à individualidade): *I bought my own house.* **on one's own,** a) sozinho: *She lives on her own.* b) independentemente, por iniciativa própria: *He works on his own.* c) sem ajuda: *I can do that on my own.*
own *v.t. e i.* 1 possuir, ter: *He has quite a large library.*
owner *s.* proprietário, dono, possuidor.
ownership *s.* (direito de) posse/ propriedade/domínio.
ox *s.* (pl *oxen*) boi.
oxidize *v.t. e i.* oxidar(-se), enferrujar (-se).
oxygen *s.* oxigênio.
oyster *s.* ostra.
oz *abrev.* escrita de *ounce.*

p P

P, p 16ª letra do alfabeto.letra do alfabeto.
PA s. (*personal assistant*) secretária particular.
pace s. 1 passo. 2 ritmo, marcha, velocidade: *I like the pace of life in small cities*. **keep pace with**, ir ou andar no mesmo passo ou velocidade que, acompanhar o ritmo de. **set the pace**, dar o exemplo, liderar (p ex corrida). 3 modo de andar, correr (esp cavalos).
pace v.i. e t. 1 andar compassadamente: *She paced up and down the room.*
pacemaker s. da. 1 (med) marca-passo. 2 aquele que estabelece a marcha ou velocidade numa corrida.
pacific adj. pacífico, sossegado, pacato.
pacifier s. chupeta.
pacifist s. pacifista.
pacify v.t. (pret, pp -ied) 1 pacificar, apaziguar. 2 sossegar, acalmar: *The leaders pacified the crowd.*
pack s. 1 embrulho, fardo, pacote. 2 matilha (de cães), cambada, quadrilha (de malfeitores): *a pack of thieves*. 3 baralho. 4 maço (de cigarros): *a pack of cigarettes*. **a pack of lies**, um monte de mentiras.
pack v.t. e i. 1 empacotar, embalar, encaixotar, arrumar ou fazer malas: *I have to pack before my friends arrive*. 2 amontoar, apinhar, abarrotar: *The dancing floor was packed last night*. 3 acondicionar, vedar, proteger: *Pack the dishes carefully or they'll break*. **be packed in**, estar como sardinha em lata. **pack sb off/send someone packing**, mandar alguém ir passear, despachar sumariamente.
package s. pacote, embrulho, fardo. **package holiday/tour**, (infml) excursão organizada por agência de turismo.
packet s. 1 pacote, maço de cartas ou de papel.
packing s. 1 embalagem, acondicionamento. 2 material de acondicionamento.
pact s. 1 pacto. 2 convênio, tratado.
pad s. 1 almofada, calço, amortecedor, enchimento: *mouse pad*. 2 joelheira, caneleira. 3 bloco de papel. 4 pata de alguns animais (raposa, lobo, etc).
pad v.t. (-dd-) 1 rechear, colocar enchimento, acolchoar. 2 **pad sth out**, aumentar (livro, discurso) com material desnecessário, encher lingüiça.
padding s. 1 material de estofamento ou acolchoamento. 2 enchimento, acolchoamento. 3 palavreado desnecessário (em artigo, discurso).
paddle s. 1 remo. 2 utensílio em forma de pá para mexer, bater roupa, etc. 3 (zoo) nadadeira (de foca, baleia).
paddle v.t. e i. 1 remar suavemente. 2 mexer ou revolver com pá. 3 **paddle one's own canoe**, ser auto-suficiente.
paddle v.i. andar descalço em poças d'água, patinar. **paddling pool**, piscina rasa para crianças.
paddock s. 1 recinto fechado nos hipódromos onde os cavalos aguardam o momento de ir para o prado. 2 área gramada onde os cavalos são treinados.
padlock s. cadeado.
pagan s. e adj. pagão.
page s. página.
page s. 1 pajem, escudeiro. 2 **page boy**, mensageiro.
pageant s. 1 espetáculo cívico, cortejo. 2 representação ao ar livre (de fato histórico, etc). 3 concurso de beleza: *beauty pageant.*
pail s. balde.
pain s. 1 dor, sofrimento: *He cried*

with pain. **be in pain**, estar com dor, ter dores. 2 tormento, angústia. 3 (pl) problemas, esforço. **be at/take (great) pains to do sth**, esforçar-se, esmerar-se ao fazer algo. **spare no pains**, fazer tudo que é possível. 5 castigo, pena. **on pain of**, sob pena de. **a pain in the neck**, (gír) uma pessoa irritante, chata.
painful *adj.* 1 dolorido, doloroso. 2 penoso, árduo: *This kind of comment is painful to his mother.*
painfully *adv.* 1 doloridamente, dolorosamente. 2 penosamente.
painkiller *s.* analgésico, remédio contra a dor.
painless *adj.* 1 indolor. 2 fácil, sem trabalho, sem esforço.
painstaking *adj.* 1 esmerado, cuidadoso, caprichoso . 2 árduo, difícil: *a painstaking solution.*
paint *s.* 1 tinta. 2 pintura, cosmético.
paint *v.t. e i.* 1 pintar. **paint out**, dar mão de tinta. 2 fazer um quadro. 3 pintar-se, maquilar-se.
painter *s.* pintor (de quadros, de casas).
painting *s.* 1 pintura. 2 quadro, tela.
pair *s.* 1 par: *a pair of earrings.* 2 casal, dupla. **in pairs**, em pares: *Let's work in pairs.* 3 parelha (de cavalos), junta (de bois).
pair *v.t. e i.* 1 formar par ou pares. 2 acasalar-se, casar-se.
pajamas *s.* pijama *(GB pijamas).*
pal *s.* (infml) companheiro, camarada, amigo: *They've been pals for a long time.*
palace *s.* 1 palácio. 2 mansão.
palaeontology *s.* V. paleontology.
palatable *adj.* 1 saboroso, apetitoso. 2 (fig) agradável, apetecível.
pale *adj.* (-r, -st) 1 pálido: *She turned pale when he came into the conference room.* 2 descorado, opaco: *pale blue.* azul-claro.
pale *v.i.* empalidecer, perder a cor.
paleness *s.* palidez.

paleontology *s.* paleontologia.
palette *s.* paleta, palheta (de pintor).
pallor *s.* palidez.
palm *s.* 1 palma (da mão) (também fig). 2 (rel a medida) palmo. 3 (bot) palma, palmeira. **bear/carry off the palm**, levar a palma, sair vitorioso. **grase the palm of**, subornar. **have sb in the palm of one's hand**, ter alguém na palma da mão.
palm *v.t.* 1 empalmar, escamotear. 2 tocar com a palma da mão.
palmist *s.* quiromante.
palpable *adj.* 1 palpável, tangível. 2 claro, evidente: *a palpable argument.*
palpitate *v.i.* 1 (rel ao coração) palpitar, pulsar. 2 tremer, estremecer de medo.
palpitation *s.* palpitação (também med).
palsy *s.* (med) paralisia: *cerebral palsy.*
paltry *adj.* (-ier, -iest) 1 sem valor, insignificante. 2 desprezível.
pamper *v.t.* mimar, acostumar mal: *She pampers her grandchildren.*
pamphlet *s.* panfleto.
pan *s.* 1 panela, caçarola, frigideira. 2 recipiente, vasilha. 3 prato de balança. 4 cavidade ou depressão no solo.
pan *v.t. e i.* (-nn-) 1 fritar, cozinhar. 2 garimpar (ouro). 3 (cin) girar a câmera em movimento panorâmico. **pan out** (infml), dar resultado, resultar em.
pancake *s.* panqueca.
panache *s.* ostentação, brilho, impetuosidade: *She enjoys dressing with panache.*
pane *s.* 1 vidraça. 2 painel.
panel *s.* 1 painel (de carro): *the control panel.* 2 almofada (de porta). 3 grupo de pessoas escolhidas para fazer parte de: conferência, julgamento, discussão, etc): *The professor will be at the conference panel.*
panelling *s.* trabalho em painéis, revestimento com painéis.

pang

pang s. 1 pontada, dor aguda. 2 (fig) angústia, aflição.

panic s. pânico.

panic v.i. e t. (-ck-) 1 causar pânico, aterrorizar. 2 ser tomado de pânico: *She panics every time she sees a dog.*

panicky adj. (infml) aterrorizado, tomado de pânico.

panicstricken adj. apavorado, tomado de pânico.

pansy s. (pl -ies) 1 (bot) amorperfeito. 2 (gir) homos-sexual.

pant v.i. e t. 1 arfar, ofegar. 2 dizer ou falar com voz ofegante. 3 ansiar.

panther s. (zool) pantera.

panties s. (pl) (infml) calcinhas (de mulher).

pantomime s. 1 pantomima. 2 (GB) peça infantil encenada na época de Natal.

pantry s. (pl -ies) 1 copa. 2 despensa.

pants s. pl 1 (infml) calças (= trousers). 2 ceroulas, cuecas, calcinhas. *wear the pants*, (infml) cantar de galo, impor sua autoridade.

pap s. 1 papa, mingau. 2 (gír) negociata.

papaya s. (bot) 1 mamoeiro. 2 mamão.

paper s. 1 papel: *a sheet of paper*. 2 jornal. 3 (pl) documentos de identidade, credenciais. 4 documento. 5 exame escrito. 6 nota, escrito, artigo, ensaio: *The students have to present the paper on English Literature tomorrow.* *paperback*, livro de bolso, de capa mole. *tissue paper*, lenço de papel.

paper vt 1 empapelar (parede): *She papered the baby's bedroom in blue and white.* 2 embrulhar em papel.

par s. 1 par, paridade, equivalência. *above/at/below par*, (rel a ações) acima do, ao, abaixo do par. 2 *on a par with*, equivaler a, no mesmo nível que.

parachute s. pára-quedas.

parachutist s. pára-quedista.

parade s. 1 (rel a tropas) parada, revista de tropas. 2 desfile. *on parade*, desfilando. *parade ground*, local de exercício ou revistas militares. 3 passeio público (esp em frente ao mar). 4 exibição, ostentação.

parade v.t. e i. 1 (rel a tropas) formar tropa para revista ou parada. 2 ostentar, alardear, exibir-se: *She is parading in her new car.*

paradise s. 1 paraíso, éden.

paradox s. paradoxo.

paraffin s. 1 (GB) querosene. 2 parafina.

paragon s. modelo, exemplo, padrão: *a paragon of honesty.*

paragraph s. parágrafo.

parakeet s. periquito.

parallel adj. 1 (rel a linhas) paralelas. 2 (rel a uma linha) paralela: *in a parallel direction (with/to...).* 3 (fig) comparável, correspondente.

parallel s. 1 pessoa, fato idêntico a outro: *Einstein is a man without (a) parallel in modern times.* 2 comparação, paralelo: *Draw a parallel between life in the city and in the country.*

paralyze vt 1 paralisar (também fig): *The strike paralyzed the whole factory.* 2 tornar paralítico. 3 (fig) tornar impotente: *She was paralyzed with fear. (GB paralyse).*

paralysis s. paralisia (também fig).

paraphernalia s. 1 pertences, objetos pequenos. 2 equipamento, acessórios.

parasite s. parasita (planta, animal, pessoa).

parasol s. párasol, sombrinha.

parcel s. pacote, embrulho, remessa. *part and parcel of*, uma parte essencial de.

parchment s. 1 pergaminho. 2 papel pergaminho.

pardon s. 1 perdão. 2 (jur) graça, indulto. 3 *beg sb's pardon:* desculpar-se.

pardon v.t. perdoar, desculpar: *The judge must pardon him for his faults. Pardon me*, Desculpe-me.

parent s. 1 pai ou mãe. 2 **parents,** os pais. 3 (fig) autor, fonte, origem.
parenthesis s. (pl -ses) parêntese. **in parentheses,** entre parênteses.
parish s. paróquia.
parity s. igualdade, paridade.
park s. 1 jardim público. 2 parque. (GB car park) estacionamento de veículos.
park v.t. e i. estacionar (veículo): You can't park your car on the sidewalk.
parking s. estacionamento de automóveis: No Parking, Estacionamento proibido.
parking lot,= car park V. parking.
parking meter, parquímetro.
parliament s. parlamento.
parlor s. 1 sala de visitas. 2 salão de beleza (GB beauty parlour).
parole s. (jur) livramento condicional: The prisoner is on parole.
paroxysm s. 1 paroxismo (também med). 2 ataque, acesso, espasmo (de dor, raiva, etc).
parquet s. assoalho de tacos.
parrot s. papagaio (também fig).
parsley s. salsa.
part s. 1 parte, pedaço, porção. **for the most part,** geralmente, na maioria das vezes. **in part,** em parte. **on the part of,** da parte de. 2 (pl) região, distrito. 3 (mat) parte, alíquota, submúltiplo. 4 dever, obrigação, papel. **do one's part,** fazer a sua obrigação, cumprir o seu dever: She did her part; now it's up to you. **take part (in),** tomar parte em, participar de 5 facção, partido. **take the part of,** tomar o partido de, defender: She always takes the part of her children.
part v.t. e i. 1 dividir, partir, separar. **part company (with),** a) separar-se de, despedir-se de. b) discordar. 2 **part the hair,** fazer a risca (do cabelo), repartir o cabelo. 3 **part with,** a) desfazer-se de. b) abandonar, deixar.
partake v.i. e t. (pret -took, pp -taken) (fml) 1 (in) participar, compartilhar. 2 (of) partilhar.

partial adj. 1 parcial: a partial victory. 2 parcial, faccioso. 3 **be partial to,** ter predileção especial por, gostar.
partially adv. parcialmente, em parte.
partiality s. 1 parcialidade. 2 predileção, afeição, gosto: a partiality for Chinese food.
participant s. participante.
participate v.i. (in) participar, tomar parte.
participle s. (gram) particípio.
particular adj. 1 particular, específico: I don't like this particular color. 2 especial, relevante **in particular,** especialmente, em particular 3 exigente: He's very particular about his clothes.
particular s. particular, pormenor. **go into particulars,** fornecer detalhes.
partition s. 1 partição, divisão, separação.
partly adv. em parte, parcialmente, até certo ponto.
partner s. 1 (com) sócio, associado. 2 cônjuge. 3 parceiro (de dança, de jogo, etc).
partnership s. 1 sociedade (também com): enter/go into partnership (with him). 2 parceria. 3 participação.
partook V. (pretérito do verbo partake).
part-time adj., adv. de meio expediente, de meio período: He has a part time job.
party s. (pl -ies) 1 festa, reunião, recepção: a cocktail party. 1 partido, facção. **join the party,** afiliar-se ao partido (esp político). **party man,** (polít) homem de partido, político-partidário. **party politics,** política partidária.
pass s. 1 ato de passar. 2 (nota de) aprovação em exame 3 passaporte, salvoconduto, permanente (de teat, cin). 4 desfiladeiro, garganta. **pass,** realizar, levar a cabo. **make a pass at,** (gír) dar uma cantada em uma pessoa.
pass v.i. e t. 1 passar por, atravessar:

passable

2 deixar para trás, deixar passar 3 entregar, dar: 4 (rel a tempo) passar, transcorrer. 5 passar o tempo. *pass the time of day with sb*, ter uma conversa pouco importante com alguém. 7 circular, fazer circular 8 passar por, ser tomado por: *She can easily pass for a top model.* 9 aprovar, ser aprovado. *pass judgement*, (fig) julgar (alguém). *pass sentence*, pronunciar sentença. *pass the buck*, (gír) passar a responsabilidade para outrem. *pass the hat*, (infml) passar o chapéu, fazer coleta. *pass away*, falecer, morrer. *pass by*, a) passar por, passar perto de. b) não fazer caso, não levar em conta. *pass for sb/sth*, passar por, ser tomado por. *pass through*, passar por, atravessar. *pass up*, (EUA gír) a) não aceitar, rejeitar. b) deixar passar, deixar de (ir, fazer, etc). *He passed up a great opportunity.*
passable adj. 1 passável, admissível, aceitável. 2 transitável.
passage s. 1 passagem, trânsito, direito de trânsito. 2 travessia, viagem. 3 via, corredor, caminho. 4 corredor, galeria. 5 trecho, episódio (de discurso, texto, etc). 6 (pl) troca (de palavras, confidências, etc).
passenger s. 1 passageiro, viajante. 2 (infml) turista (numa escola, trabalho, grupo).
passer-by s. (pl *passers-by*) transeunte, passante.
passion s. 1 paixão. 2 explosão de sentimentos.
passionate adj. 1 apaixonado, exaltado, ardente: *a passionate woman*. 2 colérico, violento.
passive adj. 1 passivo (também gram). 2 (jur, fin) que não rende juros.
passivity s. passividade.
passkey s. 1 chave mestra. 2 chave particular ou pessoal dada apenas às pessoas que devem ter acesso a uma determinada porta.
Passover s. Páscoa dos judeus.

passport s. 1 passaporte. 2 (fig) meio de obtenção de (favor, sucesso, etc).
password s. 1 senha. 2 contrasenha.
past s. passado (também gram).
past adj. passado, decorrido, transcorrido: *the past year.*
past prep 1 após: *half past two.* 2 para além de, adiante de.
past adv. 1 adiante, para frente. 2 perto, próximo, passando: *She walked past the store and didn't see us.*
paste s. 1 massa, pasta. 2 patê 3 cola, goma.
paste v.i. 1 colar, grudar, afixar: *Please paste these posters on the wall.* 2 revestir, forrar.
pastel s. 1 pastel (lápis e desenho). 2 (rel a cores) tom pastel.
pasteurization s. pasteurização.
pastime s. passatempo.
pastor s. pastor, ministro protestante.
pastry s. (pl *-ies*) pastelaria, salgadinhos. (massas, bolos, tortas).
pasture s. pasto, pastagem.
pasture v.t. e i. pastar.
pasty adj. 1 pastoso. 2 pálido, descorado.
pat s. 1 tapa, tapinha, palmadinha.
pat v.t. e i. (*-ti-*) 1 bater de leve, dar palmadinha, afagar. *pat sb/oneself on the back*, (fig) elogiar, cumprimentar, dar parabéns. 2 caminhar ou correr com passos rápidos e leves.
patch s. 1 remendo, retalho. 2 emplastro, esparadrapo. 3 mancha: *a puppy with a white patch on its back. not a patch on*, nem de leve/nem de longe tão bom quanto.
patch v.t. 1 consertar, remendar. 2 enfeitar com retalhos, fazer trabalho com retalhos. *patch up*, fazer ou consertar às pressas. *patch up a quarrel*, pôr fim a uma briga ou desavença.
patchwork s. 1 colcha de retalhos (também fig). 2 miscelânea. 3 trabalho mal feito.

patchy adj. (-ier, -iest) 1 remendado. 2 desigual, irregular.
patent adj. 1 evidente, óbvio: *It was patent he loved her*. 2 patenteado: *a patent invention*.
patent s. 1 patente. 2 (rel a patente) direito, privilégio. **Patent Office**, Registro de patentes.
patent v.t. 1 patentear. 2 conceder ou obter patente.
patent leather s. verniz (couro).
paternal adj. paternal, paterno.
paternalism s. paternalismo.
paternity s. 1 paternidade. 2 (fig) fonte, autoria, origem.
path s. (pl -s) 1 trilha, senda, picada. 2 curso, trajetória (de uma flecha, aeronave, etc). 3 órbita (de um astro). 4 (fig) linha de conduta, procedimento, caminho.
pathetic adj. patético, tocante.
pathetically adv. pateticamente, enternecedoramente.
pathfinder s. 1 batedor, guia. 2 explorador, pioneiro.
pathological adj. patológico.
pathologist s. patologista.
pathology s. patologia.
patience s. 1 paciência, resignação, perseverança. 2 paciência (jogo de cartas) (EUA solitaire).
patient adj. paciente: *You must be patient with your mother*.
patient s. paciente, cliente.
patriarch s. patriarca.
patricide s. 1 parricida. 2 parricídio.
patrimony s. (pl -ies) patrimônio, herança.
patriot s. patriota.
patriotic adj. patriótico.
patriotism s. patriotismo.
patrol s. 1 patrulha, ronda. *The men are on patrol*. 2 (usado como adj.) *a patrol boat*.
patrol v.t. e i. (-ll-) patrulhar, rondar, fazer a ronda.
patrolman s. guarda, polícia (esp o que faz ronda em certa área).

patron s. 1 patrono. 2 protetor, defensor.
patronizing adj. 1 protetor. 2 que trata com ares superiores, condescendente.
patter s. 1 batida, ruído de passos leves e rápidos. 2 ruído da chuva, tamborilada: *I love the patter of rain on the roof*.
pattern s. 1 modelo, padrão. 2 molde, forma. 3 desenho, motivo decorativo: *a pattern of geometrical shapes*. 4 modelo, forma, feitio, configuração.
paunch s. pança.
pauper s. pobre, indigente, mendigo.
pause s. pausa, interrupção. **give pause to**, fazer alguém parar para pensar.
pause v.i. 1 fazer pausa, parar. 2 hesitar, vacilar.
pave v.t. pavimentar, calçar. **pave the way for**, preparar o terreno para, abrir caminho a, facilitar. **paving stone**, pedra de calçamento.
pavement s. 1 pavimento, pavimentação, calçamento. 2 calçada (EUA sidewalk).
pavilion s. 1 salão (de concertos, danças, etc). 2 pavilhão (de esporte, p ex). 3 tenda, barraca.
paw s. 1 pata (de quadrúpede de garras).
pawn s. 1 peão (em jogo de xadrez). 2 (fig) joguete, instrumento, fantoche. 3 refém.
pawn vt 1 empenhar, penhorar. 2 (usado como s) **in pawn**, penhorado: *Her jewelry is in pawn*.
pawnbroker s. penhorista, agiota.
pawnshop s. casa ou loja de penhores.
pay s. pagamento, remuneração, salário. **pay day**, dia de pagamento. **pay load**, carga útil (passageiros e carga). **pay master**, pagador (funcionário encarregado de pagamentos). **pay-off** (infml), a) pagamento. b) ajuste de contas. **pay phone**, telefone público. **pay roll**, folha de pagamento.

pay

pay v.t. e i. (pret, pp *paid*) 1 pagar: *I paid a lot for that dress*. 2 (rel a negócio, atividade comercial) render, dar lucro. 3 ser vantajoso, ser proveitoso. pay attention to, prestar atenção. pay a call/a visit, fazer uma visita. ***pay a compliment***, fazer um elogio. pay back, a) pagar a, reembolsar, devolver. b) pagar na mesma moeda. pay for, a) pagar por (também fig). b) recompensar. pay off, a) saldar, liquidar (dívida). b) pagar e despedir (empregado, p ex). c) ajustar contas, vingar-se. ***pay out***, desembolsar, gastar, pagar. ***pay up***, pagar integralmente, saldar, liquidar.
payable adj. 1 pagável. 2 a pagar.
payment s. 1 pagamento, remuneração, recompensa. 2 punição, castigo.
pea s. ervilha.
peace s. 1 paz, harmonia. ***keep the peace***, manter a paz, manter a ordem pública. ***make peace with***, fazer as pazes com. 2 quietude, tranqüilidade. ***hold/keep one's peace***, calarse. ***at peace (with)***, em paz, em harmonia com. ***in peace***, em paz, pacificamente. ***peace of mind***, paz de espírito.
peaceful adj. 1 pacífico. 2 tranqüilo, quieto, pacato: *a peaceful place*.
peacefully adv. 1 pacificamente. 2 tranqüilamente, pacatamente.
peacemaker s. pacificador.
peach s. 1 pêssego. 2 pessegueiro.
peacock s. pavão: *proud as a peacock*, vaidoso como um pavão.
peak s. 1 bico, cume, cimo. 2 aba (de boné). 3 auge, apogeu, período crítico. 4 bico, ponta, extremidade. ***peak load***, carga máxima.
peanut s. amendoim (fruto e planta).
pear s. pera, pereira.
pearl s. 1 pérola. 2 objeto do feitio ou da cor da pérola. 3 madrepérola. 4 alguém ou algo de alto valor. ***cast pearls before swine***, jogar pérolas aos porcos.
peasant s. camponês, agricultor, lavrador.
peasantry s. campesinato, classe camponesa ou agrícola.
pebble s. 1 seixo, calhau. 2 cristal de rocha. 3 superfície granulosa, áspera (em couro, papel, etc).
peck s. 1 bicada. 2 (infml) beijinho, bicota: *She gave him a peck on the cheek*.
peck v.i. e t. 1 bicar, apanhar com o bico, dar bicadas em. 2 ***peck (at)***, (infml) beliscar, comer muito pouco. 3 (infml) dar beijinhos.
peculiar adj. 1 peculiar, singular, esquisito. 2 especial, particular. 3 ***peculiar to***, característico de: *customs peculiar to the new students*.
pecuniary adj. pecuniário.
pedagogy s. (fml) pedagogia.
pedal s. pedal.
pedal v.i. e t. (GB -*ll*- EUA -*l*-) 1 pedalar: *She pedals her bike everyday*. 2 usar pedal.
pedantic adj. pedante, formalista.
peddle v.t. e i. 1 vender de porta em porta, mascatear. 2 passar, traficar (narcóticos).
peddler s. camelô, vendedor ambulante.
pedestal s. pedestal, suporte. ***put/set sb on a pedestal***, exaltar alguém, colocar alguém em posição superior.
pedestrian s. pedestre. ***pedestrian crossing***, faixa/travessia de pedestres.
pedestrian adj. 1 pedestre. 2 prosaico, trivial, vulgar.
pediatrician s. pediatra.
pediatrics s. pediatria.
pedicure s. 1 pedicuro. 2 quiropodia.
pedigree s. linhagem, estirpe.
pee v.i. (gír) fazer xixi.
peek v.i. ***peek at***, dar uma olhadela.
peel v.t. e i. 1 descascar: *peel fruit*.
peel s. casca (de fruta).
peep s. olhadela, espiadinha, espreitadela: *He likes to peep at the girls*.

peep v.i. espreitar, espiar: *The old lady used to* peep *at her neighbours.*
peer s. 1 par, igual: *They talked to their peers at the conference.* 2 (OB) nobre, qualquer membro da nobreza (marquês, duque, conde, visconde).
peer v.i. observar atentamente, olhar minuciosamente.
peg s. 1 gancho, pregador: *clothes peg,* pregador de roupa.
peg v.t. e i. (-gg-) 1 fixar com pinos. 2 marcar com estacas. 3 (com) fixar, determinar (preços).
pejorative *adj.* pejorativo, depreciativo.
pellet s. 1 bolinha (feita de pão, papel molhado, etc). 2 bolinha de metal (para ser disparada de arma de fogo).
pelt s. pele (de animal de pêlo).
pelt v.t. e i. 1 atacar, apedrejar, golpear: *The students pelted the police with stones.* 2 (rel à chuva) cair, bater com força. **at full pelt,** à toda velocidade.
pelvis s. (pl) pelves (anat) pélvis, bacia.
pen s. 1 caneta. ***ballpoint pen***, caneta esferográfica. ***fountain pen***, canetatinteiro. ***pen-friend***, pessoa (fora do país) com quem se troca correspondência. ***pen-knife***, canivete.
penal *adj.* penal, sujeito a pena. ***penal servitude***, trabalhos forçados.
penalize v.t. 1 penalizar (através da lei). 2 (rel a esporte) submeter a uma penalidade.
penalty s. (pl -ies) 1 (rel a esporte) penalidade máxima. 2 (fig) castigo. 3 sanção, multa.
penance s. penitência.
pencil s. lápis.
pendant s. pendente, berloque.
pending *adj.* pendente, aguardando solução.
pending *prep.* (fml) 1 durante: *pending the session.*
pendulum s. pêndulo. ***the swing of the pendulum***, (fig) tendência a ir de um extremo a outro.
penetrate v.t. e i. 1 penetrar, perfurar: *The blade penetrated his flesh.* 2 transpor, passar através.
penetrating *adj.* 1 penetrante. 2 (rel a som) agudo: *penetrating music.*
penfriend s. V. *pen.*
penguin s. pingüim.
penicillin s. penicilina.
peninsula s. península.
penis s. (anat) pênis.
penitent *adj.* penitente, arrependido.
penitentiary s. (pl -ies) penitenciária, reformatório.
penniless *adj.* sem dinheiro, sem tostão.
penny s. (pl *pence,* quando combinado com número: *six pence;* pl *pennies,* quando se tratar de moedas) 1 (OB) pêni, moeda que vale 1/12 de um shilling. 2 (EUA) centavo. ***cost a pretty penny***, (infml) custar os olhos da cara. ***the penny (has) dropped***, caiu a ficha.
pension s. pensão, renda anual ou mensal paga a alguém durante a vida.
pensive *adj.* pensativo.
pentagon s. (geom) pentágono, figura de 5 lados e 5 ângulos.
penthouse s. apartamento de cobertura.
pent-up *adj.* contido, reprimido: *pent up feelings.*
penury s. (fml) pobreza, penúria.
people s. (usado com verbo no pl) 1 gente, pessoas: *There are many people at the party,* Há muita gente na festa. 2 povo: *brazilian people.*
people v.t. povoar.
pepper s. 1 pimenta. 2 pimentão.
peppermint s. 1 hortelã, menta. 2 bala de hortelã.
per *prep.* por cada: *12 km per litre.* ***as per***, conforme: *as per instructions.* ***as per usual,*** (infml) como de costume. ***per annum***, por ano. ***per cent***, por cento.

perambulator

perambulator s. carrinho de bebê.
perceive vt (fml) perceber: *They perceived their uncomfortable situation.*
percentage s. porcentagem, proporção.
perceptible adj. (fml) perceptível, discernível.
perception s. (fml) percepção, noção, idéia.
perceptive adj. (fml) perceptível, perspicaz.
perch s. 1 poleiro. 2 (infml) posição elevada ocupada por uma pessoa.
perch v.t. 1 empoleirar-se, pousar. 2 sentar-se em um lugar alto.
percolate v.t. e i. 1 (rel a líquido) filtrar, coar (infml *perk*): *percolate coffee*. 2 (fig) filtrar informação. *coffee percolator*, cafeteira elétrica.
percussion s. 1 choque, colisão. 2 *the percussion,* instrumentos de percussão.
peremptory adj. (fml) 1 (rel a ordens) imperioso, determinado. 2 (rel a pessoa) autoritário, ditatorial.
perennial adj. 1 contínuo. 2 perene, permanente, perpétuo. 3 (rel a plantas) que vive mais de dois anos.
perfect adj. 1 completo, perfeito: *a perfect smile.* 2 excelente: *It's perfect!* 3 apropriado, adequado, conveniente: *That small house is perfect for them. practice makes perfect*, a perfeição se adquire com a prática.
perfect v.t. aperfeiçoar(-se): *He was sent to France to perfect his French.*
perfection s. 1 perfeição.
perform v.t. e i. 1 executar: *perform a difficult job.* 2 representar, desempenhar papel:
performance s 1 execução. 2 atuação teatral, representação. 3 desempenho: *His performance was outstanding.*
performer s. 1 ator, músico. 2 executor.
perfume s. perfume.

perfunctory adj. 1 superficial, mecânico (devido à rotina). 2 (rel a pessoa) negligente, descuidado, indiferente.
perhaps adv. possivelmente, talvez, pode ser que.
peril s. perigo, risco. *do sth at one's peril,* fazer algo com grande risco.
perilous adj. perigoso, arriscado.
perimeter s. perímetro.
period s. 1 período, espaço de tempo: *Winter was a long period of solitude.* 2 (gram) ponto final, ponto ao final de uma sentença/oração. 4 (infml) menstruação.
periodic(-cal) adj. periódico, intermitente: *periodical demonstrations of affection.*
periodical s. revista (ou outro tipo de publicação) publicada em intervalos regulares (quinzenal, mensal, etc).
periodically adv. periodicamente, ocasionalmente.
peripheral adj. periférico.
periscope s. periscópio, instrumento ótico usado sobretudo em submarinos.
perish v.i. e t. 1 perecer, morrer, sucumbir: *Many people perished in the fire.* 2 definhar. 3 deteriorar, estragar.
perishable adj. (rel a gêneros alimentícios) perecível, deteriorável.
perishables s. (pl) produtos perecíveis (leite, peixe, frutas frescas, etc).
perjure v.t. *perjure oneself,* jurar falso, quebrar o juramento.
perjury s. (jur) perjúria, juramento falso.
perk v.i. e t. 1 *perk up,* recuperar-se, recobrar-se (esp depois de doença). 2 *perk sb/sth up,* enfeitar-se.
perks s. pl (infml) gratificação, benefícios suplementares a um trabalho.
perky adj. (-ier, -iest) esperto, vivo.
perm s. (abrev de *permanent wave*) (rel a cabelo) permanente. *give a perm,* fazer uma permanente.
permanence s. permanência, continuidade.

permanent *adj.* permanente, duradouro, estável: *a permanent relationship*.
permeate *v.t. e i.* permear, espalharse (por), penetrar: *The liquid permeated the grounds*.
permissible *adj.* permissível, admissível.
permission *s.* permissão, consentimento: *The teacher gave me permission to leave earlier today*.
permissive *adj.* permissivo, liberal. 2 (jur) tolerante.
permit *v.t. e i.* (*-tt-*) permitir, consentir.
permit *s.* licença, autorização por escrito.
permute *v.t.* (fml) permutar.
pernicious *adj.* (fml) pernicioso, nocivo, maligno: *pernicious company*.
perpetrate *v.t.* perpetrar, cometer (crime, falta grave).
perpetual *adj.* perpétuo, eterno, incessante, contínuo.
perplex *v.t.* 1 confundir, desnortear, desorientar: *She was perplexed when she found out about the truth*. 2 tornar confuso, complicar.
perplexed *adj.* perplexo, desorientado, confuso.
perplexity *s.* perplexidade, atordoamento, dificuldade, confusão.
persecute *v.t.* perseguir, oprimir, esp devido à crença religiosa: *They were persecuted because of their religious beliefs*. 2 importunar, atormentar.
persecution *s.* perseguição.
persevere *v.i.* perseverar, persistir, apesar das dificuldades.
persevering *adj.* perseverante, persistente.
persist *v.i.* insistir: *She persists in following a new carreer*. 2 **persist with**, perseverar, persistir. 3 permanecer, perdurar.
persistence *s.* 1 insistência. 2 persistência, perseverança. 3 permanência.
persistent *adj.* 1 persistente, perseverante. 2 contínuo, constante: *a persistent person*.
person *s.* (pl ger *people*) 1 pessoa (homem ou mulher): *He is the person I need*. 2 ser humano. 3 (gram) pessoa gramatical (eu, ele, nós, etc). **in person**, pessoalmente.
personage *s.* personalidade, pessoa importante.
personal *adj.* 1 individual, particular: *That's about my personal life*. 2 em pessoa, pessoalmente. 3 pessoal, particular: *a personal favor*. 4 corporal, físico, exterior. **personal pronouns**, pronomes pessoais.
personality *s.* (pl-*ies*) 1 individualidade. 2 personalidade: *My daughter has a strong personality*. 3 pessoa importante e famosa em uma determinada atividade: *a music personality*.
personalize *v.t.* 1 personificar. 2 personalizar.
personally *adv.* 1 pessoalmente, em pessoa. 2 falando em nome próprio: *Personally, I think he should go to prison*.
personification *s.* 1 personificação. 2 exemplo de virtude.
personnel *s.* 1 conjunto de funcionários: *Personnel department*, departamento de pessoal. 2 (mil) pessoal, tripulação, guarnição: *army personnel*. (Cf. *staff*).
perspective *s.* 1 desenho em perspectiva linear. 2 visão, aspecto, capacidade de avaliação da importância de um assunto: *Try and look at your problem from a different perspective*.
perspicacious *adj.* perspicaz.
perspire *v.i.* transpirar.
persuade *v.t.* 1 convencer, persuadir. 2 tentar convencer.
persuasion *s.* 1 persuasão, poder/ação de persuadir. 2 convicção, opinião.
persuasive *adj.* persuasivo. *He is a very persuasive man*.
pert *adj.* atrevido, ousado: *a pert guy*.
pertain *v.i.* (fml) 1 pertencer. 2 dizer respeito a.

pertinacious adj. pertinaz, determinado, obstinado.
pertinent adj. pertinente, relevante, oportuno: *He asked only pertinent questions.*
pertness s. atrevimento, ousadia.
perturb v.t. (fml) inquietar, desassossegar.
perusal s. leitura atenta.
peruse v.t. (fml) ler atentamente.
pervade v.t. (fml) permear: *Impure thoughts pervaded his mind.*
perverse adj. 1 perverso, maldoso. 2 teimoso. 3 caprichoso.
perversion s. 1 perversão, deturpação. 2 desvio: *His story was full of perversions.*
pervert v.t. 1 deturpar, desvirtuar. 2 corromper, perverter, depravar.
pervert s. pessoa transviada, pervertido.
pessimism s. pessimismo.
pessimistic adj. pessimista.
pest s. 1 praga, peste.
pester v.t. importunar, aborrecer: *The loud noise pestered everybody in the room.*
pesticide s. pesticida, substância química usada para exterminar pragas.
pet s. 1 animal de estimação: *Children love pets.* **pet food**, comida para animais. 2 pessoa tratada como favorita: *She is the teacher's pet.* **pet name**, apelido carinhoso/familiar.
pet v.t. (-tt-) mimar, afagar, acariciar.
petal s. pétala.
peter v.i. **peter out**, esgotar aos poucos, extinguir aos poucos.
petition s. 1 petição, requerimento.
petition v.t. e i. solicitar, fazer um apelo às autoridades.
petrify v.t. e i. (pret, pp -ied) 1 petrificar. 2 ficar paralisado (de medo, surpresa, etc): *petrified with fear.*
petrol s. gasolina (EUA *gasoline*). **petrol pump**, bomba de gasolina. **petrol station**, posto de gasolina.
petroleum s. petróleo.

petticoat s. combinação, anágua.
petty adj. (-ier, -iest) 1 insignificante, pequeno. 2 mesquinho: *She's very petty with her friends.* **petty cash**, pequenas somas, dinheiro para pequenos pagamentos. **petty larceny**, roubo de artigos de pequeno valor. **petty thief**, ladrão de pequenos furtos.
petulance s. 1 petulância. 2 rabugice, impertinência.
petulant adj. impertinente, rabugento, petulante.
pew s. banco de igreja.
pewter s. estanho.
phalanx s. (pl -*es* ou *phalanges*) 1 (anat) falange, osso dos dedos. 2 unidade de infantaria na Antiga Grécia. 3 multidão.
phallus s. (pl *phalli*) falo.
phantasy s. V. *fantasy*.
phantom s. 1 fantasma. 2 ilusão, aparição.
Pharaoh s. faraó.
pharmacist s. farmacêutico, oficial de farmácia.
pharmacy s. (pl -*ies*) 1 ciência farmacêutica. 2 drogaria (= *chemist's*) (EUA *drugstore*).
phase s. 1 fase, estágio, período: *He is going through a difficult phase.* 2 fases da lua.
phenomenon s. (pl -*ena*) 1 fenômeno. 2 prodígio, pessoa extraordinária: *That child actress is a real phenomenom.*
phial s. frasco de remédio.
philanthropic adj. filantrópico, humanitário.
philanthropy s. filantropia, amor à humanidade, caridade.
philology s. filologia, estudo do desenvolvimento da língua.
philosopher s. filósofo.
philosophy s. (pl -*ies*) 1 filosofia. 2 sistema filosófico. 3 princípio moral, ética. 4 filosofia de vida.
phlegm s. 1 muco, catarro. 2 fleuma, flegma, impassibilidade.
phlegmatic adj. flegmático, calmo, impassível.

phobia s. fobia, medo/aversão invencível: a phobia of snakes.
phone s. abrev de telephone. **phone-booth/-box**, cabine telefônica. **phone-call**, telefonema.
phone v.t. e i. telefonar.
phonetics s. fonética.
phoney (-ny) adj. (-ier, -iest) (gír) falso, pretenso.
phoney (-ny) s. pessoa falsa, impostor.
photograph s. fotografia, foto.
photograph v.t. fotografar.
photographer s. fotógrafo.
photography s. fotografia, arte fotográfica.
phrase s. frase, palavras que formam parte de uma sentença, expressão, locução.
phrase v.t. frasear, expressar, exprimir.
physical adj. 1 físico, material: physical exercise.
physician s. médico, clínico, cirurgião.
physicist s. físico.
physics s. pl (usado com verbo no sg) física.
physiotherapy s. fisioterapia.
physique s. físico, compleição.
pianist s. pianista.
piano s. piano: grand piano, piano de cauda.
pick v.t. e i. 1 colher, apanhar: pick oranges in the orchard. 2 escolher, selecionar: pick the best ones for the job. 3 (rel a aves) apanhar com o bico, bicar. 4 comer aos bocados, lambiscar: pick at the food. 5 palitar (os dentes). **pick sb's pocket**, roubar, bater carteira. **pick a quarrel with sb**, procurar encrenca/briga com alguém. **pick holes in an argument**, achar os pontos fracos. **pick at sb**, (infml) criticar alguém por qualquer coisinha. **pick on sb**, atormentar, pegar no pé: Stop picking on me. **pick sb/sth out**, a) escolher, selecionar. b) perceber, distinguir. **pick sth up**, a) levantar, pegar: He picked up all the boxes and took them inside the house. b) assimilar, adquirir. **pick sb up**, a) apanhar, pegar: Could you pick me up tonight? b) dar carona. c) travar conhecimento com, paquerar.
pick s. escolha, seleção: Which of the dresses is your pick? **take one's pick**, fazer uma escolha, escolher: Which one do you like? Take your pick.
pick s. palito: a tooth pick.
picket v.t. 1 colocar estacas. 2 formar piquetes de grevistas. 3 ficar de guarda.
pickings s. (pl) lucros, ganhos.
pickle s. 1 salmoura. 2 escabeche. 3 picles.
pickle v.i. conservar em salmoura ou escabeche.
pickpocket s. batedor de carteiras.
picnic s. 1 piquenique. 2 coisa fácil e agradável de ser feita: It's no picnic driving in rush hour.
pictorial adj. pictórico, ilustrado.
picture s. 1 pintura, tela, quadro, retrato. 2 fotografia, desenho, ilustração. 3 tipo, exemplo. 4 (fig) imagem mental. 5 filme. **be the picture of health**, ser a saúde personificada. **the pictures**, (infml) o cinema. **picture book**, livro infantil ilustrado.
picture v.i. 1 pintar, retratar. 2 imaginar.
picturesque adj. 1 pitoresco. 2 (rel a pessoa) atraente, encantador.
pie s. torta: chocolate pie. **as easy as pie**, (gír) muito fácil. **have a finger in every pie**, meter-se em tudo.
piece s. 1 pedaço, parte, fragmento: I really would like a piece of lemon pie. 2 objeto/coisa que faz parte de um todo: a piece of gold.
pilfer v.t. e i. surrupiar, furtar.
pilgrim s. peregrino, romeiro.
pilgrimage s. peregrinação, romaria.
pill s. pílula, comprimido. **the pill**, pílula anticoncepcional. **be/go on the pill**, tomar pílula anticoncepcional.

pillar

pillar s. pilar, sustentáculo, suporte. **pillar box**, caixa de correio colocada na rua.
pillion s. assento traseiro em motocicleta. **pillion rider**, pessoa que viaja na garupa de uma motocicleta.
pillow s. travesseiro. **pillow-case/-slip**, fronha. **pillow-talk**, conversas íntimas de namorados.
pilot s. 1 piloto de avião. 2 guia, orientador. **pilot scheme**, plano piloto. **pilot light**, bico de gás, piloto. 3 luz espia (autos).
pilot v.t. 1 pilotar, dirigir, conduzir. 2 pilotar, experimentar.
pimple s. espinha.
pin s. 1 alfinete, pino. 2 broche. **pins and needles**, sensação de formigamento: *I felt pins and needles in my feet.*
pin vt (-nn-) 1 prender com alfinetes 2 ficar preso. **pin sb down**, obrigar alguém a se comprometer decidir, etc.
pinafore s. avental sem mangas.
pinch v.t. e i. 1 beliscar. 2 furtar (infml): *Who pinched my new sweater.* 3 viver economicamente (a fim de economizar dinheiro).
pinch s. 1 beliscão. 2 aperto, apuros. 3 pitada: *a pinch of sugar.*
pine s. pinheiro, pinho.
pineapple s. abacaxi, ananás.
pingpong s. tênis de mesa, pingue pongue.
pink s. 1 cor de rosa (de várias tonalidades) 2 (bot) cravo.
pinnacle s. 1 pináculo. 2 apogeu, auge.
pinpoint s. coisa minúscula/insignificante.
pinpoint v.t. 1 tomar como alvo, atirar no alvo com precisão. 2 apontar ou localizar (a causa exata) com precisão.
pinprick s. 1 (fig) ação ou comentário desagradável. 2 alfinetada.
pint s. medida (568 ml): *a pint of beer.*
pin-up s. foto de mulher bonita em capas de revistas ou calendários. **pin-up girl**, modelo fotográfico.
pioneer s. pioneiro, precursor.
pip s. caroço, semente (de limão, laranja, pêra ou maçã).
pipe s. 1 cano, tubo. 2 tubo de órgão, flauta, fole: *bag pipes,* gaita de fole. 3 traquéia. 4 cachimbo.
pipe v.i. e t. 1 mandar por encanamento: *pipe oil into the tank.* 2 tocar flauta ou gaita de fole.
pipeline s. 1 oleoduto. 2 encanamento.
piping adj. estridente, agudo.
pique s. ressentimento.
piracy s. 1 pirataria, piratagem. 2 plágio.
pirate s. 1 pirata, corsário. 2 plagiário.
pirate v.t. plagiar, piratear, reproduzir um livro, uma gravação etc, sem autorização.
Pisces s. Peixes (signo do zodiaco).
piss s. (vulg) urina. **take the piss out of sb**, caçoar de, brincar com alguém.
piss v.t. e i. (vulg) urinar. **be pissed off**, estar aborrecido. **Piss off!** Suma daqui! Rua!
pissed adj. (gír) bêbado. **get pissed**, embebedar-se, ficar bêbado.
pistol s. pistola.
pit s. 1 cova, fossa, buraco, poço. 2 mina: *a coal pit,* mina de carvão. 3 depressão, cavidade: *pit of the stomach,* bocado estômago. 4 platéia de teatro. **pit-fall**, cilada, armadilha.
pit s. (EUA) caroço (de frutas): *cherry pit,* caroço de cereja. (Cf. *stone, pip*).
pit v.i. (-tt-) (EUA) descaroçar. (Cf. *stone*).
pitch s. 1 campo (para esportes): *a baseball pitch.* 2 arremesso, lance: *a pitch of the ball.*
pitch-dark s. escuro como breu.
pitch v.t. e i. 1 montar, armar. 2 arremessar, atirar, lançar. 3 jogar(-se), lançar(-se) para a frente, para fora. 4 *pitch in,* atirar-se ao trabalho.

pitcher s. jarro, cântaro.
pitcher s. arremessador (em beisebol, em críquete).
pity s. (pl -ies) pena, compaixão, piedade: I felt pity for them. **out of pity**, por compaixão, por pena, por dó. **What a pity!** Que pena! **for pity's sake**, pelo amor de Deus (usado para reforçar pedidos).
pivot s. pivô, eixo, centro.
pivot v.t. e i. 1 girar em torno de um pino/pivô. 2 fixar em, prover-se de pivô.
pixy(-xie) s. duende, elfo.
placard s. cartaz, aviso, placar.
placard v.t. 1 afixar cartazes. 2 anunciar através de cartazes.
placate v.t. conciliar, apaziguar, aplacar.
place s. 1 lugar, espaço, posição, colocação: This is the place where I live. 2 localidade, local, sítio, região: They bought a house in a very nice place. 3 ocasião: This isn't the place for our private conversations. 4 colocação: She arrived in first place.. 5 assento: Those places are reserved for the teachers. 6 (infml) casa: Come and meet me at my place after work. **all over the place**, por toda parte. **change places (with sb)**, trocar de lugar (com alguém). **give place to**, dar lugar a, ceder espaço a. **out of place**, fora do lugar, fora de propósito, inoportuno, inadequado. **make place for**, criar espaço para. **in place of**, em lugar de. **in the first place**, em primeiro lugar. **take place**, ocorrer, acontecer, ter lugar, realizar-se. **know one's place**, ser humilde.
place v.t. 1 colocar, pôr: He placed the tools on top of the counter. 2 dispor, ordenar, arranjar, classificar. 3 identificar, reconhecer: I can't place her. Não a reconheço/Não me lembro dela. 4 dar emprego, empregar. 5 **place an order**, pedir, encomendar.
placid adj. plácido, calmo, sereno, tranqüilo.

plagiarism s. plágio.
plagiarize v.t. plagiar.
plaid s. tecido axadrezado.
plain adj. (-er, -est) 1 claro, evidente: It's plain for everybody to see. 2 simples, sem sofisticação, modesto, comum. 3 feioso, feio: a plain girl. 4 franco, honesto, direto: I'm going to be plain with you. **plain-clothes**, à paisana. **plain-flour**, farinha branca. **plain-spoken**, franco, direto.
plain s. planície.
plaintiff s. (jur) queixoso, demandante.
plait s. trança.
plan s. 1 plano, projeto: The new government has an interesting plan. 2 planta, esboço: a plan of the house. 3 diagrama, gráfico. 4 arranjo, esboço, disposição. **go according to plan**, ocorrer como previsto, sem dificuldades.
plan vt (-nn-) 1 planejar. fazer planos: She is planning a holiday in Paris. 2 projetar, idear. 3 **plan ahead**, planejar com antecedência, fazer previsões. 4 **plan on**, planejar, contar com.
plane s. (geom) plano. 2. nível, plano.
plane s. avião.
plane v.t. e i. 1 planar, voar sem motor. 2 aplainar, nivelar com plaina.
plane adj. plano, raso, liso.
planet s. planeta.
planetary adj. planetário.
plank s. 1 prancha, tábua. 2 artigo/princípio de plataforma política.
plank v.t. cobrir com tábuas ou pranchas.
plant s. 1 (bot) planta.
plant vt 1 plantar, cultivar.
plantation s. plantação: a soya plantation.
plaque s. 1 placa ornamental, geralmente colocada em monumentos, lugares históricos etc. 2 (med) placa bacteriana em dentes.
plaster s. 1 esparadrapo. 2 argamassa, estuque, massa corrida. 3 (med)

plaster

emplastro. 4 gesso. *in plaster,* engessado.
plaster *v.t.* 1 (med) emplastrar. 2 cobrir com esparadrapo. 3 engessar. 4 rebocar, estucar, cobrir com massa corrida. *get plastered* (infml), a) embriagar-se, ficar bêbado.
plastic *s.* plástico.
plastic *adj.* 1 plástico: *a plastic fork.*
plastic surgery, cirurgia plástica.
plastic surgeon, cirurgião plástico.
plasticity *s.* plasticidade, maleabilidade.
plate *s.* 1 prato, pratada: *a plate of food. give sb sth on a plate,* dar algo a alguém de mão beijada. 2 ilustração de livros impressa em papel diferente do resto do livro. 3 placa de metal. 4 chapa de metal usada para gravuras. 5 metal comum folheado a prata/ouro: *a silver plate bracelet.* 6 (coletivo) prataria, artigos (p ex baixelas) de ouro.
plate *v.t.* 1 folhear (a ouro, prata etc). 2 laminar, chapear, blindar.
plateau *s.* (pl -s ou *-x*) planalto, platô.
platform *s.* 1 plataforma de estação ferroviária/rodoviária. 2 tablado, palanque.
platinum *s.* platina.
platoon *s.* (mil) pelotão.
plausible *adj.* plausível.
play *s.* 1 peça teatral. 2 divertimento, diversão, brincadeira. 3 jogo. *playback,* repetição de algo gravado em rádio ou televisão. *playgroup,* pré-escola, escola maternal. *playground,* área de escola, prédio etc, destinada ao lazer de crianças. *playhouse,* teatro. *playmate,* (rel a crianças) amiguinho, coleguinha. *play-pen,* chiqueirinho, cercado (de crianças). *play-school,* pré-escola, escola maternal. *plaything,* a) brinquedo. b) pessoa tratada como brinquedo de alguém: *She's her husband's plaything. playtime,* recreio, período dedicado a brincar.
play *v.t. e i.* 1 brincar: *The children are playing on the street.* 2 brincar de. *They are playing hide and seek.* 3 jogar: *Pelé plays soccer.* 4 *play the fool,* a) bancar o bobo. b)brincar com/pegar no pé de/caçoar de alguém. *play a trick/joke on sb,* pregar uma peça em alguém, fazer um trote. 5 *play (a role),* representar/desempenhar um papel. 6 bancar, brincar de. 7 (EUA) passar, exibir (peças, shows, filmes): *What's playing at the Bristol theater.* 8 tocar (um instrumento musical/uma música): *He plays the piano.* 9 (rel a rádio) ficar ligado: *The radio plays all the time. play for time,* demorar a tomar uma decisão, ganhar tempo, protelar. 12 *play it one's (own) way,* fazer algo da maneira que se acha melhor. 13 *play (it) safe,* tomar precauções, agir com cautela.
player *s.* 1 jogador: *a tennis player.* 2 ator de teatro. 3 músico, tocador. 4 máquina que reproduz algo gravado (som ou vídeo): *a DVD player; a CD player.*
playful *adj.* brincalhão.
plea *s.* (fml) 1 apelo, rogo. 2 desculpa, justificativa. 3 (jur) contestação, defesa.
plead *v.t. e i.* (GB pret, pp *-ed* EUA pret, pp *pled*) 1 (jur) contestar, objetar: *for/against sb.* 2 declarar-se (inocente ou culpado). 3 alegar, apresentar como justificativa: *He pled inocence.* 4 defender, argumentar a favor de algo/ alguém. 5 (jur) responder a processo jurídico: *The prisoner was not allowed to plead again.*
pleasant *adj.* (-*er*, -*est*) agradável, amável, divertido, aprazível: *a pleasant personality.*
pleasantry *s.* (pl -*ies*) (fml) 1 gracejos. 2 humor.
please *interj.* 1 (em pedidos) por favor: *Please, give me my money back.* 2 usado para chamar a atenção de alguém: *Please, Sir!,* 3 usado como resposta afirmativa a pedidos/ofertas: *"Would you like some water?" "Please!"*
please *v.t. e i.* agradar, contestar, satisfazer.

pleased *adj.* satisfeito; contente.
pleasing *adj.* 1 agradável. 2 atraente.
pleasure *s.* 1 prazer, satisfação: *It gives me great pleasure to be with you again.* 2 **take (great) pleasure in (doing sth)**, ter (imenso) prazer em (fazer algo).
pleat *s.* prega, dobra.
pleat *v.t.* preguear, dobrar, plissar.
plebiscite *s.* plebiscito.
pled V. (pretérito do verbo *plead*).
pledge *s.* 1 promessa. 2 penhor, cautela. 3 algo dado como sinal de amizade, amor, dedicação etc. 4 compromisso, juramento.
pledge *v.t.* 1 penhorar, empenhar. 2 prometer: *He pledged to respect her.* 3 comprometer-se a.
plenary *adj.* plenário, pleno.
plenty *s.* abundância, profusão, fartura: *There is plenty of food in her house.*
plenty *pron.* uma grande quantidade, muito, bastante.
pliable *adj.* maleável, flexível.
pliers *s.* (pl) (também *a pair of -*) alicate.
plight *s.* condição difícil, dilema, apuro: *The plight of the homeless.*
plod *v.t. e i.* (*-dd-*) 1 arrastar-se, caminhar a passos lentos e pesados.
plot *s.* 1 enredo, trama: *the plot of the soap opera.* 2 complô, trama. 3 lote, terreno, canteiros.
plot *v.t. e i.* (*-tt-*) tramar, conspirar, farer um complô: *They plotted against the president.*
plotter *s.* conspirador.
plow *s.* arado.(GB **plough**)
plow *vt* 1 arar, lavrar. 2 sulcar, fender. (GB **plough**)
ploy *s.* (infml) truque para ganhar vantagem.
pluck *v.t. e i.* 1 apanhar, colher: *She plucked flowers in the garden.* 2 depenar. **pluck up courage**, criar coragem.
plug *s.* 1 (eletr) tomada, ponto de luz, plugue. 2 tampa de pia, banheira.

plug *v.t. e i.* (*-gg-*) 1 tampar, tapar. 2 **plug in**, ligar na tomada.
plum *s.* 1 ameixa. **plum-pudding**, bolo/torta de passas.
plumb *s.* 1 prumo.
plumber *s.* encanador, bombeiro.
plumbing *s.* encanamento.
plume *s.* pluma.
plump *adj.* (*-er*, *-est*) (rel a pessoas/animais) rechonchudo, gordo, roliço: *She was a plump child.*
plunder *v.t. e i.* saquear, pilhar, roubar: *During the war, many houses were plundered.*
plunge *s.* mergulho, salto, queda: *There was a plunge in business.* **take the plunge**, arriscar-se, criar coragem.
plunge *v.t. e i.* 1 mergulhar, submergir (-se), lançar(-se): *He plunged into the river.* 2 **plunge forward**, lançar-se subitamente.
plural *s. e adj.* plural.
plus *prep.* mais: *2 plus 2 is 4.*
plus *s.* (infrnl) vantagem: *They gave us a plus.*
plus *adj.* 1 positivo, mais que zero. 2 (rel a idade), acima de: *60 plus*, acima de 60 anos.
plush *s.* 1 pelúcia. 2 tipo de veludo.
plush *adj.* luxuoso, chic: *a plush party.*
ply *s.* camada de madeira ou tecido. **plywood**, madeira compensada.
ply *v.t. e i.* (pret, pp *plied*) 1 (rel a navios, ônibus, etc) cobrir habitualmente o mesmo percurso: *That bus plies between São Paulo and Rio.* 2 (rel a táxis) fazer ponto, ficar à procura de freguesia: *At night the taxi drivers ply for hire.* 3 assediar, importunar.
p.m. *adv.* depois de meio dia, à tarde, à noite: *I have classes at 6 p.m.*
pneumatic *adj.* pneumático, movido a ar comprimido.
poach *v.t. e i.* 1 fazer ovo poché: *He poached eggs for breakfast.* 2 caçar ou pescar ilicitamente.
pocket *s.* 1 bolso: *He had his hands in his pockets.* 2 **pick sb's pocket**, furtar algo

podgy

do bolso de alguém, bater carteiras. 3 pequeno, tamanho de bolso: *a pocket book* 4 (geol) bolsa de ar, *air pocket*. 5 bolsão. *line one's pockets*, encher os bolsos (fig), enriquecer ilicitamente. *pocket-money*, mesada.
podgy *adj. (-ier, -iest)* (rel a pessoas) rechonchudo, atarracado, achaparrado.
poem *s.* poema, poesia.
poet *s.* poeta.
poetic *adj.* poético.
poetry *s.* poesia, poesias, poemas.
poignant *adj. (fml)* comovente, intenso: *poignant story.*
point *s.* 1 ponta, extremidade. 2 (mat) ponto. 3 *point of view*, ponto de vista. 4 *point of departure*, ponto de partida. 5 momento: *At that point I saw him.* 6 ponto, lugar: *a point of contact.* 7 altura, ponto de temperatura: *freezing point* 8 *be on the point of doing sth*, Estar a ponto de fazer algo. 9 idéia (principal), objetivo: *What's the point of this argument?* 10 *came to the point*, ir ao que importa.*Come to the point!* 11 *make a point of doing sth*, fazer questão de fazer algo. 12 *keep to the point*, limitar-se ao assunto. *point blank*, a) à queima-roupa: *He fired point blank.* Ele atirou à queima-roupa. b) diretamente, francamente, sem hesitação: *He refused point blank to marry her.*
point *v.t. e i.* 1 indicar, sugerir, assinalar, apontar para algo.2 apontar algo a alguém,apontar para (com o dedo). *point out (that)*, salientar (que).
pointed *adj.* 1 pontiagudo: *a pointed edge.* 2 agressivo. 3 insinuante, acusador: *She looked at the man in a pointed way.*
pointless *adj.* sem sentido, sem graça, sem propósito, inútil.
poise *s.* postura, auto-confiança, classe, auto-controle: *The new secretary is a woman of poise.*
poise *v.t. e i.* equilibrar, balançar, suspender.

poison *s.* veneno (também fig).
poison *v.t.* envenenar.
poisonous *adj.* venenoso, ferino: *a poisonous remark.*
poke *v.t. e i.* 1 cutucar: *He poked me with his umbrella.* 2 colocar. 3 abrir furo em.
poker *s.* 1 pôquer. 2 atiçador de fogo. *poker-faced*, olhar/rosto que não demonstra nenhuma emoção, cara de pau.
polar *adj.* polar, ártico, antártico.
pole *s.* 1 pólo: *North pole.* 2 poste, mastro, estaca, haste.
polemic *adj., s.* polêmico, polêmica.
police *s.* polícia. *police officer*, policial.
policeman, policial. *police-station*, delegacia de polícia.
police *v.t.* policiar, vigiar, manter a ordem: *The district is strictly policed.*
policy *s. (pl-ies)* 1 orientação, método, linha política, programa/plano de ação: *The company's policy is to reduce costs.* 2 apólice: *insurance policy.*
polish *v.t. e i.* 1 polir, lustrar: *He polishes his boots every morning.* 2 *polish sth off*, acabar, terminar com algo: *She polished her dessert in 5 minutes. apple polish*, lisonjear, adular. *apple polisher*, adulador, bajulador (infml) puxa-saco.
polish *s.* 1 graxa de sapatos, 2 polimento. 3 lustra-móveis. 4 refinamento, cultura.
polite *adj. (-r, -st)* 1 polido, cortês, educado, culto: *She is a very polite person.*
politeness *s.* polidez, cortesia: *She agreed out of politeness.*
political *adj.* 1 político. 2 engajado: *University students are usually political.*
politician *s.* político, estadista.
politics *s. pl* (usado com verbo no sg) 1 política. 2 ciência política.
poll *s.* 1 votação: *The result of the poll will be delayed.* 2 lista de eleitores, lista eleitoral. 3 *go to the polls*, ir votar.

opinion poll, a) pesquisa de opinião pública. b) pesquisa de intenções dos eleitores. c) resultados dessas pesquisas: *Yesterday we got the latest opinion poll.*
poll *v.t. e i.* 1 votar em eleições. 2 fazer pesquisa de opinião pública. 3 receber votos em eleições. **polling booth**, cabine de votação. **polling-day**, dia de eleição. **polling station**, posto eleitoral.
pollen *s.* pólen.
pollutant *s.* poluente, elemento/coisa que polui. *The air is full of pollutants.*
pollute *v.t.* 1 poluir, sujar. 2 corromper (fig): *Some violent programs pollute young minds.*
pollution *s.* poluição.
polo *s.* (jogo) pólo. **polo-neck**, gola olímpica, gola rolê: *a polo neck sweater.* **water-polo**, pólo aquático (jogo).
poly- *prefixo* muitos: *polygamy*, poligamia; *polyglot*, poliglota.
polytechnic *s.* (OB) universidade especializada em cursos que atendem às áreas técnicas e industriais que, além de oferecer cursos de nível universitário, também oferece cursos técnicos.
pomposity *s.* (pl *-ies*) pompa, ostentação.
pompous *adj.* pomposo, pretensioso.
pond *s.* lago pequeno.
ponder *vt, vi* (over) ponderar, refletir: *She doesn't like to ponder over her feelings.*
ponderous *adj.* 1 pesado, volumoso, ponderoso. 2 (rel a estilo) enfadonho, cansativo.
pontiff *s.* pontífice, papa.
pony *s.* pônei.
poodle *s.* (cão) poodle.
pool *s.* 1 piscina. 2 poça de água. 3 tanque, reservatório. **swimming-pool**, piscina.
pool *s.* 1 (com) combinação ou associação entre empresas com partilha de negócios e lucros. 2 (com) reserva ou fundo de recursos que podem ser utilizados por vários setores de uma empresa ou grupo de empresas, *a secretary pool*, um grupo de secretárias. 3 total de apostas em jogos de azar. 4 (EUA) espécie de jogo de bilhar. **win the pools**, ganhar a loteria. **football pools**, loteria esportiva. **the pools**, loteria.
pool *v.t.* 1 associar-se a outras pessoas para compra/realização de algo.
poor *adj.* *(-er, -est)* 1 pobre, necessitado: *They come from a poor family.* 2 pobre, de baixa qualidade, abaixo do esperado: *poor results*, resultado abaixo do esperado.
poorly *adv.* 1 pobremente. 2 mal: *The child was poorly dressed*, **poorly off**, pobre, mal provido: *The families in this area are poorly off.*
pop *v.t. e i.* (-pp-) 1 estourar, explodir. 2 *pop in* (infml) aparecer, vir: *Why don't you pop in at Peter's party tonight?* 3 *pop out*, (infml) sair, dar uma saída. 4 *pop the question*, (infml) pedir alguém em casamento.
pop *s.* 1 estouro, estalo. 2 bebida não alcoólica gasosa.
pop *adj.* abrev de *popular*: *pop culture*.
popcorn *s.* pipoca.
pope *s.* Papa.
poppy *s.* (pl *-ies*) papoula.
populace *s* (fml) *the populace*, população, povo.
popular *adj.* 1 popular: *She used to be a very popular girl.* 2 comum.
popularity *s.* popularidade.
popularize *v.t.* tornar popular.
populate *v.t.* povoar, habitar.
population *s.* população, habitantes.
porcelain *s.* porcelana.
porch *s.* 1 entrada, pórtico, vestíbulo. 2 (EUA) varanda, alpendre.
porcupine *s.* porco-espinho.
pore *s.* poro.
pore *v.t.* *(-over)* debruçar-se sobre, estudar, examinar, analisar: *They pored over the text books for hours.*

pork

pork s. carne de pouco.
porn s. (infml) abrev. de *pornography*.
pornographic adj. pornográfico.
pornography s. pornografia. ***porn shop***, loja de artigos pornográficos.
porridge s. mingau de aveia.
port s. 1 porto, ancoradouro: *The boat docked at the port on Sunday.* 2 (fig) refúgio, abrigo. 3 bombordo, o lado esquerdo de um barco, navio. ***porthole***, portinhola.
portable adj. portátil: *a portable radio.*
portentous adj. 1 portentoso. 2 solene, exagerado.
porter s. 1 carregador de malas. 2 porteiro. 3 (EUA) atendente em vagão-leito.
portfolio s. (pl -s) 1 portfólio(pasta com exemplos de trabalho e/ou produtos de pessoa ou empresa).
portico s. (pl -es ou -s) pórtico.
portion s. 1 porção: *a large portion of ice cream.* 2 parte: *the front portion of the house.*
portion v.t. repartir, partilhar.
portly adj. corpulento: *a portly man.*
portrait s. 1 retrato (esboço, quadro, foto). 2 (fig) descrição: *The document was a portrait of the 20th century society.*
portray v.t. 1 retratar. 2 representar (um papel): *In the movie he portrays a dancer.*
pose s. 1 pose, postura: *a strange pose.* 2 postura, atitude deliberada.
pose v.t. e i. 1 posar, fazer posar: *She posed for a famous photographer.* 2 colocar, propor, apresentar um problema, uma pergunta, uma dúvida: *She posed an intriguing question.* ***pose as***, fazer-se passar por: *He posed as a movie star and participated in the ceremony.*
posh adj. (infml) chic, elegante, luxuoso: *a posh party.*
position s. 1 posição, situação: *They are in a very comfortable position.* 2 postura. 3 ***in/out of position***, no/fora do lugar certo. 4 emprego, colocação. 5 opinião, ponto de vista: *What's your position on the matter?* Qual é sua opinião sobre o assunto? 6 ***hold a position***, ocupar um cargo. 7 ***financial position***, situação financeira: *He's in a very good financial position.* 8 ***be in a position to (of)***, estar em condições de.
position v.t. 1 colocar em posição, postar.
positive adj. 1 positivo, certo, seguro: 2 (infml) completo, real, verdadeiro: *Her performance was a positive success.* 4 (rel a pessoas) afirmativo: *He's a very positive person.*
positively adv. positivamente, absolutamente, certamente, inegavelmente: *The movie was positively funny.*
possess vt 1 possuir: *He wants to possess everything.* 2 (rel a sentimentos ou idéias) dominar, apoderar-se de: *He was possessed by jealousy.* 3 possuir (sexualmente).
possession s. 1 posse, propriedade(s), bem (bens).
possessive adj. 1 possessivo: *His wife has a very possessive personality.* 2 (gram) possessivo: *Mine is a possessive pronoun.*
possibility s. (pl -ies) possibilidade: *He has a lot of possibilities in his new career.*
possible adj. 1 possível: *I'll be there as soon as possible.* 2 possível, aceitável, adequado: *He's not a possible candidate for the presidency.*
possibly adv. possivelmente, talvez: *Can you possibly come earlier to the meeting?*
post s. 1 posto (de guarda). 2 guarnição, forte (esp distante ou em fronteiras). 3 posto, cargo.
post v.t. postar, colocar: *The package was posted two days ago.* ***keep sb posted***, manter alguém informado.

powder

post s. 1 correio: *The letter was sent by post.* (EUA *mail*). **postbox**, caixa postal. **post-office**, agência do correio. **postcard**, cartão postal. **postcode**, código postal (EUA *zipcode*). **postmark**, carimbo postal.
post s. poste, mourão, pilar, estaca: *a lamp post*, poste de luz.
post v.t. 1 afixar, pregar cartazes, avisos, etc. 2 divulgar, denunciar, publicar (por meio de avisos afixados).
post- prefixo pós, depois, após: *postscript, postwar; postpone.*
postage s. porte, franquia postal.
postal adj. postal.
posterity s. posteridade.
posgraduate adj. e s. pós-graduado.
posthumous adj. póstumo.
post meridien adv. (abrev *p.m.*) depois do meio-dia.
postpone v.t. adiar, pospor: *postpone a decision.*
postulate v.t. postular, defender (um fato, um raciocínio).
postulate s. postulado, requisito.
posture s. 1 postura (física). 2 postura, atitude, posição.
posture v.t. e i. 1 posar, fazer pose. 2 (*as*) fingir-se, dar-se ares de: *She postures as a great actress.*
pot s. 1 pote, jarro, bule, cântaro, panela: *a tea pot.* 3 (gir) maconha: *He smokes pot.* **take pot luck**, a) escolher a esmo, sem cuidado. b) comer qualquer comida. **pot-hole**, a) buraco no pavimento da estrada. b) (geol) caldeirão.
pot v.t. e i. (-tt-) 1 pôr em conserva. 2 plantar em vaso: *potted plant.*
potato s. (pl -*es*) batata.
potency s. potência, força, vigor.
potent adj. potente, possante, poderoso.
potential adj. e s. potencial.
potentiality s. (pl -*ies*) potencialidade: *a person with a real potentiality.*
potentially adv. potencialmente, em potencial.

potion s. poção: *a love potion.*
potter s. oleiro, artesão de peças em barro.
potter v.t. e i. 1 (*about*) perambular, parando para fazer um servicinho aqui e ali.
pottery s. (pl -*ies*) 1 cerâmica, louça de barro. 2 olaria.
potty adj. (-*ier*, -*iest*) (rel a pessoas) amalucado, biruta (também metafórico): *a potty man.*
pouch s. 1 pochete (bolsa pequena presa à cintura). 2 bolsa (de canguru). 4 bolsa de pele (esp sob os olhos).
poultice s. cataplasma.
poultry s. 1 (usado com verbo no pl) aves domésticas. 2 carne de ave.
pounce v.i. lançar-se sobre, arremeter, saltar ou precipitar-se sobre, agarrar.
pounce s. arremetida, investida, salto.
pound s. 1 libra (medida de peso). 2 libra (moeda britânica).
pound s. local onde animais extraviados ou veículos apreendidos são guardados até serem reclamados.
pound v.t. e i. 1 bater, esmurrar. 2 bater aceleradamente: *Her heart was pounding with fear.* 3 martelar, bater com força e repetidamente: *pounding the door.* 4 socar, triturar, despedaçar. 5 andar, correr, cavalgar pesadamente.
pour v.t. e i. 1 fluir, verter, escorrer, despejar, emanar: *Pour the wine, please.* 2 (fig) afluir em grande número. 3 (rel a chuva) cair torrencialmente: *The rain was pouring down.* 4 (*out*) fazer um longo relato, desabafar: *She poured out her problems, although no one was interested.*
pout v.t. e i. fazer bico, amuar-se.
pout s. bico (em sinal de amuo).
poverty s. pobreza, miséria. **poverty-stricken**, pobre, indigente, miserável: *poverty-stricken neighbor-hood.*
powder s. 1 *pó.* 2 material explosivo em pó, esp pólvora (V. *gunpowder*).
powder v.t. e i. empoar-se, passar talco ou pó-de-arroz.

powdered

powdered *adj.* em pó: *powdered milk.*
power *s.* 1 poder, capacidade, força, potência: *I'd like to help him, but it's not within my power.* 2 poder, autoridade, potência: *The Board of Counsellors should have more power.* **in power**, no governo: *Which party is in power now?* 3 capacidade ou faculdade mental ou física: *He has great mind powers.* 4 (mat) potência. 5 (infml) muito, grande quantidade ou número: *These vitamins will do you a power of good, Estas vitaminas vão lhe fazer muito bem.* **power-house/station**, casa/usina gera-dora. **power-point**, tomada (na parede). **power politics**, política de força.
powerful *adj.* poderoso, potente, forte: *a powerful government.*
powerless *adj.* impotente, ineficiente, sem poder.
practicable *adj.* praticável, viável, factível.
practical *adj.* 1 prático, não teórico. 2 útil, funcional: *a practical kit.* 3 (rel a pessoas) prático, hábil. **practical joke**, travessura, pregar uma peça.
practicality *s.* (pl *-ies*) natureza prática.
practically *adv.* 1 praticamente, de modo prático. 2 praticamente, quase: *The work is practically over.*
practice *s.* 1 prática, experiência. 2 hábito, costume: *the practice of reading the newspaper in the mornings.* **make a practice of (sth)**, fazer (de algo) um hábito: *She made a practice of jogging after work.* 3 prática, exercício. 4 o exercício da medicina ou advocacia. 5 clientela de médico ou advogado: *Does Dr Brown have a large practice?* 6 clínica, consultório, escritório (de médico ou advogado). (EUA também *practise*).
practise *v.t. e i.* 1 praticar, exercitar (-se): *She practices the piano two hours every day.* 2 praticar (p ex uma religião). 3 fazer (de algo) um hábito, pôr em prática: *Now that I know how to drive I have to practice more often.* 4 exercer, desempenhar (p ex uma profissão). (EUA também *practice*).
practised *adj.* experiente, hábil, destro. (EUA também *practiced*).
practitioner *s.* profissional, esp médico ou advogado: *general practitioner,* clínico geral.
pragmatic *adj.* pragmático, prático.
pragmatism *s.* pragmatismo.
prairie *s.* pradaria, campina.
praise *v.t.* 1 elogiar, louvar. 2 glorificar, louvar a Deus.
praise *s.* 1 elogio, louvor. **praiseworthy**, louvável.
prank *s.* trote, peça, travessura, brincadeira: *John likes playing pranks on his co-workers.*
prattle *v.i.* conversar de modo infantil, tagarelar.
prawn *s.* pitu, camarão grande.
pray *v.i. e t.* rezar, orar.
prayer *s.* oração, reza, prece: *evening prayer,* prece vespertina.
pre- prefixo que indica prioridade, anterioridade: *pre-flight arrangements.*
preach *v.t. e i.* 1 pregar, fazer sermões, proclamar o Evangelho. 2 exortar, pregar, recomendar. 3 fazer sermão, dar conselhos morais: *The teacher preached about the students lack of interest on school subjects.*
preacher *s.* pregador, orador.
preamble *s.* preâmbulo, introdução, prefácio.
precarious *adj.* (fml) precário, incerto, instável.
precaution *s.* precaução, prevenção.
precedent *s.* precedente: *This refusal establishes a precedent.*
preceding *adj.* precedente, antecedente.
precept *s.* preceito, norma, regra.
precinct *s.* 1 precinto, recinto, distrito: *police precinct.* 2 área, local destinado a um determinado uso. 3 (Pl) vizinhança,

arredores: *in the precincts of the station.*
precious *adj.* 1 precioso, valioso. 2 querido, amado, caro. 3 (rel a maneiras, linguagem) afetado, presumido. *precious stone*, pedra preciosa.
precipice *s.* precipício.
precipitate *v.t.* 1 precipitar, apressar (um acontecimento): *precipitate the evolution*. 2 (fml) atirar(-se), lançar, impelir. 3 (quim) separar por meio de precipitação. 4 condenar-se e cair (em forma de chuva).
precipitation *s.* 1 (fml) precipitação, pressa. 2 precipitação, queda de chuva, neve etc. 3 (quím) precipitação natural de um elemento sólido.
précis *s.* sumário, epítome, resumo.
precise *adj.* 1 preciso, exato, certo. 2 escrupuloso, meticuloso.
precisely *adv.* precisamente, exatamente, justamente: *The bus left precisely at 2 o'clock*.
precision *s.* 1 precisão, exatidão. 2 (usado como adj) *precision tools*, ferramentas de precisão.
preclude *v.t.* (fml) impedir, evitar.
precocious *adj.* precoce, prematuro.
preconceived *adj.* preconcebido.
precursor *s.* (fml) precursor.
predatory *adj.* (fml) 1 (rel a animal) predatório. 2 predatório, destruidor, rapinante: *a predatory animal*.
predecessor *s.* predecessor, antecessor.
predestination *s.* predestinação.
predestine *v.t.* predestinar.
predicament *s.* apuro, situação difícil, dilema.
predicate *s.* (gram) predicado.
predicative *adj.* (gram) predicativo.
predict *v.t.* predizer, prognosticar, vaticinar.
predictable *adj.* previsível, que pode ser prognosticado.
prediction *s.* predição, prognóstico.
predispose *v.t.* (fml) predispor, tender, inclinar-se a: *Her political education predisposed her to become a good journalist.*
predisposition *s.* predisposição, propensão, inclinação.
predominance *s.* predominância, predomínio.
predominant *adj.* predominante.
predominate *v.i.* (over) predominar, prevalecer.
prefab *s.* (infml) casa pré-fabricada.
prefabricate *v.t.* pré-fabricar.
preface *s.* prefácio.
prefer *v.t.* (-rr-) 1 preferir, escolher: *He prefers coffee to tea*. 2 *(against)* (jur) apresentar (queixa), submeter à apreciação de (uma autoridade).
preference *s.* preferência: *The father shows preference for his oldest daughter*.
preferential *adj.* preferencial.
prefix *s.* prefixo.
pregnancy *s.* (pl *-ies*) gravidez.
pregnant *adj.* 1 grávida. 2 (fig) fecundo, rico, prolífico: *pregnant with ideas*. 3 significativo, sugestivo.
prehistoric *adj.* pré-histórico.
prejudge *v.t.* prejulgar.
prejudice *s.* 1 preconceito. 2 prejuízo, dano, detrimento (esp, em *to the prejudice of* e *without prejudice to*): *She was forced to quit her job, to the prejudice of her career*.
prejudice *v.t.* 1 predispor, imbuir de preconceito. 2 lesar, prejudicar (causa, expectativa etc).
prejudicial *adj.* (fml) prejudicial, desvantajoso.
preliminary *adj.* preliminar, prévio.
prelude *s.* 1 prelúdio, introdução: *A long prelude to the story*. 2 (mús) prelúdio.
premature *adj.* prematuro, precipitado.
premeditate *v.t.* premeditar.
premier *s. e adj.* 1 mais importante. 2 primeiro-ministro.
premise (-iss) *s.* 1 premissa. 2 (pl) propriedade territorial ou predial, estabelecimento (comercial): *Smoking*

premium

is not allowed on the premises, Fumar é proíbido dentro deste estabelecimento.
premium s. (pl -s) 1 prêmio de seguro. 2 recompensa, gratificação (esp em dinheiro). 3 taxa adicional **put a premium on**, incentivar, valorizar.
premonition s. premonição, presságio.
preoccupy v.t. (pret, pp,ied) preocupar, absorver (o espírito, a mente): *He was preoccupied with his children's future.* (Cf. *worry*).
preordain v.t. preordenar, predeterminar.
prepackaged adj. previamente embalada.
preparation s. 1 preparação. 2 (ger pl) preparativo: *preparations for the party.* 3 preparado: *a new preparation to lose weight.*
preparatory adj. preparatório, introdutório, preparativo. **preparatory school**, (GB) escola particular de 1º grau.
prepare v.t. e i. (for) preparar(-se), aprontar(-se), equipar: *He is preparing to travel abroad.*
prepared adj. 1 preparado. 2 pronto, disposto: *I'm not prepared to talk to him.*
prepay vt (pret, pp -paid) pagar antecipadamente.
preponderance s. preponderância, predomínio.
preposition s. preposição.
prepossessed adj. (fml) favoravelmente influenciado, cativado, bem impressionado.
prepossessing adj. atraente, cativante, fascinante.
preposterous adj. 1 absurdo, irracional. 2 ridículo, grotesco.
prerequisit adj. prérequisito.
prerogative s. prerrogativa, privilégio.
prescribe v.t. e i. 1 prescrever, receitar: *The doctor prescribed these vitamins.* 2 prescrever, preceituar, fixar.

prescription s. 1 prescrição, ordem. 2 receita médica.
presence s. 1 presença. 2 comparecimento. 3 porte, ar, presença: *a man of aristocratic presence.*
present adj. 1 presente. 2 atual, vigente, corrente: *the present government.*
present s. 1 presente: *the past and the present.* **at present**, no momento, agora. **for the present**, por ora. 2 (gram) (tempo verbal) presente. 3 presente, dádiva: *She got a lot of birthday presents.*
present v.t. 1 presentear, brindar: *He presented her with a new car.* 2 apresentar, mostrar, oferecer. 3 apresentarse, comparecer. 4 (fml) apresentar (alguém esp para um superior). 5 exibir, apresentar, representar (um espetáculo).
presentable adj. apresentável, de boa aparência.
presentation s. apresentação, exibição, introdução.
presentiment s. pressentimento, presságio.
presently adv. 1 logo, em breve: *She will be home presently.* 2 (esp EUA) agora, no momento: *The students are presently writing the final report.*
preservation s. preservação, conservação.
preservative s. conservante (para comidas): *natural preservatives.*
preserve v.t. 1 (fml, liter) preservar, proteger. 2 conservar, pôr em conserva, preservar. 3 manter, conservar, reter: *It's important to preserve our health.*
preserve s. (ger pl) 1 conserva, compota. 2 reserva (para animais).
preside v.i. presidir, dirigir.
presidency s. (pl -ies) 1 presidência, cargo de presidente. 2 gestão presidencial.
president s. presidente (de uma nação, empresa etc).
presidential adj. presidencial: *a presidential post.*

press s. 1 pressão, aperto, compressão. 2 espremedor, prensa. 3 **the press**, imprensa: *the value of the press. the freedom of the press,* liberdade de imprensa. 4 editora, gráfica: *University Press.* 5 (também *printing-*) prelo, máquina de impressão: *in press*, no prelo. **go to press**, ir para o prelo. 6 impressão: *Will the new magazine be ready for the press tomorrow?* 7 pressão, urgência, premência. **press conference**, entrevista coletiva à imprensa.
press v.t. e i. 1 pressionar, comprimir, empurrar, apertar: *press the buttons.* 2 passar a ferro. 3 espremer, prensar. 4 forçar, assediar, comprimir-se: *The workers were pressing against the fences.* 5 pressionar, fazer pressão sobre, intensificar: *Don't press too hard!* 6 insistir, exigir, reclamar: *They are pressing the leaders of the movement for support.* 7 **be (hard) pressed for**, ter (muita) urgência de, estar necessitado. 8 (infml) urgir, ter pressa: *time presses.* 9 **press on**, (with) continuar, avançar.
pressing adj. 1 urgente, premente. 2 insistente: *He brought a pressing matter to discussion.*
pressure s. pressão: *blood pressure, pressão sangüínea.* **put pressure on sb (to do sth)**, pressionar, coagir alguém. **under pressure**, sob pressão: *He's under a lot of pressure to accept her offer.* **pressure cooker**, panela de pressão. **pressure group**, grupo (organizado) de pressão.
pressure v.i. *(into, to)* (EUA) forçar, pressionar (V. *press*).
pressurize v.t. 1 pressurizar. 2 (esp GB) pressionar, forçar.
prestige s. prestígio.
prestigious adj. de prestígio.
presumable adj. presumível.
presume v.t. e i. 1 presumir, supor, deduzir: *I presume we'll be received by the director until tomorrow. He was presumably drunk.* 2 (fml) ousar, atrever-se a.
presumption s. 1 suposição, conjetura. 2 presunção, arrogância.
presumptuous adj. presunçoso, arrogante.
presuppose v.t. 1 pressupor, conjeturar antecipadamente. 2 implicar em, pressupor.
pretend v.t. e i. 1 fingir; simular: *He pretended not to hear the couple's quarrel.* 2 fazer de conta. 3 alegar, pretextar: *She pretended to be sick in order not to work.*
pretender s. pretendente, aspirante (p ex a um trono ger sob alegação duvidosa).
pretense s. fingimento, simulação, pretexto: *She is not that rich, it's all pretense.* **false pretenses**, (jur) logro. (GB *pretence*).
pretension s. 1 (ger pl) presunção, pretensão; relvindicação. 2 pretensão, ostentação.
pretentious adj. pretensioso, presunçoso.
pretext s. pretexto, desculpa.
pretty adj. (*-ier, -iest*) 1 (rel a mulher, criança, coisas) bonito, atraente, charmoso, gracioso: *pretty woman.* 2 (infml) bastante, considerável: *a pretty sum of money.*
pretty adv. (infml) 1 bastante, bem : *The result of the conflict was pretty awful.* 2 consideravelmente: *I'm pretty sure about that problem.* **pretty much**, quase (o mesmo): *The TV program today is pretty much the same as yesterday.*
prevail v.i. (fml) 1 prevalecer, triunfar: *Democracy has prevailed at last.* 2 predominar, prevalecer. 3 *(on/upon)* persuadir.
prevaricate v.i. (fml) tergiversar, mentir ou omitir parte da verdade, prevaricar.
prevent v.t. 1 *(from)* impedir: *Nothing will prevent him from seeing her.* 2 evitar, prevenir.

prevention

prevention s. prevenção.
preventive adj. preventivo.
preview s. pré-estréia.
previous adj. prévio, anterior, precedente. **previous to**, antes de.
previously adv. previamente, anteriormente.
prey s. (somente sg) presa, vítima (também fig). **fall prey to**, tornar-se vítima de. **beast/bird of prey**, animal que caça/ave de rapina.
prey v.i. (on/upon) 1 rapinar, fazer presas: E*agles prey on small birds.* 2 (rel a problemas, medos *etc*) afligir, consumir: *Problems at work are preying on her mind.*
price s. 1 preço. 2 valor, valia: *That supermarket usually offers big price cuts.* 3 (fig) preço, custo. **put a price on sb's head**, pôr a cabeça de alguém a prêmio.
price vt 1 fixar o preço de: *These products are priced very low.* 2 colocar preço em (mercadorias). **price oneself/one's goods out of the market**, colocar-se/mercadorias fora do mercado (sem possibilidade de venda) por ter um preço muito alto.
priceless adj. inestimável, impagável, muito valioso.
pricey adj. (infrnl) caro, custoso.
prick s. 1 furo pequeno, ponto: *needle pricks.* 2 picada, ferroada, agulhada (de dor). **a prick of conscience**, remorso. 3 (vulg) pênis, pinto.
prick v.t. e i. 1 picar, furar, espetar: *The little girl pricked her finger with the needle.* 2 aguilhoar, espetar, picar, ferroar. 3 afligir, atormentar. 4 **prick up one's ears**, a) empinar as orelhas. b) (rel a pessoas) aguçar os ouvidos.
prickle v.t. e i. 1 picar, ferroar. 2 formigar, sentir picadas.
prickly adj. 1 espinhoso, espinhento. 2 (infmI) irritadiço.
pride s. 1 orgulho, prazer, satisfação. **take great/no/little pride in**, orgulhar-se/não orgulhar-se de: *She takes great pride in her family.* **pride of place**, lugar de honra. 2 orgulho, amor-próprio, brio: *You've hurt her pride.* 3 vaidade, soberba: *be full of pride.*
pride v.t. (on/upon) vangloriar-se, orgulhar-se de.
priest s. sacerdote, padre.
prim adj. (-mer; -mest) afetado, empertigado, meticulosamente correto e em ordem, pudico: *a prim woman.*
primacy s. 1 (fml) primazia, superioridade. 2 dignidade de primaz.
primarily adv. primeiramente, principalmente.
primary adj. 1 primário, inicial, original: *She teaches primary school.* 2 principal, fundamental.
primary s. (pl -ies) (EUA) (rel a eleições) primárias.
primate s. (zool) primata.
prime adj. 1 principal, primordial, primeiro: *prime time.* 2 de primeira, superior. 3 primário, fundamental. **Prime Minister**, primeiro-ministro.
prime s. 1 plenitude, auge, apogeu: *She is in her prime.* 2 (liter) primórdio, início, aurora.
prime v.t. aprontar, preparar (uma máquina para funcionar).
primitive adj. primitivo: *a primitive life.*
primitive s. primitivo, habitante primitivo.
primrose s. (bot) prímula.
prince s. príncipe.
princely adj. (-ier, -iest) principesco, magnífico, opulento.
princess s. princesa.
principal adj. principal, o mais importante.
principal s. 1 diretor de colégio. 2 principal, capital de uma dívida. 3 (jur) principal implicado (em um crime).
principle s. 1 princípio, fundamento: *the principles of philosophy.* 2 princípio, postulado, preceito: *a person of principles.* 3 modo de funcionamento. **in principle**, a) no geral. b) em princípio. **on principle**, por princípio.

principled *adj.* (ger em compostos) que tem princípios: *a principled man,* um homem de princípios.
print *s.* 1 impressão, marca, pegada, sinal: *fingerprints,* impressões *digitais; footprints,* pegadas. 2 impressão, letras de forma. *in print,* impresso, publicado. *out of print,* (rel a publicação) esgotado. 3 gravura, estampa. 4 cópia fotográfica.
print *v.t. e i.* 1 imprimir: *The publishing company printed 5.000 copies of his new best seller book.* 2 escrever em letras de forma. 3 (fot) copiar, produzir cópias. 4 estampar (tecido). 5 (fig) fixar, gravar.
printer *s.* impressora.
prior *adj.* anterior, prévio. *prior to,* (fml) antes de.
priority *s.* (pl *-ies*) prioridade, precedência, primazia: *Hiring new teachers is a top priority for his government.*
prism *s.* prisma.
prismatic *adj.* 1 prismático. 2 (rel a cores) brilhante e variado.
prison *s.* prisão, cadeia, cárcere.
prisoner *s.* prisioneiro, detento, preso.
privacy *s.* 1 privacidade, isolamento: *I need my privacy at home.* 2 segredo, reserva.
private *adj.* 1 privado, particular: *my private life.* 2 secreto, confidencial. 3 sem posição ou cargo oficial: *private citizens,* cidadãos comuns. 4 retirado, reservado: *a private place. in private,* em particular.
private *s.* soldado raso.
privation *s.* (fml) 1 privação, carência. 2 privação, falta, ausência.
privilege *s.* privilégio, regalia.
privileged *adj.* privilegiado.
prize *s.* prêmio, recompensa: *He won the first prize.*
prize *v.t.* estimar, valorizar: *That house is her most prized possession.*
prize (prise) *v.t.* mover, abrir ou levantar por meio de alavanca.

pro *s.* *pros and cons,* os prós e os contras.
pro *s.* (infml) abrev de *professional.*
pro- *prefixo* 1 pró, a favor de: *pro equal rights.* 2 no lugar de, em substituição a.
probability *s.* (pl *-ies*) probabilidade. *in all probability,* com toda probabilidade.
probable *adj.* provável: *the probable cause of the acident.*
probably *adv.* provavelmente.
probation *s.* 1 experiência, período de experiência. 2 (jur) sursis, suspensão condicional da pena: *He is on probation,* em liberdade condicional. **probation officer,** funcionário encarregado da vigilância de réus beneficiados pelo sursis.
probationer *s.* 1 enfermeira principiante, aprendiz. 2 noviço. 3 réu em liberdade condicional.
probe *s.* 1 (med) sonda. 2 (também *space probe*) sonda, aparelho de investigação lançado no espaço. 3 (rel a jornalismo) investigação, inquérito (de um escândalo p ex).
probe *v.t.* 1 sondar, tentear. 2 investigar, inquirir.
problem *s.* problema, questão, caso intricado.
problematic *adj.* problemático, duvidoso, incerto.
procedure *s.* 1 procedimento, trâmite: *What are the usual procedures at these commitee meetings?.* 2 procedimento, processo, conduta.
proceed *v.i.* 1 proceder, prosseguir, continuar: *Let's procede to the main topics.* 2 *(from)* proceder de, originar-se de, provit de.
proceeding *s.* 1 ação, procedimento, proceder, conduta. 2 (pl) processo, ação legal: *legal proceedings.* 3 (pl) atividades de uma organização/ sociedade etc.
process *s.* 1 processo: *the process of decision.* 2 método: *the learning process.* 3 progresso: *in progress.*

process

process v.t. 1 processar materiais, alimentos: *processed food*. 2 processar dados em computador: *processed data*. 3 preparar e examinar cuidadosamente.
procession s. procissão.
proclaim v.t. proclamar: *proclaim independence*.
proclamation s. proclamação.
procrastinate v.t. adiar, protelar, delongar.
procrastination s. protelação, adiamento.
procreate v.t. (em1) procriar, gerar, produzir.
prod v.t. e i. (-dd-) 1 cutucar. 2 incitar, estimular.
prodigal adj. (fml) 1 pródigo, esbanjador. 2 exuberante, luxuriante: *prodigal nature*.
prodigious adj. prodigioso, imenso, maravilhoso.
prodigy s. (pl -ies) prodígio: *Her child is a prodigy!*
produce s. produção: *farm production*.
produce v.t. e i. apresentar, mostrar. 2 produzir, fazer, criar: *Our country produces soya and coffee*. 3 causar. 4 organizar, produzir (peças teatrais, filmes etc).
producer s. 1 produtor: *Brazil is a major coffee producer*. 2 produtor artístico: *movie producer*.
product s. 1 produto: *The bestknown Brazilian product is coffee*. 2 resultado.
production s. produção. ***mass production***, produção em massa, produção em série. ***production line***, linha de produção.
productive adj. produtivo, fértil: *a productive day of work*. 2 rendoso, lucrativo.
productivity s. produtividade.
profane adj. profano, mundano.
profess v.t. e i. 1 (fml) declarar, professar. 2 (fml) exercer, praticar: *His father professes medicine*. 3 adotar, seguir: *He professes the catholic religion*.
profession s. profissão, ocupação.
professional adj. profissional: *a professional soccer player*.
professional s. profissional. ***turn professional***, tornar-se profissional.
professor s. 1 professor universitário.
proficiency s. proficiência: *a certificate of proficiency in English*.
proficient adj. proficiente, perito, versado, hábil: *He's proficient in Spanish and French*.
profile s. perfil.
profit s. lucro, ganho. ***net profit***, lucro líquido. ***profit margin***, margem de lucro. ***profit sharing***, participação nos lucros.
profit v.t. e i. lucrar, ganhar.
profitable adj. proveitoso, lucrativo, vantajoso: *profitable line of business*.
profound adj. (fml) profundo.
profoundly adv. profundamente, muito.
profundity s. (fml) profundidade, profundeza.
profusion s. (fml) profusão, abundância: *a profusion of trees*.
progenitor s. (fml) progenitor, antepassado.
prognosis s. (pl -noses) 1 profecia. 2 (med) prognóstico.
prognostic s. (fml) 1 presságio, predição. 2 (med) sintoma.
prognosticate v.t. (fml) prognosticar.
program s. 1 programa, impresso informativo sobre um espetáculo: *Do you have the program to tonights show? I want to know who is playing*. 2 projeto, plano. 3 espetáculo, programa. 4 (rel a computadores) programa. (GB *programme*).
program v.t. programar, planejar. (GB *programme*).
progress v.i. progredir, avançar, evoluir.
progression s. 1 progressão, sucessão, seqüência: *geometrical progression*. 2 progresso, desenvolvimento.

progressive adj. 1 progressivo, evolutivo. 2 progressista: *The new president has progressive ideas.*
prohibit v.t. proibir, vedar, impedir: *Swimming is prohibited.* **prohibited goods**, mercadoria de contrabando.
prohibition s. proibição, interdição.
prohibitive adj. proibitivo.
project s. projeto, plano, esquema.
project v.t. e i. 1 projetar, lançar (luz, imagem, etc): *The movie was projected on the wall.* 2 projetar, fazer planos.
projectile s. projétil.
projection s. 1 projeção, arremesso. 2 projeção, planejamento. 3 projeção, exibição de uma imagem sobre uma tela. **projection room**, sala de projeções.
projector s. 1 projetor de imagens: *movie projector.* 2 planejador. 3 refletor, holofote.
proletarian adj. e s. proletário.
proliferate v.i. proliferar.
prologue s. prólogo, prefácio, preâmbulo.
prolong v.i. prolongar, alongar, encompridar.
prominent adj. 1 proeminente, saliente: *prominent teeth.* 2 eminente, notável, importante: *a prominent writer.*
promiscuity s. promiscuidade, heterogeneidade.
promiscuous adj. 1 promíscuo: *She leads a promiscuous life.* 2 (fml) indistinto, indiscriminado, misturado.
promise s. 1 promessa, palavra: *He made a solemn promise before his peers.* 2 algo que promete, que dá esperança.
promise v.t. e i. 1 prometer, dar a palavra: *I promised to help her.* 2 motivar esperanças: *It promises to be a fantastic night.*
promising adj. promissor: *They have a promising future as lawyers.*
promote v.t. 1 promover, elevar de cargo. 2 fomentar, favorecer.
promotion s. 1 promoção, elevação de cargo: *I've been waiting for a promotion for quite a long time.* 2 estímulo, fomento. 3 promoção (por meio de publicidade etc): *The sales promotions have been very good this season.*
prompt adj. 1 pronto, imediato, breve: *The question demanded a prompt answer.* 2 rápido, ativo.
prompt vt 1 incitar, instigar, induzir. 2 lembrar, fazer lembrar: *That sad scene prompted memories of the past.* 3 sugerir, inspirar.
prompter s. 1 incitador, instigador. 2 (teat) ponto.
promulgate v.t. (fml) 1 promulgar, decretar, publicar. 2 divulgar, difundir.
promulgation s. (fml) promulgação.
prone adj. 1 inclinado, propenso, predisposto: *His child is prone to accidents.* 2 debruçado, deitado de bruços.
pronoun s. (gram) pronome.
pronounce v.t. e i. 1 pronunciar, proferir. 2 (fml) declarar, afirmar, pronunciar-se: *The man was pronounced dead 5 minutes ago.* 3 (jur) pronunciar-se: *The judge pronounced the sentence immediately.*
pronouncement s. pronunciamento, declaração oficial.
pronunciation s. pronúncia: *What's the pronunciation of that word?*
proof adj. à prova de, resistente a: *water proof*, impermeável; *fire proof*, à prova de fogo.
proof s. 1 prova, demonstração, testemunho, comprovante: *I don't need any proof of your loyalty.* 2 (rel a processos gráficos) prova.
prop s. 1 estaca, escora. 2 amparo, arrimo.
propaganda s. propaganda (veiculação de idéias, doutrinas, notícias etc).
propagate v.t. e i. (fml) propagar, difundir, transmitir.
propel vt (-ll-) propelir, impelir, impulsionar.
propeller s. 1 hélice: *plane propeller.* 2 propulsor, impulsor.

proper adj. adequado, apropriado: *It's not a proper behavior for a young girl.*
proper name/noun, nome próprio/ substantivo próprio.
properly adv. adequadamente, apropriadamente: *She doesn't behave properly all the time.*
property s. (pl -ies) 1 propriedade, bens. 2 característica, qualidade: *Some plants have medicinal properties.*
prophecy s. (pl -ies) profecia, predição.
prophet s. profeta, vidente, adivinho.
prophetic adj. profético.
proportion s. 1 proporção (também mat). 2 proporção, simetria, harmonia. 3 porção, parte. 4 (pl) dimensão, proporção. *in proportion to*, em proporção a. *out of proportion (to)*, desproporcionado.
proportional adj. (fml) proporcional.
proportional representation, representatividade proporcional.
proportionate adj. (fml) proporcionado, proporcional.
proposal s. proposta: *She received a fantastic proposal.*
propose v.t. e i. propor, sugerir: *I proposed a trip to the beach.*
proposition s. 1 proposição. 2 sugestão: *Let's make another proposition.*
proprietor s. proprietário, dono.
propulsion s. propulsão, impulso.
prorogation s. prorrogação.
prosaic adj. (fml) trivial, prosaico, desinteressante: *a prosaic conversation.*
proscribe v.t. (fml) 1 banir, afastar.
proscription s. (fml) 1 banimento. 2 interdição, proibição.
prose s. prosa: *Jorge Amado didn't write poetry, he wrote prose.*
prosecute v.t. processar, levar a julgamento.
prosecution s. (jur) 1 execução, instauração de processo, processamento. 2 promotoria, (advogado de) acusação: *witness for the prosecution*, testemunha de acusação.
prosecutor s. (jur) 1 demandante, querelante. 2 promotor público.
prospect s. 1 panorama, vista, paisagem: *We had a nice prospect of the countryside.* 2 perspectiva.
prospect v.i. explorar.
prospective adj. 1 esperado, aguardado: *The prospective teacher will arrive tomorrow.* 2 futuro.
prospector s. explorador de minérios.
prosper v.i. e t. prosperar, crescer.
prosperity s. prosperidade, fortuna.
prosperous adj. próspero, bem sucedido: *He is a prosperous businessman.*
prostitute s. prostituta.
prostitute v.t. 1 prostituir, desonrar. 2 prostituir-se.
prostitution s. prostituição, degradação.
prostrate adj. 1 prostrado, deitado, estendido. 2 prostrado, abatido, enfraquecido: *The factory workers were prostated when they heard about the explosion.*
prostrate v.t. prostrar.
prostration s. prostração, exaustão, desânimo: *She lay in prostration after running the marathon.*
protect v.t. 1 proteger, defender: *My father has always protected our family interests!* 2 favorecer: *The law protects the workers.*
protection s. proteção.
protective adj. protetor, protecionista.
protective custody, custódia preventiva.
protector s. protetor.
protein s. proteina.
protest s. protesto, objeção: *The students participated in a demonstration in protest against nuclear weapons.*
protest v.t. e i. 1 afirmar, asseverar: *A formal protest was made about their paticipation in the government.* 2 protestar: *They protested strongly against injustice and discrimination.*

Protestant s. e adj. protestante.
proton s. (fís, quím) próton.
prototype s. protótipo, arquétipo, modelo.
protrude v.t. e i. 1 projetar-se, saltar para fora: *The little boy has protuding ears.* 2 espichar, pôr para fora.
protuberant adj. (fml) protuberante, saliente, proeminente: *a protuberant nose.*
proud adj. (-er; -est) 1 orgulhoso: *I'm proud of my family.* 2 vaidoso, empavonado, arrogante: *He's too proud to talk to them.*
prove v.t. e i. (pp -d ou *proven*) provar, comprovar: *He proved he was right.*
proverb s. provérbio, adágio.
provide v.t. e i. 1 abastecer, suprir: *We have to provide the house with enough food for the weekend.* 2 fornecer, providenciar: *The bookstore provides all the school materials we might need.*
provided conj. contanto que, desde que: *He is a good kid, provided he behaves himself.*
providence s. providência: *divine providence.*
provider s. mantenedor, sustentador.
providing conj. = provided.
province s. 1 província, região, território. 2 alçada, competência.
provincial adj. 1 provinciano, interiorano. 2 limitado, ultrapassado, restrito.
provision s. provisão, abastecimento: *He'll make provisions for our trip to the mountains.*
provocative adj. provocativo, provocante: *She likes to wear provocative clothes at parties.*
provoke v.i. 1 provocar, causar: *The plane crash provoked the death of many people.* 2 incitar, instigar. 3 irritar, exasperar: *Don't provoke him!*
prow s. (náut) proa.
prowess s. (fml) proeza, façanha, bravura.
prowl v.i. e t. 1 rondar, espreitar: *There was a man prowling in the dark.* **be**

on the prowl, estar à espreita de/rondando. 2 vaguear, perambular.
proximity s. proximidade, vizinhança.
proxy s. (pl -ies) 1 procuração; *He will sign the leasing contract by proxy.* 2 procurador: *She is my proxy.*
prude s. pessoa pudica, moralista, puritano: *She is such a prude.*
prudence s. prudência, cautela.
prudent adj. prudente, cauteloso: *The governor is a very prudent advisor.*
prudish adj. afetado, puritano.
prune s. ameixa seca.
prune v t. podar, desbastar: *prune the trees.*
pry v.i. (pret, pp *pried*) 1 *(into)* intrometer-se, sondar: *Don't pry into my private life business.* 2 espreitar, espionar.
pseudonym s. pseudônimo.
psyche s. psique.
psychedelic adj. 1 (rel a drogas) psicodélico, que causa distorção da realidade: *psychedelic drugs.* 2 (rel a artes) que procura causar efeitos alucinógenos.
psychiatric adj. psiquiátrico.
psychiatrist s. psiquiatra.
psychiatry s. psiquiatria.
psychic (-cal) adj. 1 psíquico. 2 psíquico, mediúnico, espírita: *Psychic powers.*
psycho s. louco, desequilibrado.
psychoanalyze v.t. psicanalisar. (GB *psychoanalyse).*
psychoanalysis s. psicanálise.
psychoanalyst s. psi canalista.
psychological adj. psicológico.
psychological warfare, guerra psicológica.
psychologist s. psicólogo.
psychology s. psicologia: *psychology teacher.*
psychopath s. psicopata.
psychotherapy s. psicoterapia: *Psychoterapy can help patients by discussing their problems.*
pub s. (abrev de *public house*) bar,

puberty

botequim: *Let's meet at the local pub after class tonight.*
puberty s. puberdade.
pubic adj. pubiano, púbico: *pubic hair.*
public adj. 1 público, não particular. 2 público, notório, conhecido. ***public house***, (GB) (fml) = *pub.* ***public opinion poll***, pesquisa de opinião pública. ***public relations***, relações públicas. ***public school***, a) (EUA) escola pública. (GB) escola interna particular geralmente freqüentada por famílias tradicionais.
public s. 1 público, povo: *The Natural Museum is open to the public during weekdays only.* ***in public***, em público.
publicity s. publicidade.
publish v.t. publicar: *We are publishing a Spanish-Portuguese dictionary next year.*
publisher s. editor, casa editora.
pudding s. 1 pudim : *plum pudding*. (GB: sobremesa)
puddle s. poça.
puffy adj. (-ier, ,iest) 1 inchado, inflado: *My eyes were puffy this morning.* 2 ofegante, resfolegante.
puke v.i. e t. (gír) vomitar.
pull v.t. e i. 1 puxar, arrastar: *Pull the door.* 2 remover, tirar. ***pull sth apart***, romper, rasgar: *The dogs pulled my coat apart.* ***pull sth down***, demolir, derrubar: *They pulled the old building down.* ***pull through***, a) restabelecer-se de doença: *The doctors helped him pull through*, b) superar dificuldades. ***pull together***, a) cooperar, colaborar. b) controlar-se: *Pull yourself together!*
pullover s. pulôver.
pulse s. 1 pulsação, batidas cardíacas: *The doctor couldn't feel the child's pulse.* 2 (fig) pulsação: *I can feel the pulse of São Paulo at night.*
pulverize (-ise) v.t. e i. pulverizar, transformar em pó.
puma s. puma, onça-parda.
pump s. bomba de ar ou água. ***a petrol pump***, bomba de gasolina.
pump v.t. e i. 1 bombear: *Water is pumped out of the river.* 2 extrair, obter: *Petroleum is pumped through those pipes.*
pumpkin s. abóbora.
pun s. trocadilho, jogo de palavras.
punch s. 1 soco, murro: *He gave him a punch on the face.* 2 vigor, ímpeto.
punch v t. esmurrar, socar.
punch v.t. 1 furar, puncionar, fazer vazar, perfurar. 2 (EUA) bater cartão.
punctual adj. pontual, exato.
punctuality s. pontualidade: *Punctuality is crucial to his job.*
punctuate v.t. pontuar.
puncture s. furo, perfuração (esp em pneu): *He had a puncture and he had to change the tyre by himself.*
pungent adj. (fml) 1 (rel a sabor) picante, acre; 2 mordaz.
punish v.t. punir, castigar: *The students were punished for their misbehavior.*
punishment s. castigo, pena. *Capital punishment*, pena de morte.
punk s. 1 adepto do movimento punk.
pupil s. aluno, pupilo.
puppet s. 1 marionete, fantoche: *puppet theatre.* 2 (fig) marionete, boneco: *He is a puppet in his wife's hands.*
puppy s. (pl -ies) filhote de cachorro: *Look, what a lovely puppy she got..*
purchase s. compra, aquisição.
purchase v.t. (fml) comprar, adquirir: *They've just purchased a new country house.*
purchaser s. comprador.
pure adj. (-r, -st) puro, genuíno, verdadeiro: *pure love.*
purely adv. 1 puramente. 2 meramente, simplesmente. 3 inteiramente, totalmente: *They met purely by chance.*
purify v.t. (pret, pp -ied) purificar.
puritan s. puritano.
purple s. e adj. 1 cor roxa, púrpura.
purpose s. propósito, sentido, objetivo: *What's the purpose of your trip?* ***on purpose***, de propósito,

python

deliberadamente: *They did it on purpose.* **serve one's purpose,** servir, ter o mesmo efeito.
purse *v.t.* enrugar, franzir: *She pursed her lips,* Ela fez beicinho.
purse *s.* 1 carteira. 2 dinheiro, fundos. 3 (EUA) bolsa.
pursue *v.t.* 1 procurar, perseguir: *The police are pursuing the bad guys.* 2 continuar, prosseguir.
pursuit *s.* 1 perseguição, caça: *The police were in pursuit of the prisoners.*
push *s.* 1 empurrão: *Give it a push.* 2 impulso, estímulo, energia.
push *v.t. e i.* 1 empurrar: *He pushed him and he fell down.* 2 impulsionar, impelir. 3 instigar, incitar. 4 pressionar.
pussy *s.* (pl *-ies*) (também *-cat*) 1 gatinho, palavra da linguagem infantil para gato: *Come here, pussy!* 2 (vulg) órgãos genitais femininos.
put *v.i. e t.* (pret, pp *put*) 1 pôr, colocar: *He put milk in his tea.* 2 estimar (preço), atribuir um valor: *They agreed to put a price on the Portinari painting.* **put sb in his (proper) place,** colocar alguém em seu devido lugar. **put the blame on,** colocar a culpa em: *Don't put the blame on me.* **put oneself in sb else's position,** imaginar-se no lugar de alguém. **put an end to,** pôr um fim a: *She put an end to the discussion.* **put sb/sth to test,** testar. **put words into one's mouth,** falar por outra pessoa sem autorização. **put sth about,** espalhar (boatos, rumores). **put sth across (to sb),** comunicar, explicar: *He tried hard but couldn't put his ideas across to his students.* **put sth aside,** a) deixar de lado: *He finally left his books aside.* **put sth away,** a) guardar no lugar de costume. b) economizar. **put sth down,** a) aterrissar. b) abaixar, sufocar (uma revolta). **put sb down for,** colocar o nome em uma lista concordando em fazer algo. **put sth down to sth,** debitar, atribuir a: *You can put dinner expenses down to our boss.* **put in a good word for sb,** defender, depor a favor de. **put sth off,** adiar. **put sb off sth,** distrair a atenção. **put sth on,** a) vestir: *Put your sweater on.* b) aparentar, simular. c) ganhar, adquirir. d) tornar disponível, providenciar. e) ligar, acender: *Put the radio on.* **put a play on,** (rel a teat) encenar. **put money on,** apostar em. **put sth out,** a) apagar: *Put the fire out.*
putrefy *v.t. e i.* (pret, pp *-ied*) putrefazer.
puzzle *s.* 1 quebra-cabeça: *a jig-saw puzzle.* 2 enigma.
puzzle *v.t. e i.* confundir, embaraçar, desorientar: *Her attitude puzzled everybody in the room.*
pyramid *s.* pirâmide.
pyre *s.* pira, fogueira.
python *s.* jibóia.

Q

Q, q 17ª letra do alfabeto.
quack s. 1 grito do pato, grasno, grasnido. 2 charlatão, curandeiro.
quack v.i. gritar como pato, grasnar.
quadrangle s. 1 quadrângulo, quadrilátero. 2 pátio interno de um edifício.
quadruple adj. quádruplo.
quadruplicate v.t. fazer quatro cópias de algo, reproduzir quatro vezes.
quaint adj. (-er, -est) estranho, esquisito, singular.
quake s. tremor: *earth quake:* terremoto.
quake v.i. tremer, estremecer: *The earth quaked in California.*
Quaker s. membro de uma seita conservadora cristã.
qualification s. 1 qualificação, habilitação, classificação: *His qualifications as a teacher are required by the best schools.* 2 limitação, restrição, ressalva: *They have some restrictions to her qualifications.*
qualify v.t. e i. (pret, pp -ied) 1 qualificar(-se), classificar(-se), habilitar(-se): *He is qualified as a plastic surgeon.* 2 limitar, definir: *His comments need to be qualified.* 3 modificar: *Adjectives qualify nouns.*
qualified adj. 1 qualificado, habilitado. 2 limitado, com ressalvas.
qualitative adj. qualitativo.
quality s. (pl -ies) qualidade, atributo, característica: *That product has good quality.* **low/high quality,** alta/baixa qualidade.
qualm s. 1 (pl) escrúpulo, remorso, apreensão: *He has no qualms about arguing with his parents.* 2 enjôo, náusea: *She's got the qualms.*
quantitative adj. quantitativo.
quantity s. 1 quantidade. 2 soma, total: *The quantity of problems he had to solve was amazing.* 3 grande número ou quantia: *They bought their school materials in great quantities.* **prefer quantity to quality,** preferir quantidade à qualidade.
quarantine s. quarentena.
quarrel s. 1 briga, discussão, disputa: *They had a quarrel over the custody of the children.* **pick a quarrel (with sb),** procurar briga (com alguém).
quarrel v.i. (-li-, EUA também -l) 1 brigar, discutir, dispensar: *They quarrelled about the house chores.* (with each other) *about football.* 2 (with) discordar de, criticar: *The board of directors is quarrelling with the financial department.*
quarrelsome adj. briguento, inclinado a brigar.
quarry s. (pl -ies) caça, presa.
quarry s. pedreira.
quarter s. 1 um quarto (1/4): *a quarter of an hour; an hour and a quarter; a quarter past five,* 2 (EUA e Canadá) moeda de 25 centavos. 3 (ger pl) região, lugar, canto. 4 bairro, parte de uma cidade (ser típico de um certo grupo): *The commercial quarter; the chinese quarter of San Francisco.* 7 quarto da lua. 8 (Pl) alojamento (esp alojamento de soldados). **at close quarters,** muito próximo. **quarter-final,** (rel a esporte) quarta de final.
quartz s. quartzo.
queen s. 1 rainha, soberana: *The Queen of Belgium.* 2 rainha em cartas de baralho: *queen of spades.* 3 fêmea de certos insetos: *queen bee.* 4 (gír) homem homossexual, "bicha".
queer adj. (-er, -est) 1 estranho, esquisito: *he has a queer way of walking.* 2 suspeito, duvidoso: *I heard a queer noise in the children's classroom.* 3 passando mal, sentindo-se mal: *After dinner everybody felt queer.*
queer s. (gír) homossexual.

quench v.t. 1 apagar (fogo, chamas). 2 saciar a sede. Orange juice quenches our thirst better than water. 3 acabar com as esperanças: *His answer quenches our hopes.*
querulous adj. (fml) queixoso, lamuriento: *She is always speaking in a querulous voice.*
query s. (pl *-ies*) 1 dúvida, questão, interrogação, objeção
quest s. (fml) busca, procura: *The philosopher's quest for the truth.*
question s. 1 pergunta, questão: *Do you have any questions?* 2 problema, dúvida: *Even after the class, there were many questions asked.* **in question**, em questão. **out of question**, fora de questão, impossível: *It's out of question to go out tonight.* **beyond/without question**, sem dúvida: *Without question, Rio is a very beautiful city.*
question-mark, ponto de interrogação (?).
question v.t. perguntar, inquirir, examinar: *The judge will question the prisoners.* 2 duvidar, questionar: *Some people question the cost of this project.*
questionable adj. questionável, duvidoso, incerto: *a questionable solution.*
questionnaire s. questionário: *Please, complete the questionnaire below.*
queue s. fila para esperar a vez: *In São Paulo there are long queues at restaurants, movies, theaters and at bus stations.*
queue v.i. ficar em fila: *You should queue up to buy your tickets.*
quibble s. evasiva, rodeio, subterfúgio usado em argumentos e discussões para evitar tocar em assuntos importantes.
quibble v.i. usar evasivas, subterfúgios para escapar de uma resposta direta.
quick adj. (-er, -est) 1 rápido: *a quick trip.* 2 vivaz, ativo, inteligente: *a quick mind.* **a quick temper/quick**

quizzical

tempered, temperamento irritadiço, fácil de se ofender.
quick adv. (-er, -est) (infml = *quickly*) rapidamente: *Calm down! you are speaking too quickly.*
quicken v.t. e i. 1 apressar, acelerar.
quickly adv. rapidamente.
quicksand s. areia movediça.
quicksilver s. mercúrio.
quid s. (pl -) (gír GB) uma libra esterlina: *I only have 10 quids.*
quiet adj. (-er, -est) 1 quieto: *We live in a quiet area.* 2 tranqüilo, calmo: *quiet students.* **keep sth quiet**, manter em segredo. **on the quiet**, secretamente.
quilt s. acolchoado.
quintessence s. (fml) quinta-essência, exemplo perfeito: *the quintessence of good education.*
quip s. gracejo, observação capciosa.
quip v.i. (-pp-) 1 gracejar. 2 proferir ditos sarcásticos ou espirituosos.
quirk s. 1 trejeito, cacoete. 2 retruque espirituoso, sutileza. 3 peculiaridade, maneirismo, capricho.
quit adj. livre, desobrigado: *We're quit of all obligations.*
quit v.t. (pret *–ted* ou *-ti*, EUA também *-t*) 1 sair de, ir embora de. 2 desistir de, abrir mão de, parar de: *I've quit my computer course.*
quite adv. 1 inteiramente, completamente: *Well, in my opinion, you are quite right!* 2 bem, um tanto, mais ou menos: *It's quite comfortable here, isn't it?.* 3 realmente, verdadeiramente: *She's quite a woman!.* 4 (em resposta)
quiver s. tremor, trepidação, estremecimento: *When they met he felt a quiver of emotion.*
quiver v.t. e i. tremular, tremer, trepidar, estremecer.
quiz s. teste, questionário.
quiz v.i. (-zz-) submeter a teste, examinar, interrogar.
quizzical adj. (fml) 1 cômico, divertido. 2 zombeteiro. 3 curioso, atônito, questionador: *a quizzical way.*

quorum

quorum s. (pl -s) quorum: *have a quorum.*
quota s. (pl -s) cota, quota.
quotation s. 1 citação de um texto, pessoa citada: *That's a quotation from Shakespeare.* 2 cotação (também com), cotação. 3 estimativa de custo, preço: *Before we buy the house let's get a quotation.* **quotation marks**, aspas (" ").
quote v.t. 1 citar (texto): *That author quotes several old English poems.* 2 mencionar como autoridade ou exemplo. 3 referir ou transcrever (um texto). 4 (com) cotar.
quotient s. (mat) quociente.

R

R, r 18ª letra do alfabeto.
rabbi s. (pl -s) rabino.
rabbit s coelho.
rabid adj. raivoso, enfurecido, fanático.
race s. 1 corrida, competição: *a car race*. 2 raça: *the human race*.
race v.t. e i. 1 correr, locomover-se rapidamente: *The children raced across the room on their bikes*. 2 correr, disputar corrida: *The drivers are racing at Interlagos on Sunday*. **race-course**, pista de corridas, hipódromo. **race-horse**, cavalo de corrida. **race-track**, pista de corridas.
racial adj. racial. *racial factor*.
racing s. e adj. corrida: *racing pilot*.
racism s. racismo.
racist s. racista.
rack s. 1 prateleira, suporte, estante, armação: *I bought a new video rack*.
rack v.t. 1 torturar. **rack one's brains (for)**, fazer grande esforço mental (para resolver, descobrir, lembrar-se de algo), quebrar a cabeça: *He racked his brains to find a solution for the problem*.
racket s. 1 raquete (também *racquet*): *a tennis racket*. 2 algazarra, barulho, alvoroço. 3 conto do vigário.
radar s. radar.
radiant adj. radiante, brilhante: *a radiant face*.
radiate v.t. e i. 1 irradiar (luz, calor), emitir raios. 2 (fig) exultar, demonstrar: *He radiates confidence and success*.
radiation s. radiação.
radiator s. 1 radiador. 2 aquecedor.
radical adj. radical, fundamental, extremo, extremista: *radical views*.
radical s. radical, extremista.
radio s. 1 rádio, radiotransmissão: *turn on the radio*. **on the radio**, no rádio: *I love that program on the radio*.
radio- prefixo radio: *radio-active*.
radish s. rabanete. **horseradish**, raiz forte.
radium s. (quím) rádio.
radius s. raio, circunferência.
raffle s. rifa, loteria.
raffle v.i. rifar.
raft s. balsa, jangada: *life raft*, bote salva-vidas.
rag s. 1 trapo, farrapo.
rage s raiva, fúria, violência: *His speech was filled with rage*. **be in a rage/fly into a rage**, estar/ficar enraivecido.
rage v.i. enfurecer-se, enraivecer-se, assolar, devastar: *He raged about the humiliation for long hours*.
ragged adj. 1 roto, rasgado, esfarrapado, em trapos: *ragged jeans*. 2 denteado, serrado: *ragged mountains*. 3 irregular: *ragged form*.
raid s. ataque repentino, invasão, batida policial: *There was a raid on the seaside restaurants*.
raid v.t. e i. atacar, invadir, assaltar, fazer uma incursão/batida: *The police has raided that area since the strike*.
rail s. 1 grade, barreira, cerca, corrimão. 2 ferrovia. **by rail**, por trem: *She sent the package by rail*.
railing s. grade, cerca, balaustrada.
rain s. chuva: **the rains**, a estação das chuvas. **heavy rain**, chuva forte. **It looks like rain**, Parece que vai chover. **rain proof**, impermeável. **rain-storm**, tempestade de chuva.
rain v.t. e i. chover: *It rained all night*. **rain cats and dogs**, chover muito, chover canivetes.
rainbow s. arco-íris.
raincoat s. capa de chuva.
raindrop s. pingo de chuva.
rainy adj. (-ier, -iest) chuvoso: *rainy day*. **save for a rainy day**, fazer economias para dias difíceis.
raise s. aumento, elevação, subida: *a*

raise

raise in the inflation. **ask for/get a raise**, pedir/receber um aumento de salário.
raise v.t. 1 levantar, erguer, elevar: He raised his hands and answered the teacher's question. **raise the dead**, ressuscitar os mortos. **raise one's hopes**, deixar alguém com esperança. **raise one's voice**, levantar a voz, gritar.
raisin s. uva-passa.
rally s. 1 reunião, comício. 2 corrida de motos, carros: car rally. 3 (rel a tênis) rebatida.
rally v.t. e i. (pret, pp -ied) 1 reunir(-se), agrupar(-se), ajuntar(-se): The group rallied its participants to prepare for Congress.
ramble v.i. 1 divagar num discurso, perder o fio da meada numa pergunta/num discurso/numa afirmação: The politician's speech rambled on for hours. 2 fazer passeios a pé/caminhadas.
rambling adj. 1 desconexo, incoerente, incompreensível: a rambling conversation. 2 desordenado, espalhado. 3 tortuoso; a rambling way.
ramification s. ramificação.
rampage v.i. fazer rebuliço, esbravejar, promover desordens: The teenagers were rampaging through the mall. **be on the rampage**, estar excitado, fazer rebuliço, esbravejar.
rampant adj. 1 desenfreado, desmedido, excessivo.
rampart s (pl) fortificações, baluartes, trincheiras.
ramshackle adj. decadente, em ruínas, caindo aos pedaços: a ramshackle building.
ran V. (pretérito do verbo run).
ranch s. fazenda. **rancher**, fazendeiro. **ranch-house**, casa de fazenda.
rancid adj. rançoso.
rancor s. rancor, ódio (GB rancour).
random s. 1 **at random**, à toa, a esmo, ao acaso, sem propósito: The attack on the children was at random. **random choice/remark/sample/selection**, uma escolha/um comentário/uma amostra/uma seleção a esmo/ao acaso/fortuito(a)/casual.
rang V.(pretérito do verbo ring).
range s. 1 fita, fileira, série, cadeia: a range of cars. 2 linha de tiro, campo de tiro: shooting range. 3 extensão, alcance: long/short range. **within range**, ao alcance. 4 variação: They sell a wide range of electronics.
range v.t. e i. 1 oscilar, variar: Colors range from dark red to pink.
rank s.1 fila, linha, fileira: taxi rank, ponto de táxis. 2 grau, graduação, posto: the rank of a colonel. 3 classe, posição social, categoria, série: people of all ranks.
rank v.t. e i. 1 colocar, avaliar, classificar: He was ranked one of the best students.
ransack v.t. 1 saquear, pilhar: The burglars ransacked her house. 2 revistar: His apartment was ransacked by the police.
ransom s. resgate. **hold sb to ransom**, manter alguém prisioneiro em troca de resgate.
rap s. 1 pancada, batida: a rap at the door. 2 ritmo musical popular:They sing rap and dance all night. 3 culpa. **take the rap for**, levar a culpa por, ser punido injustamente por.
rape s. estupro.
rape v.i. violentar, estuprar.
rapid adj. 1 rápido. 2 íngreme. 3 (pl) cachoeira, corredeira.
rapidly adv. rapidamente.
rapt adj. absorto, concentrado, embevecido: He had a rapt expression while listening to the music.
rapture s. 1 êxtase, enlevo. 2 (fíg) felicidade.
rare adj. (-r, -st) 1 raro, excepcional, incomum: it is rare to see such generosity. 2 (rel a carnes) mal passado: I like my steak rare. 3 rarefeito.

rarely *adv.* raramente.
rarity *s.* raridade.
rascal *s.* maroto, pestinha, moleque levado: *He is such a rascal!*
rash *s.* irritação da pele, urticária.
rash *adj.* (*-er -est*) 1 precipitado, impetuoso, imprudente: *a rash decision.*
raspberry *s.* (pl *-ies*) framboesa.
rat *s.* ratazana, rato. 2 pessoa baixa, vil, desleal. **smell a rat**, desconfiar de alguma coisa: *She smelled a rat.*
rate *s.* taxa, índice, razão, média: *the divorce rate.* **exchange rate**, taxa de câmbio. **at this rate**, se for assim, deste modo, desta maneira. **at any rate**, de qualquer forma. **first rate**, excelente. **second rate**, passável, medíocre. **third rate**, péssimo. **the rates**, taxas (de luz, água), impostos (p ex predial).
rate *v.t. e i.* avaliar, classificar, cotar, fixar o preço de: *That hotel is highly rated among the tourists.*
rather *adv.* 1 antes, preferivelmente: *I would rather be sailing.* 2 em vez de, ao invés de: *I would stay here rather than travel with him.* 3 no lugar de: *He should go there rather than Mary.* 4 mais do que: *This car is comfortable rather than fast.* 5 bastante, bem, um tanto (usado como *adj, adv, prep*): *a rather expensive way of life.*
rather *interj.* sim, claro, com certeza: *"Don't you think he's smart?" "Rather!"*
ratify *vt* (pret, pp *-ied*) ratificar, endossar, aprovar.
rating *s.* 1 avaliação, classificação. 2 grau, categoria.
ration *s.* ração, quantidade fixa e predeterminada.
ration *v.t.* limitar, racionar: *The use of water should be rationed everywhere.*
rational *adj.* 1 racional: *Such a problem demands a rational solution.* 2 razoável, justo: *Come on, she is not being rational!*

rationale *s.* base lógica, justificativa, raciocínio básico.
rationalize *v.t.* 1 organizar em bases eficientes, racionalizar.
rattle *s.* 1 chocalho. 2 ruído produzido por um chocalho.
rattle *v.t. e i.* 1 chocalhar, sacudir-se com ruído, retinir, estrepitar: *The heavy rain rattled on the windows.* 2 tagarelar. 3 estremecer, abalar: *He was rattled by what happened.* **rattle-snake**, cascavel.
raucous *adj.* (rel a sons) áspero, rouco, bruto.
ravage *v.t. e i.* devastar, arruinar, assolar, saquear: *The heavy rains ravaged the country and small towns.*
rave *s.* (infml) 1 aclamação, elogio entusiástico: *The movie got rave reviews in the press.* 2 festa animada com a presença de muitos jovens.
raven *s.* 1 corvo. 2 negro, preto: *raven black hair*, cabelo preto.
ravenous *adj.* 1 voraz, ávido. 2 faminto.
ravine *s.* desfiladeiro, garganta, ravina, barranco.
ravish *v.t.* encantar, enlevar: *The author was ravished by her sublime performance.*
ravishing *adj.* belo, encantador: *a ravishing voice.*
raw *adj.* 1 cru, sem tempero, verde: *raw vegetable.* 2 em estado natural, não refinado, não preparado. 3 inexperiente: *That doctor is still raw.* 4 (rel a tempo) frio e úmido: *a raw weather.* **have/get a raw deal**, ser tratado cruelmente/injustamente.
ray *s.* 1 raio. 2 raia (peixe). **a ray of hope**, um raio de esperança. **x-ray**, raio-X.
razor *s.* navalha, barbeador. **razor blade**, lâmina de barbeador/navalha.
re prefixo re-, novamente.
reach *v.t. e i.* 1 alcançar, atingir, chegar a: *The comments never reached the boss.* 2 estender-se: *Their ranch*

reach

reaches as far as the railway station.
as far as the eye can reach, até onde os olhos podem alcançar.
reach *s.* alcance: *be within/in reach*, estar ao alcance, próximo; *be out of/beyond reach*, estar fora do alcance. **within easy reach**, perto, próximo: *There are many libraries within easy reach.*
react *v.t.* 1 reagir: *He reacted in a very bad way.*
reaction *s.* reação.
reactor *s.* reator.
read *v.t. e i.* (pret, pp *read*) 1 ler. 2 interpretar, decifrar: *He read my mind.* 3 fazer um curso universitário: *She read English literature at USP.* 4 (rel a instrumentos) mostrar, indicar: *What does the barometer read?* **read between the lines**, ler nas entrelinhas. **read oneself/sb to sleep**, adormecer lendo/ler para alguém até que durma. **well read**, bem informado, que lê bastante: *My teacher is very well read.*
readable *adj.* legível, fácil de ler, de leitura fácil.
reader *s.* 1 leitor. 2 professor universitário. 3 livro de leitura escolar.
readily *adj.* prontamente, de bom grado.
readiness *s.* prontidão, presteza, boa vontade, disposição.
reading *s.* 1 leitura, interpretação: *the reading of the play.* 2 erudição, saber.
ready *adj.* (*-ier, -iest*) 1 pronto, preparado: *Are you ready to order?* **get ready**, preparar(-se), aprontar (-se): *Be ready by six o'clock.* **ready-cooked**, já cozido, já preparado: *ready-made food.* **ready-made**, já feito: *ready made suit.*
real *adj.* 1 real, verdadeiro, verídico. 2 legítimo, genuíno, autêntico. **real estate**, bens imóveis: *He works in real estate.* **real estate agency**, imobiliária. **real estate agent**, corretor de imóveis.
realtor, corretor de imóveis.

realist *s.* realista.
realistic *adj.* realista.
reality *s.* realidade. **in reality**, na realidade, na verdade.
realize *v.t.* 1 compreender, perceber, fazer idéia, conceber, imaginar: *She didn't realize what was happening there.* 2 realizar: *She realized her dreams.* 3 converter/resultar em dinheiro.
really *adv* 1 realmente, na verdade. **Oh, really?** É mesmo? (expressão de interesse): *"We live on the same street" "Oh, really?"*
realm *s.* (liter) reino.
ream *s.* 1 resma (de papel). 2 muitos, grande quantidade.
reap *v.t. e i.* colher, ceifar.
rear *s.* fundos, parte traseira, retaguarda: *a rear door.* **at the rear**, nos fundos: *There is a studio at the rear of the house.* **rear mirror**, espelho retrovisor. **rear wheels**, rodas traseiras.
rear *v.t. e i.* 1 criar: *She was reared in a big family.* 2 erguer/levantar a cabeça: *The giraffe reared its head.* 3 (rel a cavalos) empinar-se: *The horse reared and the girl fell down.*
reason *s.* 1 razão, motivo, causa: *That's the reason I love them.* **by reason of** (fml), por causa de. 2 razão, racionalidade. **loss one's reason**, perder a razão, ficar louco. 3 bom senso: *You should listen to reason.* **do anything within reason**, fazer todo o possível: *They would do anything within reason to help her.*
reason *v.i. e t.* 1 raciocinar, pensar. 2 argumentar, concluir, inferir: *I reasoned with my teachers about the test.* 3 (into, out of) persuadir ou dissuadir, provar: *We tried to reason them out of their mad plan.* **reason with sb**, argumentar, discutir (com lógica). **reason sth out**, deduzir logicamente.
reasonable *adj.* racional, sensato, razoável, justo, aceitável: *a reasonable excuse / a reasonable doubt.*
reasonably *adv.* razoavelmente, sensatamente.

reasoning s. raciocínio: *I'm sure my reasoning is correct.*
reassurance s. resseguro, certeza renovada: *She needs reassurance.*
reassure v.t. tranqüilizar, renovar a confiança de: *The baby-sitter felt reassured after his parents arrived home.*
reassuringly adv. de forma tranqüilizadora.
rebel s. rebelde, revoltoso.
rebel v.i. (-ll-) rebelar-se, revoltar-se, insurgir-se.
rebellion s. rebelião, revolta, sublevação.
rebellious adj. rebelde: *a rebellious teenager.*
rebirth s. renascimento, renovação (de vida, de condições, etc).
reborn adj. renascido, regenerado: *He is a reborn man.*
rebound v.i. 1 ricochetear: *The bullet rebounded off the wall and wounded him.* 2 (on) repercutir, ter um efeito inesperado: *Be careful! Your actions will rebound on others.*
rebound s. *on the rebound*, 1 ricochete, ressalto: *catch a ball on the rebound.* 2 revanche, impulso, reação emocional: *She quit her job on the rebound.*
rebuff s. recusa (mal-educada, ofensiva), repulsa.
rebuff v.i. repelir, recusar, rejeitar, desprezar.
rebuke v.i. (fml) repreender, reprovar, censurar.
rebuke s. (fml) repreensão, reprovação, censura.
rebut v.i. (-ti-) refutar, contradizer, replicar.
rebuttal s. refutação, réplica.
recalcitrant adj. e s. (fml) recalcitrante, desobediente, obstinado.
recall v.t. 1 lembrar(-se), recordar: *Do you recall his address?* 2 chamar de volta, revocar: *The director recalled the teachers from the field trip.* 3 cancelar, revogar (um pedido, uma decisão), mandar de volta.

recall s. 1 lembrança, recordação. *beyond/past recall,* que não pode ser lembrado ou trazido de volta, irrevocável. 2 chamada de volta, revocação. 3 (mil) toque de chamada.
recap s., v.t. e i. (infml) abrev de recapitulate, recapitulação.
recapitulate v.t. e i. recapitular.
recapitulation s. recapitulação.
recapture v.t. recapturar, retomar: *to recapture an emotion.*
recast v.t. (pret, pp -) 1 remodelar, refundir, reformular: *recast a sentence.* 2 (teat) redistribuir os papéis de uma peça ou mudar os atores.
recede v.i. retroceder, recuar, regredir: *The tide is receding now,* A maré está baixando. *He is getting bald. His hair is receding.*
receipt s. 1 recibo, nota fiscal.
receivable adj. 1 receptível. 2 (com) a receber.
receive v.i. e t. 1 receber: *The artists received flowers after the show.* 2 (fml) acolher, receber, hospedar: *They always receive their guests in a warm way.* 3 receptar.
receiver s. 1 receptador. 2 fone (a parte receptora). 3 aparelho receptor (rádio ou TV). 4 (jur) curador.
recent adj. recente.
recently adv. recentemente.
reception s. recepção: *Her parents offered a big reception for her 15th birthday. The TV reception is not very good around here. reception desk,* (balcão de) recepção (em hotel).
receptionist s. recepcionista.
receptive adj. receptivo.
recess s. 1 recesso: *The Education Board is in recess now.* 2 (EUA) férias escolares. 3 nicho, reentrância na parede. 4 (liter) lugar afastado/recôndito.
recession s. 1 (econ) recessão: *The country has entered a period of industrial recession.* 2 recuo; retirada, regressão.

recipe

recipe s. receita: *a new cake recipe.*
recipient s (fml) (rel a pessoa) recipiente, receptor.
reciprocal adj. recíproco, mútuo.
reciprocate v.t. e i. 1 (fml) reciprocar, retribuir: *She reciprocated the visit.* 2 (rel a máquinas) produzir um movimento de vaivém.
reciprocity s. reciprocidade, intercâmbio (esp no comércio entre nações).
recital s. 1 recital. 2 (fml) relato, narração: *the recital of his journey.*
reckless adj. negligente, imprudente, descuidado, temerário: *She is a reckless driver.*
reckon v.t. e i. 1 calcular, computar, estimar: *I reckon we have to pay R$ 1.500 for his services.* 2 considerar, estimar: *She is reckoned to be a great teacher.* 3 (infml) supor, pensar, achar: *He reckons there will be trouble ahead.* **reckon with sb,** a) ajustar contas com. b) levar a sério, levar em conta. **reckon on (sb),** contar com (alguém): *You can reckon on my friendship.*
reckoning s. cálculo, cômputo, avaliação.
recline v.t. e i. reclinar(-se), recostar (-se).
recluse s. recluso, eremita.
recognition s. reconhecimento, identificação: *She needs recognition from her peers.* **change beyond/ out of all recognition,** mudar por completo.
recognize v.t. 1 reconhecer, identificar: *She recognized him.* 2 reconhecer, aceitar: *The workers refused to recognize the new manager.* 3 admitir, ter consciência, reconhecer: *He recognized he was wrong.*
recoil v.i. 1 recuar. 2 (rel a arma de fogo) "dar coice", recuar. 3 *(on)* recair, reverter.
recollection s. lembrança, reminiscência, recordação, memória: *I think we all have nice recollections of our childhood.*

recommend v.t. 1 recomendar: *Can you recommend me a good doctor?* 2 aconselhar, sugerir, recomendar: *The doctor recommended staying in bed for a few days.* 3 tornar agradável/ aceitável/atraente: *This place is highly recommended.*
reconcile v.t. 1 reconciliar(-se), fazer as pazes: *They reconciled just before Christmas.* 2 conciliar, harmonizar: *It's difficult to reconcile everybody in the family.* 3 *(to)* resignar-se, conformar-se.
reconciliation s. reconciliação.
reconnoiter v.t. e i. (mil) fazer um reconhecimento, inspecionar. (GB reconnoitre).
reconstruct v.t. 1 reconstruir. 2 reconstituir: *The CSI team reconstructed the crime scene.*
record s. 1 registro, relação: *There is no record of this kind of robbery in this district.* 2 referências, ficha, folha corrida, história: *He doesn't have a good record in this department.* 3 (mús) disco. 4 recorde. **off the record,** (infml) confidencial.
record v.t. 1 registrar, anotar: *They record all the details concerning their children.* 2 gravar (em disco, fita magnética, fita para vídeo, etc): *I recorded a Madonna show last night.* 3 (rel a instrumentos) registrar, marcar.
recorder s. 1 gravador: *video cassete recorder.* 2 flauta doce.
recording s. gravação: *I have some old recordings of Frank Sinatra.*
recount v.t. 1 (fml) contar, relatar, narrar. 2 recontar, recalcular.
recount s. recontagem.
recover v.t. e i. 1 reaver, recuperar, recobra: *They recovered all the stolen jewelery.* 2 *(from)* recuperar-se, restabelecer-se: *Are you recovered from the events of yesterday?*
recovery s. 1 recuperação, cura. 2 reconquista, recuperação.
recreation s. recreação, diversão.

recriminate *v.i.* recriminar, acusar, censurar, criticar.
recrimination *s.* recriminação.
recrudescence *s.* recrudescência, intensificação: *a recrudecence of robberies in lhe area*.
recruit *s.* 1 (mil) recruta. 2 novo membro de um grupo.
rectangle *s.* retângulo.
rectangular *adj.* retangular.
rectify *v.i.* (pret, pp *-ied*) 1 retificar, corrigir: *rectify an error*. 2 (quím) purificar (por destilação).
recuperate *v.t. e i.* (rei a saúde) recuperar(-se), restabelecer(-se).
recur *v.i.* (*-rr-*) recorrer, voltar (a um assunto, à memória etc), voltar a acontecer: *She has a recurring dream*.
recurrence *s.* recorrência, repetição, volta.
recurrent *adj.* periódico, que se repete, recorrente.
recycle *v.i.* reciclar: *It's important to recycle plastic, paper and other materials*.
red *adj.* (*-der, -desl*) 1 vermelho: *a red dress*. **see red**, enfurecer-se. 2 comunista: *the Red Army*. **red carpet**, tratamento especial, cerimonioso. **Red Cross**, Cruz Vermelha. **red flag**, a) sinal de perigo. b) símbolo de rebelião, bandeira da esquerda política. **redhanded**, em flagrante: *The policeman caught him redhanded*. **redhead**, (infml) ruivo, ruiva. **red herring**, algo irrelevante que serve para desviar a atenção do assunto em discussão. **redhot**, (fig) excitado, entusiasmado, furioso. **Red Indian**, índio da América do Norte. **red pepper**, a) pimenta malagueta. b) pimentão vermelho. **red tape**, burocracia, formalidades burocráticas.
red *s.* 1 cor vermelha. 2 débito: *be in the red*, estar no vermelho.
redden *v.t. e i.* avermelhar, enrubescer.

reddish *adj.* avermelhado.
redeem *v.t.* 1 redimir, libertar, salvar. 2 resgatar, readquirir: *redeem a mortgage*, resgatar uma hipoteca. 3 cumprir, desempenhar. **redeeming feature**, característica compensadora: **redemption** (fml) 1 redenção, salvação. 2 resgate (de hipoteca), compra de volta. 3 cumprimento (de uma promessa). **past/beyond redemption**, perdido, sem possibilidade de salvação.
redo *v.t.* (pret *-did*, pp *-done*) refazer: *The decoration has to be redone*.
redouble *v.t. e i.* redobrar, intensificar, aumentar: *The firefighters redoubled their efforts*.
redress *v.t.* reparar, corrigir, retificar, emendar. **redress the balance**, restabelecer o equilíbrio.
reduce *v.t. e i.* 1 reduzir, diminuir: *We have to reduce our expenses*. 2 (to) reduzir, submeter, subjugar: *He was reduced to complete misery*. 3 (to) reduzir, modificar, pôr em outra forma: *His speech can be reduced to three lines*.
reduction *s.* 1 redução, diminuição: *a reduction in taxes*. 2 cópia reduzida.
redundancy *s.* (pl *-ies*) redundância, excesso, superabundância.
redundant *adj.* redundante, supérfluo, excessivo. **to be made redundant**, perder o emprego.
reef *s.* recife, rochedo.
reek *s.* mau cheiro forte: *the reek of cigar smoke*.
reek *v.i.* **reek of**, emitir um cheiro forte e desagradável: *Her breath reeks of alcohol*.
reel *s.* 1 carretel, bobina. 2 rolo (de filme).
reel *v.t.* enrolar um carretel, bobinar.
reel sth off, desfiar, repetir sem pausa ou esforço.
reel *v.i.* 1 vacilar, cambalear. 2 ficar abalado ou tonto, sentir vertigem. 3 girar, oscilar: *The room reeled and she felt sick*.

refer

refer v.t. e i. (-rr-) 1 referir(-se), aludir: *My comments don't refer to you.* 2 encaminhar, dirigir, submeter: *The documents were referred to the judge.*
referee s. 1 árbitro/juiz de esportes em geral. (Cf. *umpire*). 2 (rel a currículo, pedido de emprego) referência.
reference s. referência. *In/with reference to*, com referência/relação a. *reference book*, livro de consulta (p ex dicionário).
referendum s. (pl -s, -da) referendo, plebiscito.
refill v.t. encher, carregar ou suprir novamente: *refill the water bottle*.
refine v.t. e i. 1 refinar, purificar: *refined oil*. 2 polir, educar, requintar: *refined education*.
refinement s. 1 refinação, refinamento. 2 requinte, distinção.
refinery s. (pl -ies) refinaria.
reflect v.t. e .i 1 refletir, espelhar: *The truth is reflected in her eyes.* 2 refletir, ponderar, pensar, meditar: *I have to reflect a little longer about this.* 3 (on) recair, repercutir: *The government decisions reflected on every person in the country.*
reflection s. 1 reflexo: *the reflexion of the moon.* 2 reflexão, ponderação. *on reflection*, depois de refletir sobre (p ex o assunto). *Be/cast a reflection on*, repercutir desfavoravelmente.
reflex s. 1 reflexo. 2(pl) reflexos: *The doctor tested the boy's reflexes.* *reflex action*, ação ou contração involuntária, em resposta a um estímulo nervoso.
reflexive adj. e s. (verbo ou pronome) reflexivo: *Myself, yourself, are reflexive pronouns.*
reform v.t. e i. reformar, melhorar, corrigir: *The city council reformed some rules.*
reform s. reforma, melhoria.
refract v.t. (rel a vidro, água, etc) refratar, refranger.
refraction s. refração (mudança na direção de um raio luminoso quando passa por vidro, água. etc).
refrain vi (fml) (from) refrear-se, conter, abster-se, reprimir: *refrain from drinking.*
refrain s. refrão, estribilho.
refresh v.t. 1 refrescar, revigorar, restaurar as forças, reanimar: *After lunch I feel refreshed.* *refresh one's memory*, refrescar a memória, relembrar-se: *Let me refresh your memory!*
refresher course s. curso de atualização: *to attend a refresher course during the vacations.*
refreshing adj. 1 refrescante, revigorante, reanimador: *a refreshing cup of coffee.* 2 animador, agradável: *It was so refreshing talking to the children.*
refreshment s. 1 revigoramento, descanso. 2 (ger pl) refresco, lanche: *We need a light refreshment right now.*
refrigerate v.i. refrigerar, refrescar.
refrigerator s. (abrev *fridge*) geladeira, refrigerador.
refuel v.t. (-ll-, EUA também -l-) reabastecer (de combustível).
refuge s. refúgio, abrigo, proteção.
refugee s. refugiado.
refund v.t. restituir (o dinheiro pago), reembolsar.
refund s. reembolso, devolução (do dinheiro pago).
refusal s. 1 recusa. *the first refusal*, direito de escolha em primeiro lugar.
refuse s. refugo, lixo, resíduo.
refuse v.t. e i. recusar(-se), rejeitar: *She refused to tell him the truth.*
refute v.t. refutar, contestar: *refute an accusation.*
regain v.t. recobrar, recuperar: *regain consciousness.*
regal adj. régio, real, majestoso: *regal ways.*
regard s. 1 consideração, respeito, atenção. 2 estima, consideração;

apreço. 3 (pl) saudações, lembranças: *Give him my regards*. **in/with regard to**, com respeito/relação a, quanto a: *In regard to your request...*
regard *v.t.* 1 considerar, ter como, julgar: *She is regarded as an excellent administrator.* 2 (fml) acatar, dar atenção a. **as regards/regarding**, com relação/respeito a, quanto a.
regardless *adj.* sem consideração/respeito/cuidado, indiferente: *He made his comments regardless of the people around him.*
regency *s.* (pl-ies) regência, governo de um regente.
regenerate *v.t. e i.* 1 regenerar, restaurar, reformar. 2 crescer de novo.
regeneration *s.* regeneração, renascimento.
regent *s. e adj.* regente.
regime (ré-) *s.* 1 regime de governo. 2 V. *regimen*.
regiment *s.* 1 regimento. 2 *(of)* grande número.
region *s.* 1 região, área, zona.
regional *adj.* regional, local.
register *s.* 1 registro, livro de registros. 2 (mús) registro, capacidade de alcance da som: *the lower/upper register of every orchestra instrument.* 3 registrador: *cash register,* caixa registradora. 4 registro (vocabulário, estilo, etc usado em determinadas situações): *to use an adequate register.*
register *v.t. e i.* 1 registrar, inscrever, matricular, assentar: *He was registered in kindergarten.* 2 (rel a instrumentos) marcar, indicar, registrar: *The hotel thermometer in Campos do Jordão is registering 0 °C.* 3 mostrar (emoção): *His face registered recognition.* 4 remeter (correspondência) sob registro. **registered mail**, correspondência registrada (GB *registered post*).
registrar *s.* escrivão oficial de registros.
registration *s.* registro, inscrição, matrícula.

registry *s.* (pl -ies) registro, arquivo, cartório. **registry office**, (também *register office*) cartório de registro civil.
regress *v.i.* regredir: *regress emotionally.*
regret *s.* 1 pesar, pena, desgosto, sentimento: *They left their hometown with regret.* 2 (pl) (usado como forma educada de recusar algo) nota de recusa: *She has no regrets about it.* 3 (pl) pêsames.
regret *v.t.* (-tt-) 1 lamentar, lastimar: *We regret to refuse your kind offer.* 2 arrepender-se, lastimar.
regretful *adj.* pesaroso, arrependimento.
regretfully *adv.* pesarosamente.
regrettable *adj.* lamentável, deplorável: *a regrettable episode.*
regrettably *adv.* lamentavelmente.
regular *adj.* 1 regular: *regular job.* **keep regular hours**, viver uma vida metódica. 2 regular, relativo a tropas regulares. 3 correto, habitual, segundo a norma vigente: *He always looks for a regular method.* 4 (gram) (rel a verbos, substantivos, etc) regular, que se conjuga regularmente: *The verb "love" is a regular verb.* 5 (EUA) normal: *Do you wear small or regular size?*
regularity *s.* regularidade, ordem.
regularize *v.t.* regularizar, pôr em ordem, oficializar.
regularly *adv.* regularmente, metodicamente, pontualmente.
regulate *v.t.* 1 regular, ordenar, controlar: *regulate the public transport.* 2 regular, pôr em ordem, acertar.
rehabilitate *v.t.* reabilitar.
rehearsal *s.* ensaio: *a theater rehearsal.*
rehearse *v.t. e i.* ensaiar, repassar.
reign *s.* reinado, reino: *in the reign of Queen Elizabeth.*
reign *v.i.* 1 reinar. 2 imperar, prevalecer.

rein v.t. reembolsar.
reimbursement s. reembolso.
rein s. (ger pl) rédea. **give (free) rein to**, soltar as rédeas. **take the reins**, assumir o controle. **keep a tight rein on sb/sth**, levar sob rédeas curtas, controlar.
rein v.t. refrear, puxar as rédeas, controlar.
reindeer s. (pl -) rena.
reinforce v.t. 1 reforçar: *We clearly need some reinforcement.*
reinstate v.t. reempossar, reintegrar, reinstalar: *The old king was reinstated after the war.*
reiterate v.t. reiterar, repetir: *Her mother reiterated her advices many times until she really listened.*
reject v.t. 1 rejeitar, recusar: *They rejected the new ideas.* 2 lançar fora: *Reject the clothes you don't like to wear any longer.*
reject s. refugo, rebotalho.
rejection s. rejeição, recusa.
rejoice v.t. e i. (fml, liter) regozijar-se, alegrar-se.
rejoin v.t. rejuntar, reunir, ajuntar: *The builder had to rejoin the tiles in the kitchen.*
rekindle v.t. e i. 1 reacender: *to rekindle the stove.* 2 (fig) reanimar: *to rekindle an old love feeling.*
relapse v.i. recair, reincidir: *He relapsed into the old habits.*
relapse s. reincidência, recaída.
relate v.t. e i. 1 relatar, contar, narrar: *The traveler related the story of how he survived the storm.* 2 referir, dizer respeito a, relacionar-se: *I don't think this is related to our performance.*
relation s. 1 relação: *What's the relation between them?* 2 parente: *She is a distant relation of my mother.* 3 relacionamento.
relationship s. 1 relacionamento, conexão, afinidade: *We have a fantastic relationship.* 2 parentesco.
relative s. parente.

relative adj. relativo: *These two countries live in relative peace.*
relatively adv. relativamente.
relax v.t. e i. 1 relaxar, afrouxar, pôr-se à vontade: *Why don't you relax now?*
relay s. 1 revezamento, substituição: *a relay race,* corrida de revezamento. 2 transmissão (telegráfica/radiofônica).
relay vt (pret, pp -laid) recolocar: *relay the wallpaper.*
release v.t. 1 libertar, soltar: *release the prisoners.* 2 desprender, soltar: *Most rockets release parts of their components as they climb.* 3 permitir a exibição (de um filme)/a divulgação (de notícias): *a released movie.* 4 (jur) entregar, renunciar (a bens, direitos, propriedades) em favor de outra pessoa.
release s. 1 soltura, libertação: *He felt free after his release from prison.* 2 alívio, diminuição (de dor, tensão, etc): *When I saw her I felt a great release.* 3 lançamento (de produtos/filmes novos). 4 botão, maçaneta, etc que ao ser pressionado desprende/solta parte de uma máquina: *release switch.* 5 nota de imprensa: *a press release.* **on general/release**, (rel a filmes) que pode ser visto em todos os cinemas de uma região.
relegate v.t. 1 relegar. 2 afastar, distanciar.
relent v.i. 1 abrandar, suavizar: *The rain relented a little bit now.* 2 ter pena, ter compaixão.
relentless adj. implacável, inflexível: *a relentless oponent.*
relevance s. relevância, importância, pertinência.
relevant adj. relevante, importante: *Is it a relevant matter?*
reliability s. confiança, confiabilidade.
reliable adj. confiável, seguro: *He is a reliable man.*
reliance s. confiança, esperança, fé.
relic s. 1 relíquia.

relief s. 1 alívio: *This treatment will give you relief.*
relieve v.t. 1 aliviar, abrandar, atenuar: *The doctor prescribed a new medicine to relieve her pains.* 2 revezar: *to relieve a soldier.* 3 livrar (alguém) de: *Relieve him of the extra task.* 4 (of) despedir, mandar embora.
religion s. religião, fé, crença.
religious adj. religioso.
relinquish v.t. (fml) abandonar, desistir, renunciar.
relish s. 1 condimento, tempero. 2 petisco, iguaria. 3 gosto, prazer: *They ate the food with great relish.*
relish v.t. e i. gostar de, divertir-se, apreciar: *He relishes good company.*
relocate v.t. e i. realocar, transferir, mudar de lugar.
reluctance s. relutância, resistência: *He agreed to move to another town with great reluctance.*
reluctant adj. relutante, hesitante: *He was very reluctant to invite her out.*
rely v.i. (pret, pp -ied) confiar, fiar-se, contar com: *You can rely on me.*
remain v.i. 1 sobrar, restar: *He ate the remains of the dinner.* 2 ficar, permanecer: *She remained there until midnight.* 3 continuar.
remainder s. 1 sobra, resto, restante. 2 saldo, excesso.
remains s. (pl) 1 sobras, restos: *food remains.* 2 cadáver, restos mortais.
remake v.t. (pret, pp -made) refazer: *The movie director is planning to remake Cleopatra.*
remark v.t. e i. 1 (fml) observar, notar, reparar. 2 comentar, fazer observações: *He remarked that he was unhappy with the new situation.*
remark s. 1 (fml) observação, reparo: *Her peculiar clothes are worthy of remark.* 2 comentário: *She didn't like his remarks about her short dress.*
remarkable adj. notável, incomum, extraordinário: *She is a remarkable woman.*

remedy s. (pl -ies) 1 remédio, medicamento, curativo. 2 reparação, corretivo, remédio.
remember v.t. e i. 1 lembrar, recordar: *I don't remember her address.* 2 transmitir saudações ou lembranças: *Remember me to your family.*
remembrance s. 1 lembrança, recordação, memória: *I have so many good remembrances of my school days.* 2 memento, lembrança.
remind v.t. lembrar, fazer lembrar: *Could you remind me to call him back?*
reminisce v.i. pensar/falar sobre o passado.
reminiscence s. reminiscência, lembrança, recordação.
remiss adj. (fml) negligente, descuidado, desleixado.
remission s. 1 remissão, diminuição, redução: *the remission of the disease.*
remnant s. 1 sobra, restante. 2 retalho.
remorse s. remorso, arrependimento: *They felt remorse for what they had done.* **without remorse**, cruelmente.
remote adj. (-r, -st) 1 remoto, afastado, distante: *remote relatives.* 2 improvável: *That possibility is very remote.* **remote control**, controle remoto.
removal s. 1 remoção. 2 mudança, transferência. 3 demissão, destituição.
removal van, caminhão de mudanças.
remove v.t. e i. 1 remover, tirar, retirar: *Remove your things before you go.* 2 transferir, mudar. 3 demitir, afastar.
remover s. 1 removedor, solvente. 2 profissional que faz mudanças.
remunerate v.t. (fml) remunerar, recompensar.
renaissance s. 1 renascimento, renascença. **the Renaissance**, a Renascença.
renal adj. renal.
renascence s. = renaissance.

rendering s. 1 interpretação. 2 tradução, versão.
renegade s. 1 renegado. 2 desertor, traidor.
renew v.t. 1 renovar, refazer: *You should renew the magazine subscription this year.* 2 reparar, consertar, reformar: *She renewed her entire wardrobe.*
renewal s. 1 renovação. 2 reforma.
renovation s. renovação, restauração, reforma.
renowned adj. renomado, famoso, conhecido, célebre.
rent s. aluguel: *I don't have to pay rent anymore.*
rent v.t. e i. alugar, arrendar: *They rented a beach house this summer.*
rental s. aluguel (de carro, televisão, roupas, etc): *car rental.*
reopen v.t. e i. reabrir.
reorganize v.t. e i. reorganizar.
repair v.t. 1 consertar, reparar: *The office repaired the computer keyboard.*
repair s. 1 conserto, reparo, reparação: *The museum is under repair.* **in (a) good/bad (state of) repair,** em bom/mau estado.
repatriate v.t. repatriar.
repay v.t. e i. (pret, pp -paid) 1 reembolsar, pagar de volta, indenizar. 2 retribuir, compensar: *How can I repay your kindness?*
repayment s. reembolso, retribuição.
repeat v.t. e i. repetir, fazer/dizer novamente: *Repeat, please!*
repel v.t. (-ll-) 1 repelir, rechaçar, rejeitar. 2 causar repulsa, desagradar, repugnar.
repellent adj. repelente, repulsivo: *She has repellent behavior.*
repent v.t. e i. (fml) arrepender-se.
repercusion s. 1 repercussão. 2 eco, reação, ricochete: *the repercussion of the fact.*
repertoire s. repertório.
repetition s. repetição.
repetitive adj. repetitivo.
replace v.t. 1 substituir: *I want to replace my old car.* 2 repor, devolver: *replace the booklet on the counter after reading it.*
replaceable adj. substituível.
replacement s. reposição, substituição: *Your clothes need replacement.*
replay v.t. 1 jogar (uma partida) novamente. 2 tocar (uma música) novamente.
replay s. 1 (rel a televisão) repetição de uma cena. 2 repetição (de um jogo).
replica s. réplica, cópia, reprodução.
reply vt, vi (pret, pp -ied) responder, replicar: *Did you reply his letter?*
reply s. resposta, réplica: *He wrote a short reply to my letter.*
report s. 1 relatório, boletim: *This is the report you asked for.* 2 informação, notícia, rumor.
report v.t. e i. 1 relatar, fazer relatório. 2 contar, informar, denunciar: *The citizens reported the crime.* 3 apresentar-se, comparecer: *He reported to work very early in the morning.*
reportedly adv. segundo dizem.
reporter s. 1 repórter. 2 relatar.
repository s. (pl -ies) 1 repositório, depósito, armazém. 2 confidente: *She is the repository of his secrets.*
reprehend v.t. (fml) repreender, censurar: *She reprehended the children.*
represent v.t. 1 representar. 2 retratar, descrever. 3 desempenhar um papel: *He represented a pirate in the movie.*
representation s. 1 representação. 2 imagem, retrato: *This painting is the exact representation of Paris.*
representative s. representante: *our representative in your country.*
repress v.t. reprimir, conter: *repress the anger.*
repression s. repressão.
repressive adj. repressivo.
reprimand v.t. repreender, censurar: *The students were reprimanded by the school principal.*
reprimand s. reprimenda, repreensão.

reprint v.t. reimprimir, reeditar.
reprisal s. represália: *They fear a reprisal.*
reproach s. repreensão, reprovação, censura. ***above/beyond reproach***, perfeito: *Her behavior is above reproach.*
reproach (for, with) v.t. repreender, recriminar, censurar: *She reproached the girls for bad behaviour.*
reproduce v.t. e i. 1 reproduzir. 2 multiplicar, propagar. 3 copiar, imitar: *Could you reproduce this text for me?*
reproduction s. 1 reprodução. 2 cópia: *This is a cheap reproduction.*
reprove v.t. (fml) reprovar, censurar: *Her father reproved her for staying out late.*
reptile s. réptil.
republic s. república.
republican adj. republicano: *a republican candidate.*
repugnant adj. repugnante: *His words were repugnant to me.*
repulse s. repulsa, aversão.
repulsive adj. repulsivo, repugnante: *He is a repulsive man.*
reputation s. reputação, conceito: *That school has a good reputation.*
request s. 1 pedido: *an old request.* 2 requerimento, petição. ***at/by the request of***, a pedido de. ***on request***, a pedidos.
request v.t. solicitar, pedir: *Visitors are requested not to touch the sculptures.*
require v.t. 1 requerer, precisar: *This exam requires a lot of reading.* 2 pedir, exigir: *Students are required to bring their own pens.*
requirement s. requisito, necessidade, exigência: *What are the new requirements?*
requisite s. requisito, condição.
requisition s. requisição, requerimento.
rerun s. reprise, reexibição: *I love to watch reruns of old TV series.*

rescue s. salvamento.
rescue v.t. salvar, socorrer: *He rescued people from the Tsunami.*
research s. investigação, pesquisa. ***do research***, fazer pesquisa.
research v.t. 1 pesquisar, investigar: *The scientists are researching what happened in Asia.* 2 indagar, examinar.
researcher s. pesquisador.
resemblance s. semelhança, imagem, retrato: *There's a strong resemblance between his father and brother.*
resent v.t. ressentir-se, ofender-se.
resentful adj. ressentido, rancoroso: *He is a resentful person.*
resentment s. ressentimento, rancor.
reservation s. 1 reserva: *Let's make the hotel reservations.* 2 restrição: *She has some reservations about his new friends.*
reserve s. 1 reserva: *reserve of energy.* 2 área reservada: *This is a Xavantes reserve.* 3 (mil) tropas de reserva. 4 sisudez, circunspeção.
reserve v.t. 1 reservar. 2 conservar, guardar: *I'll reserve the chocolate for later.*
reserved adj. 1 reservado, guardado. 2 discreto, sisudo, calado: *He is a very reserved man.*
reservoir s. 1 (fig) reservatório. 2 reservatório, represa (esp de água).
reset v.t. (pret, pp -) (-tt-) 1 reprogramar: *reset the video.* 2 amolar, afiar novamente: *reset the knives.* 2 recolocar: *reset the pearls in the bracelet.* 3 (tipogr) recompor (texto).
residence s. (fml) residência: *He took residence in Brazil.* ***in residence***, a) (rel a oficiais) em residência oficial. b) (rel a membros de uma universidade) residente na universidade.
resident s. 1 residente, habitante: *She is a local resident.* 2 médico residente.
residential adj. residencial: *This is a residential district.*
residual adj. residual, restante, remanescente.

residue

residue s. resíduo, sobra.
resign v.t. e i. 1 renunciar, demitir-se: *The president of the company has resigned.* 2 resignar-se, conformar-se.
resignation s. 1 renúncia, demissão, exoneração: *His resignation was considered a surprise.* 2 carta de demissão: *letter of resignation.* 3 submissão, sujeição.
resigned adj. resignado, conformado: *She is a resigned woman.*
resilient adj. 1 elástico. 2 (rel à saúde) que se recupera rapidamente, resistente.
resin s. resina.
resist v.t. e i. 1 resistir, repelir: *The terrorist resisted their attack.* 2 resistir a: *I can't resist a sweet.* 3 resistir, suportar.
resistance s. 1 resistência, oposição: *They offered no resistance.* 2 resistência física. 3 (eletr) resistência.
resistant adj. resistente: *This fabric is not very resistant.*
resolute adj. resoluto, determinado: *His resolute personality has helped him along the way.*
resolution s. 1 decisão, determinação, resolução: *That's my New Year's resolution.* 2 (téc) decomposição, dissolução.
resolve v.t. e i. 1 resolver, decidir. 2 solucionar, resolver.
resonance s. ressonância, eco.
resonant adj. ressonante.
resort s. 1 lugar ou local de veraneio/férias, estação de águas, estância: *a beach resort.* 2 recurso: *They used all the available resorts.* **the last resort**, o último recurso.
resort v.i. (to) 1 recorrer a, fazer uso de: *He resorted to violence.*
resource s. 1 recurso: *Brazil is a country of many resources.* 2 passatempo.
resourceful adj. desembaraçado, expedito, despachado: *She is a resourceful teacher.*

respect s. 1 respeito, deferência, consideração: *He deserves respect.* 2 relação, referência. **with/without respect to**, com/sem referência a. **in respect of**, com respeito a, a respeito de. **in some/any/no respects**, em algum/alguns/nenhum aspecto(s). 3 (pl) lembranças, cumprimentos: *Give my respects to your wife.* **pay one's respects**, apresentar seus cumprimentos. **self-respect**, auto-estima.
respect v.t. respeitar, estimar, honrar: *He is a respected professor.*
respectable adj. 1 respeitável, considerado, digno. 2 considerável: *It is a respectable amount of money.*
respectably adv. respeitavelmente.
respectful adj. respeitoso, reverente, atencioso.
respective adj. respectivo: *They cleaned their respective rooms.*
respectively adv. respectivamente.
respiratory adj. respiratório.
resplendent adj. resplendente, brilhante, esplêndido.
respond v.i. 1 responder, replicar. 2 reagir, ser suscetível, corresponder: *They responded well to the new drugs.*
response s. 1 resposta, réplica. 2 reação, resposta: *It was a quick response.*
responsibility s. (pl -ies) 1 responsabilidade. 2 dever, obrigação.
responsible adj. 1 responsável: *They are responsible for the children.* 2 (rel a posição, cargo, tarefa, etc) de responsabilidade. 3 digno de confiança, fidedigno: *a responsible adult.*
responsive adj. 1 que reage, responde ou corresponde: *a responsive attitude.* 2 suscetível, compreensivo.
rest s. 1 descanso, repouso, folga. **be at rest**, a) estar parado, b) estar morto. **be laid to rest**, ser sepultado. **take a rest**, repousar, descansar. **come to rest**, (rel a corpo em movimento) parar. 2 suporte, apoio, descanso: *a*

head rest. 3 (mús) pausa. 4 casa de repouso, sanatório: *a rest home.* **rest room**, (EUA) banheiro público.
rest *s.* 1 o que fica, o resto: *They drank some of the milk and left the rest in the cup.* 2 os outros: *Some of the children are here. Where are the rest?*
rest *v.t. e i.* 1 repousar, descansar. 2 dar descanso a: *Rest your legs.* 3 *(on, against)* apoiar, descansar: *rest your head here.* 4 estar certo, tranqüilo: *Go home and rest assured. Everything is all right now.*
restaurant *s.* restaurante.
restitution *s.* (fml) restituição, reembolso.
restless *adj.* inquieto, impaciente: *He is a restless child.*
restoration *s.* restauração, reparação, reconstituição.
restore *v.t.* 1 restituir, devolver. 2 reintroduzir, restabelecer: *to restore peace.* 3 restaurar, reconstituir: *restore the building.* 4 restabelecer (saúde): *After the surgery she will feel completely restored.*
restrain *v.t.* (from) restringir, conter, refrear: *He should restrain his temper.*
restrained *adj.* reprimido, comedido, reservado.
restraint *s.* 1 restrição, coibição, controle. 2 repressão (de emoções, etc). **without restraint**, sem reservas, livremente.
restrict *v.t.* restringir, limitar.
restriction *s.* restrição, limitação.
restrictive *adj.* restritivo (também gram).
result *s.* resultado, conseqüência, conclusão. **as a result of**, em conseqüência de.
result *v.i.* resultar, proceder, provir. **result from**, resultar. **result in**, terminar ou redundar em: *It resulted in a big mess.*
resume *v.t.* (fml) 1 recomeçar, reatar, prosseguir: *She resumed her journey the following day.* 2 reassumir, retomar: *resume a job.*
résumé *s.* 1 resumo, sumário. 2 (esp EUA) curriculum vitae.
resurrect *v.t. e i.* 1 ressuscitar, ressurgir. 2 repor em uso.
resurrection *s.* 1 ressurreição. 2 ressurgimento, renovação.
resuscitate *v.t. e i.* ressuscitar, reviver, reavivar. *resuscitate old songs.*
resuscitation *s.* ressurreição, renascimento.
retail *s.* varejo: *buy retail,* comprar a varejo. (Cf. *wholesale*).
retail *v.t. e i.* retalhar, vender a varejo.
retailer *s.* varejista.
retain *v.t.* 1 reter, guardar. 2 contratar (esp serviços de advogado): *She retained his services as a lawyer.*
retainer *s.* honorários (de advogado).
retaliate *v.i.* (against, by) retaliar, revidar, exercer represália, vingar-se: *He retaliated the insult.*
retaliation *s.* represália, desforra.
retard *v.t.* retardar, impedir (esp desenvolvimento): *a mentally retarded girl.*
retch *v.i.* ter ânsia de vômito.
reticent *adj.* reticente, reservado.
retire *v.i. e t.* 1 aposentar (-se): *She retired from the company last year.* 2 retirar(-se): *She retired from the room.* 3 (fml) ir para a cama, recolher-se. 4 (rel a exército) retroceder, recuar.
retired *adj.* 1 aposentado. 2 ermo, solitário, isolado.
retirement *s.* 1 aposentadoria. 2 refúgio, isolamento. **go into retirement**, a) aposentar-se. b) isolar-se.
retort *v.t. e i.* replicar, refutar, retorquir.
retort *s.* réplica, resposta cortante ou espirituosa, refutação.
retrace *v.t.* 1 voltar atrás, remontar à origem, retroceder. 2 repassar (na memória).
retract *v.t. e i.* 1 retrair, recolher.

retraction

2 retratar(-se), desdizer(-se): *She refused to retract her words.*
retraction *s.* retração, retratação.
retreat *v.i.* 1 retirar-se, retroceder. 2 refugiar-se, procurar asilo, abrigo. 3 estado ou período de retraimento.
retreat *s.* 1 retirada: *in full retreat,* retirada total. 2 toque de retirada. 3 recuo. *beat a retreat,* (fig) desistir, mudar de idéias. 4 retiro. *go into retreat,* fazer retiro (espiritual).
retribution *s.* 1 retribuição. 2 desforra, retaliação, castigo merecido.
retrieval *s.* recuperação, restauração, reparação.
retrieve *v.t. e t.* 1 recuperar, reaver. 2 reparar, corrigir. 3 (rel a cães) trazer caça abatida.
retroactive *adj.* retroativo.
retrograde *adj.* retrógrado, retrocessivo, inverso.
retrospect *s. in retrospect,* revendo o passado, retrospectivamente.
retrospective *adj.* retrospectivo, retroativo.
return *s.* 1 retorno, volta: *It was a happy return home. in return (for),* em troca (de). *a return ticket* (usado como *adj),* passagem de ida e volta. 2 (pl) lucros.
return *v.i. e t.* 1 voltar, retomar. 2 devolver: *to return a CD.* 3 responder. 4 eleger, reeleger.
returnable *adj.* restituível, reversível.
reunion *s.* 1 reunião. 2 encontro de colegas ou amigos após um período de separação: *a school reunion.*
reveal *v.t.* revelar, mostrar, exibir, desvelar: *The truth will be revealed.*
revelation *s.* 1 revelação, manifestação.
revenge *v.t.* 1 vingar, retaliar: *They revenged the defeat.* 2 vingar-se de/contra. *to be revenged (on sb for sth),* ser vingado.
revenge *s.* 1 vingança, desforra: *take a revenge on somebody; have/get one's revenge (on a person). do it out of/in - (for).* 2 desejo de vingança.
revengeful *adj.* vingativo, vingador.
revengefully *adv.* vingativamente, por vingança.
revenue *s.* 1 renda, rendimento. 2 fisco.
reverberation *s.* 1 reverberação, repercussão. 2 (pl) ecos, efeitos (de um fato).
reverence *s.* reverência, respeito, veneração. *hold sb or sth in reverence,* ter veneração por alguém ou alguma coisa.
reverie *s.* devaneio, cisma, sonho, fantasia: *She was lost in reverie untill she heard a loud noise.*
reversal *s.* 1 reversão, inversão. 2 (jur) revogação (de decisão, etc).
reverse *s.* 1 reverso, inverso. 2 o contrário: *quite the reverse,* muito ao contrário. 3 o avesso, o verso. 4 contratempo, revés: *a financial reverse.* 5 marcha a ré: *put the car in reverse.*
reverse *v.t. e i.* 1 inverter, virar em sentido contrário. 2 alterar completamente. 3 virar na direção oposta. 4 (jur) revogar, anular (decisões, ordens, etc).
reversible *adj.* reversível, reversivo: *a reversible coat.*
revert *v.i.* reverter (também jur), voltar, retomar.
review *v.t. e i.* 1 rever, estudar, examinar detidamente: *to review the exercises.* 2 inspecionar, passar em revista (tropas, esquadra). 3 fazer crítica (de livros, discos, etc) para jornais.
review *s.* 1 revisão, revista (liter, mil, teat). 2 crítica (livros, peças, etc). 3 publicação periódica.
revise *v.i.* reconsiderar, rever, revisar.
revision *s.* 1 revisão. 2 versão ou edição revista.
revival *s.* 1 revitalização, renovação, restauração: *a Beethoven revival.*
revive *v.t. e i.* 1 reviver, trazer de volta: *to revive traditions.* 2 reanimar. 3 (teat) reapresentar peça antiga.

revoke v.t. e i. revogar, anular: *to revoke a decision.*
revolt v.t. e i. 1 revoltar(-se), insurgir (-se): *The students revolted against the government.* 2 *(at, against)* horrorizar (-se): *The people of that small town revolted against the men responsible for the murders of two kids.* 3 desgostar, repugnar.
revolt s. revolta, rebelião, insurreição.
revolting adj. revoltante, repulsivo.
revolution s. 1 revolução. 2 curso, circuito, ciclo. 3 revolução: *The personal computer caused a revolution in modern life.*
revolutionary adj. e s. revolucionário.
revolve v.t. e i. 1 revolver, girar, fazer girar. 2 revolver (na mente), ponderar, refletir sobre (um problema): *The problems were revolving in my mind and I couldn't sleep.*
revolver s. revólver, pistola.
revulsion s. mudança repentina e violenta, reviravolta.
reward s. recompensa, prêmio, gratificação.
reward v.t. *(sb for sth)* recompensar, premiar, gratificar: *The police rewarded the citizens.*
rhetorical adj. retórico.
rheumatism s. reumatismo.
rhinoceros s. (pl -es) rinoceronte.
rhyme s. 1 rima. 2 versos rimados. **without rhyme or reason,** sem pé nem cabeça, sem sentido. (EUA também *rime*).
rhythm s. ritmo.
rib s. 1 costela. 2 (arq) viga, trave, nervura.
ribbon s. 1 fita, banda, faixa, tira: *The girl tied a blue ribbon around her hair.* 2 galão. 3 (Pl) farrapos. **tear to ribbons,** esfarrapar.
rice s. arroz.
rich adj. *(-er, -est)* 1 rico. 2 valioso, precioso. 3 rico em calorias, que engorda: *a rich dessert.* 4 (rel a cores) vivo. 5 (rel a voz, som) sonoro ou quente. 6 (rel a terras) fértil, abundante: *a rich land.*
riches s. (pl) riquezas, bens.
richness s. riqueza.
rickety adj. 1 raquítico. 2 franzino, fraco.
ricochet s. ricochete.
rid v.t. (pret, pp -) livrar-se ou desembaraçar-se de. **be rid of,** estar livre de: *I'm rid of that old car.* **get rid of,** livrar-se de, desfazer-se de, pôr fim a: *get rid of bad habits.*
riddance s. livramento (de um mal, perigo, etc). **good riddance,** bons ventos o levem, (gír) já vai tarde.
riddle s. enigma, charada.
ride s. 1 viagem ou passeio (de carro, bicicleta, etc). 2 condução, carona: *Can you give me a ride?* 3 caminho. **take sb for a ride,** (gír) enganar, humilhar alguém.
ride v.t. e i. (pret *rode,* pp *ridden*) 1 andar (a cavalo, de bicicleta, etc): *She likes to ride horses.* 2 *(in)* andar, passear, viajar (de trem, ônibus, carro). b) suportar, resistir. **let sth ride,** (gír EUA) deixar correr, não agir. **ride up,** subir.
rider s. 1 cavaleiro, ciclista, passageiro, viajante. 2 cláusula ou disposição adicional.
ridge s. 1 crista, cume. 2 espinha ou dorso (de animal). 3 cadeia de montanhas, cordilheira. 4 aresta, sulco (na terra).
ridicule v.t. ridicularizar, escarnecer, zombar de: *She was afraid of being ridiculed.*
ridiculous adj. ridículo, absurdo.
rife adj. 1 comum, corrente. **rife with,** repleto, cheio de.
riffle v.t. e i. 1 folhear, deixar correr as folhas de livro. 2 (rel a baralho) embaralhar cartas.
rifle v.t. 1 saquear, pilhar, roubar, **rifle of,** levar/limpar tudo.
rifle s. fuzil, carabina, rifle. **rifle man,** fuzileiro. **rifle range,** alcance de rifle.
rift s. racha, fenda, brecha.

rig

rig *v.t.* (*-gg-*) 1 aparelhar, equipar, arrumar (navios). **rig sb out (with)**, equipar alguém (p ex com roupas). **rig sth up**, arrumar algo rapidamente.
rig *s.* 1 aparelhagem de um navio. 2 (infml) traje, vestuário, aparência. 3 equipamento montado com objetivos específicos: *oil rig*, aparelho para sondagem de petróleo sob o mar, plataforma.
right *s.* 1 direito, justiça, razão: *Human rights*. 2 direita: *the supermarket is on the right*. **the Right (Wing)** (pol), membros de partidos de direita. **by right**, de direito. **in one's own right**, por si só, por si mesmo. **it serves (one) right**, bem feito. **be in the right**, ter razão.
right *adj.* 1 (rel a linha, ângulo, etc) reto. 2 direito, justo. 3 correto, certo: *Is it right?* 4 bom, bem: *I hope he is all right.* 5 adequado, apropriado: *This is the right thing to do.* 6 são, normal, perfeito: *I believe she is not in her right mind.* 7 em ordem: *to make things right.* **be right**, ter razão: *I know I'm right!*
right *adv.* 1 certo: *His project came out right.* 2 corretamente, justamente, mesmo:*now/here*, agora/aqui mesmo. *If I remember right, he lives in Santos.* **right to/into**, logo ou diretamente. **right through**, diretamente (usado com os verbos *go/pass/run*): *She passed right through the crowd without noticing us.* **right away**, imediatamente: *Go to your room right away!*
right *v.t.* 1 endireitar, corrigir, ajustar. 2 fazer justiça a.
righteous *adj.* 1 justo, justiceiro. 2 virtuoso, honesto, correto.
righteously *adv.* 1 justamente. 2 virtuosamente, honestamente, corretamente.
righteousness *s.* justiça, virtude, honestidade.
rightful *adj.* 1 legítimo, justo. 2 direito, equitativo.

rigid *adj.* 1 rígido, duro, rijo. 2 (fig) austero, severo, rigoroso: *a rigid education.*
rigidity *s.* rigidez, severidade, inflexibilidade.
rigidly *adv.* rigidamente.
rigmarole *s.* 1 palavreado. 2 seqüência de ações sem sentido/desnecessárias: *She did the whole rigmarole to deceive her boss.*
rigorous *adj.* 1 rigoroso. 2 exato, preciso: *a rigorous test.*
rigor *s.* 1 rigor, rigidez (de regras). 2 (ger pl) condições rigorosas (p ex de clima). (GB *rigour*).
rile *v.t.* (infml) aborrecer, irritar.
rind *s.* 1 casca, crosta. 2 pele grossa ou couro (de toicinho defumado): *bacon rind.*
ring *s.* 1 anel, argola: *an engagement ring*, aliança de noivado. 2 círculo. 3 camada. 4 arena, picadeiro. 5 ringue, plataforma de boxe, (luta de) boxe. **ring-finger**, dedo anular. **ring-leader**, líder, cabeça (de movimento de oposição). **ring road**, anel viário.
ring *v.t. e i.* (pret, pp *-ed*) 1 rodear, cercar: *They ringed themselves about the girls.* 2 por anel/argola no focinho de um animal. 3 rodear, circundar, fazer um círculo em volta de (p ex uma palavra).
ring *s.* 1 toque, badalada, repique. 2 som. 3 telefonema: *I'll give him a ring tomorrow.*
ring *v.t. e i.* (pret *rang*, pp *rung*) 1 tocar, soar, badalar, retinir (sinos): *The bells are ringing.* 2 soar *(bem/mal)*, produzir efeito: *His words didn't ring true to me.* 3 chamar, convocar: *The doctor rang for the nurse.* 4 ressoar, ecoar: *The sound is still ringing in my ears.* 5 repercurtir, vibrar. 6 telefonar: *I'll ring you up later.* **ring off**, desligar o telefone. **ring in/out**, anunciar a entrada de ou despedir.
ringlet *s.* 1 pequeno anel, círculo. 2 madeixa de cabelo.

rinse v.t. enxaguar, lavar: *to rinse your hair*.
rinse s. enxague. *After the shampoo give your hair a good rinse*.
riot s. 1 tumulto, motim, distúrbio: *There was a riot on the streets of Los Angeles*. **run riot**, a) desenfrear-se. b) crescer em profusão (plantas).
riot v.i. 1 tomar parte em tumulto ou rixa.
rip v.t. e i .(-pp-) 1 arrancar, rasgar, descosturar. 2 (rel a tecidos) rasgar-se. **rip into**, (infml) atacar violentamente (esp com palavras).
rip s. rasgão, rasgo.
ripe adj. (-r; -st) 1 maduro, amadurecido: *ripe tomatoes*. 2 no ponto (para ser comido, usado, etc): *ripe cheese*. 3 pronto, preparado. 4 de idade avançada: *ripe old age*. 5 oportuno, propício.
ripen v.t. e i. amadurecer(-se).
ripple s. ondulação, marulho, murmúrio (de águas).
rise s. 1 aumento (de valor, temperatura, salário): *We asked our boss for a rise in our salaries*. **give rise to**, causar, originar.
rise v.i. (pret *rose*, pp *risen*) 1 levantar-se, sair da cama. 2 vir à tona, levantar-se, subir. 3 originar-se, provir, nascer: *Where does the sun rise?* 4 intensificar-se. 5 ascender socialmente, profissionalmente: *a rising star*. 6 entrar em recesso (o Parlamento, o tribunal, um comitê). **rise to the occasion**, mostrar-se à altura de uma situação, dificuldade, etc. **rise against**, rebelar-se (p ex contra o governo).
rising s. revolta, levante.
risk s. 1 risco: *There's a risk of fire*. 2 perigo: *Firemen face a lot of risks in their daily lives*. 3 (rel a seguro) a) perigo, risco: *fire risk*. b) quantia pela qual uma pessoa ou coisa está assegurada, pagamento do objeto do seguro: *He's a good risk*. **at risk**, em perigo: *Children who haven't been vaccinated are at risk*. **at one's own risk**, por conta própria, sob sua própria responsabilidade. **run the risk/take risks**, correr o risco: *You're running a big risk in lending him money*.
risk v.t. 1 arriscar-se, expor ao perigo: *Don't risk your life going there*. 2 aventurar-se: *They risked traveling to Spain without speaking spanish*.
risky adj. (-ier, -iest) arriscado, perigoso: *It's a risky enterprise*.
ritual s. ritual, cerimônia: *the rituals of the Catholic church*.
ritual adj. ritual, cerimonial.
rival s. rival, concorrente, competidor: *They are rivals in love*.
rival v.t. (-ll- EUA também -l-) ser rival de, concorrer, disputar, competir.
rivalry s. (pl -ies) rivalidade, disputa.
river s. 1 rio: *The São Francisco river*. 2 abundância, grande quantidade. **sell sb down the river**, (fig) trair. **river-basin**, região geográfica banhada por um rio e seus afluentes. **river-bed**, leito de um rio. **riverside**, orla/margem de um rio.
rivet s. rebite.
rivet v.t. e i. 1 rebitar, prender firmemente. 2 (fig) fixar a atenção, olhar em: *She riveted her eyes on him*. 3 prender a atenção: *There are some TV shows that are riveting*.
road s. 1 via, rodovia, estrada: *Is the road to your farm asphalt or dirt?* 2 rua (abrev *Rd*): *He lives at 384 Oxford road*. **on the road**, a caminho, de passagem, viajando. **road to**, caminho para, meio para. **take to the road**, partir. **road block**, barreira para impedir/diminuir a velocidade do tráfego. **road-hog**, motorista que abusa na estrada pondo em risco a vida de terceiros, imprudente. **road works**, obras/estrada em obras.
roam v.t. e i. (*through, around*) perambular, andar ou viajar sem fim ou destino definido: *They roamed through Europe*.
roar s. rugido, bramido, urro, zunido: *the roar of the tigers*.

roar v.t. e i. 1 rugir, bramir, urrar, zunir: *The animals roared in the distance.* 2 bradar, gritar. 3 ficar rouco de tanto gritar.
roaring adj. 1 estrondoso, barulhento. 2 vivo, animado.
roast v.t. e i. 1assar (no forno ou na brasa), tostar, torrar: *to roast a turkey.* 2 expor-se ao calor: *He is toasting himself by the pool.* **give sb a good roasting**, repreender severamente.
roast s. 1 assado, carne assada. 2 ato de assar.
roast adj. assado, torrado: *roast chiken.*
rob v.i. (-bb-) 1 roubar, assaltar: *This bank has been robbed twiced.* 2 (fig) tirar, roubar: *He has robbed her youth.*
robber s. ladrão, assaltante.
robbery s. (pl -ies) ato de roubar/assaltar, assalto, roubo: *bank robbery.* **daylight robbery**, (infml) exploração, preço excessivo.
robe s. 1 roupão, chambre: *a bathrobe.* 2 (pl) toga, beca: *the judge's robe.*
robot s. robô.
robust adj. robusto, sadio, vigoroso: *a robust child.*
rock s. 1 rocha, rochedo. 2 (EUA) pedra: *The students threw rocks at the soldiers in protest.* **as firm/as steady as a rock**, firme/sólido como uma rocha. **on the rocks**, a) com gelo, com pedras de gelo: *an alcoholic drink on the rocks.* b) arruinado, perdido: *Their relationship is on the rocks.* **rock-bottom**, nível mais baixo, nível mínimo. **rock-crystal**, cristal de rocha. **rock-salt**, salgema.
rock v.t. e i. balançar, embalar: *The nurse is rocking the baby.* **rock the boat**, (fig) entornar o caldo, pôr em risco a boa ordem ou harmonia. **rocking chair**, cadeira de balanço. **rocking horse**, cavalinho de pau (de balanço).
rock s. música popular, de ritmo animado, própria para dançar.
rock'n-roll s.= rock.

rocket s. 1 foguete, rojão. **rocket-base**, base militar para lançamento de mísseis. **rocket-range**, área utilizada para experiências com mísseis.
rocket v.i. (infml) subir rapidamente como um rojão: *The taxes are rocketing.*
rocky adj. (-ier, -iest) 1 rochoso, cheio de rochedos/penhascos, duro como rocha. 2 (infml) que balança: *A rocky chair.* 3 (infml) instável, incerto: *His family life is very rocky.*
rod s. 1 vara, varinha, vareta (de madeira/metal): *a fishing rod.* 2 vara usada em punição, açoite.
rode V. (pretérito do verbo *ride*).
rodent s. animal roedor como o rato, o coelho, o esquilo, etc.
rodeo s. (pl -s) 1 ajuntamento de gado. 2 rodeio, cavalhada.
roe s. **hard roe**, ova de peixe. **soft roe**, esperma de peixe.
rogue s. 1 velhaco, tratante, enganador. 2 animal selvagem que vive à parte da manada: *a rogue elephant.*
role s. 1 papel, parte (em cinema/teatro): *Madonna played the role of Evita in the movies.* 2 função/papel na vida real: *role of a mother.*
roll s. 1 rolo, qualquer coisa em formato cilíndrico: *a roll of paper.* **roll-call**, chamada. **call the roll**, fazer a chamada para verificar quem está presente.
roll v.t. e i. 1 rolar. 2 fazer rolar. 3 enrolar, dar forma de uma bola. 4 rodar, mover-se: *The train rolled away very slowly.* 5 (rel a navio) agitar, balançar com o movimento das ondas: *The boat is rolling softly.* 6 cambalear. 7 (rel a olhos) revirar, virar: *Don't roll your eyes at the teacher!* **roll (sth) out**, abrir massa com rolo. **roll one's r's**, enrolar os erres. **roll sth back**, forçar a retirada/o afastamento. **roll in**, chegar em grande quantidade. **roll up**, a) arregaçar, enrolar: *roll up your sleeves.* b) juntar-se a um grupo. c) chamar para assistir a um circo, a uma feira, etc.

roller coaster s. montanha russa.
roller skate s. (também *a pair of skates*) patins.
rolling- prefixo indica ação de rolar, rodar, girar. **rolling-pin**, rolo para abrir massa de macarrão/biscoito.
roman numeral s. algarismo romano.
romance s. 1 romance, história de aventura, história de amor. 2 história medieval, ger em verso, que relata as aventuras de um guerreiro. 3 aventura amorosa notável.
romantic adj. 1 romântico, sentimental: *a romantic affair*. 2 (rel a arte, literatura e mús) romântico.
roof s. 1 telhado, teto: *The roof should be fixed before winter comes*. 2 casa, lar: *They live together under the same roof*. 3 cume, parte mais alta. **raise the roof**, enfurecer-se, subir a serra.
roofing s. material usado para se fazer telhado.
rook s. trapaceiro no jogo.
room s. 1 quarto, aposento, dependência: *The rooms in this hotel are very clean*. 2 espaço, lugar, capacidade: *There's room for you in my car*. 3 chance, oportunidade: *He needs room to develop his career*. 4 causa, razão: *There's no room for jealousy*. **roommate**, pessoa que divide um quarto/apartamento, companheiro de quarto. **room service**, serviço de quarto (em um hotel).
room v.i. (EUA) estar alojado, ocupar um quarto: *He is rooming with me*.
roomy adj. espaçoso, amplo: *a roomy bedroom*.
rooster s. galo.
root s. 1 raiz (de planta, árvore). 2 raiz (de dente, cabelo, etc). 3 causa, origem, ponto central: *Fight for power is the root of many problems*. 4 (mat) raiz, número que. **root and branch**, totalmente, completamente. **take/strike root**, criar raízes (também fig). **put down new roots**, (fig) estabelecer-se em outro lugar, depois de haver deixado um lugar onde já havia criado raízes.

root beer, (EUA) bebida não-alcoólica feita de raízes. **the root cause**, a causa fundamental. **root sign**, (mat) sinal de raiz quadrada (Ö).
root v.t. e i. (rel a plantas) brotar, arraigar, lançar/criar raízes: *Do roses root easily?* **root sth out,** a) erradicar, extirpar (algo ruim). b) encontrar algo depois de procurar.
rooted adj. 1 (rel a pessoas) enraizado, radicado. 2 (rel a idéias, princípios, etc) arraigado, consolidado: *He has rooted ideas about marriage*.
rootless adj. 1 que não tem raiz. 2 (rel a pessoas) socialmente desarraigado.
rope s. 1 corda, cabo. 2 réstia, fileira: *a rope of onions*. **give sb (plenty of) rope**, (fig) dar liberdade de ação (a alguém). **give sb enough rope to hang himself**, (fig) deixar alguém se enforcar com a própria corda. **know/learn/show sb the ropes**, saber/aprender/ensinar/mostrar os procedimentos, por alguém a par de como fazer algo.
rope v.t. amarrar, atar com corda. **rope sb in**, convencer alguém a ajudar.
rosary s. (pl -ies) terço, rosário.
rose s. 1 rosa, roseira. 2 cor de rosa. 3 crivo de regador. 4 roseta. 5 símbolo nacional da Inglaterra. **a bed of roses**, um mar de rosas. **(be) not all roses**, que tem desvantagens, que não é perfeito. **see things through rose-coloured glasses/spectacles,** ser muito otimista. **There's no rose without a thorn,** felicidade completa não existe, Não há rosa sem espinho. **rose-bud**, botão de rosa. **rose-water**, água de rosas.
rose V. (pretérito do verbo *rise*).
rosemary s. alecrim.
rosette s. roseta.
roster s. lista de plantão/escalação de tarefas.
rosy adj. (-ier, -iest) 1 róseo, rosado, cor de rosa. 2 (fig) que promete, auspicioso: *a rosy future*.

rot s. 1 podridão, deterioração, decomposição.
rot v.t. e i. (-ti-) 1 deteriorar, decompor, estragar: *The food is going to rot.* 2 (fig) apodrecer: *They left the prisoner to rot in prison for 25 years.*
rotary adj. rotativo, giratório.
rotate v.t. e i. 1 girar, rodar. 2 revezar-se, alternar-se.
rotation s. 1 rotação: *the rotation of the earth.* 2 revezamento, alternação. **in rotation,** por/em turnos.
rotor s. rotor.
rotten adj. 1 estragado, podre: *rotten food.* 2 (rel a comportamento) corrupto, desonesto: *What a rotten thing to say.* 3 (gír) mau, péssimo: *a rotten weather!* **feel rotten,** sentir-se cansado, infeliz.
rough adj (-er, -est) 1 (rel a superfícies) áspero, desigual, bruto, imperfeito, inacabado, tosco: *rough surface.* 2 (rel a mar, tempo) violento, tempestuoso, agitado, encrespado. 3 (rel a pessoas, comportamento) ríspido, grosseiro, bruto, indelicado: *rough words.* 4 (rel a condições de vida) simples, rústico: *They lived a rough life on the farm.* 5 (rel a planos, cálculos) imperfeito, aproximado, incompleto, não detalhado: *a rough sketch.* 6 (rel a voz) dissonante, desarmoniosa. 7 desagradável, insuportável. **rough copy,** rascunho. **rough draft,** rascunho, minuta. **rough luck,** má sorte. **rough-neck** (infml) desordeiro, grosseirão.
rough s. 1 indivíduo violento, brutamontes. **the rough,** parte não tratada de um campo de golfe. 2 esboço, rascunho. **in rough,** no rascunho. **in the rough,** (rel a obra de arte) inacabado. **take the rough with the smooth,** Aceitar tanto as coisas boas como as más sem queixas, resignar-se.
rough adv. de maneira áspera/bruta: *play rough.* **live rough,** viver sem conforto/ao léu. **sleep rough,** dormir ao relento.
roughly adv. 1 asperamente, de modo grosseiro: *They treated the students roughly.* 2 mais ou menos, aproximadamente. **roughly speaking,** a grosso modo.
roughness s. 1 aspereza, rudeza. 2 indelicadeza, grosseria. 3 rusticidade. 4 brutalidade, violência. 5 rigor, severidade.
round adj. 1 redondo, arredondado. 2 que envolve movimento circular, de ida e volta: *a round ticket.* **in round figures,** (rel a números) em números redondos/inteiros.
round adv. 1 em posição/direção contrária. 2 de volta, circularmente. 3 em volta, à volta. voltas contínuas. **all/right round,** por toda a volta. **all the year round,** o ano todo. **the other/opposite way round,** ao contrário, do lado contrário.
round prep 1 em volta de, ao redor de: *The boys played round the table.* 2 em todos os lugares, por toda parte. 3 por volta de: *Dinner is round 7 o'clock.* **round the corner,** virando a esquina. **round the clock,** o tempo todo, dia e noite. **round the bend,** (gír) louco.
round s 1 qualquer coisa de forma redonda como uma bola, um círculo, etc. 2 fatia, rodela: *a round of bread.* 3 rodada: *a round of beers.* 4 rotina, ronda. **make one's rounds,** fazer visitas de rotina. **round sth off,** completar, rematar, terminar bem.
roundabout s. 1 (rel a trânsito) rotatória.
roundabout adj 1 sinuoso: *We took a roundabout way to avoid the traffic.* 2 (fig) indireto: *I heard about the news in a roundabout way.*
rouse v.t. e i. (ger fml) 1 acordar: *He was roused by the noise on the street.* 2 ativar, estimular, motivar.
route s. rota, caminho, direção, rumo,

curso: *What is the best route to the beach.* **on route**, a caminho de/para.
routine *s.* rotina: *He follows his routine daily.*
routine *adj.* 1 rotineiro, regular: *a routine activity.* 2 costumeiro, habitual.
row *s.* 1 fileira, fila: *a row of small houses.* 2 série: *a row of books.*
row *v.t. e i.* remar (barco), transportar/levar em barco a remo. **rowing-boat**, barco a remo. **rowing-club**, clube de regatas.
row *s.* 1 barulho, algazarra, desordem. 2 briga, rixa: *They had a terrible fight last night.* 3 repreensão, censura.
rowdy *adj (-ier, -iest)* desordeiro.
royal *adj.* 1 real, régio: *the Royal Army.* 2 magnífico, excelente, esplêndido.
royalty *s.* (pl *-ies*) 1 realeza, membros da família real. 2 soberania, magnificência. 3 direitos de patente. 4 direitos autorais.
rub *v.t. e i. (-bb-)* 1 esfregar, friccionar, limpar esfregando: *She rubbed her face when she woke up.* 2 raspar, encostar causando dor/desgaste. **rub oneself down**, esfregar com força a fim de limpar/enxugar. **rub sth down**, a) limpar, raspar (antes de aplicar tinta nova). **rub sth in/into sth**, a) fazer penetrar na pele através de fricção. b) dizer repetidamente, insistir em repetir a mesma coisa. **rub it in**, (infml) insistir em assunto desagradável. **rub sth off**, remover/limpar esfregando.
rubber *s.* 1 borracha, elástico. 2 borracha usada para apagar marca de lápis. 3 **rubber (sheath)**, preservativo. **rubber check** *s.* cheque sem fundos.
rubbish *s.* 1 entulho, lixo. (EUA *garbage*). 2 droga, porcaria: *This movie is rubbish.* 3 (usado em exclamações) bobagem, asneira, tolice: *Rubbish!*
rubble *s.* cascalho, pedra britada.
ruby *s. e adj.* (pl *-ies*)rubi, cor de rubi.
rucksack *s.* mochila.
ruddy *adj. (-ier, -iest)* 1 (rel a faces) corado, de aspecto sadio: *ruddy face.* 2 vermelho, avermelhado.
rude *adj. (-r, -st)* 1 rude (rel a pessoa, comportamento, maneira de falar) grosseiro, mal educado, bruto: *Don't be so rude!*
rudely *adv.* rudemente, grosseiramente.
rudiment *s.* (pl) rudimento, base, fundamento, primeiras noções: *learn the rudiments of a language.*
rudimentary *adj.* 1 rudimentar, elementar. 2 pouco desenvolvido.
rueful *adj.* 1 pesaroso, triste. 2 lamentável, deplorável.
ruffian *s.* rufião, brigão, desordeiro.
rug *s.* 1 tapete pequeno. 2 cobertor grosso, manta de lã.
rugby *s.* (esporte) rúgbi.
rugged *adj.* 1 áspero, cheio de sulcos/rugas: *a rugged skin.* 2 rude, ríspido: *a rugged man.* 3 escarpado, irregular, acidentado.
ruin *s.* 1 ruína, destruição, estrago, decadência: *Gambling was his ruin.* 2 bancarrota.
ruin *v.t. e i.* 1 destruir, estragar: *She ruined her dress.* 2 causar o empobrecimento, arruinar, levar à bancarrota: *They were ruined by poor judgement.*
ruins *s.* (pl) ruínas, escombros: *the ruins of the vilage.* **in ruins**, em ruínas.
rule *s.* 1 regra, lei, regulamento, norma: *the new set of rules.* 2 hábito, costume. 3 governo, controle, domínio: *They command the troops with strict rules.* **by/according to rule**, de acordo com o regulamento. **work to rule**, seguir o regulamento à risca. **as a rule**, geralmente, em via de regra.
rule *v.t. e i.* 1 governar, dirigir, comandar: *The country is ruled by a democrat.* 2 (jur) decidir, estabelecer: *The judge ruled them guilty.* 3 riscar, traçar. **be ruled by**, deixar-se dominar/influenciar. **rule sth out**, excluir, eliminar por decisão.

ruler

ruler s. 1 governador, soberano. 2 régua.
ruling adj. predominante, dominante, governante: *the ruling classes.*
rum s. rum.
rumble v.t. e i. 1 fazer barulho contínuo, ribombar, retumbar. 2 resmungar, rosnar. 3 fazer barulho semelhante a um ronco: *My stomach is rumbling.*
ruminant adj (rel a animal) ruminante.
ruminate v.i. 1 meditar, refletir: *He ruminated about his feelings.* 2 (rel a animais) ruminar.
rummage v.t. e i. 1 revirar, remexer, procurar revistando/remexendo. 2 dar busca minuciosa, revistar minuciosamente: *The police rummaged the rooms.*
rummage s busca minuciosa, revista, vistoria, inspeção.
rumor s. rumor, boato: *I heard a rumor that she's pregnant* (GB *rumour*).
rumor v.t. espalhar boatos.(GB *rumour*).
rump-steak s. alcatra.
rumple v.t. amarrotar: *You'll rumple your trousers.*
run v.t. e i. (pret *ran*, pp *run*) (-nn-) 1 correr, apressar-se: *We have to run!* 2 praticar corrida como esporte: *He runs every morning in the park.* 3 disputar corrida. 4 disputar eleições, concorrer. 5 adentrar, avançar: *The army ran into the night.* 6 (rel a máquinas/motores) funcionar, estar em operação, funcionar. 7 (rel a meios de transporte) fazer o trajeto/percurso: *This bus runs between Lapa and Belem.* 8 (rel a líquidos, grãos, areia, etc) fluir, escorrer, fazer escorrer, escoar: *Her nose is running.* 9 tornar-se, ficar, passar por uma determinada condição: *We are running short of food.* **run a race**, participar de uma corrida. **run for**, candidatar-se a. **run oneself/sb into the ground**, ficar exausto (por excesso de trabalho/exercício físico). **run its course**, seguir seu curso/desenvolver-se normalmente. **run the chance/danger of**, correr o risco/perigo de. **run the risk/risks**, arriscarse, correr riscos. **run errands/messages (for sb)**, dar recados, fazer/encarregar-se de um serviço. **run a temperatute**, estar/ficar com febre. **run wild**, comportar-se como selvagem/sem controle. **run across sb/sth**, encontrar por acaso. **run after sb/sth**, a) caçar. b) perseguir a fim de atrair a atenção/a companhia de. **run against sb**, competir em corrida/eleições, etc contra. **run away**, fugir, escapar. **run away with sb/sth**, a) roubar, fugir com. b) perder o auto-controle, descontrolar(-se) emocionalmente. c) perder o controle de um veículo devido à alta velocidade. d) ganhar facilmente uma competição. e) pressupor, tomar por certo. **run sth back**, voltar (uma fita, um filme, etc). **run down**, a) (rel a relógios) parar por falta de corda. b) (rel a bateria, pilha, etc) ficar fraca. c) (rel a pessoas, saúde) exausto, esgotado, enfraquecido por sobrecarga de trabalbo. **run sb/sth down**, chocarse contra um veículo. **run sb down**, a) falar mal de alguém, depreciar. b) perseguir até pegar/alcançar. **run sth down**, diminuir a produção. **run into sb**, encontrar por acaso: *I ran into my cousin yesterday.* **run into sth**, a) chocar-se, colidir. b) encontrar-se/estar em uma certa condição/situação. **into danger**, estar em perigo. **run off with sb/sth**, fugir/escapar com. **run on**, a) falar continuamente/sem para.b) passar, correr.c) continuar seu curso. **run out**, a) (rel a período de tempo) acabar, chegar ao fim. b) (rel a alimentos, provisões, etc) acabar, ficar sem. **run out on sb**, (gir) abandonar, deixar: *Her husband ran out on her.* **run over sth**, revisar, passar novamente (em um ensaio). **run over sb/run sb**

over, atropelar. **run through sth,** a) esbanjar, gastar toda a fortuna, acabar com. b) ler/examinar rapidamente.
run s. 1 corrida, passeio: *They just went for a run.* 2 percurso, viagem curta: *It's a short run to the beach.* 3 rota, percurso. 4 cercado para animais. 5 demanda. 6 permanência em cartaz, apresentação contínua. 7 período, temporada. 8 (rel a peixes) migração de um cardume. 9 fio (de meia) corrido/puxado/desfiado. **at a run,** correndo. **be on the run,** correndo, fugindo. **in the long run,** afinal de contas, a longo prazo. **in the short run,** a curto prazo.
runner s. 1 corredor. 2 mensageiro. 3 lâmina, patim. 4 passadeira (tapete para escadas, corredores). 5 trepadeira. 6 centro/caminho de mesa.
running s. corrida. **take up the running,** tomar a dianteira. **in/out of the running,** (em competições) com/sem chances de vencer.
runny adj. (-ier, -iest) (infml) que escorre, que vaza: *a runny nose.*
rupture s. 1 ruptura, rompimento. 2 discórdia, ruptura. 3 (med) hérnia.
rupture v.t. e i. romper(-se), quebrar, separar-se.
rural adj. rural, campestre: *rural life.*
ruse s. ardil, truque, manha.
rush s. 1 investida, arremetida, movimento rápido. 2 pressa, agitação, afobação: *I'm in a rush.* 3 grande procura, correria (no comércio): *a rush for the show tickets.* **the rush-hour,** a hora de maior tráfego e movimento.
rush v.t. e i. 1 precipitar-se, correr com ímpeto ou violência: *They rushed out after the ball.* 2 apressar-se, afobar-se, agir, ir e vir com toda pressa. 3 apressar, acelerar. 4 atacar, tomar de assalto. **rush sth through,** executar com toda pressa. **rush sb off his feet,** fazer correr/apressar-se/trabalhar demais, até cansar.
russet s. 1 espécie de maçã de casca grossa. 2 cor castanho-avermelhada ou castanho-dourada.
rust s. ferrugem, (também bot).
rust v.t. e i. enferrujar(-se).
rustic adj. 1 rústico, do campo. 2 rústico, sem acabamento: *a rustic table.* 3 rude, não refinado, rústico: *a rustic man.*
rustle v.t. e i. 1 farfalhar, roçar, sussurrar. **rustle up,** providenciar, preparar.
rustling s. o farfalhar, o roçar: *the rustling of long dresses.*
rusty adj. (-ier, -iest) 1 enferrujado. 2 (infml) quase esquecido (por falta de uso, de prática), enferrujado: *My English is a bit rusty.*
ruthless adj. cruel, implacável, desapiedado, insensível: *He is a ruthless businessman.*
ruthlessness s. crueldade, desumanidade.
rye s. 1 centeio. 2 (também *rye whisky*) uísque destilado do centeio.

S s

S s 29ª letra do alfabeto.
sabbatical s. ano de licença concedido a professores universitários (ger a cada 7 anos) para que eles possam viajar e estudar.
sabotage v.t. sabotar.
saboteur s. sabotador.
sack s. 1 saco, saca: *a sack of sugar.* **the sack** (infml) despedida de emprego: *get the sack,* ser despedido; *give sb the sack,* despedir alguém. 3 (infml, esp EUA) cama. **hit the sack** (infml), ir dormir.
sack v.t. (infml) despedir, demitir alguém.
sacrifice s. sacrifício.
sacrifice v.t. e i. sacrificar.
sad adj. (-der; -dest) 1 triste. 2 deplorável, lamentável: *It's sad how he looks at her.* 3 (rel a cores) escuro, sombrio.
sadden v.t. e i. entristecer(-se), tornar(-se) triste.
saddle s. 1 sela, selim. 2 lombo (de animal). 3 (esp GB) carne de lombo: *a saddle of mutton/lamb.* **in the saddle,** a) a cavalo. b) (fig) na direção, no controle. 4 lombada.
saddle v.t. 1 selar. 2 sobrecarregar, encarregar: *She is saddled with a big house to support.*
sadism s. sadismo.
sadist s. sadista, sádico.
sadistic adj. sádico.
sadly adv. 1 tristemente. 2 lamentavelmente.
sadness s. tristeza.
safe adj. (-r; -st) 1 a salvo, em segurança. 2 seguro, fora de perigo: *Is it safe to walk in the park at night?* 3 são, ileso. **safe and sound,** são e salvo. 4 cauteloso, idôneo. **be on the safe side,** estar seguro, por precaução: *Let's carry some more money just to be on the safe side.* **play it safe** (infml), não se arriscar.

safe-conduct, salvoconduto. **safe-deposit,** caixa-forte. **safe-keeping,** custódia, guarda.
safe s. 1 cofre. 2 guarda-comida.
safeguard s. salvaguarda, proteção, defesa: *a safeguard against terrorism.*
safeguard v.t. salvaguardar, proteger.
safety s. segurança. **play for safety,** agir com cautela, na certeza. **safety belt,** cinto de segurança.
saffron s. 1 açafrão. 2 corante amarelo laranja obtido do açafrão. 3 cor amarelo-laranja.
sag v.i. (-gg-) 1 ceder (debaixo de peso), curvar-se, vergar. 2 diminuir, decair, ceder, alquebrar(-se): *The students sagged when they heard about the exam.*
saga s. 1 saga, narrativa épica, qualquer narrativa longa de aventuras. 2 longo relato (de desventuras).
sage s. (bot) sálvia.
Sagittarius s. Sagitário (signo zodíaco).
said V. (pretérito do verbo say).
sail s. 1 vela de barco. **set sail,** içar as velas e partir. **under sail,** de velas levantadas. 2 passeio em barco a vela: *go for a sail.*
sail v.i. e t. 1 navegar, viajar (em navio, barco a vela, etc), partir em viagem de navio, zarpar: *They sailed to the Caribbean.* 2 velejar: *go sailing.* 3 manobrar (navio ou barco). 4 deslizar, mover-se com suavidade ou facilidade: *The president and his assistants sailed through the summit.* **sailing-boat/-ship,** barco/navio a vela, veleiro.
sailor s. marinheiro.
saint s. 1 santo.
sake s. 1 **for the sake of sb/sth,** pelo bem de, por causa de, com o propósito de, pelo amor de: *Come on, drink it. It's for your own sake.* **for God's sake,** (infml) pelo amor de Deus!

salad s. salada: *a green salad*. **salad dressing**, tempero, molho para salada.
salary s. (pl -ies) salário (com base mensal ou anual, e por trabalho regular): *They earn quite a good salary*. (Cf. **wage**).
sale s. 1 venda. **for sale**, à venda: *The car is not for sale*. **on sale**, (rel a mercadoria em lojas, etc) à venda: *It's on sale*. 2 liquidação.
salesman s. vendedor.
salesperson s. vendedor, vendedora.
saleswoman s. vendedora.
saliva s. saliva.
salivate v.t. salivar, produzir saliva.
salmon s. salmão, cor de salmão.
salon s. 1 salão (de recepção). 2 salão (de arte, de exposição, para negócios sofisticados); *a car salon*; *a beauty salon*.
saloon s. 1 salão. 2 (EUA, no velho oeste) taverna, bar.
salt s. 1 sal. **the salt of the earth**, o sal da terra, o melhor do melhor. **rub salt in the wound**, aumentar a dor, o sofrimento, a humilhação, etc. 2 (quím) sais. 3 (fig) graça, sabor, gosto: *Passion is the salt of life for some people*.
salt adj. salgado (oposto de *fresh*): *salt water* (em oposição a *fresh water*, água doce).
salty adj. (-ier, -iest) 1 salgado. 2 (conversas, histórias, etc) picante, malicioso.
salute v.t. e i. 1 (liter) saudar, cumprimentar. 2 fazer continência, saudar: *salute the commander*.
salvage s. 1 salvamento, recuperação (após incêndio, naufrágio, etc). 2 objetos ou propriedades salvos. 3 despesas de salvamento. 4 reciclagem de material usado.
salvage v.t. salvar (de incêndio/ naufrágio).
salvation s. salvação, redenção. **Salvation Army**, Exército da Salvação.
salve s. pomada, bálsamo, ungüento.

salvo s. (pl -s, -es) salva de tiros.
same adj. e pron (the -) (o) mesmo, igual: *We live in the same street*. **the same(...) that/as**, o mesmo(...) que. **be all/just the same to**, dá no mesmo, não faz diferença. **at the same time**, a) ao mesmo tempo.
same adv. da mesma maneira, igualmente: *I feel the same about them*.
sample s. amostra, prova, amostragem.
sample v.t. 1 testar, experimentar uma amostra. 2 experimentar: *They want to sample a new style of life*.
sanatorium s. sanatório, casa de saúde.
sanction s. 1 sanção, autorização. 2 (ger pl) sanção, represália: *The UN applied sanctions against Iraq*. 3 (jur) pena ou recompensa, sanção.
sanction v.t. sancionar, aprovar, autorizar.
sanctuary s. (pl -ies) 1 santuário, lugar sagrado. 2 refúgio, asilo, imunidade: *to look for a sanctuary*. 3 santuário, lugar onde animais ou pássaros estão protegidos: *a bird sanctuary*.
sand s. 1 areia. 2 (ger pl) extensão de terra arenosa, areias, areal: *the sands of the Sahara*. **throw sand in one's eyes**, (fig) jogar areia nos olhos de alguém. **sandpaper**, lixa. **sandstorm**, tempestade de areia.
sand v.t. 1 jogar, cobrir com areia. 2 lixar.
sandblast v.t. jatear, aplicar jato de areia.
sandal s. sandália.
sandalwood s. (bot) sândalo.
sandwich s. sanduíche.
sandwich v.t. encaixar entre, imprensar.
sandy adj. (-ier, -iest) 1 arenoso. 2 (esp rel a cabelos) castanho-amarelado.
sane adj (-r, -st) 1 são, sadio (mentalmente). 2 sensato: *a sane person*.

sang

sang V. (pretérito do verbo *sing*).
sanguine adj. 1 otimista, confiante. 2 sangüíneo, corado.
sanitary adj. 1 sanitário, higiênico. 2 asseado, limpo.
sanitation s. saneamento, serviço de saúde pública. **sanitation worker**, lixeiro.
sanity s. 1 sanidade mental. 2 sensatez, razão.
sank V. (pretérito do verbo *sink*).
Santa Claus s. Papai Noel.
sap v.t. e i. (-pp-) 1 (fig) enfraquecer, debilitar, consumir: *He was sapping his health with alcohol*. 2 sapar, minar, cavar
sapless adj. fraco, sem vida, sem vigor.
sapphire s. safira, cor de safira.
sarcasm s. sarcasmo, zombaria.
sarcastic adj. sarcástico.
sardine s. sardinha.
sardonic adj. sardônico, cínico, zombeteiro: *a sardonic comment*.
sari s. sari, vestuário das mulheres hindus.
sash s. cinta, faixa (de cintura ou de ombro).
sash s. caixilho de janela ou de porta envidraçada. **sash window**, janela corrediça, janela de guilhotina.
sat V. (pretérito do verbo *sit*).
Satan s. satã, satanás, diabo.
satanic adj. satânico.
satchel s. mochila, sacola escolar.
satellite s. 1 satélite. 2 (fig) pessoa ou país satélite (que depende de outro).
satin s. cetim.
satin adj. acetinado como cetim.
satire s. sátira.
satirical adj. satírico.
satirize v.t. satirizar.
satisfaction s. 1 satisfação: *He had the satisfaction of refusing her invitation*. 2 satisfações, desculpa: *He asked his aggressors for satisfaction*.
satisfactory adj. satisfatório.
satisfy v.t. e i. (pret, pp *-ied*) 1 satisfazer, saciar contentar. 2 convencer, persuadir: *I'm not satisfied with the answer he gave me*.
satisfying adj. satisfatório, suficiente, que satisfaz: *a satisfying conversation*.
saturate v.t. (with) 1 encharcar, ensopar, saturar.
Saturday s. sábado.
sauce s. 1 molho, calda.
saucepan s. panela.
saucer s. pires. **flying saucer**, disco voador.
saucy adj. (-ier, -iest) 1 atrevido, insolente, impertinente. 2 (infml) picante, atrevido, malicioso.
sausage s. lingüiça, salsicha, chouriço.
savage adj. 1 selvagem. 2 feroz, brutal, cruel.
savage s. selvagem, bárbaro.
savagery s. selvageria, brutalidade.
save v.t. e i. 1 salvar: *Firemen save lives everyday*. 2 reservar, economizar, guardar, preservar: *I was saving money to go to NY*. 3 evitar, livrar, poupar. **save face**, salvar as aparências. **savings account**, conta de poupança.
saving s. 1 economia. 2 (pl) economias, poupança: *Why don't you keep your savings in the bank*.
saving prep = save.
savior s. salvador. (GB saviour)
savor s. 1 sabor, gosto, aroma.
savory adj. 1 apetitoso, saboroso, cheiroso. 2 temperado, salgado (por oposição a doce). 3 (fig) atraente: *His proposal isn't very savory*. (GB savoury).
saw V. (pretérito do verbo *see*).
saw s. serra, serrote. **sawdust**, serragem. **sawmill**, serraria.
saw v.t. e i. (pret *-ed*, pp *-n*, EUA *-ed*) 1 serrar. 2 deixar-se serrar. 3 mover a mão para frente e para trás como se estivesse usando um serrote.
saxophone s. saxofone.
say v.t. e i. (pret, pp *said*) 1 dizer, falar: *What are you saying?* 2 dizer, afirmar:

*He said it was okay. **it goes without saying**,* naturalmente. ***to say nothing of**,* sem mencionar.
say *s.* 1 poder ou direito de decisão, voz ativa: *The employees have no say in these matters.*
saying *s.* provérbio, ditado.
scaffold *s.* 1 andaime. 2 cadafalso, patíbulo.
scaffolding *s.* 1 andaime. 2 material para andaime.
scald *v.t.* 1 queimar (com líquido quente ou vapor). 2 esterilizar. 3 escaldar.
scale *s.* 1 escala, série de graus. 2 régua ou outro instrumento de medida. 3 sistema de unidades de medida, escala. 4 escala, graduação: *to go up the social scale.* 5 proporção: *a scale of 1 to 100.* 6 balança (de qualquer tipo): *a bathroom scale.*
scale *v.t.* 1 fazer de acordo com uma escala. 2 subir, escalar, trepar: *scale a wall.*
scale *s.* 1 escama (de peixe). 2 crosta, camada solta e fina (de pele, de ferrugem, etc). 3 tártaro dentário.
scalp *s.* 1 couro cabeludo. 2 escalpo.
scalpel *s.* bisturi.
scan *v.t. e i.* (*-nn-*) 1 escanear, esquadrinhar, examinar cuidadosamente, perscrutar: *He scanned the papers.* 2 (rel a leitura) passar os olhos sem ler atentamente: *She scanned the text before reading it.* 3 verificar a métrica de um poema. 4 decompor imagem ponto por ponto a fim de transmitila. ***cat-scan**,* tomografia.
scandal *s.* 1 escândalo, ultraje. 2 maledicência, difamação.
scandalize *v.t.* escandalizar, chocar.
scandalous *adj.* 1 escandaloso, chocante, infame. 2 maledicente, difamatório.
scanner *s.* scaner, instrumento que serve para perscrutar, explorar (v. scan): *a digital scanner.*
scapegoat *s.* bode expiatório.
scar *s.* cicatriz, marca, sinal: *a scar on his shoulders.*

scar *v.t. e i.* (*-rr-*)-marcar com cicatriz, com sinais (também fig): *After the murder she was scarred forever.*
scarce *adj.* (*-r, -st*) 1-escasso: *Water is scarce in the desert.* 2 raro, incomum: *a scarce element.*
scarcely *adv.* apenas, mal, quase não: *She scarcely said anything.*
scare *v.t. e i.* assustar(-se), amedrontar, espantar(-se): *He scares me.* ***scared stiff/out of one's wits/to death**,* (infml) apavorado, louco de pavor.
scarecrow, espantalho.
scare *s.* susto, pânico, espanto.
scarf *s.* (pl *scarves* ou *-s)* echarpe, lenço (de cabeça), cachecol.
scarlet fever *s.* (med) escarlatina.
scary *adj.* (*-ier, -iest*) (infml) 1 assustador: *It was a scary story.* 2 facilmente assustado/amedrontado: *She is easily scared.*
scatter *v.t. e i.* 1 espalhar, dispersar (-se): *The audience scattered after the show.* ***scatter-brain**,* (infml) pessoa distraída, que vive no mundo da lua.
scattered *adj.* espalhado, disperso, esparso.
scavenger *s.* 1 animal que se alimenta de carniça. 2 pessoa que procura algo aproveitável no meio de refugos (também fig).
scene *s.* 1 cena: *Their argument was a sad scene.* 2 cena, cenário: *This scene is perfect.* 3 (teat) cena, divisão de um ato de peça teatral. 4 (teat) cenário. 5 (infml) panorama, área (de atividade). ***behind the scenes**,* (fig) atrás dos bastidores, secretamente. ***come on the scene**,* (fig) aparecer, surgir.
scenery *s.* 1 panorama, paisagem, vista, cenário natural: *a wonderful scenery.* 2 (teat) cenário.
scenic *adj.* 1 paisagístico, pitoresco. 2 cênico, teatral.
scent *s.* 1 aroma, perfume: *the scent of a woman.* 2 cheiro do rasto (esp de animal perseguido). 3 faro. ***on/of the scent**,* estar/não estar na pista (de algo).

scent v.t. 1 farejar, sentir o cheiro de: *The hunter scented the fox.* 2 suspeitar, pressentir, (fig) farejar: *They scented problems ahead.* 3 perfumar.

schedule s. programação, horário, lista (de programação), tabela: *train schedule / TV schedule.* **on/behind schedule**, no horário/atrasado.

schedule v.t. programar, fixar (data), arranjar, marcar: *They scheduled the test for this afternoon.*

schematic adj. esquemático, diagramático.

scheme s. 1 esquema, plano, arranjo, projeto. 2 conspiração, intriga, esquema.

scheme v.t. e i. conspirar, tramar, planejar: *He schemed to rob their plans.*

scholar s. 1 pessoa erudita/letrada, ger especialista em uma área de estudos, sábio.

scholarship s. 1 bolsa de estudos.

school s. 1 escola: *He's at school.* **High-school** (EUA) escola de ensino médio: *My daughter is in high school.*

school v.t. treinar, adestrar, ensinar, disciplinar: *He is schooled in design.*

schooner s. (náut) escuna.

science s. ciência. **science fiction** (também sci-fi), ficção científica.

scientific adj. científico.

scientist s. cientista.

scold v.t. e i. ralhar, repreender, dar bronca: *The children were scolded for making too much noise.*

scolding s. bronca, repreensão.

scoop s. 1 pá, concha.

scoop v.t. 1 (up/out) tirar com concha, escavar.

scooter s. 1 lambreta. 2 patinete.

scope s. 1 escopo, alcance, raio de esfera ou ação, extensão. 2 oportunidade, espaço, campo.

scorch v.t. e i. 1 queimar, chamuscar: *The meat was scorched.* 2 secar, ressecar.

schorching adj abrasante, muito quente.

score s. 1 contagem, número de pontos feitos num jogo, exame, etc: *What is the score?* 2 corte, marca ou risco em uma superfície. **scoreboard**, (rel a esportes) placar.

score v.t. e i. 1 marcar a contagem (esp em jogos). 2 marcar, fazer pontos em um jogo/exame. **score out**, (fml) riscar, anular, apagar.

scorn s. 1 desprezo, escárnio, desdém: *The prisoner was treated with scorn.* 2 alvo de desprezo: *He was the scorn of the team.*

scorn v.t. 1 desprezar, desdenhar. 2 refutar (com desdém).

scornful adj. desdenhoso, zombador.

Scorpio s. Escorpião (signo do zodíaco).

scorpion s. escorpião.

scoundrel s. patife, salafrário, vilão.

scout s. escoteiro.

scrabble vi (about) (infml) tatear/mexer-se/arrastar-se em várias direções (à procura de algo): *She scrabbled about on the floor for her pearls.*

scramble v.t. e i. 1 subir/andar/arrastar-se com dificuldade: *He scrambled up the stairs.* 2 lutar, brigar, engalfinhar-se (pela posse de algo). 3 fazer ovos mexidos: *I love scrambled eggs for breakfast.* 4 misturar desordenadamente.

scramble s. 1 ato de arrastar-se. 2 disputa (pela posse de algo).

scrap s. 1 pedacinho, migalha, resto, retalho, caco: *scraps of paper.* 2 refugo, sobras. 3 (fig) fragmento, pouquinho: *There wasn't a scrap of food in the kitchen.* **scrap book**, álbum de recortes.

scrape v.t. e i. 1 raspar, remover, aplainar ou cavar raspando **scrape through sth**, passar raspando (p ex em um exame). **scrape a living**, ganhar apenas o suficiente para sobreviver.

scrape s. 1 ato ou ruído de raspar. 2 arranhão. 3 apuro, embaraço, enrascada.

scratch s. 1 arranhão: *He left the fight*

without a scratch. 2 ruído ou ato de raspar ou arranhar. **start from scratch,** (fig) começar do nada, do zero.
scratch *v.t. e i.* 1 arranhar, riscar. **scratch the surface,** (fig) não ir fundo (em um assunto), apenas arranhar a superfície. 2 coçar: *scratch my back.* 3 apagar, riscar.
scrawl *v.i. e t.* rabiscar, escrever ou desenhar às pressas.
scrawl *s.* 1 rabisco, algumas linhas escritas às pressas: *He scrawled just a few words on the note.* 2 garrancho.
scream *v.i. e t.* 1 berrar, gritar: *She screamed out in the dark.* 2 (rel ao vento) zunir. 3 (rel a máquinas) guinchar, emitir som estridente.
scream *s.* 1 berro, grito, urro.
screech *v.t. e i.* guinchar, chiar, apitar: *The birds are screeching in the woods.*
screen *s.* 1 tela (de TV, cinema, de porta, janela). 2 biombo, divisória. 3 cortina, proteção: *a screen of smoke.* **screen-play,** roteiro de filme. **screen-test,** teste de cinema.
screen *v.t. e i.* 1 proteger, abrigar, acobertar, esconder: *He screened his fears from the others.* 2 examinar, testar: *a toxic screen*, exame toxicológico. 3 projetar, exibir (um filme).
screening *s.* exibição (de filme).
screw *s.* 1 parafuso, porca. 2 volta de parafuso. 3 hélice (de navio). 4 (gír) relação sexual. **screwdriver,** chave de fenda.
screw *v.t. e i.* 1 parafusar. **have one's head screwed on (right),** ter a cabeça no lugar, ser sensato. 2 apertar, ajustar, rosquear, torcer. 3 contrair, franzir, apertar, contorcer: *She screwed up her eyes and nose.* 4 (gír) ter relações sexuais, trepar. **screw up,** (gír) bagunçar, azarar: *The weather conditions screwed up our weekend.*
scribble *v.t. e i.* rabiscar.

scribble *s.* rabisco.
script *s.* 1 escrita, escritura. 2 letra, alfabeto. 3 texto de peça teatral, roteiro de filme, texto para rádio.
scrub *v.t. e i.* (-bb-) 1 estregar: *She scrubbed the kitchen floor.*
scruffy *adj.* (-ier, -iest) (infml) sujo, mal-arrumado: *a scruffy bedroom.*
scruple *s.* escrúpulo, hesitação.
scrupulous *adj.* escrupuloso, conscencioso, cuidadoso.
scrutinize *v.t.* escrutinar, examinar cuidadosamente, verificar.
scrutiny *s. (pl -ies)* escrutínio, exame minucioso, apuração de votos.
scuff *v.t. e i.* 1 arrastar os pés. 2 gastar, arranhar (uma superfície): *He scuffed his boots.*
scuffle *s.* luta corpo-a-corpo, briga, tumulto.
sculptor *s.* escultor.
sculpture *v.t. e i.* esculpir, entalhar.
scum *s.* 1 espuma, escuma. 2 (fig) escória, ralé: *The criminal is part of the scum.*
scurry *v.i.* (pret, pp -ied) sair correndo, disparar, apressar-se: *The rabbits scurried about looking for a place to hide.*
scurry *s.* correria, disparada.
sea *s.* 1 mar. **on the sea,** na costa: *Rio is on the sea.* **the high seas,** o altomar. **at sea,** no mar, em alto-mar. **at sea,** (fig) perdido, confuso, desnorteado. **by sea,** por mar, por via marítima. **seaboard,** litoral, costa. **seafood,** frutos do mar. **seagull,** gaivota. **sea-horse,** cavalo marinho. **seaport,** porto de mar. **seashore,** praia, beira-mar, costa. **sea-sick,** enjoado (por estar no mar), mareado. **seaside,** litoral, praia: *a seaside hotel.* **seaweed,** alga.
seal *s.* foca.
seal *s.* 1 sinete, selo, lacre, chancela, fecho. 2 matriz do sinete. 3 (fig) garantia, autenticação, ratificação. 4 vedação.
seal *v.t.* 1 selar, lacrar: *seal an envelope.*

2 vedar, fechar: *seal the box.* 3 firmar, determinar, estabelecer: *They sealed an agreement.* **sealing-wax**, lacre.
seam *s.* 1 bainha, costura, sutura. 2 (geol) veio, filão (p ex de carvão em meio a rochas). 3 dobra, sulco (p ex de papel dobrado, de linhas na pele).
seaman *s.* (pl -*men*) marinheiro, marujo.
seamstress *s.* costureira.
search *v.t. e i. (for sth)* procurar, revistar, dar busca: *They have searched for the missing papers all night.*
search *s.* busca, procura: *search for adventure.* **searchlight**, holofote, farol.
search-party, equipe de salvamento.
search-warrant, mandado (policial ou judicial) de busca.
season *s.* 1 estação do ano. 2 temporada, épocas, estação. *in/out of season*, no tempo/na época, fora do tempo/de época.
season *v.t. e i.* 1 amadurecer, secar (madeira), curar (queijo), tornar bom para o uso. 2 temperar, condimentar (comida).
seasonable *adj.* 1 (rel ao tempo)-próprio da estação. 2 (reI a auxílio, conselhos, etc) oportuno, propício.
seasonal *adj.* sazonal, de temporada, que depende da estação: *seasonal fruit.*
seasoning *s.* tempero, condimento.
seat *s.* 1 assento, lugar: *We've a nice seat in the front row.* **take a seat**, sentar-se. 2 assento de cadeira, banco, etc. 3 (anat) cadeiras, fundilhos. 4 posto, assento, cadeira. 5 sede, local, centro: *Brasilia is the seat of the Brazilian government.* **seat-belt**, cinto de segurança.
seat *v.t.* 1 (fml) sentar, tomar assento. 2 acomodar, ter lugar ou assentos para: *the car seats five people comfortably.* **be seated**, sentar-se.
secession *s.* secessão, cisão: *War of Secession.*

secluded *adj.* retirado, isolado, solitário.
seclusion *s.* reclusão, isolamento, segregação.
second *adj* (abrev 2nd) 1 segundo. 2 segundo, outro, extra. **second-best**, o segundo melhor, que está em segundo lugar: *This is my second best choice.* **second-hand**, de segunda mão, usado. **second-rate**, inferior, de segunda classe/ordem. **second thoughts**, reflexão posterior, resolução alcançada após reconsideração: *I'm having second thoughts about moving.*
second *adv.* em segundo lugar: *He was second in the game.*
second *s.* 1 segundo (divisão da hora). 2 instante, momento: *I'll be home in a few seconds.*
secrecy *s.* sigilo, reserva, discrição, segredo: *We have to keep our secrecy.*
secret *adj.* 1 secreto, oculto: *It's a secret action.* 2 (rel a lugares) retirado, isolado, secreto.
secret *s.* 1 segredo. **keep a secret**, guardar segredo. 2 razão ou causa oculta, chave, segredo: *What is her secret?* **in secret**, em segredo.
secretly *adv.* secretamente.
secretary *s. (pl-ies)* secretário, secretária. **Secretary of State**, ministro de Estado.
secrete *v.t.* 1 secretar, produzir. 2 esconder.
secretive *adj.* reservado, discreto, reticente, calado.
sect *s.* seita.
section *s.* 1 seção, parte cortada, divisão, parte, porção. 2 setor, região, distrito, zona (de uma cidade, organização): *an industrial section.* 3 corte. *caesarian section*, cesariana.
sector *s.* setor.
secure *adj.* 1 seguro, garantido, a salvo, em segurança: *to be secure at home.* 2 seguro, firme, estável.
secure *v.t.* 1 trancar. 2 proteger, guardar:

The bank is secured against robberies. 3 conseguir, obter, assegurar: *He secured a good future for his family.*
security *s. (pl-ies)* 1 segurança, proteção. 2 garantia, fiança. 3 (ger pl) apólice, certificado de posse de ações/valores.
sedate *adj.* sereno, ponderado, impassível.
sedative *s. e adj.* sedativo, calmante.
sedentary *adj.* sedentário (sem movimento).
seduce *v.t.* seduzir.
seduction *s.* sedução, tentação, atração.
seductive *adj.* sedutor, atraente: *a seductive man.*
see *v.t. e i.* (pret *saw*, pp *-n*) 1 ver, enxergar, olhar: *What can you see? I can't see very well.* **be seeing things**, estar vendo coisas que não existem. **see the sights**, visitar os pontos turísticos (Cf. *sightseeing*). 2 entender, perceber: *Do you see what I mean? as I see it,* na minha opinião. 3 descobrir, verificar, ver (através da leitura). 4 passar por, ter experiência com, ver: *He has seen difficult times.* 5 receber, consultar, procurar, visitar: *They should see a doctor.* 6 cuidar, verificar: *See that the door is locked.* 7 imaginar, ver. 8 acompanhar, escoltar: *Could you see them to the dance?* **see about sth**, tratar de, providenciar, cuidar de. **see sb off**, ir ao embarque de alguém para despedir-se. **see over sth**, inspecionar, examinar. **see through sb/sth**, não se deixar enganar. **see sb through (sth)**, apoiar, confortar (alguém) durante (um período difícil). **see sth through**, levar algo até o fim. **see to sth**, providenciar, cuidar de, tratar de.
seed *s.* (pl - ou *-s*) semente (também fig): *the seed of the rebellion.* **run/go to seed**, a) (rel a planta) produzir sementes. b) (fig) (reI a pessoa) perder o frescor, desleixar.
seed *v.t. e i.* 1 (rel a planta) dar semente. 2 semear. 3 tirar as sementes, descaroçar.
seedless *adj.* sem semente.
seek *v.t.* (pret, pp *sought*) 1 (fml ou liter) procurar, buscar, tentar obter: *seek for success.* **seek one's fortune**, tentar enriquecer. **(sth much) sought after** em (grande) procura, requisitado.
seem *v.i.* parecer, afigurar-se, dar a impressão de: *He seems tired.*
seeming *adj.* aparente, pretenso, suposto.
seemingly *adv.* aparentemente.
seesaw *s.* 1 gangorra. 2 (fig) gangorra, vaivém, oscilação: *the seesaw of prices.*
seethe *v.i. e t.* borbulhar, fervilhar, espumar, estar agitado/excitado/ revolto.
segment *s.* segmento, divisão, porção.
segregate *v.t.* segregar, isolar, separar.
segregation *s.* segregação.
seismic *adj.* sísmico.
seismograph *s.* sismógrafo (ínstrumento que mede a intensidade e duração de terremotos).
seize *v.t. e i.* 1 confiscar, apossar-se de, apreender: *The police seized his belongings.* 2 agarrar, pegar, apanhar: *He seized the opportunity.* 3 acometer, apoderar-se de.
seizure *s.* 1 ataque, acesso (de uma doença) 2 confisco, apreensão, captura.
seldom *adv.* raramente: *They seldom go out at night.*
select *v.t.* selecionar, escolher.
selection *s.* seleção, escolha.
selective *adj.* seletivo, selecionador.
self *s.* (pl *selves*) 1 o eu, a própria pessoa, a natureza, própria, personalidade: *my self esteem has to be preserved.* 2 interesses próprios.
self- prefixo auto-, de si mesmo, por si mesmo, automático, independente: *a self-made businessman.* **self-assertion**, auto-afirmação. **self-assurance**, auto-confiança. **self-**

selfish

assured, auto-confiante, com muita certeza de si mesmo. *self-centred*, egocêntrico, egoísta. *self-confidence*, auto-confiança. *self-conscious*, a) consciente de si mesmo. b) embaraçado, constrangido (pela opinião que os outros possivelmente façam de si). *self-contained*, a) (esp rel a apartamentos, cômodos) independente, com entrada e dependências privativas. b) (rel a pessoas) reservado, retraído, fechado. *self-esteem*, auto-estima. *self-made*, que se fez por si. *self-pity*, auto-compaixão. *self-possessed*, calmo, controlado, senhor de si. *self-preservation*, autoconservação. *self-respect*, respeito próprio, dignidade. *self-service*, (rel a restaurante, loja, etc) automático, em que cada um se serve.
selfish *adj*. egoísta.
selfishness *s*. egoísmo.
sell *v.t. e i.* (pret, pp *sold*) 1 vender, negociar, estar à venda, ser vendido: *He sold his car for a good price*. *sell sth off*, liquidar, vender barato. *sell sth out*, a) liquidar todo o estoque: *sold out*, estão esgotados. b) trair (esp por dinheiro). 2 enganar, lograr.
seller *s* 1 vendedor: *market seller*. 2 artigo de muita saída: *a best seller book*. *seller's/buyer's market*, mercado favorável ao vendedor/comprador.
selves V. *self*.
semen *s*. sêmen, esperma.
semi- prefixo semi-, metade, meio, quase: *semi complete*. *semi-colon*, ponto e vírgula. *semi-detached*, (rel a casa) geminada.
senate *s*. 1 senado. 2 conselho deliberativo em algumas universidades.
senator *s*. senador.
send *v.t. e i.* (pret, pp *sent*) 1 mandar, enviar, remeter: *Please send me a card!* 2 jogar, lançar, impelir, compelir: *They sent the man to the moon*. 3 levar a (um sentimento, um estado): *The noise sent me crazy*. *send sb away*, despedir, demitir. *send for sb/sth*, mandar buscar: *send for a policeman*. *send sth in*, enviar para tomar parte em competição, exposição, etc. *send sth on*, mandar à frente/antecipadamente, encaminhar.
sender *s*. remetente.
senility *s*. senilidade.
senior *adj* 1 (oposto de *junior*) mais velho, mais importante, superior (no cargo): *He is a senior lawyer in this office*.
senior *s*. 1 o mais velho: *He is my senior by 5 years*. 2 (EUA) estudante no último ano do colégio ou da faculdade.
seniority *s*. superioridade em idade, cargo, etc.
sensation *s*. 1 sensação.
sensational *adj*. 1 sensacional, que causa comoção: *a sensational story*. 2 sensacionalista: *a sensational daily paper*.
sensationalism *s*. sensacionalismo.
sense *s*. 1 sentido, percepção sensorial. 2 (pl) juízo, razão: *She's out of her senses*. *bring sb to his senses*, trazer alguém de volta à razão. *come to one's senses*, voltar à razão. *talk sense*, falar seriamente. 3 senso. 4 consciência, percepção: *He has no sense of reality*. 5 senso, sentido, razão. 6 sentido, significado: *It doesn't make any sense*.
sense *v.t.* sentir, perceber: *The animals sensed the danger*.
senseless *adj*. 1 tolo, insensato, estúpido, absurdo: *That's a senseless thing to do*. 2 inconsciente, insensível.
sensibility *s*. (pl-*ies*) 1 sensibilidade. 2 (pl) sentimentos, sensibilidade, capacidade emotiva.
sensible *adj*. 1 sensato, sábio, ajuizado: *The manager is a sensible woman*. 2 (fml) consciente, cônscio, ciente: *The new mayor is sensible of the problems of the city*. 3 sensível, perceptível.
sensibly *adv*. 1 sensatamente. 2 perceptivelmente, sensivelmente.

sensitive *adj.* 1 sensível, sensitivo: *sensitive to pain.* 2 (rel a sentimentos) sensível, suscetível: *She is a very sensitive girl.* 3 sensível, delicado: *a sensitive professional.*
sensitivity *s.* sensibilidade, suscetibilidade.
sensory *adj.* sensorial.
sensual *adj.* 1 sensual: *a sensual woman.* 2 que é experimentado pelos sentidos.
sensuality *s.* sensualidade.
sensuous *adj.* sensual, sensível, que é percebido pelos sentidos, que afeta os sentidos: *sensuous sound.*
sent V. (pretérito do verbo *send*).
sentence *s.* 1 sentença, pena: *a life sentence.* 2 (gram) sentença, frase.
sentence *v.t.* sentenciar, condenar: *He was sentenced to prison.*
sentiment *s.* 1 sentimento. 2 sentimentalidade, emoção. 3 opinião, ponto de vista.
sentimenttal *adj.* 1 sentimental: *This ring has only sentimental value to me.* 2 (excessivamente) sentimental, emocional, piegas: *a sentimental novel.*
sentry *s.* (pl *-ies*) sentinela, guarda.
sentry-box, guarita.
separable *adj.* separável.
separate *adj.* 1 separado, distinto. 2 separado, isolado, individual: *They sleep in separate bedrooms.*
separate *v.t. e i.* 1 separar, isolar, dividir. 2 separar-se, dividir-se, desquitar-se.
separation *s.* separação.
September *s.* setembro.
septic *adj.* séptico, infectado. **septic tank**, fossa.
sepulchral *adj.* sepulcral, fúnebre.
sepulcher *s.* (bíbl) sepulcro, túmulo. (GB *sepulchre*).
sequel *s.* 1 seqüela, conseqüência: *the sequels of the disease.* 2 seqüência, continuação de um conto, filme, etc.
sequence *s.* seqüência, sucessão, continuação.

serenade *s.* serenata.
serene *adj.* sereno, calmo, plácido.
serenity *s.* serenidade, calma.
sergeant *s.* sargento.
serial *adj.* 1 serial, seriado, em série: *serial killer.*
series *s.* (pl-) série, sucessão: *a series of eventos; a television series. in series,* em série (também rel a eletr).
serious *adj.* 1 sério, grave, solene: *a serious boy.* 2 sério, perigoso, crítico, grave: *a serious condition.* 3 sério, sincero: *She's very serious about her feelings.*
seriously *adv.* seriamente, gravemente.
seriousness *s.* seriedade, gravidade.
sermon *s.* 1 sermão. 2 (infmI) repreensão, censura.
serpent *s.* (fml) 1 serpente, cobra. 2 (fig) pessoa traiçoeira.
serrated *adj.* serrilhado, dentado.
serum *s.* (pl *-s*) soro (antiofídico).
servant *s.* 1 serviçal, servente, empregado. **public servant/civil servant**, servidor público.
serve *v.t. e i.* 1 trabalhar para, exercer as funções de criado: *She serves as a cook.* 2 prestar serviços: *serve the country.* **serve on sth**, ser membro de. **serve under sb**, prestar serviço militar sob o comando de. 3 pôr na mesa, oferecer comida/bebida: *Dinner is served.* 4 atender clientes (em loja, restaurante, etc). 5 ter serventia. 6 desempenhar, ocupar, exercer (p ex cargo): *He served as an army Commander for 20 years.* 7 cumprir (pena): *The prisoner served 5 years in the state penitentiary.* 8 (jur) intimar: *serve a subpoena.* 9 (rel a tênis, voleibol, etc) dar um saque: *second serve.* **serve sb right**, (infml) ser bem feito, ser merecido.
serve *s.* (rel a tênis, voleibol, etc) saque.
service *s.* 1 serviço. 2 serviços públicos: *civil services.* 3 serviço, préstimo: *The maid offered us her services.*

serviceable

be of service (to), ser útil a. 4 departamentos governamentais: *the Maintenance Services*. 5 cerimônia religiosa: *church services*. 6 (rel a louça) aparelho de jantar/café/chá: *a tea service*. 7 (jur) intimação. 8 (rel a tênis, pingue-pongue, etc) saque. **service charge**, percentagem de uma conta de hotel/restaurante destinada à gratificação do pessoal. **service flat**, apartamento com serviços de hotelaria. **service station**, posto de serviço/abastecimento.
serviceable *adj*. 1 durável, resistente. 2 útil.
serviette *s* = *napkin*.
servile *adj*. servil, dependente.
serving *s*. porção de comida: *a serving of french fries*.
sesame *s*. 1 gergelim. **Open Sesame!** Abre-te, sésamo!
session *s*. 1 sessão: *movie session*. 2 reunião, sessão: *a therapy session*.
set *s*. 1 conjunto, aparelho: *a dinner set*. 2 grupo de pessoas com interesses comuns, círculo social: *the jet set*. 3 aparelho. (de rádio, TV, etc): *TV set*. 4 direção (do vento, corrente, etc). 5 tendência (de opinião). 6 cenário (de teatro, estúdio, etc). 7 (mat) conjunto.
set *v.t. e i.* (*-tt-*) (pret, pp -) 1 por, colocar: *to set the house on fire*. 2 ajustar, adaptar, regular: *set the video cassete recorder (VCR)*. 3 estabelecer, fixar, determinar set the correct day. 4 marcar hora. 5 descer, (rel ao sol) porse, (rel à maré) baixar: *sunset*. 6 mover-se, por em movimento: *He set the things in motion*. 7 apontar, designar: *She was set senior assistant*. 8 por/colocar em determinada posição para uso: *set the clock*. **set the fashion**, lançar a moda. **set one's mind**, empenhar-se. **set about sth**, começar. **set about sb**, (infml) atacar. **set sb against sb**, fazer competir, indispor. **set one thing against another**, compensar, equilibrar. **set sth apart/aside**, a) guardar, pôr de lado, reservar. b) desconsiderar, deixar de lado. **set sth/sb back**, impedir, por obstáculos. **set sth forth**, (fml) tornar público, divulgar. **set in**, começar, instalar-se. **set off**, iniciar (uma viagem, uma corrida, etc). **set sb off (doing sth)**, fazer alguém começar, provocar o início de algo. **set sth off**, ai fazer explodir. b) realçar, destacar. **set out**, iniciar (uma viagem). **set out to do sth**, ter como objetivo/intenção. **set sth out**, a) declarar, tornar público. b) dispor, colocar. **set to**, começar/por-se a fazer. **set sth up**, a) colocar na posição correta. b) estabelecer. **set-up**, organização, negócio. **set (oneself) up as**, estabelecer(-se) como. **set up house with sb/together**, morar juntos como marido e mulher.
setback *s*. revés, contratempo: *The lack of money is a setback to our plans*.
settee *s*. sofá pequeno.
setting *s*. 1 cenário, ambiente, lugar. 2 maneira, posição.
settle *v.t. e i*. 1 fixar residência. 2 assentar, acalmar. 3 decidir, concordar, acordar.4 pagar, saldar (uma conta, dívida): *settle the hotel bill*. **settle down**, a) estabelecer-se, fixar residência. b) assentar-se: *After they got married he settled down*. **settle (down) to sth**, concentrar-se em. **settle for sth**, aceitar.
settled *adj*. 1 fixo, imutável. 2 pago.
settlement *s*. 1 acordo, entendimento: *They reached an agreement*. 2 pagamento, liquidação de dívidas. 3 estabelecimento, povoamento, assentamento.
settler *s*. colonizador, colono.
seven *adj. e s*. sete.
seventeen *adj. e s*. dezessete.
seventeenth *adj. e s*. décimo-sétimo.
seventh *adj. e s*. sétimo.

seventy adj. e s. setenta. *the seventies*, a década de 70.
several adj. vários, diversos.
several pron. vários, alguns: *Several of the students were present at the meeting.*
severe adj. 1 severo, bravo: *She is very severe with herself.* 2 agudo, forte: *He's caught a severe infection.*
severity s. (pl -ies) 1 severidade, dureza: *The guards treat them with severity.* 2 rigor, exatidão, precisão.
saw v.t. e i. (pret -ed, pp sewn) costurar: *She saw a beautiful evening dress for me.*
sewage s. despejo de esgotos.
sewer s. esgoto, canal de esgoto.
sewer s. costureiro, alfaiate.
sewing s. costura, material para ser costurado. *sewing machine*, máquina de costura
sex s. 1 sexo: *There is no distinction of sex and race.* 2 atividade sexual: *Sex is an important part of all marriages.* *sex appeal*, (rel a sexualidade) atração, encanto: *She has a lot of sex appeal.*
sexless adj. assexuado.
sexual adj. sexual: *sexual intercourse*, relação sexual.
sexuality s. sexualidade.
sexy adj. (-ier, -iest) sexy, sexualmente atraente: *a sexy girls.*
shabby adj. (-ier, -iest) malcuidado, mal vestido: *She looks so shabby in these clothes.*
shack s. cabana ou casa de madeira, barracão.
shackle s. algema. 2 elo de corrente.
shackle v.t. algemar: *Their hands are shackled together.*
shade s. 1 sombra. 2 (rel a cor) tom: *eye-shadows.* 3 (fig) obscuridade. 4 abajur, quebraluz: *a lamp shade.*
shade v.t. e i. 1 sombrear, proteger da luz. 2 esmaecer, mudar de tom.
shadow s. 1 sombra. 2 traço, vestígio. 3 imagem vaga, fantasma: *He looks a shadow of the man he used to be.*

shadowy adj. 1 sombrio, escuro: *a shadowy house.* 2 vago, indistinto.
shady adj. (-ier, -iest) 1 sombroso, que dá sombra, que fica na sombra: *a shadyoak tree.* 2 (fig) duvidoso, suspeito: *a shady policeman.*
shake s. 1 sacudida: *Give the boys a shake.* 2 bebida batida: *milk shake.*
shake vt, vi (pret shook, pp shaken) 1 sacudir, agitar: *She shook her head to mean no.* 2 chocar, abalar, perturbar: *She was shaken by his arrival.* 3 tremer, estremecer: *He was shaking with fear and cold.* 4 apertar (a mão): *We shook hands.* *shake down*, ajustar-se (a uma nova situação).
shaky adj. (-ier, -iest) 1 trêmulo, trôpego, vacilante: *His hands were shaky after the accident.* 2 fraco, instável, inseguro: *This side wall is shaky.* 3 duvidoso, incerto.
shall v. aux. (forma negativa shall not, contração shan't, pret should) 1 (indicação de futuro para 1ª pes sg e 1ª pes pl): *I will travel to Rio next weekend.* 2 (indicação de promessa): *It will be as you wish.* 3 (indicação de ordem): *You will present it to the others.* 4 (indicação de determinação): *We will win!* 5 (usado em perguntas em que se pede para o ouvinte decidir): *Will you listen to me?*
shallow adj. (-er, -est) 1 raso: *shallow waters.* 2 superficial: *a shallow speech.*
shambles s. confusão, bagunça, desastre: *The conference room was a total shambles.*
shame s. 1 vergonha, humilhação: *I feel shame for him.* 2 desgraça: *Her behavior brings shame on her friends.* 3 pena, lástima: *Oh! It's a shame.*
shamefaced, tímido, acanhado, envergonhado.
shameful adj. 1 vergonhoso, escandaloso: *a shameful behavior.*
shameless adj. sem-vergonha, desavergonhado: *a shameless man.*

shampoo

shampoo s. 1 xampu. 2 lavagem de cabelo.
shampoo v.t. lavar o cabelo: *The hairdresser shampooed my hair.*
shan't V. shall.
shanty s. (pl -ies) barraco. **shantytown**, favela: *There is a shanty-town around the industrial district.*
shape s. 1 forma, formato, contorno, configuração. **take shape**, tomar forma: *The new building is taking shape.* 2 condição, estado: *She is not in a very good shape today.* 3 figura, vulto.
shape v.t. e i. 1 formar, dar forma, modelar, moldar. 2 tomar forma, formar-se. 3 adaptar, ajustar.
shapeless adj. sem forma: *What a shapeless blouse!*
shapely adj. (-ier, -iest) bem formado, bem configurado: *shapely body.*
share s. 1 parte, porção: *I want my share in this.* 2 ação (de empresa). *shareholder*, acionista.
share s. 1 ter em comum, compartilhar, partilhar: *We've always shared the same interests in Arts.* 2 dividir, repartir: *I shared the chocolate box with the girls at school.*
shark s. 1tubarão. 2 trapaceiro, malandro.
sharp adj. (-er, -est) 1 afiado, aguçado: *a sharp pencil.* 2 severo, mordaz, sarcástico: *a sharp tongue.* 3 agudo, lancinante. 4 atento, astuto, inteligente: *a sharp statement.*
sharp adv. 1 exatamente, pontualmente: *Be here at 5 o'clock sharp.* 2 abruptamente, bruscamente.
sharpener s. apontador: *a pencil sharpener.*
shatter v.t. e i. 1 despedaçar, fragmentar, quebrar: *The storm shattered the glass windows.* 2 perturbar, abalar, prejudicar: *She was shattered by the company's sale.*
shave v.t. e i. 1 barbear(-se), fazer a barba: *He has to shave every morning.* 2 depilar, raspar: *He shaved his head.*

shave s. 1 ato de fazer a barba, o barbear-se. **have a narrow shave**, escapar por pouco/por um um triz.
shaver s. aparelho de barbear: *an electric shaver.*
shawl s. xale.
she pron. 1 ela: *Where is she?* 2 (usado como s) fêmea de animal: *a she wolf.*
shear v.t. (pret -ed, pp shorn ou - ed) 1 tosquiar, tosar.
sheath s. (pl -s) 1 bainha, estojo (para faca ou espada). 2 preservativo, camisa de vênus (= *condom*).
shed s. abrigo, galpão, barracão: *tool shed.*
shed (pl) (pret, pp -) (-dd-) 1 derramar, verter: *She shed many tears over this situation.* 2 perder, soltar, deixar cair. **shed blood**, derramar sangue.
she'd contração de *she had.* 2 contração de *she would.*
sheen s. brilho, reflexo, lustro: *After the shampoo, my hair has a beautiful sheen.*
sheep s. (pl -) 1 carneiro, ovelha. **black sheep**, ovelha negra.
sheer adj. 1 perpendicular, íngreme, abrupto: *a sheer drop of 500 meters.* 2 transparente, diáfano, fino: *sheer silk.* 3 puro, absoluto, completo: *sheer nonsense.*
sheet s. 1 lençol: *I bought some white sheets for my bed.* 2 folha (de papel): *Write this on a piece of paper.* 3 chapa, lâmina.
sheik (sheikh) s. 1 xeique, chefe de tribo árabe. 2 líder religioso muçulmano.
shelf s. (pl *shelves*) 1 prateleira, estante: *We bought new shelves for the books.* **on the shelf**, (infml) a) posto de lado, deixado para depois. b) (rel a pessoa) inativo, posto de lado.
shell s. 1 concha, carapaça, casca, casco de animal: *the shell of a snail.* 2 casca (de algumas sementes/frutas): *nut shell*, casca de noz. 3 aparência. 4 casco de embarcação. 5 granada, bomba.

shellfish s. crustáceo, molusco.
she'll contração de *she will, she shall*.
shelter s. 1 proteção, abrigo, defesa: *They need shelter from the cold.* 2 asilo, esconderijo: *They work in a shelter for battered women.*
shelter v.t. e i. proteger(-se), abrigar(-se), esconder(-se).
shelves v. *shelf*.
shepherd s. 1 pastor de ovelhas.
sheriff s. xerife.
sherry s. vinho xerez, usado como aperitivo.
she's contração de *she is*. 2 contração de *she has*.
shield s. 1 escudo. 2 (fig) proteção, protetor. 3 brasão.
shield v.t. escudar, proteger.
shift s. 1 substituição, mudança, troca: *There is going to be a shift in the government.* 2 turno: *I work day shifts only.*
shift v.t. e i. 1 mudar, alterar. 2 arranjar-se, defender-se. 3 trocar (marchas de automóvel): *change gears*.
shifty adj. (-ier, -iest) 1 esperto, astuto, safado. 2 inconstante, volúvel.
shilling s. xelim, moeda antiga inglesa equivalente a 12 pence.
shimmer v.i. brilhar ou luzir fracamente: *I saw a shimmering light seeping through the windows.*
shin s. parte frontal da perna, canela. **shinbone**, tíbia.
shine v.t. e i. (pret, pp *shone*) 1 brilhar, reluzir, resplandecer: *The sun is always shining in the northeast of Brazil.* 2 (pp -*d*) polir, lustrar.
shoestring s. cadarço.
shiny adj. (-ier, -iest) lustroso, brilhante: *a shiny bracelet.*
ship s. 1 navio, embarcação. 2 (infml) nave, avião.
ship v.t. e i. (-pp-) 1 embarcar. 2 enviar, mandar: *We'll ship the orders his company made.*
shipment s. carregamento, embarque: *That was a fragile shipment.*

ship sufixo que indica cargo, grau, qualidade, estado, condição: *relationship, friendship, membership, dictatorship.*
shipwreck s. naufrágio.
shire s. (arc) condado.
shirt s. camisa. ***lose one's shirt***, (infml) perder tudo que se tem. ***put one's shirt on something***, (infml) arriscar tudo. ***stuffed shirt***, (infml) pessoa pomposa/empertigada.
shit s. (vulg) merda. ***not give a shit***, (gír vulg) não ligar a mínima: *I don't give a shit!*
shit v.i. (vulg) defecar, fazer cocô, cagar. ***shit oneself***, (gír vulg) ficar com medo.
shiver v.i. tremer, arrepiar-se (esp de frio ou medo).
shiver s. tremor, estremecimento, arrepio: *I felt a shiver when I looked down.*
shock s. 1 choque, impacto, colisão: *They felt the shock of the explosion for hours.* 2 (med) abalo, colapso, choque: *She had a nervous shock last year.* 3 golpe, dissabor, desgosto: *His dismissal was a shock to his co-workers.* 4 choque (elétrico). ***shock treatment/therapy***, tratamento de choque.
shock v.t. surpreender, chocar, escandalizar, abalar, ofender: *They were shocked by her rude comments.*
shocking adj. 1 chocante, surpreendente: *It's a shocking revelation.* 2 escandaloso, ofensivo: *shocking speech.* 3 horrível, terrível, péssimo: *It was a shocking accident.*
shoddy adj. (-ier, -iest) (algo) barato/de mau gosto/de segunda qualidade/sem valor.
shoe s. 1 sapato. 2 ferradura. **shoemaker**, sapateiro. **shoestring**, **shoelace**, cadarço.
shoe v.t. (pret, pp *shod*) 1 calçar. 2 ferrar, pôr ferraduras.
shone v. (pretérito do verbo *shine*).
shoo interj. fora!, xô!
shoo v.t. afastar, mandar embora.

shook

shook V. (pretéritodo verbo *shake*).

shoot *v.t. e i.* (pret, pp *shot*) 1 atirar, disparar, matar/ferir/atingir com tiro: *The policeman shot down the burglars.* 2 lançar, emitir. 3 fotografar, filmar: *"Lord of the Rings" was shot in New Zealand.* 4 chutar, arremessar bola: *Shoot the ball!* ***shoot down***, abater com um tiro. ***shooting star***, estrela cadente.

shop *s.* 1 loja, venda. ***set up shop***, montar um negócio, estabelecer-se. ***talk shop***, falar de negócios/assuntos profissionais. ***shop-assistant***, vendedor, balconista. ***shopkeeper***, lojista, dono de loja/venda. ***shop-lifter***, ladrão de lojas. ***shop-lifting***, roubo em loja. ***shop-window***, vitrine de loja.

shop *v.i.* (*-pp-*) 1 fazer compras (ger go shopping): *I went shopping with my Mom yesterday.*

shopper *s.* comprador, freguês.

shopping mall *s.* shopping center.

shore *s.* 1 praia, margem. 2 costa.

short *adj.* (*-er; -est*) 1 curto, breve: *She sent a short letter to her mother.* 2 baixo, pequeno: *He is a short man.* 3 insuficiente, pouco: *I'm short of cash.* ***for short***, abreviando: *Robert, called Bob for short.* ***in short***, em resumo, para encurtar. ***short-circuit***, curto-circuito. ***short-comings***, falhas, deficiências, defeitos. ***short cut***, atalho, caminho mais curto. ***short-range***, de curto alcance. ***short-sighted***, 1 míope. 2 (fig) sem visão, sem precaução. ***short-tempered***, irritadiço, irritável, irascível. ***short-term***, de curto prazo: *We need a short term loan.* ***short-wave***, onda curta.

short *adv.* 1 repentinamente: *She stopped short when the policeman waved.* 2 brevemente, resumidamente. ***run short of***, acabar, usar até o fim: *She's run short of milk.* ***short of***, exceto. ***cut sth/sb short***, interromper, abreviar, cortar.

shortage *s.* escassez, deficiência: *There is a shortage of food in Indonesia because of the earthquake.*

shorten *v.t. e i.* 1 encurtar, diminuir. 2 enriquecer com manteiga ou gordura. (Cf. *shortening*).

shortening *s.* gordura/manteiga usada em massas.

shorts *s.* (pl) calças curtas, shortes: *Everybody wears shorts at the club.*

shot *s.* 1 tiro: *The policeman killed him with one shot.* 2 bala, projétil, chumbo. 3 lance, jogada. 4 instantâneo, fotografia: *He got a nice shot of her.* 5 atirador 6 (gír) injeção de droga. ***a big shot***, (gír) pessoa importante e presunçosa.

should *v. aux.* (forma negativa *shouldn't*) 1 (expressa obrigação) devia, deveria: *I should go to work now.* 2 (expressão probabilidade) devia, deveria: *She should be here at 8 o'clock.* 3 (em discurso indireto, substituindo *shall*): *I thought I should get it.* 4 (em orações condicionais): *If I were you, I should stay home.* 5 (usado com *that* depois de adjetivos e verbos como *suggest, demand, insist, recommend*): *She recommended that I should visit that museum.* ***should have thought***, expressa surpresa. ***should like***, querer. ***should think***, achar, acreditar, pensar.

shoulder *s.* 1 ombro. 2 quarto dianteiro (de animal). ***shoulder to shoulder***, lado a lado, unidos. ***head and shoulders above***, muito melhor do que.

shoulder *v.t.* 1 arcar com/assumir (responsabilidade): *to shoulder the responsibility for her education.*

shout *s.* grito, berro.

shout *v.t. e i.* gritar, chamar em voz alta: *The children are shouting outside the house.*

shove *v.t e i.* (infml) empurrar, impulsionar.

shove *s.* empurrão.

shovel *v.t.* (*-ll-* EUA *-l-*) 1 cavar. 2 jogar de lado.

show s. 1 mostra, exposição, exibição: We are going to that big show tonight. **on show**, em exibição para o público. 2 espetáculo: We went to a rock show this weekend. **steal the show**, atrair a atenção. 3 aparência, aspecto. **show-business**, negócios artísticos, vida artística. (também *show-biz*). **show-man**, a) artista. b) promotor de espetáculos. **showroom**, salão de exposição. **show** v.t. e i. (pret *-ed*, pp *shown*) 1 mostrar, expor, exibir: He showed me his new projects. 2 revelar, manifestar, demonstrar: She doesn't like to show her feelings. 3 ensinar: Can you show me how to do it? 4 aparecer, (fig) ficar claro. 5 aparentar: She doesn't show her age. 6 evidenciar. 7 (rel a filme) exibir: The Plaza is showing a historical movie. 8 conduzir alguém para dentro/fora de um recinto. **show sb around**, levar alguém para conhecer algum lugar/as dependências. **show sb/sth off**, mostrar(-se), exibir(-se): He likes to show off.
showdown s. revelação de fatos, ato de colocar as coisas em pratos limpos.
shower s. 1 chuveiro, banho: I need to take a shower right now. 2 chuva. **baby shower**, chá de bebê. **bridal shower**, chá de cozinha/panela.
show-off s. (infml) pessoa que quer se mostrar/aparecer.
showy adj. (*-ier*, *-iest*) vistoso, pomposo, cheio de ostentação.
shrank V. (pretérito do verbo *shrink*).
shred s. 1 tira estreita, trapo, retalho. 2 pequeno pedaço, fragmento.
shred v.t. (*-dd-*) cortar em tiras/pedaços, retalhar.
shrew s. megera.
shrewd adj. (*-er*. *-est*) 1 astuto, perspicaz, sagaz: He is a shrewd old man. 2 (provavelmente) correto: a shrewd guess.
shrewdness s. astúcia, perspicácia.
shriek s. som agudo, grito, risada estridente.

shrill adj. (*-er*. *-est*) agudo, fino, penetrante, estridente.
shrimp s. camarão.
shrine s. 1 santuário, lugar sagrado. 2 relicário.
shrink v.t. e i. (pret *shrank* ou *shrunk*, pp *shrunk* ou *shrunken*) 1 encolher: The blouse shrank after she washed it. 2 recolher, retrair, recuar.
shrivel v.t. e i. (*-ll-* EUA *-l-*) secar, murchar, enrugar.
shrug v.t. (*-gg-*) dar de ombros: She shrugged her shoulders after the incident. **shrug sth off**, dispensar.
shudder v.i. tremer (de frio/medo), sobressaltar-se, estremecer: The boys were shuddering with cold.
shudder s. tremor, calafrio.
shuffle v.t. e i. 1 arrastar os pés, dançar arrastando os pés. 2 embaralhar cartas, misturar: Don't shuffle these cards. 3 livrar-se da responsabilidade.
shut v.t. e i.(pret, pp *-*)(*-tt-*) 1 fechar, trancar: Shut the window, please. 2 tapar, tampar, fechar: shut the cookie box. 3 prender, confinar. **shut/close one's ears/eyes to**, ignorar. **shut (sth) down**, fechar fábrica/encerrar as atividades. **shut-down**, fechamento de fábrica/encerramento de atividades. **shut sb in**, trancar, fechar. **shut sth off**, fechar (p ex registro de água, gás, etc), interromper o fluxo: shut the water off. **shut sb/sth out**, excluir, barrar, impedir a entrada. **shut sth up**, a) trancar, fechar. b) guardar (por questão de segurança). **shut (sb) up**, fazer calar a boca, silenciar: Shut up and sleep!
shutter s. 1 veneziana: Open the bedroom shutters. 2 obturador de câmara fotográfica.
shuttlecock s. peteca.
shuttle service s. trem, ônibus, avião que faz viagens curtas de ida e volta; ponte-aérea.
shy adj. (*-er, -est*) 1 tímido, retraído: a

shyness

shy girl. 2 (rel a animais, pássaros, etc) medroso, assustado.
shyness *s.* timidez, acanhamento.
sibling *s.* irmão, irmã.
sick *adj.* 1 doente, enfermo: *He is not feeling well; he's sick.* 2 indisposto, enjoado: *Seafood makes me sick.* 3 *(of)* saturado, farto: *I'm sick of waiting for her.* 4 mórbido: *a sick joke.* **be sick**, vomitar. **feel sick**, enjoar, ter náuseas. **fall sick,** ficar/cair doente. **feel sick at/about,** (infml) sentir-se triste/pesaroso. **sick at heart**, angustiado, desapontado. **be homesick**, ter saudades de casa. **sickbed**, leito de doente. **sick-leave**, licença (do emprego) para tratamento de saúde: *He is on a sick-leave.*
sicken *v.t. e i.* 1 adoecer, tornar/ficar doente: *The dog sickened after they moved.* 2 enfadar, aborrecer: *Her attitude sickens me.*
sickening *adj.* enjoativo, nauseante, revoltante: *a sickening smell.*
sickness *s.* 1 doença, enfermidade. 2 enjôo, vômito.
side *s.* 1 lado, lateral; *Which side is open?* **side by side,** lado a lado, juntos. **every side/all sides**, de todos os lados, em todas as direções. **on the side,** (infml) por baixo do pano. **put on/to one side,** pôr de lado, desconsiderar. 2 ponto de vista. 3 partido, lado. **take sides (with),** tomar o lado ou partido (de). **side effect**, efeito colateral. **sidewalk**, calçada. (Cf *pavement) side-whiskers*, suíças, costeletas (de barba).
sidelong *adj. e adv.* inclinado, de lado, de soslaio: *a sidelong look.*
sidewards *adv.* para o lado, de lado.
siege *s.* (mil) cerco, sítio.
sieve *s.* coador, peneira.
sift *v.t. e i.* coar, peneirar: *sift sugar.*
sigh *v.i. e t.* 1 suspirar: *They sighed with relief when he arrived home.* 2 ansiar por: *The girl sighs for him.*
sigh *s.* suspiro.
sight *s.* 1 visão, vista: *It's a wonderful sight!* 2 visão: *The doctor said he has good sight for his age.* 3 raio de visão: *Don't let them out of sight!* 4 mira. 5 vislumbre, aparição. **know sb by sight**, conhecer alguém de vista. **lose sight of**, perder de vista. **at first sight**, à primeira vista. **sight-seeing**, visita a lugares turísticos: *The tourists went sightseeing last night.*
sign *s.* 1 sinal, marca: *traffic signs.* 2 gesto, movimento. 3 indício, traço, vestígio. 4 distintivo, emblema. 5 símbolo. **sign-language**, linguagem de sinais, usada por surdos-mudos. **sign-post**, placa de indicação de trânsito.
sign *v.t. e i.* 1 assinar, subscrever: *Can you sign this check?* 2 contratar, aceitar emprego. 3 fazer gesto ou sinal.
signal *s.* 1 sinal, aviso: *Fever is always a signal.* 2 (mil) senha, contra-senha.
signal *v.t. e i.* (-*ll*- EUA -*l*-) sinalizar.
signature *s.* assinatura: *Look at his signature here.*
significance *s.* 1 significado, importância: *His company has a great significance for the city.* 2 significação, significado, sentido.
significant *adj.* 1 significante, importante. 2 significativo, expressivo: *There was a significant change in the children's behavior.*
silence *s.* silêncio, quietude: *There was a deep silence in the old house.*
silent *adj.* 1 silencioso, calmo, quieto: *What a silent house!* 2 calado, mudo: *Why is he so silent?* **silent film**, filme mudo.
silhouette *s.* silhueta.
silk *s.* seda. **silk-worm**, bicho da seda.
silken *adj.* sedoso, macio: *silken skin.*
silky *adj.* (-ier, -iest) sedoso, suave, macio: *silky fabric.*
silly *adj.* (-ier, -iest) bobo, tolo: *He is such a silly boy!*
silver *s.* 1 prata: *I love silver bracelets.* 2 prataria, objetos de prata. **silver medal**, medalha de prata, segundo

prêmio. **silver anniversary**, bodas de prata.
silver v.t. e i. 1 pratear.
silvery adj. de prata, prateado: *a silvery light*.
similar adj. semelhante, similar, parecido: *They have similar tastes in food*.
similarity s. (pl -ies) similaridade, semelhança.
simmer v.t. e i. 1 manter/cozinhar em fogo brando.
simple adj. (-r, -st) 1 simples: *She is a simple girl*. 2 elementar, básico: *That's a simple matter*. 3 comum, ordinário: *She leads a simple life*.
simplify v.t. (pret, pp -ied) simplificar.
simply adv. 1 simplesmente: *In Brazil we live very simply*. 2 meramente, somente.
simulate v.t. (fml) 1 simular, aparentar, fingir. 2 imitar.
simultaneous adj. simultâneo: *They showed a simultaneous presentation*.
sin s. pecado.
sin v.i. (-nn-) pecar.
since adv. desde então: *I haven't been to the movies since last month*.
since conj. 1 desde. 2 já que: *Since you're already standing, why don't you make a speech*.
since prep. após, desde: *She hasn't read much since her graduation*.
sincere adj. sincero, franco, verdadeiro.
sincerely adv. sinceramente. *yours sincerely*, (usado como fechamento de cartas) cordialmente, atenciosamente.
sincerity s. sinceridade.
sinew s. tendão, nervo.
sing v.t. e i. (pret *sang*, pp *sung*) 1 cantar: *I don't think she sings very well*.
singer s. cantor.
singing s. canto.
single adj. 1 um só, único. 2 solteiro: *He is a single man*. 3 individual: *I want a single bed*. **single-minded**, obcecado.
singular adj. 1 singular, extraordinário, único: *a person of singular inteligence*. 2 (gram) singular.
singularity s. (pl-ies) 1 singularidade. 2 particularidade, peculiaridade.
sinister adj. 1 sinistro, ameaçador.
sink s. 1 pia.
sink v.t. e i. (pret *sank*, pp *sunk*) 1 afundar, submergir: *The ship sank very fast*. 2 descer, baixar: *The sun sank below the hills*. 3 diminuir.
sinner s. pecador.
sip s. pequeno gole.
sip v.t. e i. (-pp-) 1 bebericar, sorver: *She sipped the champagne*.
siphon s. sifão.
sir s. 1 senhor: *Yes, sir*. 2 título de barão, título de respeito: *Sir Winston Churchill*.
siren s. 1 (na literatura grega) sereia. 2 sirene, apito. 3 mulher sedutora.
sirloin s lombo de vaca.
sissy s. (infml) homem afeminado.
sister s. 1 irmã. 2 freira, irmã de ordem religiosa: *a Catholic sister*.
sisterhood s. 1 irmandade, congregação. 2 relacionamento entre irmãs.
sit v.t. e i. (pret, pp *sat*) (-tt-) 1 sentar, sentar-se: *Please sit down!* 2 prestar exame. 3 ocupar cargo, ter assento ou cadeira em, ser membro de: *He sits on various boards*. 4 reunir-se em sessão. *sit on one's hands*, (infml) não agir, não fazer nada. *sit for*, a) prestar exame. b) posar (p ex para fotografia, quadro, etc). *sit on sth*, a) ser membro de. b) deixar de lado, negligenciar. *sit up*, esperar acordado.
site s. 1 lugar, sítio, terreno. 2 página de internet.
situated adj. situado, localizado, estabelecido: *It's a well situated building*.
situation s. 1 situação, posição (de uma cidade, edifício, etc). 2 condição, circunstância: *He is in a delicate situation*

six

six adj. e s. seis. **at sixes and sevens,** em desordem, de cabeça para baixo.
sixteen adj. e s. dezesseis.
sixteenth adj. e s. décimo-sexto.
sixth adj. e s. sexto. **sixth sense,** sexto sentido.
sixtieth adj. e s. sexagésimo.
sixty adj. e s. sessenta.
size s. 1 tamanho, número, medida: *What size do you wear?* 2 área, extensão.
sizzle v.i. chiar (ao fogo): *The meat is sizzling in the pan.*
skate s. patim: *ice skate,* patim de gelo; *roller skate,* patim de rodas; *skateboard,* skate.
skate v.i. patinar.
skeleton s. 1 esqueleto. 2 (infml) pessoa esquálida/muito magra. 3 carcaça, armação. 4 projeto, esboço.
skeptic s. cético. (GB *sceptic*).
skeptical adj. cético, descrente. (GB *sceptical*).
skepticism s. ceticismo. (GB *scepticism*).
sketch s. 1 croqui, esboço. 2 projeto, plano. 3 (teat) sketch, esquete.
sketch v.t. e i. 1 esboçar, delinear. 2 fazer esboço.
ski s. esqui.
ski v.i. esquiar: *They went skiing last winter.*
skid s. 1 escorregão, derrapagem. 2 freio, trava.
skid v.i. (*-dd-*) (rel a carro) derrapar.
skier s. esquiador.
skillful adj. experimentado, prático, hábil: *a skillful painter.* (GB *skilful*).
skill s. 1 habilidade, prática: *He's a writer of great skill.* 2 experiência, perícia.
skilled adj. experimentado, prático, hábil: *a skilled lover.*
skim v.t. e i. (*-mm-*) 1 desnatar, escumar, tirar da superfície: *skim off the fat.* 2 deslizar sobre, planar. 3 ler rapidamente, passar os olhos: *I skimmed through the financial pages.*
skimp v.t. e i. restringir/economizar/reduzir (gastos).

skin s. 1 pele, cútis, tez: *fair skin.* 2 (rel a animal) pele, couro. 3 casca, crosta: *a potato skin.* **be skin and bones,** (infml) estar esquelético, ser pele e osso. **get under one's skin,** a) irritar alguém. b) enrabichar-se por alguém. **have a thick skin,** ser insensível. **have a thin skin,** ser profundamente sensível. **save one's skin,** (infml) salvar a pele. **by the skin of one's teeth,** por um triz.
skin v.t. e i. (*-nn-*) 1 tirar a pele, descascar. 2 esfolar. 3 mudar de pele. 4 (gír) depenar, explorar alguém.
skin-deep adj. (rel a beleza, sentimentos, etc) superficial.
skinflint s. pessoa miserável, pão-duro, sovina.
skinny adj. (*-ier, -iest*) magro, magricela.
skin-tight adj. (rel a roupas) apertado, colado ao corpo.
skip v.t. e i. (*-pp-*) 1 pular, saltitar, saltar. 2 pular corda. 3 passar/pular (de um assunto a outro). 4 mover-se de um lado para o outro rapidamente. 5 saltar trechos na leitura. 6 (infml) dar o fora, bater asas, sumir: *They skipped off the room.* **skipping-rope,** corda de pular.
skip s. pulo, salto, andar saltitante.
skipper s. capitão (de equipe), navio ou avião).
skirmish s. escaramuça, contenda, briga.
skirt s. 1 saia. **skirting-board,** rodapé.
skull s. crânio, cérebro, caveira.
sky s. (pl *skies*) céu, firmamento. **sky-blue,** azul celeste. **sky-high,** altíssimo, nas nuvens. **skylight,** clarabóia. **sky-line,** horizonte, linha do horizonte.
skyscraper s. arranha-céu
slab s. 1 laje. 2 lasca, fatia grossa.
slack adj. (*-er, -est*) 1 negligente, descuidado, relapso: *a slack mother.* 2 inativo, fraco. 3 frouxo, folgado. 4 lento, vagaroso.

slack v.i. 1 ser negligente ou relapso. 2 afrouxar, relaxar.
slacken v.t. e i. 1 afrouxar. 2 (rel a intensidade, velocidade, etc) diminuir, moderar. 3 relaxar.
slacks s. (pl) calças compridas esporte (para homens e mulheres).
slain V. (pretérito do verbo *slay*).
slam v.t. e i. (-mm-) 1 bater com força (porta, janela, etc): *He slammed the front door*. 2 colocar, atirar ou derrubar com força: *He slammed the papers down on the table*.
slam s. 1 pancada ou batida ruidosa. 2 (infml) crítica severa.
slander s. 1 injúria, calúnia. 2 (jur) difamação.
slander v.i. injuriar, caluniar, difamar.
slanderer s. caluniador, difamador.
slanderous adj. injurioso, calunioso, difamatório.
slang s. 1 gíria. 2 jargão profissional ou de um grupo.
slant s. 1 declive, inclinação. 2 (infml) ponto de vista, atitude, opinião: *a new slant on the affair*.
slap v.t. (-pp-) 1 dar palmada ou tapa. 2 esbofetear: *She slapped him on the face*. 3 atirar, jogar (com força ou descuidadamente).
slap s. 1 palmada, tapa. 2 bofetada (também fig). 3 insulto.
slash v.t. e i. 1 golpear. 2 cortar, talhar. 3 (rel a preços, despesas) reduzir drasticamente. 4 criticar severamente.
slash s. 1 talho, golpe. 2 clareira (após derrubada de árvores em floresta).
slat s. 1 tabuinha, ripa. 2 lâmina (de metal).
slate s. 1 ardósia, telha de ardósia. 2 lousa. 3 cor cinza-azulado. 4 chapa eleitoral. **have a clean slate**, ter ficha limpa/boa reputação. **wipe the slate clean**, começar vida nova.
slate v.t. 1 cobrir com lousa ou ardósia. 2 (infml) punir severamente, criticar asperamente.

slaughter s. matança, carnificina, massacre, chacina. **slaughter house**, matadouro, abatedouro (= *abattoir*).
slaughterer s. matador, carniceiro, trucidador.
slave s. 1 escravo, servo. 2 escravo, vítima: *She is a slave of her own ambition*.
slave v.i. (at, for) trabalhar arduamente como escravo: *She slaved away her whole life*.
slavery s. escravidão, escravatura.
sledge s. trenó.
sledgehammer s. malho, marreta.
sleek adj. (-er, -est) 1 (rel a cabelo de pessoa, pêlo de animal) macio, liso. 2 insinuante.
sleek v.t. alisar, amaciar.
sleep s. sono, repouso. **go to sleep**, adormecer, pegar no sono. **put sb to sleep**, a) fazer dormir. b) sacrificar, matar (um animal doente).
sleep v.i. e t. (pret, pp *slept*) 1 dormir, repousar, adormecer. **sleep like a top/log**, (infml) dormir como uma pedra/profundamente. **sleep sth off**, livrar-se de algo durante o sono: *He's sleeping off his anger*. **sleep on/upon/over sth**, (fig) consultar o travesseiro, resolver no dia seguinte.
sleeper s. 1 pessoa que dorme: *a heavy/light sleeper*. 2 dormente de trilho. 3 leito de trem.
sleeping-bag s. saco de dormir.
sleeping car s. carro-dormitório (em trem).
sleeping pill s. pílula para dormir.
sleepless adj. insone, acordado, desperto.
sleeplessly adv. sem dormir.
sleeplessness s. insônia.
sleepy adj. (-ier, -iest) 1 sonolento, letárgico. **be sleepy**, estar com sono. 2 (rel a lugares) inativo: *a sleepy town*.
sleet s. chuva misturada com neve ou granizo.
sleeve s. 1 manga (de camisa, de vestido). **have sth up one's sleeve**,

sleeveless

ter alguma coisa (idéia, plano, etc) de reserva, escondido (para uso *futuro*).
sleeveless *adj.* sem mangas: *a sleeveless shirt*.
sleigh *s.* trenó, esp puxado por cavalo.
slender *adj.* (*-er, -est*) 1 esguio, delgado, esbelto: *a slender girl*. 2 parco, escasso, insuficiente: *have slender chances*.
slept *V.* (pretérito do verbo *sleep*).
slice *s.* 1 fatia, pedaço: *a slice of cheese*. 2 parte, porção. 3 espátula.
slice *v.t. e i.* 1 cortar em fatias, fatiar. 2 dividir em partes ou porções.
slick *adj.* (infml) 1 liso, brilhante, oleoso. 2 astuto, manhoso.
slide *s.* 1 escorregão. 2 desabamento. 3 plano inclinado, pista para tobogã. 4 lâmina de microscópio. 5 peça corrediça, cursor.
slide *v.i. e t.* (pret, pp *slid*) 1 deslizar, escorregar: *It's nice sliding on the wet floor in my gym socks*. 2 passar gradativamente a, descambar para. 3 andar, mover-se quietamente ou em segredo. *let things slide*, deixe as coisas correrem, não faça caso.
slide over, tocar de leve em, passar por alto.
sliding *adj.* 1 corrediço, de correr: *sliding doors*. 2 móvel, variável, ajustável.
sliding scale, a) escala móvel (de salários, preços, etc). b) régua de cálculo.
slight *adj.* (*-er, -est*) 1 esguio, magro. 2 leve, pequeno, sem importância: *She had a slight headache last night*.
slight *v.t.* desprezar, fazer pouco caso, não dar importância.
slightly *adv.* levemente, um pouquinho: *I'm slightly thinner now*.
slim *adj.* (*-mer, -mest*) 1 magro, esguio, esbelto. 2 (infml) fraco, pequeno, insuficiente.
slim *v.i.* (*-mm-*) emagrecer.
slime *s.* 1 lodo, limo, lama. 2 muco viscoso que recobre moluscos.
slimy *adj.* (*-ier, -iest*) 1 viscoso, lamacento, lodoso. 2 (fig) bajulador, nauseante, repugnante.
sling *s.* 1 estilingue, bodoque. 2 tipóia. 3 tiro, arremesso (de estilingue). 4 laço, gancho (com corda ou corrente para levantar pesos).
slip *s.* 1 escorregão, tropeção, passo em falso (também fig). 2 erro, deslize, lapso. *a slip of the tongue*, lapso da língua (erro involuntário ao falar ou escrever). *give sb the slip*, escapar-se de alguém, burlar a vigilância de alguém. 3 fronha, capa. 4 pessoa franzina: *a slip of a woman*. 5 (rel a navios) rampa (de embarque, lançamento, etc). 6 (geol) deslocamento, desabamento. 7 pedaço de papel, nota, bilhete. *slip-cover*, capa (de sofá, cadeira). *slip-up*, (infml) lapso, deslize, engano.
slip *v.i. e t.* (*-pp-*) 1 escorregar: *The old lady slipped on the banana skin and hurt her legs*. 2 sair ou mover-se de mansinho, escapar, escapulir: *She slipped away during the party*. 3 soltar, deixar escapar. *let slip*, a) deixar escapar (chance, oportunidade, etc). b) dizer sem querer ou pensar. *slip through one's fingers*, (fig) escorregar por entre os dedos, deixar escapar. 4 pôr ou tirar rapidamente (roupa). 5 deixar passar, não notar (p ex erros). 6 esquecer-se de, fugir da memória.
slipper *s.* chinelo.
slippery *adj.* (*-ier, -iest*) 1 escorregadio: *a slippery floor*. 2 (fig) (rel a assunto) incerto, enganoso, falso. 3 (rel a pessoas) não confiável.
slit *s.* corte, rasgo, fenda.
slit *v.t.* (pret, pp *slit*) (*-ti-*) 1 cortar (esp ao comprido ou em tiras), rasgar. 2 rachar, fender.
slither *v.i.* escorregar, resvalar.
slobber *v.t. e i.* 1 babar(-se). 2 falar de modo sentimental ou tolo.
slog *v.t. e i.* (*-gg-*) 1espancar, bater com força (esp em boxe ou cricket). 2 trabalhar com afinco.

slogan s. slogan, lema, palavra ou frase associada a campanha política, comercial, etc.

slop v.t. e i. (-pp-) 1 derramar-se, entornar-se. 2 derramar, entornar.

slope s. 1 inclinação, declividade. 2 declive, aclive. 3 ladeira; rampa.

slope v.i. e t. 1 estar inclinado, ter declive. 2 inclinar. 3 (infml) **slope off**, fugir, escapar (para evitar alguém, ou evitar fazer algo).

sloppy adj. (-ier, -iest) 1(infml) relaxado, desmazelado, desleixado: *a sloppy student*. 2 lamacento, molhado. 3 (infml) piegas, sentimental.

slot s. 1 fenda, abertura (para introduzir moedas, cartas, etc). 2 ranhura, entalho. **slot-machine**, caça-níqueis.

slouch v.i. 1 andar encurvado ou de ombros caídos. 2 ter má postura. 3 fazer pender, fazer ficar caído.

slouch s. 1 postura relaxada, má postura. 2 pessoa desajeitada. 3 vadio, relaxado.

slovenly adj. relaxado, desmazelado, desleixado.

slow adj. (-er, -est) 1 lento, vagaroso, lerdo: *a slow dance*. 2 (rel a relógio) atrasado. 3 enfadonho, aborrecido: *The lecture was rather slow*. **slow-motion**, (cin) em câmera lenta.

slow adv. (-er, -est) lentamente, devagar.

slow v.i. e t. 1 tornar mais lento, reduzir a velocidade de, diminuir a marcha: *The driver slowed the vehicle down*. 2 (rel a relógio) atrasar-se.

sludge s. 1 lama, lodo, limo. 2 borra, sedimento, depósito.

slug s. 1 bala (de arma de fogo), carga de chumbo. 2 (tipogr) linha de linotipo. 3 (infml) murro, soco.

sluggish adj. 1 inativo, vagaroso. 2 inerte, apático.

sluice s. 1 eclusa, barragem. 2 comporta. 3 canal de descarga ou drenagem.

slum s. favela, bairro pobre, bairro miserável.

slumber v.i. e t. (liter) 1 dormir, cochilar. 2 passar o tempo dormindo ou cochilando. **slumber party**, quando um grupo de crianças/adolescentes passa a noite na casa de uma delas.

slump v.i. 1 cair, despencar. 2 (rel a preços, valores) baixar repentinamente.

slump s. 1 queda brusca ou violenta. 2 baixa repentina (de preços). 3 colapso, declínio, fracasso.

slur v.t. e i. (-rr-) 1 pronunciar indistintamente, engolir sons, sílabas, palavras. 2 desacreditar, macular, caluniar. **slur over**, passar por alto, não dar atenção.

slush s. 1 neve semiderretida.

slut s. 1 prostituta. 3 termo ofensivo dirigido à mulher.

sly adj. (-er, -est) 1 astucioso, dissimulado, matreiro. 2 sorrateiro, furtivo. 3 malicioso, travesso. **on the sly**, às escondidas, sorrateiramente.

smack s. estalo, palmada, tapa.

smack v.i. 1 dar tapa/palmada. 2 estalar (lábios, chicote, etc). 3 beijar com estalo.

small adj. (-er, -est) 1 pequeno. 2 trivial, insignificante. 3 mesquinho, egoísta. 4 pobre, humilde, modesto. **come out on the small end**, sair perdendo, levar a pior. **feel small**, sentir-se pequeno/envergonhado/humilhado. **small change**, trocado, dinheiro miúdo. **small-fry**, pessoas sem importância, arraia miúda. **small hours**, altas horas (da noite), primeiras horas da manhã. **small talk**, mexerico, tagarelice, conversa fiada.

small s. 1 parte mais estreita ou menor de alguma coisa. 2 (pl) (infml) miudezas, peças pequenas de roupa para lavar.

smallpox s. (med) varíola.

smart adj. (-er, -est) 1 elegante, moderno, vistoso, em boa ordem: *She is a smart girl*. 2 inteligente, talentoso. 3 vivo, ativo, esperto. 4 agudo, doloroso. 5 vigoroso, rápido.

smartly

smartly *adv.* 1 agudamente, violentamente. 2 espertamente, inteligentemente. 3 vivamente, elegantemente.

smash *v.t. e i.* 1 desperdiçar, ser feito em pedaços, estraçalhar: *The baby smashed the plate on the floor.* **smash into**, chocar-se contra, colidir com: *The car smashed into a wall.* 2 derrotar completamente. **smash a record**, bater um recorde. 3 (com) falir. 4 (rel a tênis) cortar (bola).

smash *s.* 1 golpe ou queda violenta. 2 colisão, desastre. **smash hit**, (infml) sucesso estrondoso. **smash-up**, a) colisão violenta, desastre. b) ruína, bancarrota, catástrofe.

smattering *s.* conhecimento superficial (de um assunto).

smear *v.t. e i.* 1 lambuzar, besuntar. 2 sujar, manchar, macular (também fig).

smear *s.* mancha, nódoa de gordura, borrão de tinta.

smell *s.* 1 olfato. 2 cheiro, odor. 3 (fig) traço, indício.

smell *v.t. e i.* (pret, pp *smelt*) 1 sentir cheiro de: *I could smell the wood burning.* 2 cheirar, cheirar a (também fig): *I smell trouble.* **smell sth out**, a) descobrir pelo olfato. b) (fig) intuir. **smell a rat**, suspeitar, desconfiar.

smelling-salts, sais aromáticos.

smelly *adj (-ier, -iest)* (infml) mal-cheiroso, fedorento.

smelt *V.* (pretérito do verbo *smell*).

smile *s.* sorriso, expressão risonha.

smile *v.i. e t.* 1 sorrir. 2 exprimir com um sorriso. **smile away**, fazer desaparecer com um sorriso: *He smiled away his fear.* **smile on/upon**, favorecer, aprovar.

smirch *v.t.* 1 sujar, manchar. 2 (fig) desonrar.

smirch *s.* mancha, nódoa, mácula (também fig).

smirk *s.* sorriso afetado, bobo.

smirk *v.i.* sorrir afetadamente.

smog *s.* névoa pesada, combinação de nevoeiro e fumaça.

smoke *s.* 1 fumo, fumaça. **go up in smoke**, virar fumaça, dar em nada. 2 ato de fumar. **smoke-screen**, cortina de fumaça. **smoke-stack**, chaminé.

smoke *v.t. e i.* 1 soltar fumaça. 2 enfumaçar. 3 fumar. 4 defumar (carne, peixe, etc). 5 fumigar, desinfetar com fumaça. **smoked glass**, vidro fumê.

smoker *s.* 1 fumante. 2 vagão em que é permitido fumar.

smooth *adj.* (*-er, -est*) 1 liso: *smooth texture.* 2 calmo, sereno: *a smooth face.* 3 (rel a movimentos) regular, uniforme. 4 (rel a mistura líquida) homogêneo, bem batido. 5 (rel a voz) suave. 6 (rel a pessoas, modos) lisonjeiro, insinuante (mas pouco sincero).

smooth *v.t. e i.* 1 alisar, tornar uniforme. 2 acalmar, serenar: *The ocean has smoothed down.* **smooth away**, afastar, remover (obstáculos, problemas etc). **smooth over**, atenuar.

smoothly *adv.* suavemente, facilmente, tranqüilamente.

smoothness *s.* maciez, suavidade, tranqüilidade.

smother *v.t. e i.* 1 sufocar, asfixiar (-se), abafar(-se). 2 cobrir, encobrir. 3 reprimir, conter (p ex bocejos, raiva). 4 abafar (fogo) cobrindo de cinzas, areia, etc.

smolder *v.i.* 1 arder lentamente, arder sem chama e com muita fumaça. 2 estar latente, estar em brasa: *smoldering rage.* (GB *smoulder*).

smudge *s.* borrão, mancha, nódoa.

smudge *v.t. e i.* borrar(-se), manchar (-se), sujar.

smug *adj.* (*-ger, -gest*) presunçoso, pretensioso, convencido.

smugly *adv.* presunçosamente, presumidamente.

smuggle *v.t.* 1 (*into, out of, through*) contrabandear. 2 fazer entrar ou sair às escondidas: *smuggle drugs into a prison.*

smuggler *s.* contrabandista.

snack s. lanche, refeição ligeira. **snack-bar**, lanchonete.
snail s. caracol. **at a snail's pace**, vagarosamente.
snake s. 1 cobra, serpente. 2 (fig) pessoa traiçoeira/perigosa.
snap s. 1 estalo, estalido. 2 dentada, mordida. 3 fotografia instantânea. (= snapshot). 4 palavra ou maneira áspera e brusca. 5 (usado como adj) repentino, inesperado: a snap answer. **snapshot**, fotografia instantânea.
snap v.t. e i. (-pp-) 1 tentar morder, abocanhar. 2 tentar agarrar, agarrar. 3 falar brusca e asperamente. 4 fotografar. 5 quebrar/romper com estalo. **snap out of it**, mudar repentinamente para melhor, sair de situação desfavorável ou difícil.
snarl v.t. e i. 1 (rel a cães) rosnar. 2 (rel a pessoas) falar com voz zangada.
snarl s. 1 rosnado. 2 complicação, confusão, emaranhado.
snatch v.t. e i. 1 apoderar-se de, arrancar, arrebatar. **snatch at**, procurar agarrar. 2 roubar: to snatch a purse.
sneak v.t. e i. (in, out, away, off, past) 1 mover-se às escondidas, sorrateiramente: He sneaked out when nobody was looking. 2 (infml) surripiar, fuliar.
sneak s. 1 pessoa covarde/traiçoeira. 2 movimento furtivo ou sorrateiro.
sneakers s. tênis.
sneaking adj. 1 furtivo, sorrateiro. 2 secreto, oculto. **a sneaking suspicion**, uma desconfiança ou suspeita persistente.
sneer v.i. sorrir zombeteira ou desdenhosamente, escarnecer, zombar.
sneer s. sorriso ou expressão zombeteira/desdenhosa, escárnio.
sneeze s. espirro.
sneeze v.i. espirrar. **not to be sneezed at**, (infml) que não se deve desprezar: He got a position that is not to be sneezed at.

sniff v.t. e i. 1 fungar. 2 cheirar, farejar. **sniff at**, desprezar, torcer o nariz a: You shouldn't sniff at his proposal, it's a good one!
sniff s. 1 fungada. 2 inalação, respiração.
snigger s. riso contido, risadinha abafada.
snip v.t. e i. (-pp-) cortar com tesoura, dar piques/pequenos cortes. **snip off**, cortar fora.
snip s. 1 pique, pequeno corte. 2 (infml) pessoa insignificante. 3 (infml) ninharia, bagatela.
sniper s. 1 atirador de elite. 2 franco-atirador.
snippet s. 1 pedacinho cortado, recorte, apara. 2 (pl) partes de (informação, notícia, etc).
snitch v.t. e i. 1 (gír) furtar, surripiar (algo de pouco valor). 2 (gír) informar, denunciar, delatar: He snitched on his co-workers.
snob s. esnobe.
snobbery s. esnobismo.
snobbish adj. esnobe.
snoop v.i. 1 **snoop into**, bisbilhotar. **snoop around**, espionar, intrometer-se em tudo (para obter vantagem).
snooze s. (infml) soneca: My parents always take a snooze after lunch.
snooze v.i. (infml) tirar uma soneca.
snore v.i. roncar, ressonar.
snore s. ronco.
snort v.i. e t. 1 exprimir com bufo, bufar. 2 falar de modo bravo, rosnar.
snow s. 1 neve, nevada. **snowbound**, obstruído por ou cercado de neve. **snowdrift**, neve movida pelo vento. **snowflake**, floco de neve. **snowman**, boneco de neve. **snow-plowugh**, removedor de neve, limpa neve. (GB snow-plough). **snowslide**, avalanche de neve. **snowstorm**, nevasca, tempestade de neve. **snow-white**, branco como a neve.
snow v.t. e i. 1 nevar. **be snowed in/up**,

snowy

ser retido pela neve. 2 sobrecarregar (de trabalho, convites, etc).
snowy *adj. (-ier, -iest)* 1 nevoso, nevado, nevoento. 2 níveo, branco: *snowy hair.*
snub *v.t. (-bb-)* 1 tratar mal/com aspereza/com superioridade. 2 repelir.
snub *s.* descortesia, afronta.
snub *adj.* (rel a nariz) arrebitado: *a snub nose.*
snuff *s.* 1 inalação. 2 rapé. **up to snuff**, (infml) em boa forma, de boa qualidade.
snuff *v.t. e i.* 1 inalar profundamente, cheirar. 2 cortar o pavio queimado de uma vela. **snuff out**, apagar, extinguir. 3 (rel a animais) fungar, cheirar.
snuffle *v.i.* fungar, falar fanhosamente.
snug *adj.* 1 aconchegante, confortável, abrigado. 2 bem arrumado, bem instalado, em ordem: *a snug bedroom.*
snuggle *v.t. e i.* aconchegar(-se), aninhar(-se).
so *adv.* 1 tão, tanto: *Don't talk so fast.* **so long as**, contanto que: *You can go home so long as you come back to work later.* 2 assim, deste modo. **so that**, a) para que. b) de modo que. **so as to**, a fim de. 3 (em certas expressões) usado como substituto de uma palavra ou frase): *Did he say so?* 4 também: *He's leaving the party and so am I.* 5 mais ou menos. **so to say/speak**, por assim dizer. **so what?** (infml) e daí?
so-called, assim chamado, pretenso: *They wrote about the so-called new revolution.*
so *conj.* 1 por isso: *Her diet is poor so her health is not good.* 2 então (em exclamações): *So there he is!*
soak *v.t. e i.* 1 ficar de molho: *Leave your clothes to soak.* 2 *(in, into, through)* ensopar. 3 embeber. 4 absorver (líquido). **be soaked to the bones**, ficar encharcado até os ossos, ensopar-se.
soak *s.* 1 infiltração, saturação. 2 líquido em que se põe algo de molho. 3 (gír) beberrão, bêbado.
soap *s.* 1 sabão, sabonete. **soap opera**, (infml) novela de rádio ou TV.
soap *v.t.* ensaboar(-se).
sob *v.t. e i. (-bb-)* 1 soluçar. 2 falar soluçando.
sob *s.* soluço.
sober *adj.* 1 sóbrio, controlado, sério. 2 abstêmio, sóbrio.
sobriety *s.* (fml) sobriedade.
soccer *s.* futebol.
sociable *adj.* sociável, amigável, afável.
sociability *s.* sociabilidade.
sociably *adv.* de maneira sociável.
social *adj.* 1 social. 2 gregário, sociável. 3 de ou em sociedade.
socialism *s.* socialismo.
socialist *s. e adj.* socialista.
socialize *v.t.* tornar social ou sociável, socializar.
socially *adv.* socialmente.
society *s.* (pl *-ies*) 1 sociedade, colevidade. 2 companhia. 3 alta sociedade. 4 associação, grêmio.
sociology *s.* sociologia.
sock *s.* *(a pair of socks)* 1 meia . **gym socks**, meia soquete.
socket *s.* 1 soquete, bocal, tomada de luz. 2 encaixe, receptáculo, concavidade: *an electrical socket,* tomada elétrica.
soda *s.* soda (também quím). **soda cracker**, bolacha de água e sal. **soda fountain**, balcão onde se servem refrigerantes, sorvetes, etc. **soda water**, água gasosa.
sodden *adj.* 1 encharcado, ensopado. 2 lerdo, tardo, estupidificado (de tanto beber). 3 (rel a pão, bolo) pesado, mal cozido.
sodium *s.* sódio.
sodomy *s.* sodomia.
sofa *s.* sofá.
soft *adj. (-er, -est)* 1 macio, fofo, mole. 2 (rel à luz, a cores) repousante, suave. 3 (rel a sons) tênue, baixo. 4 (rel a palavras, respostas) brando,

conciliador, afável. 5 (rel a bebidas) não alcoólico: *soft drink*, refrigerante. 6 (rel a clima) temperado, ameno.
soft-hearted, de bom coração, de coração mole.
soften *v.t. e i.* amaciar(-se), amolecer(-se), abrandar(-se), suavizar(-se).
soggy *adj.* *(-ier, -iest)*- empapado, encharcado, úmido.
soil *s.* solo, chão, terra.
sojourn *s.* (liter) estada, permanência, temporada.
solace *s.* (fml) consolo, conforto, alívio.
solar *adj.* solar, do sol: *the solar system*.
sold *V.* (pretérito do verbo *sell*).
soldier *s.* soldado, militar.
sole *s.* linguado (peixe).
sole *s.* sola, planta (do pé).
sole *adj.* 1 único, sozinho. 2 exclusivo: *sole rights*, direitos exclusivos.
solely *adv.* só, apenas, exclusivamente, unicamente.
solemn *adj.* 1 solene, cerimonioso, formal. 2 sério, grave.
solicitor *s.* 1 (GB) advogado, solicitador, procurador. 2 angariador (de fundos, contribuições, etc).
solid *adj.* 1 sólido. 2 maciço, composto. 3 firme, resistente: *a solid table*. 4 (rel a argumento) bem fundado. 5 sério: *a person of serious character*. 6 coeso, unânime. 7 puro, genuíno: *solid reputation*. 8 a fio, sem interrupção.
solid *s.* 1 sólido. 2 (mat) cubo.
solidarity *s.* solidariedade.
solidify *v.t. e i.* (pret, pp *-ied*) solidificar(-se).
solidity *s.* solidez (de uma construção, de um argumento, etc).
solitaire *s.* V. *patience*.
solitude *s.* solidão, isolamento.
solo *s.* (mús) solo.
solstice *s.* solstício.
soluble *adj.* solúvel.
solubility *adj.* solubilidade.
solution *s.* 1 solução, resposta: *He is the solution to her problems*. 2 (quím) resolução, processo de solução. 3 solução líquida.
solve *v.t.* solver, resolver, solucionar: *It's hard to solve that problem!*
solvency *s.* solvência.
solvent *s.* solvente.
somber *adj.* sombrio, escuro, triste. (GB *sombre*).
some *adj.* 1 (usado para indicar quantidade indeterminada em orações afirmativas) um pouco, algum, alguns, alguma, algumas: *I need some sugar in my coffee*. 2 (usado em perguntas quando o falante espera uma resposta afirmativa). 3 (usado em perguntas que são convites): *Would you like some coffee?* 4 uns, umas: *some like it hot, some like it cold*. 5 uns, alguns, algum (indicando pessoa, quantidade ou lugar indeterminado): *He is going to buy some CD's*. 6 aproximadamente: *They moved here some years ago*. 7 em quantidade ou número considerável: *I'll be preparing for my exam for some time*. (Cf. *any*).
some *pron.* algum, alguma, alguns, algumas, uns. **some of**, alguns de, um pouco de, parte de. *(some of* é equivalente a *a few of, a little of, part of).*
some sufixo (utilizado para formar *adj*) que indica semelhança, tendência, propensão: *tiresome, cansativo. troublesome*, problemático.
somebody *pron.* 1 alguém: *Somebody came into the room*. 2 pessoa importante: *She is a somebody in this department*. **somebody else**, alguém mais.
somehow *adv.* de algum modo, por alguma razão, seja como for, de alguma forma: *I'm sure we'll get there somehow*.
someone *s.* = *somebody*.
someplace *adv.* = *somewhere*.
somersault *s.* salto mortal, cambalhota.

something

something *pron.* alguma coisa, algo: *I need something to eat.* (em frases interrogativas ou negativas usa-se *anything*). ***something else***, alguma coisa mais, algo mais (usado esp em frases interrogativas): *Do you need something else?* ***or something***, ou algo assim, ou algo parecido: *I hear the boys have had a discussion or something.* (Cf. *anything*).
sometime *adv.* 1 algum dia: *I'll meet them sometime in January.*
some-times *adv.* às vezes, algumas vezes, de vez em quando.
some-way *adv.* = somehow.
somewhat *adv.* algo, um pouco, um tanto: *I was somewhat restless.*
somewhere *adv.* em alguma parte, em algum lugar: *I left my keys somewhere at home.* ***somewhere else***, noutro lugar. (Cf. *anywhere*).
son *s.* filho. ***son-in-law***, genro. ***son of a bitch***, (vulg) filho da mãe, filho da puta.
song *s.* 1 canto, canção. 2 poesia, verso. ***for a song***, por uma bagatela, muito barato. ***sing the same old song***, repetir a mesma cantilena.
sonic *adj.* sônico, acústico.
sonny *s.* (pl *-ies*) (forma familiar) filhinho.
sonorous *adj* (fml) 1 sonoro. 2 (rel a linguagem, estilo) altissonante, grandiloqüente.
soon *adv.* (*-er, -est*) 1 breve, logo: *The doctor will be here soon.* ***soon after***, pouco depois. 2 cedo, logo: *The movie session is going to start soon.* ***the sooner the better***, quando antes melhor. ***as/so soon as***, assim que, logo que. ***no sooner (...) than***, imediatamente, logo após. ***sooner or later***, mais cedo ou mais tarde.
soot *s.* fuligem.
soothe *v.t.* 1 acalmar, sossegar: *He soothed her feelings.* 2 aliviar, suavizar (dor, etc): *a soothing remedy.*
sophisticated *adj.* 1 requintado, sofisticado. 2 com experiência de vida.
sophistication *s.* sofisticação.
soppy *adj.* (*-ier, -iest*) 1 molhado, ensopado. 2 (infml) muito sentimental, piegas.
sorcerer *s.* feiticeiro, bruxo.
sordid *adj.* sórdido.
sore *adj.* (*-r, -st*) 1 dolorido, doído: *sore feet.* 2 triste, amargurado. 3 desagradável, doloroso, penoso: *It is a sore point with her boyfriend.* 4 (infml) zangado, furioso, ofendido, magoado: *Don't feel so sore about what happened.*
sorrow *s.* 1 dor, pesar, tristeza. 2 arrependimento. 3 infortúnio, desgraça. 4 pranto, lamentação.
sorry *adj.* 1 triste, pesaroso. ***be/feel sorry (about/for sth)***, sentir muito, ter pena, arrepender-se: *Don't be sorry for your decision.* ***be/feel sorry for sb***, ter pena de: *He felt sorry for the little girl.* 2 (como expressão de desculpa): *I am sorry but he is not here right now.* 3 miserável, que causa dor: *in a sorry state.*
sort *s.* 1 classe, espécie, tipo: *That's just the sort of clothes I want.* ***a good sort***, boa pessoa, boa praça. ***a sort of***, uma espécie de. ***of sorts***, de um certo tipo. ***out of sorts***, (infml) a) mal-humorado, aborrecido. b) adoentado, indisposto: *He's out of sorts.* ***sort of***, (infml) um tanto, meio, um pouco: *She's sort of hungry.*
sort *v.t. e i.* (ger ***sort out***) 1 separar, classificar, arrumar: *I must sort out the magazines to be thrown away.* 2 ajeitar uma desordem. 3 apartar uma briga, resolver problemas: *A situation that has now been sorted out.*
sought *V.* (pretérito do verbo *seek*).
soul *s.* 1 alma, espírito. 2 energia, ânimo. 3 personificação: *He is the soul of honesty.* 4 pessoa, ser humano. *not a soul*, ninguém, nem uma alma. ***Poor soul!*** Coitado! Pobrezinho!
soulful *adj.* comovente, comovedor, emocionante.

soulless adj. desalmado.
sound adj. (-er, -est) 1 são, sadio, perfeito. 2 lógico, sólido, correto: *sound character.* 3 profundo, completo: *sound sleep,* sono pesado/profundo. 4 honesto, leal. *sound of mind,* em seu juízo perfeito.
sound s. 1 som, ruído. 2 impressão, efeito, tom: *I don't like the sound of her voice.* **sound-proof,** à prova de som.
sound-track, trilha sonora.
sound v.t. e i. 1 fazer soar, tocar, bater. 2 (fig) parecer, causar impressão: *That sounds good.* 3 testar, examinar, auscultar.
sound s. estreito, braço de mar.
sound v.t. e i. 1 sondar, fazer sondagem.
soup s. sopa. *in the soup,* (lnfml) em dificuldades.
sour adj. 1 (rel a frutas) ácido, azedo. 2 azedo, estragado: *sour food.* 3 (fig) malhumorado, rabugento.
sour v.t. e i. 1 azedar(-se), fermentar (-se). 2 irritar(-se).
source s. 1 nascente (de rio). 2 origem, fonte: *I heard it from a reliable source.* 3 fonte de informações.
south s. 1 sul. 2 (usado como adj) sul, meridional. 3 (usado como adv) ao ou para o sul. **southeast,** sudeste, sueste. **southeasterly,** (rel a vento ou direção) sudeste. **south-west,** sudoeste. **south-southwest,** su-sudoeste.
southerly adj. e adv. 1 meridional, do sul. 2 para o sul.
southern adj. sulista, meridional, do sul, sulino. **southerner,** sulista. **southernmost,** do extremo sul.
southward adj em direção ao sul.
sovereign adj 1 (rel a poder) soberano, supremo. 2 (rel a estado) independente.
sovereign s. soberano (também moeda), monarca, rei.
sovereignty s. soberania.
soviet s. e adj. soviete, soviético.
sow s. porca, leitoa.

sow v.t. e i. (pret -ed, pp -n ou -ed) 1 semear, plantar. 2 (fig) propagar, disseminar.
soya s. soja (também *soya-bean*).
spa s. fonte de águas minerais, estação de águas, balneário.
space s. 1 espaço, universo. 2 lugar: *leave some space for the books.* 3 intervalo. **space age,** era espacial. **space platform,** plataforma espacial. **spaceship,** nave espacial/interplanetária. **spacesuit,** roupa espacial.
space v.i. 1 espaçar. 2 espacejar.
spacious adj. espaçoso.
spade s. 1 pá. 2 espada (um dos naipes do baralho): *the ace of spades.*
spade v.i. cavar com pá.
spaghetti s. espaguete.
span s. 1 um palmo. 2 vão. 3 período de tempo: *attention span.*
span v.i. (-nn-) 1 medir a palmos. 2 atravessar, transpor. 3 estender-se sobre: *His active life spanned most of the 90's.*
spangle s. lantejoula, objeto miúdo e reluzente.
spank v.t. e i. dar palmada/chinelada, bater.
spanking s. surra, sova.
spanner s. chave inglesa.
spar v.i. (-rr-) 1 lutar como no boxe. 2 (fig) discutir, brigar. **sparring-partner,** homem com quem o pugilista se exercita.
spare adj. 1 disponível, livre: *spare time.* 2 sobressalente, adicional: *a spare tyre.* 3 (rel a pessoas) magro, esguio. 4 (fml) parco, frugal.
spare v.t. e i. 1 poupar, esquivar, subtrair: *Spare me the trouble, please!* 2 poupar, não tirar, suprimir: *The policemen spared his life.* 3 dispor, arranjar, dispensar (atenção, tempo, etc): *Could you spare me a moment?* **have sth to spare,** ter algo de sobra: *We don't have time to spare.*
sparing adj. (of) 1 poupado, econômico. 2 magro, frugal. 3 escasso, parco.

sparingly *adv.* frugalmente, parcamente, economicamente.
spark *s.* 1 faísca, centelha (também fig). 2 traço, toque: *a spark of softness.*
spark plug, vela de ignição.
spark *v.t. e i.* 1 acender, inflamar. 2 faiscar, centelhar.
sparkle *v.i.* faiscar, cintilar, brilhar: *The stars are sparkling tonight.*
sparkle *s.* brilho, centelha: *the sparkle of a jewel.*
sparrow *s.* pardal.
sparse *adj.* 1 disperso, espalhado: *a sparse population.* 2 esparso, ralo: *sparse hair.*
sparsely *adv.* esparsamente, dispersamente.
spasm *s.* 1 (med) espasmo. 2 acesso, ataque (de dor, alegria, etc).
spasmodic *adj.* 1 intermitente. 2 espasmódico, convulsivo.
spat *V.* (pretérito do verbo *spit*).
spatter *v.t. e i.* 1 salpicar, borrifar, respingar: *Some blood spattered on the emergency room floor.* 2 sujar, manchar, macular (também fig).
spatter *s.* 1 salpico, borrifo, respingo. 2 ruído como de chuva.
speak *v.t. e i.* (pret *spoke*, pp *spoken*) 1 falar, dizer, conversar: *I spoke to the teacher about my university plans.* **speak for sb**, falar em nome de, representar. **nothing to speak of**, nada digno de ser mencionado. **speak out/up**, a) falar alto ou claramente. b) falar abertamente. **so to speak**, por assim dizer. 2 expressar, exprimir. **speak one's mind**, expressar seu ponto de vista. 3 orar, discursar. 4 exprimir-se numa língua: *She speaks 2 languages.* **be on speaking terms with sb**, dar-se com alguém.
speaker *s.* 1 orador. 2 locutor. 3 presidente de assembléia legislativa. 4 alto-falante.
spear *s.* lança, arpão. **spearhead**, a) ponta de lança. b) cabeça ou frente de grupo (esp mil).
spearmint *s.* hortelã.
special *adj.* 1 especial. 2 excepcional, extraordinário. 3 diferente. **special delivery**, expresso, entrega rápida.
specialist *s.* especialista: *a lung specialist.*
speciality *s.* (pl *-ies*) 1 especialidade. 2 peculiaridade, característica. 3 (pl) pormenores, particulares.
specialization *s.* especialização.
specialize *v.i. e t.* especializar(-se).
specially *adv.* especialmente: *She made this chocolate cake specially for you.*
specialty *s.* (pl *-ies*) especialidade.
species *s.* (pl-) 1 (biol) espécie. 2 (infml) variedade, tipo, raça: *This bird is a rare species.*
specific *adj.* 1 específico. 2 especificado.
specifically *adv.* especificamente, especificadamente.
specification *s.* 1 especificação. 2 (pl) especificações, características, descrição detalhada: *specifications of a computer.*
specify *v.t.* (pret, pp *-ied*) especificar.
specimen *s.* 1 espécime. 2 amostra, exemplo. 3 (infml) sujeito, indivíduo.
speck *s.* ponto, partícula, pinta (p ex de sujeira): *a speck of dirt on my clothes.*
spectacle *s.* 1(pl) óculos. 2 espetáculo, vista. 2 demonstração, exibição.
spectacular *adj.* espetacular.
spectator *s.* espectador.
specter *s.* espectro, fantasma. (GB *spectre*).
speculate *v.i.* 1 *(about/upon/on sth)* especular, refletir: *They are speculating about their future.* 2 (com) especular.
speculation *s.* especulação.
speculative *adj.* especulativo.
sped *V.* (pretérito do verbo *speed*).
speech *s.* 1 fala, modo de falar. 2 discurso. **speech disorder**, defeito de fala ou pronúncia.
speechless *adj.* mudo, sem fala: *She was speechless with his arrival.*

speed s. velocidade, rapidez: *at full speed*, em velocidade máxima; *speed limit*, limite máximo de velocidade.
speedometer, velocímetro.
speed v.t. e i. (pret, pp *sped*) 1 apressar-se, correr, andar depressa. 2 fazer andar depressa. **speed up**, (pret, pp -*ed*), acelerar, apressar: *They have speeded up the building of houses to meet the demand*, Eles aceleraram a construção das casas para atender à demanda.
speedy adj (-ier, -iest) veloz, rápido, ligeiro.
spell s. 1 conjuro, fórmula mágica. 2 magia, feitiço. **be under a spell**, estar enfeitiçado. **cast a spell on**, enfeitiçar, encantar. 3 fascinação, encanto: *to fall under a spell*.
spell s. 1 período de tempo: *a spell of bad weather*. 2 (rel a doenças) crise, ataque: *a spell of cold*.
spell v.t. e i. (pret, pp -*ed* ou *spelt*) 1 soletrar: *Could you spell your last name, please?* 2 grafar, escrever. **spell sth out**, a) soletrar. b) explicar clara/detalhadamente. 4 significar.
spellbound adj. enfeitiçado, encantado.
spelling s. 1 soletração. 2 ortografia, grafia.
spelt V. (pretérito do verbo *spell*).
spend v.t. e i. (pret, pp *spent*) 1 gastar, pagar: *I spent a lot of money on that car*. 2 usar, despender, consumir: *She spends much time in front of the TV*.
spendthrift, esbanjador, gastador.
sperm s. esperma, sêmen.
sphere s. 1 esfera, astro, globo. 2 (rel a pessoas) campo, âmbito de ação, interesses. **sphere of influence**, (polit) área de influência.
spherical adj. esférico.
spice s. 1 especiaria. 2 condimento, tempero. 3 (fig) sabor, gosto, graça: *Love is the spice of life*.
spicy adj. (-ier; -iest) 1 temperado, condimentado, aromático. 2 (fig) picante: *a spicy story*.

spider s. aranha.
spike s. 1 espigão, espiga. 2 prego grande, cravo. 3 (pl) ferrões de sapato ou bota. 4 cacho comprido de flores.
spike v.t. 1 ferrar, encravar. 2 ferir com ferrão, perfurar, espetar.
spill v.t. e i. (pret, pp *spilt* ou -*ed*) 1 (rel a líquido ou pó) derramar, entornar, transbordar: *The baby spilt the milk*. 2 jogar (o cavaleiro) ao chão. 3 (infrnl) divulgar, deixar escapar (segredo). **spill the beans**, contar toda a verdade.
spin v.t. e i. (pret *spun* ou *span*, pp *spun*) (-*nn*-) 1 fiar, tecer (fio ou teia). 2 produzir, compor (p ex uma história): *spin the truth*. 3 rodopiar, fazer girar.
spin s. 1 rodopio, giro. 2 passeio curto em carro/motocicleta, um giro: *go for a spin*.
spinach s. espinafre.
spinal adj. (anat) raquiano, raquidiano; **spinal cord**, medula espinhal.
spine s. 1 espinha dorsal. 2 espinho (de plantas). 3 lombada de livro.
spineless adj. 1 invertebrado. 2 (fig) covarde, indeciso.
spinster s. solteira, solteirona.
spiny adj. (-ier; -iest) espinhoso (também fig).
spiral adj. e s. espiral, caracol.
spiral v.i. (-*ll*-, EUA também -*l*-) espiralar, mover-se em espiral.
spirit s. 1 espírito, alma. 2 fada, gnomo. 3 mente, personalidade. 4 vivacidade, vigor, entusiasmo: *She puts spirit into her work*. **keep up one's spirits**, não desanimar, não perder a coragem. 5 sentido, intenção. 6 (pl) estado de espírito, humor. **be out of spirits**, estar triste, deprimido. 7 mentalidade. 8 (também -*s*) bebida alcoólica destilada (p ex rum, gim, uísque).
spirit v.t. (*away/off*) fazer desaparecer misteriosamente, dar sumiço: *The security guards spirited the president away after the incident*.
spirited adj. vivo, animado, vigoroso.

spiritual

spiritual adj. espiritual.
spiritual s. (mús) espiritual, canto folclórico dos negros nos EUA (ger de fundo religioso).
spiritualism s. espiritismo, espiritualismo.
spit s. 1 cuspo, saliva. 2 ato ou som de cuspir. 3 secreção de certos insetos. **the spit image of**, (infml) o retrato escrito e escarrado de: *He's the spitting image of his father.*
spit v.t. e i. (pret, pp *spat*) (-tt-) 1 *(at)* cuspir. 2 emitir, jogar para fora, esguichar. 3 dizer com violência ou veemência. 4 acender (estopim).
spite s. 1 rancor, ódio. 2 má vontade. 3 despeito. **in spite of**, a despeito de, apesar de: *They went out in spite of the bad weather.*
spiteful adj. vingativo, rancoroso, mau.
splash v.t. e i. 1 borrifar, salpicar, esguichar, espirrar: *The children are splashing water around the yard.* 2 (infml) esbanjar.
spleen s. 1 (anat) baço. 2 mau humor. **vent one's spleen on sb**, descarregar o mau humor em alguém.
splendid adj. 1 esplêndido. 2 (infml) ótimo, excelente, formidável.
splendor s. esplendor, magnificência, brilho. (GB *splendour*).
splint s. tira de madeira, tala (para fraturas).
splinter s. lasca, estilhaço.
splinter v.t. e i. lascar(-se), estilhaçar (-se).
split s. 1 rachadura, ruptura, rasgo. 2 rompimento, separação. **split personality**, (med) personalidade esquizofrênica. **split second**, fração de segundo.
split v.t. e i. (pret, pp -) (-tt-) 1 quebrar em várias partes, rachar(-se), abrir ao meio: *This material splits easily enough.* 2 estourar: *a splitting headache,* uma dor de cabeça terrível. 3 dividir(-se): *The students split in many groups.*

split hairs, entrar em minúcias, preocupar-se com ninharias (p ex numa discussão). **split up (with)**, romper (amizade, casamento, etc): *He split up with his wife.*
splutter v.t. e i. 1 vociferar, falar atabalhoadamente. 2 *(out)* tropeçar nas palavras (ger de emoção).
spoil v.t. e i. (pret, pp -t ou -ed) 1 estragar(-se): *Don't spoil the surprise!* 2 mimar: *a spoiled child.* 3 (rel a alimentos) apodrecer, deteriorar(-se).
spoilsport, desmancha-prazeres: *He is such a spoilsport!*
spoke V. (pretérito do verbo *speak*).
spokesman s (pl *-men*) porta-voz, orador (de um grupo).
sponge s. 1 (zoo) esponja, animal marinho inferior. 2 esponja de limpeza.
spongecake, pão-de-ló.
sponge v.t. e i. 1 lavar, limpar com esponja. 2 absorver líquido com uma esponja. 3 (infml) viver às custas de, explorar: *He sponges on his family.*
sponsor s. 1 fiador. 2 padrinho. 3 patrocinador.
sponsor v.t. 1 dar fiança. 2 responsabilizar-se. 3 patrocinar: *His company sponsored the racing competition.*
spontaneity s. espontaneidade.
spontaneous adj. espontâneo, voluntário, natural.
spontaneously adv. espontaneamente.
spook s. (infml) fantasma.
spooky adj. (-ier, -iest) (infml) mal assombrado: *a spooky mansion.*
spoon s. colher: *soup spoon*, colher de sopa; *teaspoon*, colher de chá.
spoonfeed v.t. 1 alimentar (criança) com colher. 2 (fig) mimar, facilitar algo para alguém: *You shouldn't spoon-feed your students.*
spoonful s. colherada.
sporadic adj. esporádico, ocasional.
sport s. 1 esporte, divertimento. 2 (infml) pessoa que tem espírito esportivo: *My brother is a real sport.*

sport v.t. e i. 1 (liter) brincar, divertir-se. 2 (infml) exibir, ostentar: *He is sporting an exclusive watch.*
sports s. 1 competição, torneio: *The club sports are next week.* 2 (esp rel a roupas) estilo informal: *a sports trousers.* 3 esportivo, de esporte.
sports-car, carro esporte e veloz.
sports-man, esportista.
spot s. 1 marca, mancha: *I found a spot on my evening dress.* 2 pinta: *The cat is grey with white spots.* 3 espinha: *The girl was nervous to find a spot on her chin.* 4 (fig) mácula, mancha: *a spot on her reputation.* 5 pingo. 6 lugar, ponto. **knock spots off sb**, fazer melhor do que, ser melhor do que. **find/put one's finger on sb's weak spot**, (fig) tocar na ferida, tocar no ponto fraco de alguém. **on the spot**, a) imediatamente. b) no local, no lugar marcado.
spot v.t. e i. (-tt-) 1 marcar, manchar, sujar: *His uniform was spotted with paint.* 2 localizar, reconhecer, descobrir. 3 distribuir, colocar em certo lugar.
spotless adj. limpo, sem manchas, puro, impecável: *a spotless kitchen.*
spotlight s. refletor, holofote, projetor de luz. **be in/hold the spotlight**, (fig) ser o centro das atenções.
spouse s. (jur) esposo, esposa.
spout s. 1 bico (de bule). 2 bica. 3 jato, jorro. **up the spout**, (gír) quebrado, arruinado.
spout v.t. e i. 1 jorrar, sair com força: *oil spouting from the pipes.*
sprain v.i. torcer, deslocar: *The boy sprained his ankle.*
sprang V. (pretérito do verbo *spring*).
spray v.t. pulverizar, borrifar, molhar.
spread v.t. e i. (pret, pp -) 1 estender, esticar: *spread your arms.* 2 cobrir uma superfície: *spread cream cheese on a bread.* 3 espalhar, propagar, difundir: *spread the news.*
spread s. 1 extensão, comprimento: *the spread of her arms.* 2 expansão, difusão, propagação. 3 tipo de patê que se passa no pão (manteiga, geléia, etc). 5 colcha: *bed spread.* **spread-eagled**, deitado com braços e pernas estendidos em forma de cruz.
spree s. farra, divertimento, orgia. **a buying/spending spree**, banho de loja, orgia de compras. **be on a spree/ go out on a spree**, fazer uma farra (divertindo-se ou gastando dinheiro à toa).
sprig s. galho, ramo (com folhas).
sprightly adj. (-ier, -iest) vivo, alegre, esperto, animado.
spring v.i. e t. (pret *sprang*, pp *sprung*) 1 pular, saltar: *The girl sprang out of bed.* 2 brotar, nascer, crescer. 3 surgir repentinamente: *Fear sprang in my mind.* 4 revelar, anunciar inesperadamente: *She sprang her decision on her friends.* **spring a leak**, (rel a navio) deixar água entrar através de um buraco.
spring s. 1 pulo, salto. 2 fonte, nascente: *a mineral spring.* 3 mola, mola espiral: *the springs of the bed.* **springboard**, trampolim.
spring s. primavera. **spring-cleaning**, limpeza doméstica anual completa na qual se põem fora objetos velhos. **springtime**, primavera.
sprinkle v.t. salpicar, pulverizar, borrifar, polvilhar.
sprinkler s. 1 irrigador permanente. 2 sistema automático de extinção de incêndio.
sprinkling s. 1 pequena quantidade, pitada. 2 pequeno grupo.
sprint s. corrida de curta distância.
sprite s. fada, duende.
sprout v.i. e t. 1 brotar, germinar. 2 crescer, deixar crescer.
sprout s. 1 broto (planta). 2 couve: *Brussels sprouts.*
spruce adj. limpo, elegante, bem arrumado.
spur s. 1 espora. 2 (fig) estímulo, impulso. 3 contraforte de montanha.

spur

on the spur of the moment, agir sob impulso.
spur v.t. e i. (-rr-) estimular, impelir, instigar.
spurious adj. (fml) espúrio, falso, não genuíno.
spurn v.i. rejeitar, desprezar: *He spurned her offers of help.*
spur s. jato, jorro.
spur v.i. 1 jorrar, sair em jato. 2 esforçar-se, despender grande força.
sputter v.i. e t. 1 estalar, crepitar: *hot oil sputtering in the pan.* 2 falar de modo confuso/às pressas.
spy s. (pl *spies*) espião.
spy v.i. e t. (pret, pp -*ied*) 1 espionar, espreitar. 2 enxergar, ver.
squabble v.i. brigar, disputar.
squad s. esquadrão, pelotão. **squad car**, carro de polícia, patrulha.
s q u a d r o n s. 1 e s q u a d r a. 2 esquadrilha.
squalid adj. sujo, ordinário, esquálido: *The poor family is living in squalid conditions.*
squalor s. miséria, sordidez.
square adj. 1 quadrado. 2 que forma um ângulo reto, angular. 3 no nível, plano, paralelo. 4 liquidado. 5 em quadrado, que designa a unidade de área: *The building area has 500 square meters.* 6 inflexível, firme: *a square decision.* 7 honesto, justo. 8 (fig) quadrado, convencional, fora-de-moda. **a square meal**, refeição reforçada.
square s. 1 quadrado, figura geométrica de 4 lados iguais. 2 pedaço de tecido em forma de quadrado: *a head square.* 3 tropas colocadas em forma de quadrado. 4 esquadro. 5 praça: *Trafalgar Square.* 6 segunda potência de um número. 7 divisão de tabuleiro de xadrez. 8 (gír) pessoa quadrada, convencional.
square v.t. e i. 1 fazer quadrado, enquadrar. 2 dividir em quadrados. 3 (mat) elevar à potência. 4 corresponder, estar de acordo. 5 liquidar contas: *square the bank account.* 6 (fig) ajustar contas: *square accounts with the enemy.*
squash v.t. e i. 1 amassar, esmagar, espremer: *Smash the potatoes.* 2 espremer, comprimir (p ex pessoas em um lugar).
squash s. (também *squash rackets*) (rel a esporte) squash, espécie de tênis.
squash s. (pl -) abóbora.
squat v.i. (-tt-) 1 agachar-se, sentar-se de cócoras. 2 (infml) sentar-se: *They found a good place to squat.* 3 tomar posse de terras/imóveis indevidamente.
squatter s. 1 (rel a terras) posseiro.
squawk v.i. 1 (rel a aves) grasnar. 2 (infml) gritar, reclamar, em voz alta. 3 (gír) entregar, dedurar.
squeak s. chiado, rangido, grito: *the squeak of the bed.* **a narrow squeak**, escapada perigosa.
squeak v.i. e t. 1 gritar, chiar: *a squeaking chair.* 2 (infml) ser informante.
squeal s. grito de terror ou de dor.
squeal v.t. e i. 1 gritar de dor/terror, gritar (como um porco). 2 falar com voz estridente. 3 ser informante, delatar.
squeamish adj. 1 delicado, sensível, suscetível. 2 de estômago delicado, enjoado.
squeeze v.t. e i. 1 espremer: *squeeze a lemmon.* 2 apertar, comprimir: *squeeze hands.* 3 forçar passagem. 4 extorquir: *squeeze money out of the students.* 5 ceder à pressão.
squeeze s. aperto, compressão, esmagamento. **a tight squeeze**, a) vitória apertada/por pouca diferença de pontos. b) política de juros altos e altos impostos.
squeezer s. 1 espremedor. 2 prensa.
squid s. lula.
squiggle s. linha em forma de cobrinha, garatuja.
squint v.i. 1 ser estrábico/vesgo. 2 olhar de soslaio.
squirm v.i. torcer, contorcer.
squirrel s. esquilo.

squirt v.t. e i. 1 esguichar, sair em forma de jato. 2 sair por um pequeno orifício.
stab v.t. e i. (-bb-) apunhalar, ferir com arma pontuda: *He was stabbed in the back.*
stabilize v.t. estabilizar: *stabilized prices/ situation.*
stable adj. (-r, -st) firme, estável, sólido: *a stable relationship.*
stable s. 1 estábulo, estrebaria. 2 haras.
stack s. 1 pilha, monte de trigo, feno coberto para estocagem. 2 (infml) monte, grande quantidade: *I have stacks of paper to correct.* 3 estante para livros. 4 aviões voando em diferentes altitudes esperando permissão para pouso.
stadium s. (pl - s) estádio.
staff s. 1 quadro de funcionários. 2 bastão, vara, bengala. 3 mastro. 4 (mil) estado-maior.
stag s. veado. **stag party**, (infml) festa de despedida de solteiro (somente para homens).
stage s. 1 palco. **the stage**, a) encenação, cena. b) profissão de ator de teatro. **be/ go on the stage**, ser ator. 2 estágio, etapa: *the most serious stage of the transition.* 3 período, etapa, jornada.
stage v.t. e i. 1 representar, encenar: *They are staging Romeo and Juliet.* 2 prestar-se para o teatro. **stage craft**, arte de escrever/encenar peças teatrais. **stage door**, porta de entrada dos artistas (no teatro). **stage fright**, nervosismo diante da platéia. **stage manager**, diretor cênico. **stage struck**, fanático pelas artes cênicas.
stagecoach s. diligência, carruagem.
stagger v.i. e t. 1 cambalear: *They were so drunk that they left the room staggering.* 2 ficar chocado/confuso. 3 escalonar em períodos espaçados.
staging s. 1 plataforma, andaime. 2 encenação.
stagnant adj. 1 estagnado: *stagnant water.* 2 (fIg) parado, inativo.

stain v.t. e i. manchar, sujar, descolorar: *Does this blouse stain easily?* **stained glass**, vidro colorido/pintado.
stain s. 1 mancha, pinta, nódoa: *oil stain.* 2 (fig) mácula: *a stain in his reputation.*
stainless adj. 1 inoxidável: *stainless steel.* 2 imaculado: *stainless record.*
stair s. 1 degrau. 2 (pl) escadas, escadaria. **a flight of stairs**, um lance de escada. **staircase**, escadaria (também *stairway*).
stake s. 1 estaca, mourão. 2 aposta. 3 dinheiro investido em um negócio. **be at stake**, estar em jogo: *Her life is at stake.* **stake holder**, depositário do dinheiro de apostas.
stale adj. 1 (rel a alimentos) seco, velho: *stale food.* 2 (rel a notícias, piadas) sem graça, sem novidade (por já serem conhecidas): *stale news.* 3 (rel a pessoa) desgastado, esgotado (física e mentalmente).
stalemate s. 1 (rel a xadrez) empate provocado pela impossibilidade de um dos adversários mover as peças. 2 (fig) beco sem saída, paralisação.
stalk v.t. e i. 1 andar com arrogância. 2 caçar à espreita, aproximar-se da caça furtiva/sorrateiramente.
stall s. 1 bala. 2 estande, barraca, lugar usado para vender algo (na rua, na feira, etc): *fruit stall.* 3 (pl) primeiras filas de poltronas em um teatro. 4 banco de igreja. 5 condição na qual há perda de velocidade de um avião.
stall v.t. e i. 1 manter um animal em estábulo. 2 (rel a motor de carro) enguiçar, encrencar, parar. 3 (rel a avião) perder velocidade. 4 esquivar-se (para ganhar tempo).
stallion s. garanhão, cavalo reprodutor.
stammer v.i. e t. gaguejar: *He always stammers when the girls are around him.*
stammerer s. gago, pessoa gaga.
stamp s. 1 ato de bater o pé (demonstrando impaciência). 2 carimbo.

stamp

3 timbre. 4 selo. 5 temperamento, marca. 6 tipo. **stamp album**, álbum para selos postais. **stamp collector**, colecionador de selos.
stamp v.t. e i. 1 pisar, esmagar: *He stamped on her foot.* 2 bater os pés, pisar com força: *The little girl stamped out of the classroom.* 3 identificar, carimbar. 4 selar (um envelope). 5 gravar, cunhar, imprimir. 6 categorizar, distinguir.
stampede s. estouro, debandada, pânico.
stance s. 1 postura. 2 modo de pensar.
stand v.t. e i. (pret, pp *stood*) 1 estar/ficar em pé: *I had to stand during the presentation.* 2 levantar, ficar em pé: *Let's stand up now!* 3 manter em certa posição, estar situado/localizado. 4 colocar, encostar, pôr em pé. 5 suportar: *I can't stand this situation.* 6 sustentar: *He didn't stand his arguments.* 7 estar, ser, encontrar-se. 8 custear, pagar. **stand aside**, aI sair da frente, mover-se para o lado. b) ficar parado sem fazer nada. **stand by**, a) estar presente/perto. b) estar pronto para ação. **stand by sb**, estar presente, estar ao lado, dar apoio moral: *He stood by me the whole time.* **stand by sth**, manter uma promessa/a palavra. **stand down**, retirar a candidatura. **stand for sth**, a) significar: *US stands for United States.* b) ser candidato a. c) tolerar, aceitar. **stand in (for sb)**, substituir um ator/músico. **stand off**, retrair-se, retroceder. **stand out**, a) salientar-se, distinguir-se, sobressair. **stand over sb**, supervisionar o trabalho. **stand sb up**, (infml) deixar na mão. **stand up for sb**, defender.
stand s. 1 lugar, posição: *The policemen stood near the barracks.* 2 suporte. 3 barraca, estande: *newstand*, banca de jornais. 4 ponto de táxi: *taxi stand.* 5 estande, recinto reservado a cada participan-te de uma exposição. 6 plataforma, tribuna, estrado: *witness stand*, banco das testemunhas. **make a stand**, tomar a ofensiva: *make a stand against them.*
standard s. 1 padrão, critério, norma, regra: *standard of living.* bandeira, emblema, símbolo. **be up to/below standard**, estar na média/abaixo da média. **standardbearer**, a) porta-bandeira. b) dirigente partidário. **standardlamp**, abajur de pé. **standardtime**, hora oficial.
standardize vt-padronizar.
standby s. 1 prontidão: *standby passenger*, passageiro em lista de espera. **be on standby**, estar em prontidão. 2 partidário fiel, pessoa de confiança. 3 sustentáculo, esteio. 4 estado de prontidão.
standing s. 1 posição, reputação: *a teacher of highstanding.* 2 duração: *They've been friends for 10 years standing.*
stand-offish adj. retraído, reservado.
standpoint s. ponto de vista.
standstill s. paralisação, parada, pausa.
stank V. (pretérito do verbo *stink*).
stanza s estrofe.
staple s. 1 grampo (de papel), prego em forma de U. 2 parte de um cadeado (em forma de U).
staple v.t. grampear.
stapler s. grampeador.
star s. 1 estrela. 2 figura em forma de estrela, asterisco. 3 insígnia. 4 astro, corpo celeste que determina a sorte de uma pessoa. 5 astro, ator ou atriz, cantor famoso: *He is a rock star.* **see stars**, ver estrelas depois de ter batido a cabeça. **a five-star hotel**, hotel 5 estrelas, hotel do mais alto padrão. **starlet**, atriz nova em papéis de destaque, estrelinha.
star v.i. e t. (-rr-) 1 ornamentar, decorar com estrelas. 2 marcar com asterisco. 3 (rel a filme) estrelar, apresentar como estrela.
starch s. 1 amido. 2 goma de amido. 3 (fig) formalidade, dureza.

starchy *adj.* (-ier, -iest) 1 engomado. 2 (infml) (rel a pessoa) formal.
stardom *s.* estrelato.
stare *v.i. e t.* fitar, olhar com olhos arregalados, encarar: *The girl was staring at him.* **stare one in the face**, (fig) ser óbvio, estar na cara.
stare *s.* olhar fixo.
stark *adv.* completamente: *stark naked.*
starry *adj.* estrelado, iluminado: *a starry night.*
start *v.i. e t.* 1 partir, sair de viagem: *They started the trip very late at night.* 2 começar, iniciar. 3 sobressaltar-se, assustar-se. 4 provocar, originar. 5 começar um negócio. **to start with**, a) em primeiro lugar. b) no início. **start back**, começar o caminho de volta. **start out (to do sth)**, (infml) começar, dar os primeiros passos, partir.
start (sth) up, ligar, fazer funcionar.
start *s.* 1 partida, início (de uma corrida, viagem, etc): *We have to make an early start tomorrow.* 2 começo, princípio: *He got a good start in his career.* 3 surpresa, sobressal-to. **starting point**, ponto de partida, (fig) pressuposto.
startle *v.t.* assustar, alarmar, chocar: *That man startled me.*
starvation *s* inanição, fome.
starve *v.t. e i.* morrer de fome: *Children are starving in Africa.* **be starved of/for,** (fig) ter grande necessidade de.
state *s.* 1 estado, condição, situação, circunstância: *good state of health.* 2 (também *State*) estado, país, nação. 3 posição, classe. 4 formalidade, magnificência. **the States**, os EUA. 6 (usado como *adj)* a) relativo ao governo ou à autoridade: *state documents.* b) formal, cerimonial. c) do governo, estadual: *state schools.* **be/get in/into a state**, (infml) estar nervoso.
the State Department, Ministério das Relações Exteriores. **stateroom**, cabine de luxo em trem ou navio.
state *v.t.* 1 exprimir, dizer, especificar: *state your name and address.* 2 afirmar. 3 determinar, fixar, especificar. 4 expor.
stated *adj.* determinado, estabelecido, fixado: *at stated intervals.*
statement *s* 1 afirmação, declaração: *The director made a clear statement.* 2 reportagem. 3 extrato de conta bancária: *a bank statement.*
statesman *s.* (pl *-men*) político, estadista.
static *adj.* estático, parado, imóvel, equilibrado.
statics *s.* estática, parte da mecânica.
station *s.* 1 estação: *train station.* 2 posto: *gas station.* 3 (rel a rádio, TV) transmissora: *TV station.* 4 posição social: *people in different stations of life.* 5 quartel, posto naval. **station master**, chefe de estação ferroviária. **station wagon**, perua.
station *v.t.* postar, estacionar, colocar.
stationary *adj.* parado, fixo, imóvel.
stationery *s.* papel de carta, envelope, artigos de papelaria.
statistical *adj.* estatístico.
statistics *s.* (usado com verbo no pl) estatística, ciência da estatística.
statue *s.* estátua.
stature *s.* 1 estatura, altura. 2 (fig) desenvolvimento físico ou mental.
status *s.* status, conjunto de direitos e deveres que caracterizam a posição de uma pessoa em suas relações com outras.
statute *s.* estatuto, lei, decreto.
stanch *v.t.* estancar: *stanch the blood.* (GB *staunch*).
staunch *adj.* firme, leal: *a staunch friend.*
stay *v.t. e vi* 1 ficar, permanecer: *I stayed at home with my friends.* 2 continuar (a ser): *After all the problems they stayed married.* 3 morar, passar temporada ou certo tempo: *Let's stay in a nice hotel.* 4 suspender, impedir. 5 adiar, retardar. **stay out**, a) ficar fora. **stay put**, (infml) ficar imóvel: *Stay put!*

come to stay, tornar-se permanente, estabelecer-se.

stay s. 1 estadia, permanência: *He made a short stay in London*. 2 (jur) suspensão de um processo. *stay of execution*, suspensão da pena.

stay s. suporte, esteio: *She is her family's stay*.

steadfast adj. firme, fixo, imóvel, imperturbável: *a steadfast gaze*.

steadily adv. firmemente, constantemente, regularmente.

steady adj. (-ier, -iest) 1 fixo, firme: *a steady relationship*. 2 constante, invariável, regular: *a steady current*. 3 invariável, estável: *a steady job*. 4 sério, seguro, de confiança: *She needs to find someone steady*.

steady adv *go steady*, (infml) ter namorado(a) fixo(a), namorar firme.

steady s. (pl *-ies*) (gír) companheiro(a) fixo(a), namorado(a) firme.

steady v.t. e i. equilibrar, estabilizar, firmar: *He needs to get a job to steady him*.

steak s. bife, filé.

steal v.t. e i. (pret, *stole*, pp *stolen*) 1 roubar, furtar: *My purse was stolen yesterday*. 2 obter furtivamente, roubar: *steal a kiss*. 3 andar, entrar furtivamente/nas pontas dos pés.

steam s. 1 vapor. 2 vapor utilizado como energia: *a steam power*. 3 fumaça, vapor. *full steam ahead!* Vá a toda força/a todo vapor! *let off steam*, desabafar, desafogar-se. *run out of steam*, ficar exausto. *under one's own steam*, sem ajuda de outros. *get up steam*, começar a ferver, começar a tomar força. *steamboat*, barco a vapor. *steam-engine*, motor a vapor, máquina a vapor. *steam-heat*, aquecimento a vapor. *steam-iron*, ferro a vapor. *steamship*, navio a vapor.

steam v.t. e i. 1 emitir fumaça/vapor.

steamer s. caldeira. 1 = *steamboat*, *steamship*. 2 (zoo) espécie de mexilhão ou marisco.

steamy adj. (-ier, -iest) úmido, cheio de vapor, cheio de fumaça.

steel s. 1 aço. 2 objetos/armas feitas de aço. 3 (fig) força de aço, dureza: *a character of steel*. *steel band*, orquestra de metais. *steel wool*, palha de aço. *steel works*, usina de aço, fundição.

steel v.t. 1 endurecer, insensibilizar. 2 criar coragem.

steel-plated adj. blindado.

steep adj. (-er, -est) 1 íngreme, escarpado, abrupto: *a steep climb*.

steer v.t. e i. dirigir, pilotar, guiar: *steer a car to the road*. *steer clear of*, (infml) evitar, manter afastado. *steering wheel*, a) (rel a barco) roda do leme. b) (rel a carro) volante.

stellar adj. estelar.

stem s. 1 (rel a planta) haste, tronco, talo. 2 pé, base (de copo ou cachimbo). 3 (gram) origem, raiz de um substantivo, verbo, etc.

stem v.i. (-mm-) *stem from*, originar.

stench s. mau cheiro.

stencil s. estêncil, matriz, chapa de metal para reproduzir desenhos ou letras.

step v.i. e t. (-pp-) 1 andar, dar um passo. 2 entrar: *The girls stepped into the dance room*. *step aside*, a) dar passagem. b) (fig) ficar de lado, retirar-se. *step down*, (fig) renunciar. *step in*, (fig) intervir. *step sth up*, acelerar, aumentar: *step up production*.

step s. 1 passo. 2 som de passos. 3 degrau. 4 medida, ação/série de ações que levam a um determinado objetivo. 5 grau, promoção, posição. 6 (pl) degraus, escada. *step by step*, gradualmente. *watch one's step*, ter, tomar cuidado. *be/get in/out of step with*, estar em sintonia com/estar em desacordo com.

step- prefixo usado para indicar relação de parentesco. *stepchild*, *stepson*, *stepdaughter*, enteado(a). *stepbrother*, *stepsister*, filho(a)

de padrasto/madrasta, meio-irmão. **stepfather**, **stepmother**, padrasto, madrasta.
stereo s. aparelho de som.
stereotype s. estereótipo, estereotipia.
sterile adj. 1 estéril, infecundo. 2 esterilizado. 3 inútil, infrutífero: *a sterile argument*. 4 (rel a terra) seca.
sterility s. esterilidade, infecundidade.
sterillze v.t. 1 esterilizar. 2 tornar infecundo através de operação.
sterling adj. 1 (rel a prata e ouro) legítimo, de lei. 2 (fig) de alto padrão, excelente, genuíno.
sterling s. esterlina. ***pounds ster-ling***, libra esterlina.
stern adj. (-er, -est) 1 severo, rigoroso, austero: *stern administrator*. 2 duro, insuportável: *a stern punishment*. 3 feio, áspero, que demonstra desaprovação.
sternum s. (pl -s) (anat) esterno.
stethoscope s. estetoscópio.
stevedore s. estivador.
stew v.t. e i. ensopar, cozinhar em fogo lento: *I love stewed meat and vegetables*. ***let a person stew in his own juice***, deixar uma pessoa pagar pelos seus próprios erros.
stew s. ensopado, cozido, guisado: *chicken stew*.
steward s. 1 (rel a navio) camareiro. 2 (rel a avião) comissário de bordo. 3 organizador de festas. ***shop steward***, representante do sindicato (em fábrica).
stewardess s. aeromoça, camareira.
stick s. 1 galho, vara. 2 bengala, bastão. 3 lenha. 4 pedaço de giz. 5 (pl) mobília sem valor. ***chop sticks***, pauzinhos usados como talheres pelos chineses/japoneses.
stick v.t. e i. (pret, pp *stuck*) 1 espetar, transpassar, perfurar. 2 furar, fixar, fincar. 3 apunhalar, matar. 4 picar, furar, espetar. 5 colar, grudar. 6 ficar preso/imóvel, atolar: *The doors are stuck. We can't open them*. 7 (infml) por, colocar. ***stick around***, (infml) ficar por perto. ***stick on***, grudar, colar. ***stick out***, ressaltar, salientar. ***stick out for sth***, recusar-se a aceitar o que está sendo oferecido. ***stick to sth***, a) ser fiel (a idéais, a um amigo, etc). b) manter, estar determinado a manter. c) manter, não fazer mudanças: *stick to one's ideals*. ***stick together***, (infml) manter-se unidos.
sticker s. adesivo, rótulo adesivo.
stickler s. pessoa que insiste em defender a importância de algo, pessoa teimosa/persistente: *He's a stickler for discipline*.
sticky adj. (-ier, -iest) 1 grudento, pegajoso, viscoso. 2 (infml) difícil, desagradável, com má vontade. ***come to sticky end***, (gír) morrer (de maneira dolorosa).
stiff s. (gír) cadáver.
stiff adj. (-er, -est) 1 firme, duro, inflexível. 2 duro, firme, difícil de se mover. 3 doloroso (quando se move): *to have a stiff leg*. 4 formal, afetado, cerimonioso: *a stiff invitation*. 5 excessivo, alto, fora do comum. ***keep a stiff upper lip***, agüentar (uma dor/um problema) firme.
stiff adv. completamente, extremamente, demais: *I was bored stiff by his class*.
stiffness s. dureza, firmeza, inflexibilidade.
stifle v.t. e i. 1 sufocar. 2 abafar, reprimir, sufocar: *He stifled a sigh*.
stigma s. 1 (pl - s) (fig) marca, estigma, mancha. 2 *(pl -mata)* marca(s), sinal, cicatriz. 3 (pl -s) (bot) estigma.
stile s. cancela: ***turnstile***, catraca.
still adj. 1 quieto, imóvel. 2 quieto, silencioso: *The bedroom was still while the children were sleeping*. 3 (rel a bebida) sem gás: *still lemonade*. ***still-born***, natimorto. ***still-life***, natureza morta.
still adv. 1 ainda: *Are they still there?* 2 todavia, contudo, ainda assim: *We*

still

know he was late, but it's still unfair that he can't participate. 3 (usado com comparativos) ainda mais: *She is still more beautiful than her sisters.*
still *v.t.* acalmar, tranqüilizar, sossegar.
still *s.* alambique, destilador.
stilted *adj.* afetado, exagerado, formal.
stimulate *v.t.* incitar, encorajar, estimular: *The students were stimulated into participating in the debate.*
stimulus *s.* (pl *-li*) estímulo, incentivo.
sting *s.* 1 (rel a insetos) ferrão. 2 (rel a plantas) espinho. 3 ferroada, picada. 4 dor aguda.
sting *v.t. e i.* (pret, pp *stung*) 1 picar, ferir. 2 causar dor, doer, arder. 3 atormentar, afligir. 4 explorar, cobrar excessivamente.
stingy *adj.* (*-ier, -iest*) mesquinho, pão-duro, miserável.
stink *v.i. e t.* (pret *stank* ou *stunk,* pp *stunk*) 1 feder, ter mau cheiro: *The house stank of bad oil.* 2 (gír). ser de má qualidade, ser uma droga. *That actor stinks.*
stint *v.t. e i.* restringir, limitar, racionar.
stint *s.* 1 *without stint,* sem limite, sem restrição. 2 (rel a trabalho) jornada, tarefa.
stipulate *v.t.* estipular, determinar, combinar.
stipulation *s.* condição, trato, acordo, estipulação.
stir *v.t. e i.* (*-rr-*) 1 mexer (esp com colher), agitar, misturar: *to stir the soup.* 2 colocar e mexer: *to steer chocolate into milk.* 3 mover, mexer, agitar. 4 movimentar -se, mexerse, circular. 5 agitar, mexer, incitar. *not stir a finger,* não mexer um dedo para ajudar: *He didn't stir a finger to help them.*
stir *s.* 1 mexida. 2 movimento, agitação, tumulto.
stitch *s.* 1 (rel a costura) ponto. 2 (rel a tricô) ponto, malha: *drop a stitch,* perder um ponto. 3 dor do lado do corpo, à altura do abdômen (causada por exercícios de corrida). *A stitch in time saves nine,* Prevenir é melhor do que remediar.
stitch *v.t. e i.* dar pontos, costurar.
stock *s.* 1 estoque, provisão, suprimento. *be in/out of stock,* (rel a mercadoria) estar/não estar disponível: *Brown shoes are out of stock,* Sapatos marrons estão em falta. *take stock of,* (fig) avaliar uma situação, avaliar a capacidade de uma pessoa. 2 (usado como *adj*) geralmente em estoque, comum. 3 quantidade: *a good stock of beer for the weekend.* 4 gado (= *livestock*). 5 capital de uma empresa, ações, fundos públicos. 6 linhagem, descendência. 7 caldo de carne/peixe. 8 base de um instrumento/arma. *stockcar,* a) carro comum especialmente preparado para participar de corridas automobilísticas. b) vagão de gado. *stockcar racing,* corrida de automóveis comuns. *stock company,* sociedade anônima (por ações). *stock exchange,* Bolsa de Valores. *stock market,* mercado de valores, Bolsa de Valores.
stock *v.t.* estocar, guardar, armazenar, pôr em estoque, abastecer: *stock the house with food for the children.*
stockbroker *s.* corretor de ações da Bolsa de Valores.
stockholder *s.* acionista.
stocking *s.* meia fina (de mulher) (Cf. *sock, tights*).
stockpile *v.i.* estocar (armas, matéria-prima, etc).
stockpile *s.* armazenamento, estoque.
stockstill *adv.* imóvel, sem movimento.
stockyard *s.* curral.
stodgy *adj.* (infml) 1 (rel a comida) pesado, grosso. 2 chato, enfadonho.
stoic *s.* estóico, pessoa impassível.
stoke *v.t. e i.* alimentar (fogo, caldeira, fornalha).
stole *V.* (pretérito do verbo *steal*).

stolid *adj.* impassível, parvo, apático.
stomach *s.* 1 barriga, estômago. 2 (fml) abdômen. 3 apetite. ***have no stomach for***, não gostar de: *I have no stomach for violence.* ***stomachache***, dor de estômago/barriga.
stomach *v.t.* 1 suportar, agüentar. 2 ser capaz de comer.
stomp *v.i.* andar a passos pesados, bater o pé: *stomp down the corridor.*
stone *s.* 1 pedra, rocha. 2 pedregulho, pedaço de rocha. 3 jóia, gema, pedra preciosa: *precious stone.* 4 lápide, túmulo: *a grave stone; a tombstone.* 5 caroço, semente dura: *olive stone.* 6 cálculo (de vesícula). 7 granizo: *hail stone.* 8 unidade de peso correspondente a 14 libras. ***have a heart of stone***, ser duro/insensível, ter coração de pedra. ***leave no stone unturned***, remexer em tudo, tentar todos os meios. ***throw stones at***, (fig) criticar o caráter de alguém. ***within a stone's throw (of)***, bem perto. ***the Stone Age***, a Idade da Pedra. ***stone-blind/-cold/-dead/-deaf***, completamente cego/frio/morto/surdo. ***stone-mason***, pedreiro. ***stoneware***, louça de barro vitrificado.
stone *v.t.* 1 apedrejar, matar a pedradas. 2 tirar caroço de uma fruta.
stoned *adj.* 1 (infml) drogado. 2 bêbado.
stony *adj.* (-ier, -iest) 1 cheio de pedras, coberto de pedras: *a stony road.* 2 duro, inflexível, frio: *a stony man.*
stood *V.* (pretérito do verbo *stand*).
stool *s.* 1 banquinho: *a piano stool.* 2 (med) fezes.
stoop *v.t. e i.* 1 inclinar-se, curvar-se, dobrar-se: *to stoop to pick up the clothes.* 2 rebaixar-se, humilhar-se.
stoop *s.* posição curvada do corpo.
stooping *adj.* curvado.
stop *v.t. e i.* (*-pp-*) 1 parar, fazer parar: *He stopped the car.* 2 deter: *You can't stop me from going where I want.* 3 cessar, pôr fim a. 4 interromper, paralisar, parar (de fazer alguma coisa).

5 deter-se, ficar. 6 tapar, fechar, (p ex buraco. 7 bloquear, obstruir. 8 estancar (sangue). 9 suspender o fornecimento, sustar o pagamento (de cheque). 10 (infml) ficar, hospedar-se: *Are you staying with us?* ***stop sth out of sth***, deduzir (uma parte) do salário. ***stop over/off***, interromper viagem por período curto. ***stop-over***, fazer uma pequena parada antes de continuar a viagem. ***stop dead***, parar de repente. ***stop short of (doing)/short st (sth)***, conter-se, refrear-se, reprimir-se.
stop *s.* 1 parada: *We made a stop on the way to school.* 2 ponto, parada (p ex de ônibus): *Where's the bus stop?* 3 (mús) chave, registro de órgão. 4 (téc) som mudo no final de uma palavra. 5 (gram) ponto (final). ***put a stop to sth***, pôr um fim a: *The teacher put a stop to the fight.* ***stopcock***, registro, válvula de fechamento. ***stopgap***, substituto temporário, quebra-galho.
stoppage *s.* 1 obstrução, bloqueio, impedimento. 2 suspensão de pagamento de trabalho como forma de punição. 3 interrupção do trabalho (resultante de uma greve), paralisação.
stopper *s.* rolha, tampa, amarra.
storage *s.* 1 armazenagem, conservação. 2 taxa de armazenagem. 3 depósito: *Her furniture is in storage while she travels.*
store *v.t.* 1 pôr em estoque: *store food.* 2 guardar em depósito/armazém: *My books are stored while I find a new place.* 3 abastecer, prover, fornecer.
store *s.* 1 loja: *Jeans store / a department store.* 2 estoque, suprimento: *People on the coast have a good store of canned food at home.* 3 (pl) munições, provisões. 4 depósito, armazém. 5 dispensa: *food store.* ***in store***, a) guardado para uso futuro. b) reservado, destinado: *We never know what is in store for us.* ***store-house***, depósito, armazém. ***store-room***, despensa.

story s. (pl -s) pavimento, andar: *a two story house.*(GB storey)
stork s. cegonha.
storm v.t. e i. 1 atacar violentamente: *The soldiers stormed the villages.* 2 ventar violentamente, fazer temporal. 3 *(at)* enfurecer-se, ficar bravo, violento.
storm s. 1 tempestade, temporal: *a rain storm.* **a storm in a teacup**, fazer tempestade em copo d'água. 2 manifestação violenta, tumulto, protesto. **take by storm**, tomar de assalto.
storm-bound adj. retido pela tempestade.
storm-proof adj. à prova de vento, impermeável.
storm-tossed adj. destruído ou lançado pela tempestade.
stormy adj. (-ier, -iest) 1 agitado, tempestuoso: *stormy sea.* 2 violento, tempestuoso: *a stormy relationship.*
story s. (pl -ies) 1 relato, história, narrativa: *stories for children.* 2 lenda, história, fábula, conto. 3 mentira: *Don't tell stories.* **story-book**, livro de contos. **story-teller**, a) contador de história. b) (infml) mentiroso.
story V. storey.
stout adj. (-er, -est) 1 firme, forte, sólido, durável: *stout shoes.* 2 arrojado, determinado, corajoso, audaz. 3 gordo, robusto.
stout s. cerveja escura e forte.
stove s. 1 fogão. 2 aquecedor.
stow v.t. embalar, acondicionar. **Stow it!** (gír) Fique quieto!
stowaway s. passageiro clandestino.
straddle v.t. e i. por-se a cavalo, montar.
straggle v.i. 1 crescer irregularmente/desordenadamente. 2 desgarrar-se de um grupo.
straight adv. 1 em linha reta: *Go straight ahead for two blocks.* 2 diretamente, imediatamente: *Come straight home from school.* **come straight to the point**, ir direto ao assunto. **go straight**, (fig) andar na linha, corrigir-se, emendar-se. **straight away**, imediatamente. **tell someone straight**, (infml) falar claramente e abertamente, mesmo que possa ofender.
straight adj. 1 reto, plano: *a straight line.* 2 liso: *straight hair.* 3 ereto, direito, na horizontal: *Sit straight!* 4 arrumado, em ordem. **put the record straight**, contar exatamente o que aconteceu. 5 honesto, sério, franco, sincero: *Give me a straight answer.* 5 (rel a bebida) puro: *I like my whiskey straight.* **keep a straight face**, ficar sério, não rir.
straight s. linha reta, reta de chegada (ger em corridas).
straighten v.t. e i. 1 endireitar, tornar reto. 2 por em ordem, arrumar, alisar.
straightforward adj. 1 franco, honesto: *a straightforward conversation.* 2 direto, fácil de entender.
straightaway adv. = straight away.
strain v.t. e i. 1 esticar, puxar. 2 fazer o máximo esforço para. 3 forçar, cansar, prejudicar por esforço excessivo: *I strained my back.* 4 apertar contra, empurrar contra.
strain s. 1 força, peso, pressão. 2 tensão. 3 esforço, fadiga, extenuação. 4 luxação. 5 estilo, modo de falar ou escrever. 6 melodia, composição, canção. 7 *(of)* tendência.
strainer s. passador, coador, peneira, filtro: *a tea strainer.*
strait s. 1 (geog) estreito: *the strait of Gibraltar.* 2 (pl) dificuldade, necessidade. **be in dire straits**, passar por sérias privações.
strait-jacket s. 1 camisa de força. 2 (fig) alguma coisa que impede o desenvolvimento.
strand v.t. e i. encalhar. **be stranded**, a) ficar preso por falta de meio de transporte. b) ficar desamparado.
strand s. 1 fio de cabelo, fio elétrico, corda, fibra, cordão. 2 cabelo. 3 (fig) fio de uma história.

strange *adj.* *(-r; -st)* 1 estranho, esquisito, surpreendente: *He is a strange man.* 2 desconhecido, que não é familiar: *The man was strange to that life.*
strangely *adv.* de modo esquisito, estranhamente.
stranger *s.* pessoa estranha, desconhecida, de fora: *Don't talk to strangers.*
strangle *v.t.* estrangular.
strap *s.* correia, tira, cinta, fita.
strap *v.t.* *(-pp-)* 1 amarrar com fita ou correia.
strategy *s.* estratégia.
stratify *v.t. e i.* (pret, pp *-ied*) estraficar, pôr em camadas.
stratosphere *s.* estratosfera.
straw *s.* 1 palha. 2 canudo. *not worth a straw*, não vale nada. *the last straw*, a última gota. *straw hat*, chapéu de palha.
strawberry *s.* *(pl -ies)* morango.
stray *v.i.* (pret, pp *-ed*) *(from)* 1 desviar-se do caminho. 2 (fig) desviar-se do ponto principal da conversa, história.
stray *adj.* 1 perdido, desgarrado: *a stray cat.*
streak *v.t. e i.* 1 listrar, riscar: *His shirt was streaked with dirt.* 2 mover-se rapidamente, correr a toda velocidade.
streak *s.* 1 faixa, linha, risca. 2 traço, elemento, vestígio: *a streak of violence.* 3 período, temporada: *a streak of luck.*
streaky *adj.* *(-ier, -iest)* listrado.
stream *s* 1 rio, córrego: *a black stream.* 2 corrente, torrente.
stream *v.i.* 1 fluir, correr. 2 tremular, balançar, ondear ao vento.
street *s.* rua: *The street I live on is Rua Consolação. the man in the street*, o homem do povo. *streets ahead of*, (infml) bem melhor do que. *up my street*, (fig, infml) na área de conhecimento. *street-car*, bonde.
strength *s.* 1 força, vigor, poder: *a person of great strength.* 2 fonte de energia. 3 potência, número de pessoas. *on the strength of*, a) por causa de, devido a. b) (no) caso (de).
strengthen *v.t. e i.* fortificar, reforçar, dar força a.
strenuous *adj.* esforçado, árduo.
stress *s.* 1 condição que causa fadiga, depressão, tensão etc, estafa: *be under a lot of stress.* 2 ênfase. 3 acento tônico.
stress *v.t.* exercer pressão, dar importância a, ressaltar: *The teachers stressed the importance of that subject.*
stretch *v.t. e i.* 1 esticar, estender, estirar: *stretch your legs.* 2 esticar o corpo, espreguiçar-se. 3 estender, incluir. 4 estender a uma certa distância.
stretch *s.* 1 distensão, espreguiçamento. 2 extensão. *by any/no stretch of the imagination*, fora do alcance da imaginação. *at full stretch*, em sua capacidade máxima: *The company is working at full stretch. at a stretch*, sem parar, ininterruptamente: *We worked 24 hours at a stretch.*
strew *v.t.* (pret *-ed*, pp *-ed ou -n*) 1 espalhar, derramar, espargir. 2 cobrir com algo espalhado, esparramado: *Papers strewn all over the floor.*
stricken *adj.* 1 afetado. 2 ferido, atacado, acometido. *panic striken*, tomado de pânico. *terror stricken*, cheio de terror, aterrorizado. *stricken with grief*, aflito.
strict *adj.* *(-er, -est)* 1 rigoroso, severo, austero: *She has a very strict family.* 2 preciso, exato.
strictly *adv.* estritamente, severamente, rigorosamente, precisamente.
stride *v.t. e i.* (pret *strode*, pp *stridden*) 1 andar com passos largos. 2 transpor com um passo: *He strode across the park.*
stride *s.* passo largo. *make great strides*, fazer grandes progressos. *take sth/it in one's stride*, fazer

strike

algo sem hesitar/vacilar, enfrentar uma situação difícil calmamente. **strike** s. 1 greve: *a general strike*. *go/be out on strike*, entrar/estar em greve. 2 achado, descoberta. *a lucky strike*, um golpe de sorte. *strike-breaker*, fura-greve. **strike** v.t. e i. (pret, pp *struck*) 1 bater, golpear, esmurrar: *He struck his opponent*. 2 bater as horas, soar: *The tower clock struck midnight*. 3 cair (um raio): *They were struck by lightning*. 4 acender/riscar (um fósforo): *strike a match*. 5 descobrir (metal, mineral): *The miners struck gold*. 6 estar/entrar em greve: *They are striking for better salaries*. *it struck me that*, Ocorreu-me que. *strike a bargain*, fazer um acordo, negociar. *strike a balance*, atingir uma média. *strike a pose*, assumir uma postura. *be struck blind*, tornar-se/ficar cego. *be struck dumb*, a) ficar mudo. b) (fig) ficar surpreso, aturdido. 8 afligir, tocar, afetar. 9 atacar, atingir: *The terrorists struck during the night*. *strike (sb) down*, a) derrubar (alguém). b) (fig) matar. *strike sth off (sth)*, a) tirar de um golpe. b) riscar. **striker** s. grevista. **striking** adj. marcante, notável: *a striking contrast*. **string** s. 1 barbante. 2 fieira, série, fita, fileira. 3 corda (de instrumento musical). *pull (the) strings*, ser influente, ter influência, usar de influência. *no strings (attached)*, sem condições impostas. *string beans*, vagem. **string** v.t. e i. (pret, pp *strung*) 1 encordoar (instrumentos musicais). 2 enfiar (um colar). 3 amarrar, pendurar: *They strung up the Christmas lights*. *be highly strung*, ser tenso/sensível/nervoso. **stringent** adj. rigoroso, severo, drástico. *take stringent measures*, tomar medidas drásticas/rigorosas. **stringy** adj. (-ier, -iest) fibroso.

strip s. 1 tira, faixa. 2 pista: *landing strip*, pista de aterrissagem. 3 história em quadrinhos: *comic strip*. **strip** v.t. e i. (-pp-) 1 tirar: *He stripped his clothes before going to bed*. 2 despir-se. 3 despojar: *They were stripped of their vanity*. *stripper*, artista que faz números de despimento. *strip-show*, espetáculo de despimento numa apresentação em boates, etc. *strip-tease*, = strip-show. **stripe** s. 1 lista, listra, faixa, barra. 2 (mil) galão. *The Stars and Stripes*, a bandeira americana. **striped** adj. listrado, com listas: *She is wearing a striped T-shirt*. **strive** v.i. (pret *strove*, pp *striven*) 1 esforçar-se, tentar seriamente: *He strove to go to med school*. 2 lutar: *They strove against racial discrimination*. **strode** V. (pretérito do verbo *stride*). **stroke** s. 1 soco, pancada, golpe, batida: *a stroke of luck*. 2 (rel a natação) braçada. 3 tacada, pincelada, penada, traço. 4 bater/soar de relógio. 5 (med) derrame: *Her mother had a stroke*. *a stroke of lightning*, raio. 6 afago, carícia, ato de dar a mão: *He stroked her hands*. *heat-stroke*, insolação. *sun-stroke*, = heat-stroke. **stroke** v.t. alisar, acariciar, afagar. *stroke sb the wrong way*, irritar/provocar alguém. **stroll** v.i. passear a pé, dar uma volta a pé, andar à toa, vaguear. **stroll** s. passeio, volta. *have/go for a stroll*, uma volta, passear a pé. **strong** adj. (-er, -est) 1 forte, poderoso, potente, resistente: *a strong personality*. 2 enérgico, veemente. *strong as a horse*, forte como um leão. *with a strong hand*, com força. *one's strong point*, o ponto forte de alguém: *Spanish is not my strong point*. *going strong*, cheio de vida. *strong-arm*, enérgico, de força. *strong-room*, caixa-forte, cofre, casa-forte. **strongly** adv. firmemente,

veementemente, vigorosarnente, energicamente: *He is strongly against the new project.*
strove *V.* (pretérito do verbo *strive*).
struck *V.* (pretérito do verbo *strike*).
structural *adj.* estrutural.
structure *s.* estrutura, organização, construção.
struggle *v.i.* 1 lutar, fazer esforço, esforçar-se por: *She struggles to raise her children.* 2 debater-se, contorcer-se. 3 mover-se com dificuldade.
struggle *s.* luta, grande esforço, empenho: *Her life has always been a struggle.*
stub *s.* 1 toco, ponta: *a cigarette stub.* 2 canhoto de cheque.
stub *v.t.* (-bb-) 1 tropeçar. 2 apagar o toco de um cigarro ou charuto: *He stubbed out his cigar.*
stubble *s.* 1 barba curta e espetada, barba por fazer.
stubborn *adj.* teimoso, obstinado, inflexível, cabeçudo.
stubby *adj.* (*-ier, -iest*) curto e grosso, duro, atarracado.
stuck *V.* (pretérito do verbo *stick*).
stuck-up *adj.* presunçoso, orgulhoso, arrogante.
stud *s.* 1 haras, criação de cavalos. 2 garanhão.
stud *s.* abotoadura, pino, botão, tachinha.
stud *v.t.* (-dd-) crivar, salpicar: *studded with diamonds.*
student *s.* 1 estudante, escolar. 3 estudioso, pessoa que estuda/que é dedicada aos estudos: *She's a student of human behavior.* **high-school student** (EUA), colegial. **medical student**, estudante de medicina. **university student**, estudante universitário.
studio *s.* estúdio, atelier.
study *s.* (pl *-ies*) 1 ato de estudar, estudo. 2 (pl) estudos: *She is dedicated to her studies.* 3 exame, investigação, pesquisa. 4 escritório, sala de estudos/leitura, biblioteca. 5 estudo, desenho detalhado: *a study of the human body.*
study *v.t. e i.* (pret, pp *-ied*) 1 estudar: *He studies a lot.* 2 examinar cuidadosamente: *We studied the program carefully.*
stuff *s.* 1 material, matéria: *What kind of stuff are you using here?* 2 (infml) coisas, coisa, negócio: *What is this stuff?* 3 (infml) pertences: *She left her stuff in the classroom.* **hot stuff**, (infml) quente, atraente, bom: *That movie is hot stuff.* **know one's stuff**, (infml) saber o que se faz, dominar bem o que se faz.
stuff *v.t.* 1 encher, enfiar, rechear, empalhar: *She stuffed the turkey.* 2 (infml) encher-se de comida, comer demais.
stuffing *s.* enchimento, recheio.
stuffy *adj.* (*-ier, -iest*) 1 abafado: *stuffy room.* 2 maçante, enfadonho: *a stuffy story.* 3 (rel a pessoas) ultrapassado, antiquado, maçante.
stumble *v.i.* 1 tropeçar: *The little boy stumbled and fell.* 2 **stumble across/on/upon sth**, deparar-se com, topar com. **stumbling block**, obstáculo, empecilho.
stun *v.t.* (-nn-) 1 atordoar, deixar sem sentidos. 2 pasmar, chocar, surpreender: *The students were stunned by the news.*
stunt *s.* sensação, atração, proeza, façanha, truque. **stunt man**, dublê.
stupendous *adj.* estupendo, surpreendente, monstruoso.
stupid *adj.* estúpido, tolo, imbecil, absurdo: *Don't be so stupid!*
stupidity *s.* estupidez, imbecilidade, tolice.
stupor *s.* estupor, letargia, apatia.
sturdy *adj.* (*-ier, -iest*) 1 consistente, resistente, sólido, robusto. 2 firme.
stutter *v.t. e i.* gaguejar, balbuciar.
stutter *s.* gagueira.
sty *s.* (pl *sties*) 1 chiqueiro, pocilga: *pigsty.* 2 lugar imundo. 3 antro.

sty

sty (stye) s. (pl *sties, styes*) terçol.
style s. 1 estilo, maneira, moda: *She has always dressed with style.* 2 estilo, luxo: *They like to live in great style.* 3 título, nome oficial. **it cramps my style,** incomoda-me. **under the style of,** sob o nome/título de.
style v.i. 1 intitular, chamar. 2 desenhar, planejar, projetar.
stylist s. estilista.
sub- *prefixo* sub- 1 abaixo, inferior: *sub-zero temperatures.* 2 quase: *subcontinent.* 3 menos importante: *sub-director.*
subconscious adj. e s. subconsciente.
subdue v.i. 1 subjugar, controlar: *He needs to subdue his anger.* 2 diminuir, suavizar: *She spoke in a subdued voice.*
subject s. 1 (gram) sujeito. **subject to,** sujeito a, propenso a. 2 súdito: *He is a French subject.* 3 assunto: *What was the subject of their composition?* **change the subject,** mudar de assunto: 4 matéria escolar: *Literature is the subject I like most.* **subject matter,** assunto, matéria, tema, matéria de estudo.
subject v.t. subjugar, dominar, sujeitar, submeter.
subjection s. submissão, domínio.
sublet v.t. e i. sublocar.
sublime adj. sublime, supremo, magnífico.
submarine s. e adj. submarino.
submerge v.t. e i. afundar, submergir.
submission s. submissão.
submissive adj. submisso, obediente, passivo.
submit v.t. e i. (-ti-) 1 submeter(-se): *They agreed to submit themselves to their orders.* 2 (jur) sugerir.
subordinate adj. e s. subordinado, subalterno.
subordinate v.t. subordinar, sujeitar, subjugar.
subscribe v.t. e i. 1 *(to, for)* contribuir com/para: *We subscribe to that children's institution.* 2 *(to)* assinar (revista, jornal, etc): *I subscribe to several magazines.* 3 concordar, endossar (opiniões, ponto de vista, etc).
subscriber s. assinante, contribuinte.
subscription s. assinatura, subscrição.
subsequent adj. posterior, seguinte, subseqüente.
subside v.i. 1 abaixar, diminuir. 2 acalmar-se: *Violence is going to subside.* 3 cessar: *The rain subsided.*
subsidiary adj. secundário, subsidiário.
subsidize v.t. subvencionar, subsidiar.
subsidy s. (pl *-ies*) subsídio, subvenção.
subsist v.i. subsistir, manter-se.
subsistence s. subsistência, manutenção.
substance s. 1 substância, matéria. 2 essência, âmago. 3 firmeza, solidez. 4 posses.
substantial adj. 1 forte, firme, sólido. 2 grande, importante: *a substantial difference.* 3 real, atual, substancial: *Her projects became substantial at last.* 4 essencial. 5 rico, poderoso: *He comes from a substantial back-ground.*
substantiate v.t. substanciar, comprovar.
substitute s. substituto.
substitute v.t. e i. substituir, colocar no lugar de, assumir o lugar de.
subterfuge s. subterfúgio, pretexto, desculpa, evasiva.
subtle adj. 1 sutil, tênue, delicado, fino, discreto: *a subtle change.* 2 agudo, perspicaz: *a subtle message.*
subtlety s. 1 sutileza, delicadeza, tenuidade, refinamento. 2 coisa sutil.
subtract v.t. subtrair.
subtraction s. subtração.
suburb s. 1 distrito, arrebalde, subúrbio. 2 (pl) bairros residenciais.
suburban adj. suburbano.

subversive *adj.* subversivo.
subversion *s.* subversão.
subvert *v.t.* 1 subverter, destruir. 2 corromper, minar.
subway *s.* 1 metrô. 2 passagem subterrânea (ger de pedestres). (GB *underground*).
succeed *v.t. e i.* 1 ter sucesso/êxito: *They have finally succeeded*. **succeed in (doing) sth**, conseguir (fazer) algo. 2 suceder. **succeed to**, herdar: *They succeeded to the mansion*.
success *s.* sucesso, êxito: *The cocktail party was a huge success*.
successful *adj.* próspero, bem sucedido: *a successful man*.
succession *s.* sucessão, série: *They have had a succession of scandals*. **in succession**, em sucessão.
successive *adj.* sucessivo.
successor *s.* sucessor, herdeiro.
succinct *adj.* sucinto.
succulent *adj.* suculento.
succumb *v.i.* 1 sucumbir, ceder, não resistir: *He succumbed to her charms*. 2 (fig) morrer, perecer.
such *adj.* (sem comp ou sup) 1 tão: *He is such a child*. 2 tanto: *She has such a lot of friends*. 3 deste tipo, assim, tal. **such as it is**, tal como está. **such that**, tanto, tanta. **such and such**, tal e tal. **suchlike**, coisas assim/deste tipo.
such *pron.* 1 tal, tal como. **and such**, e tais/tal coisa(s). **as such**, assim, como tal. **any/no/some such**, algo/alguém/nada/ninguém assim. **such- like**, coisas assim, algo assim/deste tipo.
suck *v.t.* 1 chupar, sorver: *The child was sucking on his thumb*. 2 sugar: *They sucked his plans and projects*. 3 bajular: *He doesn't like to suck up to his boss*. **suck up**, absorver.
suck *s.* chupada, lambida, sorvo.
sucker *s.* 1 (infml) bobo, trouxa: *You are such a sucker!* 2 (infml) parasita. 3 sorvedor. 4 (zoo) ventosa. 5 tubo de sucção.
suckle *v.t.* 1 amamentar. 2 alimentar, criar.

suggestion

suction *s.* sucção, aspiração.
sudden *adj.* súbito, repentino: *a sudden attack*. **all of a sudden**, de repente, subitamente: *All of a sudden the burglars broke into the house*.
suddenly *adv.* de repente, subitamente, repentinamente.
sue *v.t. e i.* (g *suing*) 1 processar, acionar: *She sued the company*. 2 (fml) pedir, rogar, solicitar.
sued (suède) *s.* camurça, suede: *a suede jacket*.
suffer *v.t. e i.* 1 sofrer (de): *She is suffering the consequences of her actions*. 2 sofrer, passar por experiências difíceis: *He suffered abuse and violence as a child*. 3 tolerar, agüentar: *I can't suffer his silence*.
sufferable *adj.* suportável.
suffering *s.* sofrimento.
suffice *v.t. e i.* bastar, ser suficiente: *Will this suffice?*, Isso bastará? **suffice it to say (that)**, basta dizer (que).
sufficiency *s.* suficiência.
sufficient *adj.* suficiente, bastante.
suffix *s.* sufixo.
suffocate *v.t. e i.* 1 sufocar, asfixia. 2 (fig) reprimir, impedir, abafar: *She feels suffocated by her family*.
suffocation *s.* asfixia, sufocação.
suffrage *s.* 1 sufrágio, voto. 2 direito de voto.
sugar *s.* açúcar. **sugar beet**, beterraba usada para extrair açúcar. **sugar candy**, balas. **sugar cane**, cana-de-açúcar. **sugar coated**, coberto de açúcar. **sugar loaf**, pão de açúcar.
sugar *v.t.* açucarar, adoçar. **sugar the pill**, (fig) dourar a pilula.
sugary *adj.* 1 doce, açucarado, adocicado. 2 (fig) afetado, bajulador.
suggest *v.t.* sugerir, fazer uma sugestão: *What are you suggesting now? The doctor suggested a new diet*.
suggestion *s.* 1 sugestão. 2 indicação. 3 idéia, plano: *It's a wonderful suggestion!*

suggestive

suggestive adj. 1 sugestivo. 2 duvidoso, insignificante, picante: a suggestive look.
suicidal adj. suicida: a suicidal terrorist attack.
suicide s. 1 suicídio. 2 suicida, pessoa que tenta suicídio. **commit suicide**, cometer suicídio, suicidar-se.
suit s. 1 terno: a brown suit. 2 traje: swimming suit. 3 processo, caso jurídico: a law suit. **bring a suit against sb**, processar/acionar alguém. 4 naipe. **follow suit**, seguir o exemplo, acompanhar o naipe. 5 (fml) pedido, petição. **press one's suits**, fazer uma petição formal, rogar.
suit v.t. e i. 1 satisfazer (as necessidades de alguém), bastar, servir para, convir: That apartment suits our needs. 2 combinar (com), ficar bem (para): This dress suits you. 3 fazer bem, agradar: This food doesn't suit my stomach. **be suited (to/for)**, ser feito para, combinar (com). **suit oneself**, (infml) fazer como quiser. 6 convir: Does this solution suit you?
suitable adj. conveniente, apropriado, adequado: a suitable house.
suitably adv. convenientemente, apropriadamente, adequadamente.
suitcase s. mala, valise.
suite s. 1 conjunto de móveis. 2 conjunto de quarto, sala(s) e banheiro em hospital/hotel: the honeymoon suite. 3 (mús) suíte.
sulk v.i. estar de mau humor, ficar amuado, emburrar. **have/get the sulks**, (infml) estar emburrado.
sulky adj. (-ier, -iest) mal-humorado, emburrado.
sullen adj. 1 amuado, mal-humorado. 2 (fig) escuro, sombrio: a sullen atmosphere.
sulphur s. enxofre.
sultan s. sultão.
sultana s. uva passa sem sementes.
sultry adj. (-ier, -iest) sufocante, opressivo, abafado.

sum s. 1 soma, total. 2 (infml) problema de aritmética: I can't do this sums. 3 quantidade, quantia. **in sum**, em suma, em resumo, em poucas palavras.
sum v.t. e i. (-mm-) 1 somar, totalizar, adicionar: They summed up all their expenses. 2 resumir, sumarizar: Let's sum up yesterday's events. 3 julgar, analisar, considerar. **summing-up**, resumo, sumário, súmula.
summarize v.t. resumir, sumarizar.
summary s. (pl -ies) resumo, sumário.
summer s. verão. **summerhouse**, quiosque, pavilhão de jardim. **summer resort**, estação de veraneio. **summer school**, curso de verão, curso de férias. **summertime**, (infml), época de verão. **summer time**, horário de verão. **summery**, de verão: a summery sandal.
summit s 1 ápice, cume, topo. 2 auge, o ponto mais alto de algo. 3 reunião de alto nível: a summit meeting.
summon v.t. 1 (fml) convocar, intimar, citar, chamar: The judge summoned all the witnesses to the case. **summon up**, reunir, concentrar (forças, energias, emoções): He summoned up his energy before the fight.
summons s. (pl - es) 1 intimação judicial. 2 convocação.
sun s. 1 **the sun**, o sol. 2 luz e calor do sol: Be careful with the sun from 10am to 3pm. **a place in the sun**, (fig) um lugar ao sol. **under the sun**, de qualquer lugar, do mundo: the best hotel under the sun. **sunbaked**, ressecado pelo sol. **sun-bath**, banho de sol. **sunbeam**, raio de sol. **sunblind**, a) veneziana. b) (rel a carros) quebra-sol. c) toldo. **sunburn**, queimadura de sol. **sunburnt (-burned)**, bronzeado, queimado pelo sol. **sundial**, relógio de sol. **sun-down**, pôr-do-sol. **sundrenched**, banhado pelo sol, exposto ao sol. **sun-dried**, seco ao sol. **sunflower**, girassol. **sun-glasses**, óculos de sol. **sunless**, sem sol.

sunlight, luz do sol. **sunlit**, iluminado pela luz do sol. **sunrise**, nascer do sol. **sunset**, por-do-sol. **sunshade**, a) viseira. b) quebra-sol. c) guarda-sol. **sunshine**, luz do sol. **sunspot**, a) lugar de veraneio, lugar com muito sol. b) mancha solar. **sunstroke**, insolação. **suntan**, bronzeado: *suntan lotion*.
sun *v.i.* (*-nn-*) ficar ao sol, tomar sol, expor(-se) ao sol.
sunbathe *v.i.* tomar banho de sol, tomar sol: *She sunbathes by the pool*.
sundae *s.* sundae (sorvete com frutas, calda, etc).
Sunday *s.* domingo. **on Sundays**, aos domingos. **a month of Sundays**, um período longo. **in one's Sunday best**, em roupas domingueiras, bem vestido. **Sunday school**, escola dominical.
sundries *s.* (pl) artigos diversos, miscelânea. **all and sundry**, tudo e todos.
sunken *adj.* afundado, encovado.
sunny *adj.* (*-ier, -iest*) 1 ensolarado. 2 radiante, alegre: *a sunny face*.
super *adj.* (infml) excelente, ótimo: *That book is super!*
super- prefixo sobre, super: *superstructure*.
superb *adj.* ótimo, excelente, soberbo.
supercilious *adj.* (fml) arrogante, desdenhoso: *a supercilious voice*.
superficial *adj.* superficial.
superfluous *adj.* supérfluo.
superimpose *v.t.* sobrepor.
superintend *v.t. e i.* supervisionar.
superintendent *s.* superintendente.
superior *adj.* 1 superior, melhor: *He thinks he is superior to everybody*. 2 arrogante, convencido: *That girl is very superior*. 3 superior em posição/cargo: *She is superior to me*. 4 maior, mais elevado em número. 5 (tec) superior, mais alto.
superior *s.* superior.
superiority *s.* superioridade.
superlative *adj.* superlativo, extremo.
supermarket *s.* supermercado.

supernatural *adj.* sobrenatural.
supersede *v.t.* tomar o lugar de, substituir, suceder.
superstition *s.* superstição.
superstitious *adj.* supersticioso.
supervise *v.t. e i.* supervisionar.
supervisor *s.* supervisor.
supervision *s.* supervisão.
supper *s.* ceia, jantar.
supplant *v.t.* 1 substituir. 2 tomar o lugar de alguém usando subterfúgios: *He was supplanted by his co-workers*.
supple *adj.* (*-r; -st*) 1 flexível, maleável. 2 versátil, ágil.
supplement *s.* suplemento.
supplement *v.t.* suplementar.
supplementary *adj.* adicional, suplementar.
supply *v.t.* (pret, pp *-ied*) 1 fornecer, suprir, prover, abastecer: *That company supplies the students with uniforms and shoes*. 2 satisfazer (uma necessidade): *I think he doesn't supply our needs*.
supply *s.* (pl *-ies*) 1 estoque, reserva, provisão. 2 fornecimento, suprimento. **supply and demand**, oferta e procura. **in short supply**, escasso. **supply teacher**, professor substituto.
support *v.t.* 1 sustentar, suportar, escorar. 2 auxiliar, fortalecer: *He supports his wife and children*. 3 encorajar, estar a favor de, apoiar: *She supports the liberal party*. 4 (rel a esportes) torcer por um time: *They support Palmeiras*. 5 tolerar, agüentar.
support *s.* 1 suporte, apoio: *The supports of the table are metal*. 2 sustento. 3 pessoa que sustenta, ganhapão. 4 apoio.
supporter *s.* (rel a esportes) torcedor: *a soccer supporter*.
suppose *v.t.* 1 supor, assumir, considerar como possibilidade: *I suppose he has finished reading the article*. 2 acreditar, crer: *I suppose he is not guilty of that crime*. **be supposed to**, dever, ter de, ser obrigado a: *He was supposed*

suppose

to be at school right now. You are not supposed to smoke here.
suppose conj. 1 que tal: *Suppose we go to the movies?* 2 se, caso: *Suppose we are robbed?*
supposed adj. suposto: *his supposed answers.*
supposedly adv. supostamente.
supposition s. suposição, conjetura.
suppress v.t. 1 reprimir, subjugar, dominar: *The police suppressed the workers.* 2 abafar, ocultar, omitir: *He suppressed his opinions.*
suppression s. supressão, repressão.
supremacy s. supremacia.
supreme adj. supremo, extremo, superior, sumo: *supreme commander.*
Supreme Court, (EUA) Supremo Tribunal Federal.
surcharge s. 1 sobretaxa. 2 ágio.
surcharge v.t. 1 sobretaxar, cobrar sobretaxa. 2 cobrar ágio.
sure adj. (-r; -st) 1 certo, com certeza, seguro, sem dúvida: *I m sure of my plans. Are you sure of that?* **make sure (of sth/that)**, a) verificar. b) não deixar de (fazer algo). **sure of oneself**, confiante. **to be sure**, naturalmente, provavelmente.
sure adv. 1 (infml) (esp EUA) certamente, claro: *It sure is hot today.* **sure enough**, certamente. **That's for sure**, certamente.
surely adv. certamente, sem dúvida.
surety s. (pl -ies) 1 garantia, segurança, fiança. 2 fiador.
surf s. rebentação de ondas, espuma de ondas.
surf v.i. (esporte) praticar surfe. **go surf riding/go surfing**, praticar surfe.
surfboard, prancha de surfista.
surface s. 1 superfície. 2 aparência externa. **on the surface**, a) à tona, na superfície. b) aparentemente. **surface mail**, (reI a correios) na superfície.
surface v.t. e i. 1 vir à tona, vir à baila: *The diver surfaced after a long time.* 2 recapear, asfaltar (rua, estrada, etc).

surfaced road, estrada asfaltada.
unsurfaced road, estrada de terra.
surfer s. surfista.
surge v.i. 1 subir e descer, mover-se como em ondas, (fig) varrer: *The news of the revolution surged through the country.* 2 subir, assomar.
surge s. onda, enxurrada: *a surge of rebellion.*
surgeon s. cirurgião.
surgery s. (pl -ies) 1 cirurgia. 2 (GB) consultório médico.
surgical adj. cirúrgico.
surly adj. (-ier, -iest) 1 mal-humorado. 2 grosseiro, rude. 3 carrancudo, rabugento.
surmise v.t. e i. (fml) supor, conjeturar.
surmount v.t. 1 vencer, superar (dificuldade, obstáculo): *She surmounted her difficulties.* **be surmounted with/by**, ser encimado por.
surname s. sobrenome, nome de família.
surpass v.t. (fml) ultrapassar, exceder, sobrepujar: *He surpassed his previous records.*
surplus s. excedente, sobra, saldo, resto: *There was a surplus of metal on the market.*
surprise s. surpresa, espanto: *What a nice surprise!* **take by surprise**, a) surpreender, tomar de surpresa. b) pegar em flagrante. **to my surprise**, para meu espanto. **get the surprise of one's life**, ser uma grande surpresa para alguém.
surprise v.t. causar surpresa a, surpreender, pegar de surpresa; *I was so surprised by the party.*
surprising adj. surpreendente, espantoso.
surrender v.t. e i. 1 render-se, entregar-se: *The rebels surrendered to the new government.* 2 entregar, renunciar: *She surrendered her freedom.*
surrender s. rendição, renúncia.
surreptitious adj. subreptício, ilícito.

surrogate *adj e s.* substituto: *a surrogate father.*
surround *v.t.* rodear, cercar, circundar: *The park is surrounded by trees.*
surroundings *s.* (pl) cercanias, arredores, vizinhança, ambiente.
surtax *s.* sobretaxa.
survey *s.* 1 vista/visão geral: *a survey of politics.* 2 exame, inspeção, vistoria: *They made a survey of the products.* 3 mapa.
survey *v.t.* 1 olhar: *He surveyed the hills.* 2 examinar, inspecionar, vistoriar: *The manager surveyed the factory.* 3 fazer levantamento topográfico, mapear: *The geologists surveyed the desert region.*
surveyor *s.* 1 avaliador. 2 topógrafo.
survival *s.* sobrevivência.
survive *v.t. e i.* sobreviver: *We hope she survives the accident.*
survivor *s.* sobrevivente.
susceptible *adj.* 1 sensível, suscetível. 2 emotivo: *a susceptible girl.* 3 influenciável: *She is susceptible to flattery.*
susceptibility *s.* (pl *-ies*) suscetibilidade, sensibilidade.
suspect *s.* suspeito, pessoa suspeita.
suspect *v.t.* 1 suspeitar, desconfiar: *They suspect him of murder.* 2 conjeturar, presumir, pensar, acreditar: *The house he bought is more beautiful than I suspected.*
suspect *adj.* suspeito, duvidoso.
suspend *v.t.* 1 pendurar, suspende. 2 estar suspenso. 3 suspender, adiar. 4 sustar, interromper. 5 suspender (do tralbalho, da escola, etc).
suspense *s.* expectativa, suspense. **keep sb in suspense**, manter alguém na expectativa.
suspension *s.* suspensão. **suspension bridge**, ponte pênsil.
suspicion *s.* 1 dúvida, desconfiança, suspeita: *The police treated them with suspicion.* **be under suspicion**, estar sob suspeita. **be above suspicion**, estar acima de qualquer suspeita. 2 idéia/noção vaga. 3 traço, pitada.
suspicious *adj.* 1 suspeito: *There's a suspicious character near the house.* 2 suspeitoso, desconfiado: *He's very suspicious of foreigners.*
sustain *v.t.* 1 sustentar. 2 agüentar. 3 sofrer (um acidente, danos, derrota, ferimentos). 4 manter. 5 (jur) sancionar.
sustenance *s.* (fml) 1 sustento. 2 manutenção. 3 valor nutritivo.
swab *s.* 1 cotonete. 2 pano de limpar o chão. 3 (med) mecha de algodão.
swab *v.t.* (*-bb-*) 1 (med) limpar ou aplicar com mecha ou cotonete. 2 limpar o chão com pano e água.
swagger *v.i.* 1 andar com ares de superioridade. 2 vangloriar-se, gabar-se.
swallow *s.* andorinha.
swallow *v.t. e i.* 1 engolir: *He swallowed their excuse.* 2 devorar: *She swallowed up all the food on the plate.*
swallow *s.* gole.
swam *V.* (pretérito do verbo swim).
swamp *s.* brejo, pântano.
swamp *v.t.* inundar: *The river is swamped with alligators.*
swan *s.* cisne. **swan-song**, a) canto de cisne. b) última obra de poeta, compositor, etc.
swap *s.* (infml) permuta, troca. **do a swap**, fazer uma troca/permuta.
swarm *s.* 1 enxame (de insetos, animais, pássaros). 2 multidão (de pessoas).
swarm *v.t. e i.* 1 enxamear. 2 fervilhar, mover-se em grande quantidade. **swarm with**, estar cheio de: *The city is swarmed with tourists.*
swarthy *adj.* de pele escura, moreno.
swat *v.t.* (*-tt-*) esmagar (um inseto) com um tapa/golpe.
sway *s.* 1 balanço. 2 influência, controle.
sway *v.t. e i.* 1 balançar, flutuar. 2 fazer balançar, mover(-se), agitar(-se). 3 influenciar, controlar.

swear v.t. e i. (pret *swore*, pp *swom*) 1 jurar, prestar juramento. 2 prometer. 3 (infml) jurar, declarar, afirmar: *He swore that he was telling the truth*. **swear sb in**, prestar juramento, assumir um cargo oficial. **swear by**, a) jurar por. b) ter muita confiança em algo/alguém. **swear to**, jurar, afirmar.
swear v.t. e i. (pret *swore*, pp *sworn*) praguejar, dizer palavrões: *Her friends swear a lot*. **swear-word**, palavrão.
sweat s. 1 transpiração, suor. **break into/be in a cold sweat**, estar tenso/ansioso/nervoso. 2 (infml) trabalho duro.
sweat v.t. e i. 1 suar, transpirar: *She sweated with anxiety*. 2 (infml) trabalhar duro por pouco dinheiro. **sweat blood**, (infml) dar duro, trabalhar muito. **sweat it out**, (infml) agüentar firme. **sweatshirt**, malha de moleton.
sweatshop, lugar de trabalho onde se exploram os empregados.
sweater s. malha, suéter.
sweaty adj. (-ier, -iest) suado, cheio de suor.
swede s. (bot) espécie de nabo e mandioquinha.
sweep v.t. e i. (pret, pp *swept*) 1 varrer: *She has to sweep the kitchen floor*. 2 mover rapidamente, arrastar, colher. 3 arrasar, assolar, devastar. 4 vencer espetacularmente. 5 estender-se. 6 (rel a pessoas) andar majestosamente. **sweep sb off his feet**, entusiasmar alguém, deixar alguém boquiaberto/abismado: *He swept the girl off her feet*.
sweep s. varrida, vassourada, limpeza. 2 golpe/movimento circular. 3 extensão curvilínea. 4 alcance. 5 fluxo contínuo e ininterrupto. **(make a) clean sweep of sth**, (farer) uma limpeza geral, livrar-se de coisas (inúteis, indesejadas, velhas, etc). **carpet-sweeper**, "vassoura mágica" (para varrer tapetes). **chimney-sweep**, limpador de chaminés. **street-sweeper**, varredor de rua. **sweepstake**, loteria de corrida de cavalos.
sweet adj. (-er, -est) 1 doce, adocicado, açucarado: *sweet coffee*. 2 encantador, atraente, agradável. **have a sweet tooth**, gostar de coisas doces/açucaradas.
sweet s. 1 bala, doce (EUA *candy*). 2 sobremesa, doce. **sweet and sour**, agridoce. **sweetheart**, namorado, querido, bem: *She is my sweetheart*. **sweet pepper**, pimentão. **sweet potato**, batata-doce.
sweeten v.t. e i. 1 adoçar. 2 amenizar, tornar agradável.
sweetener s. adoçante.
swell v.t. e i. (pret *-ed*, pp *swollen*) inchar, crescer, intumescer, distender (-se), dilatar(-se): *His feet were swollen after the accident*.
swell s. inchaço, dilatação, expansão, aumento, elevação.
swell adj (EUA infml) ótimo, excelente: *a swell dance*.
swelling s. 1 inchação, inchaço: *She has a swelling on her leg*. 2 protuberância.
swept V. (pretérito do verbo *sweep*).
swerve v.t. e i. desviar rapidamente, guinar, virar: *The bus driver had to swerve to avoid an accident*.
swerve s. desvio, guinada, virada.
swift adj. (-ier; -iest) rápido, veloz.
swim v.t. e i. (-mm-) (pret *swam*, pp *swum*) 1 nadar, fazer nadar: *She swims every morning*. **swim across**, atravessar a nado. **go swimming**, nadar, ir nadar. **be swimming in/with**, estar cheio/coberto de. 2 girar, oscilar, ter vertigens. **swim with the tide**, fazer o que os outros fazem.
swim-suit, maiô.
swim s 1 ato de nadar, nado. **go for a swim**, nadar, ir nadar. **be in the swim**, estar a par da situação.
swimmer s. nadador.
swimming s. natação. **swimming costume**, maiô, costume de banho. **swimming pool**, piscina. **swimming trunks**, calção de banho.

swindle v.t. e i. lograr, roubar, enganar, defraudar: *He was arrested because he was caught swindling.*
swindle s. roubo, fraude, falcatrua, trapaça.
swing v.t. e i. (pret, pp *swung*) 1 balançar, oscilar: *She swung her legs and fell to the ground.* 2 virar, rondar, girar. 3 andar rapidamente. 4 mover-se, pular. 5 brandir. 6 mudar, ir de um extremo a outro.7 (infml) (mús) tocar com ritmo agradável. *in full swing*, em plena atividade.
swing s. 1 balanço (brinquedo). 2 oscilação. 3 movimento, andar balançante.4 (mús) ritmo. *swing door*, porta de vaivém.
swipe v.t. (infml) 1 golpear, bater: *He swiped at the burglars.* 2 roubar, afanar.
swipe s. golpe.
swirl s. redemoinho, turbilhão, movimento em espiral. *in a swirl*, confuso.
swirl v.t. e i. girar, rodopiar, rodar, redemoinhar.
switch s. 1 (eletr) interruptor, chave: *Turn off the switch.* 2 (rel a ferrovia) chave elétrica de trilhos. 3 vara. 4 trança de cabelo postiço. 5 mudança repentina.
switch v.t. e i. 1 *switch on/off*, ligar/desligar corrente elétrica. 2 (rel a trens) trocar de linha. 3 mudar, trocar. 4 açoitar. *switch sb on* (gír), deixar alguém feliz. *switch over (to)*, trocar de lado (para). *switch-board*, (rel a telefones e eletricidade) PBX, quadro de ligação ou de distribuição.
swivel s. pino giratório, elo giratório, conexão giratória. *swivel chair*, cadeira giratória.
swivel v.t. e i. (-*ll*- EUA -*l*-) girar, fazer girar, rodar.
swollen adj. inchado, dilatado. *have/suffer from a swollen head*, ser presunçoso/arrogante.

swoop v.i. descer, cair em cima (de algo/alguém) para atacar, investir contra (algo/alguém).
swoop s. descida rápida, ataque, arremetida. *at one fell swoop*, a) de uma vez. b) com um golpe cruel.
sword s. espada. *swordfish*, peixe-espada.
swore V. (pretérito do verbo *swear*).
sycophant s. bajulador, puxa-saco.
syllable s. sílaba.
syllabus s. programa escolar, ementa de matérias/disciplinas escolares.
syllogism s. silogismo, raciocínio.
symbol s. símbolo.
symbolic adj. simbólico.
symbolize v.t. simbolizar.
symmetry s. 1 simetria. 2 harmonia.
sympathetic adj. 1 compreensivo, compassivo. 2 que apóia/aprova, concordante, solidário: *She is sympathetic to my problems.* *be sympathetic to sb*, ter compaixão de/compreensão com alguém.
sympathize v.i. 1 mostrar compaixão/compreensão por alguém. 2 apresentar condolências a alguém. 3 apoiar, concordar.
sympathy s. (pl -*ies*) 1 compaixão, compreensão, solidariedade. 2 (pl) condolências, comiseração: *my simpaties.* 3 (pl) aprovação, concordância, apoio.
symphony s. sinfonia.
symptom s. 1 sintoma. 2 indício: *Inflation is a sympton of economic problems.*
symptomatic adj. sintomático, indicativo.
synagogue s. sinagoga.
synchronize v.t. e i. (*with*) sincronizar.
syndicate s. 1 corporação, associação de empresas. 2 associação de empresas jornalísticas.
syndicate v.t. (rel a jornais) publicar artigos e matérias jornalísticas através de uma associação de empresas jornalísticas.

syndrome

syndrome s. (med) síndrome.
synonym s. sinônimo.
synonymous adj. sinônimo.
synopsis s. (pl -ses) sinopse, resumo, sumário.
syntax s. sintaxe.
synthesis s. (pl -ses) síntese.
synthetic adj. sintético.
syringe s. seringa.
syrup s. 1 xarope: *a cough syrup.* 2 calda de açúcar.
system s. 1 sistema: *respiratory system.* 2 organização. 3 o corpo humano, sistema. **systems analyst**, analista de sistemas.
systematic adj. sistemático, organizado, metódico, meticuloso.

t T

T,t 20ª letra do alfabeto.
tab s. 1 tabulador: *press tab*. 2 etiqueta. 3 alça fixada em roupas para pendurá-las. 4 (infml) conta: *pick up the tab*, pagar a conta. *keep a tab on sb/sth/ keep tabs on sb/sth*, controlar, ficar atento a, vigiar.
table s. 1 mesa: *The book is on the table*. 2 tabela, lista, índice, quadro, sumário: *a table of contents*, índice. 3 (mat) tabuada de multiplicar. *turn the tables -on sb*, virar a mesa contra alguém, inverter a situação, passar de perdedor a ganhador. *under the table*, (fig) por baixo da mesa, ilicitamente. *set the table*, pôr a mesa. *tablecloth*, toalha de mesa. *table-mat*, jogo americano. *table-spoon*, colher de sopa. *table-spoonful*, colher de sopa cheia. *table tennis*, tênis de mesa, pingue-pongue. *tableware*, utensílios de mesa (louça, talheres).
tablet s. 1 (med) comprimido. 2 pedaço/barra de chocolate/sabão. 3 placa, chapa. 4 bloco de papel.
tabloid s. 1 jornal popular de tamanho reduzido, com muitas ilustrações e poucas informações. 2 imprensa marrom.
taboo s. e adj. tabu, algo proibido/sagrado.
tabular adj. 1 tabular, plano. 2 em forma de tabela.
tacit adj. tácito, implícito, silencioso: *It was a tacit agreement*.
taciturn adj. (fml) taciturno, calado: *He is a taciturn person*.
tack s. 1 percevejo, tachinha, preguinho.
tackle v.t. 1 (infml) solucionar/abordar/lidar com um problema: *You have to tackle this new problem*.
tacky adj. 1 (infml) cafona, brega, mal vestido, desleixado: *She came to the party dressed in a tacky way*.

tact s. tato, diplomacia, jeito, discrição: *She has no tact*.
tactful adj. discreto, diplomático, delicado, jeitoso.
tactless adj. sem tato, indiscreto, grosseiro, indelicado: *The new manager is a tactless man*.
tactic s. 1 tática, algo para alcançar um objetivo: *She is always using new tactics with her students*. 2 (ger pl com verbo no sg) tática, estratégia militar, método.
tactical adj. tático.
tag s. 1 etiqueta, rótulo. *question tag*, frase fixa como "*isn't it?*"; "*don't you?*"
tag v.t e i. (-gg-) 1 etiquetar, rotular. 2 juntar, acrescentar. *tag along/on*, seguir, ir junto: *Can I tag along?*
tail s. 1 cauda, rabo. 2 (pl) (rel a moeda) coroa: *Heads or tails?* Cara ou coroa? 3 parte traseira: *the tail of his car*. *make heads or tails of sth*, compreender/entender algo.
tail v.t e i. 1 seguir, viajar: *The policeman tailed the burglars all night*. *tail off/away*, diminuir em tamanho ou número.
tailor s. alfaiate, costureiro. *tailor-made*, a) feito sob medida. b) adequado, apropriado.
taint v.t e i. infeccionar, manchar, contaminar: *His reputation is tainted by this suspicion*.
take v.t e i. (pret *took*, pp *taken*) 1 tomar, pegar, segurar: *I take the bus to go to work. She took his arms to leave the premises*. 2 capturar, pegar, ganhar: *The army took the rebel city after a long battle*. *take prisoner*, capturar, prender, cair prisioneiro. 3 *take sb's fancy*, agradar, fascinar. 4 *be taken ill*, ficar doente, adoecer. 5 levar, carregar, acompanhar: *He'll take his wife home*. 6 obter, ter, tomar,

take

tirar, permitir-se, proporcionar-se: *I like to take a shower before going to sleep*. **be able to take it/can take it**, ser capaz de enfrentar problemas, dificuldades: *Do you think you can take it?* **have what it takes**, a) ser forte/capaz: *He has what it takes to deal with that problem*. b) ser adequado, ser apropriado, estar à altura de algo: *She has what it takes to be a perfect mother*. c) receber, aceitar: *Will you take my apologies?* 7 levar, durar, necessitar: *I believe this job will take at least a month longer*. 8 tomar por pressuposto, tomar, presumir, supor: *They took me for the new teacher*. **take (sth) for granted**, a) tomar por certo/pressuposto: *Don't take it for granted!* b) ser indiferente a algo/alguém: *He takes her for granted*. **take it/things easy**, não levar as coisas a sério, relaxar: *You should take it easy*. 9 anotar, medir, tomar dados/informações: *The secretary took his name and address*. **take after**, parecer-se com, puxar: *She takes after her father*. **take (sth) apart**, desmontar algo, separar em partes. **take sth/sb away**, tirar, levar, remover alguém, prender alguém. **take-away**, (comida) embalada para viagem: *I don't like take away food*. **take sth/sb back**, aceitar de volta: *She won't take him back*. **take back sth**, retratar-se, retirar (uma ofensa, reclamação, acusação, etc): *He took back what he had said about the politicians*. **take sth down**, a) anotar. b) desmontar, remover, tirar, retirar. **take off**, (rel a aviões) decolar: *The plane took off at 5 o'clock*. **take sth off**, remover, tirar: *He took off his hat*. **take sth out**, a) extrair, remover: *She had a tooth taken out*. b) tirar, obter. **take sb out**, sair com alguém, acompanhar alguém: *He took his girlfriend out for dinner*. **take it out on sb**, desabafar-se agredindo alguém: *She was nervous and took it out on her family*. **take to**, passar a fazer algo habitualmente: *He took to beating his children*.

take *s*. 1 (fot, cinema) tomada: *"The Monster" Take 1!*. 2 ato de levar, tomar. 3 (rel a dinheiro) lucro, receita, parte de dinheiro recebido/tomado/roubado, etc: *He got a large take of the business deal*.

tale *s*. conto, narrativa, relato. **fairy tale**, conto de fadas. **tell tales**, denunciar, delatar, dedurar.

talent *s*. 1 talento, aptidão, habilidade, dom: *She has a great talent for acting*.

talented *adj*. talentoso, habilidoso: *She is a talented dancer*.

talk *s*. 1 conferência, palestra: *She gave a talk on Technology and Communication*. 2 fala, discurso: *baby talk*. 3 conversa, conversação: *Mary had a long talk with her mother about her plans*. 4 boato, fofoca: *Her marriage was the talk of the town*. **small talk**, conversa superficial, banalidades. **talk of the town**, assunto atual de conversa.

talk *v.t e i*. 1 falar, dizer, dirigir-se a alguém, conversar: *I have to talk to the manager right now. Paul and I talked all night*. 2 discutir: *They are talking about their money*. **talk sb out of/into (doing) sth**, persuadir. **talking of (...)**, por falar em (...). **talk down to sb**, falar com alguém em tom arrogante/condescendente. **talk big**, (infml) gabar-se. **talk it over**, discutir, conversar. **talk shop**, falar sobre interesses em comum.

talkative *adj*. falante, tagarela.

tall *adj*. (-er, -est) (rel a pessoas) alto: *My brother is very tall. He is the tallest boy in the classroom*.

tally *v.i*. (pret, pp *-ied*) (rel a histórias, quantidades, etc) combinar, concordar, corresponder: *Their stories don't tally with the truth*.

tame *adj*. (-r, -st) 1 manso, dócil, domesticado. 2 fraco, insípido, sem graça.

tame *v.t*. domesticar, domar.

tamer s. domador: *an animal tamer.*
tamper v.i. 1 mexer, interferir: *Someone tampered with the computer.* 2 adulterar, falsificar: *These documents have been tempered with.*
tan s. bronzeado. ***get a tan***, bronzear-se.
tan adj. 1 marrom amarelado: *a tan coat.* 2 curtido: *a tan leather bag.*
tan v.t e i. (-nn-) 1 bronzear(-se). 2 (rel a couro) curtir.
tangerine s. tangerina.
tangible adj. tangível, palpável, real: *The lawyer got tangible evidence of his guilt.*
tangle s. 1 entrançado, emaranhado (de cabelo, lã, fios, cordas, etc). 2 confusão: *a tangle of ideas.* 3 (infml) atrito, briga, conflito: *She had a tangle with her husband.*
tangle v.t e i. 1 enroscar, enrolar, embaraçar, emaranhar. 2 confundir: *His comments are terribly tangled.*
tango s. (mús) tango.
tank s. 1 tanque, reservatório: *an oxygen tank.* 2 caixa de água, cisterna. 3 (mil) tanque, carro blindado. ***fill up the tank***, encher/completar o tanque.
tantalize v.t. atormentar, tantalizar, provocar desejos irrealizáveis (em alguém): *He tantalized her dreams.*
tantalizing adj. provocante, atraente, sedutor: *a tantalizing smell of parfume.*
tantamount adj. equivalente: *His words were tantamount to an aggression.*
tantrum s. acesso de raiva, birra.
tap s. 1 pancadinha, batida leve: *a tap on the door.* 2 torneira: *open the tap.* (EUA *faucet*).
tap v.t. (-pp-) 1 dar uma pancadinha, bater de leve. 2 extrair, obter. ***tap a telephone/ line***, grampear uma linha telefônica. ***tap-dancing***, sapateado.
tape s. 1 fita adesiva. 2 fita para gravação de som ou vídeo: *I need to buy a tape to record the country music show.* 3 tira. ***red tape***, burocracia. ***tape deck***, gravador de som conectado ao aparelho de som. ***tape-measure***, fita métrica.
tape-recorder, gravador de som.
tape v.t. 1 amarrar, segurar com fita. 2 gravar (som) em fita.
tapestry s. tapeçaria.
tapioca s. tapioca, fécula de mandioca.
tar v.t. (-rr-) cobrir com piche/alcatrão.
tar and feather cobrir (alguém) com piche e penas como punição.
target s. alvo, objetivo: *Success is his target.*
tarmac s. (rel a estradas, aeroportos, etc) pista, asfalto.
tarnish v.t e i. embaçar, manchar: *tarnished character.*
tarpaulin s. encerado, lona impermeabilizada: *The truck cargo is covered with tarpaulin.*
tart adj. 1 azedo, picante. 2 (fig) rude, mordaz: *What a tart speech!*
tart s. 1 torta.
tartan s. 1 tecido xadrez da Escócia: *a tartan skirt.*
tartar s. tártaro. ***tartar sauce***, molho tártaro.
task s. tarefa, incumbência. ***task force***, força-tarefa.
taste s. 1 gosto, sabor: *This dish has an exotic taste.* 2 distinção, elegância: *He is a man of taste.* 3 inclinação, predileção: *He has a taste for classical music.*
taste v.t e i. 1 experimentar, provar, saborear: *I've never tasted Thai food.* 2 sentir o gosto: *Let me taste the champagne.* 3 ter gosto de: *The cake tastes of coffee.*
tasteful adj. 1 saboroso, gostoso. 2 de bom gosto, estético: *a tasteful house decoration.*
tasteless adj. 1 insípido, sem sabor. 2 sem gosto, sem estética.
tasty adj. (-ier, -iest) saboroso, gostoso.
tattered adj. em farrapos, rasgado: *tattered jeans.*

tattoo

tattoo s. tatuagem.
tattoo v.t. tatuar: *She has a small star tattoed on her shoulders.*
taught V. (pretérito do verbo *teach*).
taunt v.t. provocar, ofender, escarnecer, espicaçar.
Taurus s. 1 (astron) constelação de Touro. 2 Touro (signo do zodíaco).
taut adj. esticado, teso.
tavern s. taberna, estalagem.
tawdry adj. (-ier, -iest) espalhafatoso, excessivamente enfeitado: *tawdry dress*.
tax s. imposto, tributo, taxa. *income-tax*, imposto de renda. *tax-collector*, cobrador de impostos. *tax-free*, livre de impostos.
taxable adj. tributável.
taxi s. táxi. *taxi-cab*, = cab/taxi
tea s. 1 chá: *lemmon tea*. *not my cup of tea*, não é algo de que eu goste. *tea bag*, saquinho de chá. *tea break*, intervalo para tomar chá/descansar. *tea-cake*, bolacha para comer com chá. *teacup*, xícara de chá. *teapot*, chaleira. *tearoom*, salão de chá. *teaservice/set*, aparelho de chá, serviço de chá. *teaspoon*, colher de chá. *tea-strainer*, coador de chá, passador de chá. *tea-time*, hora do chá.
teach v.t e i. (pret, pp *taught*) 1 ensinar: *He'll teach me how to drive.* 2 lecionar, dar aula: *I teach English literature.*
teacher s. professor, professora.
teaching s. 1 magistério, ensino. 2 doutrina, preceito, ensinamento.
team s. 1 time, equipe: *a basketball team*. 2 conjunto, grupo: *We need to work as a team*. *teammate*, companheiro de equipe. *team spirit*, espírito de equipe. *teamwork*, trabalho em equipe.
tear s. 1 lágrima. *burst into tear*, romper em lágrimas. *tear-drop*, lágrima. *tear-gas*, gas lacrimogêneo.
tear v.t e i. (pret *tore*, pp *torn*) 1 dilacerar, romper: *The war tore the two countries apart.* 2 rasgar: *The boy tore his clothes when playing soccer.* 3 separar, remover (com força, repentinamente): *I can't tear myself from him.*
tearful adj. 1 choroso, lacrimoso. 2 triste.
tease v.t. importunar, amolar, arreliar: *The boys like to tease the little girl.*
teat s. 1 bico de seio, teta. 2 bico de mamadeira. (EUA *nipple*).
technical adj. técnico: *technical course.*
technician s. técnico, perito.
technique s. técnica: *His technique is perfect.*
technology s. tecnologia.
tedious adj. tedioso, monótono, cansativo: *a tedious afternoon.*
teem v.t e i. 1 abundar, estar cheio de, fervilhar: *The ocean is teeming with sharks.*
teenage adj. adolescente: *a teenage girl.*
teenager s. adolescente, jovem entre aproximadamente 13 e 19 anos: *His daughter is a rebellious teenager.*
teens s. idade entre 13 e 19 anos: *They are in their teens.*
teeny weeny adj. (infml) pequenino.
tee shirt s. = *T-shirt*. camiseta.
teeth V. *tooth*.
teethe v.i. criar dentes: *The baby is teething*. *teething troubles*, problemas que ocorrem durante as fases iniciais de uma situação, sistema ou projeto novos.
teetotaller s. abstêmio.
telecommunications s. (pl) telecomunicações.
telegram s. telegrama.
telegraph s. telégrafo.
telepathy s. telepatia.
telephone s. telefone. *telephone booth*, cabine telefônica (também *call box*). *telephone directory*, lista telefônica. *telephone exchange*, central telefônica.

telephonist s. telefonista.
telescope s. telescópio.
telescopic adj. telescópico.
television s. televisão. *television set*, aparelho de televisão.
tell v.t e i. (pret, pp *told*) 1 dizer, contar, narrar: *Tell me the truth.* 2 descobrir, predizer: *It's impossible to tell who is lying.* 3 informar, comunicar, divulgar. 4 assegurar. 5 aconselhar, advertir: *I told her to accept the offer.* 6 reconhecer, distinguir: *Can you tell right from wrong?* *tell the time*, dizer as horas. *you can never tell*, nunca se sabe. *tell me another*, não acredito, conte outra.
teller s. 1 caixa de banco. 2 apurador de votos.
telltale s. leva-e-traz, mexeriqueiro.
telly s. (GB, infml) televisão.
temper s. 1 temperamento, gênio, humor: *a good temper / a bad temper.* *keep/lose one's temper*, controlar-se/descontrolar-se. *get into a temper*, ficar enfurecido/com raiva. *be in a temper*, estar de mau humor, estar com raiva. 2 (téc) (rel a metais) têmpera.
temper v.t e i. 1 (fml) temperar, moderar: *Justice tempered with generosity.* 2 (téc) (rel a metais) temperar.
temperament s. temperamento, índole, gênio: *an aggressive temperament.*
temperamental adj. temperamental, caprichoso.
temperate adj. 1 brando, ameno. 2 (rel a clima) temperado: *During spring Brazil has a temperate climate.*
temperature s. 1 temperatura. 2 temperatura do corpo, febre: *to have a temperature*, ter febre; *to take one's temperature*, medir a febre.
temple s. templo, igreja.
temporary adj. temporário, provisório: *He found a temporary job during summer.*
tempt v.t. tentar, atrair, seduzir: *He was tempted to buy that house.*

temptation s. tentação.
tempting adj. tentador, atraente: *a tempting suggestion.*
ten s., adj. dez.
tenacious adj. tenaz.
tenacity s. tenacidade.
tenant s. locatário, inquilino.
tend v.t. tender, ter tendência a: *Inflation is tending downwards.*
tend v.i. atender, tomar conta, cuidar: *She tented to her mother during her illness.*
tendency s. tendência, inclinação, propensão: *She has a tendency to exaggerate.*
tender adj. (-er, -est) 1 tenro, macio. 2 delicado. 3 carinhoso, meigo, gentil: *a tender mother.*
tenderloin s. lombo, filé.
tenderness s. ternura.
tennis s. tênis. *tennis-court*, quadra de tênis.
tense adj. (-r, -st) 1 tenso: *I felt tense during the meeting.* 2 esticado, estendido.
tense s. tempo verbal: *verb tenses.*
tension s. 1 tensão. 2 força de tração, força elástica, voltagem, pressão, compressão.
tent s. barraca, tenda: *They camped in a tent.*
tentacle s. tentáculo.
tenth s., adj. 1 décimo. 2 décima parte.
tenuous adj. 1 tênue, fino, sutil: *a tenuous connection.*
tepid adj. morno, tépido: *tepid relationship.*
term s. 1 termo, palavra: *a medical term.* 2 mandato, prazo: *The president's term expires at the end of the year.* 3 trimestre, período letivo: *We'll have oral tests at the end of the term.* 4 condição, cláusula: *We have to follow the terms in the contract.*
terminal adj. 1 final, terminal. 2 terminal (p ex rodoviário/ferroviário): *bus terminal.*

terrace

terrace s. 1 terraço, cobertura plana. 2 varanda, sacada, alpendre. 3 fileiras de casas geminadas.
terrestrial adj. terrestre.
terrible adj. 1 terrível, horrível, desagradável: *They saw a terrible fight on the street.*
terribly adj. 1 terrivelmente. 2 muito: *She was terribly ill.*
terrific adj. muito bom, impressionante, extraordinário: *You look terrific tonight.*
terrify v.t. (pret, pp -ied) apavorar, amedrontar: *The robbers terrified the neighborhood last weekend.*
territory s. (pl -ies) 1 território, domínio, colônia: *Brazil used to be a Portuguese territory.* 2 terra, região: *That part of the country is dangerous territory.*
terror s. terror, medo, pavor.
terrorism s. terrorismo.
terrorist s. terrorista.
test s. 1 prova, exame: *I have an oral test next week.* 2 análise: *a blood test.* 3 teste: *a psychological test.* **test tube**, tubo de ensaio.
testicle s. testículo.
testify v.t e i. (pret, pp -ied) comprovar, testificar, testemunhar: *They testified in court yesterday.*
testimonial s. 1 atestado, certificado. 2 carta de recomendação. 3 presente ou homenagem oferecida em testemunho de estima/agradecimento.
testimony s. 1 testemunho, depoimento. 2 prova, evidência.
tether 1 corda, corrente. 2 limite de recursos/habilidades. **be at the end of one's tether**, (fig) não ter mais forças/paciência, estar sem recursos.
tether v.t. acorrentar, amarrar.
text s. 1 texto. 2 tema. **textbook**, livro didático, compêndio.
textile adj. têxtil.
texture s. 1 textura, composição. 2 tecido.
than conj. 1 (em comparações) que,

do que: *She is more beautiful than her sisters.* 2 de: *I have more than 2 pairs of tennis shoes.* 3 que, a não ser, senão. **nothing else than**, somente, nada mais que.
thank v.t. 1 agradecer: *They thanked the new teacher for her help.* 2 responsabilizar, culpar: *You can thank him for that fight.* **Thank God!** Graças a Deus! **Thank you!** Obrigado!
thankful adj. agradecido, grato, reconhecido.
thankfully adv. agradecidamente, gratamente, reconhecidamente.
thanks s. agradecimentos. **thanks to**, graças a, por causa de, devido a. **Thanks**, Obrigado. **No, thanks**, Não, obrigado! **Many thanks**, Muito obrigado. **thanksgiving**, ação de graças. **Thanksgiving Day**, dia de ação de graças.
that adj. e pron. (pl *those*) aquele, aquela, tal: *in that case*, em tal caso. *that is/that is to say*, isto é. *that may be*, isso pode ser, é possível. *that's it*, isso mesmo. *that's that*, Pronto! Dito! Negócio fechado!
that adv. tão, até: *It's not that difficult to cook dinner.* **that far**, tão longe. **that much**, tanto. **that many**, tantos, tantas: *I don't have that many CDs.*
that conj. que: *I know that I promised to go out with her.* **so that/in order that**, para que, a fim de que, de modo que: *He prepared everything so that he could go home earlier.* **on condition that**, contanto que.
that pron. rel. (pl -) que, o(a) qual, os(as) quais: *The book that he read is very interesting.*
thaw v.t e i. 1 derreter(-se), degelar (-se), descongelar(-se). 2 (fig) (rel a pessoas) quebrar o gelo, ficar à vontade: *After the cocktail the guests began to thaw.*
the art. def. o, a, os, as 1 (usado com relação a coisas, pessoas,

acontecimentos já mencionados anteriormente): *They used to live in the big house that you like so much.* 2 (usado quando a situação indica quem ou o que está sendo mencionado): *He's the new English teacher.* 3 (usado com um substantivo quando este se refere a alguma coisa única): *The sky.* 4 (usado com um substantivo com relação a alguma coisa específica): *the color of his eyes.* 5 (usado com nomes de regiões geográficas/mares/rios/montanhas): *The Alps.* 6 (usado com um adjetivo que funciona como substantivo): *the poor/ the rich/ the brazilians.* 7 (usado com um substantivo no singular com sentido geral): *The cat is a domestic animal.* 8 (usado com nomes de instrumentos musicais): *play the guitar.* 9 (usado antes de medidas): *Potatoes are sold by the kilo.* 10 (usado com o plural de 20, 30, 40, etc expressando uma década): *in the 60's.* 11 (usado com títulos): *Queen Elizabeth the Second.*

the *adv.* 1 (usado em comparações) quanto (...) tanto: *the sooner the better,* quanto antes melhor. **so much the better,** tanto melhor. 2 (usado em superlativos): o/a/os/as (mais): *That was the most fascinating movie I've ever seen.*

theater *s.* 1 teatro. 2 anfiteatro. 3 (EUA) **movie theater,** cinema. 4 sala de operações: *operating theater.* (GB *theatre*).

theatrical *adj.* 1 teatral, dramático. 2 (rel a comportamento) forçado, exagerado, teatral.

theft *s.* roubo.

their *adj. poss.* deles, delas: *They have brought their coats.*

theirs *pron. poss.* o(s) dele(s), a(s) dela(s): *That house is not theirs, it's ours.*

them *pron.* 1 os, as, lhes: *Put them on the table.* 2 para/a eles, lhes, os: *He showed the new room to them.*

theme *s.* 1 tema, motivo. 2 prefixo musical. **theme song,** (reI a filme, peça de teatro, etc) tema musical.

themselves *pron.* 1 (reflex) se, si próprios, si mesmos: *They cut themselves.* 2 por si próprios, sozinhos: *all by themselves.* 3 (enfático): *They themselves prepared the dinner party.*

then *adv.* 1 então, nessa época: *I was sure of everything then.* **every now and then,** de vez em quando. **from then on/since then,** desde então, daí por diante. 2 depois, em seguida, então: *I went to Rio, then to London.* 3 nesse caso, pois, então. 4 e também. **but then,** mas por outro lado, mas ao mesmo tempo. **by then,** àquela altura: *By then the director already knew about the transfer.*

theology *s.* teologia.

theoretic (-ical) *adj.* teórico.

theory *s.* (pl-ies) 1 teoria. 2 hipótese, suposição, especulação.

therapist *s.* terapeuta.

therapy *s.* terapia.

there *adv.* 1 lá, acolá: *He has never been to Rio but he's going next Carnival.* 2 aí, ali. 3 eis: *There's a good woman.* **over there**, lá, acolá, por lá, por aí: *The children are playing over there.* **there you are**, Aí está! Aí vem você!

there *interj.* 1 (usado para expressar consolo): *There! There! Don't cry!* 2 (usado para expressar triunfo): *There! I won the competition.* 3 (usado para expressar consternação): *There, I broke the glasses.*

thereabout(s) *adv.* por aí, por lá, mais ou menos, aproximadamente.

thereafter *adv.* (fml) depois disso, daí em diante, subseqüentemente.

thereby *adv.* (fml) assim, com isso, de tal modo: *He was thereby convicted of the murder.*

therefore *adv.* por isso, portanto, logo, por conseguinte, então: *I haven't read*

his report, therefore I can't make any comments.
thermometer s. termômetro.
these V. this.
thesis s. (pl theses) tese.
they pron. eles, elas.
they'd contração de they had. 2 contração de they would.
they'll contração de they will.
they're contração de they are.
thick adj. (-er, -est) 1 grosso, espesso, denso: a thick forest. 2 (rel a líquidos, à atmosfera) espesso, turvo: a thick liquid. **thick with**, cheio de. 3 (rel à voz) rouco, abafado, gutural: Her voice sounded thick because she had been crying. 4 (infml) **as thick as thieves**, ser unha e carne. 6 **a bit thick**, um pouco demais, um pouco exagerado. **thickset**, (rel a pessoas) atarracado, baixo e rechonchudo. **thick-skinned**, (fig) insensível, indiferente, cascagrossa.
thickheaded adj. estúpido, burro, idiota.
thickness s. 1 grossura, espessura. 2 (gír) tolice, idiotice.
thief s. (pl thieves) ladrão, larápio, gatuno.
thigh s. coxa, fêmur.
thimble s. dedal.
thin adj. (-ner, -nest) 1 fino, delgado, de diâmetro pequeno: a thin plastic line. 2 esparso, escasso: thin hair. 3 magro, delgado: She looks thin after her trip to the countryside. 4 (rel a líquidos) ralo, aguado, diluído: thin soup. 5 (rel à voz) fraco, fino. 6 fraco, pobre, deficiente: a thin apology. **have a thin time**, passar um mau bocado. **thin-skinned**, (fig) melindroso, sensível, irritável.
thin v.t e i. (-nn-) afinar(-se), diminuir, diluir(-se), rarefazer(-se).
thing s. 1 coisa, objeto: He likes to keep his personal things in his room. 2 (pl) pertences, trastes, utensílios, roupas: baby things. 3 assunto, negócio: There are a lot of things that I need to talk to you about. 4 (pl) circunstâncias ou condições gerais: Don't make things more difficult for me. **For one thing**, primeiro, porque (introduzindo uma razão). **the (very) thing**, o justo, o próprio, o importante. 5 ser, criatura: a pretty little thing. **know a thing or two (about)**, saber alguma coisa (sobre). **make a good thing of**, (infml) aproveitar, tirar lucro ou proveito de. **tell (sb) a thing or two**, dizer (a alguém) umas verdades, passar um pito (em alguém).
think v.t e i. (pret, pp thought) 1 pensar: What are you thinking about? **think aloud**, pensar em voz alta. 2 julgar, achar. 3 imaginar. 4 pretender, tencionar: He is thinking of moving there. **think twice**, pensar duas vezes. **think of sth**, pensar em, lembrar-se de: Can you think of a good Chinese restaurant near the theatre? **think highly/well/little of sb/sth**, ter alguém ou algo em elevado/bom/baixo conceito. **think nothing of**, achar (algo) facílimo de fazer, não ligar a mínima para: He thinks nothing of walking 20 blocks to work. **think sth out**, cogitar, pensar profundamente, conceber um plano. **think sth over**, a) pensar, estudar. b) reconsiderar: It's a good offer but I have to think it over. **think sth up**, a) inventar, imaginar. b) projetar.
thinker s. pensador.
thinking s. 1 pensar. 2 opinião. 3 reflexão.
thinness s. delgadeza, finura, magreza.
third adj. e s. 1 terceiro. 2 terço. 3 terça parte. **third-rate**, de terceira categoria, de má qualidade, inferior.
thirst s. 1 sede. 2 (fig) ânsia, desejo ardente: a thirst for love.
thirst v.t. 1 ter sede, estar com sede. 2 (fig) ter sede de, ansiar por.
thirsty adj. (-ier, -iest) 1 sedento:

I'm so thirsty. **be thirsty,** estar com sede. **make (sb) thirsty,** dar sede. 2 seco, árido. 3 (fig) ansioso, desejoso: *Some people are thirsty for blood.* **bloodthirsty,** sangüinário.
thirteen *adj. e s.* treze.
thirteenth *adj. e s.* décimo-terceiro.
thirtieth *adj. e s.* trigésimo.
thirty *adj. e s.* trinta.
this *adj. e pron.* (pl **these**) (contrastando com *that, those*) 1 este, esta: *I want to read this book.*
this *adv.* (infml) assim, deste modo (indicando com um gesto): *The wave was this big!*
thorax *s.* tórax.
thorn *s.* 1 espinho (também fig). **a thorn in one's flesh/side,** (fig) espinho ou aflição constante. 2 arbusto ou moita coberta de espinhos.
thorough *adj.* completo, minucioso, perfeito: *a thorough job.* **thoroughbred,** puro-sangue, animal de raça.
thoroughfare, via pública (de trânsito intenso), rua principal.
those V. *that.*
though *conj.* 1 embora, apesar de: *He drove home though he didn't want to.* (= although). 2 (como *adv*) ainda assim, assim mesmo: *It's a hard job. I like it though.* **as though,** como se.
thought V. (pretérito do verbo *think*).
thought *s.* 1 pensamento, idéia. 2 espírito, mentalidade. 3 cuidado, consideração. **give sth a moment's thought,** levar em consideração, pensar um pouco sobre algo. 4 opinião, intenção. **on second thoughts,** pensado bem.
thoughtfull *adj.* 1 atencioso, gentil. 2 pensativo: *She looked thoughtful for a moment.*
thoughtfully *adv.* atenciosamente, pensativamente, refletidamente.
thoughtless *adj.* 1 desatencioso. 2 imprudente, descuidado. 3 estúpido, impensado.
thousand *adj. e s.* 1 mil, milhar. 2 milheiro. **by the thousands,** aos milhares. **one in a thousand,** um entre mil. **thousandth,** milésimo.
thread *s.* 1 fio, linha, fibra (para costurar ou tecer). 2 raio: *a thread of light.* **lose the thread of,** perder o fio (da conversa, argumento, etc). **hang by a thread,** estar por um fio.
thread *v.t.* 1 enfiar (agulha, linha, contas, etc). **thread one's way through,** passar ou ziguezaguear por (p ex ruas). 2 permear, entremear.
threadbare *adj.* 1 (rel a tecidos) gasto, surrado, puído. 2 (tig) (rel a argumentos) batido, vulgar.
threat *s.* 1 ameaça. 2 prenúncio, sinal (de perigo, dificuldade, etc).
threaten *v.t e i.* 1 ameaçar. 2 pressagiar, indicar (perigo, dificuldade etc). 3 (rel a algo desagradável) ser provável, ameaçar.
threatening *adj.* ameaçador: *a threatening face.*
threateningly *adv.* ameaçadoramente.
three *adj. e s.* três. **threesome,** trio, trinca.
threshold *s.* 1 soleira, entrada. 2 (fig) começo, princípio. 3 limiar.
threw V. (pretérito do verbo *throw*).
thrift *s.* economia, parcimônia, poupança.
thrill *s.* 1 emoção, sensação. 2 tremor, estremecimento.
thrill *v.t e i.* 1 emocionar, impressionar: *They were thrilled by her presence.* 2 fazer tremer, estremecer, vibrar.
thriller *s.* narrativa, peça ou filme de suspense que causa horror.
thrive *v.i.* (pret *throve* ou *-d*, pp *thriven* ou *-d*) 1 prosperar, ter sucesso: *a thriving business.* 2 florescer, desenvolver-se.
throat *s.* 1 garganta, goela. **a lump in one's throat,** um nó na garganta. **clear one's throat,** pigarrear. 2 esôfago, traquéia. 3 passagem estreita, entrada.
throb *v.i.* (-bb-) (rel ao pulso, ao coração, etc) 1 bater, pulsar: *Her heart was throbbing with fear.* 2 palpitar, latejar.

throb s. palpitação, pulsação, latejo.
throne s. 1 trono. 2 (fig) poder, autoridade real.
throng s. multidão, aglomeração: *There were throngs of people at the public demonstration.*
throng v.t e i. comprimir(-se), amontoar(-se), apinhar(-se).
throttle v.t e i. 1 estrangular, asfixiar. 2 controlar o fluxo de combustível para um motor.
throttle s. (rel a automóvel) afogador.
through adv. 1 de lado a lado, do começo ao fim: *The officer didn't let us go through the administration building.* 2 até o fim: *Have you read the report through?* **be through (with)**, a) acabar, terminar: *We're through with our relationship.* b) encerrar uma carreira: *He's through as a policeman.* c) cortar relações com, não querer nada com: *She's through with him.* **see through**, ajudar a vencer dificuldades/em momentos difíceis. 3 até, direto: *This bus goes through to Lapa.* 4 (em contatos telefônicos) em contato: *Can you put me through to the director?* (EUA também *thru*).
through prep. 1 (rel a lugares) de lado a lado, de uma extremidade a outra, através de, por, pelo: *to walk through the park.* 2 **go through**, (fig) examinar: *We must go through the financial reports.* 3 (rel a tempo) do começo ao fim: *They supported him through the evening.* 4 (indicando o meio ou a causa) através de, por causa de: *I got these tickets through the marketing department.* (EUA também *thru*).
throughout adv. completamente, por toda parte, em toda parte: *The room is redecorated throughout.*
throughout prep. através de, durante todo, por todo, em todo: *It was cold throughout the country.*
throve V. (pretérito do verbo *thrive*).
throw v.t e i. (pret *threw*, pp *thrown*) 1 lançar, atirar, arremessar: *He threw the ball at the players.* 2 (*on, off, over*) pôr/tirar (peça de roupa) apressadamente: *He threw off his coat before he sat down.* 3 dirigir (palavras olhar): *He threw me an envious look.* 4 transformar: *The teacher threw the class into confusion.* 5 tombar, derrubar. **throw a fit**, embravecer-se, subir a serra. **throw aside**, rejeitar, pôr de lado. **throw away**, jogar fora, desperdiçar. **throw down**, jogar ao chão, derrubar. **throw open**, a) abrir repentinamente. b) abrir, tornar livre: *The office doors were thrown open by the employees.* **throw out**, a) rejeitar. b) dar ou fazer (p ex uma sugestão). **throw over**, renunciar a, abandonar. **throw up**, a) vomitar: *She felt sick and threw up on the street.* b) abandonar.
throw s. 1 arremesso, lançamento. 2 lance. **within a stone's throw**, a pouca distância.
thrust v.t e i. (pret, pp -) 1 empurrar, dar encontrões. 2 forçar, furar, espetar. 3 atirar-se. 4 investir contra alguém (com espada, faca, etc): *She thrust at him.* **thrust through**, abrir caminho em/por.
thrust s. 1 empurrão, encontrão. 2 investida (de tropas, de palavras). 3 estocada, facada.
thud s. baque, ruído surdo.
thud v.i. (-dd-) baquear, cair ou bater com um ruído surdo.
thug s. criminoso violento, pessoa violenta, marginal.
thumb s. polegar. **be under the thumb of**, estar sob a influência ou o domínio de. **rule of thumb**, procedimento baseado na experiência/bom senso. **thumbs up**, expressão de satisfação, aprovação feita com o polegar.
thumb v.t. 1 manusear ou sujar com os dedos (p ex livros): *a well thumbed dictionary.* **thumb a lift/ ride**, (infml) pedir carona.
thump v.t e i. 1 bater, golpear. 2

dar pancadas ou golpes. 3 palpitar, latejar: *Her heart was thumping in excitement.*
thump *s.* 1 baque. 2 pancada ou golpe violento, paulada.
thunder *s.* 1 trovão: *After the wind came the thunder.* 2 (também pl) estrondo, barulho: *the thunders of applause.* **steal sb's thunder,** (infml) roubar a idéia de outro, receber aplausos devidos a outro. **thunderbolt,** a) raio junto com trovão. b) (fig) acontecimento inesperado.
thunder *v.i e t.* 1 trovejar: *I don't like it when it thunders.* 2 ribombar, ressoar. 3 esbravejar, gritar. 4 atacar violentamente com palavras.
thunderous *adj.* trovejante: *thunderous voice.*
thunder-struck *adj.* muito surpreso, chocado, estupefato.
Thursday *s.* quinta-feira.
thus *adv.* deste modo, desta maneira, assim, portanto, conseqüentemente.
thyroid *s.* (também - *gland*) tireóide.
tiara *s.* 1 grinalda, diadema, tiara (usada por mulheres). 2 mitra (usada pelo Papa).
tibia *s.* (pl *-e*) (anat) tíbia.
tic *s.* tique (contração involuntária dos músculos do rosto): *She has a nervous tic.*
tick *s.* carrapato.
tick *s.* 1 (rel a relógio) tic-tac. 2 (infml) momento, instante: *She'll be up in a tick.* 3 sinal (Ö) usado para conferir, que indica que algo está correto.
tick *v.i. e t.* 1 (rel a relógio) fazer tic-tac: *Children usually like to put a watch to their ears and listen to it ticking.* 2 conferir, marcar com o sinal correspondente: *The secretary ticked all the names on the list.* **make sb/sth tick,** (infml) levar uma pessoa/coisa a agir/trabalhar de uma determinada maneira: *What makes him tick?* **tick sb off,** ralhar com/repreender alguém. **tick over,** funcionar/trabalhar a passo lento.

ticket *s.* 1 ingresso (de cinema, teatro, etc), bilhete (de metrô, trem, ônibus, etc): *one way ticket,* bilhete de ida. 2 etiqueta (de preço, tamanho, etc). 3 (EUA) multa de trânsito: *He got a parking ticket.* **ticket collector,** cobrador (de trem, ônibus, etc).
ticket *v.t.* etiquetar, marcar com cartão.
tickle *v.t e i.* 1 fazer cócegas: *The girl loves to tickle her little brother.* 2 ter sensação de coceira: *My arm tickles.*
tickle *s.* cócega.
ticklish *adj.* 1 (rel a pessoas) sensível a cócegas, coceguento. 2 (rel a situações) delicado.
tidal *adj.* relativo à maré. **tidal wave,** a) onda gigantesca que acompanha um terremoto, Tsunami: *A tidal wave destroyed many villages on the coast of Asia.* b) (fig) onda, maré.
tide *s.* 1 maré: *high tide,* maré alta, preamar; *low tide,* maré baixa. 2 corrente, fluxo. 3 tendência da opinião pública: *The politicians are waiting for a change in the tide to present a new proposition to the Congress.* **swim/ go against the tide,** (infml) remar contra a maré, agir de maneira oposta à maioria das pessoas.
tidy *adj.* (*-ier, -iest*) 1 arrumado, limpo, em ordem: *a tidy bedroom.* 2 considerável, elevado.
tidy *s.* caixa, cesto, etc onde são depositadas bugigangas, quinquilharias.
tie *s.* 1 gravata: *bow tie,* gravata borboleta. 2 (fig) laços: *family ties.* 3 corda, corrente. 4 empate: *The soccer game ended in a tie.*
tie *v.t e i.* (pret, pp *tied,* g *tying*) 1 amarrar, atar: *He tied the two pieces of strings.* 2 dar laço, dar nó: *Can he tie his own shoes yet?.* 3 abotoar, fechar, ser fixado. 4 fazer um nó, fazer uma laçada. 5 empatar. **tie sb down,** restringir/ perder a liberdade: *He doesn't want to get tied down.* **tie sb down to sth,**

restringir, limitar. *tie (sth) in with sth*, combinar(com), estar em igualdade, ter relação com. *tie (sth) up*, a) investir dinheiro (de maneira que este não esteja disponível facilmente). b) vincular o uso/venda de bens a certas condições. *be/get tied up (with sth/sb)*, a) estar muito envolvido, estar muito ocupado. b) ligar, juntar. c) estar parado: *The traffic was tied up because of the demonstration.*

tier s. fila, fileira de cadeiras/lugares (como em um teatro ou estádio), arquibancada.

tie-up s. 1 conexão, ligação. 2 fusão, aliança, sociedade, parceria.

tiff s. discórdia, pequeno desentendimento: *a lovers' tiff.*

tiger s. tigre. *paper tiger*, inimigo que, apesar da aparência, é fraco.

tigerish adj. feroz, cruel, sangüinário.

tight adj. (-er, -est) 1 firme, justo, apertado: *tight trousers.* 2 bem cheio, apertado, tomado: *The manager always has a tight schedule.* 3 hermeticamente fechado, cerrado: *air tight container.* 4 (rel ao corpo, músculos etc) tenso, apertado: *a tight feeling.* 5 bem esticado, teso: *a tight line.* 6 equilibrado: *a tight contest.* *in a tight corner/spot*, em situação difícil e perigosa, em um beco sem saída: *They found themselves in a tight spot.* *a tight squeeze*, aperto. *air-tight*, hermético.

tight adv. 1 firmemente: *She held him tight in her arms.* 2 hermeticamente: *The package was closed tight.*

tighten v.t e i. apertar, esticar. *tighten up*, tornar mais rígido/severo.

tight-fisted adj. (infml) mesquinho, mão-de-vaca.

tight-laced adj. 1 bem amarrado. 2 mesquinho.

tight-lipped adj. (fig) calado, fechado.

tightly adv = tight.

tights s. (pl) 1 meia-calça. 2 malha/colante usado por bailarinos, acrobatas, etc.

tigress s. tigresa.

tilde s. til, sinal gráfico (-).

tile s. 1 telha. 2 ladrilho, azulejo. *have a tile loose*, (infml) ter um parafuso a menos, ser meio louco.

tile v.t. 1 colocar telhas. 2 ladrilhar, azulejar.

till prep. e conj. V. *until*.

till s. gaveta de caixa registradora. *have one's fingers in the till*, (infml) roubar do lugar onde se trabalha.

tillage s. 1 lavoura, agricultura. 2 terra cultivada.

tiller s. 1 lavrador, agricultor. 2 cana do leme de um barco.

tilt v.t e i. inclinar, balançar: *Don't tilt the boat.*

tilt s. posição inclinada, inclinação.

timber s. 1 madeira de construção. 2 tora, viga. 3 floresta.

timbered adj. feito ou revestido de madeira.

time s. 1 tempo, espaço de tempo, época, período: *Youth is a wonderful time in our lives.* 2 tempo, o passar do tempo: *Only time will cure.* 3 período de tempo: *It's been a long time.* 4 horas: *What time is it?* Que horas são? 5 momento. 6 vez, ocasião: *Next time I'll see you there.* 7 (pl) vezes: *She earns five times more than I do.* 8 (ger plural) tempos: *old times.* 9 (mús) tempo, compasso, ritmo. *all the time*, a) todo o tempo. b) em todos os momentos, continuamente: *He's present in our lives all the time.* *be ahead of one's time*, ter idéias avançadas. *at all times*, sempre. *at the same time*, a) juntos, ao mesmo tempo. b) ainda assim, apesar disso. *behind time*, atrasado. *behind the times*, fora de moda. *on time*, a) pontual: *He's always on time.* b) pontualmente: *The bus arrived on time.* *in time*, a) a tempo. b) no ritmo. *from time to times/at times*, de vez em quando, ocasionalmente. *half the time*, a) na maior parte do tempo,

freqüentemente. b) na metade do tempo. **time and (time) again/times without number**, repetidas vezes, freqüentemente. **from time to time**, às vezes, de vez em quando. **in no time**, bem depressa. **for the time being**, por enquanto, no momento. **Have a good time!** Divirta-se! **play for time**, ganhar tempo. **It's only a matter/question of time**, É só uma questão de tempo. **kill time**, matar o tempo fazendo algo. **take one's time**, ir devagar, fazer algo no seu próprio ritmo. **once upon a time**, era uma vez. **have the time of one's life**, passar por um período agradável e divertido. **time-bomb**, bomba-relógio. **time-card/-sheet**, cartão de ponto. **time-fuse**, fuso horário. **time-keeper**, cronometrista, apontador. **time-lag**, intervalo, hiato. **time-limit**, prazo.
time v.t. 1 calcular, escolher o momento oportuno: *She timed the moment of her arrival.* 2 cronometrar: *to time the players.* 3 regular.
timely adv (-ier, -iest) oportuno, conveniente, na hora certa: *a timely comment.*
timer s. 1 cronômetro. 2 cronometrista.
time-saving adj. que economiza tempo: *a time saving activity.*
timetable s. 1 horário de chegadas e partidas de trens, ônibus, etc. 2 horário das aulas de uma escola.
timid adj. acanhado, tímido.
timing s. senso de oportunidade, escolha do momento oportuno para agir.
tin s. 1 estanho. 2 lata (EUA *can*): *a tin of cookies.* 3 (gír, GB) dinheiro. **tinfoil**, folha de estanho usada para embrulhar cigarros, etc. **tin opener**, abridor de latas. **tinplate**, folha-de-flandres.
tin v.t. (-nn-) 1 colocar uma camada de estanho. 2 enlatar: *tinned food.*
tinge s. 1 pouco, toque. 2 tom, traço: *There was a tinge of worry in her voice.*

tingle v.i. tiritar, tremer: *The cold is making her tingle.*
tinker s. 1 funileiro, vendedor ambulante. 2 cigano.
tinker v.i. 1 improvisar conserto. 2 mexer (com), interferir: *Don't tinker with these machines.*
tinkle v.i. tinir, tilintar.
tinsel s. ouro falso, algo vistoso mas ordinário.
tint s. matiz, variedade de cor ou tom.
tint v.t. tingir, corar, dar um toque.
tiny adj. (-ier, -iest) bem pequeno, minúsculo, diminuto.
tip s. ponta, extremidade. **have (sth) on the tip of one's tongue**, ter algo na ponta da língua, estar prestes a lembrar-se de uma palavra, nome, etc.
tip v.t. (-pp-) colocar ponta: *tipped cigarettes.*
tip v.t e i. (-pp-) 1 **tip (sth) up**, levantar, inclinar, virar de um lado. 2 **tip sth (over)**, fazer virar, fazer derramar. 3 esvaziar, despejar.
tip v.t. (-pp-) 1 tocar, bater de leve: *to tip the football.* 2 dar gorjeta: *He tipped the waitress.* **tip sb off**, (infml) dar uma dica/um palpite/uma informação.
tip s. 1 gorjeta. 2 dica, palpite, informação.
tip-off s. aviso, dica.
tipple s. bebida alcoólica.
tipster s. aquele que fornece palpites para corridas.
tipsy adj. (infml) tocado, alegre (devido à bebida).
tiptoe v.i. andar nas pontas dos pés.
tiptop adj. da melhor qualidade, excelente.
tirade s. discurso longo de crítica/repreensão.
tire s. pneu. **flat tire**, pneu furado: *I had a flat tire.* (GB *tyre*).
tire v.t e i. cansar: *Working late nights tires me.* **be tired of**, estar cansado de: *I'm tired of your rude remarks.*

tired adj. cansado: *He was tired after the long train journey.* **tired out,** exausto.
tireless adj. incansável: *a tireless person.*
tiresome adj. cansativo, enfadonho, fatigante, maçante: *We had a tiresome class.*
tissue s. 1 tecido: *nervous tissue.* 2 papel de seda: *tissue paper.* 3 (fig) série.
tit s. **tit for tat,** pagar na mesma moeda.
tit s. (vulg) teta, seio.
titbit s. petisco, gulodice.
titilate v.t. excitar, estimular.
title s. 1 título (de livro, de filme, de poema, etc). 2 palavra usada para indicar a posição ou grau de uma pessoa (p ex doutor, professor, senhor, etc). 3 (jur) documento de posse ou propriedade: *Do you have any title to the land?* 4 (rel a campeonato) título: *National title.* **title-deed,** documento de propriedade. **title-role,** (teat) papel principal (que dá nome a uma peça).
titular adj. 1 titular. 2 honorário.
tizzy s. **be in a tizzy,** estar em estado de nervosismo/confusão mental.
T-junction s. (rel a estradas) cruzamento em T.
to adv. 1 para si, a si, à consciência: *The patient didn't come to for hours after the incident.*
to partícula que marca o infinitivo dos verbos. 1 (usado antes de muitos verbos para indicar o infinitivo; não é usado antes de *can, could, may, might, must, will, would, shall, should, ought to*): *She wants to study English.* 2 (usado com advérbios que indicam propósito, resultado, efeito, conseqüência): *He just called (in order) to say hello.* 3 (usado depois de *where, how, who, whom, whose, which, what, when* e *whether*): *He doesn't know where to go.* 4 (depois de substantivos): *Give me a reason to stay with you.* 5 (usado depois de adjetivos): *I'm so happy to tell you....* 6 (usado para introduzir orações substantivas reduzidas de infinitivo): *To eat properly is the first step to a healthy life.* 7 (usado como substituto de um infinitivo): *He didn't want to go but he had to.* 8 (com verbos como *going (to), used (to), ought (to).*
to prep. 1 para, em direção a: *drive to work.* 2 (fig) para, com relação a (uma condição, qualidade, etc): *a tendency to loneliness.* 3 introduzindo o objeto indireto: *Who did you talk to?* 4 até. 5 a, do que (em comparações): *I prefer coffee to tea.* 6 para: *twenty to two.*
toad s. sapo.
toast s. torrada.
toast v.t e i. 1 tostar. 2 aquecer.
toast s. brinde, saudação: *raise a toast to the president.*
toast v.t. levantar um brinde, brindar à saúde de alguém.
toaster s. torradeira.
tobacco s. 1 fumo, tabaco. 2 (Pl) tipos de fumo.
tobacconist s. 1 vendedor de fumo. 2 tabacaria.
toboggan s. tobogã.
today adv. 1 hoje: *Today is Tuesday.* 2 atualmente, no presente momento: *We have more security problems today than before.*
toddle v.i. andar com passos incertos (como criança), titubear.
toddler s. criança que está aprendendo a andar, criancinha.
toe s. 1 dedo do pé. 2 (rel a animal) casco, unha. 3 biqueira de sapato, ponta de meia. **tread/step on sb's toes,** (fig) ofender alguém. **from top to toe,** dos pés à cabeça, completamente. **on one's toes,** (fig) alerta, pronto para agir. **on tiptoe,** nas pontas dos pés. **toenail,** unha dos dedos dos pés. **big toe,** dedão do pé.
toffee s. bala de leite.

together *adv.* 1 junto, em companhia: *We went home together last night.* 2 um com o outro, em conjunto. 3 ao mesmo tempo, simultaneamente: *Sometimes all the problems come together.* **together with**, junto com, juntamente com.
toil *v.i.* 1 trabalhar arduamente. 2 movimentar-se com dificuldade.
toil *s.* trabalho árduo/pesado.
toilet *s.* 1 toalete, ato de vestir-se e arrumar-se. 2 banheiro, vaso sanitário, lavabo. 3 (usado como *adj.*) toalete, toucador: *toilet articles,* artigos de toucador. **toilet-paper**, papel higiênico. **toilet-roll**, rolo de papel higiênico. **toilet water**, água-de-colônia.
token *s.* 1 símbolo, sinal, indício, recordação: *This is a token of our friendship.* 2 (usado como *adj.*) simbólico. 3 ficha telefônica. 4 vale. **token payment**, sinal, pagamento nominal, jetom.
told *V.* (pretérito do verbo *tell*).
tolerable *adj.* (fml) tolerável, suportável, razoável.
tolerance *s.* tolerância.
tolerant *adj.* tolerante: *She has a tolerant husband.*
tolerate *v.t.* 1 tolerar, permitir: *He said he won't tolerate any delay.* 2 suportar.
toleration *s.* tolerância, indulgência.
toll *s.* 1 taxa, pedágio. 2 (fig) número de vítimas. **tollbooth**, posto de pedágio.
toll *v.t e i.* 1 anunciar ou chamar por meio de sinos. 2 (rel a sinos) dobrar.
toll *s.* badalada, dobre (de sinos).
tomato *s.* (pl -es) tomate.
tomb *s.* túmulo, sepultura, tumba.
tombstone, lápide, pedra inscrita sobre o túmulo.
tomboy *s.* menina levada.
tomcat *s.* gato macho.
tome *s.* tomo, livro grande e pesado.
tomorrow *adv.* amanhã: *Tomorrow is another day.*
ton *s.* 1 tonelada, 1000 Kg. 2 (infml) grande quantidade: *He has tons of money.*
tone *s.* 1 tom: *a serious tone of voice.* 2 entonação, acento. 3 estilo, caráter. 4 tonalidade, matiz, tom. 5 vigor, saúde, tônus: *muscular tone.* **tone-deaf**, (rel a pessoas) sem ouvido musical.
tone *v.t e i.* 1 harmonizar, combinar: *The designer toned down the room colors.* 2 dar tom, matizar. **tone sth up**, aumentar a força, tornar vigoroso/forte. **tone in (with)**, estar em harmonia (com), combinar.
tongs *s.* (pl) (ger *a pair of -*) tenaz, pinça.
tongue *s.* 1 língua. 2 idioma.
tonic *s.* 1 tônico, fortificante. 2 (mús) nota tônica. 3 água tônica: *a gin and tonic.*(também *water*).
tonight *adv.* hoje à noite, esta noite.
tonsil *s.* amídala.
too *adv.* 1 (antes de *adj.* e *adv*) demasiadamente, demais, mais do que o suficiente: *We ate too much at dinner.* 2 também, igualmente: *He can speak French and English too.* **all too soon/quickly**, mais rapidamente do que se esperava..
took *V.* (pretérito do verbo *take*).
tool *s.* 1 ferramenta, instrumento, utensílio, implemento. 2 (fig) (rel a pessoas) fantoche, instrumento. **machine tool**, máquina operatriz.
tooth *s.* (pl *teeth*) dente (também de serra, pente, ancinho, etc). **armed to the teeth**, armado até os dentes. **in the teeth of**, em oposição a, contra, a despeito de. **fight tooth and nail**, lutar/brigar com unhas e dentes/violentamente. **escape by the skin of one's teeth**, escapar por um triz. **have a sweet tooth**, gostar de doces. **show one's teeth**, tomar uma atitude agressiva. **toothache**, dor de dente. **toothbrush**, escova de dentes. **toothless**, sem dentes, desdentado. **toothpaste**, pasta de dentes. **toothpick**, palito. **fine-tooth**

top

comb, pente fino. ***go over sth with a fine-tooth comb***, examinar algo com pente fino.
top *s*. 1 topo, alto, cume, ponto mais alto, pico. 2 a parte de cima, a parte mais alta: *the top of the house*. ***on top of***, a) em cima de. b) além do mais, ainda por cima. *I gave him everything I had, but on top of that he wanted more*. ***from top to bottom***, completamente. ***feel on top of the world***, sentir-se feliz. ***shout at the top of one's voice***, gritar alto. ***be at the top/reach the top***, estar no/atingir o ponto mais alto de uma carreira, estar em posição poderosa. ***in top gear***, (rel a carros) em quarta/quinta (marcha). ***blow one's top***, (infml) explodir de raiva. ***at top speed***, a todo vapor. ***top brass***, os manda-chuvas, a chefia. ***topcoat***, sobretudo, casacão. ***top floor***, andar mais alto de um edifício. ***top hat***, cartola. ***top-heavy***, pesado demais no alto, desequilibrado. ***topless***, com os seios descobertos. ***topmost***, o mais alto, o mais elevado. ***top-ranking***, do mais alto grau, da mais alta posição: *top model*. ***top secret***, muito sigiloso. ***top soil***, camada superior do solo.
top *v.t.* (-pp-) 1 cobrir, coroar, tampar: *They topped the cake with chocolate*. 2 alcançar, subir ao topo/ao auge. 3 superar, subir alto, elevar-se, passar por cima. 4 cortar a parte superior. ***top sth up***, completar, encher: *He topped the oil tank*. ***to top it all***, para acabar, ainda por cima.
top *s*. pião. ***sleep like a top***, dormir como uma pedra.
topaz *s*. topázio.
topic *s*. tópico, tema, assunto.
topical *adj*. 1 atual, do momento. 2 (med) superficial, tópico, local.
topographical *adj*. topográfico.
topple *v.t e i*. tombar, derrubar, desequilibrar(-se), fazer cair: *The rebels toppled the administration*.
topsy-turvy *adj*. de pernas para o ar, de cabeça para baixo, em confusão, em desordem.
torch *s*. 1 lanterna de pilhas *(EUA flashlight)*. 2 tocha, archote. ***torchlight***, luz de lanterna.
tore V. (pretérito do verbo *tear*).
torment *s*. 1 angústia, suplício, sofrimento, tortura. 2 causa de angústia, sofrimento, suplício.
torment *v.t.* atormentar, afligir, torturar: *He was tormented by fear*.
tormentor *s*. algoz, torturador.
torn V. (pretérito do verbo *tear*).
tornado *s*. (pl *-es*) tornado, tufão, furacão.
torpedo *s*. (pl *-es*) torpedo.
torpedo *v.t.* 1 torpedear. 2 destruir, criticar, atacar.
torpor *s*. torpor, entorpecimento, inércia, insensibilidade.
torrent *s*. torrente, enxurrada: *a torrent of complaints*.
torrential *adj*. torrencial.
torrid *adj*. 1 tórrido, quente: *a torrid beach*. 2 ardente, apaixonado: *a torrid affair*. 3 forte, ardente, picante: *a torrid scene*.
torso *s*. (rel a pessoas ou estátuas) tronco, busto, torso.
tortoise *s*. tartaruga, cágado. ***tortoiseshell***, a) casca/carapaça de tartaruga. b) cor de tartaruga.
tortuous *adj*. 1 tortuoso, torcido, sinuoso. 2 dissimulado, desonesto: *a tortuous report*.
torture *v.t.* torturar, afligir, atormentar: *He likes to torture her*.
torture *s*. tortura, tormento, suplício, aflição.
torturer *s*. torturador, algoz.
toss *v.t e i*. 1 atirar (para o ar), jogar (para cima): *She tossed me the ball*. 2 jogar a cabeça (para trás): *She tossed her head proudly*. 3 sacudir, balançar, agitar, atirar. ***toss a coin***, jogar uma moeda para o alto para tirar a sorte. ***toss (for sth)***, jogar uma moeda para

resolver algo. **toss of,** a) terminar/ fazer algo às pressas. b) (gír, vulg) masturbar(-se).
toss s. 1 lance, arremesso: *a toss of a ball.* 2 balanço, sacudida, agitação. 3 ação de atirar a cabeça para trás.
toss-up, a) jogo de cara ou coroa. b) incerteza.
tot s. 1 criancinha: *a tiny tot.*
tot v.t e i. (-tt-) (infml) somar, montar a, totalizar.
total s. total, soma. *in total,* no total.
total adj. integral, inteiro, total, completo: *There was total silence in the hospital.*
total v.t. (-ll -l-) totalizar, somar, montar a: *The car repair totaled more than U$ 500.*
totalitarian s. e adj. totalitário.
totem s. totem.
touch v.t e i. 1 tocar(-se), tocar em, encostar(-se) em: *He touched the machine very carefully.* 2 tocar em, pegar, mexer: *Please don't touch the pictures.* 3 igualar(-se), alcançar. 4 (rel a navios) atracar. **touch down,** aterrissar. **touch on/upon,** referir-se a, aludir a, dizer respeito a. 5 comover. **touch in/up,** acrescentar os detalhes, retocar. **touch wood,** (superstição de) tocar em algum objeto de madeira para afastar a má sorte.
touch s. 1 toque, apalpadela: *She felt a light touch on her shoulder* .2 tato, sensação (tátil). 3 pequena quantidade, um quê, traço, sinal: *It has a touch of lemon.* 4 toque, traço: *She has the touch of an artist.* **in touch (with),** em contato (com). **lose touch (with),** perder contato (com). **touch-and-go,** situação arriscada/perigosa, incerteza. **touch off,** deflagrar: **touchdown,** aterrissagem. **touchstone,** pedra de toque, algo usado como critério para estabelecer um padrão: *Her father was the touchstone of the company.*
touched adj. 1 sensibilizado, comovido: *We were touched by her kindness.* 2 louco, tolo.

touching adj. comovente.
touchy adj. *(-ier, -iest)* sensível, suscetível, irritável: *My boss is very touchy.*
tough adj. *(-er, -est)* 1 duro, rijo: *He is a tough guy.* 2 forte, resistente. 3 violento, agressivo: *They are very tough with students.* 4 difícil: *a tough job.* **a get tough policy,** uma política rígida, tática de linha dura. **get tough (with sb),** agredir, reagir duramente. **tough luck,** (infml) má sorte. **tough customer,** homem grosseiro.
toughness s. 1 resistência, dureza, rigidez, força. 2 agressividade. 3 dificuldade.
toughen v.t e i. endurecer, fortalecer (-se), enrijecer(-se).
tour s. 1 excursão, viagem (de turismo), passeio: *a tour around the country.* 2 visita: *a tour of the school.* 3 turno, estada, tempo de serviço. **on tour,** em viagem, em visita, em excursão.
tour v.t e i. viajar, excursionar, visitar, dar uma volta/passeio, fazer turismo: *They are touring the world.*
tourism s. turismo.
tourist s. turista.
tourist adj. turístico, de turismo: *a tourist place.*
tournament s. torneio, competição.
tourniquet s. (med) torniquete.
tousle v.t. 1 despentear: *tousled hair.* 2 desarranjar, pôr em desordem.
tow s. reboque, ato de rebocar. **on tow,** em reboque. **in tow,** junto com (alguém): *Mary came with her friends in tow.*
tow v.t. rebocar: *The car had been parked in front of the hospital and was towed.* **tow-truck,** (EUA) guincho, carro-rebocador.
toward(s) prep. 1 em direção a, na direção de, para: *The customers came towards the manager.* 2 com relação a, para com, sobre, concernente, com respeito a. 3 (rel a tempo) perto de,

towel

próximo a: *The policeman appeared towards the end of the conflict.* **4** em prol de.

towel *s.* toalha. ***throw in the towel***, desistir de alguma coisa, admitir derrota.

towel *v.t.* *(-ll-* EUA *-l-)* enxugar-se com uma toalha.

tower *s.* torre, cidadela, fortaleza: *Eiffel tower.* ***tower of strength***, pessoa em que se pode confiar, de que se pode depender, etc quando necessário. ***tower-block***, edifício alto, arranhacéu (de apartamentos ou escritórios).

tower *v.i.* **1** ser muito alto, especialmente em relação a algo específico do ambiente: *The building towers over the area.* **2** ter algo a mais que os outros.

town *s.* **1** cidade não muito grande, centro urbano: *He lives in a small town.* (Cf. *city*). **2** centro comercial de uma cidade: *She is going to town this morning.* ***out of town***, fora (da cidade), em viagem. ***in town***, a) na cidade. b) no centro (da cidade). ***go to town***, (infml) divertir-se. ***paint the town red***, (infml) cair na gandaia, divertir-se. ***go out on the town***, (infml) sair e divertir-se na cidade (ger à noite). ***downtown***, centro da cidade. ***town council***, prefeitura, câmara municipal. ***town councillor***, vereador. ***town hall***, edifício da câmara municipal, prefeitura. ***town house***, a) casa da cidade. b) edifício urbano de dois ou três andares, divididos em apartamentos. ***town planning***, urbanismo. ***townsfolk***, gente da cidade, cidadãos. ***township***, a) municipalidade. b) município, cidade pequena.

toxic *adj.* tóxico, venenoso.

toy *s.* brinquedo. ***toy shop***, loja de brinquedos.

toy *v.i.* **1** divertir-se (com a idéia de), pensar/considerar algo de forma não muito séria: *They toyed with the idea of moving to another country.* **2** brincar (com algo): *She toyed with the food. I think she wasn't hungry.*

trace *s.* **1** traço, sinal, marca, rastro, pista. ***lose (all) trace of sth/sb***, não saber onde algo/alguém se encontra, perder algo/alguém. **2** traço, pequena quantidade de algo: *There is a trace of whisky in this drink.*

trace *v.t e i.* **1** decalcar, copiar com papel carbono ou papel transparente. **2** traçar, delinear, esboçar. **3** localizar, seguir pelo rastro. **4** determinar, investigar.

track *s.* **1** rastro, pegada, marca de rodas/pneus: *The detectives followed the tracks of the burglars.* **2** (rel a ferrovia) trilho, linha. **3** trilha, picada. **4** rota, caminho, trajeto, trajetória, curso. **5** pista: *running track.* ***cover (up) one's tracks***, manter em segredo os movimentos/atividades de alguém. ***stop in one's tracks***, (infml) ser pego de surpresa. ***lose track of sth/sb***, perder contato com algo/alguém, perder algo/alguém de vista. ***keep track of sth/sb***, manter contato com algo/alguém, manter-se informado a respeito de algo/alguém. ***be on sb's track***, estar no encalço de/perseguir alguém. ***off the beaten track***, pouco conhecido. ***be on the right/wrong track***, estar no caminho certo/errado. ***have a one-track mind***, estar obcecado por algo. ***track suit***, agasalho, training. ***tracking station***, (rel a mísseis, satélites, astron) centro de rastreamento.

track *v.t.* rastrear, rastejar: *The police tracked down the hackers.*

tract *s.* ensaio, tratado, artigo: *He wrote a tract on folklore.*

tract *s.* **1** área, extensão, trecho. **2** (med) trato: *the digestive tract.*

traction *s.* tração, ação de puxar, força de tração.

tractor *s.* trator.

trade *v.t e i.* **1** comerciar, negociar,

comprar e vender: *They trade in car parts.* 2 trocar. *trade on/upon*, aproveitar-se de.
trade s. 1 comércio, negócio, permuta, intercâmbio: *the technology trade.* 2 meio de vida, ocupação, profissão. *trade-mark*, a) (com) marca registrada. b) característica marcante: *That companies signature is its real trademark. trade name* (também *brand name*), marca de fábrica, nome comercial. *trade price*, preço por atacado. *tradesman*, comerciante lojista. *tradesman's entrance*, (rel a edifícios, residências, etc) entrada de serviço. *trade-union*, sindicato. *trade-unionist*, sindicalista. *trade-wind*, vento alísio.
trader s. comerciante, negociante, lojista.
tradition s. tradição.
traditional *adj.* tradicional.
traffic s. 1 tráfego, trânsito. 2 tráfico ilícito. 3 comércio de transportes, transporte. *traffic light/signal*, sinal de trânsito, semáforo. *traffic warden*, policial de trânsito.
traffic *v.i.* (-ck-) lidar com/comercializar/comerciar/negociar algo ilícito: *He traffics illegal drugs.*
tragedy s. 1 (rel a teatro) tragédia. 2 desgraça, calamidade, tragédia.
tragic *adj.* trágico.
trail s. 1 rastro, pegada, marca de rodas, etc (= *track*). 2 linha, rastro: *The earthquake left a trail of destruction in Asia.* 3 trilha, picada (= *track*). *be hot on the trail (of)*, estar no encalço (de). *blaze a/the trail*, (fig) abrir o caminho, ser o primeiro a fazer algo.
trail *v.t. e i.* 1 arrastar, puxar: *The actress dress was trailing along the stage.* 2 localizar, rastrear: *This device trails any different movement.* 3 andar a passos lentos. 4 (rel a plantas) trepar, rastejar.
trailer s. 1 veículo de transporte (ger pequeno) puxado por outro veículo. 2 trailer, reboque utilizado para camping.
trailer s. exibição de trechos de um filme de próxima apresentação, trailer.
train s. 1 trem: *I like to travel by train.* 2 seqüência, sucessão, série. 3 fileira, caravana, fila. *be in train*, estar preparado/pronto.
train *v.t e i.* 1 treinar, instruir, formar: *We train teachers every semester.* 2 domar, domesticar, amestrar: *He trained his dogs to protect the house.* 3 (rel a armas) apontar. 4 (rel a plantas) puxar, dirigir o crescimento para a direção desejada.
trainee s. aprendiz, estagiário, pessoa em treinamento.
trainer s. 1 treinador. 2 instrutor, formador, educador: *a teacher trainer.*
training s. treinamento, formação, instrução, educação. *be in/out of training*, estar em boa/má forma (física, mental, etc). *training college*, instituto de formação de professores.
trait s. traço característico, feição, peculiaridade.
traitor s. traidor.
tram s. bonde (EUA *street-car*).
tramp s. pessoa indigente. *tramp steamer*, navio de carga sem rota fixa.
trample *v.t e i.* 1 pisar, pisotear: *Many young people were trampled during the show.* 2 (fig) magoar: *She trampled on his feelings.*
trance s. transe, estupor, estado hipnótico, pasmo. *go into a trance*, entrar em transe.
tranquil *adj.* calmo, quieto, tranqüilo, sossegado, plácido.
tranquility s. tranqüilidade, sossego, placidez. (GB *tranquillity*).
tranquilizer(-liser) s. (med) tranqüilizante, calmante, sonífero. (GB *tranquillizer*).

**trans- ** *prefixo* trans-, através, do outro lado: *trans-American*.
transaction *s.* 1 negócio, negociação, transação, operação. 2 (pl) atas, trabalhos de uma sociedade acadêmica/científica.
transcend *v.t.* (fml) ultrapassar, superar, transcender, exceder.
transcendental *adj.* 1 transcendental. 2 sobrenatural, fantástico. 3 incompreensível.
transcribe *v.t.* 1 transcrever, passar a limpo, copiar. 2 passar para outro alfabeto/código.
transcription *s.* transcrição.
transfer *v.t e i.* (-rr-) 1 transferir(-se), transportar(-se), remover: *The soccer player was transferred to a Spanish soccer team*. 2 transferir, ceder (direito, propriedade), passar de uma pessoa para outra.
transfer *s.* 1 transferência. 2 (rel a direitos, propriedades) cessão. 3 bilhete/passagem de integração/baldeação.
transferable *adj.* transferível.
transference *s.* transferência (ger de um emprego para outro).
transform *v.t.* alterar, transformar, mudar a aparência/qualidade/característica de: *His surgery transformed him completely*.
transformation *s.* transformação, alteração.
transformer *s.* (eletr) transformador.
transfuse *v.t.* fazer/submeter a transfusão (ger de sangue).
transfusion *s.* transfusão (ger de sangue): *a blood transfusion*.
transgress *v.t e i.* (fml) 1 ultrapassar, passar além de, transpor. 2 transgredir, desobedecer, violar. 3 pecar.
transgression *s.* transgressão, violação, infração.
transient *adj.* (fml) transitório, passageiro.
transistor *s.* 1 transistor. 2 rádio transistor.

transit *s.* trânsito, passagem. *in transit*, em trânsito, no/durante o transporte.
transition *s.* transição, mudan ça.
transitive *adj.* (gram) transitivo: *a transitive verb*.
transitory *adj.* = transient.
translate *v.t.* 1 traduzir: *Translate from English to Spanish*. 2 explicar, interpretar.
translation *s.* tradução, versão.
translator *s.* tradutor.
translucent *adj.* translúcido.
transmission *s.* 1 transmissão, emissão. 2 (mec) sistema de transmissão (em veículos).
transmit *v.t.* (-tt-) 1 transmitir, emitir: *transmit by fax*. 2 transmitir, passar: *transmit a disease*.
transmitter *s.* transmissor, emissor.
transparency *s.* (pl -ies) 1 transparência. 2 fotografia ou desenho em forma de slide.
transparent *adj.* 1 transparente. 2 evidente, claro: *His propositions were transparent*.
transpire *v.t e i.* (fml) (rel a eventos, segredos, etc) vir à luz, ficar conhecido, transpirar.
transplant *v.t e i.* 1 transplantar (plantas, órgãos do corpo). 2 (rel a pessoas) transferir, transportar, mudar.
transplant *s.* transplante: *a kidney transplant*, transplante de rim.
transport *s.* transporte: *public transport system*.
transport *v.t.* 1 transportar. 2 deportar.
transportation *s.* 1 (esp EUA) transporte: *public transportation*. 2 deportação.
transporter *s.* caminhão transportador de veículos.
transpose *v.t.* (fml) 1 inverter a ordem/lugar de. 2 (mús) transportar.
transverse *adj.* transverso, transversal, atravessado.
trap *s.* 1 armadilha. 2 cilada. 3 sifão (em encanamento). 4 carruagem leve

de duas rodas, aranha. **trapdoor**, alçapão.
trap v.t. (-pp-) 1 pegar em armadilha. 2 capturar por meio de cilada. 3 não ter saída: *The prisoners are trapped.*
trapeze s. trapézio.
trapper s. caçador que apanha animais em armadilhas (esp para comercializar a pele).
trappings s. (pl) decoração, ornamentos, enfeites, esp de funções e cargos oficiais.
trash s. 1 material/escritos sem valor. 2 (EUA) lixo, refugo. 3 pessoa sem valor.
trashy adj. (infml) sem valor, imprestável: *trashy things.*
trauma s. (pl -s ou -mata) 1 ferimento, traumatismo (físico). 2 trauma (emocional).
travel v.t e i. (-ll- EUA -l-) 1 viajar: *They are traveling around Europe.* 2 (fig) viajar, vagar, percorrer. 3 mover-se, andar, percorrer: *The news about the prize traveled fast.*
travel s. 1 viagem (o ato de viajar): *She's fond of travels.* 2 (pl) viagens, andanças (esp para o exterior): *Columbus travels.* **travel agency**, agência de viagens. **travel agent**, agente de viagens.
traveled adj. 1 viajado: *a widely traveled man.* 2 visitado, experimentado, percorrido: *a much traveled region; well traveled roads.* (GB *travelled*).
traveler s. 1 viajante. 2 caixeiro viajante (= *commercial traveler*). (GB *traveller*). **traveler's cheque**, cheque de viagem. (GB *traveller's check*).
traverse v.t. (fml) atravessar, passar sobre/através, cruzar, percorrer: *Lightning traversed the darkness.*
travesty s. (pl –ies) travesti.
travesty v.t. (pret, pp -ied) travestir, parodiar.
trawl v.t e i. pescar com rede de arrastão.
tray s. bandeja.
treacherous adj. 1 traiçoeiro, desleal.
2 incerto, perigoso, traiçoeiro: *a treacherous way.*
treachery s. (pl -ies) traição, deslealdade, falsidade.
treacle s. melaço, melado.
tread v.t e i. (pret *trod*, pp *trodden*) 1 pisar: *Don't tread on the flowers.* 2 andar, caminhar, percorrer. 3 amassar/ esmagar com os pés. 4 trilhar, abrir caminho com os pés. **tread on sb's toes**, (fig) pisar nos calos de alguém, ofender alguém. **tread on air**, (gír) estar nas nuvens, estar feliz. **tread on sb's heels**, seguir as pegadas/os passos de alguém.
tread s. 1 passo, ruído de passos. 2 andar, modo de andar. 3 piso de degrau. 4 ranhura de banda de rodagem, pneu.
treason s. traição (à pátria).
treasure s. 1 tesouro, riqueza. 2 preciosidade.
treasure v.t. estimar, guardar, ter em grande estima: *She treasures her family.*
treasurer s. tesoureiro.
treasury s. (pl -ies) 1 **the Treasury**, o Tesouro público. 2 tesouraria, caixa. 3 (fig) tesouro, fonte (de conhecimento, informações, etc): *He is a treasure of knowledge.*
treat v.t e i. 1 tratar: *They've always treated me with respect.* 2 considerar: *Don't treat this subject with disrespect.* 3 medicar, tratar: *He is being treated with antibiotics.* 4 (rel a um processo industrial) tratar. 5 oferecer comida, bebida, divertimento (a alguém) e pagar as despesas: *I'll treat all of you to a fantastic lunch.*
treat s. 1 prazer, deleite, motivo de satisfação, delícia. 2 convite (para comer, beber, etc): *This is my treat!*
treatise s. tratado (obra literária).
treatment s. tratamento.
treaty s. (pl -ies) 1 tratado (entre nações). 2 (fml) acordo, negociação.

treble *v.t e i.* triplicar.
treble *s.* 1 (mús) soprano, (parte da música para) voz de soprano. 2 instrumento musical de som agudo. 3 som agudo (Cf. *bass*). **treble clef**, clave de sol.
tree *s.* 1 árvore. 2 árvore genealógica (= *family tree*).
treeless *adj.* sem árvores, desarborizado.
trefoil *s.* 1 (bot) trifólio, trevo. 2 (arq) ornato em forma de trevo.
trek *v.i.* (*-kk-*) caminhar, fazer trilha.
tremble *v.i.* 1 tremer, estremecer: *They were trembling with fear.* 2 ter medo, ter ansiedade, tremer (de frio, medo, etc): *She trembles to think that she may be in a dangerous situation.*
tremble *s.* tremor, estremecimento.
tremendous *adj.* 1 tremendo, enorme, monstruoso, espantoso. 2 (infml) extraordinário: *He's a tremendous teacher.* 3 (infml) excelente, maravilhoso: *It was a tremendous dinner.*
tremendously *adv.* (infml) tremendamente, extremamente.
tremor *s.* tremor, trepidação, frêmito: *an earth tremor.*
trench *s.* 1 trincheira. 2 vala, fosso.
trench *v.t e i.* 1 entrincheirar. 2 abrir valas.
trend *s.* tendência, direção: *the trends of teens fashion.* **set the trend,** ditar a moda. **trend-setter,** (infml) pessoa que dita a moda.
trend *v.i.* tender, inclinar-se, dirigir-se: *His plans trend towards socializing the country. The coast trends towards the South.*
trendy *adj.* (*-ier, -iest*) (infml) na moda, que segue a moda: *trendy jeans.*
trepidation *s.* (fml) alarme, agitação, perturbação.
trespass *v.t.* (*on, upon*) 1 invadir terras/ propriedades alheias. 2 abusar, tomar, roubar (p ex o tempo de alguém).

trespass *s.* intrusão, invasão, violação.
trespasser *s.* invasor, transgressor.
trestle *s.* cavalete, armação de mesa/ banco.
tri- *prefixo* tri, três.
trial *s.* 1 teste, tentativa, ensaio, experimentação: *There is a trial for the casting of actors.* **trial and error,** (método de) tentativa e erro. 2 julgamento, processo judicial: *The trial was long and exhausting.* **on trial,** a) como experiência, em experiência. b) em julgamento. **put sb on trial,** levar alguém a julgamento. **stand trial,** ser julgado por, ser acusado de. 3 provação, aflição, sofrimento.
triangle *s.* triângulo.
triangular *adj.* triangular.
tribal *adj.* tribal.
tribe *s.* tribo.
tribesman *s.* (pl - *men*) membro de uma tribo.
tribunal *s.* tribunal, corte de justiça para assuntos especiais.
tributary *adj. e s.* 1 (rel a rio) tributário, afluente. 2 tributário, contribuinte.
tribute *s.* 1 tributo, imposto (pago por um país/ um governo a outro). 2 tributo, homenagem.
trice *s.* **in a trice,** (infml) num instante, num abrir e fechar de olhos.
trick *s.* 1 truque, mágica: *do tricks.* 2 tramóia, ardil, embuste. 3 truque, artifício, habilidade. 4 brincadeira, travessura. **play a trick on,** pregar uma peça em (alguém). **do the trick,** (infml) atingir o resultado desejado, surtir efeito: *His sweet words towards her did the trick.* 5 tique, hábito, costume. 6 rodada (em jogo de cartas).
trick *v.t.* enganar, ludibriar, iludir: *They tricked her into going to the party.*
trickery *s.* trapaça, artifício, embuste, logro.
trickle *v.t e i.* escorrer devagar, gotejar, correr em fio.

trickle s. fio, filete (de água).
trickster s. trapaceiro, embusteiro.
tricky adj. (-ier, -iest) 1 traiçoeiro, complicado, manhoso: *a tricky situation*. 2 (rel a pessoas) cheio de truques, esperto, malandro.
tricycle s. triciclo.
triennial s. e adj. triênio, trienal.
trifle s. 1 coisa sem importância, ninharia, bagatela, insignificância. 2 pavê, doce feito com creme, claras de ovos, frutas, geléia, etc. *a trifle*, um pouco, um tanto.
trigger s. gatilho.
trigger v.t. *trigger sth off*, iniciar, disparar, provocar: *The argument triggered an awkward situation*.
trigonometry s. trigonometria.
trill s. 1 trinado, gorjeio. 2 (mús) trêmulo. 3 vibração, consoante pronunciada com vibração (como o *r* em português).
trill v.t e i. 1 trinar. 2 emitir sons tremulados.
trillion s., adj. 1 (GB) quintilhão. 2 (EUA) trilhão.
trilogy s. (pl *-ies*) trilogia.
trim adj. (-mer, -mest) bem tratado, em ordem, asseado: *a trim person*.
trim s. ordem, asseio, bom estado.
trim v.t e i. (-mm-) 1 aparar (cabelo, barba), podar (plantas): *trim the nails*. 2 decorar, enfeitar, guarnecer. 3 (náut) colocar/ajustar as velas, distribuir a carga (de navio/avião).
trimming s. (ger pl) babado, debrum, enfeite, ornamento.
trinity s. (pl-ies) 1 (fml, liter) trindade, tríade.
trinket s. bijuteria, adorno.
trio s. trio.
trip v.t e i. (-pp-) 1 (*over, up*) tropeçar, fazer tropeçar: *She tripped over a stone and fell*. 2 (*up*) apanhar alguém em erro, fazer alguém cometer um erro. 3 (poét) saltitar.
trip s. 1 viagem, passeio: *to go on a short weekend trip*. 2 tropeços, queda.

3 erro, engano, tropeço. 4 (gír) (rel à sensação obtida com drogas) viagem.
tripartite adj. tripartido, tríplice.
triple v.t e i. triplicar, ser o triplo de.
triplet s. 1 (pl) trigêmeos. 2 trinca, temo, trio, grupo de três.
triplicate adj. triplo, tríplice.
tripod s. tripé.
tripper s. viajante, excursionista: *a day tripper*.
trite adj. (rel a idéias, comentários, afirmações etc) comum, banal, muito usado, gasto, batido.
triumph s. triunfo, êxito.
triumph v.i. (*over*) 1 triunfar, vencer. 2 rejubilar-se, exultar.
triumphal adj. triunfal: *a triumphal arch*.
triumphant adj. triunfante, vitorioso.
trivial adj. trivial, insignificante, comum: *a triv.i.al argument*.
triviality s. (pl-ies) trivialidade, insignificância.
trod V. (pretérito do verbo *tread*).
trolley s. 1 carrinho de mão para carregar pacotes, bagagem, etc. 2 trole ferroviário, vagonete. 3 carrinho usado para servir comida ou bebidas: *dessert trolley*. *trolley bus*, ônibus elétrico.
trollop s. prostituta.
trombone s. trombone.
troop s. 1 bando, grupo (de pessoas ou animais). 2 tropa. *troop-carrier*, (rel a avião ou veículo blindado) transportador de tropa.
troop v. i e t. mover-se em conjunto, atropelar-se, acorrer em massa.
trophy s. (pl -ies) troféu.
tropic s. 1 trópico: *tropic of Capricorn*. 2 *the Tropics*, os trópicos.
tropical adj. tropical.
trot v.t e i. (-tt-) 1 trotar, andar a trote. 2 (infml) andar depressa, apressar-se: *It's time for you guys to trot along*. 3 *trot sth out*, (infml) dizer/escrever algo já conhecido sem sinceridade e sem nenhuma novidade.

trot s. 1 trote. 2 passo rápido. *on the trot*, (infml) a) em atividade constante. b) um após o outro.

trouble s. 1 aborrecimento, transtorno, problema, dificuldade: *They are always causing trouble to their friends*. *in trouble*, em dificuldades, em perigo. *ask/look for trouble*, procurar encrenca. *get into trouble*, meter-se em apuros/dificuldades. 2 incômodo, algo ou alguém que causa inconveniência/trabalho extra: *I don't want to be a trouble*. 3 agitação, desordem, distúrbio. 4 doença, problemas (de saúde): *kidney problems*. *trouble-maker*, desordeiro, encrenqueiro.

trouble v.t e i. 1 transtornar, aborrecer, perturbar, incomodar, preocupar: *What is troubling you?* 2 incomodar(-se), estorvar: *I'm sorry to trouble you so late*. 3 perturbar, atormentar, afligir.

troublesome adj. 1 incômodo, importuno, desagradável: *a troublesome boy*. 2 difícil, espinhoso.

troupe s. (teat) trupe, companhia de artistas.

trousers s. (pl) 1 calças compridas: *a pair of trousers*. 2 (usado como *adj*. no sg) da calça, de calças: *trouser legs*. (EUA *pants*).

trousseau s. enxoval de noiva.

trout s. (pl) truta.

trowel s. 1 colher de pedreiro. 2 espátula para jardinagem.

truancy s. (pl *-ies*) cabulação, falta na escola.

truant s. gazeteiro, estudante cabulador de aulas. *play truant*, cabular aulas.

truce s. trégua, suspensão temporária das hostilidades.

truck s. caminhão. V. *lorry*.

trudge v.i. caminhar penosamente, arrastar-se: *She trudged for hours on the road*.

trudge s. marcha/caminhada longa e penosa.

true adj. (-r, -st) 1 verdadeiro: *Is it true?* *come true*, (rel a sonho, esperança, plano) acontecer, realizar-se: *a dream come true*. 2 leal, fiel: *a true love*. 3 sincero, genuíno, verdadeiro. 4 fiel, fidedigno, exato: *a true report*. 5 ajustado, em posição certa. *true to*, de conformidade com. *true to type*, típico, conforme o esperado. *true-blue*, (rel a pessoa) de confiança, leal.

trueborn, legítimo (de nascimento).

truism s. truísmo, verdade evidente por si mesma.

truly adv. 1 verdadeiramente, na verdade: *She is truly a loyal friend*. 2 sinceramente. 3 realmente, verdadeiramente, certamente. *yours truly*, (expressão usada para terminar uma carta, antes da assinatura) cordialmente, atenciosamente: *Yours truly!*

trump v.t e i. 1 trunfar (em jogo de cartas). 2 *trump up*, forjar, inventar, arquitetar.

trumpet s. 1 (mús) trombeta, trompete, corneta, pistão. 2 som de trombeta.

trumpet v.t e i. 1 tocar trombeta. 2 falar em voz de trombeta. 3 apregoar. 4 (rel a elefante) barrir.

truncheon s. cassetete.

trunk s. 1 tronco (de árvore, do corpo). 2 linha principal, linha tronco. 3 mala, baú. 4 tromba (de elefante). 5 (pl) calções de banho, sunga.

truss s. 1 fardo, feixe (de feno ou palha). 2 treliça, armação, suporte (de telhados, pontes, etc).

trust s. 1 confiança, fé. *on trust*, a) fiado, a crédito: *He sold me the TV on trust*. b) sem exame, de boa fé. 2 responsabilidade. 3 (com) (jur) depositário, curador. 4 (com) (fin) truste. *trust company*, banco ou companhia fiduciária.

trust v.t. e i. 1 confiar (em): *You can trust me on this*. 2 acreditar, crer. 3 incumbir, encarregar. 4 (com) dar crédito a. *trust in*, fiar-se em, contar com.

trustee s. 1 (jur) fiduciário, curador, depositário de bens em penhora. 2 membro de conselho diretor (de instituição, colégio, etc).
trustful adj. 1 confiante. 2 digno de confiança.
trustfully adv. confiantemente, confiadamente.
trustworthy adj. fidedigno, digno de confiança.
truth s. 1 verdade, veracidade: *I don't believe she is telling the truth*. **in truth**, em verdade, de fato. 3 fato, realidade aceita como verdade.
truthful adj. 1 (rel a pessoa) que diz a verdade. 2 (rel a enunciados) verídico, realista.
try v.t e i. (pret, pp *tried*) 1 tentar: *She tried very hard not to cry*. **try for**, aspirar, concorrer para (lugar, posição). 2 experimentar, submeter a provas, provar. **try sth on**, experimentar, provar (roupas, sapatos). **try sth out**, submeter a prova, fazer experiência com. **try one's hand at sth**, fazer uma tentativa inicial. 4 (jur) julgar (uma causa, um réu), submeter (alguém) a julgamento. 5 atormentar, afligir, sujeitar a sofrimento.
try s. tentativa, ensaio, experiência, prova: *Let me try again*.
trying adj. penoso, doloroso, fatigante, exasperante.
T-shirt s. camiseta.
tub s. 1 (infml) banheira. 2 tina, bacia, barril.
tubby adj. (*-ier, -iest*) 1 atarracado, rechonchudo. 2 (rel a som) oco, surdo.
tube s. 1 tubo, cano: *copper tube*. 2 bisnaga (de tinta, pasta de dentes, etc). 3 (GB) = *underground*. 4 (eletr) válvula, lâmpada. 5 (anat) trompa, canal. 6 qualquer objeto tubular.
tuber s. tubérculo (p ex a batata).
tuberculosis s. (abrev *TB*) (med) tuberculose.

tubing s. tubulação, tubulagem, encanamento.
tuck s. 1 prega, dobra, debrum, bainha. 2 (gír) comida, gulodices, doces. **tuck-shop**, lanchonete, cantina de escola.
tuck v.t e i. 1 preguear, dobrar. 2 arregaçar, levantar, encolher. **tuck sb/oneself up (in)**, aconchegar alguém/aconchegar-se sob as cobertas, cobrir bem, agasalhar-se: *Her mother tucked her in*. 4 **tuck in**, (infml) a) comer vorazmente, empanturrar-se. b) bom apetite! **tuck away**, esconder.
Tuesday s. terça-feira.
tuft s. 1 tufo (de pêlos, pena, cabelo, etc), penacho, topete. 2 feixe, ramalhete.
tug s. 1 puxão, tirão, arranco. 2 grande esforço, arrancada. 3 (náut) rebocador.
tug v.t e i. (*-gg-*) 1 puxar com força, arrastar, rebocar. 2 esforçar-se, labutar.
tuition s. 1 ensino, instrução. 2 taxa ou custo de ensino.
tulip s. tulipa.
tumble v.t e i. 1 cair, tombar aos tropeções, rolar súbita ou violentamente. 2 dar saltos, dar pulos. 3 cair/diminuir rapidamente de preço/valor/condições. 4 fazer cair, derrubar. **tumble to sth**, (gír) entender (p ex uma idéia).
tumble s. 1 trambolhão. 2 tombo, queda. 3 desordem, confusão. 4 cambalhota, salto mortal.
tumbler s. 1 copo para drinks. 2 acrobata. 3 lingüeta de fechadura.
tummy s. (pl *-ies*) (infml) estômago, barriga.
tumor s. tumor. (GB *tumour*).
tumult s. 1 tumulto, distúrbio, algazarra. 2 agitação, confusão, desordem (mental).
tumultuous adj. (fml) tumultuoso, turbulento, agitado.
tune s. 1 música, melodia, toada. 2 afinação, harmonia. **in/out of tune**, em harmonia, afinado, sintonizado/em desarmonia, desafinado. 3 ajustamento,

tune

adaptação. *change one's tune,* mudar de tom, mudar de atitude.
tune *v.t e i.* 1 (mús) afinar. *tune in (to),* (reI a rádio) sintonizar, ligar: *to tune in to the CBN.* *tune up,* ajustar, regular (motor). 2 estar afinado, harmonizar-se.
tuneful *adj.* melodioso, harmonioso.
tuner *s.* 1 afinador (de instrumentos musicais). 2 (rel a rádio) sintonizador.
tunic *s.* túnica.
tunnell *s.* 1 túnel. 2 galeria (em minas).
tunnel *v.t e i.* (-//- EUA também -I-) abrir ou cavar túnel.
turban *s.* turbante.
turbine *s.* turbina.
turbulence *s.* turbulência.
turbulent *adj.* turbulento, violento, tumultuoso, perturbador.
turf *s.* (pl *turves*) 1 gramado, relva. 2 torrão de grama. 3 *the turf,* turfe, corridas de cavalo.
turkey *s.* peru.
turmoil *s.* agitação, confusão, desordem, tumulto.
turn *s.* 1 rotação, volta, giro: *a turn of the roulette.* 2 mudança de direção, curva. 3 virada, mudança. 4 mudança, alteração, variação: *a turn for the best.* 5 vez, ocasião: *It's her turn now.* 6 período de ação/atividade: *We'll take turns at taking care of them. at every turn,* (fig) a cada momento, a cada ocasião. *in/by turn,* um após outro, um de cada vez. *out of turn,* a) fora de ordem. b) fora de hora, na hora errada. *take turns at sth,* revezar. *turnover,* capital de giro.
turn *v.t e i.* 1 girar, rodar, virar, rolar: *He turned the wheels in that direction.* 2 mudar de direção. 3 mudar, alterar. 4 fazer curva: *turn right.* 5 transformar, mudar. 6 ultrapassar, passar: *She has turned 30. turn (sb) against sb,* predispor, jogar uma pessoa contra outra: *She tried to turn one against the other. turn (sb) away,* a) virar-se, voltar-se. b) impedir a entrada. *turn (sb/sth) back,* voltar para trás, regressar. *turn (sth) down,* a) abaixar/diminuir o volume: *Turn the radio down, please.* b) recusar uma oferta, uma pessoa, etc: *He turned the job down. turn in,* (infml) recolher-se, ir dormir. *turn sb in,* (infml) entregar uma pessoa à polícia. *turn sth in,* devolver. *turn sth inside out,* virar ao contrário. *turn off,* desviar, mudar de direção. *turn sth off,* desligar (TV, rádio), fechar (torneira, registro), apagar (luz): *Turn off the lights, please. turn (sb) off,* perder o interesse, desmotivar-se: *His behavior turns me off. turn sth on,* ligar (rádio, TV), abrir (torneira), acender (luz). *turn sb on,* motivar, dar prazer. *turn on sth,* a) depender. b) atacar, investir (contra). *turn out,* a) terminar/acabar (bem): *Everything turned out well.* b) tornar-se: *He turned out to be a great man. turn sth out,* esvaziar (gavetas, bolsos, etc). *turn sb out,* a) expulsar, despejar. b) comparecer. *turn (sb/sth) over,* a) virar, mudar de posição. b) entregar. *turn to,* pôr-se a trabalhar: *The group turned to and produced a book in a week. turn up,* aparecer. *turn sth up,* virar para cima.
turncoat *s.* desertor, vira-casaca.
turning point *s.* momento da virada, momento crítico, ponto crucial.
turnip *s.* nabo.
turnpike *s.* barreira de pedágio.
turnstile *s.* catraca, borboleta.
turtle *s.* tartaruga.
tusk *s.* presa (p ex de elefante).
tussle *s.* luta, briga, contenda.
tutelage *s.* tutela, proteção.
tutor *s.* 1 preceptor, professor particular. 2 (GB) orientador de estudos na universidade.
tuxedo *s.* smoking *(abrev)* **tux**.
twaddle *s.* tagarelice, mexerico.
tweed *s.* 1 tecido de lã e algodão. 2 roupa feita desse tecido.

tweezers s. pl (ger a pair of -) pinça.
twelfth s. e adj. décimo-segundo.
twelve s. e adj. doze.
twentieth s. e adj.vigésimo.
twenty s. e adj. vinte.
twice adv. duas vezes: *I've been to Rio twice*. **think twice about doing sth**, pensar duas vezes antes de fazer algo, ponderar antes de decidir.
twiddle v.t e i. girar, virar, mexer/brincar com algum objeto.
twig s. galho fino, ramo, galhinho.
twilight s. 1 crepúsculo.
twin s. 1 gêmeo: *twin sisters*. 2 coisas idênticas, com partes iguais: *twin cities*.
twinge s. pontada, dor aguda.
twinkle v.i. 1 brilhar, cintila. 2 piscar os olhos.
twirl v.t e i. 1 rodar, rodopiar. 2 torcer, enrolar: *He twirled his hair*.
twist v.t e i. 1 torcer, retorcer: *to twist the truth*. 2 fazer grinaldas, ramalhetes. 3 torcer: *He twisted her arms*. 4 distorcer, alterar, mudar o significado.
twist s. 1 torção. 2 entrelaçamento. 3 distorção. 4 inclinação, propensão. 5 curva: *a twist on the road*. 6 tipo de dança.
twister s. tornado.
twitch s. puxão, contração.
twitter v.i. 1 (rel a pássaros) cantar, gorjear. 2 (rel a pessoas) rir sufocadamente, agitar-se, alvoroçar-se.
two adj. e s. dois. **break/cut in two**, dividir em duas partes. **put two and two together**, tirar uma conclusão dos fatos. **two piece**, (rel a roupas) conjunto (p ex saia e blazer, calça e paletó, etc): *a two piece suit*.
two-way adj. 1 de mão dupla: *a two-way road*. 2 (rel a radiotransmissor) que recebe e transmite sinais.
tycoon s. magnata.
type s. 1 modelo, símbolo, exemplo. 2 tipo, classe, categoria, espécie: *different types of chocolate*. 3 (tipogr) tipo (de letras).
type v.t e i. 1 datilografar: *The new secretary doesn't type very fast*. 2 determinar o tipo de algo, tipificar: *to type a new group*.
typecast v.t. (pret, pp -) (rel a cinema, teatro, etc) alocar papéis a atores de acordo com sua personalidade.
typewrite v.t e i. (pret -wrote, pp -written) = *type*.
typewriter s. máquína de escrever.
typhoid s. **typhoid fever**, febre tifóide.
typhoon s. tufão, furacão.
typhus s. tifo.
typical adj. típico, característico: *a typical american food*.
typify v.t. (pret, pp -ied) 1 tipificar, exemplificar, simbolizar. 2 caracterizar.
tyrannical adj. tirânico, despótico, cruel.
tyranny s. (pl -ies) tirania, despotismo, opressão, autoritarismo.
tyrant s. tirano, déspota.
tzar s. czar, imperador russo.

u U

U, u 21ª letra do alfabeto.
ubiquitous *adj.* (fml) onipresente, ubíquo.
UFO *s.* (pl *UFO's*) (abrev de *unidentified flying object*) óvni, objeto voador não identificado.
ugh *interj.* expressão de desgosto: *Ugh! This is awful!*
ugliness *s.* feiúra, fealdade.
ugly *adj.* (-ier, -iest) 1 feio, repulsivo, horrendo: *an ugly house.* 2 desagradável, ofensivo: *an ugly comment.* 3 ameaçador, perigoso: *an ugly storm.* **ugly duckling**, patinho feio. **as ugly as sin**, feio como o pecado, abominável.
UHF *s.* (eletrôn) (abrev de *ultrahigh frequency*) freqüência de ondas de 300.000.000 a 3.000.000.000 Hertz.
UK *s.* (abrev de *United Kingdom*) Reino Unido.
ulcer *s.* 1 úlcera, chaga, ferida. 2 (fig) corrupção, desgraça.
ulterior *adj.* 1 posterior, futuro. 2 secreto, oculto, dissimulado: *ulterior reasons.*
ultimate *adj.* 1 último, final: *an ultimate decision.* 2 básico, fundamental.
ultimatum *s.* (pl -s ou -ta) ultimato, última palavra, limite máximo: *His boss gave him an ultimatum to present his report.*
ultraviolet *adj.* (téc) UV, ultravioleta.
umbilical *adj.* umbilical.
umbrella *s.* 1 guarda-chuva. 2 proteção: *Some African countries are under the umbrella of the UN.* 3 algo que inclui ou abrange vários aspectos/itens: *an umbrella agency.*
umpire *s.* árbitro, juiz de esportes como tênis, beisebol, críquete, pingue-pongue, vôlei, basquete, etc. (Cf. *referee*).
umpire *v.t. e i.* arbitrar, servir de árbitro.

umpteen *adj.* (infml) muito, muitos: *The teacher told the students umpteen times to do their homework.*
umpteenth *adj.* (infml) enésimo, "não sei quanto": *I told him for the umpteenth time to do his job.*
unabashed *adj.* 1 impassível, imperturbável. 2 desavergonhado: *He was quite unabashed in his behavior.*
unabated *adj.* (rel a tempestade, vento, força, etc) sem diminuir, sem decrescer: *The bad weather continued unabated.*
unable *adj.* incapaz, incapacitado: *He is unable to tell the truth.*
unaccompanied *adj.* 1 desacompanhado. 2 (mús) sem acompanhamento.
unaccountable *adj.* inexplicável, estranho: *For some unaccountable reason he didn't show up on time.*
unaffected *adj.* 1 sincero, natural: *They are unaffected by all the press attention.* 2 sem afetação.
unanimous *adj.* unânime: *a unanimous verdict.*
unarmed *adj.* desarmado, indefeso.
unasked *adj.* 1 sem ser convidado: *She came to the meeting unasked.* 2 sem ser solicitado.
unassuming *adj.* despretensioso, modesto, humilde.
unaware *adj.* sem ter conhecimento, sem saber: *They were unaware of what was going on in the company.*
unawares *adv.* sem querer, por descuido: *She left her umbrella on the bus unawares.* **catch/take sb unawares**, pegar/tomar alguém de surpresa.
unbalanced *adj.* (rel a pessoas) desequilibrado, desajustado.
unbecoming *adj.* inapropriado, indecoroso, impróprio: *The dress she is wearing is very unbecoming.*

unbend v.t. e i. (pret, pp *unbent*) relaxar (-se), soltar(-se), ficar à vontade.
uncalled-for adj. injustificável, desnecessário: *Her harsh criticism was uncalled for.*
uncanny adj. inexplicável, estranho, misterioso, nefasto.
uncle s. tio. ***great-uncle/grand-uncle***, tio-avô.
unconscious adj. 1 inconsciente: *He was unconscious for hours.* 2 não consciente, involuntário, sem querer: *Her behavior at the party was purely unconscious.*
unconscious s. (psicol) o inconsciente, subconsciente.
under prep. 1 sob, embaixo de, por baixo de: *The pen fell under the table.* 2 menos de, inferior a (contrário de *above* e *over*): *The temperature was under 0°.* ***under age***, menor de idade: *She is very young, she is under age.* 3 sob as ordens de, sob a responsabilidade/autoridade de: *They are working under new management.* 4 por baixo de, sob a superfície/cobertura de. 5 durante, no estado de, no ato de: *under study.* 6 (rel a classificações) sob o título/a categoria de. 7 sob o domínio de, no governo de. 8 em, sob, durante, por causa de: *He committed the murder under the influence of drugs.* 9 sob: *under pressure,* sob pressão. ***under cover off***, sob a proteção (de), escondido (por): *The burglar escaped under the cover of darkness.*
under adv. abaixo, embaixo, por baixo. ***go under***, (rel a navios) ir a pique. ***as under***, conforme indicado abaixo.
under prefixo 1 sub, sob: *underground,* subterrâneo. 2 menos, sub, insuficiente: *underprivileged.*
undercarriage s. (rel a aviões) trem de pouso.
undercover adj. secreto: *undercover policeman.*
undercurrent s. 1 subcorrente, correnteza submarina/inferior. 2 tendência oculta: *an undercurrent of racism.*
underdeveloped adj. subdesenvolvido.
underdog s. vítima, coitado, prejudicado.
underdone adj. (rel a carne) malpassado.
underestimate v.t. subestimar.
undergo v.t. (pret -*went*, pp -*gone*) 1 passar por, sofrer, experimentar, agüentar. 2 ser submetido a: *He underwent a small surgery.*
undergraduate s. estudante universitário, bacharelando, graduando.
underground adj. 1 subterrâneo: *The oil deposits are underground.* 2 secreto, oculto, não permitido: *underground political movement.* 3 alternativo, não comercial: *underground therapy.*
underground adv. 1 debaixo da terra, no subsolo: *They were working underground.* 2 em segredo, às escondidas. ***go underground***, entrar na clandestinidade, esconder-se.
underground s. 1 ***the Underground***, o metrô (EUA *subway*) (Cf. *tube*). 2 movimento de resistência.
undergrowth s. toda espécie de plantas rasteiras e arbustos em um bosque/floresta.
underhand (-ed) adj., adv. furtivo, desonesto, de forma furtiva, desonesta.
underlie v.t. estar por baixo de, subjazer: *Prejudice underlies his speeches.*
underline v.t. 1 sublinhar. 2 assinalar, enfatizar: *He underlined what was important for the company.*
underling s. subalterno, subordinado, pessoa sem importância, serviçal.
undermine v.t. minar, solapar, destruir: *His comments always undermine her confidence.*
underneath prep. e adv. embaixo, debaixo, por baixo de, embaixo de.

underpants

underpants s. (pl) cueca.
underprivileged adj. desprivilegiado, pobre, marginal.
understand v.t. e i. (pret, pp -stood) 1 entender, compreender, perceber: *Did you understand my explanation? Do you understand French?* 2 ouvir, tomar conhecimento, saber: *He understood the problem.* 3 subentender: *What do you understand from his words?* **make oneself understood**, fazer-se entender. **understand one another/each other**, entender-se, compreender-se, concordar.
understandable adj. compreensível, explicável, justificável: *Her feelings for him are understandable.*
understanding adj. compreensivo, sensível: *My parents are very understanding.*
understanding s. 1 discernimento, inteligência: *That is beyond the children's understanding.* 2 compreensão, entendimento. 3 empatia, entendimento, identificação: *She has a deep understanding of her students difficulties.* 4 acordo. **on the under-standing that**, sob a condição de.
understood V. (pretérito do verbo *understand*).
understudy s. (pl -ies) ator substituto/suplente.
undertake v.t. e i. (pret -took, pp taken) 1 empreender. 2 encarregar-se de, tomar a seu cargo, incumbir-se de. 3 comprometer-se a.
undertaker s. agente funerário.
undertook V. (pretérito do verbo *undertake*).
underwear s. = *underclothes*. roupa de baixo.
underwent V. (pretérito do verbo *undergo*).
underworld s. 1 submundo, mundo dos criminosos.
underwrite v.t. (pret -wrote, pp -written) 1 comprometer-se a comprar todas as apólices não vendáveis ao público. 2 assumir as despesas de uma possível perda (esp de carga marítima).
undesirable adj. indesejável.
undeveloped adj. não desenvolvido, em estado natural (sem desenvolvimento agrícola, ou industrial, etc): *undeveloped territory.*
undies s. (pl) (infml) roupa de baixo (ger de mulher).
undo v.t. (pret undid, pp undone) 1 desfazer, desamarrar, desmanchar, desatar, desabotoar: *He undid his raincoat.* 2 desmanchar, desfazer, destruir: *He undid everything that he didn't consider good for the business.*
undoing s. ruína, destruição, causa da ruína: *Gambling was his undoing.*
undone adj. inacabado, incompleto.
undoubted adj. indubitado, indubitável, incontestável, evidente.
undreamed-of (-dreamt-) adj. jamais sonhado: *undreamed love.*
undress v.t. e i. despir(-se), tirar a roupa.
undue adj. indevido, impróprio, inadequado, demasiado: *with undue care.*
unduly adv. excessivamente: *unduly pessimistic.*
undying adj. imperecível, imortal, eterno.
unearth v.t. 1 desenterrar. 2 descobrir, revelar: *to unearth the truth.*
unearthly adj. 1 sobrenatural. 2 sinistro, misterioso.
uneasy adj. (-ier, -iest) inquieto, desassossegado, incômodo, ansioso: *He was feeling uneasy about the results.*
uneducated adj. sem educação, inculto, sem treino social: *uneducated person.*
unemployed adj. e s. desempregado.
unemployment s. desemprego.
uneven adj. 1 desigual, irregular: *The contest was uneven. The path towards town is uneven.* 2 = *odd*.
unfailing adj. inesgotável, interminável,

unload

infalível, incansável: *with unfailing enthusiasm.*
unfair *adj.* injusto, desleal.
unfaithful *adj.* desleal, infiel.
unfamiliar *adj.* 1 desconhecido, estranho: *This neighborhood is unfamiliar to us.* 2 pouco habituado, pouco familiar.
unfathomable *adj.* insondável, impenetrável: *an unfathomable reason.*
unfit *adj.* inadequado, incapaz, inepto, impróprio: *He is unfit to work with such famous team.*
unfold *v.t.* 1 abrir(-se), desdobrar(-se): *unfold the newspaper.* 2 revelar, mostrar, esclarecer: *unfold the truth.*
unforgettable *adj.* inesquecível.
unfortunate *adj.* 1 infeliz, desastroso. 2 inadequado, infeliz, impróprio: *He made an unfortunate comment.*
unfounded *adj.* infundado, improcedente.
unfriendly *adj.* descortês, inamistoso, hostil.
ungrateful *adj.* ingrato.
unguarded *adj.* descuidado, indiscreto, incauto.
unhappy *adj. (-ier, -iest)* 1 infeliz, infortunado. 2 triste, infeliz: *The girls look unhappy tonight.*
unhealthy *adj.* insalubre, doentio.
unheard *adj.* 1 não ouvido. 2 não interrogado. **go unheard,** não ser atendido, não ser ouvido.
unheard of *adj.* inaudito, estranho, extraordinário: *In the past, this kind of social behavior was unheard of.*
unidentified *adj.* não identificado.
uniform *adj.* uniforme, constante, igual.
unify *v.t.* (pret, pp *-ied*) 1 unificar, unir. 2 uniformizar, tornar uniforme.
uninhibited *adj.* desinibido.
uninterested *adj.* desinteressado, não interessado.
union *s.* 1 união, associação, fusão. 2 união, enlace. 3 associação, liga, coligação, aliança. **Trade Union,** sindicato.
unique *adj.* único, ímpar, sem igual, singular.
unison *s.* **in unison,** em uníssono, em perfeito acordo.
unit *s.* 1 unidade: *Psychiatric Unit.* 2 unidade de medida. 3 (mat) o número um.
unite *v.t. e i.* unir(-se), juntar, ligar: *All the students are united against the new rules*
united *adj.* 1 unido, reunido: *a united family; the United Kingdom,* o Reino Unido. 2 conjunto, combinado: *a united front.* **United Kingdom,** V. **UK. United Nations,** Nações Unidas.
unity *s.* (pl *-ies*) 1 unidade, homogeneidade, uniformidade. 2 união, unidade, unificação, acordo.
universe *s.* universo, cosmo.
university *s.* (pl *-ies*) 1 universidade. 2 membros da universidade: *The whole university participated in the food campaign.*
unkempt *adj.* 1 desalinhado, desleixado. 2 (rel a cabelo) despenteado, desgrenhado.
unkind *adj.* indelicado, descortês, rude, grosseiro.
unknown *adj. e s.* desconhecido, ignorado.
unleash *v.t.* (fig) soltar, desencadear, libertar (sentimentos, forças): *unleash one's deep feelings.*
unless *conj.* a menos que, a não ser que, salvo se: *He won't sleep unless you tell him a bedtime story.*
unlike *adj.* diferente, distinto, desigual: *The two sisters are very unlike each other.*
unlike *prep.* ao contrário de, não como, de modo diferente: *Unlike her friends, she is a very reserved girl.*
unlikely *adj.* improvável, inverossímil: *It's unlikely that he will be on time.*
unload *v.t. e i.* 1 descarregar, desembarcar: *unload a truck.* 2 livrar-

unmask

se de: *She unloaded all her worries on me.*
unmask *v.t. e i.* tirar a máscara, desmascarar, revelar, expor (também fig): *unmask the criminal.*
unmistakable *adj.* inequívoco, inconfundível, claro, óbvio, indiscutível: *There is an unmistakable perfume in the room.*
unnecessary *adj.* desnecessário.
unnerve *v.t.* enfraquecer, debilitar, desalentar, desencorajar.
unnoticed *adj.* despercebido, não notado: *His absence went unnoticed.*
unobtrusive *adj.* reservado, discreto, modesto, moderado.
unpack *v.t. e i.* desfazer (mala), desempacotar, desembrulhar: *Unpack your bags before you go to bed.*
unparalleled *adj.* sem paralelo, sem par, incomparável.
unpleasant *adj.* desagradável, aborrecido: *an unpleasant woman.*
unquestionable *adj.* inquestionável, indubitável, induscutível.
unravel *v.t. e i. (-ll-* EUA *-l-)* 1 desemaranhar(-se), desembaraçar (-se), desfiar(-se). 2 desvendar(-se), elucidar(-se) (um mistério): *The police detectives unraveled the mysteries of the crime.*
unreal *adj.* irreal.
unreasonable *adj.* 1 injusto, não razoável. 2 (rel a preços, custos, etc) desmedido, excessivo.
unrelenting *adj.* incessante, inflexível, inexorável, contínuo, persistente: *unrelenting rain.*
unreliable *adj.* que não é de confiança, em que não se pode confiar.
unsaid *adj.* não dito, não proferido: *Some things are better left unsaid.*
unsavory *adj.* repugnante, repulsivo, indecente, de mau gosto, nojento: *unsavory element.* (GB *unsavoury*).
unscrupulous *adj.* inescrupuloso, sem escrúpulos.
unseemly *adj.* (rel a comportamento) impróprio, inconveniente, inadequado, indecoroso: *unseemly behaviour.*
unsettle *v.t.* perturbar, agitar, inquietar, alterar, desarranjar: *His speech unsettled the crowd.*
unsightly *adj.* feio, disforme, de má aparência, desagradável à vista.
unskilled *adj.* não especializado: *unskilled jobs.*
unspeakable *adj.* indescritível, indizível, inexprimível: *unspeakable truth.*
unthinkable *adj.* impensável, inconcebível, inimaginável: *unthinkable lie.*
untidy *adj. (-ier, -iest)* desarrumado, em desordem: *untidy house.*
until *prep.* até: *Wait until tomorrow.*
until *conj.* até que, até: *You can't have your driving license until you are prepared.*
untold *adj.* 1 não dito, por dizer. 2 inestimável, incontável.
untruth *s.* (pl *-s*) eufemismo, mentira, meia verdade.
unused *adj.* sem uso, novo.
unusual *adj.* fora do comum, extraordinário, incomum: *They achieved unusual success.*
unveil *v.t. e i.* desvelar, descobrir: *unveil the truth.*
unwind *v.t. e i.* (pret, pp *unwound*) 1 desenrolar. 2 (infml) relaxar a tensão: *I like to unwind after working.*
unzip *v.t. (-pp-)* abrir o zíper.
up *adv.* 1 em movimento ascendente, para cima: *Taxes are going up.* 2 movimento em direção ao norte: *We're going up to Europe next year.* 3 (expressando melhor nível/condição): *Sales have gone up this month.* 4 totalmente, completamente: *Hand out your tests.Time is up!*, Entreguem suas provas. O tempo acabou. 5 firmemente, seguramente, apertadamente: *Lock up your bedroom door.* 6 (rel a som, usado para exprimir aumento de intensidade): *Turn the radio up.* **up against it,** em dificuldades/apuros. **up and down,**

para cima e para baixo. **ups and downs**, (fig) altos e baixos, boa e má sorte: *the ups and downs of life*.
up *adj*. 1 que se dirige para o alto, ascendente: *an up escalator*. **up and about/around**, estar em pé e andando (esp após uma doença): *The boy is already up and around*. **What's up?** (infml) Qual é o problema? O que é que há? **up to**, a) ocupado com: *What's he up to nowadays?* b) em condições de, capaz de: *I'm not up to do this kind of job*. c) de sua responsabilidade, depende de você: *It's up to you!* **up to now/than**, até agora/o presente momento: *up to now everything is all right*.
up *prep*. para cima: *climb up the mountains*.
up *v.t.* (-pp-) 1 aumentar, subir: *Congress decided to up the income taxes again*.
upbringing *s.* educação, criação, (fig) berço: *She didn't have a good upbringing*.
update *v.t.* atualizar: *That computer has to be updated*.
upheaval *s.* 1 mudança súbita. 2 convulsão social, revolução.
uphill *adj*. 1 ascendente: *an uphill street*. 2 (fig) difícil: *an uphill job*.
uphill *adv*. para cima: *to climb uphill*.
uphold *v.t.* (pret, pp *upheld*) 1 apoiar, sustentar. 2 defender, confirmar: *I can't uphold your opinions*.
upholster *v.t.* estofar, acolchoar.
upholsterer *s.* estofador, tapeceiro.
upholstery *s.* tapeçaria, estofado, estofamento.
upkeep *s.* manutenção, conservação.
upon *prep*. (fml) = *on*.
upper *adj*. superior, de cima: *the upper apartment*. **the upper class**, a classe (social) alta.
upright *adj*. 1 ereto, vertical, perpendicular: *an upright chair*. 2 honrado, honesto, íntegro: *an upright person*.
uprising *s.* revolta, insurreição, rebelião:

The workers uprising was controlled by the army.
uproar *s.* tumulto, gritaria.
uproot *v.t.* 1 arrancar com raízes. 2 desarraigar: *They were uprooted from their countries*.
upset *v.t. e i.* (pret, pp -) *(-tt-)* 1 virar, tombar (também fig): *His plans were upset by the bad weather*. 2 entornar, virar: *He upsetted the cup of coffee*. 3 causar preocupação, transtornar, perturbar: *Don't upset him!* 4 indispor, causar indigestão: *I've an upset stomach because of that sandwich*.
upside-down *adv*. 1 de cabeça para baixo, de pernas para o ar. 2 (fig) em desordem, em confusão: *The children's bedroom was upside-down after they woke up*.
upstairs *adv*. escada acima, no pavimento superior, em cima, para cima: *The library is upstairs*.
uptight *adj*. (gír) muito tenso/nervoso: *He feels very uptight about this job interview tomorrow*.
up-to-date *adj*. atual, em dia, novo, moderno: *He's up-to-date with the new technology*.
upwards *adv*. para cima, acima.
uranium *s.* urânio.
urban *adj*. urbano: *urban music*.
urge *v.t.* impelir, instigar, apressar: *She urged me to stay home*.
urge *s.* ímpeto, impulso, anseio: *She had a strange urge to see the newborn baby*.
urgency *s.* urgência.
urgent *adj*. urgente: *This child needs urgent care*.
urine *s.* urina.
urn *s.* 1 urna funerária. 2 cafeteira industrial em bares e restaurantes.
us *pron*. nos, para nós: *They hope to see us soon*.
usage *s.* 1 modo de usar, uso, utilização: *language usage*. 2 uso, costume, procedimento.
use *s.* 1 uso, consumo, utilização: *The*

use

use of atomic energy has increased. **in use,** em uso. **come into use,** começar a ser usado. 2 uso, finalidade, utilização: *a fabric with many uses.* 3 valor, função, utilidade: *Is this tool of any use to you?*

use *v.t.* (pret, pp *used*) 1 usar, utilizar-se de, empregar. 2 explorar: *He used the land to become rich.* **use up,** usar até o fim, usar até acabar.

used *adj.* usado, de segunda mão: *used clothes.*

used *v.* anômalo (indicação de uma prática constante ou freqüente no passado) costumava, usava-se: *I used to ride a bike when I was a child.* **there used to be,** (indicação da existência de algo no passado) havia, costumava haver: *There used to be a river here.*

used to *adj.* acostumado a: *He got used to living in a big city.*

useful *adj.* útil: *This material is very useful to us.*

useless *adj.* inútil: *It's useless to tell him the truth.*

user *s.* consumidor, usuário: *drug user.*

usher *s.* indicador de lugar (em cinema, teatro, etc), lanterninha.

usher *v.t.* 1 levar, conduzir. 2 anunciar.

usual *adj.* usual, habitual, costumeiro, de costume: *We are going to meet at the usual restaurant.* **as usual,** como de costume.

usually *adv.* comumente, habitualmente, geralmente: *What do you usually do in the evenings?*

utilitarian *adj.* utilitário.

utility *s.* (pl-*ies*) 1 utilidade. 2 serviço de utilidade pública (ônibus, gás encanado, etc).

utilization *s.* utilização.

utmost *adj.* extremo, máximo, sumo, grande: *This financial report is of the utmost importance.*

utmost *s.* o máximo, o extremo: *I'll do my utmost to help you.*

utter *v.t.* 1 pronunciar, proferir: *He uttered a few words to the crowd.* 2 articular, emitir, exprimir. 3 emitir dinheiro falso e colocá-lo em circulação.

utter *adj.* total, completo, absoluto: *utter waste of time.*

utterance *s.* (fml) 1 modo de falar, elocução. 2 expressão, declaração, dito. 3 (gram) fala.

uttermost *adj. e s.* = *utmost.*

U-turn *s.* (rel a carros) retorno.

v V

V,v 22ª letra do alfabeto.
vacancy s. (pl -ies) 1 espaço, lugar vago. 2 vaga: *There are no vacancies in that hotel.* 3 ociosidade, apatia, desinteresse.
vacant adj. 1 vazio. 2 vago, desocupado: *a vacant house.* 3 (rel a tempo) livre. 4 inativo, ocioso.
vacate v.t. deixar vago, desocupar: *to vacate a house.*
vacation s. 1 (esp GB) férias escolares e forenses. 2 (esp EUA) = *holiday.*
vaccination s. vacinação, vacina.
vacuum s. 1 vácuo. 2 vazio. **vacuum cleaner**, aspirador de pó. **vacuum-packed**, embalado a vácuo.
vagina s. (anat) vagina.
vagrant adj. nômade, errante: *a vagrant person.*
vague adj. (-r, -st) 1 vago: *I only have a vague idea about that.* 2 impreciso, incerto: *She is so vague about her feelings.*
vain adj. (-er, -est) 1 vaidoso: *You are so vain.* 2 vão, inútil, infrutífero, fútil, sem valor, sem importância: *a vain existence.* **in vain**, em vão.
valentine s. 1 namorado, namorada. 2 cartão que se envia à namorada/ao namorado no dia de S. Valentim (14 de fevereiro).
valet s. 1valete, criado pessoal. 2 camareiro, empregado de hotel que lava e passa a roupa.
valid adj. 1 (jur) válido, que tem valor legal bem fundamentado, convincente. 2 válido, que tem validade. 3 sólido, bem fundamentado: *a valid proposition.*
validate v.t. validar, legalizar.
valley s. vale, baixada.
valor s. (fml) bravura, heroísmo. (GB *valour*).
valuable adj. valioso, de grande valor, precioso: *a valuable jewelery.*

valuation s. avaliação, apreciação, estimativa.
value s. 1 valor, utilidade: *the value of the house.* 2 importância. 3 valor: *Do you have any idea of the car's value?* 4 (rel a moeda) valor cambial: *The value of the Euro is probably rising this week.* 5 (pl) valores, padrões (éticos/morais): *ethical values.*
value v.t.1 avaliar, estimar: *They valued the house at 1.000.000 dollars.* 2 prezar, respeitar, dar valor a: *We've always valued your friendship.*
valve s. 1 válvula. 2 dispositivo para regular o tom (em instrumentos de sopro).
van s. perua, furgão, caminhão fechado: *a moving van.*
vandal s. vândalo, destruidor de propriedade alheia.
vandalism s. vandalismo, destruição de propriedade alheia.
vanguard s. vanguarda, líderes de um movimento.
vanilla s. baunilha, essência de baunilha.
vanish v.t. sumir, desvanecer(-se), desaparecer: *The lady vanished in the dark.*
vanity s. (pl -ies) 1 vaidade. 2 superficialidade, futilidade, inutilidade: *the vanity of success.* **vanity case/bag**, nécessaire.
vanquish v.t. (fml) vencer, conquistar, derrotar.
vapor s. vapor, cerração, bruma, névoa. (GB *vapour*).
variable adj.variável, alterável, inconstante, irregular.
variable s. variável.
variant adj. variante, diferente.
variant s. variante, variação.
varicose veins s. pl. (med) varizes.
varied adj. 1 variado, diverso: *varied points of view.* 2 modificado, alterado.

variety s. (pl -ies) 1 variedade, diversidade, sortimento: *They sell a wide variety of tropical flowers.* 2 espécie, sorte: *a rare variety of insects.* **variety show/act**, espetáculo/número de variedades.
various adj. 1 diferente, diverso, vário: *various programs.* 2 diversos, muitos: *various models.*
varnish s. verniz, esmalte: *red nail varnish.*
vary v.t. e v.i. (pret, pp -ied) variar, modificar(-se), mudar, divergir, alterar, diversificar: *The judges varied in their decision.*
vase s. vaso (para flores).
vast adj. vasto, imenso, enorme: *Brazil is a vast country.*
vault s. 1 (arq) abóbada, galeria ou passagem abobadada. 2 adega, armazém subterrâneo. 3 túmulo, sepulcro. 4 (rel a banco) caixa-forte.
vault v.t. e i. saltar, pular com auxílio das mãos ou com vara. **pole-vaulting**, salto com vara.
veal s. carne de vitela.
veer v.i. virar repentinamente, mudar de direção: *The politicians veered against the president.*
vegetable s. vegetal, legume, verdura.
vegetable adj. vegetal: *vegetable oil.*
vegetarian adj. vegetariano.
vegetate v.i. vegetar, viver miseravelmente.
vehement adj. (fml) veemente, forte, intenso: *a vehement love of animals.*
vehicle s. 1 veículo, viatura. 2 veículo, meio de comunicação: *The radio is still an important vehicle of communication.*
veil s. 1 véu.
veil v.t. velar, cobrir, vendar com véu, encobrir, esconder, dissimular.
vein s. 1 (anat) veia. 2 (bot) nervura. 3 veio (de água). 4 (geol) veio, filão. 5 tendência, característica: *He has a vein of violence.* **in the same vein**, no mesmo sentido, da mesma maneira.

velocity s. (fml) = speed.
velvet s. adj. veludo, aveludado.
venal adj. venal, mercenário, corrupto.
veneer s. 1 folheado (de madeira). 2 aparência, camada superficial: *He has a veneer of sofistication.*
venerable adj. venerável, respeitável, venerando.
vengeance s. 1vingança, desforra, represália. **take vengeance on/upon sb**, vingar-se de alguém. **with a vengeance**, (infml) forte, com exagero, com fibra.
venom s. 1 veneno de cobra, peçonha. 2 (fig) ódio, rancor: *She spoke to the children with venom.*
vent s. abertura, orfício, passagem, saída, vazão, escape, entrada (de ar, gás, líquido, etc). **give vent to (one's feelings)**, dar vazão a (sentimentos, emoções).
vent v.t. 1 dar saída/passagem a, prover de saídas ou aberturas. 2 ventilar. 3 desabafar, desafogar. 4 tornar conhecido: *He is not afraid to vent his opinions.*
ventilate v.t. 1 ventilar, arejar. 2 ventilar, examinar, discutir abertamente.
venture s. empreendimento arriscado, aventura arriscada: *a joint venture.*
venture v.t. e v.i. 1 aventurar-se, arriscar-se, correr o risco de: *Don't venture into the woods.* 2 atrever-se a, ousar: *He never ventures to express his ideas.*
Venus s. (astron) o planeta Vênus.
verb s. (gram) verbo.
verbal adj. 1 verbal, oral. 2 literal: *a verbal translation.*
verbalize v.t. verbalizar.
verbally adv. verbalmente, oralmente.
verdict s. veredicto.
verge s. 1 borda, beira, margem, orla (esp de estrada/caminho). **on the verge of**, à beira de, a ponto de, na iminência de: *She was on the verge of despair.*
verify v.t. (pret, pp -ied) 1 verificar,

constatar, examinar, averiguar: *The police will verify his statement.* 2 comprovar, provar, confirmar: *I verified the truth.*
vermilion *adj. e s.* vermelhão, rubro, escarlate.
vermin *s.* 1 animais nocivos/daninhos (a plantas, pássaros ou outros animais). 2 (rel a insetos) parasitas, vermina (p ex piolhos). 3 (fig) pessoas vis, ralé.
vernacular *s.* vernáculo, língua ou dialeto de um país ou região.
versatile *adj.* versátil, flexível.
versatility *s.* versatilidade, flexibilidade.
verse *s.* 1 verso, poesia. 2 verso (de um poema). 3 estrofe. 4 (bíbl) versículo.
versed *adj.* versado. **versed in**, versado em, entendido em: *She's well versed in economics.*
version *s.* 1 versão, interpretação: *They gave a different version of the accident.* 2 versão, tradução.
vertical *adj.* vertical.
vertigo *s.* vertigem, tontura.
verve *s.* verve, entusiasmo, vigor, arroubo, vivacidade (esp em trabalho artístico/literário): *She works with verve.*
very *adv.* 1 muito, muitíssimo: *It's very nice!* 2 (usado como intensificador de superlativos) no mais alto grau: *He's the very best singer in the country.* **very well**, está bem, muito bem.
very *adj.* 1 mesmo, exato, próprio, justo, simples: *He said that very word.* 2 extremo: *at the very beginning of the adventure.*
vessel *s.* 1 vaso, vasilha, recipiente. 2 navio, embarcação, nave.
vestige *s.* vestígio, traço, sinal, resquício: *not a vestige of the tears.*
vet *s.* (infml) abrev de *veterinary surgeon*.
veteran *s.* veterano.
veterinary *adj.* veterinário.
veto *s.* (pl *-es*) veto, proibição, interdição.

veto *v.t.* vetar, proibir, rejeitar.
vex *v.t.* vexar, aborrecer, irritar, incomodar, molestar: *Her mother vexed her in front of all her friends.*
via *prep.* via, por, pelo caminho de: *They went to Paris via London.*
viable *adj.* viável, que pode viver/subsistir/desenvolver-se.
viaduct *s.* viaduto.
vibrant *adj.* 1 (liter) vibrante, ressonante. 2 (rel a cores ou luz) vibrante, vivo. 3 vivo, enérgico, vigoroso, pulsantes: *a vibrant girl.*
vibrate *v.t. e i.* 1 trepidar, tremer, estremecer. 2 vibrar, fremir, pulsar.
vibration *s.* vibração, trepidação.
vicariously *adv.* indiretamente, através da observação de outras pessoas: *She lives vicarously through her friends.*
vice *s.* vício.
vice- *prefixo* vice: *vice-president.*
vice versa *adv.* vice-versa, no sentido inverso.
vicinity *s. (pl -ies)* vizinhança, proximidade: *There are very good schools in the vicinity.*
vicious *adj.* 1 cruel, agressivo, malicioso: *a vicious remark.* 2 depravado, mau: *He is a vicious man.* 3 perigoso: *a vicious animal.* **vicious circle**, círculo vicioso.
victim *s.* vítima.
victimize *v.t.* vitimar, fazer sofrer, fazer de alguém um bode expiatório.
victory *s.* (pl -ies) vitória, conquista, triunfo: *They are celebrating their victory.*
video *prefixo* relativo a vídeo. **video cassette recorder**, video cassete.
videotape, fita de vídeo, videoteipe.
view *s.* 1 vista, cenário, panorama: *What a beautiful view!* 2 ponto de vista, opinião: *point of view.* **fall in with someone's views**, (fml) estar de acordo com a expectativa. **in view**, à vista. **in view of**, considerando, em vista de. **keep something in view**, manter em mente algo para

view

aproveitamento futuro. **with a view to doing something**, com objetivo de, com vistas a. **on view**, à mostra, em exposição. **viewpoint**, (também **(point of view)** ponto de vista.
view v.t. 1 ver, observar, olhar: *Lots of people viewed the art exhibition.* 2 examinar. 3 considerar, julgar: *How did he view this matter?*
viewer s. espectador, observador: *TV viewers.*
vigil s. vigília.
vigilance s. vigilância, precaução, cuidado.
vigorous adj. 1 vigoroso, forte. 2 ativo, enérgico: *The president made a vigorous speech against the pollution.*
vigor s. 1 vigor, robustez. 2 energia, vivacidade, atividade. (GB *vigour*).
vile adj. (-r; -st) 1 vil, baixo. 2 (infml) odioso, detestável: *He has a vile temper.*
village s. aldeia, povoado.
villager s. aldeão.
villain s. vilão, patife, bandido.
vindicate v.t. 1 defender, justificar: *They vindicated their father.* 2 inocentar.
vindictive adj. vingativo: *He is a vindictive person.*
vine s. videira, vinha.
vinegar s. vinagre.
vineyard s. vinhedo.
vintage s. 1 vindima, colheita de uvas. 2 safra de vinho.
vinyl s. vinil.
violation s. 1 violação. 2 estupro. 3 transgressão.
violence s. 1 violência: *There is too much violence on TV these days.* 2 impetuosidade, intensidade: *The violence of the earthquake destroyed the city.*
violent adj. 1 violento: *He is a violent man.* 2 veemente, impetuoso. 3 extremo, muito intenso.
violet s. 1 (bot) violeta. 2 cor roxa/violeta.
violin s. violino.

VIP s. (infml) pessoa importante/famosa/influente.
viper s. 1 víbora. 2 (fig) pessoa maldosa.
virgin s. virgem, donzela.
virginity s. virgindade.
Virgo s. (astron) Virgo, Virgem (signo do zodíaco).
virile adj. 1 viril. 2 másculo: *She likes his virile looks.*
virtual adj. virtual, real, verdadeiro.
virtue s. virtude: *a person of virtue.* **by virtue of**, em virtude de, devido a, graças a.
virus s. (pl -es) vírus.
visa s. (pl -s) (rel a passaporte) visto: *They need a visa to enter the US.*
visible adj. 1 visível, perceptível. 2 evidente, óbvio.
vision s. 1 visão. 2 força/poder de imaginação, fantasia; devaneio. 3 aparição.
visionary s. e adj. visionário.
visit v.t. e v.i. 1 visitar (alguém, um lugar): *visit my parents.* 2 examinar, inspecionar oficialmente (p ex órgãos públicos).
visit s. visita. **go on a visit**, visitar (algo ou alguém) esp por um longo período. **pay a visit**, visitar esp com um propósito e por pouco tempo: *I paid her a visit.*
visiting s. visitação: *visiting hours at a medical clinic.*
visitor s. visitante, visita.
visual adj. visual. **visual aids**, recursos visuais.
visualize v.t. visualizar, imaginar.
vital adj. 1 vital, vivaz. 2 essencial, fundamental: *Those documents were of vital importance during the war.* 3 fatal, morta.
vitality s. vitalidade.
vitamin s. vitamina.
vivacious adj. vivaz, animado, vivo.
vivacity s. vivacidade, animação, brilhantismo.
vivid adj. 1 (rel a cor) intenso, vivo,

brilhante. 2 ativo, forte: *a vivid imagination.* 3 (rel a descrições) claro, nítido.
vividly *adv.* vividamente, intensamente, nitidamente.
vixen *s.* 1 (zoo) raposa (fêmea). 2 (fig) mulher irascível, megera.
vocabulary *s.* (pl -*ies*) vocabulário.
vocal *adj.* vocal, da voz, oral: *the vocal cords,* as cordas vocais.
vocalist *s.* vocalista, cantor.
vogue *s.* moda, voga, popularidade. *be in/come into vogue,* estar na moda, ser popular. *be/go out of vogue,* sair da moda.
voice *s.* 1 voz: *in a clear voice. raise one's voice,* levantar a voz. *shout at the top of one's voice,* gritar o mais alto possível. *have/demand a voice in sth,* ter/exigir o direito de opinar/votar/influenciar. 2 opinião. 3 (gram) voz: *active/passive voice.*
voice *v.t.* 1 expressar, declarar, proclamar: *The manager voiced the feelings of the employees.* 2 opinar.
void *adj.* 1 vazio, oco. *void of,* destituído de: *void of interest. null and void,* (jur) inválido, nulo, sem efeito.
void *s.* vazio, vácuo.
volatile *adj.* 1 (rel a líquidos) volátil. 2 (rel a pessoas) volúvel, inconstante.
volcano *s.* (pl *-es* ou *-s)* vulcão.
volcanic *adj.* vulcânico.
volleyball *s.* (esporte) voleibol.
volt *s.* (eletr) volt.
voltage *s.* voltagem.
voluble *adj.* falador, eloqüente, fluente.
volume *s.* 1 volume, livro, tomo. 2 massa, quantidade: *the volume of water.* 3 (reI a som) volume, altura.
voluntarily *adv.* voluntariamente, espontaneamente, livremente.
voluntary *adj.* voluntário, intencional, sem lucro.
volunteer *s.* voluntário.
volunteer *v.t.* e *v.i.* 1 (mil) alistar-se como voluntário no exército. 2 oferecer-se voluntariamente, oferecer serviços: *She volunteered to help the refugees.*
voluptuous *adj.* voluptuoso, sensual.
vomit *v.t.* e *v.t.* 1 vomitar. 2 lançar, despejar em grandes quantidades.
voracious *adj.* (fml) voraz, insaciável, ávido: *a voracious mind.*
voracity *s.* voracidade.
vortex *s.* (p/ *-es* ou **vortices***)* turbilhão, redemoinho, vórtice.
vote *s.* 1 voto, direito de voto, sufrágio.
vote *v.t.* e *v.i.* 1 *vote for/against somebody/something,* votar a favor/contra alguém/algo. *vote on something,* expressar opinião através de voto. 2 aprovar ou decidir por votos. 3 (infml) eleger: *She was voted the best actress. vote down,* derrotar por votos. *vote out,* destituir por votação.
voter *s.* votante, eleitor.
vouch *v.i.* **vouch for somebody/something**, dar testemunho (de caráter/habilidade), garantir: *I can vouch for him.*
voucher *s.* 1 fiador. 2 comprovante (p ex de despesa), certidão, recibo.
vow *s.* voto, promessa, juramento. *be under a vow,* estar sob juramento. *take/break a vow,* fazer/quebrar um juramento.
vow *v.t.* 1 jurar, fazer um juramento, fazer voto: *He vowed to be faithful.*
vowel *s.* vogal.
voyage *s.* viagem longa (de navio/barco): *They went on a voyage around the world.*
voyage *v.i.* viajar de navio.
voyager *s.* viajante (de navio).
vulgar *adj.* grosseiro, vulgar, de mau gosto: *He is a vulgar man.*
vulgarity *s.* (pl -*ies*) 1 comportamento grosseiro. 2 (Pl) atos/palavras vulgares/grosseiros.
vulnerable *adj.* vulnerável: *a vulnerable position.*
vulture *s.* abutre.

W

W, w 23ª letra do alfabeto.
wad s. 1 chumaço: *a wad of cotton*. 2 maço, pacote, rolo: *a wad of dollar bills*. 3 (Pl) (infml) pilhas, montes: *They have wads of money*.
wade v.t. e i. patinar, andar em água: *The day was so hot the children waded across the river like ducks*. **wade into sth/wade in**, enfrentar, atacar, começar algo desagradáve/difícil: *Let's wade into this situation right now*. **wade through**, terminar algo desagradável com dificuldade.
wafer s. biscoito leve de massa folheada que é geralmente comido com sorvetes.
waffle s. massa feita em forma quadriculada especial e comida com molhos doces.
waft s. 1 rajada, lufada: *A waft of perfume came after her*. 2 bafo, cheiro carregado/levado pelo ar: *wafts of cigarette smoke all around the place*.
wag v.t. e v.i. (-gg-)abanar, sacudir, agitar: *The dog wagged its tail in a funny way*. **set tongues wagging**, (infml) dar o que falar, dar motivos para falatórios, ser motivo de escândalo: *His late arrival for the meeting will set tongues wagging*.
wag s. abano, sacudidela: *a wag of the tail*.
wage s. salário, ordenado. *The wage at the restaurant is not enough for her needs*. **minimum wage**, salário mínimo. **wage-cut**, corte/redução de salários.
wage v.t. **wage war (on/against sb)**, empreender/travar guerra (contra alguém): *The new government promised to wage war against terrorism*.
wages v. **wage**.
wagon s. 1 (rel a trens) vagão: *train wagons*. 2 carroça. (GB *waggon*).

station wagon, perua, caminhonete.
wagon-lit, carro leito.
waif s. criança abandonada/sem lar.
wail s. 1 choro, pranto. 2 lamúria, lamento. 3 grito de dor, gemido.
wail v.t. e i. 1 lamentar-se, lamuriar. 2 chorar. 3 gemer, gritar de dor. **wail over/about sth**, queixar-se de, lamentar-se.
waist s. 1 cintura. 2 parte central ou mais estreita. **waistcoat**, colete (EUA *vest*). **waistline**, cintura.
wait s. espera: *The students had a long wait before the test started*.
wait v.t. e i. 1 esperar, ficar à espera: *The conductor waited for the pianist until the concert started*. **keep sb wating**, deixar/fazer alguém esperar. **wait up (for sb)**, ficar acordado (à espera de alguém): *Their mother always waits up for them when they go out*. **wait in line**, esperar em fila. 2 servir, atender, cuidar de. **wait on sb hand and foot**, fazer tudo o que alguém quer, fazer todos os desejos de alguém. **wait at table**, servir à mesa. **waiting list**, lista de espera. **waiting room**, sala de espera.
waiter s. garçom.
waitress s. garçonete.
waive v.t. (fml) 1 dispensar alguém de uma obrigação: *They waived them away*. 2 renunciar a um direito, abrir mão de um direito.
wake v.i. e v.t. (pret *woke*, pp *woken*) acordar, despertar: *I wake up very early to go to work everyday*.
wake s. vigília, velório.
wake s. (rel a navios) esteira, rastro. **in the wake of**, a) no encalço de, no rastro de, atrás de. b) como conseqüência/resultado de: *There was destruction in the wake of the storm*.
waken v.t. e i.= **wake**.

waking adj **waking hours**, as horas em que se passa acordado: He spends his waking hours in front of a computer.
walk s. 1 passeio a pé. **go for a walk**, dar uma volta a pé, dar um passeio a pé. 2 andar, modo de andar: The child has a funny walk. 3 passeio, caminho, alameda: He lives in a walk by the city hall. 4 excursão a pé: There are many walks near the beach. 5 classe/posição/padrão social: Our employees come from all walks of life.
walk v.t. e i. 1 andar a pé, caminhar: We walk to school in the mornings. 2 andar sobre/por: He walked the shopping mall looking for a better price. 3 levar um animal para um passeio a pé: She walks the dogs everyday. 4 acompanhar alguém a pé: He'll walk you home. **walk away**, afastar-se de alguém. **walk away with**, a) ganhar uma competição com facilidade: Brazil walked away with the World Cup. b) roubar: The burglars walked away with the jewelery.
walking, ambulante: She's a walking library. **walking-stick**, bengala. **walk off with** = walk away with. **walk out**, a) greve. b) entrar em greve. c) sair (p ex de uma reunião) em protesto. **walk out on**, abandonar: She walked out on his children. **walk over**, a) (infml) vitória fácil. b) ganhar algo facilmente. c) maltratar: Don't let him walk over you like that.
walkie-talkie s. (infml) rádio transmissor e receptor portátil: The boys were playing in the park with a walkie-talkie.
wall s. parede, muro, muralha, paredão. **walls have ears**, as paredes têm ouvidos. **go up the wall**, (infml) enfurecer-se. **wall to wall**, que cobre o chão por inteiro. **wallpaper**, a) papel de parede. b) cobrir com papel de parede.
wallet s. carteira de dinheiro, porta-notas.
walnut s. 1 noz. 2 nogueira.
walrus s. (pl -es) (zoo) morsa, cavalo-marinho.
waltz s. valsa.
waltz v.i. valsar, dançar a valsa.
wan adj. (-ner, -nest) abatido, cansado, pálido: a wan face.
wand s. 1 vara: a magic wand. 2 batuta.
wander v.t. e i. 1 passear, excursionar, viajar, perambular, andar por: After finishing high school he spent a year wandering through the USA. 2 vaguear, errar, andar ao léu. 3 desviar-se (do caminho certo), perder-se, afastar-se: The tour bus wandered off the road and got lost. 4 devanear, divagar, delirar.
wanderer s. andarilho, viajante.
wane v.i. 1 (rel à lua) minguar, decrescer. 2 diminuir, decrescer, enfraquecer. **be on the wane**, minguar, enfraquecer: The present administration is on the wane.
want s. 1 carência, escassez, falta, ausência, necessidade. **for/from want of**, por falta de. **be in want of**, estar precisando. **be in want**, ser carente, passar necessidade. 2 (ger pl) desejo: He satisfies all her wants.
want v.t. e i. 1 precisar de, necessitar: I want a glass of water. 2 querer, desejar: He wants to be near her. 3 dever: Your room wants cleaning. **wanted**, (rel a anúncios) procura-se, precisa-se.
wanton adj. 1 (liter) brincalhão, irresponsável: a wanton character. 2 descontrolado. 3 insinuante: a wanton smile. 4 injustificável, sem sentido: a wanton crime.
war s. guerra, luta: a war between nations. **be at war**, estar em pé de guerra. **declare war (on)**, declarar guerra (a). **go to war (against)**, ir à guerra (contra). **make/wage war (on/upon/against)**, entrar em guerra (contra). **be on the war path**, estar em pé de guerra. **war-cry**, grito de guerra. **war-dance**, dança de guerra. **warhead**, a) explosivo, bomba: nuclear

war

warheads. b) ponta explosiva de uma bomba. **warmonger**, provocador/fomentador de guerras. **warship**, navio de guerra. **wartime**, tempo/época de guerra.

war v.i. (-rr-) lutar, guerrear, fazer guerra, batalhar.

ward s. 1 enfermaria, divisão/setor de hospital. 2 distrito eleitoral. 3 custódia: *a child in ward*.

ward v.t. **ward sth off**. 1 afastar (perigo). 2 desviar, repelir (ataque/golpe): *He warded off the attacks from the soldiers*.

-ward sufixo indica direção para: *homewards, backwards*.

warden s. 1 responsável, diretor, guarda carcerário: *the warden of the penitentiary*. **traffic warden**, guarda de trânsito.

wardrobe s. 1 guarda-roupa, armário: *They bought a new wardrobe for her bedroom*.

ware s. 1 (pl) mercadorias, artigos à venda: *He always sells his wares in the street market*. 2 (usado como sufixo) artigos, produtos: *kitchenware, silverware, hardware*.

warehouse s. armazém, depósito.

warfare s. guerra, luta, hostilidades.

warm adj. (-er, -est) 1 não muito quente, morno, tépido: *warm milk*. 2 aquecido, quente: *"Is it cold?" "No, it's warm."* 3 (rel a pessoas, relacionamentos) cordial, afetuoso, cálido: *a warm embrace*. 4 entusiasmado, caloroso: *a warm smile*. 5 (rel a roupas) quente, agasalhante: *a warm jacket*. **warm-blooded**, a) (rel a animais) de sangue quente. b) (rel a pessoas) apaixonável, ardente, excitável. **warm-hearted**, afetuoso, caloroso. **warm-up**, exercícios/atividades de aquecimento.

warm v.t. e i. aquecer, esquentar: *I'll warm some milk for the baby*. **warm to**, (infml) a) começar a gostar, simpatizar com: *He warmed to his new co-workers*. b) começar a interessar-se por: *She warmed to the political discussion*.

warm s. calor, aquecimento, ato de aquecer-se.

warmly adv. 1 calorosamente, afetuosamente: *They greeted us warmly*. 2 agasalhado: *The children were dressed warmly*.

warmth s. 1 calor. 2 cordialidade. 3 entusiasmo.

warn v.i. 1 advertir, acautelar, prevenir, chamar a atenção: *The teacher warned the students against missing so many classes*. 2 avisar: *The police warned the citizens that it's important to be careful*.

warning s. aviso, advertência: *The director gave a serious warning to everybody present at the club*.

warp v.t. e i. 1 entortar(-se), empenar (-se), arquear, deformar(-se). 2 deformar, perverter, deturpar: *a warped mind*.

warrant s. 1 justificativa, razão, fundamento, permissão, autorização. 2 ordem, mandado: *The judge sent a warrant for his arrest*.

warrant v.t. 1 justificar, autorizar: *The situation didn't warrant such excentricities*. 2 garantir: *This CD player is warranted for 1year*.

warrior s. (liter) guerreiro.

wart s. verruga.

wary adj. (-ier, -iest) cauteloso, reservado, precavido, prudente, cuidadoso. **be wary of**, não gostar de, ter reservas (a respeito de): *He's wary of dogs*.

was v. (pretérito do verbo to *be*).

wash s. 1 lavagem. **have a wash**, lavar-se. **wash-basin**, pia de banheiro. **wash-out**, (infml) fracasso. **washroom**, banheiro. **wash-stand**, lavatório.

wash v.t. e i. 1 lavar(-se), banhar (-se), enxaguar: *He never washes his hands before eating*. 2 (rel a rios/ao mar) banhar: *London is washed by* the river Thames. 3 ser carregado por uma onda/pela correnteza: *The sand castle was washed away.* 4 (rel a ondas) cobrir, esparramar-se: *a wave washed over the beach.* **wash down**, a) lavar: *wash down the yard.* b) beber, engolir: *She washed down two glasses of champagne.* **washed out**, exausto: *After the party she was feeling washed out.* **washing**, a) roupa suja. b) lavagem. **washing machine**, máquina de lavar roupas. **do the washing**, lavar roupas. **washing-up**, lavar a louça.

wasp s. vespa, marimbondo.

WASP s. (abrev de *White Anglo-Saxon Protestant*) norte-americano protestante de origem anglo-saxônica e de raça branca (por oposição aos norte-americanos de origem latina, negra, etc).

waste adj. 1 inútil, sem valor, supérfluo. 2 (rel a espaço, terreno, área) baldio, abandonado, devastado, não cultivado, agreste. **wasteland**, (fig) vida/sociedade estéril/sem riquezas artísticas ou espirituais.

waste s. 1 perda, desperdício: *a waste of money.* 2 extensão de terra abandonada/agreste. **go/run to waste**, ser desperdiçado. **wastepaper-basket**, cesto de papéis. **waste-pipe**, cano de esgoto.

waste v.t. e i. 1 desperdiçar, perder, não aproveitar: *They waste a lot of time.* 2 esbanjar: *She likes to waste money on expensive clothes.* 3 (rel a terra) abandonar, não cultivar. 4 **waste away**, definhar. 5 **lay waste**, assolar, devastar.

watch s. relógio (de bolso ou pulso). **wristwatch**, relógio de pulso; **pocket watch**, relógio de bolso. (Cf. clock).

watch s. 1 vigia, vigilância: **keep watch (on sth/sb)**, vigiar/estar de atalaia/esta de guarda. 2 (náut) quarto. **night watchman**, vigia noturno. **watch-dog**, cão de guarda. **watchman**, vigia.

watch v.t. e i. 1 observar, vigiar, olhar atentamente, 2 assistir: *watch a movie; watch a show.* **watch one's step**, tomar cuidado. **watch out for**, ficar atento a. **watch out,** (infml) ficar atento, tomar cuidado, prestar atenção.

watchful adj. vigilante, alerta, atento, acautelado.

water s. 1 água. **be in deep water**, passar por dificuldades, estar em apuros. **get/be into hot water**, estar em apuros. **hold water**, (rel a teorias, hipóteses) ser convincente/bem fundamentado. **keep one's head above water**, evitar problemas (esp financeiros). **spend money like water**, gastar/esbanjar dinheiro. **throw cold water on sth**, desencorajar. 2 water = tide. 3 (pl) massa de água: *The waters of that river are deep.* 4 solução,líquido: *soda water.* **water-bed**, colchão de água. **water-biscuit**, bolacha de água e sal. **water-closet**, (abrev WC) banheiro, toalete. **water-color**, aquarela (GB *water-colour*). **watercress**, agrião. **waterfall**, queda de água, catarata, cachoeira. **water-front**, orla marítima/fluvial. **waterlily**, (bot) vitóriarégia. **watermelon**, melancia. **watermill**, moinho de água. **waterproof**, a) à prova d'água. b) tornar à prova d'água. **water-ski**, a) fazer esqui aquático. b) esqui aquático. **water-supply**, a) sistema público/rede de fornecimento de água. b) encanamento. **watertight**, a) impermeável, à prova d'água. b) seguro, perfeito: *a watertight plan.*

water v.t. e i. 1 aguar, irrigar, regar: *She waters the flowers every morning.* 2 dar água a: *water the animals.* 3 lacrimejar: *her eyes are watering.* 4 (rel à boca) encher de água: *My mouth is watering.*

wave v.t. e i. 1 agitar, abanar, acenar: *They waved goodbye at the train station.* 2 flutuar, agitar(-se), oscilar, drapejar, tremular: *The country flag waved in the wind.* **wave sth/sb aside**,

wave

desprezar. 3 ondear, ondular: *My hair is waved.*
wave *s.* 1 onda, vaga. *in wave,* a) ondulado, ondeado, em ondas. b) sucessivamente. 2 aceno, sinal, gesto: *a wave of welcome.* 3 (eletr) onda, ondulação. **Long/medium/short waves,** ondas longas/médias/curtas.
wavelength, (eletr) comprimento de onda.
waver *v.i.* 1 oscilar, mover para cá e para lá. 2 hesitar, vacilar: *She waved between accepting and refusing the new job.* 3 enfraquecer, ceder: *His willpower wavered.*
wavy *adj.* (*-ier, -iest*) ondulado: *wavy hair.*
wax *s.* 1 cera (de abelhas/parafina). 2 (med) cerume (secreção dos ouvidos): *ear wax.*
wax *v.t.* encerar, cobrir com cera, polir com cera.
waxen *adj.* 1 pálido. 2 de cera.
way *s.* 1 caminho, via, senda, passagem, estrada. **pave the way for,** fig. preparar o terreno para, abrir caminho para, facilitar. 2 caminho, rota, percurso: *This is the best way to the park.* **go one's way,** partir. **go out of one's way (to do sth),** dar-se ao trabalho de/esforçar-se (para fazer algo). **on the/one's way (to),** a caminho (de): *I am on the way to school.* **out of the way,** extraordinário, excepcional. **out of/in the way (of),** fora do caminho/no caminho. **make way (for),** abrir caminho/dar passagem para. 3 maneira, método, modo (de proceder): *This is the right way to do it.* **ways and means,** meios, possibilidades (esp em relação a dinheiro). **have/get one's own way,** conseguir/fazer o que se quer. 4 distância: *They're a long way from their families.* 5 direção: *Why don't you go that way?* 6 modo, costume, hábito, característica pessoal ou nacional: *a different way of life.* **have it both ways,** ter as duas coisas/os dois lados ao mesmo tempo: *You can't have it both ways.* **in the family way,** (eufemismo) grávida. **by the way,** a propósito, por falar nisso: *By the way...*
waylay *v.t.* (pret, pp *-laid*) tocaiar, parar (alguém) no caminho inesperadamente (com algum propósito): *The boys waylaid me to steal the car.*
we *pron.* nós: *We are good students.*
weak *adj.* (*-er, -est*) 1 fraco, débil, frágil, sem resistência, delicado: *She felt weak after the game.* 2 (rel a misturas líquidas) fraco, ralo: *weak drink.* 3 fraco, ineficiente, deficiente: *He's weak in algebra.*
weaken *v.t. e i.* 1 enfraquecer(-se), debilitar(-se). 2 afrouxar, ceder: *After so many requests, the parents weakened and agreed with the party.*
weakly *adv.* fracamente, debilmente.
weakness *s.* 1 fraqueza, debilidade. 2 fraqueza/defeito de caráter. **have a weakness for,** ter um fraco por, ter uma predileção especial por.
wealth *s.* 1 riqueza(s), bens, fortuna. 2 (*of*) abundância, fartura, profusão.
wealthy *adj.* (*-ier, -iest*) rico, abastado: *a wealthy man.*
weapon *s.* arma.
weaponry *s.* armas, armamento.
wear *v.t. e i.* (pret *wore*, pp *worn*) 1 usar, vestir, trajar: *She wore very elegant clothes at the fashion show. He likes to wear a hat.* 2 (rel a expressões faciais) mostrar, apresentar: *He wore a worried face.* 3 gastar, consumir, desgastar, estragar(-se), apagar(-se). 4 resistir ao uso, durar, conservar-se: *These clothes don't wear like most. They're more resistant.* **wear away,** apagar-se, gastar-se, estragar-se, quebrar-se (pelo uso). **wear down,** gastar, consumir, tornar menor/mais ralo/mais fraco: *The heavy sounds from the road are wearing me down.* **wear off,** passar, desaparecer: *Hair styles usually wear off quickly.* **wear out,** a) gastar(-se), desgastar(-se): *My tennis*

shoes have worn out. b) esgotar(-se), cansar(-se) muito: *This work has worn me out.*
wear *s.* 1 (rel a roupas) uso. 2 desgaste, deterioração (causada pelo uso), gasto: *This furniture is showing signs of wear.* 3 durabilidade. 4 roupas, artigos de vestuário (esp em compostos ou no comércio): *men's wear/children's wear/footwear.*
wearily *adv.* cansadamente, cansativamente.
weariness *s.* cansaço, fadiga.
wearisome *adj.* cansativo, fatigante, enfadonho, monótono: *a wearisome person.*
weary *adj. (-ier, -iest)* 1 cansado, fatigado: *When I'm weary I need to rest.* 2 cansativo, fatigante, exaustivo, aborrecido, enfadonho: *a weary job.*
weary *v.t. e i.* cansar(-se), fatigar(-se), enfastiar(-se).
weasel *s.* (zoo) doninha.
weather *s.* tempo (estado atmosférico), condições meteorológicas: *The weather is perfect today.* **be/feel under the weather**, estar/sentir-se indisposto/deprimido. **weather forecast**, previsão do tempo. **weather-proof**, resistente ao mau tempo.
weather *v.t. e i.* 1 (liter, fig) atravessar, vencer, resistir a (uma tempestade, uma crise). 2 expor à ação do tempo: *weathered mahogany.* 3 desgastar, desbotar, estragar (pela exposição ao tempo): *a house weathered by wind and sand.*
weave *v.t. e i.* (pret *wove*, pp *woven*) 1 tecer. 2 trançar. 3 (fig) compor, urdir, tecer (uma história, um romance, uma trama).
weave *v.t. e i.* (pret, pp *-d*) abrir caminho por meio de voltas e mudanças de direção, "costurar": *The bus weaved through the city traffic.*
web *s.* 1 teia: *a spider's web.* 2 (ger fig) rede: *I'm sure it's on the the web. It's a new website.*

weigh

wed *v.t. e i. (-dd-)* 1 (arc, liter) casar (-se), desposar(-se). 2 unir, ligar: *She has beauty wedded to intelligence.*
wedded to, devotado a, apegado a.
we'd contração de *we had.* 2 contração de *we would.*
wedding *s.* casamento, enlace, núpcias. **wedding-ring**, aliança de casamento.
wedge *s.* 1 cunha, calço. 2 objeto em forma de cunha.
wedge *v.t.* 1 calçar com cunha: *wedge the kitchen door open.* 2 entalar, prender.
wedlock *s.* matrimônio, casamento, vida conjugal.
Wednesday *s.* quarta-feira.
wee *adj.* pequenino, minúsculo: *Just a wee little bit of chocolate.*
weed *s.* 1 erva daninha. 2 maconha, cigarro de maconha.
weed *v.t. e i.* 1 limpar (a terra) de ervas daninhas, capinar. 2 *(out)* eliminar, livrar-se de (coisas ou pessoas indesejáveis): *The sheriff managed to weed out the bad guys.*
weeds *s. pl.* luto.
weedy *adj. (-ier, -iest)* 1 coberto de ervas daninhas.
week *s.* 1 semana: *She'll be home next week.*
weekday *s.* dia da semana, dia útil.
weekend *s.* fim-de-semana.
weekly *adj. e adv.* semanal, semanalmente.
weekly *s. (pl -ies)* semanário.
weep *v.t. e i.* (pret, pp *wept*) chorar, prantear, lastimar: *the girl is weeping.*
weeping *adj.* (rel a árvores) com ramos pendentes, chorão: *a weeping willow,* salgueiro chorão.
weigh *v.t. e i.* 1 pesar: *I weigh myself on the scales every morning.* 2 ponderar, considerar, comparar, pesar: *You should weigh the possibilities before accepting the offer.* **weigh down**, a) curvar/vergar sob o peso. b) (fig)

weight

prostrar, oprimir: *weighted down with problems.*
weight s. 1 peso: *My weight is 57 kilos.* 2 peso (para balanças). 3 sistema de pesos: *metric weight.* 4 peso (objeto que se põe sobre algo para segurá-lo no lugar): *a paper weight*, um peso para papéis. 5 (fig) ônus, carga. 6 importância, relevância: *His words carry great weight.* **over weight**, com excesso de peso. **put on weight**, engordar. **weight-lifting**, levantamento de pesos.
weight v.t. 1 pôr peso em, lastrar, tornar mais pesado. 2 inclinar-se a, dar vantagem a: *The survey was weighted in his favor.* **weight sb down**, sobrecarregar, oprimir.
weird adj. 1 sobrenatural, fantástico, misterioso. 2 (infml) estranho, esquisito: *She has weird friends.*
weirdo s. (gír) pessoa estranha/diferente/esquisita.
welcome adj. 1 bem-vindo: *You're welcome to our house.* **welcome to**, à vontade, à disposição. **You're welcome**, (em resposta a um agradecimento) de nada, às ordens.
welcome interj. bem-vindo: *Welcome to our hotel!*
welcome s. boas-vindas: *I got a nice welcome.*
welcome v.t. dar as boas-vindas, receber cordialmente: *She was welcomed to their lives.*
weld v.t. e i. 1 soldar (metais). 2 ser soldável/soldado.
weld s. solda, soldadura.
welder s. soldador.
welfare s. bem-estar, prosperidade, felicidade: *They work with children welfare.*
well s. 1 poço: *a water well.* 2 vão, poço (de escada ou elevador): *stairwell.*
well v.i. jorrar, fluir, brotar. **well over**, transbordar. **well up**, subir, brotar.
well adj. *(better, best)* 1 bem, em boa saúde: *Are you feeling well?* 2 bem, satisfatório, certo.
well adv. *(better, best)* 1 bem, satisfatoriamente, apropriadamente: *She dances very well.* **do well**, sair-se bem, progredir: *He's doing well at school.* 2 bem, favoravelmente, elogiosamente: *They spoke well of the new director.* **come off well**, sair-se bem, terminar bem/com sorte. **well off**, rico, afortunado, bem de vida: *They are well off.* 3 com boas razões, sem inconveniente. **just as well**, melhor assim, ainda bem. 4 bem, completamente, cabalmente: *You should always read a contract well.* 5 bastante, bem, muito: *That actress is well over forty.* **as well (as)**, também, igualmente: *The survivors need medicine as well as clothes.*
well interj. bem, bom (usado para expressar surpresa, alívio, resignação, concordância, concessão): *Well, what is new?*
well- prefixo que indica bem. **well-advised**, sensato, prudente. **well-being**, bem-estar, conforto. **well-bred**, bem educado, polido, fino. **well-connected**, bem relacionado. **well-known**, bem conhecido, de renome, notório. **well-meaning**, bem intencionado. **well-to-do**, rico, abastado, próspero.
we'll contração de *we shall, we will.*
wellington s. galocha.
went v. (pretérito do verbo to *go*).
wept v. (pretérito do verbo to *weep*).
we're contração de *we are.*
weren't contração de *were not.*
werewolf s. (pl - *wolves*) lobisomem.
west s. 1 oeste: *They live on the west coast.* **the west**, a) o Ocidente. b) o Oeste.
west adj. do oeste, ocidental: *the West Indies.*
west adv. a oeste, para oeste, em direção ao oeste: *They drove west.*
western adj. ocidental: *western cultures.*
western s. filme de faroeste.

westernize (-ise) v.t. ocidentalizar.
westward adj. ocidental, que fica ou se dirige para o oeste.
westward adv. para o oeste, em direção ao oeste: *sail westward*.
wet adj. (-ter, -test) 1 molhado. **wet through**, encharcado, ensopado. 2 úmido, chuvoso: *a wet afternoon*. **wet blanket**, (rel a pessoa) desmanchaprazer.
wet s. umidade, chuva: *Come out of the wet!*
wet v.t. (pret, pp - ou - ted) (-tt-) molhar, umedecer: *The baby wetted the bed last night*.
we've contração de *we have*.
whack v.t. golpear, dar uma pancada forte em.
whack s. 1 (som de)pancada forte, golpe.
whale s. baleia.
whaler s. baleeiro.
whaling s. pesca de baleias.
what adj. 1 que, qual, quais (usado em interrogações e exclamações).
what pron. 1 o que, que: *What is it? What's the matter?* **what for**, para que: *What do you need it for?* **what (...) like**, (em um pedido de descrição) como: *What is your mother like?"* 2 o que, aquilo que: *You have to do what you want*. **what's more**, além disso, o mais importante.
whatever adj. 1 (forma enfática de *what*)qualquer que: *You can wear whatever of these dresses you prefer to the party*. 2 em absoluto, absolutamente (usado depois de um substantivo em frases negativas, para dar ênfase): *He has no patience whatever with his children*.
whatever pron. o que quer que, tudo o que, não importa o que: *You can do whatever you wish*. 2 tanto faz: *"Do you want to go out tonight"? "Whatever"*.
whatsoever adj. e pron. (poét) = *whatever*.
wheat s. trigo.

wheel s. 1 roda. 2 volante do carro. **steering wheel**, direção. **wheelbarrow**, carrinho de mão. **wheelchair**, cadeira de rodas.
wheel v.t. e i. 1 rodar, puxar ou empurrar (um veículo de rodas). 2 transportar (sobre rodas). 3 virar(-se), volver (-se): *She wheeled round when she saw him*.
wheeze v.i. e v.t. 1 respirar dificilmente e ruidosamente, chiar, ofegar. 2 dizer ofegantemente.
wheeze s. 1 respiração difícil e ruidosa, chiado.
wheezy adj. (-ier, -iest) ofegante, que respira ruidosamente/com chiado.
when adv. 1 quando: *When are you coming home?* 2 quando, em que: *This is the kind of weather that makes me feel sleepy*.
when conj. 1 quando, no tempo/na época em que: *She woke up when he arrived*. 2 se, considerando que. 3 embora.
whence adv. 1 (arc) de onde, para onde.
whenever adv. 1 quando quer que, em qualquer tempo que, quando: *He comes and goes whenever he pleases*. 2 sempre que. 3 (infml) em qualquer hora/ocasião: *He may arrive next week, next month or whenever*.
where adv. 1 onde: *Where is he going?* 2 onde, em que, no lugar em que: *This is the building where I used to live*.
whereabouts adv. onde, por onde, mais ou menos em que lugar.
whereabouts s. paradeiro: *The mananger doesn't know her whereabouts*.
whereas conj. 1 enquanto, ao passo que. 2 (jur) considerando que, desde que.
whereby adv. (fml) 1 através do qual, por meio do qual. 2 de acordo com o qual, pelo qual: *a law whereby women and men have equal rights*.
wherein adv. (fml) 1 em quê? como? onde? 2 em que, no qual.

wherever

wherever *adv.* onde quer que, seja onde for: *Wherever you are, be careful.*

wherewithal *s.* (infrnl) meio(s), recurso(s).

whether *conj.* se, caso (indicando uma alternativa): *We shall travel to the beach whether it is hot or not.*

which *pron. rel.* qual, o/a qual, os/as quais, que (em relação a coisas somente): *Which of the two cars are you going to buy, the blue or the green?.*

which *pron.* qual? quais? que?: *Which one do you prefer?*

whichever *adj. e pron.* qualquer que, quaisquer que, seja qual for: *Go and buy whichever CD you like.*

while *s.* espaço de tempo: *Wait for me a while, please.* **once in a while**, de vez em quando. **be worth one's while**, valer a pena.

while *conj.* 1 durante, enquanto. 2 enquanto, ao passo que. 3 embora: *While I enjoyed the party, I didn't like the food they served.*

whilst *conj.* = while.

whimper *v.t. e i.* 1 choramingar, soluçar. 2 lamentar, lamuriar.

whimsical *adj.* caprichoso, esquisito, excêntrico.

whine *v.i. e v.t.* 1 choramingar, lamuriar (-se).

whine *s.* 1 choradeira, lamúria, queixume. 2 gemido.

whip *s.* 1 chicote, açoite.

whip *v.t. e i.* (-pp-) 1 chicotear, surrar. 2 bater (creme, ovos, etc): *The cream has to be whipped.*

whirl *v.t. e i.* 1 girar, rodopiar. **whirlpool**, remoinho de água. **whirlwind**, remoinho de vento, tufão.

whisk *s.* 1 movimento rápido e repentino: *He stole the papers with a whisk.* 2 espanador, vassourinha. 3 batedor (de ovos, creme, etc).

whisk *v.t. e i.* 1 bater/tirar/levar/mover rapidamente: *He whisked the cards off the table.* 2 escovar, espanar. 3 bater (esp ovos).

whisker *s.* 1 bigode (também de gato e outros animais): *cat whiskers.* 2 (pl) (rel à barba) suíças, costeletas.

whiskey *s.* uísque (para irlandeses e americanos).

whisky *s.* uísque.

whisper *v.t. e i.* 1 cochicar, sussurrar: *What are you whispering?* 2 comentar um segredo.

whisper *s.* 1 cochicho. 2 rumor, boato.

whistle *s.* apito, assobio.

whistle *v.i. e v.t.* 1 apitar, assobiar. 2 assobiar, silvar.

white *adj.*(-1; -si) 1 branco, alvo: *The White House.* 2 pálido: *Her face was white.* **white-collar**, colarinho branco, altos profissionais e executivos. (Cf. *blue-collar*). **white elephant**, elefante branco, objeto grande de pouca utilidade. **white lie**, mentira inofensiva. **white meat**, carne branca. **white-wash**, cal para caiar, caiar.

white *s.* 1 cor branca. 2 pessoa de raça branca. 3 parte branca dos olhos. 4 clara de ovo: *egg white.*

who *pron. rel.* que, quem (em relação a pessoas somente): *This is the person who we were talking about. This is my brother, who is a lawyer.* (Cf. *which*).

who *pron.* quem (usado em perguntas): *Who are you?* (Cf. *whom*).

whoever *pron.* quem quer que, todo aquele que, seja quem for: *Whoever needs advice will find it here.*

whole *adj.* completo, todo, inteiro, total: *The children ate the whole chocolate box.*

whole *s.* todo, totalidade, conjunto. **on the whole**, no geral: *On the whole, the trip with the children was fine.* **as a whole**, como um todo, na sua totalidade. **wholesale**, a) venda por atacado. b) atacadista. **wholemeal**, de trigo integral: *whole wheat bread.* (GB *whole meal bread*).

wholesome *adj.* 1 saudável, salutar: *wholesome meals.* 2 são, sadio: *a wholesome man.*

whom *pron. rel.* (fml) (usado em substituição ao objeto direto, em relação a pessoas somente): *She is the teacher with whom I talked.*
whom *pron.* quem (usado como objeto): *Whom did you meet there?*
whoop *s.* grito. **whooping cough**, tosse comprida, coqueluche.
whore *s.* prostituta, puta. **whorehouse**, prostíbulo.
whose *pron. rel.* cujo, de quem: *This is the school whose students were on a field trip.*
whose *pron.* de quem: *Whose house is this?*
whosoever *pron.* (arc) = whoever.
why *adv* 1 por que?: *Why did you have to do that?* 2 porque, por que razão: *It's important to understand why that tragedy happened.*
why *interj.* Ora! Ora essa! Como!: *Why, I don't care!*
wicked *adj.* 1 mau, ruim, cruel, malvado: *a whicked boy.* 2 pecaminoso, depravado.
wicker *adj.* vime.
wicket *s.* (rel a críquete) arco.
wide *adj.* (-r; -st) 1 largo, amplo, espaçoso (também fig): *His offices are wide and bright.* 2 totalmente aberto: *The door was wide open.* **wide wake**, a) bem acordado, de olhos abertos
widely *adv.* amplamente, muito.
widen *v.t. e i.* alargar(-se), dilatar(-se), ampliar: *The chances of success suddenly widened.*
widespread *adj.* espalhado, difundido, comum: *widespread theories.*
widow *s.* viúva.
widower *s.* viúvo.
width *s.* largura, extensão, amplidão: *What is the width of this construction?*
wield *v.t.* brandir, manejar, exercer: *to wield control.*
wife *s.* (pl *wives*) esposa, mulher casada.
wig *s.* peruca.
wiggle *v.t. e i.* sacudir(-se), abanar(-se), menear.

wild *adj.* (-et; -est) 1 selvagem, agreste: *wild animal.* 2 desabitado, despovoado, ermo. 3 não civilizado, indômito: *wild indians.* 4 turbulento, extravagante: *a wild team.* 5 louco, furioso, fora de si: *He felt wild when he was hit.* **drive sb wild**, enlouquecer alguém. 6 em desordem, desregrado: *wild life.* **run wild**, comportar-se/viver sem controle/desregradamente. 7 ao acaso, impensado, irrefletido. **wildfire, like wildfire**, rapidamente. **wild-goose chase**, busca/tentativa infrutífera/absurda. **wildlife**, vida selvagem, animais/plantas selvagens.
wilderness *s.* 1 estado selvagem. 2 violência, turbulência, extravagância.
wildly *adv.* descontroladamente, loucamente.
wile *s.* 1 ardil, manha, esperteza. 2 engano, fraude, impostura.
willful *adj.* 1 teimoso, obstinado: *a willful personality.* 2 intencional, proposital. (GB *wilful*).
will *s.* 1 vontade, desejo, intenção. 2 testamento: *She died and left a different will.*
will *v. aux.* (pret *would*, neg *will not*, *won't*) 1 expressa ações futuras: *The weather will be fine tomorrow.* 2 (usado com *I, we*) expressa consentimento, promessa, disposição: *Ok, I'll be there.* 3 (usado em perguntas) expressa pedido: *Will you come here?* 4 expressa insistência, inevitabilidade. 5 (usado na forma negativa) expressa recusa: *She won't help us.* 6 expressa hábito: *He will be late.* 7 expressa probabilidade. 8 (usado como *can*) expressa possibilidade: *The host will accomodate all the guests.*
will *v.t. e i.* 1 vontade/desejar que algo aconteça. 2 legar, deixar em testamento.
willing *adj.* propenso, inclinado, desejoso, disposto: *I'm willing to help them.*
wilt *v.t. e i.* 1 murchar. *The flowers have*

win

wilted. 2 definhar, perder a força: *She is wilting in that place.*
win *v.t. e i.* (pret, pp *won*) *(-nn-)* 1 vencer, ganhar: *He won the competition.* 2 ter sucesso, atingir: *She finally won a good position in the company.* 3 ganhar: *He won the lottery.*
wince *v.t.* estremecer, tremer.
wind *s.* 1 vento, ventania: *a strong wind.* **see how the wind blows**, ver de que lado sopra o vento, ver como estão as coisas. 2 respiração, fôlego: *She couldn't get her wind after the race.* 3 faro, cheiro. **get wind of**, a) ter notícia de, vir a saber. b) farejar, suspeitar. 4 conversa à toa, palavreado inútil. 5 flatulência, gases intestinais. **break wind**, soltar gases intestinais. 6 (mús) instrumentos de sopro.
wind *v.t.* 1 arejar, ventilar. 2 farejar, sentir o cheiro de: *The dogs winded the drugs in the containers.* 3 deixar sem fôlego, esbaforir.
wind *v.t. e i.* (pret, pp *wound*) 1 dar voltas, serpentear: *The road winds through the woods.* 2 enrolar (barbante, fio, linha, etc) em volta de algo. 3 enrolar(-se), envolver(-se), enroscar(-se). 4 dar corda em (p ex em relógio): *Remember to wind (up) your watch!* 5 virar (manivela), guinchar, içar, levantar. 6 **wound up (to)**, tenso/excitado.
windbreak *s.* proteção ou reparo contra o vento (p ex casaco/cerca).
windfall *s.* 1 (fig) sorte inesperada, coisa caída do céu (esp dinheiro). 2 fruta caída da árvore (derrubada pelo vento).
windmill *s.* 1 moinho de vento. 2 catavento (brinquedo de criança).
window *s.* 1 janela, vidraça de janela. 2 vitrina. 3 guichê. **window-box**, jardineira (em peitoril de janela). **window-dressing**, decoração de vitrinas. **window-pane**, vidro, vidraça (de janela). **window-shopping**, olhar as vitrinas (sem entrar para comprar). **window-sill**, peitoril de janela.
windpipe *s.* (anat) traquéia.
windshield *s.* 1 pára-brisa .(GB *windscreen*).
windy *adj.* (*-ier; -iest*) ventoso, tempestuoso: *a windy night.*
wine *s.* vinho (de uva ou outras frutas).
wing *s.* 1 asa. **clip a person's wings**, (fig) cortar as asas de alguém. **be under the wing of**, estar debaixo da asa de, estar sob a proteção de. 2 ala, parte lateral: *the west wing.* 3 (pl) (teat) bastidores. 4 (mil) ala, flanco. **take wing**, levantar vôo.
wink *s.* 1 piscadela, piscar de olhos, pestanejo (esp como sinal ou sugestão). 2 instante, abrir e fechar de olhos: *She didn't sleep a wink all night.*
wink *v.t. e i.* 1 piscar, pestanejar. **wink (at) sb**, dar sinal piscando um olho: *She winked at the children.* **wink at sth**, fechar os olhos a, fuzer de conta que não viu.
winner *s.* vencedor, ganhador.
winter *s.* inverno.
wintery (-try) *adj.* 1 invernal, hibernal. 2 frio, gelado (também fig). 3 nevoso.
wipe *s.* limpada.
wipe *v.t. e i.* limpar/esfregar/enxugar com pano: *Wipe your hands.* **wipe sth away**, limpar enxugando: *wipe away the tears.* **wipe sth off**, a) remover esfregando. b) acabar com, eliminar. **wipe sth out**, a) limpar o interior de. b) remover, apagar. c) destruir por completo, exterminar: *The army wiped out the village.*
wire *s.* 1 arame, fio. **barbed wire**, arame farpado. 2 fio elétrico. 3 (infml) telegrama.
wireless *s.* (GB) rádio.
wisdom *s.* 1 sabedoria, sapiência. 2 critério, sensatez. **wisdom tooth**, dente do siso.
wise *adj.* (*-r, -st*) 1 sábio. 2 sensato. **be none the wiser**, não mais informado/a par do que antes: *After his lecture I'm none the wiser.* 3 esperto, astuto, ladino.

wisely *adj.* sabiamente, doutamente, sensatamente.
wish *s.* 1 desejo, vontade: *to make a wish,* pensar em algo que se deseja/ formular um desejo. 2 (pl) votos: *with all best wishes,* com os melhores votos.
wish *v.t. e i.* 1 desejar, querer (algo impossível no presente): *I wish I were rich.* **wish sb well/ill,** querer bem/mal a alguém: *He wishes you well.* **wish for,** desejar, ansiar por: *I wish for a better job.*
wishful *adj.* desejoso, ansioso. **wishful thinking,** criação/crença ilusória de fatos que se desejaria fossem reais: *It's wishful thinking.*
wishfully *adv.* de maneira desejosa, ansiosamente.
wisp *s.* pequeno feixe, filete, fio, molho, tufo: *a wisp of hair.*
wistful *adj.* tristonho, pensativo, melancólico: *a wistful face.*
wistfully *adv.* tristemente, pensativamente, melancolicamente.
wit *s.* 1 inteligência, sagacidade, perspicácia. 2 senso, juízo. **be at one's wits' ends,** não saber o que fazer ou dizer, estar completamente desnorteado. **be out of one's wits,** estar fora de si. **have/keep one's wits about one,** ter/não perder sua presença de espírito. **live by one's wits,** viver de expedientes. **use one's wits,** usar a cabeça, ser engenhoso, ser vivo. 3 espírito humorístico. 4 pessoa espirituosa.
witch *s.* 1 bruxa, feiticeira. 2 (infml) mulher encantadora / fascinante. **witchdoctor,** feiticeiro, curandeiro. **witch-hunt,** caça às bruxas, perseguição política (esp por meio de CPI).
witchcraft *s.* bruxaria, feitiçaria, curandeirismo.
with *prep.* 1 com, dotado de: *a house with blue windows.* 2 com, por meio

witness

de (indicando o objeto usado): *to eat with a fork and knife.* 3 (indicando apoio, concordância) ao lado de: *The whole country is with the President.* 4 (indicando oposição): *Stop fighting with your boss.* 5 ao mesmo tempo que, semelhante a: *His talents increased with his power.* 6 (indicando modo, maneira): *She does everything with great care.* 7 em relação a, a respeito de, no tocante a. **with that,** a) com isso, feito isso. b) a seguir. **Down with,** Vamos acabar com/destruir: *Down with pollution!*
withdraw *v.t. e i.* (pret *-drew,* pp *-drawn*) 1 retirar, tirar: *to withdraw money from bank.* 2 recuar, retirar-se: *They withdrew from the combat.* 3 voltar atrás (numa oferta, acusação, declaração), retratar-se: *They withdrew their offer to buy the house.* 4 afastar-se, ir embora, recolher-se.
withdrawal *s.* 1 retirada. 2 recolhimento. 3 retratação. 4 retraimento.
withdrawn *adj.* retraído, reservado, absorto.
withdrew *v.* (pretérito do verbo *withdraw*).
wither *v.t. e i.* 1 secar ou murchar (também fig): *The winter withered the flowers.* 2 envergonhar, intimidar.
withhold *v.t.*(pret, pp *-held*) 1 deter, reter: *to withhold important information.* 2 negar, recusar.
within *prep.* dentro de, no interior de, dentro dos limites de: *He'll arrive within minutes. The judge acted within the law.*
without *prep.* sem: *She's without money.* **do/go without,** passar sem: *I can't do without chocolates.*
withstand *v.t.* (pret, pp *-stood*) resistir a, suportar (p ex ataques, pressões).
witness *s.* 1 testemunha. 2 testemunho. **bear witness,** testemunhar, testificar. 3 prova, sinal, testemunho. **witness box,** banco das testemunhas.
witness *v.t. e i.* 1 testemunhar, dar

witted

testemunho. 2 ser testemunha (de um acontecimento): *We witnessed the crime.* **3** evidenciar, assinalar algo.
witted *adj.* que tem espírito/sagacidade/senso: *quick witted*, vivo, alerta, de compreensão rápida; *slow witted*, lento ou tardio em compreensão.
wittily *adv.* espirituosamente.
witty *adj.* (*-ier, -iest*) espirituoso: *a witty comment.*
wives *V.* wife.
wizard *s.* **1** mago, feiticeiro. **2** pessoa muito hábil/astuta: *He's a wizard with computers.*
wobble *v.t. e i.* **1** balançar(-se), sacudir, tremer.
wobbly *adj.* (*-ier, -iest*) cambaleante, vacilante, inseguro, trêmulo
woeful *adj.* **1** triste, pesaroso. **2** deplorável, lamentável, miserável.
woke *V.* (pretérito do verbo *wake*).
wolf *s.* (pl *wolves*) **1** lobo. ***cry wolf***, dar falso alarme.
wolf *v.t.* comer vorazmente, devorar: *He wolfed down the sandwich.*
woman *s.* (pl *women*) **1** mulher: *a pretty woman.* **2** mulheres em geral, sexo feminino. **3** natureza ou característica, feminina, feminilidade. **4** criada, camareira.
womanhood *s.* feminilidade, condição de mulher.
womb *s.* útero.
won *V.* (pretérito do verbo *win*).
wonder *s.* **1** maravilha: *The pyramids are one of the seven wonders of the world.* **2** espanto, assombro, surpresa, admiração: *They looked with wonder at the new invention.* ***No wonder that***, Não é de admirar que/Não é de estranhar que. **3** prodígio, milagre. ***do/work wonders***, fazer milagres, produzir resultados surpreendentes: *The diet did wonders for her.*
wonder *v.i. e t.* **1** admirar-se, surpreender-se com: *I wonder at his lack of sensibility.* **2** ter curiosidade e dúvida, querer saber, perguntar a si mesmo: *I wonder who arrived late last night.*
wonderful *adj.* **1** maravilhoso, assombroso. **2** (infml) muito bem.
wonderfully *adj.* maravilhosamente, assombrosamente, magnificamente.
wonderland *s.* **1** país das maravilhas, reino das fadas. **2** qualquer região maravilhosa.
won't contração de *will not.*
wood *s.* **1** madeira, pau, lenha. **2** (Pl) mata, bosque, floresta. ***be out of the woods***, (fig) estar fora de perigo/de dificuldades. **woodpecker**, pica-pau. **woodwork**, a) trabalho em madeira. b) madeiramento interior de uma habitação.
wooden *adj.* **1** de madeira. **2** duro, rijo: *a wooden face.* **3** inexpressivo, insensível.
woody *adj.* (*-ier, -iest*) **1** arborizado, abundante em florestas. **2** relativo à madeira ou semelhante a ela, lenhoso.
wool *s.* **1** lã. **2** fio de lã. **3** lanugem, penugem, pêlo. ***pull the wool over one's eyes***, lançar areia nos olhos de alguém, enganar/trapacear alguém.
woolen *adj.* de/relativo a lã: *a woolen jacket.* (GB *woollen*).
word *s.* **1** palavra, vocábulo, termo. ***word for word***, palavra por palavra, literalmente. ***pun on words***, trocadilho, jogo de palavras. ***in a word***, em suma, em resumo. ***in other words***, em outras palavras. **2** conversa breve, expressão verbal, observação. ***eat one's word***, retratar-se, admitir o erro. ***have a word with sb***, trocar palavras com alguém, falar com alguém. ***have no words for***, não poder exprimir em palavras. ***have words with sb***, discutir, brigar. ***have the last word***, dar a última palavra (p ex numa discussão). **3** notícia(s), informação. **4** promessa, palavra, garantia, compromisso. ***be a man of his word***, ser um homem de palavra.

be as good as one's word, cumprir o prometido. **break one's word**, quebrar uma promessa, quebrar a palavra dada. **give/keep one's word**, dar/manter sua palavra. **take one at his word**, levar alguém a sério.
wording s. fraseado, fraseologia, redação.
wordless adj. 1 sem palavra. 2 sem fala, mudo. 3 inexprimível.
wore V. (pretérito do verbo wear).
work s. 1 trabalho, atividade, tarefa: He has a lot of work to do before night. **be at work**, estar trabalhando, estar ocupado/atarefado. **set/get to work (on sth/to do sth)**, pôr mãos à obra, começar a trabalhar. **all in a day's work**, (algo) nada de extraordinário, muito comum. 2 ocupação, emprego. **be in/out of work**, estar empregado/desempregado. 3 tarefa, serviço: He always brings work home. 4 (também pl) obra, produto de trabalho: that's a great work of Portinari. 5 (pl) engrenagem, mecanismo. 6 (Pl) fábrica, usina. 7 efeito. **work of art**, obra de arte. **workday**, dia útil, dia de trabalho.
work v.t. e i. 1trabalhar. 2 funcionar (rel a máquinas, aparelhos, órgãos de um organismo): My DVD is not working properly. 3 (rel a planos, métodos, etc) surtir efeito, ser eficaz/praticável: His methods don't work. 4 fazer funcionar/trabalhar/andar/mover, acionar. 5 operar, causar, produzir, realizar: That doctor works miracles. 6 operar, controlar, dirigir. **work sth off**, a) livrar-se de, desfazer-se de: to work off the extra weight. b) descarregar. c) (rel a dívida) liquidar, saldar. **work on sb/sth**, tentar convencer, persuadir, influenciar. **work out**, a) treinar, fazer ginástica, exercitar-se: Soccer players work out 12 hours a day. b) elaborar, formular, arquitetar (projeto, plano, etc). b) obter resultado (positivo). c) pôr em prática, realizar. d) achar, calcular (total): to work out the result. **work up**, a) subir pouco a pouco, avançar gradualmente. b) desenvolver, criar. c) provocar, incitar, excitar. **get worked up (about sth)**, ficar irritado/excitado (por algo).
workable adj. 1 praticável, exeqüível, viável. 2 que pode ser trabalhado, manipulável.
workbook s. 1 livro de exercícios. 2 registro de trabalho. 3 manual de instruções.
worker s. trabalhador, operário.
working s.1 trabalho, obra. 2 funcionamento, operação, atividade.
working adj. 1 relativo ao/de trabalho: We had a working dinner with the new manager. 2 (rel a tempo) ativo, de trabalho: a working period. 3 usado no trabalho: a working instrument. **working capital**, capital de giro. **working class**, operariado, proletariado.
workout s. (infml) 1 treino, exercício, treinamento. 2 prova, teste.
workshop s. 1 oficina. 2 curso intensivo, seminário (de cientistas, professores, etc).
world s. 1 (ger usado com the) mundo, terra: That's the world we live in. 2 uma determinada parte do mundo, continente: the Third World. 3 (ger usado com the) universo, macrocosmo. 4 (ger usado com the) povo, público, gente: The whole word considers it important. 5 humanidade, a raça humana: It is not easy to understand the world. **not for all the world**, por nada neste mundo. **think the world of**, estimar, ter uma opinião positiva sobre. **be/feel on top of the world**, estar/sentir-se muito feliz. **world of sth**, uma grande quantidade, muito. **sth out of this world**, algo maravilhoso, fora do comum. **World Cup**, Copa/Taça do Mundo. **World War**, Guerra Mundial.

world-famous

world-famous *adj.* mundialmente famoso, internacionalmente conhecido.
worldly *adj.* 1 material: *the wordly goods,* os bens materiais. 2 mundano, não espiritual.
world-power *s.* nação poderosa que tem influência na política internacional.
worldwide *adj. e adv.* espalhado pelo mundo inteiro: *Brazilian carnival is famous worldwide.*
worm *s.* 1 verme, lombriga, minhoca, larva, lagarta, traça, caruncho. 2 (fig) pessoa nsignificante/vil/que não vale nada.
worm *v.t.* 1 mover-se como verme, rastejar, arrastar com dificuldade. 2 obter através de ardil/persistência. 3 livrar-se de vermes, tirar bichos de. **worm sth out of sb,** obter ardilosamente, infiltrar-se.
worn *V.* (pretérito do verbo *wear*).
worn-out *adj.* 1 (completamente) gasto: *worn-out coat.* 2 exausto.
worried *adj.* preocupado, atormentado, ansioso: *She is worried about his future.*
worrisome *adj.* inquietante, preocupante.
worry *v.t. e i.* (pret, pp *-ied*) 1 preocupar, atormentar, aborrecer: *He worries about everything.* 2 perturbar, importunar, molestar, amolar. 3 atormentar, inquietar: *Don't worry too much!*
worry *s.* *(pl -ies)* 1 preocupação, aborrecimento. 2 causa de preocupação, aborrecimento, aflição, angústia, ansiedade: *Her demanding job was just one of her worries.*
worrying *adj.* inquietante, aflitivo, preocupante.
worse *adj.* 1 (comp de *bad*) pior: *That road is bad but the other one is worse.* 2 (comp de *ill*) pior, mais doente: *She doesn't look well today. I think she is worse!* **go from bad to worse,** piorar, ir de mal a pior.

worse *adv.* 1 (comp de *badly*) pior. 2 muito mais: *This morning is raining worse than last night.*
worse *s.* o pior: *They always expect the worse.*
worsen *v.t. e i.* piorar.
worship *v.t. e i.* (-pp- EUA -p-) adorar, venerar, idolatrar (esp a Deus): *They worship God.*
worship *s.* 1 adoração, veneração. 2 culto.
worst *adj.* (sup de *bad*) o pior: *They work in the worst conditions you can imagine.*
worst *adj.* (sup de *badly*) o pior: *He was the worst speaker of the conference.*
worst *s.* o pior: *The president must be prepared for the worst.* **get the worst of,** ser mais prejudicado, levar a pior.
worth *adj.* 1 que vale, que tem certo valor, no valor de, equivalente a. 2 (rel a propriedade, bens) no valor de: *His house is worth 2.000.000 dollars.* 3 que merece, merecedor, digno, que vale a pena: *I don't think it's worth waiting here.*
worth *s.* 1 valor: *a man of great worth. I know my worth.* 2 preço, custo.
worthless *adj.* 1 sem valor: *a worthless action.* 2 que não vale nada: *a worthless man.*
worthwhile *adj.* que vale a pena, conveniente, vantajoso.
worthy *adj* (*-ier; -iest*) merecedor, merecido, justo.
would *v. aux.* (forma negativa *wouldn't*) 1 (usado como passado de *will*): *He said he would be home at 10.* **would rather,** preferir (expressa escolha): *I'd rather travel to the beach.* **would you,** (forma polida de fazer um convite, um pedido, etc): *Would you like a cup of coffee.* (Cf. *will*).
wound *s.* 1 ferida, ferimento, machucado. 2 ofensa, mágoa.
wow *interj.* expressão que indica surpresa, admiração: *Wow, what a girl!*

wrap v.t. e i. (-pp-) 1 embrulhar, empacotar. 2 enrolar, envolver: *The old lady was wrapped in a beautiful shawl.* **be wrapped up in**, a) (fig) estar envolto em. b) estar envolvido, estar muito interessado em/por.
wrap s. abrigo, agasalho (p ex xale, cachecol, manta).
wrapper s. 1 sobrecapa de livro. 2 cinta (de jornais, revistas, etc).
wrapping s. empacotamento, embalagem, invólucro.
wrath s. (liter) ira, fúria, cólera.
wreak v.t. desafogar, saciar, dar livre curso a.
wreath s. (pl - s) 1 coroa de flores. 2 anel, espiral (p ex de fumaça).
wreathe v.t. e i. 1cercar, envolver. 2 (fig) envolver: *Her smile was wreathed in tenderness.* 3 (rel a cobras) enrolar-se, espiralar-se. 4 (rel a fumaça, gases, névoa, etc) mover-se em círculos/espirais.
wreck s. 1 ruína, destruição (total ou parcial, esp de navios, causada por tempestade): *the wreck of the ships.* 2 naufrágio. 3 destroços, escombros (de carro, edifício, etc): *The wreck of the World Trade Center.* 4 (fig) ruína, destruição (p ex de esperanças): *the wreck of her dreams.* 5 pessoa arruinada fisicamente: *He was a wreck after the party.*
wreck v.t. 1 naufragar, destruir, arruinar. 2 destruir.
wreckage s. escombros, destroços.
wrench v.t. 1 arrancar com um puxão, arrebatar violentamente. 2 torcer, luxar, distender.
wrestle v.i. 1 lutar, praticar luta romana. 2 (fig) lutar: *to wrestle with the books.*
wretch s. 1 miserável, infeliz, indigente. 2 patife, canalha.
wretched adj. 1 miserável, desgraçado, pobre. 2 desprezível, de baixa qualidade: *wretched place.*

wriggle v.t. e i. mexer-se, contorcer-se, retorcer-se, mover-se sinuosamente.
wring v.t. (pret, pp *wrung*) 1 torcer, espremer. 2 torcer, comprimir (a fim de remover a água): *to wring out the clothes.* **wringing wet**, ensopado, bem molhado. 3 (fig) extorquir, arrancar à força: *to wring the truth out of somebody.*
wring s. espremedura, aperto.
wrinkle s. ruga, dobra.
wrinkle v.t. e i. enrugar, dobrar, franzir, preguear.
wrist s. pulso. **wrist-band**, faixa (ger usada no pulso por jogadores de tênis), munhequeira. **wristwatch**, relógio de pulso.
write v.t. e i. (pret *wrote*, pp *written*) 1 escrever: *He has written a beautiful letter.* 2 preencher, redigir: *to write a check.* 3 escrever, compor, redigir. **be written on/all over**, mostrar claramente através da expressão. **write sth down**, anotar. **write sb down as**, descrever como sendo. **write sth out**, escrever por extenso, preencher. **write sth up**, completar.
writer s. 1 escritor. 2 autor: *Euclides da Cunha is a great Brazilian writer.*
writhe v.i. contorcer-se, torcer-se (esp de dor).
writing s. 1 escrito, escrita. 2 (pl) composição literária. 3 letra, caligrafia.
wrong adj. 1 errado, incorreto, errôneo: *I believe this answer is wrong.* 2 mau, imoral: *It's wrong to kill.* 3 em mau estado/má condição, que não funciona. *get out of bed on the wrong side of the bed or get up from the wrong side of the bed*, estar mal-humorado, levantar com o pé esquerdo.
wrong adv. erroneamente: *You've written my name wrong.* (= wrongly). **get it wrong**, interpretar/entender mal.
wrong s. 1 injustiça, ofensa, injúria.

wrong

in the wrong, errado, responsável pelo erro.
wrong v.t. ser injusto com, tratar injustamente: *Her teacher wronged her in front of her friends.*
wrongdoer s. malfeitor, transgressor, pecador.
wrongful adj. 1 injusto: *wrongful decision.* 2 ilegal.
wrongly adv. erroneamente.
wrote V. (pretérito do verbo *write*).
wrought adj. batido, forjado, trabalhado: *wrought iron fence.*
wrought-up adj. excitado, extremamente agitado.
wrung V. (pretérito do verbo *wring*).
wry adj. *(wrier, wriest)* torto, estranho, esquisito: *a wry look.*

x X

xylophone

X, x 24ª. letra do alfabeto.
xenophobia s. xenofobia, aversão a pessoas/coisas estrangeiras.
xerox v.t. fotocopiar, xerocar, tirar cópia em máquina fotocopiadora.
xerox s. fotocópia, xerox.
Xmas abrev. de *Christmas*.
X-rated adj. (rel a filme) porno-gráfico: *x-rated movies*.
X-ray s. 1 raio X, radiografia. 2 aparelho de raio X.
X-ray v.t. tirar radiografia, examinar através de raios X.
xylophone s.xilofone.

y Y

Y, y 25 letra do alfabeto.
yacht s. 1 iate. 2 barco a vela usado em regatas.
yachting s. iatismo.
yam s. (bot) 1 inhame, cará. 2 (EUA) batata-doce.
yank v.t. puxar com força, arrancar: *He yanked him out of the car.*
yard s. 1 pátio, terreiro, quintal, área (ao redor de um prédio, uma casa, etc). 2 área destinada a um determinado negócio: **dock yard**, estaleiro; **railway yard**, pátio de estrada de ferro.
yard s. 1 jarda (= 91,4 cm). 2 (náut) verga.
yawn v.i. 1 bocejar. 2 abrir-se: *The cave yawned before their eyes.*
yawn s. bocejo.
year s. 1 ano: *in the year of 1968.* 2 (pl) idade: *She's 16 years old,* Ela tem 16 anos. 3 período de tempo associado a algo: *I've been studying here for 2 years.* **the school year,** o ano escolar. **year in year out,** ano após ano. **all the year round,** durante todo o ano.
yearly adj. e adv. anual, anualmente.
yearn v.i. ansiar, desejar: *She yearned for him to propose to her.*
yearning s. anseio, desejo ardente.
yeast s. levedura, fermento.
yell v.i. e v.t. 1 gritar, berrar: *The children yelled with joy when they saw Santa Claus..* 2 bradar, vociferar: *The commander yelled out an order.*
yellow s. e adj. 1 amarelo, cor amarela. 2 (infml) covarde. **yellow fever**, febre amarela.
yellow v.t. e v.i. amarelar: *The pages of the book have yellowed with age.*
yellowish adj. amarelado.
yelp v.i. gritar, uivar (de dor, contentamento, raiva, etc).
yes adv. sim, resposta afirmativa: *"Do you dance?" "Yes". "Can I come in?" "Yes".*

yesterday adv. ontem: *I saw him yesterday. The day before yesterday was Christmas.*
yet adv. 1 ainda, até o presente momento: *They haven't prepared dinner yet.* 2 ainda, até aquele determinado momento: *They don't know yet where to go for their vacation.* 3 já: *Have you seen that show yet?* 4 ainda mais: *Speak to him yet more slowly.* 5 no futuro: *This business project may yet be a good investment.* **as yet**, até agora.
yet conj. contudo, porém, todavia, não obstante: *He worked hard; yet he didn't get his promotion.*
yield v.t. e v.i. 1 dar, produzir. 2 render-se, submeter-se, entregar-se, capitular: *The war prisoners were forced to yield.*
yield s. produção, renda, lucro, rendimento: *a high yield of sugar and alcohol.*
yielding adj. submisso, complacente, dócil: *Her mother has a yielding personality.*
yoga s. ioga.
yogurt (-ghurt, -ghourt) s. iogurte.
yolk s. gema de ovo.
yonder adj. e adv. (liter) ali, lá.
you pron. 1 (usado como sujeito) você: *You are a wonderful person.* 2 (usado como objeto) lhe, lhes, te, ti, a você: *I bought you a birthday gift.* 3 usado para se referir a alguém com raiva: *You stupid kids!*
you'd contração de *you had.* 2 contração de *you would.*
you'll contração de *you will.*
young adj. (-er, -est) 1 novo, moço, jovem: *a young girl.* 2 inexperiente, imaturo: young *in this line of business.* 3 inicial, no início: *The party is still young.*
young s. 1 **the young**, crianças, jovens: *movies for the young.* 2 animal novo,

filhote: *The wild animals hunt for the young.*
youngish *adj.* com aparência jovem.
youngster *s.* jovem (esp rapaz).
your *adj.* seu, sua, de você: *Give me your address and phone number, please!*
you're contração de *you are.*
yours *pron. poss.* 1 (rel a você) seu(s): *This CD isn't mine. Is it yours?* 2 usado como fechamento de uma carta: *Yours/ Yours sincerely/ Yours faithfully.*
yourself *pron.* 1 (refl pl-*selves*): *Did you cut yourself?* Você se cortou? 2 (enfático): *I myself set the computer.* Eu mesmo programei o computador. *all by yourself*, a) sozinho: *Did you go to New York all by yourself?*
youth *s.*(pl -s) 1 juventude, mocidade: *in his youth.* 2 jovem (esp rapaz). 3 gente moça, grupo de jovens, juventude: *Our youth is full of energy.*
youthful *adj.* jovem, juvenil: *a youthful look.*
you've contração de *you have.*
yowl *v.i.* uivar, berrar.

z Z

Z, z 26ª letra do alfabeto
zap *v.t. e i.* usar o controle remoto para mudar canais de televisão com rapidez, geralmente para não assistir a propagandas "zapear".
zeal *s.* zelo, entusiasmo, ardor, paixão: *She always does her job with great zeal.*
zealous *adj.* zeloso, entusiasta, ardoroso, fervoroso: *He is a zealous man.*
zebra *s.* zebra. ***zebra crossing***, faixa de pedestres.
zenith *s.* 1 zênite. 2 cimo, cume, auge.
zero *s.* 1 número zero. 2 (fís) ponto zero ou ponto de congelamento. 3 nada, nenhum(a): *His chances of winning the competition were zero.*
zest *s.* 1 entusiasmo, prazer: *He has an incredible zest for life.*
zigzag *s.* ziguezague: *drive in a zigzag.*
zigzag *v.i.* (*-gg-*) fazer ziguezague, ziguezaguear.
zinc *s.* zinco.
zip *s.* silvo, sibilo.
zip *s.* zíper, fecho de correr.
zipper, (infml) = ***zip***.
zip *vi* (*-pp-*) 1 abrir ou fechar com zíper. 2 voar, mover-se rapidamen-te: *The dog zipped out of the room.*
zip code *s.* CEP: código de endereçamento postal.
zit *s.* espinha.
zither *s.* cítara.
zodiac *s.* zodíaco.
zonal *adj.* 1 rel a zonas. 2 dividido em zonas.
zone *s.* 1 faixa, banda, cinta. 2 uma das 5 divisões da terra, zona. 3 região, zona, área: *a zone of mines.* 4 (EUA) divisão do país em zonas postais e telefônicas.
zone *v.t.* classificar/dividir em zonas: *This district has been zoned an industrial area.*
zonked *adj.* (gír.) extremamente cansado, exausto.
zoo *s.* jardim zoológico.
zoological *adj.* zoológico.
zoologist *s.* zoólogo, zoologista.
zoology *s.* zoologia.
zoom *s.* 1 (rel a avião) subida vertical com impulso. 2 (rel a fotografia) regulagem de distância. ***zoom lens***, (rel à máquina fotográfica, câmera de TV, etc) lente que permite aproximar/distanciar um objeto a ser fotografado, filmado, etc.
zoom *v.i.* 1 (rel a avião) mover-se rapidamente. ***zoom in/out***, (rel a máquina fotográfica) aproximar ou distanciar (através das lentes da máquina) um objeto a ser fotografado, filmado, etc.
zucchini *s.* (pl-ou-*s*) abobrinha.
zygote *s.* (biol) zigoto.

ILLUSTRATED VOCABULARY

fruit

food

clothes

in the office

in the classroom

prepositions

vegetables

fruit

pineapple

banana

apple

grapes

mango

watermelon

fruit

melon

orange

fig

strawberry

peach

food

bread

pizza

cake

a cup of coffee

French fries

hamburger

a glass of wine

food

ice cream

cookies

meat

milk

butter

pasta

fish

cheese

clothes

jacket

a pair of shoes

skirt

shorts

clothes

pants

dress

sneakers

in the office

computer

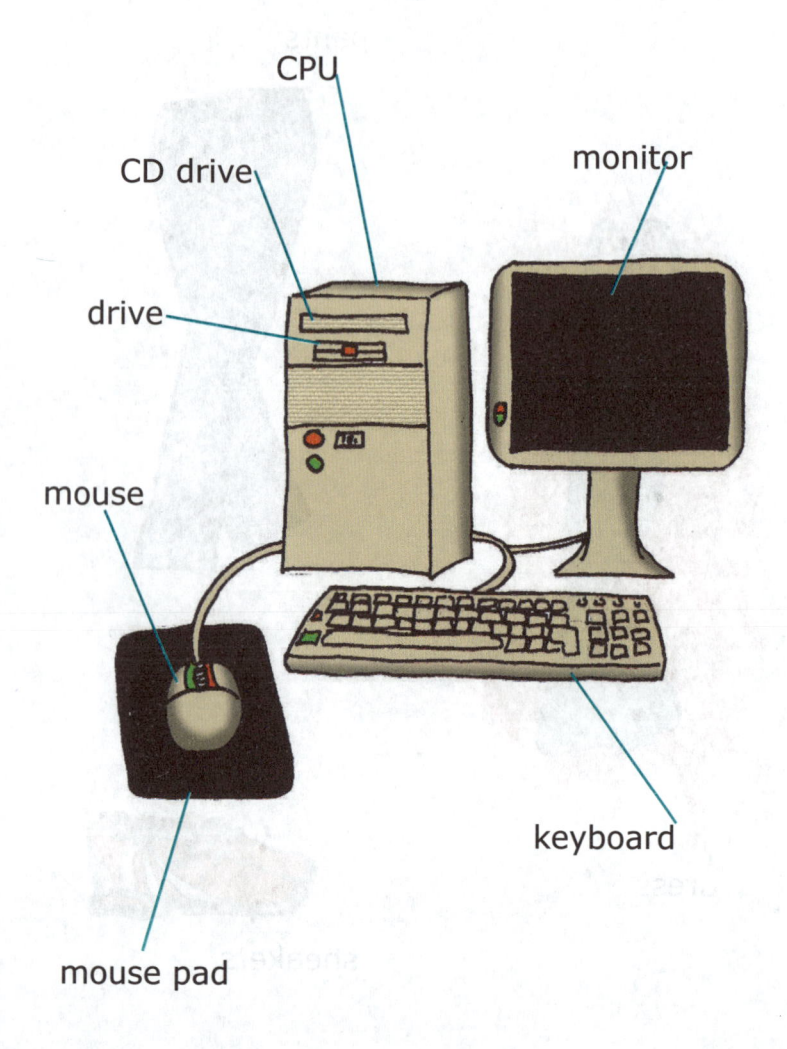

- CPU
- CD drive
- drive
- monitor
- mouse
- keyboard
- mouse pad

in the office

calculator

sticky tape

camera

cellphone

paper clip

fax machine

in the classroom

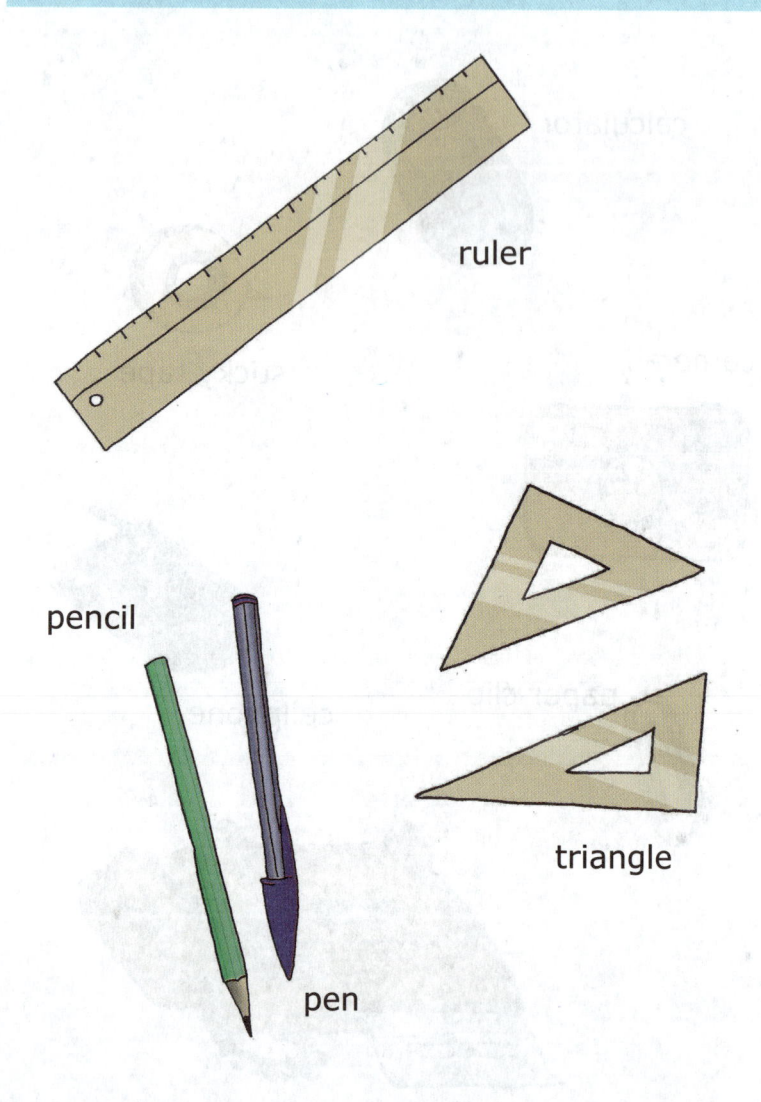

ruler

pencil

triangle

pen

in the classroom

- blackboard
- chalk
- teacher
- student
- notebook
- desk
- chair

prepositions

on the bridge

under the bridge

inside the car

outside the car

prepositions

turn on the lamp

turn off the lamp

around the world

prepositions

in front of the boy

behind the boy

on the roof

off the roof

prepositions

up

down

side by side

vegetables

pumpkin

carrot

garlic

onion

red pepper

tomato

eggplant

potato

PORTUGUÊS INGLÊS

a A

a *art. def.* the.
a *prep.* 1 (hora idade, tempo) at. 2 (posição) by. 3 (modo, meio, objeto ind.) to.
a *pron. pess.* 1 (ela) her. 2 (coisa) it.
aba *s.f.* flap.
abacate *s.m.* avocado.
abacaxi *s.m.* pineapple.
abadia *s.f.* abbey.
abaixar *v.t. e i.* 1 lower. 2 (abaixar-se rapidamente) duck. 3 subside.
abaixo *adv.* 1 below. 2 (em posição inferior) beneath. 3 (por baixo) under.
abaixo *prep.* 1 below. 2 beneath.
abanar *v.t. e i.* wag.
abandonado *adj.* deserted, 2 (negligente) derelict. 3 (desamparado) abandoned.
abandonar *v.t.* 1 forsake. 2 (desertar) abandon.
abandono *s.m.* abandon.
abarrotado *adj.* crowded.
abarrotar *v.t. e i.* overcrowd, cram.
abastecer *v.t. e i.* provide, supply.
abater *v.t.* abase.
abatido *adj.* wan.
abcesso *s.m.* abscess (med).
abdicação *s.f.* abdication.
abdicar *v.t. e i.* abdicate.
abdomen *s.m.* abdomen.
abelha *s.f.* bee. *cera de abelha*, beeswax.
abençoar *v.i.* bless. *Deus te abençoe!*, god bless you.
aberração *s.f.* aberration.
abertamente *adv.* 1 openly. 2 (publicamente) overtly.
aberto *adj.* open. *de braços abertos*, with open arms. *mercado aberto*, open market. *sociedade aberta*, open society.
abertura *s.f.* 1 (vão) gap. 2 (orifício) opening. 3 (saída) vent. 4 (mús) overture.
abismo *s.m.* abyss.

abóbada *s.f.* vault (arq).
abóbora *s.f.* 1 pumpkin. 2 (abobrinha) zucchini.
abolição *s.f.* abolition.
abolir *v.t.* abolish.
abominar *v.t.* abominate.
abominável *adj.* abominable, abhorrent. (fml).
aborígene *adj.* aboriginal.
aborrecer *v.t.* 1 bore. 2 annoy. 3 nag.
aborrecido *adj.* boring, irksome.
aborrecimento *s.m.* trouble.
abortar *v.i.* 1 (natural) miscarry. 2 (provocado) abort.
abortivo *adj.* abortive.
aborto *s.m.* 1 (provocado) abortion. 2 (espontâneo) miscarriage.
abraçar(-se) *v.t. e i.* 1 hug, embrace. 2 (acariciar) cuddle.
abraço *s.m.* 1 hug. 2 (carinho) cuddle.
abrandar *v.i.* relent.
abrasão *s.f.* abrasion.
abrasivo *adj.* abrasive.
abreviar *v.t.* 1 abbreviate. 2 shorten. 3 (resumir) abridge.
abreviatura *s.f.* abbreviation.
abrigar *v.t.* 1 house. 2 (proteger) harbour.
abrigo *s.m.* asylum, shelter.
abrigo *s.m.* wrap.
abril *s.m.* April.
abrir *v.t. e i.* open. *abrir fogo*, open fire.
abruptamente *adv.* abruptly.
abrupto *adj.* abrupt.
absolver *v.t.* absolve.
absorto *adj.* rapt.
absorvente *adj.* 1 absorbent. 2 (interessante) absorbing.
absorver *v.t.* absorb.
abstêmio *adj.* abstemious.
abstêmio *s.m.* teetotaller.
abster(-se) *v.t.* eschew (fml).
abstinência *s.f.* abstinence.
abstração *s.f.* abstraction.

abstrair *v.t.* abstract.
abstrato *adj.* abstract.
absurdo *adj.* 1 absurd. 2 preposterous.
absurdo *s.m.* nonsense.
abundância *s.f.* plenty, abundance.
abundante *adj.* abundant.
abusar *v.t.* 1 misuse. 2 (violar) abuse.
abusivo *adj.* abusive.
abuso *s.m.* abuse.
abutre *s.m.* vulture.
academia *s.f.* 1 academy. 2 (de ginástica) gym, fitness center.
acadêmico *adj.* academic.
acalmar(-se) *v.t. e i.* 1 calm. 2 (aplacar) appease.
acampar *v.i.* camp. ***acampar (de férias)***, go camping.
acanhado *adj.* bashful, timid.
ação *s.m.* 1 action. 2 (processo) proceedings.
acariciar *v.t.* fondle, caress.
acasalar(-se) *v.t. e i.* mate. ***período de acasalamento***, the mating season.
aceitação *s.f.* acceptance.
aceitar *v.t. e i.* accept.
acelerador *s.m.* accelerator.
acelerar *v.i.* accelerate.
acenar *v.t. e i.* 1 (fazer sinal, chamar com gestos) beckon. 2 (acenar com a cabeça) nod.
acendedor *s.m.* lighter.
acender *v.t. e i.* 1 light. ***acender as luzes***, light up. 2 (pôr fogo, incendiar (-se) ignite.
acento *s.m.* (sotaque) accent.
acentuação *s.f.* accentuation.
acentuar *v.t.* 1 accentuate. 2 (enfatizar) emphasize.
acessível *adj.* accessible.
acesso 1 fit. 2 (de raiva) tantrum. ***ter/ sofrer um acesso/ crise***, have a fit. 3 (entrada) access.
acessório *s.m.* accessory.
achar *v.t.* find. ***achar descobrir***, find out.
achatar *v.t. e i.* flatten.
acidental *adj.* accidental.
acidentalmente *adv.* accidentally.

acidente *s.m.* 1 casualty. 2 (percalço) mishap. 3 accident. 4 (colapso, desfalecimento) breakdown.
acidez *s.f.* acidity.
ácido *adj.* acid.
acima *adv.* 1 up. 2 (acima de) above. 3 (acima de tudo) above all. ***mais acima***, further along.
acintosamente *adv.* defiantly.
acinzentado *adj.* greyish.
aclamação *s.f.* acclamation (fml).
aclamar *v.t.* acclaim.
aclarar *v.t.* enlighten.
aclimatar(-se) *v.i.* acclimatize.
aço *s.m.* steel. ***aço inoxidável***, stainless steel.
acolchoado *s.m.* quilt, comforter.
acomodação *s.f.* accommodation.
acomodar *v.t.* accommodate.
aconselhar *v.t.* advise, counsel (fml).
aconselhar *v.t. e i.* advise.
aconselhável *adj.* advisable.
acontecimento *s.m.* happening.
acoplamento *s.m.* coupling.
acordado *adj.* awake.
acordar *v.i. e t.* wake. 2 (ativar, estimular, motivar) rouse.
acordo *s.m.* 1 (consentimento, ter a mesma opinião) agreement. ***estar de acordo***, be in agreement. 2 accord. 3 (negociação) deal. 3 (pacto) alliance.
acostamento *s.m.* (estrada) shoulder, hard shoulder.
acostumado a *adj.* used to.
acostumar *v.t.* accustom, get used to.
acotovelar(-se) *v.t. e i.* huddle.
açougueiro *s.m.* butcher.
acre *adj.* acrid.
acreditar *v.t. e i.* believe. 2 (ter fé em) credit.
acrobata *s.m.* acrobat.
açúcar *s.m.* 1 sugar. 2 (mascavo) demerara.
acumular *v.t. e i.* 1 accumulate. 2 (reunir) amass.
acusação *s.f.* accusation.
acusar *v.t.* accuse.
acusatoriamente *adv.* accusingly.

acústica

acústica *s.f.* acoustics (ciência).
adaptação *s.f.* adaptation.
adaptar *v.t.* adapt.
adaptável *adj.* adaptable.
adequação *s.f.* adequacy (fml).
adequadamente *adv.* properly, adequately.
adequado *adj.* adequate, proper.
aderência *s.f.* adherence.
adesivo *adj.* sticker, adhesive.
adeus *interj.* goodbye, bye-bye, farewell.
adiar *v.t.* 1 defer. 2 (suspender) adjourn.
adiar *v.t.* postpone, procrastinate.
adição *s.f.* addition.
adicionar *v.t. e i.* add.
adido *s.m.* attaché.
adivinhar *v.t. e i.* guess.
adjetivo *s.m.* adjective.
administração *s.f.* administration.
administrar *v.t. e i.* 1 (governar) administer.
administrativo *adj.* executivo administrative.
admiração *s.m.* (respeito) admiration.
admirar(-se) *v.t. e i.* 1 (surpreender) wonder. 2 admire.
admirável *adj.* impressive, admirable.
admissão *s.f.* 1 admission. 2 (direito de ingresso) admittance.
admissível *adj.* admissible.
admitir *v.t.* acknowledge.
admoestação *s.f.* admonition.
adoçante *s.m.* sweetener.
adoção *s.f.* adoption.
adoçar *v.t.* sweeten.
adolescência *s.f.* adolescence.
adolescente *s.m. e f.* teenager, adolescent, teen.
adoração *s.f.* 1 adoration. 2 (veneração) worship.
adorar *v.t. e i.* 1 adore. 2 (venerar) worship.
adorável *adj.* adorable, lovable.
adormecido *adj.* 1 (sono) asleep. 2 (dormente) numb. 3 (inativo) dormant.
adotar *v.t.* adopt.

adotivo *adj.* adoptive, foster.
adquirir *v.t.* acquire.
adubo *s.m.* manure.
adulação *s.f.* adulation.
adulteração *s.f.* adulteration.
adulterar *v.t.* adulterate.
adultério *s.m.* adultery.
adúltero *s.m.* adulterer.
adulto *s.m.* adult, grown-up.
adverbial *adj.* adverbial.
advérbio *s.m.* adverb.
adversário *s.m.* adversary.
adversidade *s.f.* adversity.
adverso *adj.* adverse.
advertir *v.t.* caution, warn.
advogado *s.m.* attorney, lawyer, barrister, solicitor.
aeromoça *s.f.* flight attendant, air hostess.
aeronáutica *s.f.* aeronautics.
aeronave *s.f.* aircraft.
aeroporto *s.m.* airport.
afabilidade *s.f.* affability.
afastado *adj.* distant.
afastar *v.t.* 1 move. 2 (afastar) move sb/sth away. 3 (apartar) separate.
afável *adj.* affable.
afeição *s.f.* affection.
afetação *s.f.* affectation.
afetado *adj.* affected, prim,.
afetar *v.t.* affect.
afetuoso *adj.* affectionate.
afiado *adj.* sharp.
afinador *s.m.* tuner.
afinar *v.t. e i.* tune (mús).
afinidade *s.f.* affinity.
afirmação *s.f.* affirmation. 2 (declaração) assertion.
afirmativa *s.f.* affirmative.
afirmativo *adj.* assertive, affirmative.
afivelar *v.t. e i.* buckle.
afixar *v.t.* 1 affix. 2 (afixar cartazes) post.
afixo *s.m.* affix.
aflição *s.f.* affliction.
afligir *v.t.* 1 distress, afflict. 2 (lamentar) grieve.
afogador *s.m.* (carro) throttle.

afogar(-se) *v.t. e i.* drown.
afortunado *adj.* fortunate.
afresco *s.m.* fresco *s.*
afundar *v.t. e i.* sink.
agachar(-se) *v.i.* crouch.
agarrar *v.t. e i.* 1 grab. 2 (pegar) grip. 3 (apegar-se) cling.
ágata *s.f.* agate.
agência *s.f.* agency.
agenda *s.f.* diary, appointment book, agenda.
agente *s.m.* 1 agent. 2 (agente funerário) undertaker.
ágil *adj.* agile.
agilidade *s.f.* agility.
agir *v.t. e i.* act.
agitação *s.f.* 1 turmoil. 2 (nervosismo) fluster. 3 (perturbação) agitation.
agitado *adj.* agitated.
agitador *s.m.* agitator.
agitar *v.t. e i.* agitate, wave.
aglomerar(-se) *v.t. e i.* crowd.
agnóstico *s.m.* agnostic.
agonia *s.f.* agony.
agonizante *adj.* agonizing.
agora *adv.* now. ***de agora em diante***, from now on. ***até agora***, up till now.
agosto *s.m.* August.
agourento *adj.* ominous.
agradar *v.t. e i.* please.
agradável *adj.* pleasant, nice, agreable, pleasing.
agradecer *v.t.* thank.
agradecidamente *adv.* thankfully.
agradecido *adj.* thankful.
agradecimentos *s.m.* (pl) thanks.
agravar *v.t.* aggravate.
agressão *s.f.* aggression.
agressivamente *adv.* aggressively.
agressividade *s.f.* aggressiveness.
agressivo *adj.* belligerent, aggressive.
agrícola *adj.* agricultural.
agricultura *s.f.* agriculture.
agrupar(-se) *v.t. e i.* group.
água *s.f.* water. ***colchão de água***, water-bed. ***queda de água***, waterfall. ***à prova d'água***, water-proof. ***rede de fornecimento de água***, water-supply. ***água doce***, fresh-water.
aguaceiro *s.m.* downpour.
aguar *v.t. e i.* water.
agudo *adj.* keen, acute.
águia eagle *s.*
agulha *s.f.* needle. ***procurar uma agulha no palheiro***, look for a needle in a hay stack.
ai! *interj* ouch!
aids *s.f.* (*Acquired Immunological Deficiency Syndrome*) AIDS.
aiegrar *v.t. e i.* cheer.
aiegre *adj.* 1 cheerful. 2 (feliz) happy. 3 (cômodo, espetáculo) bright.
aiegria *s.m.* joy.
aimiscarado *adj.* musky.
ainda *adv.* still. 2 (em orações negativas e interrog) yet.
aipo *s.m.* celery.
aiquimista *s.m.* alchemist.
ajeitar *v.t.* adjust.
ajoelhar(-se) *v.i.* kneel.
ajuda *s.f.* 1 (assistência) assistance. 2 help. 3 helpfulness. 4 (socorro) aid.
ajudante *s.m. e f* auxiliary, helper.
ajudar *v.t. e i.* 1 help. 2 (socorrer, auxiliar) assist. 3 aid.
ajustamento *s.m.* adjustment.
ajustar *v.t.* adjust.
alameda *s.f.* lane, avenue.
alargar(-se) *v.t. e i.* widen, enlarge.
alarmante *adj.* alarming.
alarme *s.m.* alarm. ***despertador***, alarm clock.
alavanca *s.f.* lever.
álbum *s.m.* album.
alça *s.f.* handle.
alcachofra *s.f.* artichoke.
alcalino *adj.* alkaline.
alcançar *v.t. e i.* reach. ***até onde os olhos podem alcançar***, as far as the eye can reach.
alcance *s.m.* grasp, reach.
alcatra *s.f.* rump-steak.
álcool *s.m.* alcohol.
alcoólatra *s.m. e f.* alcoholic.
alcoólico *adj.* alcoholic.

alcoolismo

alcoolismo *s.m.* alcoholism.
alcova *s.m.* alcove.
aldeia *s.f.* village.
alecrim *s.m.* rosemary.
alegação *s.f.* allegation.
aleijado *s.m.* cripple.
aleijar *v.t.* maim.
além *adv.* (mais longe) beyond.
além de *prep.* 1 beyond. 2 (em adição) besides.
além do mais *adj.* moreover.
alergia *s.f.* allergy.
alérgico *adj.* allergic.
alerta *adj.* alert. *estar em alerta*, be on the alert.
alertar *v.t.* alert.
alfabético *adj.* alphabetical.
alfabetização *s.f.* literacy.
alfabeto *s.m.* alphabet.
alface *s.f.* lettuce.
alfaiate *s.m.* tailor.
alfazema *s.f.* lavender.
alfinete *s.m.* pin.
alga marinha *s.f.* alga.
algarismo *s.m.* figure. *algarismo romano*, roman numeral.
álgebra *s.f.* algebra.
algemar *v.t.* chain.
algo *adv.* somewhat, rather.
algo *pron.* something, anything.
algodão *s.m.* cotton. *algodão doce*, cotton candy.
algoz *s.m.* tormentor.
alguém *pron.* somebody, anybody. *alguém mais*, somebody else.
algum dia *adv.* sometime.
algum(a) *adj.* some, any.
algum(a) *pron.* some. *alguma coisa*, something, anything.
alho *s.m.* garlic.
alho-porró *s.m.* leek.
ali *adv.* there. *alí mesmo*, right there.
aliado *s.m.* ally.
aliar(-se) *v.t.* ally.
álibi *s.m.* alibi.
alicate *s.m.* pliers.
alienação *s.f.* alienation.
alimentação *s.f.* feed.

alimentar *v.t.* feed. *alimentar criança*, spoonfeed.
alimento *s.m.* nourishment.
alinhamento *s.m.* alignment, line-up.
alinhar *v.t. e i.* align.
alisar *v.t.* stroke, sleek, smooth.
alistar(-se) *v.t. e i.* 1 enlist (mil). 2 (como voluntário) volunteer.
aliviar *v.t.* 1 relieve. 2 mitigate. 3 ease. 4 (tornar mais leve) lighten.
alívio *s.m.* relief, mitigation.
alma *s.f.* soul.
almirante *s.m.* admiral.
almíscar *s.m.* musk.
almoço *s.m.* lunch.
almofada *s.f.* 1 pad. 2 cushion.
almofadar *v.t.* cushion.
alô! *Interj.* hello, hi.
alocar *v.t.* allocate.
alojamento *s.m.* 1 lodge. 2 (moradia) housing. 3 lodging.
alojar *v.t. e i.* lodge.
alpinista *s.m. e f.* mountaineer, climber.
alquimia *s.f.* alchemy.
alta *s.f.* (preço) rise. *dar alta do hospital*, discharge sb.
altar *s.m.* altar.
alteração *s.f.* alteration.
alterar(-se) *v.t. e i.* 1 alter. 2 (transformar) transform.
alternado *adj.* alternate.
alternar(-se) *v.t. e i* alternate.
alternativa *s.f.* alternative.
alternativo *adj.* alternative.
altitude *s.f.* altitude, height.
alto *adj.* 1 (pessoas) tall. 2 high. *alta sociedade*, high society. *de alto nível*, high-level. 3 (som) loud. 4 (classe social) upper class. 5.
alto *adv.* 1 aloud. 2 (subir) high.
alto-falante *s.m.* loud-speaker.
altura *s.f.* height. *nessa altura*, at that time.
alucinação *s.f.* hallucination.
aludir *v.i.* allude.
alugar *v.t. e i.* 1 rent. 2 hire.
aluguel *s.m.* 1 (de carro) rental. 2 (casa, escritório, etc) rent.

aluno *s.m.* pupil.
alusão *s.f.* innuendo, allusion (fml).
alvenaria *s.f.* masonry.
alvo *s.m.* target, goal.
alvorada *s.f.* dawn.
amador *s.m.* amateur.
amadurecer(-se) *v.t. e i.* 1 ripen. 2 (madurar) mature.
amaldiçoar *v.t. e i.* 1 curse. 2 damn.
amalgamar *v.t.* mash.
amamentar *v.t.* nurse.
amanhã *adv.* tomorrow.
amanhecer *v.i.* dawn.
amante *s.m.* lover.
amar *v.t.* love.
amarelado *adj.* yellowish.
amarelar *v.t. e i.* yellow.
amarelinha (brincadeira de crianças) *s.f.* hopscotch.
amarelo *adj.* (cor amarela, covarde) yellow. *febre amarela*, yellow fever.
amargamente *adv.* bitterly.
amargo *adj.* bitter.
amargura *s.f.* bitterness.
amargurado *adj.* embittered.
amarrar *v.t. e i.* 1 tie. 2 (dar laço) lace, bind. 2 (com corda) rope.
amassar *v.t. e i.* 1 crumple. 2 (esmagar) crush. 3 (amassar a massa) knead.
amável *adj.* kind.
amavelmente *adv.* affably.
ambição *s.f.* ambition.
ambicioso *adj.* ambitious.
ambíguo *adj.* ambiguous.
ambos *adj.* both.
ambos *pron.* both.
ambulância *s.f.* ambulance.
ameaça *s.f.* menace, threat.
ameaçador *adj.* threatening.
ameaçadoramente *adv.* menacingly, threateningly, .
ameaçar *v.t. e i.* threaten, menace(fml).
ameixa *s.f.* plum. *ameixa seca*, prune.
amêndoa *s.f.* 1 almond. *amendo-eira*, almond tree.
amendoim *s.m.* peanut.

ameno *adj.* mild, pleasant.
amídala *s.f.* tonsil.
amigável *adj.* friendly.
amigo *s.m.* friend.
amizade *s.f.* friendship.
amolaramolecer *v.t.* mollify.
amônia *s.f.* ammonia.
amontoar *v.t.* lump.
amor *s.m.* love. *caso amoroso*, love affair. *amor à primeira vista*, love at first sight. *amor-próprio*, self-esteem.
amora *s.f.* mulberry.
amordaçar *v.t.* 1 gag. 2 muzzle.
amorosamente *adv.* lovingly.
amoroso *adj.* loving.
amplamente *adv.* widely.
ampliar *v.t.* amplify.
amplo *adj.* 1 (largo) wide, 2 comprehensive.
anacronismo *s.m.* anachronism.
analfabetismo *s.m.* illiteracy.
analgésico *s.m.* painkiller, analgesic.
analisar *v.t.* analyze.
análise *s.f.* analysis.
analítico *adj.* analytic.
anão *s.m.* dwarf.
anarquia *s.f.* anarchy.
anarquismo *s.m.* anarchism.
anarquista *s.m.* e f anarchist.
anatomia *s.f.* anatomy s.
ancestral *adj.* ancestral.
âncora *s.f.* anchor. *levantar âncora*, welgh anchor.
ancoradouro *s.m.* anchorage.
ancorar *v.t. e i.* 1 moor. 2 (atracar) anchor.
andar *v.t. e i.* 1 walk. 2 (a cavalo, de bicicleta) ride. 3 (andar nas pontas dos pés) tiptoe.
andarilho *s.m.* wanderer.
anel *s.m.* ring. *anel de noivado*, engagement ring. *anel viário*, ring road.
anemia *s.f.* anemia.
anestesia *s.f.* anesthesia.
anestesiar *v.t.* anesthetize.
anexar *v.t.* anex.

anexo

anexo *s.m.* annex, outbuilding.
anfitrião *s.m.* host.
anglicano *adj.* anglican.
anglo-saxão *adj.* anglo-saxon.
ângulo *s.m.* angle.
anguloso *adj.* angular.
angústia *s.m.* torment, anguish.
animação *s.f.* animation.
animado *adj.* animated. *desenho animado*, animated cartoon.
animal *adj.* animal.
animal *s.m.* animal. *animais de fazenda*, livestock. *animal de estimação*, pet. *comida para animais*, pet food.
animosidade *s.f.* animosity.
anistia *s.f.* amnisty.
aniversário *s.m.* 1 (nascimento) birthday. 2 anniversary.
anjo *s.m.* angel. *anjo da guarda*, guardian angel.
ano *s.m.* year. *durante todo o ano*, all the year round. *ano após ano*, year in year out.
anomalia *s.f.* anomaly.
anômalo *adj.* anomalous.
anônimo *adj.* anonymous.
anorexia *s.f.* anorexia.
anormal *adj.* abnormal.
anormalidade *s.f.* abnormallty.
anseio *s.m.* yearning.
ansiar *v.i.* yearn.
ansiedade *s.f.* anxiety, anguish.
ansioso *adj.* eager, anxious.
antártico *adj.* antarctic.
antebraço *s.m.* forearm.
antecipação *s.f.* anticipation.
antena *s.f.* antenna.
antepassado *s.m.* ancestor.
anterior *adj.* 1 former, latter. 2 (prévio) prior. 3 anterior.
anterior *prep.* before.
anteriormente *adv.* formerly.
antes *adv.* rather.
antes do meio día *adv.* a.m.
antes que *conj.* before.
anti- *prefixo* anti-.
antiácido *s.m.* antiacid (med).
antiaderente *adj.* nonstick.

antibiótico *s.m.* antibiotic.
anticlimax *s.m.* anti-climax.
anticongelante *s.m.* antifreeze.
anticorpo *s.m.* antibody.
antiderrapante *adj.* non-skid.
antídoto *s.m.* antidote.
antigo *adj.* antique, ancient.
antigüidade *s.f.* antique.
antipatia *s.f.* antipathy.
antítese *s.f.* antithesis.
antônimo *s.m.* antonym.
antro *s.m.* den.
antropologia *s.f.* anthropology.
antropólogo *s.m.* anthropologist.
anual *adj.* annual.
anual *adv.* yearly.
anuário *s.m.* annual.
anuidade *s.f.* annuity.
anulação *s.f.* deletion.
anunciante *s.m. e f.* advertiser.
anunciar *v.t.* announce.
anúncio *s.m.* announcement.
anúncio *s.m.* notice, ad, advertisement.
ânus *s.m.* anus.
ao *prep.* 1 as. 2 when.
apagar *v.t.* 1 delete. 2 (fogo, chamas) quench, put out. 3 erase.
apaixonado *adj.* passionate, impassioned.
apanhar *v.t. e i.* catch, pluck.
aparar *v.t. e i.* trim.
aparecer *v.t. e i.* 1 (concretizar) materialize. 2 (tornar-se visível) appear.
aparecimento *s.m.* appearance. *julgar pela aparência*, judge by appearances.
aparelho *s.m.* 1 (máquina) machine. 2 (doméstico) appliance. 3 (eletrônico) set. (de ar condicionado) air-conditioner. *aparelho de jantar*, dinner-set/service.
aparentemente *adv.* apparently.
apartamento *s.m.* apartment, flat. *apartamento de cobertura*, penthouse.
apatia *s.f.* apathy.
apático *adj.* apathetic, lethargic.

apavorar v.t. terrify.
apaziguamento s.m. appeasement.
apelar v.i. appeal.
apelidar v.t. nickname.
apelido s.m. nickname.
apelo s.m. appeal, plea (fml).
apenas adv. but.
apêndice s.m. appendix.
apendicite s.f. appendicitis.
aperfeiçoar(-se) v.t. perfect.
apertar(-se) v.t. e i. 1 jam. 2 (agarrar) clutch, grasp. 3 (esticar) tighten.
aperto de mão s.m. handshake.
apesar de prep. despite.
apetite s.m. appetite.
apetitoso adj. appetizing.
ápice s.m. apex.
apitar v.t. e i. whistle.
apito s.m. whistle.
aplaudir v.t. e i. 1 applaud. 2 (bater palmas) clap.
aplauso s.m. applause.
aplicado adj. diligent, applied.
apoiar v.t. support, uphold.
apoio s.m. backing, backup.
apologético adj. apologetic.
apontar v.t. e i. aim.
aportar v.t. e i. land.
após prep. past.
aposentado adj. retired.
aposentadoria s.f. retirement. *aposentado*, retired.
aposentar(-se) v.t. e i. retire. *aposentar-se*, go into retirement.
aposta s.f. bet.
apostador s.m. better.
apostar v.i. bet.
apóstrofo s.m. apostrophe.
apreciação s.f. appreciation.
apreciar v.t. e i. appreciate.
apreender v.t. capture.
apreensão s.f. apprehension.
apreensivo adj. apprehensive.
aprender v.t. e i. learn.
aprendiz s.m. apprentice, trainee.
apresentação s.f. presentation.
apresentar v.t. introduce.
apressado adj. hasty, hurried,.

apressar(-se) v.t. e i. hasten, hurry quicken.
aprimorar v.t. improve.
aprofundar v.t. e i. deepen.
apropriação s.f. appropriation.
apropriado adj. appropriate.
aprovação s.f. approval.
aprovar v.t. e i. approve.
aproximação s.f. approach.
aproximado adj. approximate.
aproximar(-se) v.t. e i. approach.
aptidão s.f. aptitude.
apto adj. apt.
apunhalar v.t. e i. stab, jab.
apurar v.t. ascertain.
apuro s.m. predicament.
aquário s.m. aquarium.
aquático adj. aquatic.
aquecedor s.m. 1 heater. 2 boiler.
aquecer v.t. e i. heat, warm.
aquecimento s.m. heating. ***aquecimento central***, central heating.
aquele, aquela pron. that, those (pl).
aqui adv. 1 (lugar) here. ***daqui em diante***, hereafter. 2 (agora) now. ***por aqui***, near here.
aquisição s.f. acquisition, acquirement.
ar s.m. air.
arado s.m. plow.
arame s.m. wire. ***arame farpado***, barbed wire.
arar v.t. plow.
arauto s.m. herald s.
arbitrar v.t. e i. umpire.
arbitrário adj. arbitrary.
árbitro s.m. umpire, referee.
arborizado adj. woody.
arbusto s.m. bush.
arca s.f. ark (bibl).
arcada s.f. arcade, archway.
arcaico adj. archaic.
arco s.m. bow, arch. ***arco-íris***, rainbow.
ardente adj. fiery, fervent, ablaze (fml).
arder v.i. flare.
ardil s.m. wile.

ardor

ardor *s.m.* ardor.
árduo *adj.* arduos.
área *s.f.* area.
areia *s.f.* sand. **areia movediça**, quicksand.
arejar *v.t.* air, wind.
arena *s.f.* arena.
arfar *v.t. e i.* pant.
argamassa *s.f.* mortar.
argila *s.f.* clay.
aridez *s.f.* aridity.
árido *adj.* arid, dry.
aristocracia *s.f.* aristocracy.
aristocrata *s.m. e f.* aristocrat.
aristocrático *adj.* aristocratic.
aritmética *s.f.* arithmetic.
arma *s.f.* weapon, gun.
armação *s.f.* frame.
armadilha *s.f.* trap.
armadura *s.f.* armor.
armamento *s.m.* armament.
armar(-se) *v.t. e i.* arm.
armário *s.m.* cupboard. **armário embutido**, closet.
armazém *s.m.* warehouse.
armistício *s.m.* armistice.
aroma *s.f.* aroma.
aromático *adj.* aromatic.
arqueiro *s.m.* archer.
arqueologia *s.m.* archeology.
arqueológico *adj.* archeological.
arquipélago *s.m.* archipelago.
arquiteto *s.m.* architect.
arquitetônico *adj.* architectural.
arquitetura *s.f.* architecture.
arquivar *v.t.* file.
arquivo *s.m.* archives.
arrancar *v.t. e i.* 1 rip. 2 (arrancar com um puxão) wrench.
arranhar *v.t.* scratch.
arranjar *v.t. e i.* arrange.
arranjo *s.m.* arrangement.
arrastar *v.i.* 1 crawl. 2 (puxar) drag. 3 (rastejar) creep.
arredores *s.m.* (pl) outskirts.
arremessador *s.m.* (em beisebol, em críquete) pitcher.
arremessar(-se) *v.t. e i.* 1 dash. 2 (atirar violentamente) hurtle. 3 (jogar) fling.
arremesso *s.m.* throw.
arremetida *s.f.* dash.
arrendamento *s.m.* lease. **estar arrendado**, be on lease (to).
arrendar *v.t.* lease.
arrepender(-se) *v.t. e i.* repent (fml).
arrepiado de medo *adj.* creepy.
arriscado *adj.* risky, hazardous.
arriscar(-se) *v.t.* risk.
arrogância *s.f.* haughtiness, arrogance.
arrogante *adj.* haughty, arrogant.
arrotar *v.i.* burp, belch.
arroto *s.m.* burp.
arroz *s.m.* rice.
arruinar *v.t.* blight.
arrumado *adj.* tidy.
arrumar(-se) *v.t.* groom.
arsênico *s.m.* arsenic.
arte *s.f.* art. **arte culinária**, cookery, cuisine.
artéria *s.f.* artery.
arterial *adj.* arterial.
artesão *s.m.* artisan.
ártico *adj.* arctic.
articulação *s.f.* articulation.
articulado *adj.* articulate.
articular *v.t. e i.* articulate.
artificial *adj.* artificial.
artigo *s.m.* article.
artilharia *s.f.* artillery.
artista *s.m. e f.* artist.
artístico *adj.* artistic.
árvore *s.f.* tree. **árvore genealógica**, family tree.
ás *s.m.* ace.
asa *s.f.* wing. **cortar as asas de alguém (fig)**, clip a person's wings. **estar debaixo da asa de**, be under the wing of.
ascendente *adj.* uphill.
ascender *v.t. e i.* ascend.
ascensão *s.f.* ascension.
ascético *adj.* ascetic.
asfalto *s.m.* asphalt.
asfixia *s.f.* asphyxia.
asfixiar *v.t.* asphyxiate.

asma *s.f.* asthma.
asno *s.m.* 1 donkey. 2 ass.
aspargo *s.m.* asparagus.
aspecto *s.m.* aspect.
asperamente *adv.* roughly.
aspereza *s.f.* roughness, asperity (fml).
áspero *adj.* rough, rugged.
aspiração *s.f.* aspiration.
aspirar *v.i.* aspire.
aspirina *s.f.* aspirin.
assado *adj.* roast.
assado *s.m.* roast.
assaltar *v.t.* 1 assault. 2 mug.3 hijack.
assalto *s.m.* assault, mugging.
assar *v.t. e i.* 1(carne) roast. 2 (massa) bake.
assassinar *v.t.* assassinate.
assassinato *s.m.* assassination, murder. **cometer um assassinato**, commit a murder.
assassino *s.m.* assassin, murderer.
assegurar *v.t. e i.* 1 ensure. 2 (por no seguro) insure.
asseio *s.m.* neatness.
assembléia *s.f.* assembly, congress.
assessor *s.m.* assessor.
assíduo *adj.* assiduous.
assim *adv.* 1 (deste modo) this, like this. 2 (portanto) so. 3 (aquele modo) that, like that. 4 (de tal modo) thereby. 5 (desta maneira) accordingly.
assimilar *v.t. e i.* assimilate.
assinante *s.m. e f* subscriber.
assinatura *s.f.* 1 signature. 2 (de revista) subscription.
assistente *s.f.* assistant.
assoalhar *v.t. e i.* board.
assoalho de tacos *s.m.* parquet.
assoalho *s.m.* floor.
associação *s.f.* affiliation, association, partnership.
associar(-se) *v.t. e i.* 1 associate. 2 pool. 3 affiliate.
assustador *adj.* frightening.
astrologia *s.f.* astrology.
astronauta *s.m.* astronaut.
astronomia *s.f.* astronomy.

astronômico *adj.* astronomical.
astrônomo *s.m.* astronomer.
astuto *adj.* astute.
atacar *v.t. e i.* 1 attack. 2 (atacar uma pessoa violentamente e roubar, assaltar com violência) mug. 3 (invadir) raid.
atapetar *v.t.* carpet.
ataque *s.m.* attack, onset.
atarracado *adj.* tubby.
até *conj.* until.
até *prep.* until.
ateísmo *s.m.* atheism.
atemorizado *adj.* frightened.
atemorizar *v.t.* frighten.
atenção *s.f.* attention.
atenciosamente *adv.* thoughtfully.
atencioso *adj.* attentive, thoughtfull, considerate.
atender *v.t. e i.* attend.
atento *adj.* intent, aware.
atenuar *v.t.* extenuate.
aterrissagem *s.f.* landing.
aterrorizado *adj.* panicky (infml).
aterrorizante *adj.* formidable.
atestado *s.m.* certificate.
atestar *v.t. e i.* attest.
ateu *s.m.* atheist.
atirar *v.t. e i.* 1 shoot. 2 (atirar para o ar) toss. **toss a coin,** jogar uma moeda para o alto.
atitude *s.f.* attitude.
ativamente *adv.* actively.
ativar *v.t.* activate.
atividade *s.f.* activity.
ativo *adj.* active.
atleta *s.m. e f* athlete.
atmosfera *s.f.* atmosphere.
ato *s.m.* act.
atômico *adj.* atomic. **era atômica**, atomic age. **bomba atômica**, atomic bomb. **energia atômica**, atomic energy.
átomo *s.m.* atom.
ator *s.m.* 1 actor (teat). 2 (substituto/ suplente) understudy. 3 performer.
atormentar *v.t.* tantalize.
atormentar *v.t.* torment.
atração *s.f.* attraction.

atraente

atraente *adj.* attractive, engaging.
atrair *v.t.* attract, lure.
atrás *adv.* behind.
atrás de *prep.* behind.
atrasado *adj.* late, overdue.
atravancar *v.t.* clutter.
através de *prep.* throughout.
através do qual *adv.* whereby (fml).
atravessar *v.t. e i.* weather (liter, fig).
atrevidamente *adv.* boldly.
atrevido *adj.* pert.
atribuir *v.t.* attribute.
atributo *s.m.* attribute.
atriz *s.f.* actress (teat).
atrocidade *s.m.* atrocity.
atrofia *s.f.* atrophy.
atual *adj.* current, up-to-date.
atualizar *v.t.* update.
aturdido *adj.* giddy.
aturdido *s.m.* daze.
audácia *s.f.* audacity.
audaciosamente *adv.* audaciously.
audacioso *adj.* daring, audacious.
audição *s.f.* 1 hearing. 2 (apre-sentação) audition.
audiência *s.f.* audience.
audiovisual *adj.* audiovisual.
auditoria *s.f.* audit.
auditório *s.m.* concert hall, auditorium.
audível *adj.* audible.
augúrio *s.m.* omen.
aumentar *v.t. e i.* 1 increase. 2 (acentuar) enhance. 3 (subir) up.
aumento *s.m.* 1 rise. 2 (alta) increase. 3 (elevação) raise. **pedir/receber um aumento de salário**, ask for/get a raise.
auréola *s.f.* halo.
ausência *s.f.* absence.
ausente *adj.* absent, missing.
auspicioso *adj.* auspicious.
austero *adj.* austere.
autenticar *v.t.* authenticate, validate.
autenticidade *s.f.* authenticity.
autêntico *adj.* authentic, genuine.
auto *prefixo* self. **auto-confiança**, self-confidence. **auto-estima**, self-esteem.

automático *adj.* automatic.
automóvel *s.m.* automobile.
autonomia *s.f.* autonomy.
autônomo *adj.* autonomous.
autópsia *s.f.* autopsy.
autor *s.m.* 1 (escritor) compositor. 2 (inventor, criador) author.
autoridade *s.f.* authority.
autoritário *adj.* authoritarian, masterful.
autorizar *v.i.* authorize.
auxiliar *adj.* auxiliary.
avaliação *s.f.* 1 evaluation. 2 appraisal. 3 (classificação) rating. 4 assessment.
avaliador *s.m.* surveyor.
avaliar *v.t. e i.* 1 rate. 2 evaluate. 3 appraise. 4 value. 5 assess.
avançado *adj.* advanced.
avançar *v.t.* advance.
avanço *s.m.* advance, breakthrough.
avarento *s.m.* miser.
ave *s.f.* bird. **aves domésticas**, poultry.
aveia *s.f.* oat.
avenida *s.f.* avenue.
avental *s.f.* apron, pinafore, overall.
aventura *s.f.* adventure.
aventurar(-se) *v.t. e i.* venture.
aventureiro *s.m.* adventurer.
avermelhado *adj.* reddish.
avermelhar *v.t. e i.* redden.
aversão *s.f.* dislike, aversion.
avestruz *s.f* ostrich.
avião *s.m.* plane, aeroplane. **avião de bombardeio**, bomber.
avidamente *adv.* avidly.
avidez *s.f.* eagerness.
ávido *adj.* avid.
aviso *s.m.* warning, tip-off.
avó *s.f.* grandmother, granny (grannie).
avô *s.m.* grandfather, grandaddy, grandad.
axila *s.f.* armpit.
azedar(-se) *v.t. e i.* sour.
azedo *adj.* tart.
azul *adj.* blue.
azulado *adj.* bluish.

b B

babá *s.f.* 1 nanny. 2 babysitter.
babado *s.m.* 1 (em roupas) frill. 2 gossip.
babador *s.m.* bib.
bacalhau *s.m.* (cod) *óleo de fígado de bacalhau*, cod-liver oil.
bacia *s.f.* 1 bowl. *bacia de um rio*, basin.
baço *s.m.* (anat) spleen.
bacteriano *adj.* bacterial.
badalada *s.f.* 1 stroke. 2 (sino) toll.
bagagem *s.f.* 1 luggage. 2 baggage. *porta-bagageiro* (em ônibus, trem, etc), luggage rack. *bagagem de mão*, hand luggage.
bago *s.m.* 1 grape.
baía *s.f.* bay.
bailado *s.m.* 1 ballet. *bailarino*, ballet-dancer. 2 dance.
baile *s.m.* ball.
bainha *s.f.* 1 hem, seam. 2 (estojo para faca ou espada) sheath.
baioneta *s.f.* bayonet.
baixo *adj.* 1 low. 2 (pessoa) short. 3 (voz) quiet. 4 (atitude) mean.
baixo *adv.* (pos) low.
baixo *s.m.* (mús) bass.
bajulação *s.f.* flattery.
bajulador *s.m.* flatterer, sycophant.
bajular *v.t.* flatter, cajole.
bala *s.f.* 1 (de arma de fogo) bullet. 2 (doce) candy, sweet. *bala de leite*, toffee.
balada *s.f.* ballad.
balança *s.f.* 1 balance. 2 (de peso) scale.
balançar *v.i. e t.* 1 swing. 2 (embalar) rock. *cadeira de balanço*, rocking chair. *cavalinho de balanço*, rocking horse. 3 sway.
balanço *s.m.* swing.
balão *s.m.* balloon.
balbuciar *v.i. e t.* babble.
balcão *s.m.* 1 (de loja) counter. 2 (informações, recepção) desk. 3 (teatro) balcony.
balde *s.m.* bucket, pail.

baleia *s.f.* whale.
balsa *s.f.* 1 raft. 2 ferry-boat. *balseiro*, ferry-man.
bambu *s.m.* bamboo.
banana *s.f.* banana.
banca de jornais *s.f.* newsstand.
bancarrota *s.f.* bankruptcy.
banco *s.m.* 1 bank. *banco de sangue*, blood-bank. *conta bancária*, bank account. *extrato bancário*, bank statement, *bancário*, bank clerk. *cédula, nota*, banknote. *saldo bancário*, bank balance. 2 (parque, jardim) bench. 3 (banco de igreja) pew.
bandeira *s.f.* flag.
bandeirinha *s.m.* linesman (esporte).
bandeja *s.f.* tray.
bandido *s.m.* bandit.
bando *s.m.* troop, gang.
bandolim *s.m.* mandolin.
banha *s.f.* grease.
banhar, banhar-se *v.i. e t.* bath.
banheira *s.f.* bathtub, (infml) tub.
banheiro *s.m.* bathroom, lavatory.
banho *s.m.* bath.
banir *v.i. e t.* 1 proscribe. 2 banish.
banjo *s.m.* banjo.
banqueiro *s.m.* banker.
banquete *s.m.* banquet.
banquinho *s.m.* stool.
baque *s.m.* thump.
baquear *v.i.* thud.
bar *s.m.* pub, bar.
barão *s.m.* baron.
barata *s.f.* cockroach.
barato *adj.* cheap. *de preço reduzido*, cut-price.
barba *s.f.* beard. *barba curta e espetada, barba por fazer*, stubble.
barbante *s.m.* string.
bárbaro *adj.* barbarism, (inculto) barbarian.
barbatana *s.f.* fin.
barbear, barbear-se *v.t. e v.pron.* shave.
barbearia *s.f.* barbershop.

barbeiro

barbeiro s.m. barber.
barbudo adj. bearded.
barca s.f. ferry.
barcaça s.f. barge.
barômetro s.m. barometer.
baronesa s.f. baroness.
barra 1 bar (de ferro , de metal, de sabão). 2 hem (de calça).
barraca s.f. 1 tent. 2 barrack.
barraco s.m. shanty. *favela*, shanty-town.
barragem s.f. 1 dam. 2 barrage.
barreira s.f. 1 barrier. *barreira de pedágio*, turnpike.
barricada s.f. barricade.
barriga s.f. stomach, belly. *dor de barriga*, funny-tummy, bellyache.
barril s.m. 1 cask. 2 barrell.
barulhento adj. noisy, blatant.
barulho s.m. noise. *fazer barulho para chamar a atenção*, make a noise (about sth).
base s.f. 1 base. 2 rationale. 3 (geom, mat) base. *base aérea, naval, militar*, air base/ naval base/ military base.
basear v.t. base.
básico adj. basic.
basquetebol s.m. basketball.
bastante adv. sufficiently, pretty, plenty, a lot.
bastante adj. enough.
bastão s.m. baton.
bastar v.i. to be enough. *dar o basta*, put na end to.
batalha s.f. battle. *campo de batalha*, battlefield. *navio de guerra*, battleship.
batalhão s.m. battallion.
batata s.f. potato. *batata frita*, french fry, potato chip.
batedor s.m. knocker. *batedor de carteiras*, pickpocket
bate-papo s.m. chat.
bater v.i. e t. 1 (bater,vencer, derrotar) beat. 2 (esmurrar, martelar, bater com força) pound. 3 (chocar-se) bump. 4 (bater, golpear, esmurrar, bater as horas) strike. 5 (pulsar, latejar, palpitar) throb, thump. 6 knock. *bater com a cabeça*, butt. *bater com força (porta, janela)*, slam. *bater de leve*, flick, pat.
bateria s.f. 1 battery. 2 (mus) drums.
baterista s.m.e f. drummer.
batida s.f. beat. *batida do coração*, heart-beat.
batido adj. wrought.
batina s.f. cassock.
batismo s.m. baptism.
batizar v.i. baptize. *batizar, dar nome*, christen.
baunilha s.f. vanilla.
bazar s.m. bazaar.
bêbado adj. drunken, drunk. *ficar bêbado, embriagar-se*, get drunk, get pissed.
bêbado s.m. drunk.
bebê s.m. baby, infant.
beber v.i. e t. drink.
bebericar v.i. e t. sip.
bebida s.f. beverage. *bebida não alcoólica, refrigerante*, soda, soft drink. *bebida alcoólica* (fml) liquor, booze.
beco s.m. alley. *beco sem saída*, cul-de-sac.
bege adj. beige.
beijar v.i. e t. kiss.
beijo s.m. kiss.
beira s.f. beside. *a beira das lágrimas*, on the verge of tears.
beirada s.f. brink, edge.
beisebol s.m. baseball.
beleza s.f. beauty. *salão de beleza*, beauty-parlour, beauty salon.
beliche s.f. berth, bunk.
beliscão s.m. pinch.
beliscar v.i. e t. nip.
belo adj. lovely beautiful, ravishing.
bem adv. well. *sair-se bem, progredir*, do well. *terminar bem/com sorte*, come off well. *bem de vida*, well off.
bem estar adj. well being, welfare.
bem formado adj. shapely.
bem informado adj. knowledgeable.
bem interj. well.
bem s.m. good.
bem-vindo adj. welcome. *à vontade, à disposição*, welcome to.
bem-vindo interj . welcome.

beneficiário s.m. beneficiary.
benefício s.m. benefit. **bonificações e benefícios,** fringe benefits.
benéfico adj. beneficial.
benevolência s.f. benevolence.
benevolente adj. benevolent.
benfeitor s.m. benefactor.
benigno adj. benign.
berçário s.m. day nursery.
berço s.m. cot, cradle.
berinjela s.f. eggplant, aubergine.
berrante adj. garish.
berrar v.i. e .t. scream bellow.
berro s.m. scream.
besouro s.m. beetle.
besta s.f. beast.
beterraba s.f. beetroot. (usada para a produção de açúcar) sugar beat.
bexiga s.f. bladder.
bezerro s.m. calf.
bi prefixo bi-.
bíblia s.f. bible.
bibliografia s.f. bibliography.
biblioteca s.f. iibrary.
bibliotecário s.m.e f. librarian.
bicada s.f. peck.
bicar v.i. e t. peck.
bicarbonato s.m. bicarbonate.
bicentenário s.m. bicentenary.
bíceps s.m. biceps.
bicicleta s.f. bicycle, bike.
bico s.m. beak. (de bule) spout. (em sinal de amuo) pout. **bico de seio, bico de mamadeira,** nipple.
bife s.m. steak.
bigamia s.f. bigamy.
bígamo adj. bigamous.
bígamo s.m. bigamist.
bigode s.m. mustache. **bigode de gato e outros animais,** whisker.
bijuteria s.f. trinket.
bilateral adj. bilateral.
bile, bilis s.f. bile.
bilhão s.m. billion.
bilhete s.m. note.
bilíngüe adj. bilingual.
binóculo s.m. binoculars.
biografia s.f. 1 biography. 2 memoir.
biologia s.f. biology.
biológico adj. biological.

biólogo s.m. biologist.
bisbilhotar v.i. 1 eavesdrop. 2 snoop.
biscoito s.m. cookie, biscuit, cracker. **biscoito leve de massa folheada que é geralmente comido com sorvetes,** wafer.
bispo s.m. bishop.
bisturi s.m. scalpel.
bizarro adj. bizarre.
blasfemar v.i. e t. blaspheme.
blasfêmia s.f. blasphemy.
blecaute s.m. blackout.
blefe s.m. bluff.
blindado adj. armoured, steel-plated.
bloco s.m. block. **bloco para anotações,** jotter.
bloquear v.t. blockade, barricade, block.
bloqueio s.m. blockade, blockage. **suspender o bloqueio,** raise the blockade. **romper o bloqueio,** run the blockade.
blusa s.f. blouse.
boa sorte s.f. fortune. **ler a sorte de alguém,** tell somebodies fortune.
boa vontade s.f. goodwill.
boas-vindas s.f. welcome.
boateiro s.m. alarmist, gossiper.
boato s.m. hearsay.
bobo s.m. goof, silly, fool.
boca s.f. mouth.
bocado s.m. bit, morsel.
bocejo s.m. yawn.
bochecha s.f. cheek.
bode s.m. goat. **bode expiatório,** scapegoat.
boi s.m. ox.
bóia s.f. buoy.
boicotar v.t. boycott.
boicote s.m. boycott.
bola s.f. ball.
bolada s.f. jackpot. **ganhar a bolada, o prêmio total,** hit the jackpot.
bolbo s.m. bulb.
boletim informativo s.m. newsletter.
bolha s.f. 1 (de água) bubble. 2 (machucado) blister.
bolinha s.f. (feita de pão, papel molhado, etc) pellet.
bolinho s.m. dumpling, muffin, cookie.

bolo

bolo *s.m.* cake.
bolsa de estudos *s.f.* scholarship, grant.
bolsa de mulher *s.f.* handbag, purse.
bolso *s.m.* pocket. *furtar algo do bolso de alguém, bater carteiras*, pick somebodies pocket. *encher os bolsos* (fig), *enriquecer ilicitamente*, line one's pockets.
bom *adj.* good.
bomba *s.f.* bomb, pump. (doce com recheio de creme) éclair. *bomba atômica*, a-bomb. *bomba de gasolina*, a petrol pump.
bombardear *v.i. e t.* bomb.
bombear *v.i. e t.* pump.
bondade *s.f.* goodness.
bonde *s.m.* street-car, tram.
bondoso *adj.* gentle.
boneca *s.f.* doll.
bonificação *s.f.* bonus.
bonito *adj.* pretty.
borboleta *s.f.* butterfly.
borda *s.f.* 1 border, verge. 2 (limite, demarcação, fronteira) borderline. (saliência) ledge.
bordado *s.m.* embroidery.
bordar *v.i. e t.* embroider.
bordel *s.m.* brothel.
borracha *s.f.* rubber, eraser.
borrão *s.m.* smudge.
bota *s.f.* boot.
botânica *s.f.* botany.
botão *s.m.* button. (de flor) bud.
bote *s.m.* boat.
braço *s.m.* arm. *de braços abertos*, with open arms. *andar de braços dados*, walk arm-in-arm.
braile *s.m.* braille.
branco *adj.* white. *colarinho branco, altos profissionais e executivos*, white-collar. *elefante branco, objeto grande de pouca utilidade*, white elephant. *carne branca*, white meat.
brandir *v.i. e t.* brandish, wield.
brando *adj.* temperate.
branquear *v.i. e t.* bleach.
bravo *adj.* brave.
brecha *s.f.* breach.
brejo *s.m.* swamp.

breve *adv.* soon. *quanto antes melhor*, the sooner the better.
brevidade *s.f.* brevity.
briga *s.f.* quarrel. *procurar briga com alguém*, pick a quarrel with sb.
brigada *s.f.* brigade.
brigão *s.m.* bully.
brigar *v.i.* quarrel, squabble.
brilhante *adj.* bright, glaring, flashy.
brilhantemente *adv.* brightly.
brilhar *v.i.* shimmer, gleam, twinkle, glisten, shine, glow, sheen glitter.
brincadeira *s.f.* fun.
brincalhão *adj.* playful.
brincar *v.i. e t.* play, kid.
brinde *s.m.* toast.
brinquedo *s.m.* toy. *loja de brinquedos*, toy store.
brisa *s.f.* breeze.
brochura *s.f.* brochure. (folheto) booklet, leaflet.
bronca *s.f.* scolding.
bronzeado *s.m.* tan.
bronzear (-se) *v.i. e t.* tan, get a tan.
brotar *v.i. e t.* 1 sprout. 2 root. 3 bud.
broto *s.m.* (planta) sprout.
brutal *adj.* brutal.
brutalidade *s.f.* barbarity, brutality.
bruxa *s.f.* 1 witch. 2 (feiticeiro, curandeiro) witchdoctor. *caça às bruxas, perseguição política*, witch-hunt.
bruxaria *s.f.* witchcraft.
bueiro *s.m.* drain.
bulbo *s.m.* clove.
buquê *s.m.* bouquet.
buraco *s.m.* hole, hollow, loophole.
burguês *s.m.* bourgeois.
burocracia *s.f.* bureaucracy.
burocrático *adj.* bureaucratic.
busca *s.f.* 1 (minuciosa, revista, vistoria, inspeção) rummage. 2 search. *mandado (policial ou judicial) de busca*, search-warrant, quest.
bússola *s.f.* compass.
busto *s.m.* bust.
buzina *s.m.* horn.

c C

cabana *s.f.* 1 shack 2 (chalé) cottage. 3 hut.
cabaré *s.m.* cabaret.
cabeça *s.f.* head. *dor de cabeça*, headache. *de cabeça para baixo*, upside down.
cabeleireiro *s.m.* hairdresser, hair stylist, beautician.
cabelo *s.m.* hair. *corte de cabelo*, haircut, *estilo de cabelo*. hairdo (infml). *secador de cabelo*, hair-dryer.
cabeludo *adj.* hairy.
caber *v.t.* 1 contain. 2 (espaço) fit.
cabine *s.f.* 1 cabin 2 (piloto) cockpit.
cabo *s.m.* cable. *tv a cabo*, cable tv.
caça *s.f.* 1 hunt. 2 (presa),quarry.
caçar *v.i e t.* hunt.
cacau *s.m.* cocoa, cacao. *manteiga de cacau*, cocoa butter.
cachecol *s.m.* scarf.
cacho *s.m.* 1 curl. 2 bunch. 3 cluster.
cada *pron.* each, each other.
cada um *adv.* a piece, every, each.
cada vez mais *adv.* increasingly.
cadarço *s.m.* shoelace.
cadáver *s.m.* 1 corpse. 2 stiff (gír).
cadeado *s.m.* padlock.
cadeia *s.f.* jail, prison.
cadeira *s.f.* chair.
cadela *s.f.* bitch.
cadência *s.f.* cadence.
café *s.m.* coffee. *café descafeinado*, decaf. *café da manhã, desjejum*, breakfast. *intervalo numa programação para o café*. coffee break. *bule para café, cafeteira*, coffee-pot. *lanchonete, bar onde bebidas alcoólicas não são servidas*, coffee-shop.
cafona *adj.* tacky (infml).
cãibra *s.f.* cramp.
cair *v.i e t.* 1 (tombar) fall. *desintegrar-se, cair aos pedaços*, (fig) fall apart, crumble. 2 (tombar aos tropeções) tumble. 3 (ruir, desmoronar) collapse. 4 (cair, deixar cair) drop. 5 (despencar) slump.
caixa *s.f.* 1 box. 2 (de loja) cashier. 3 (de banco) teller. 4 (de papelão) carton. *caixa de surpresa*, jack-in-the-box. *caixa-postal*, mail box.
caixão *s.m.* coffin.
caju *s.m.* cashew. *castanha de caju*, cashew-nut.
calado *adj.* tight-lipped (fig).
calamidade *s.f.* calamity. .
calcanhar *s.m.* heel.
calçar 1 shoe. 2 *(calçar com cunha)*, wedge.
calças *s.f.* trousers, pants, slacks.
calcinhas (de mulher) *s.f.* panties (infml).
cálcio *s.m.* calcium.
calcular *v.t. e i.* 1 calculate. 2 (avaliar) estimate.3 (computar) reckon.
calculista *adj.* calculating.
cálculo *s.m.* reckoning.
caldeira *s.f.* boiler.
caldo de carne *s.m.* gravy, consommé, (sopa) broth.
caleidoscópio *s.m.* kaleidoscope.
calendário *s.m.* calendar.
calibrar *v.t.* calibrate.
cálice *s.m.* chalice.
calma *s.f.* calmness.
calmamente *adv.* calmly.
calmo *adj.* calm, tranquil. *manter a calma*, keep calm.
calor *s.m.* warm, heat, warmth.
caloria *s.f.* calorie.
calúnia *s.f.* calumny.
caluniador *s.m.* detractor, slanderer.
calvície *s.f.* baldness.
cama *s.f.* bed. *fazer a cama*, make the bed. *colcha da cama*, bedspread.
camada *s.f.* 1 layer. 2 coating.
camafeu *s.m.* cameo.
câmara *s.f.* chamber. *câmara do comércio*, chamber of commerce.
camarão *s.m.* shrimp, prawn.

camareiro

camareiro s.m. steward.
cambalear v.i e t. stagger.
câmbio de automóvel s.m. gear.
camelo s.m. camel.
camelô s.m. peddler, vendor.
caminhão s.m. truck, (GB) lorry.
caminhar v.i. trek , go for a walk.
caminho s.m. way.
camisa s.f. shirt.
camiseta s.f. t-shirt.
camisola s.f. nightdress.
campainha s.f. doorbell, buzzer.
campanha s.f. campaign. .
campeão s.m. champion, champ.
campeonato s.m. championship.
campo s.m. field.
camponês s.m. peasant.
camundongo s.m. mouse. .
camurça s.f. sued (suède), chamois.
canal s.m. 1 channel. 2 canal. (dent.): tooth canal.
canário s.m. canary.
canção s.f. 1 song. 2 (de ninar) lullaby.
cancelar v.t. e i. cancel.
câncer s.m. cancer. *trópico de câncer*, Tropic of Cancer.
canceroso adj. cancerous.
candidato s.m. 1 applicant. 2 candidate.
caneca s.f. mug.
canela s.f. cinnamon.
caneta s.f. pen. *caneta esfero-gráfica*, ballpoint pen. *caneta-tinteiro*, fountain pen.
canguru s.m. kangaroo.
canhão s.m. gun, cannon.
canil s.m. kennel.
canino adj. canine.
cano s.m. pipe, drainpipe.
canoa s.f. canoe.
cansado adj. 1 weary (-ier, -iest). 2 tired.
cansar(-se) v.t. e i. 1 weary. 2 tire. *estar cansado de,* be tired of.
cansativo adj. 1 tiresome. 2 gruelling. 3 wearisome.
cantar v.t. e i. sing.
cantina s.f. 1 canteen. 2 cafeteria.
canto s.m. song, chant, singing.
cantor s.m. singer.
cão s.m. dog. *cão de caça*, hound. *galgo*, greyhound.
caos s.m. chaos.
caótico adj. chaotic.
capa de chuva s.f. raincoat, mackintosh.
capacete s.m. helmet.
capacho 1 mat. 2 (de porta) doormat.
capacidade s.f. capability.
capacitar v.t. enable.
capataz s.m. foreman.
capaz adj. able. *ser capaz de fazer algo*, be able to do sth.
capela s.f. chapel. .
capelão s.m. chaplain.
capim s.f. grass.
capital adj. capital. *pena de morte*, capital punishment.
capitalismo s.m. capitalism.
capitalista s.m. capitalist.
capitalizar v.t. capitalize.
capitão s.m. 1 captain 2 (de equipe, navio ou avião) skipper.
capítulo s.m. chapter. .
capricórnio s.m. capricorn. *trópico de capricórnio*, tropic of capricorn.
cápsula s.f. capsule.
capuz s.m. hood.
caracol s.m. snail.
característica s.f. characteristic.
caracterizar v.t. characterize.
caramelo s.m. caramel.
caranguejo s.m. crab.
caráter s.m. character.
carboidrato s.m. carbohydrate.
carbono s.m. 1 carbon. 2 carbon copy. *papel carbono*, carbon paper.
carburador s.m. carburettor.
carcaça s.f. carcass.
cardápio s.m. menu.
cardeal s.m. cardinal.
cardíaco adj. cardiac. *parada cardíaca*, cardiac arrest.
cardigã s.m. cardigan.
careca adj. bald.

carga *s.f.* 1 cargo, load. 2 (peso) burden.
cargueiro *s.m.* freighter, cargo ship.
caricaturar *v.t.* caricature.
carícia *s.f.* caress.
caridade *s.f.* charity. .
caridoso *adj.* charitable.
carimbar *v.t.* imprint, stamp.
carnal *adj.* carnal.
carnaval *s.f.* carnival.
carne *s.f.* 1 meat. **almôndega, bolinho de carne**, meatball. 2 (de vaca) beef. **carne salgada, enlatada**, corned beef. 3 (de carneiro) mutton, lamb. 4 (de porco) pork. 5 (de vitela) veal. 6 (do homem e dos animais) flesh. **em carne e osso**, in the flesh.
carneiro *s.m.* sheep. **ovelha negra**, black sheep.
carnificina *s.f.* carnage.
carnívoro *adj.* carnivorous.
caro *adj.* 1 expensive. 2 pricey (infrml).
caroço *s.m.* 1 (de frutas) pit. 2 (de limão, laranja, pêra ou maçã) pip.
carpintaria *s.f.* carpentry.
carpinteiro *s.m.* carpenter.
carrapato *s.m.* tick.
carregado *adj.* 1 (pesado) loaded. 2 laden.
carregador *s.m.* 1 (de malas) porter. 2 carrier.
carregamento *s.m.* shipment.
carregar *v.t. e i.* 1 carry. 2 (pôr carga em) burden. 3 (transportar) convey. 4 load.
carreira *s.f.* career.
carretel *s.m.* reel.
carril *s.m.* curry. .
carrilhão *s.m.* chime.
carrinho *s.m.* 1 (de bebê) perambulator. 2 (de mão para carregar pacotes, bagagem) trolley. 4 (carrinho de mão) barrow.
carro *s.m.* 1 car. **carro-dormitório (em trem)**, sleeping car. **carro de corrida**, racing car.
cartão *s.m.* card. .

cartaz *s.m.* placard, board.
carteira *s.f.* 1 (de dinheiro) wallet. 2 purse.
cartolina *s.f.* cardboard.
cartucho *s.m.* cartridge.
carvalho *s.m.* oak.
carvão 1 (vegetal) charcoal. 2 coal. **mina de carvão**, coal mine.
casa *s.f.* 1 (moradia) house, dwelling. 2 (lar) home. 3 (pré-fabricada) prefab.
casado *adj.* married.
casamento *s.m.* 1 (cerimônia) wedding. 2 marriage. 3 matrimony. **aliança de casamento**, wedding-ring.
casar(-se) *v.t. e i.* 1 marry, get married. 2 wed (arc, liter).
cascata *s.f.* cascade.
casco *s.m.* 1 (de navio) hull.
caso *s.m.* case. **se esse for o caso**, if that's the case. **nesse caso**, in that case. **no caso**, in case. **em todo caso**, in any case.
caspa *s.f.* dandruff.
cassino *s.m.* casino.
castanha *s.f.* 1 nut. 2 chestnut. **castanha-do-pará**, brazil-nut. **castanha de cajú**, cashew nut.
castanhoavermelhado *adj.* auburn, maroon.
castelo *s.m.* castle.
castigo *s.m.* punishment, chastisement.
casto *adj.* chaste.
castor *s.m.* beaver.
casual *adj.* chance, casual.
casualmente *adv.* casually.
casulo *s.m.* cocoon.
cataclismo *s.m.* cataclysm.
catálogo *s.m.* catalog.
catalisador *s.m.* catalyst.
catalogar *v.t.* catalog.
catastrófico *adj.* catastrophic.
catástrore *s.f.* catastrophe.
catedral *s.f.* cathedral.
categoria *s.f.* category.
categoricamente *adv.* categorically.
categórico *adj.* categorical.
cativante *adj.* catching, catchy, captivating.

católico

católico s.m. catholic. **catolicismo,** catholicism.
catraca s.f. turnstile.
cauda s.f. tail.
causa s.f. cause.
causar v.t. cause.
cautela s.f. caution.
cauteloso adj. 1 cautious. 2 wary.
cavaleiro s.m. 1 rider. 2 knight.
cavalheiro s.m. gentleman.
cavalo s.m. horse. **cavalo de corrida,** race-horse.
cavar v.t. e i. 1 (com pá) spade. 2 dig. 3 shovel.
caverna s.f. cave, cavern.
caxumba s.f. mumps.
cebola s.f. onion.
ceder v.i. (curvar) sag.
cedo adj. early.
cedo adv. early.
cedro s.m. cedar.
cegar v.i. blind.
cego adj. blind. **encontro com desconhecido do sexo oposto,** blind date.
cegueira s.f. blindness.
ceia s.f. supper.
cela s.f. cell.
célebre adj. celebrated.
celebridade s.f. celebrity.
celeiro s.m. barn.
celibatário adj. celibate.
celibato s.m. celibacy.
cem (num) hundred.
cemitério s.m. cemetery.
cena s.f. scene.
cenário s.m. setting, set, scenery.
cenoura s.f. carrot.
censo s.m. census.
censor s.m. censor.
censurar v. t. censor.
centeio s.m. rye.
centenário s.m. centennial.
centésimo (num) hundredth.
centígrado adj. centigrade.
centígrado s.m. Celsius.
centímetro s.m. centimeter.
centopéia s.f. millipede.

central adj. central. **aquecimento central,** central heating.
centralizar v. t. centralize.
centro s.m. 1 center. 2 (cidade) downtown. 3 (eixo) hub. 4 (centro comercial, shopping center) mall.
cep (código de endereçamento postal) s.m. zip code.
cera s.f. wax.
cerâmica s.f. pottery.
cerca de prep. circa.
cerca s.f. (grade) fence.
cercanias s.f. surroundings.
cercar v.t. e i. 1 (com sebe) hedge. 2 (envolver) wreathe. 3 (murar) fence.
cerco s.m. 1 (mil) siege. 2 enclosure.
cereal s.f. cereal. **flocos de milho,** corn flakes.
cerebral adj. cerebral.
cérebro s.m. brain. **lavagem cerebral,** brain washing.
cereja s.f. cherry.
cerimônia s.f. ceremony.
certamente adv. 1 sure (infml). 2 certainly. 3 surely. **certamente,** sure enough.
certeza s.f. certainty.
certidão s.f. certificate.
certo adj. 1 sure. 2 certain. 3 right.
cerveja s.f. 1 beer. 2 (amarga) bitter. 3 (clara) ale.
cervejaria s.f. brewery.
cerzir v.t. e i. darn.
cessão s.f. cession.
cessar v.t. e i. cease.
cesto s.m. 1 basket. 2 (baú de vime) hamper.
ceticismo s.m. skepticism.
cético adj. skeptical.
cetim s.m. satin.
céu s.m. 1 sky. 2 (paraíso) heaven.
cevada s.f. barley.
chá s.m. tea. **saquinho de chá,** tea bag.
chacal s.m. jackal (zoo).
chalé s.m. chalet, cottage.
chaleira s.f. kettle.

chama s.f. 1 (brilho) flare. 2 (fogo) flame. 3 (labareda) blaze.
chamar v.t. e i. call.
chamariz s.m. decoy.
chaminé s.f. chimney.
champanha s.f. champagne.
chance s.f. opportunity. *aproveitar a chance*, take the opportunity of doing/to do sth.
chanceler s.m. chancellor.
chances s.f. pl odds.
chantagem s.f. blackmail.
chapéu s.m. hat.
charada s.f. charade.
charme s.m. glamour, charm.
charuto s.m. cigar.
chato adj. dull, boring.
chave s.f. 1 key. 2 (chave mestra) masterkey, passkey. 3 (chave inglesa) spanner. 4 (chave de fenda) screwdriver. 5 (palavra chave) key word.
chefe s.m. 1 chief. 2 boss.
chegada s.f. arrival.
chegar v.i. 1 arrive. 2 (chegar a um acordo) compromise.
cheio adj. full.
cheque s.m. check. *talão de cheques*, cheque-book.
chiclete s.m. 1 chewing gum. 2 (de bola) bubble-gum.
chicória s.f. chicory.
chicote s.m. whip.
chicotear v.t. e i. whip.
chifre s.m. horn.
chimpanzé s.m. chimpanzee.
chinelo s.m. slipper.
chiqueiro s.m. sty.
chocalho s.m. rattle. .
chocante adj. shocking.
chocar v. t. astound.
chocolate s.m. chocolate.
chofer s.m. chauffeur, driver.
chope s.m. draught beer.
choque s.m. shock. *tratamento de choque*, shock treatment.
choramingar v.i e t. 1 whine. 2 whimper.
chorar v.t. e i. 1 cry. 2 weep.
choro s.m. wail.
choroso adj. tearful.
chover v.t. e i. rain. *chover muito*, *chover canivetes*, rain cats and dogs.
chumaço s.m. wad.
chumbo s.m. lead.
chupar v.t. suck.
chupeta s.f. pacifier.
churrasco s.m. barbecue.
chutar v.t. e i. kick.
chute s.m. kick.
chuva s.f. 1 rain. 2 (chuva misturada com neve ou granizo) sleet.
chuveiro s.m. shower.
chuvoso adj. rainy.
cicatriz s.f. scar.
ciclista s.m. cyclist.
ciclo s.m. cycle.
ciclone s.m. cyclone.
cidadania s.f. citizenship.
cidadão s.m. citizen.
cidade 1 city. 2 (cidade não muito grande) town.
ciência s.f. science.
científico adj. scientific.
cientista s.m. scientist.
cifra s.f. cipher.
cigano s.m. gipsy (gypsy).
cigarra s.f. cicada.
cigarro s.m. cigarette. *cigarette pack*, maço de cigarro.
cilindro s.m. cylinder.
cimento s.m. cement.
cinco (num) five.
cinema s.f. movie,cinema.
cínico adj. cynical.
cínico s.m. cynic.
cinismo s.m. cynicism.
cinqüenta (num) fifty.
cinta s.f. 1 girdle. 2 (faixa) sash.
cinto s.m. belt. *cinto de segurança*, safety belt.
cintura s.f. waist.
cinza s.f. ash.
cinza adj. grey, gray.
cinzeiro s.m. ashtray.
cinzelar v. t. chisel.
ciprestre s.m. cypress (bot).

circo s.m. circus.
circuito s.m. circuit. **short circuit**, curto circuito.
circulação s.f. circulation.
circular v.t. 1 circulate. 2 circle.
círculo s.m. circle.
circuncisão s.f. circumcision.
circunferência s.f. circumference.
circunstância s.f. circumstance.
circunstancial adj. circumstantial.
cirurgia s.f. operation, surgery.
cirurgião s.m. surgeon.
cirúrgico adj. surgical.
cisne s.m. swan. **canto de cisne**, swan-song.
citação s.f. 1 quotation. 2 citation.
citar v.t. 1 quote. 2 cite.
cítara s.f. zither.
ciúme s.f. jealousy.
ciumento adj. jealous.
cívico adj. civic.
civil s.m. civilian.
civilidade s.f. civility.
civilização s.f. civilization.
civilizar v.t. civilize.
clã s.m. (tribo) clan.
clamar v.i. clamor.
clamor s.m. clamor, outcry.
clandestino adj. clandestine.
claramente adv. distinctly.
clarão s.m. flash.
clareira s.f. clearing.
clareza s.f. clarity.
clarineta s.f. clarinet.
clarividência s.f. clairvoyance.
claro adj. 1 (límpido) clear. 2 (simples) plain. 3 (bonito) fine. 4 (compreensível) lucid. 5 (luminoso) light.
classe 1 (de aula) classroom. 2 sort.
clássico s.m. classic.
classificação s.f. classification.
classificado s.m. classified, ad.
classificar v. t. 1 classify. 2 class. 3 grade. 4 zone.
clemência s.f. mercy, clemency.
clemente adj. 1 clement. 2 lenient.
clero s.m. clergy.
cliente s.m. 1 client. 2 customer.

clima s.f. climate.
climax s.m. clímax.
clínica s.f. clinic.
clipe s.m. clip.
cloreto s.m. chloride.
clube s.m. club.
coação s.f. 1 enforcement. 2 duress.
coador s.m. strainer.
coagir v.t. coerce.
coágulo s.m. clot.
coalhar v.i. curdle.
coalizão s.f. coallition.
coar v. t. 1 strain. 2 filter. 3 sift.
cobertor s.m. blanket.
cobertura s.f. 1 (toldo) canopy. 2 (bolo) icing. 3 (jornalística) coverage.
cobra s.f. snake, cobra.
cobrar v. t. 1 charge. 2 collect.
cobre s.m. copper.
cobrir v. t. cover.
cocaína s.f. cocaine.
coçar v.t. scratch, itch.
cócega s.f. tickle.
coceira s.f. itch.
cochicar v.t. e i. whisper.
cochilar v.i. doze.
coco s.m. coconut. **coqueiro**, coconut palm.
cocô s.m. poo.
código s.m. code.
coelho s.m. rabbit. **coelho da páscoa**, Easter Bunny.
coerção s.m. coercion.
coerência s.f. coherence.
coerente adj. coherent.
coesão s.f. cohesion.
cofre s.m. safe.
cognato s.m. cognate.
cogumelo s.m. mushroom.
coincidência s.f. coincidence.
coincidir v.t. e i. coincide.
coisa s.f. 1 thing. 2 stuff.
cola s.f. glue.
colaboração s.f. collaboration.
colaborar v.i. collaborate.
colar v.t. e i. glue, paste.
colarinho s.m. collar.

compreensível

colcha s.f. 1 (cama) bed spread. 2 (de retalhos) patchwork.
colchão s.m. mattress.
coleção s.f. collection.
colecionador s.m. collector.
colecionar v.t. e i. collect.
colega s.m. 1 mate. 2 colleague.
cólera s.f. cholera.
colesterol s.m. cholesterol.
coleta s.f. collect.
coletânea s.f. anthology.
colheita s.f. 1 harvest. 2 crop.
colher s.f. spoon. **colherada**, spoonful.
colher v. t. pick.
cólica s.f. cramp.
colidir v.t. e i. 1 (colisão) crash. 2 collide. 3 barge.
colisão s.f. collision.
colméia s.f. hive.
colo s.m. lap.
colocar v. t. 1 put, place. 2 plant.
colonial adj. colonial.
colonialismo s.m. colonialism.
colonização s.f. colonization.
colorido adj. colorful.
coluna s.f. column.
com prep. with.
coma s.f. coma.
comandar v.t. e i. command.
comando s.m. command.
combate s.m. combat.
combinar v.t. e i. combine.
combustão s.f. combustion.
combustível s.m. fuel.
começar v.t. e i. begin.
começo s.m. beginning.
comédia s.f. comedy.
comediante s.m. comedian.
comemoração s.f. celebration.
comemorar v. t. 1 commemorate. 2 celebrate.
comer v.t. e i. eat.
comerciante s.m. 1 businessman. 2 trader. 3 dealer.
comerciar v.t. e i. 1 trade. 2 merchandise. 3 deal.
comércio s.m. trade, commerce.
comestível adj. edible, eatable.

cometa s.m. comet.
cometer vt. commit.
cômico adj. 1 comic. 2 funny.
comida s.f. food.
comitê s.m. committee.
como adv. how.
como conj. how, like (infml).
como prep. like.
cômoda s.f. dresser.
comovente adj. touching.
compacto adj. compact. **disco laser**, **disco compacto**, compact disk/cd.
compaixão s.f. compassion.
companheiro s.m. pal, partner, colleague.
companhia s.f. company.
comparação s.f. comparison. **em comparação**, by comparison.
comparar (-se) v.t e i. compare.
comparativo adj. comparative.
comparável adj. comparable.
compartimento s.m. compartment.
compatível adj. compatible.
compêndio s.m. manual.
compensar v.t. e i. compensate.
competência s.f. competence.
competente adj. competent.
competição 1 match. 2 competition.
competir v.i. 1 compete. 2 match.
competitivo adj. competitive.
completo adj. 1 complete. 2 whole.
complexo adj. 1 intricate. 2 complex.
complicar (-se) v.t. complicate.
componente s.m. component.
compor (-se) v.t. e i. compose.
comportamento s.m. behavior.
comportar (-se) v.i. behave.
composição s.f. composition.
compositor s.m. composer.
compra s.f. 1 purchase. 2 buy.
comprador s.m. 1 buyer. 2 purchaser.
comprar v.t. e i. 1 buy. 2 purchase (fml).
compreender v.i e t. 1 understand. 2 realize.
compreensão s.f. 1 understanding. 2 insight. 3 comprehension.
compreensível adj. 1 understandable. 2 intelligible.

compreensivo adj. 1 sympathetic. 2 understanding.
comprimento s.m. length.
comprimido s.m. tablet (med).
comprimir v. t. compact, compress.
comprometer v. t. 1 compromise. 2 commit.
compromisso s.m. 1 commitment. 2 (acordo) agreement. 3 engagement.
comprovar v. t. prove.
compulsão s.f. compulsion.
computador s.m. computer.
comum adj. common. *senso comum*, common sense.
comumente adv. usually.
comunhão s.f. communion.
comunicação s.f. communication.
comunicado s.m. notification.
comunicar(-se) v.t. e i. communicate.
comunicativo adj. communicative.
comunidade s.f. community.
comunismo s.m. communism.
comutar v.t. e i. (viajar diariamente para o trabaiho) commute.
conceber v.t. e i. conceive.
concebível adj. conceivable.
conceder v.t. grant.
conceito s.m. concept.
concentração s.f. concentration.
concentrado adj. concentrated.
concentrar v.t. e i. concentrate.
concerto s.m. concert (mus).
concessão s.f. concession.
concha s.f. 1 (para servir líquidos) ladle. 2 shell.
conciliar v.t. placate.
conciso adj. concise.
concluir v.t. e i. conclude.
conclusivo adj. conclusive.
concordar v.i e t. agree.
concorrente s.m. contestant.
concreto adj. concrete.
concreto s.m. concrete.
concubina s.f. concubine.
condado s.m. county.
condenação s.f. conviction.
condenado s.m. convict.
condenar v. t. 1 condemn. 2 doom.
condescendente adj. condescending.
condessa s.f. countess.
condição s.f. condition.
condicionado adj. conditioned.
condicional adj. conditional.
condicionar v.t. condition.
condimento s.m. 1 condiment. 2 seasoning. 3 relish.
conduta s.f. conduct. 2 behavior.
condutor s.m. leader.
conduzir v.t. e i. conduct.
cone s.m. cone.
conexão s.f. connection.
confederação s.f. 1 confederation. 2 confederacy.
conferência s.f. 1 conference. 2 convention.
conferir v.t. bestow.
confessar v.t. e i. confess.
confiança s.f. 1 trust. 2 confidence. 3 reliability. 4 reliance.
confiante adj. 1 confident. 2 trustful.
confiar (em) v.t. e i. 1 trust. 2 rely.
confiável adj. dependable, reliable.
confidencial adj. confidential.
confirmado adj. confirmed.
confirmar v.t. confirm.
confiscar v.t. confiscate.
conflito s.m. conflict.
conformar (-se) v.i e t. conform.
conformidade s.f. conformity.
confortar v.t. comfort.
confortável adj. 1 cosy. 2 comfortable.
conforto s.m. comfort.
confraternizar v.i. fraternize.
confrontação s.f. confrontation.
confundir v.t. e i. 1 puzzle. 2 bewilder. 3 muddle.
confusão s.f. 1 confusion. 2 shambles. 3 clutter. 4 bewilderment. 5 (briga) mix-up.
confuso adj. messy.
congelador s.m. freezer.
congênito adj. congenital.
conglomerado adj. conglomerate.
conglomerado s.m. conglomeration.
congratulação s.f. congratulation.

congratular v. t. congratulate.
congresso s.m. congress.
conhaque s.m. brandy, cognac.
conhecido s.m. acquaintance.
conhecimento s.m. knowledge.
conjetura s.f. conjecture.
conjugar v.t. e i. conjugate (gram).
cônjuge s.m. consort.
conjunção s.f. conjunction (gram).
conjunto habitacional housing project.
conjunto s.m. 1 set. 2 complex. 3 kit.
conquistar v.t. conquer.
consciência s.f. 1 conscience. 2 awareness.
consciencioso adj. conscientious.
consciente adj. conscious.
consecutivo adj. consecutive.
conseguir v.t. e i. get.
conselheiro s.m. 1 counsellor, councillor. 2 adviser.
conselho s.m. 1 advice. 2 counsel. 3 council.
consentimento s.m. assent.
consentir v.i. consent.
conseqüência s.f. consequence.
conseqüente adj. consequent.
conseqüentemente adv. hence.
consertar v.t. 1 repair. 2 fix. 3 mend. 4 patch. *consertar às pressas*, patch up.
conserto s.m. 1 repair. 2 mend.
conserva s.f. preserve.
conservador adj. conservative.
conservante s.m. (para comidas) preservative.
conservar v.i. pickle.
consideração s.f. 1 regard. *com respeito/relação a*, in/with regard to. 2 consideration. *em consideração*, out of consideration for. *levar em consideração*, take into consideration.
considerar v.t. regard, consider.
considerável adj. considerable.
consignação s.f. consignment. *em consignação*, on consignment.
consistência s.f. consistency .

consistente adj. sturdy, consistent.
consoante s.f. consonant.
consolidação s.f. consolidation.
consolidar v.t. e i. consolidate.
consolo s.m. solace (fml).
conspícuo adj. conspicuous.
conspiração s.f. 1 collusion. 2 conspiracy. 3 plot.
conspirar v.t. e i. 1 scheme. 2 conspire.
constantemente adv. constantly.
constelação s.f. constellations.
consternado adj. aghast.
constitucional adj. constitutional.
constituição s.f. constitution (polit).
constituir v.i. 1 constitute. 2 establish. 3 consist of.
constrangedor adj. embarassing.
constranger v.t. e i. 1 embarass. 2 constrain.
constrangido adj. embarassed, self-conscious.
construção s.f. construction, building, edification. .
construir v.t. e i. 1 build. 2 erect. 3 construct.
construtivo adj. constructive.
construtor s.m. builder, contractor.
cônsul s.m. consul.
consulado s.m. consulate.
consulta s.f. 1 (médico, dentista, advogado) appointment. 2 consultation.
consultor s.m. consultant.
consumidor s.m. 1 consumer. 2 user.
conta s.f. 1(de vidro, metal, usada em rosários, colares, etc.) bead. 2 (cálculo) account. *abrir uma conta*, open an account. *conta bancária*, bank account. *conta de poupança*, savings account. 3 (fatura, nota), bill.
contabilidade s.f. accountancy.
contador s.m. accountant.
contagem s.f. score, counting. *contagem regressiva*, countdown.
contagioso adj. contagious, infectious.
contaminação s.f. contamination.
contaminar v. t. contaminate, infect. 2 affect.

contanto que *conj.* provided.
contar *v.t. e i.* count.
contato *s.m.* contact. **estar em contato com**, be in contact with. **estabelecer contato com**, make contact with. **lente de contato**, contact lens.
contável *adj.* countable.
contemplar *v.t.* contemplate.
contemporâneo *adj.* contemporary.
contentamento *s.m.* content, satisfaction.
contentar *v.t.* content, satisfy, please.
contente *adj.* 1 cheerful, content. 2 happy, glad. 3 satisfied. **estar satisfeito, contente**, look/feel glad about something.
conter *v.t. e i.* 1 contain. 2 comprise. 3 (conter-se), refrain from.
contestar *v.t. e i.* 1 plead (jur). 2 contest.
conteúdo *s.m.* content.
contexto *s.m.* context.
contextual *adj.* contextual.
contido *adj.* refrained, pent-up.
contíguo *adj.* adjacent.
continental *adj.* continental.
continente *s.m.* continent.
contingência *s.f.* contingency.
continuar *v.t. e i.* 1 continue. 2 go on, proceed.
contínuo *adj.* 1 continuous. 2 continual. 3 perennial.
conto *s.m.* 1 tale. 2 short story. **conto de fadas**, fairy tale.
contorção *s.f.* contortion.
contorcer *v. t.* contort, distort.
contorno *s.m.* 1 outline. 2 contour.
contra *prefixo* (na direção oposta a) counter.
contra *prep.* against.
contrabalançar *v.t.* counterbalance.
contrabandear *v.t.* smuggle.
contrabandista *s.m.e f.* smuggler.
contração *s.f.* contraction.
contradição *s.f.* contradiction.
contraditório *adj.* contradictory.
contradizer *v.t.* contradict.

contrapeso *s.m.* counterbalance.
contrariar *v.t.* counteract.
contrário *adj.* contrary.
contrário *adv.* counter, counter *to,*.
contrário *s.m.* contrary. **pelo contrário**, on the contrary. **em contrário**, to the contrary.
contrastar *v.t. e i.* contrast.
contraste *s.m.* contrast.
contratar *v.t. e i.* contract.
contrato *s.m.* 1 agreement, contract. 2 covenant (jur).
contravenção *s.f.* contravention.
contribuição *s.f.* contribution.
contribuinte *s.m. e f.* 1 tax payer. 2 contributor.
contribuir *v.t. e i.* 1 contribute. 2 subscribe.
contrito *adj.* contrite.
controlador *s.m.* controller.
controlar *v.t. e i.* 1 control. 2 monitor. 3 check.
controvérsia *s.f.* controversy.
controversial *adj.* argumentative.
controverso *adj.* controversial.
contudo *conj.* 1 yet. 2 however.
contusão *s.f.* bruise.
convalescência *s.f.* convalescence.
convalescente *adj.* convalescent.
convencer *v. t.* 1 convince. 2 (persuadir) persuade.
convencido *adj.* conceited.
convencional *adj.* conventional.
conveniência *s.f.* convenience.
conveniente *adj.* convenient, suitable.
convento *s.m.* convent.
convergir *v.t. e i.* converge.
conversa *s.f.* 1 talk. 2 (conversa fiada) small talk. 3 (bater papo) chat.
conversação *s.f.* conversation.
conversão *s.f.* conversion.
conversível *adj.* convertible.
convés *s.m.* deck.
convexo *adj.* convex.
convidar *v.t.* invite, ask.
convidativo *adj.* inviting.
convincente *adj.* convincing, persuasive.

convite s.m. invitation.
convocar v.t. 1 summon (fml). 2 (militar), draft.
convulsão s.f. convulsion.
cooperação s.f. cooperation.
cooperar v.i. cooperate.
cooperativa s.f. cooperative.
coordenação s.f. coordination.
coordenar v.t. coordinate.
copa s.f. 1(aposento), pantry. 2 (futebol) cup. 3 (àrvore), top.
cópia s.f. copy, duplicate.
copiar v.t. e i. copy, duplicate.
copioso adj. copious.
copo s.m. glass. *copo de papel*, paper cup. 2 (copo para drinks), tumbler.
copular v.i. copulate.
coquetel s.m. cocktail.
cor s.f. 1 color. 2 (tonalidade) hue.
coração s.m. heart. *ataque cardíaco*, heart attack. *batida do coração*, heartbeat.
coragem s.f. 1 courage. 2 (bravura) bravery.
corajoso adj. brave, courageous, intrepid (fml).
coral s.m. coral. *recife de coral*, coral reef.
corar v.i. blush.
corcunda s.m.e f. hump. *pessoa corcunda*, hunch-back.
corda s.f. 1 rope. 2 ((eletr) fio), cord. *corda bamba*, tightrope.
cordeiro s.m. lamb.
cordial adj. cordial.
cordialidade s.f. cordiality.
coro choir, chorus.
coroa s.f. 1 crown. 2 (de flores) wreath.
coroação s.f. coronation.
coroar v. t. crown.
coronária s.f. coronary.
coronel s.m. colonel.
corpete s.m. bodice.
corpo s.m. body.
corporação 1 corporation. 2 syndicate.
corpulento adj. 1 portly. 2 burly.

corredor s.m. 1 aisle, row. 2 (esportista), jogger, runner.
córrego s.m. creek, stream.
correia 1 (de animais) leash. 2 strap.
correio s.m. 1mail, post. 2 (eletrônico) e-mail. *agência do correio*, post office.
corrente s.f. 1 chain. 2 (de ar) draught. 3 current.
correr v.t. e i. 1 run. 2 bolt. 3 race.
correria s.f. scurry.
correspondência s.f. 1 mail. 2 (aérea), airmail.
corresponder v.i. correspond.
corretagem s.f. brokerage.
correto adj. correct.
corretor s.m. 1 broker. 2 (de ações da bolsa de valores) stockbroker.
corrida s.f. race, run. 2 racing. *carro de corrida*, racing car.
corrigir v.t. correct.
corrimão s.m. 1 banister. 2 handrail.
corroborar v.t. corroborate.
corromper v.t. e i. corrupt.
corrosão s.f. corrosion.
corrosivo adj. caustic.
corrugar v.t. e i. corrugate.
corrupção s.f. corruption.
corrupto adj. corrupt.
cortante adj. biting.
cortante adj. cutting.
cortar v.t. slit. *cortar árvores, derrubar árvores*, log. *cortar com tesoura, dar piques/pequenos cortes*, snip off. *cortar fora*, snip. *cortar em fatias, fatiar*, slice. *cortar em tiras/pedaços, retalhar*, shred. *cortar grama*, lawn mower. *cortador de grama*. mow. *cortar, dividir, seccionar*, intersect. *cortar, fazer uma incisão. gravar, entalhar*, incise. *cortar, talhar, picar, cortar em pedaços pequenos*, chop. *cortar laços, viver vida independente*, cut something open. *podar*, cut something down.
corte marcial s.f. court-martial.
corte s. gash, cut. *corte, rasgo, fenda*, slit.

cortejar

cortejar *v.t. e i.* court.
cortesia *s.* courtesy, graciousness.
cortiça *s.f.* cork.
cortina *s.f.* blind, curtain, drape. *open the drapes*, (EUA) abrir as cortinas.
coruja *s.f.* owl.
corvo *s.m.* raven.
cosmético(s) *s.m.* cosmetic.
cósmico *adj.* cosmic.
cosmopolita *adj. s.* cosmopolitan.
cosmos *s.m.* cosmos.
costa *s.f.* 1 coast (litoral). 2 back (dorso, encosto, face posterior)
costela *s.f.* rib.
costumava *v.* there used to be, (indicação da existência de algo no passado).
costume *s.m.* custom.
costura *s.f.* sewing.
costurar *v.t. e i.* saw.
costureira *s.f.* seamstress.
costureiro *s.m.* sewer, dress maker.
cota *s. f.* quota.
cotonete *s.m.* swab.
cotovelo *s.m.* elbow.
couro *s.m.* leather.
couro cabeludo *s.m.* scalp.
couve-flor *s.f.* cauliflower.
cova *s.f.* pit.
covarde *s.m.* coward.
covardia *s.f.* cowardice.
covinha *s.f.* (nas faces ou no queixo) dimple.
coxa *s.f.* thigh.
coxeadura *s.* limp.
coxo *adj.* lame.
cozinha *s.f.* kitchen.
cozinhar *v.t. e i.* cook.
cozinheiro *s.m.* cook. *cozinheiro-chefe*, chef.
craniano *adj.* cranial.
crânio *s.m.* skull, cranium (med).
crasso *adj.* crass.
cravo *s.m.* carnation. *cravo da índia*, clove.
credibilidade *s.f.* credibility.
crédito *s.m.* 1 (dar crédito a) credence. 2 (dinheiro pago adiantado (por um serviço), dinheiro emprestado (por um banco)) credit. *sistema de pagamento a prazo*, credit account. *cartão de crédito*, credit card.
credo *s.m.* (doutrina) creed.
credulidade *s.f.* credulity.
crédulo *adj.* credulous, gullible.
cremação *s.f.* cremation.
cremoso *adj.* creamy.
crença *s.f.* belief.
crepitar *v.t. e i.* frizzle.
crepúsculo *s.m.* dusk, twilight. *de sol a sol*, from dawn to dusk.
crescendo *s.m.* (mus) crescendo.
crescer *v.t. e i.* 1 (em cachos) cluster. 2 (crescer, aumentar, florescer) grow. 3 (ficar grande demais (para as suas roupas) ou velho demais (para ter certos hábitos)) grow out of. 4 (tornar-se adulto ou maduro, desenvolver-se) grow up. 5 (envelhecer) grow old. 5 (elevar-se (como ondas)) billow.
crescimento *s.m.* growth.
crespo *adj.* frizzy.
criação *s.f.* 1 (cria) creation. 2 (educação) bringing-up. 3 (procriação) breeding. 4 (geração) generation.
criada *s.f.* 1 (empregada doméstica) maid. *dama de honra*, maid of honour. *solteirona*, old maid.
criador *s.m.* 1 creator. 2 (animal procriador) breeder. *o criador, deus*, the creator.
criança *s.f.* 1 (abandonada/sem lar) waif. 2 (que está aprendendo a andar, criancinha) toddler, tot. 3 (filho ou filha) child. *parto*, childbirth. *infância*, childhood. 4 (jovem) young.
criar *v. t.* 1 (educar, adotar) foster. 2 (educar, cuidar de) nurture. 3 (atribuir a paternidade ou autoria de um livro) father (on/upon). 4 (produzir, inventar, realizar) create.
criativo *adj.* creative.
criatura *s.f.* creature.
crime *s.m.* 1 crime. 2 (delito grave (como assalto à mão armada, homicídio, etc)) felony.

criminalmente adv. criminally.
criminoso adj. criminal.
criminoso s.m. (violento, pessoa violenta, marginal) thug.
criquete s.m. cricket.
crise s.f. crisis.
crista s.f. 1 (ave) crest. *na crista da onda*, on the crest of a wave. 2 (espinha ou dorso (de animal); cadeia de montanhas, cordilheira; aresta, sulco (na terra).
cristal s.f. (de rocha) crystal.
cristalizar v.t. e i. crystallize.
cristão adj. s. christian. *nome de batismo*, christian name.
cristianismo s.m. christianity.
crítica s.f. (violenta, ofensa, injúria, palavrão) invective.
criticar v.t. e i. criticize.
crítico adj. critical.
crítico s.m critic.
crivar v. t. stud.
crochê s.m. crochet.
crocodilo s.m. crocodile.
cromo s.m. chrome.
crônica s.f. chronicle.
crônico adj. (constante) chronic.
cronologia s.f. chronology.
cronológico adj. chronological.
cronometrista s.m. timer.
cronômetro s.m. chronometer.
croqui s.m. sketch.
crosta s.f. crust.
cru adj. 1 (não refinado, bruto, rude, grosseiro) crude. 2 (sem tempero, verde, não preparado) raw. *(rel a tempo) frio e úmido*, raw weather. *ser tratado cruelmente/injustamente*, have/get a raw deal.
crucial adj. crucial.
crucificação s.f. crucifixion.
crucificar v.t. crucify.
crucifixo s.m. crucifix.
cruel adj. 1 (agressivo, malicioso) vicious. 2 (brutal, selvagem, sem piedade) cruel. 3 (atroz, ruim, detestável, horrível) atrocious. 4 (implacável, desapiedado, insensível) ruthless.

cumulativo

5 (injusto, opressivo, sufocante) oppressive. 6 (sem coração, insensível) heartless.
crueldade s.f. 1 ruthlessness. 2 (maldade, desumanidade) cruelty.
crueza s.f. (rudeza, grosseria, imperfeição, realismo) crudity.
crustáceo s.m. shellfish, crustacean.
cruzada s.f. crusade.
cruzador s.m. cruiser.
cruzamento em t s.m. t-junction.
cruzar v.t. e i. cross.
cruzeiro s.m. cruise.
cúbico adj. cubic.
cubículo s.m. cubicle, cubbyhole.
cubismo s.m. cubism (arte).
cubo s.m. cube (geom, mat).
cuco s.m. cuckoo.
cueca s.f. underpants.
cuidado s.m. care.
cuidadosamente adv. carefully.
cuidadoso adj. (limpo, asseado) neat. (cauteloso, atento) careful.
cujo pron. rel. whose.
culinário adj. culinary.
culminar v.t. culminate.
culpa s.f. guilt.
culpado adj. guilty.
culpado s.m. culprit.
culpar v.i. blame.
culpável adj. culpable.
cultivar v.t. e i. 1 (terra, gado) farm. 2 (amizade) cultivate.
culto adj. 1 (educado) cultured. 2 (refinado) cultivated.
culto s.m. (veneração, ritual religioso) cult.
cultura s.f. culture.
cultural adj. cultural.
cúmplice s.m. accomplice.
cumplicidade s.f. complicity.
cumprimentar v.t. greet.
cumprimento s.m. 1 (elogio) compliment. 2 (execução, realização) fulfilment.
cumprir v. t. fulfill.
cumulativo adj. 1 (coletivo) accumulative. 2 (crescente) cumulative.

cúmulo

cúmulo s.m. cumulus.
cunha s.f. (calço, objeto em forma de cunha) wedge.
cunhado s.m. brother-in-law.
cunhar v. t. (moedas, inventar, forjar) coin.
cupom s.m. coupon.
cúpula s.f. dome.
cura s.f. cure.
curar v.t. e i. cure, (sarar, cicatrizar) heal.
curativo s.m. dressing.
curável adj. curable.
curiosamente adv. curiously.
curiosidade s.f. curiosity.
curioso adj. inquisitive.
curral s.m. corral, stockyard.
currículo s.m. curriculum.
cursar v.i. major.
curso s.m. course. *curso de atualização*. refresher course, curso, crash course.
curto adj. short. *para encurtar*, em resumo. *curto-circuito*, short-circuit. *caminho mais curto*, short cut. *de curto alcance*, short-range. *de curto prazo*, short-term. *onda curta*, short-wave. *curto e grosso, duro, atarracado*, stubby.
curva s.f. bend, curve.
curvado adj. stooping.
curvar v.t. e i. 1 (em forma de arco) bow. 2 (dobrar, fazer curva) curve. 3 (torcer, virar, dobrar, inclinar) bend. *curvar-se, inclinar-se*, bent on.
curvatura s.m. curvature.
curvo adj. 1 (em forma de gancho) hooked. 2 (torto, arqueado) crooked.
cuspe s.m. spit.
cuspir v.t. e i. spit.
custar v.i. cost.
custódia s.f. custody.
cutucada s.f. nudge.
cutucar v. t. e i. 1 (com o cotovelo) nudge. 2 (abrir furo em) poke. 3 (incitar, estimular) prod.
czar s.m. (imperador russo) tzar.

d D

dados *s.m.* 1 (de jogo) dice. 2 (dados, fatos) data. *banco de dados*, data bank, database.
dama *s.f.* lady. *dama-de-honra*, bridesmaid.
damasco *s.m.* apricot.
dança *s.f.* dance.
dançar *v.t. e i.* dance.
dançarino *s.m.* dancer.
danificar *v.t.* damage.
dano *s.m.* injury, damage.
daqui *adv.* 1 (espaço) from here. 2 (tempo) from now on.
dar *v.t. v.i.* 1 give. 2 (contribuir) donate. 3 (dar um lance em leilão) bid. 4 (dar de ombro) shrug. 5 (dar uma mão) give (sb) a hand.
data *s.f.* date. *data de validade*, expiration date.
datar *v.t. e i.* date.
datilografar *v.t. v.i.* type.
de *prep.* 1 (procedência) from. *de vez em quando*, from time to time. *daqui até*, from here to. 2 (posse) of. 3 by.
deão *s.m.* dean.
debaixo *adv.* 1 under. 2 underneath. *por debaixo de*, below sth.
debate *s.m.* 1 debate. 2 dispute.
debater *v.t. e i..* 1 debate. 2 dispute.
debilidade *s.f.* debility.
debilitar *v.t. v.i.* 1 fade. 2 weaken.
débito *s.m.* debt.
década *s.f* decade.
decadente *adj.* 1 decadent. 2 run down. 3 ramshackle.
decair *v.i.* decay.
decantar *v.t.* decant.
decapitar *v.t.* decapitate, behead.
decência *s.f.* decency.
decente *adj.* decent.
decidido *adj.* (determinado, resoluto) decided.
decidir *v.t. v.i.* 1 decide. 2 (decidir judicialmente) *adj.* udicate.
decifrar *v.t.* decipher.

décimo (num) tenth.
décimo quinto (num) fifteenth.
décimo-nono (num) nineteenth.
décimo-oitavo (num) eighteenth.
décimo-primeiro, undécimo (num) eleventh.
décimo-quarto (num) fourteenth.
décimo-segundo (num) twelfth.
décimo-sétimo (num) seventeenth.
décimo-sexto (num) sixteenth.
décimo-terceiro (num) thirteenth.
decisão *s.f.* 1 decision. 2 resolution.
decisivo *adj.* decisive.
declamar *v.t. v.i.* declaim.
declaração *s.f.* 1 declaration. 2 statement. 3 (declaração juramentada) affidavit.
declarar *v.t. e i.* 1 declare. 2 allege. 3 certify. 4 profess (fml).
declínio *s.m.* decline.
declive *s.m.* slant.
decodificar *v.t.* decode.
decolagem *s.f.* take off.
decompor *v.t. e i.* decompose.
decomposição *s.f.* decomposition.
decoração *s.f.* 1 decoration. 2 (estilo) décor.
decorador *s.m.* 1 decorator. 2 (casa) interior decorator, interior designer.
decorar *v.t.* 1 decorate. 2 (memorizar) learn by heart. 3 (enfeitar) deck, festoon.
decrescer *v.t. e i.* decrease.
decretar *v.t.* decree.
decreto *s.m.* decree.
dedal *s.m.* thimble.
dedicação *s.f.* dedication.
dedicar(-se) *v.t.* dedicate.
dedo *s.m.* 1 finger. 2 (dedo do pé) toe. *ponta do dedo*, fingertip. *dedão do pé*, big toe. *dedo indicador*, forefinger.
dedução *s.f.* deduction.
deduzir *v.t.* 1 deduce. 2 (subtrair) deduct.

defecar

defecar *v.i.* shit (vulg), take a shit, to poo.
defeito *s.m.* 1 fault, defect. 2 defeito físico (esp no falar) impediment. **defeito no carro**, car breakdown.
defeituoso *adj.* defective, faulty amiss.
defender *v.t.* 1 defend. 2 (interceder) advocate. 3 assert.
defensivo *adj.* defensive.
deferência *s.f.* deference.
deferente *adj.* deferential.
defesa *s.f.* defence.
deficiência *s.f.* deficiency.
deficiente *adj.* 1 (carente) deficient 2 (imperfeito) handicapped.
déficit *s.m.* deficit.
definição *s.f.* definition.
definir *v.t.* define.
definitivamente *adv.* definitely.
definitivo *adj.* 1 definitive. 2 definite.
deflação *s.f.* deflation.
deformado *adj.* deformed, distorted.
deformar *v.t.* deform.
deformidade *s.f.* deformity.
defronte *prep.* opposite, across from.
defumar *v.t.* 1 (alimentos) smoke. 2 (dedetizar) fumigate.
degelar *v.t.* defrost.
degenerado *adj.* degenerate.
degenerar *v.i.* degenerate.
degradação *s.f.* degradation.
degradar *v.t.* degrade.
degrau *s.m.* 1 stair. 2 (degrau em frente a porta) doorstep.
deitar-se *v.i.* 1 (estender-se) lie down, lay down. 2 (ir para a cama) go to bed.
deixa 1 tip, hint. 2 cue (teat).
deixar *v.t.* 1 leave. 2 release. 3 abandon. 4 allow, let, permit. **deixa estar**, let it be.
dela *adj. poss.* her.
dela *pron. poss.* hers.
delegação *s.f.* delegation.
delegado *s.m.* 1 delegate. 2 deputy. **delegado de polícia**, police chief.
delegar *v.t.* delegate.

deles *adj. poss* their.
deliberação *s.f.* deliberation.
deliberado *adj.* deliberate.
deliberar *v.t. v.i.* deliberate.
delicado *adj.* 1 delicate. 2 dainty. 3 squeamish.
delícia *s.f.* delight.
deliciar(-se) *v.t. v.i.* delight.
delicioso *adj.* 1(encantador) delightful. 2 (comida) delicious. 3 luscious.
delinquência *s.f.* delinquency.
delinquente *s.m.* delinquent.
delirante *adj.* delirious.
delito *s.m.* offense.
demagogo *s.m.* demagogue.
demarcação *s.f.* demarcation.
demarcar *v.t.* demarcate.
demência *s.f.* lunacy.
demissão *s.f.* dismissal.
democracia *s.f.* democracy.
democrata *s.m.*democrat.
democrático *adj.* democratic.
demolição *s.f.* demolition.
demolir *v.t.* demolish.
demônio *s.m.* 1 demon.2 (pessoa má) fiend.
demonstração *s.f.* 1 demonstration. 2 (afeto) sign.
demonstrar *v.t.* e *i.* 1 (explicar). **demonstrate**. 2 (provar) prove. 3 (mostrar) show.
demonstrativo *adj.* demonstrative.
demora *s.f.* delay.
demorar(-se) *v.t. v.i.* delay.
demorar-se *v.i.* 1 linger. 2 loiter.
denominação *s.f.* denomination.
denominador *s.m.* denominator.
denotar *v.t.* denote.
densidade *s.f.* density.
denso *adj.* dense.
dentadura *s.f.* denture. 2 false teeth.
dental *adj.* dental.
dente *s.m.* tooth. **dor de dente**, toothache. **escova de dentes**, toothbrush. **pasta de dentes**, toothpaste.
dente-de-leão *s.m.* dandelion.
dentista *s.m.* e *f.* dentist.

dentro *adv.* inside.
dentro *prep.* 1 in. 2 (dentro de) within.
denunciar *v.t.* 1 denounce. 2 report.
departamento *s.m.* department. *loja de departamentos*, department store.
dependência *s.f.* dependence.
dependente *s.m.* e *f.* dependent.
depender de *v.i.* depend.
deplorar *v.t.* deplore.
deplorável *adj.* deplorable.
depois *adv.* after.
depois de *prep.* after.
depois que *conj* after.
deportação *s.f.* deportation.
deportar *v.t.* deport.
depositar *v.t.* deposit.
depósito *s.m.* 1 (em banco) deposit. 2 (armazém) warehouse.
depravar *v.i. v.t.* deprave.
depreciação 1 derogation. 2 depreciation.
depreciar *v.t.* belittle, depreciate.
depressa *adv.* quickly.
depressão *s.f.* depression.
deprimido *adj.* depressed, dispirited.
deprimir *v.t.* depress.
deputado 1 deputy. 2 representative, congressman.
derivado *adj.* derivative.
dermatologista *s.m.* e *f.* dermatologist.
derramar *v.t.* e *i.* 1 spill. 2 (verter) pour. 3 (lágrimas, sangue) shed. *derramar sangue*, shed blood.
derrapar *v.i.* skid.
derreter *v.t.* e *i.* 1 thaw. 2 melt.
derrota *s.f.* defeat.
derrotar *v.t.* 1 defeat. 2 overthrow. 3 beat.
derrubar *v.t.* 1 (derrubar alguma coisa) knock something over. 2 (derrubar alguém) knock somebody over.
desabar *v.t.* collapse.
desabrigado *s.m.* homeless.
desafiar *v.t.* 1 challenge. 2 defy.
desafio *s.m.* challenge.
desagradável *adj.* 1 unpleasant. 2 (irritante) displeasing. 3 (de mau gosto) distasteful. 4 (sórdido) nasty. 5 (antipático) obnoxious.
desajeitado *adj.* 1 awkward. 2 clumsy.
desalojar(-se) *v.t.* dislodge.
desamparado *adj.* helpless.
desaparecer *v.i.* disappear.
desaparecimento *s.m.* disappearance.
desapontado *adj.* disappointed.
desapontamento *s.* disappointment.
desapontar *v.t.* disappoint.
desaprovação *s.f.* disapproval, criticism.
desarmar *v.t.* e *i.* disarm.
desastre *s.m.* disaster.
desastroso *adj.* disastrous.
desatencioso *adj.* thoughtless.
desatento *adj.* inattentive, listless.
descafeinado *adj.* decaffeinated, decaf.
descalço *adv.* barefoot.
descansar *v.i.* take a rest. 2 (pausa) break.
descanso *s.m.* 1 rest.
descarado *adj.* impudent.
descarga *s.f.* discharge. 2 (de banheiro) flush.
descarregar *v.t. v.i.* 1 (lixo) dump. 2 unload. 3 discharge.
descarrilar *v.t.* derail.
descartar *v.t.* discard, get rid of.
descascar *v.t. v.i.* peel.
descendente *s.m.* e *f.* descendent, offspring.
descentralizar *v.t.* decentralize.
descer 1 (de ônibus, bicicleta) get off. 2 (carro) get out. 3 (ir para baixo) go down.
descida *s.f.* descent.
descoberta *s.f.* discovery.
descobridor *s.m.* discoverer.
descobrir *v.t.* 1 discover. 2 find out. 3 bare, reveal. 4 (divulgar) disclose.
descoloração *s.f.* discolouration.
desconcertar *v.t.* disconcert.
desconexo *adj.* rambling, disconnected.

desconfiado *adj.* suspicious, distrustful.
desconfiança *s.f.* mistrust.
desconfiar *v.t.* distrust, suspect, mistrust.
desconforto *s.m.* discomfort.
desconhecido *adj.* 1 unfamiliar. 2 (ignorado) unknown.
desconsolado *adj.* disconsolate.
descontar *v.t.* discount.
descontentamento *s.m.* discontent, dissatisfaction.
descontente *adj.* disgruntled, discontented.
desconto *s.m.* discount. **com desconto**, at a discount.
descrédito *s.m.* discredit.
descrença *s.f.* disbelief.
descrever *v.t.* describe.
descrição *s.f.* description.
descritivo *adj.* descriptive.
descuidado *adj.* unguarded, careless.
descuido *s.m.* oversight, carelessness.
desculpa *s.f.* excuse, apology.
desculpar (-se) *v.t. v.i.* 1 apologize. 2 excuse.
desde *adv.* since.
desde *conj.* since.
desdém *s.m.* disdain.
desdenhar *v.t.* disdain.
desdenhoso *adj.* scornful.
desejar *v.t. v.i.* 1 wish. **desejar por**, wish for. 2 (cobiçar) desire. 3 (ansiar) covet, hunger. 4 (querer muito) long. 5 (desejar ardentemente) crave, lust.
desejável *adj.* desirable.
desejo *s.m.* 1 wish. 2 craving. 3 desire.
desembaraçado *adj.* resourceful.
desembaraçar *v.t. v.i.* disentangle, extricate.
desempregado *adj.* unemployed.
desemprego *s.m.* unemployment.
desencaminhar *v.t.* mislead.
desencorajar *v.t.* discourage.
desenfreado *adj.* rampant.
desenhar *v.t.* 1 draw. 2 design.
desenhista *s.m. e f.* designer.
desenho *s.m.* 1 drawing, design. 2 (plano) layout.
desenvolver(-se) *v.t. v.i.* develop, evolve.
desenvolvimento *s.m.* development.
desequilibrar (-se) *v.t. e i.* lose your balance.
deserção *s.f.* defection.
deserdar *v.t.* disinherit, defect, desert.
deserto *adj.* deserted, bleak.
deserto *s.m.* desert.
desesperado *adj.* desperate, despondent, hopeless.
desesperar *v.i.* despair.
desespero *s.m.* despair desperation.
desfalque *s.m.* embezzlement.
desfazer *v.t.* undo 2 (desfazer mala) unpack.
desfigurar *v.t.* disfigure.
desgraça *s.f.* 1 disgrace. 2 tragedy. 3 misfortune.
desidratar *v.t.* dehydrate.
desigual *adj.* uneven.
desiludir *v.t.* disillusion.
desilusão *s.f.* disillusion.
desinfetante *s.m.* disinfectant.
desinfetar *v.t.* disinfect.
desinibido *adj.* uninhibited.
desintegrar(-se) *v.t. e i.* disintegrate.
desinteressado *adj.* disinterested, uninterested.
desinteresse *s.m.* detachment.
desiocar *v.i.* displace.
desistir *v.i.* 1 back out of. 2 desist (fml). 3 give up. 4 decide not to do.
desleal *adj.* unfaithful, disloyal.
deslizar *v.i. v.t.* 1 slide. 2 (planar) glide.
deslocar *v.t.* dislocate.
desmaiar *v.i.* faint.
desmantelar *v.t.* dismantle.
desmobilizar *v.t.* demobilize.
desmoralizar *v.t.* demoralize.
desnatar *v.t. v.i.* skim.
desnecessário *adj.* needless, unnecessary.
desnutrição *s.f.* malnutrition.

desobedecer v.i. disobey.
desobediência s.f. 1 naughtiness, 2 disobedience.
desobediente adj. 1 insubordinate. 2 (rebelde) disobedient. 3 naughty.
desodorante s.m. deodorant.
desodorizar v.t. deodorize.
desolado adj. desolate.
desonesto adj. (trapaceiro, vigarista) crooked.
desonesto adj. dishonest.
desonra s.f. dishonour.
desonrar v.t. dishonour.
desordeiro adj. rowdy.
desordeiro s.m. hooligan s.
desordem s.f. mess, disorder.
desorganizar v.t. disorganize.
despachar v.t. dispatch.
despacho s.m. dispatch.
despedaçar v.t. v.i. shatter.
despedida s.f. farewell.
despedir v.t. 1 (demitir) fire, sack (infml). 2 (demitir) dismiss. 3 (despedir-se) say goodbye.
despejar v.t. evict.
despejo s.m. eviction.
despensa s.f. larder, pantry.
desperdiçar v.t. e i. waste.
despertar v.t. v.i. 1 awake. 2 (provocar) arouse.
despir(-se) v.t. v.i. undress.
despojado adj. bereaved.
despótico. adj. despotic.
desprezar v.i. 1 despise. 2 (desdenhar) scorn.
desprezível adj. despicable, mean.
desprezo s.m. contempt, scorn.
desprivilegiado adj. underprivileged.
desproporcional adj. disproportionate.
desqualificar v.t. disqualify.
desregrado adj. dissipated.
desrespeito s.m. disrespect.
desrespeitoso adj. disrespectful.
destacado adj. detached.
destilador s.m. distiller.
destilaria s.f. distillery.
destino 1 destination. 2 (sorte) destiny, fate.

destituição s.f. destitution.
destituído adj. devoid, destitute.
destreza s.f. dexterity.
destruição s.f. destruction.
destruir v.t. destroy, ruin.
desumano adj. inhuman.
desuso s.m. disuse.
desvantagem s.f. handicap, disadvantage.
desventura s.f. misfortune, misadventure (fml).
desviar (-se) v.t. e i. flexionar, derivar, deflect.
desviar v.t. e i. 1 deviate. 2 (guinar) swerve.
desvio s.m. bypass, deviation, diversion.
detalhe s.m. detail.
detectar v.t. detect.
detectável adj. detectable.
detector s.m. detector.
detenção s.f. detention.
deter v.t. 1 detain, withhold. 2 (prender) arrest.
detergente s.m. detergent.
deteriorar (-se) v.t. v.i. deteriorate, rot.
determinação s.f. determination.
determinar v.t. v.i. determine.
detestar v.t. 1 detest. 2 (odiar) hate.
detetive s.m. e f. detective.
detonação s.f. detonation.
detonador s.m. detonator.
detonar v.t. v.i. detonate.
Deus s.m. God. *Graças a Deus!*, Thank God!.
deusa s.f. goddess.
devastação s.f. devastation.
devastar v.t. e i. ravage, devastate.
dever s.m. 1 duty. 2 obligation.
dever v. aux. must. (devia, deveria) ought, should.
dever v.t. v.i. owe.
devidamente adv. duly.
devoção s.f. devotion.
devorar v.t. devour, gobble.
devotado adj. devoted.
devotar v.t. devote.

dez

dez (num) ten.
dezembro s.m. December.
dezenove (num) nineteen.
dezesseis (num) sixteen.
dezessete (num) seventeen.
dezoito (num) eighteen.
dia s.m. day. ***dia após dia***, day after day. ***luz do dia***, daylight.
diabete s.f. diabetes.
diabético s.m. diabetic.
diabo s. devil.
diabólico adj. diabolic, evil.
diafragma s.m. diaphragm.
diagnosticar v.t. diagnose.
diagnóstico s.m. diagnosis.
diagonal adj. diagonal.
diagrama s.m. diagram.
dialeto s.m. dialect.
diálogo s.m. dialog.
diamante s.m. diamond.
diametralmente adv. diametrically.
diâmetro s.m. diameter.
dianteiro adj. forward.
diariamente adv. daily.
diário adj. daily. ***jornal diário***, daily paper.
diarreia s.f. diarrhea.
dicionário s.m. dictionary.
dicotomia s.f. dichotomy.
didático adj. didactic.
dieta s.f. diet.
dietético adj. dietary.
difamação s.f. defamation.
difamar v.t. defame.
difamatório adj. defamatory.
diferença s.f. difference.
diferenciar v.t. 1 differentiate 2 distinguish.
diferente adj. 1 different. 2 alien. 3 unlike. 4 distinct.
diferir v.i. differ.
difícil adj. difficult, hard.
dificuldade 1 difficulty. 2 (complexidade) intricacy.
difteria s.f. diphtheria.
difundir v.t. e i. diffuse.
difusão s.f. diffusion.
digerir v.t. e i. digest.

digestão s.f. digestion.
digestivo adj. digestive.
digital adj. digital.
dígito s.m. digit.
dignidade s.f. dignity.
dignificar v.t. dignify.
dignitário s.m. dignitary.
digno adj. dignified.
digressão s.f. digression.
dilacerar v.t e i. tear.
dilapidação s.f. dilapidation.
dilapidado adj. dilapidated.
dilatar (-se) v.t. e i. dilate.
dilema s.m.dilemma.
diligência s.f. 1 diligence. 2 (carruagem) stagecoach.
diluir v.t. dilute.
dilúvio s.m. deluge.
dimensão s.f. dimension.
diminuição s.f. decrease.
diminuir v.t. e i. 1 diminish 2 lessen. 3 abate. 4 detract.
dinamitar v.t. blast, dynamite.
dinamite s.f. dynamite.
dinastia s.f. dynasty.
dinástico adj. dynastic.
dinheiro s.m. 1 money. 2 cash. 3 (moeda corrente) currency.
diocese s.f. diocese.
diploma s.m. diploma.
diplomacia s.f. diplomacy.
diplomata s.m. diplomat.
diplomático adj. diplomatic.
dique s.m. embankment, dike.
direção s.f. direction.
direito s.m. right. ***faculdade de direito***, law school. ***direito autoral***, copyright.
direto adj. forthright, direct.
diretor s.m. director. ***diretor geral***, managing director. ***diretor de colégio***, principal.
dirigir v.t. e i. 1 direct 2 (pilotar) steer. 3 (dirigir-se a, oralmente ou por escrito) address.
discar v.t. dial.
discernimento s.m. discernment, understanding.

discernir v.t. discern.
disciplina s.f. discipline.
disciplinar adj. disciplinary.
disciplinar v.t. discipline.
disco s.m. disk.
discordância s.f. disagreement.
discordante adj. discordant, jarring.
discordar v.t. disagree.
discórdia s.f. discord, tiff.
discrepância s.f. discrepancy.
discreto adj. tactful, discreet.
discrição s.f. discretion.
discriminação s.f. discrimination.
discriminar v.t. e i. discriminate.
discriminatório adj. discriminating.
discursar v.i. 1 discourse. 2 (falar publicamente) orate (fml).
discurso. 1 discourse. 2 (indireto) indirect speech (gram). 3 (palestra) lecture.
discussão s.f. argument discussion, hassle (infml).
discutir v.t. e i. argue, discuss.
disenteria s.f. dysentery.
disfarçar v.t. disguise.
disfarce s.m. disguise.
disk jockey s.m. DJ.
disparada s.f. dart.
disparate s.m. bull.
disparidade s.f. disparitys.
dispensar v.t. waive (fml).
dispensário s.m. dispensary.
dispersão s.f. dispersal.
dispersar v.t e i. disperse.
disperso adj. sparse.
disponibilidade s.f. availability.
disponívei adj. 1 available, 2 disposable.
dispor v.i. e t. dispose.
disposição s.f. disposal.
dispositivo s.m. device, gadget (infml).
dissecar v.t. dissect.
disseminação s.f. dissemination.
disseminar v.t. disseminate.
dissertação s.f. dissertation, essay.
dissidente adj. dissident.
dissipar v.t. e i. dissipate, dispel.

dissolver. v.t. e i. dissolve.
dissonância s.f. dissonance.
dissuadir v.t. dissuade.
distância s.f. distance.
distante adj. aloof, distant.
distante adv. away, apart.
distensão s.f. stretch.
distinção s.f. distinction, honor.
distinguir v.t. e i. 1 distinguish. 2 excel (fml).
distintamente adv. clearly.
distintivo s.f. badge.
distinto adj. distinguished.
distorção s.f. distortion.
distração s.f. distraction.
distraído adj. absent-minded.
distrair v.t. distract.
distribuição s.f. allocation, distribution.
distribuidor s.m. distributor s.
distribuir v.t. distribute, dispense.
distrito s.m. suburb, district.
distúrbio s.m. commotion.
ditado s.m. dictation.
ditador s.m. dictator.
ditadura s.f. dictatorship.
ditar v.t. e i. dictate.
divã s.m. couch.
divagar v.i. ramble.
divergência s.f. dissension.
divergência s.f. divergence.
divergente adj. devious.
divergir v.t. diverge.
diversão s.f. fun, amusement. **parque de diversões**, amusement park.
diversificar v.t. diversify.
divertido adj. entertaining, funny.
divertir v.t. amuse, have fun.
dívida s.f. debt.
dividendo s.m. dividend.
dividir v.t. 1 divbide. 2 share.
divindade s.f. deity, divinity.
divino adj. divine, godlike.
divisão s.f. division.
divisível adj. divisible.
divórcio s.m. divorce.
divulgar v.t. divulge.
dizer v.t. e i. tell, say.

dizimar v.t. decimate.
doação s.f. donation.
doador s.m. donor.
dobra s.f. fold.
dobradiça s.f. hinge.
dobrar (-se) v.t. e i. fold, double.
doca s.f. dock.
doce adj. sweet.
doce s.m. saweet, candy. **doce de leite**, fudge. **algodão doce**, cotton candy.
docilidade s.f. docility.
documentar v.t. document.
documentário s.m. documentary.
documento s.m. document.
doença s.f. disease, illness, sickness, malady (fml).
doente adj. sick, ill.
dogma s.m. dogma.
dogmático adj. dogmatic.
dois (num) two.
dólar s.m. dollar, buck.
doloridamente adv. painfully.
dolorido adj. painful, sore.
domador s.m. tamer.
domesticar v.t. tame.
doméstico adj. menial, domestic.
dominação s.f. domination.
dominador adj. overbearing.
dominância s.f. dominance.
dominante adj. dominant.
dominar v.t. dominate, overpower, overbear, domineer.
domingo s.m. sunday.
domínio s.m. domain, ascendancy.
dona da casa s.f. housewife.
doninha s.f. weasel (zoo).
dono s.m. 1 master. 2 (chefe de família) householder. 3 househusband.
donzela s.f. maiden (liter).
dopar v.t. dope.
dor s.f. 1 pain. 2 (contínua e localizada) ache. 3 (pesar, tristeza) sorrow. **dor nas costas**, backache.
dormir v.i. v.t. sleep. **dormir demais**, oversleep.
dormitório s.m. dormitory, dorm.
dorsal adj. dorsal.

dose s.f. dose. **dose excessiva**, overdose.
dossiê s.m. dossier.
dotar v.t. endow.
dote s.m. dowry.
dourado adj. gilt, golden.
doutorado s.m. doctorate.
doutrina s.f. doctrine.
doutrinar v.t. indoctrinate.
doze (num) twelve.
dragão s.m. dragon.
drama s.f. drama.
dramático adj. dramatic.
dramatizar v.t. dramatize.
drasticamente adv. drastically.
drástico adj. drastic.
drenagem s.f. drainage.
drenar v.t. e i. ditch.
drogado adj. addicted, stoned (infml).
drogar v.t. e i. drug.
dual adj. dual.
duas vezes adv. twice.
dúbio adj. dubious.
duelo s.m. duel.
duende s.m. elf.
duna s.f. dune.
dupla s.f. couple.
duplicado s.m. duplicate.
duque s.m. duke.
duquesa s.f. duchess.
durabilidade s.f. durability.
duração s.f. duration.
duradouro adj. enduring, lasting.
durante conj. while.
durante prep. during, pending (fml).
durar v.i. last.
durável adj. serviceable.
dureza s.f. stiffness.
duro adj. hard, tough. **duro, sem dinheiro**, hard up, broke.
dúvida s.f. doubt, suspicion.
duvidoso adj. doubtful.

e E

e *conj.* and.
ébano *s.m.* ebony.
echarpe *s.m.* scarf.
eclipse *s.m.* eclipse.
eco *s.m.* echo.
ecoar *v.t. e i.* echo.
ecologia *s.f.* ecology.
ecológico *adj.* ecological.
economia *s.f.* 1 economy. 2 (economias) saving.
econômico *adj.* frugal, economical, economic. *classe econômica*, economy class.
economista *s.m. e f.* economist.
economizar *v.t. e i.* save, economize.
edição *s.f.* edition. *primeira edição*, first edition.
edifício *s.m.* building, edifice.
editar *v.i.* 1 (publicar) publish. 2 edit.
editor *s.m.* 1 publisher. 2 (redator) editor.
editorial *adj.* editorial.
educação *s.f.* 1 (instrução) education. 2 upbringing.
educacional *adj.* educational.
educar *v.i.* educate.
efeito *s.m.* effect. *sem efeito*, of no effect.
efeminado *adj.* effeminate.
efervescente *adj.* ebullient.
eficácia *s.f.* effectiveness.
eficaz *adj.* effective, effectual.
eficiência *s.f.* efficiency.
eficiente *adj.* efficient.
efusivo *adj.* effusive.
ego *s.m.* ego.
egocêntrico *adj.* egocentric.
egoísmo *s.m.* selfishness.
egoísta *adj.* selfish.
égua *s.f.* mare.
eixo *s.m.* axe.
ela *pron.* she. *ela mesma*, (all) by herself.
elaborado *adj.* 1 elaborate. 2 labored.
elástico *adj.* 1 elastic. *elástico*, elastic band. 2 (resistente) resilient.

ele *pron.* he. *ele mesmo*, (all) by himself.
elefante *s.m.* elephant.
elegância *s.f.* 1 elegance. 2 chic. 3 (de boas maneiras) ladylike.
elegante *adj.* 1 elegant.
eleger *v.t.* elect.
eleição *s.f.* election. *eleição suplementar*, by-election.
eleitorado *s.m.* constituency.
elementar *adj.* elementary.
elemento *s.m.* element.
eles, elas *pron.* they.
eletricidade electricity s.
eletricista *s.m. e f.* electrician.
elétrico *adj.* electric.
elétrico *adj.* electrical.
eletrificar *v.t.* electrify.
eletrocutar *v.t.* electrocute.
elétron *s.m.* electron.
eletrônico *adj.* electronic.
elevação *s.m.* elevation.
elevador *s.m.* elevator, lift.
elevar *v.t. e i.* heighten.
elevar *v.t.* elevate.
eliminar *v.t.* eliminate.
elipse *s.f.* ellipse (geom, gram).
elite *s.f.* elite.
elixir *s.m.* elixir.
elo *s.m.* link.
elogiar *v.t.* praise, flatter.
eloqüente *adj.* eloquent.
em *prep.* 1 (lugar) in, inside. 2 (dentro com movimento) into. 3 (sobre) on. 4 (meses, anos, estações, séculos) in. 5 (modo) in. 6 (conições) in.
emagrecer *v.i.* slim.
emancipar *v.t.* emancipate.
emaranhar *v.t.* entangle.
embaçar *v.t. e i.* blur, tarnish.
embaixada *s.f.* embassy.
embaixador *s.m.* ambassador.
embaixo *prep.* underneath.
embalagem *s.f.* packing.
embaraçar *v.t.* embarrass.
embaraço *s.m.* embarrassment.

embarcação

embarcação s.f. craft.
embarcar v.t. e i. 1 embark. 2 ship.
embora conj. though, although, notwithstanding.
emboscada s.f. ambush.
emboscar v.t. ambush.
embriagado adj. drunk, inebriate (fml).
embriaguez s.f. drunkenness.
embrião s.m. embryo (bio).
embrulhar v.t. e i. 1 wrap. 2 bundle.
embrulho s.m. pack.
embutido adj. embedded.
emenda s.f. amendment.
emendar v.t. emend.
emergência s.f. emergency.
emergir v.i. emerge, come out of.
emigrante s.m. e f. emigrant.
emigrar v.i. emigrate.
eminente adj. eminent (fml).
emissão s.f. emission, issue.
emitir v.t. e i. issue, emit.
emoção s.f. thrill, emotion.
emocional adj. emotional.
emocionar v.t. e i. thrill.
emotivo adj. emotive.
empacotamento s.m. packing, wrapping.
empacotar v.t. e i. pack.
empalidecer v.i. pale.
empalmar v.t. palm.
empapado adj. soggy.
empapelar v.t. paper.
empate s.m. draw, tie break.
empatia s.f. empathy (psicol).
empenhar v.t. 1 pawn. 2 (empenhar-se em uma campanha) crusade.
empenho s.m. exertion, effort.
empilhar v.t. heap.
emplastrar v.t. plaster (med).
empoar-se v.t. e i. powder.
empobrecer v.t. impoverish.
empoeirado adj. dusty.
empolar v.t. e i. blister.
empoleirar-se v.t. perch.
empreendedor adj. enterprising, entrepeneurial.
empreender v.t. e i. 1 undertake. 2 (travar guerra) wage.
empreendimento s.m. venture.
empregada s.f. 1 employee. 2 servant. 3 (doméstica) maid, domestic.
empregado s.m. employee, servant, attendant.
empregador s.m. employer.
empregar v.t. e i. 1 engage. 2 (dar serviço a) employ. 3 exert.
emprego s.m. employment. *agência de empregos*, employment agency.
empresa s.f. enterprise, company.
empresário s.m. entrepreneur.
emprestar v.t. e i. 1 borrow. 2 (tomar emprestado) lend.
empréstimo s.m. loan.
empurrão s.m. 1 thrust. 2 (impulso) shove. 3 push.
empurrar v.t. e i. push, thrust.
encabeçar v.t. e i. head.
encadernado adj. bound.
encaixar v.t. sandwich.
encaixotar v.t. e i. box, encase.
encalhar v.t. e i. strand.
encanador s.m. plumber.
encanamento s.m. plumbing.
encantado adj. charmed. *estar encantado com*, be enchanted at.
encantador adj. charming, enchanting, beguiling.
encantamento s.m. enchantment, bewitch, ravish.
encantar v.t. e i. charm, enchant.
encaracolado adj. curly.
encarar v.t. e i. face. *encarar as consequências,* to face the music.
encarcerar v.t. incarcerate.
encardenação s.f. binding.
encaroçado adj. lumpy.
encerar v.t. wax.
encharcado adj. sodden.
encharcar v.t. saturate.
enchente s.f. flood s.
encher v.t. e i. 1 fill. *encher*, fill up. 2 (rechear) stuff.
enchimento s.m. stuffing.
enciclopédia s.f. encyclopedia (-paedia).
encolher v.t. e i. shrink. *encolher-se de medo*, cringe.

encontrar(-se) *v.t. e i.* 1 meet. 2 encounter.
encorajamento *s.m.* encouragement.
encorajar *v.t.* encourage, support.
encordoar (instrumentos musicais) *v.t. e i.* string.
encurralar *v.t. e i.* corner.
encurtar *v.t. e i.* shorten.
endireitar *v.t. e i.* 1 (tornar reto) straighten. 2 right.
endividado *adj.* indebted.
endossar (cheque) *v.t.* endorse.
endosso *s.m.* endorsement.
endurecer(-se) *v.t. e i.* 1 harden. 2 fortalecer(-se) toughen.
endurecido *adj.* callous.
energético *adj.* energetic.
energia *s.f.* energy.
enevoado *adj.* 1 hazy. 2 (nebuloso) foggy. 3 (nevoento) misty.
enevoar(-se) *v.t. e i.* mist, fog.
enfado *s.m.* bore, boredom.
enfaixar *v.i.* bandage, band.
ênfase *s.m.* emphasis.
enfático *adj.* emphatic.
enfatizar *v.t.* emphasize.
enfeitar *v.t.* garnish.
enfeitiçado *adj.* spellbound.
enfermaria *s.f.* infirmary, ward.
enfermeira *s.f.* nurse. *enfermeira-chef*, matron.
enferrujado *adj.* rusty.
enferrujar(-se) *v.t. e i.* rust.
enfiar *v.t.* 1 (agulha) thread. 2 (introduzir) put sth in sth. 3 (calças, camisa) put sth on.
enforcar *v.i.* hang.
enfraquecer(-se) *v.t. e i.* 1 weaken. 2 (debilitar) sap. 3 (prejudicar) impair.
enfrentar *v.t.* confront.
enfurecer *v.t.* infuriate, rage.
engaiolar *v.t.* cage.
enganar *v.t.* cheat, deceive, elude, trick.
enganchar *v.t. e i.* hook.
engano *s.m.* mistake, deception.
enganoso *adj.* deceptive, deceitful. 3 (ilusório) elusive.
engarrafar *v.t.* bottle.

engasgar-se *v.t. e i.* choke.
engenheiro *s.m.* engineer.
engenhoso *adj.* ingenious.
engodo *s.m.* lure.
engolir *v.t. e i.* gulp, swallow.
engomado *adj.* starchy.
engordar *v.t. e i.* fatten.
engraçado *adj.* funny, humorous.
engradado *s.m.* crate.
engradar *v.t.* crate.
enguia *s.f.* eel.
enigma *s.m.* riddle, enigma.
enjoativo *adj.* sickening.
enlameado *adj.* muddy.
enlamear *v.t.* muddy.
enlatar *v.t.* can. *comida enlatada*, canned food.
enlevado *adj.* ecstatic.
enlouquecer *v.i.* madden, craze.
enorme *adj.* 1 gigantic, enormous. 2 (maciço) massive.
enquanto *conj.* whereas.
enraizado *adj.* rooted.
enredo *s.m.* plot.
enriquecer *v.t.* enrich.
enrolar *v.t. e i.* curl.
enroscar *v.t. e i.* tangle.
enrugar *v.t. e i.* wrinkle, crease.
ensaboar(-se) *v.t.* soap. 2 (espumar) lather.
ensaiar *v.t. e i.* rehearse.
ensaio *s.m.* 1 (dissertação) essay. 2 (tratado) tract. 3 rehearsal. *ensaio geral*, dress rehearsal.
ensinar *v.t. e i.* 1(lecionar) teach. 2 coach. 3 instruct.
ensino *s.m.* tuition.
ensolarado *adj.* sunny.
ensopado *s.m.* stew.
ensopar *v.t.* soak, drench.
ensurdecer *v.t.* deafen.
então *adv.* then. *desde então*, from then on/since then.
entender *v.t. e i.* understand. *fazer-se entender*, make oneself understood. *entender-se*, understand one another/each other. *entender mal*, misconceive.
enterrar *v.t.* bury.
enterro *s.m.* burial.

entidade

entidade s.f. entity.
entonação s.f. intonation.
entorpecente s.m. dope, drug.
entrada s.f. 1 entry. 2 entrance. 3 (vestíbulo) porch.
entrar v.t. e i. enter.
entre prep. 1 (entre dois) between. 2 (rodeado por) among.
entretanto adv. 1 meantime (infml). 2 (enquanto isso) meanwhile (fml).
entrevista s.f. interview.
entrevistar v.t. interview.
entrincheirar v.t. e i. trench.
entristecer(-se) v.t. e i. sadden.
entupir(-se) v.t. e i. clog.
entusiasmo s.m. 1 enthusiasm. 2 (prazer) zest.
entusiástico adj. enthusiastic.
enunciar v.t. e i. enunciate.
envelhecer v.i. age, get old.
envelope s.m. envelope.
envenenar v.t. poison.
envergonhado adj. ashamed, embarassed.
enviar v.t. 1 send, mail. 2 forward.
envidraçar v.t. e i. glaze.
envolver(-se) v.t. involve. 2 (cobrir) envelop.
enxaguar v.t. rinse.
enxague s.m. rinse.
enxame s.m. swarm.
enxamear v.t. e i. swarm.
enxaqueca s.f. migraine.
enxofre s.m. sulphur.
enxoval s.m. 1 (de bebê) layette. 2 (de noiva) trousseau.
enxugar-se v.t. towel.
epidemia s.f. epidemic.
epilepsia s.f. epilepsy.
epilético adj. epileptic.
epílogo s.m. epilog.
equação s.f. equation.
eqüestre adj. equestrian.
equilibrar v.t. e i. 1 balance. 2 (estabilizar) steady.
equilíbrio s.m. balance, equilibrium.
eqüino adj. equine.
equinócio s.m. equinox.
equipamento s.m. equipment, outfit.
equipar v.t. equip.

equivalente adj. equivalent tantamount.
equívoco s.m. misunderstanding.
era s.f. era.
ereção s.f. erection.
ereto adj. upright.
eriçar-se v.i. bristle.
ermitão s.m. hermit.
erosão s.f. erosion.
erótico adj. erotic.
errado adj. 1 mistaken. 2 wrong.
errar v.t. e i. 1 err. 2 (enganar-se) mistake. 3 (fazer uma asneira) blunder.
erro s.m. 1 error. 2 (erro de cálculo) miscalculation. 3 (erro de impressão) misprint. 4 (equívoco) blunder.
erroneamente adv. wrongly, wrong.
errôneo adj. erroneous.
erupção s.f. eruption.
erva s.f. grass. 2 (erva daninha) weed. 3 herb.
ervilha s.f. pea.
esbanjar v.t. lavish.
esboçar v.t. e i. sketch, outline.
escada adv. 1 (abaixo) downstairs. 2 (acima) upstairs.
escada s.f. 1 stairs. 2 (portátil) ladder. *escada rolante*, escalator. *descer as escadas*, go downstairs. *subir as escadas*, go upstairs.
escaiador s.m. climber.
escala s.f. scale.
escalada s.f. ascent.
escalar v.t. e i. 1 mount. 2 (elenco) cast.
escaler s.m. dinghy.
escama s.f. (de peixe) scale.
escandalizar v.t. scandalize.
escândalo s.m. scandal.
escandaloso adj. scandalous.
escanear v.t. e i. scan.
escapada s.f. escapade.
escapar v.i. escape.
escape s.m. exhaust. *cano de escapamento*, exhaust-pipe.
escapismo s.m. escapism.
escarlatina s.f. scarlet fever (med).
escassez s.f. shortage.
escasso adj. scarce.
escavação s.f. dig, excavation.

esclarecer *v.t. e i.* clarify.
esclarecimento *s.m.* clarification.
escoar *v.t. e i.* drain.
escola *s.f.* school. ***escola de ensino médio***, high-school.
escolha *s.f.* choice. 2 (seleção) pick. ***fazer uma escolha***, take one's pick, make a choice.
escolher *v.t. e i.* choose.
escolhido *adj.* choice.
escoltar *v.i.* escort.
escombros *s.m.* pl 1 wreckage. 2 (ruínas) debris.
esconder-se *v.t. e i..* 1 hide. ***jogo de esconde-esconde***, hide and seek. 2 (ocultar) conceal.
escorpião *s.m.* 1 (zodíaco) Scorpio. 2 scorpion.
escorregadio *adj.* slippery.
escorregão *s.m.* skid, slip, slide.
escorregar *v.t. e i.* slip, slide. ***escorregar por entre os dedos***, slip through one's fingers.
escoteiro *s.m.* scout, boy scout.
escova *s.f.* brush.
escovar vl, *v.i.* brush.
escravidão *s.f.* 1 slavery. 2 (servidão) bondage.
escravo *s.m.* slave.
escrever *v.t. e i.* write.
escrito *s.m.* writing.
escritor *s.m.* writer.
escritório *s.m.* office.
escriturário *s.m.* clerk, office clerk.
escrivaninha *s.f.* desk.
escrivão *s.m.* registrar.
escrúpulo *s.m.* scruple.
escrupuloso *adj.* scrupulous.
escrutinar *v.t.* scrutinize.
escrutínio *s.m.* scrutiny.
escudar *v.t.* shield.
escudo *s.m.* shield.
esculpir *v.t. e i.* carve.
esculpir *v.t. e i.* sculpture.
escultor *s.m.* sculptor.
escuna *s.f.* schooner (náut).
escurecer *v.t. e i.* darken, blacken.
escuridão *s.f.* dark, darkness.
escuro *adj.* 1 dark. 2 gloomy. 3 dim.
escutar *v.i.* listen.

esfaquear *v.t.* knife.
esfera *s.f.* sphere. ***esfera de influência***, sphere of influence (polit).
esférico *adj.* spherical.
esfolar *v.t. e i.* graze.
esforçado *adj.* strenuous, hard working.
esforçar-se *v.i.* strive.
esforço *s.m.* effort, endeavour (fml).
esfregão *s.m.* (de assoalho) mop.
esfregar *v.t. e i.* 1 rub. 2 (esfregar/limpar com pano de chão) mop.
esfriar *v.t. e i.* cool, chill.
esgoto *s.m.* sewer.
esguichar *v.i. e t.* 1 jet. 2 (regar com mangueiras) hose.
esguio *adj.* slender.
esmagadora *adj.* crushing.
esmalte *s.m.* enamel. ***esmalte de unhas***, nail polish.
esmerado *adj.* painstaking.
esmeralda *s.f.* emerald.
esmurrar *v.t.* punch.
esnobe *adj.* snobbish.
esnobe *s.m.* snob.
esnobismo *s.m.* snobbery.
espaço *s.m.* 1 space. 2 (aéreo) airspace. ***espaço de tempo***, while. 3 capacity. 4 (lugar vago) vacancy.
espaçoso *adj.* roomy, spacious.
espada *s.f.* sword. ***peixe-espada***, swordfish.
espaguete *s.m.* spaghetti.
espalhado *adj.* 1 widespread. 2 (disperso) scattered.
espalhafato *s.m.* fuss. ***fazer espalhafato***, make a fuss (about).
espalhafatoso *adj.* gaudy, tawdry.
espalhar *v.t. e i.* 1 (derramar) strew. 2 (dispersar) scatter.
espantar *v.t.* 1 (maravilhar) amaze. 2 (afugentar) frighten.
esparadrapo *s.m.* plaster.
esparsamente *adv.* sparsely.
espasmo *s.m.* spasm (med).
espasmódico *adj.* jerky.
especial *adj.* special.
especialidade *s.f.* 1 specialty. 2 (característica) speciality.
especialista *s.m. e f.* specialist.

especialização s.f. specialization.
especializar(-se) v.t. e i. specialize.
especialmente adv. especially.
especialmente adv. specially.
especiaria s.f. spice.
espécie s.f. species (biol).
especificação s.f. specification.
especificamente adv. specifically.
especificar v.t. specify.
específico adj. specific.
espécime s.m. specimen.
espectador s.m. viewer, onlooker spectator.
especulação s.f. speculation.
especular v.i. speculate.
especulativo adj. speculative.
espelho s.m. mirror.
espera s.f. wait.
esperado adj. prospective.
esperança s.f. hope. *raise sb's hopes*, encorajar alguém. *na esperança de*, in the hope of. *não perca as esperanças*, don't give up hope.
esperançosamente adv. hopefully.
esperançoso adj. hopeful.
esperar v.i. 1 expect. 2 (ter esperança) hope. 3 (ficar à espera) wait. *esperar em fila*, wait in line. *lista de espera*, waiting iist. *sala de espera*, waiting room. 4 (prever) anticipate.
esperma s.f. sperm.
esperto adj. 1smart. 2 (inteligente) clever. 3 cunning. 4 (vivo) perky.
espetacular adj. spectacular.
espetáculo s.m. show, exhibition.
espetar v.t. e i. stick.
espião s.m. spy.
espiar v.i. peep.
espiga s.f. 1 ear. 2 (de milho) corn-cob.
espinafre s.m. spinach.
espinha s.f. 1 (dorsal) spine. 2 pimple, zit.
espinho s.m. thorn.
espinhoso adj. spiny, prickly.
espionagem s.f. espionage.
espionar v.i. e t. spy.
espiral adj., spiral.
espiralar v.i. spiral.
espiritismo s.m. spiritualism.

espírito s.m. spirit.
espiritual adj. spiritual.
espiritual s.m. spiritual (mús).
espirituosamente adv. wittily.
espirituoso adj. jolly, witty.
espirrar v.i. sneeze.
espirro s.m. sneeze.
esplêndido adj. splendid.
esplendor s.m. splendor.
esponja s.f. sponge (zoo).
espontaneamente adv. spontaneously.
espontaneidade s.f. spontaneity.
espontâneo adj. spontaneous.
espora s.f. spur.
esporádico adj. sporadic.
esporte s.m. sport.
esposa s.f. wife.
esposo s.m. spouse (jur).
espreitar v.i. lurk.
espremedor s.m. squeezer.
espremer v.t. e i. squeeze.
espuma s.f. foam, froth. *espuma de sabão*, lather.
espumar v.i. foam, froth.
espumoso adj. frothy.
espúrio adj. spurious (fml).
esquadra s.f. squadron.
esquadrão s.m. squad.
esquecer v.t., v.i. forget.
esquecido adj. forgetful.
esqueleto s.m. skeleton.
esquema s.m. scheme.
esquemático adj. schematic.
esquerda s.f. left. *política da esquerda*, left wing politics.
esquerdista s.m. e f. leftist.
esqui s.m. ski.
esquiador s.m. skier.
esquiar v.i. ski.
esquilo s.m. squirrel.
esquisitice s.f. oddity.
esquisito adj. cranky, outlandish, freakish.
essência s.f. essence.
estabilizar v.t. stabilize.
estábulo s.m. stable.
estaca s.f. stake.
estação s.f. 1 station. 2 (estação do ano) season.

estacionamento de automóveis s.m. parking lot, car park.
estacionar v.t. e i. park.
estada s.f. sojourn (liter).
estadia s.f. stay.
estádio s.m. stadium.
estado s.m. state. *escola do estado*, state school, *departamento do estado*, state department.
estagnado adj. stagnant.
estalagem s.f. inn.
estalar v.i. crackle.
estalido s.m. crackling, snap.
estalo s.m. smack.
estampado adj. mottled. *vestido estampado*, printed dress.
estancar v.t. stanch.
estanho s.m. pewter.
estar v. aux. be doing sth.
estar v. lig. 1 be. 2 (aspecto) look.
estar v.i. be. *estar presente*, stand by sb.
estática s.f. statics.
estático adj. static.
estatística s.f. statistics.
estatístico adj. statistical.
estátua s.f. statue.
estatura s.f. stature.
estatuto s.m. statute.
este pron. this.
este s.m. east.
esteira s.m. (rastro) wake.
estender v.t. e i. 1 extend. 2 (esticar) spread.
esterco s.m. dung, manure, muck.
estereótipo s.m. stereotype.
estéril adj. 1 sterile. 2 (infecundo) barren.
esterilidade s.f. sterility.
esterilizar v.t. steriiize.
esterlina s.f. sterling. *libra esterlina*, pounds sterling.
esterno s.m. sternum (anat).
estética s.f. aesthetics (es-).
estético adj. aesthetic.
estetoscópio s.m. stethoscope.
esticado adj. taut.
esticar v.t. e i. 1 stretch. 2 (esticar o pescoço) crane. 3 (puxar) strain.
estilingue s.m. sling.
estilista s.m. e f. stylist, designer.
estilo s.m. style.
estima s.f. esteem.
estimar v.t. 1 esteem (fml). 2 treasure. 3 (tratar com carinho) cherish.
estimativa s.f. estimate.
estimular v.t. stimulate, encourage.
estímulo s.m. stimulus.
estipulado adj. given.
estipular v.t. stipulate.
estivador s.m. stevedore.
estivador s.m. docker.
estocar v.t. stock.
estofador s.m. upholsterer.
estóico s.m. stoic.
estômago s.m. stomach, tummy (infml).
estontear v.t. dumbfound.
estoque s.m. 1 stock. 2 (reserva) supply.
estourar v.t. e i. 1 burst . 2 (explodir) pop. 3 blow.
estouro s.m. 1 (esp de pneu) blowout. 2 (debandada) stampede. 3 pop.
estragado adj. rotten.
estragar(-se) v.t. e i. spoil.
estrago s.m. havoc.
estrangeiro s.m. alien, foreigner.
estrangular v.t. strangle.
estranho adj. weird, strange, quaint, queer kinky(infml).
estratégia s.m. strategy.
estratosfera s.f. stratosphere.
estreitar v.t. e i. narrow.
estreito adj. narrow.
estreito s.m. strait. *o Estreito de Gibraltar*, (geog) the Strait of Gibraltar.
estrela s.f. star. *hotel 5 estrelas*, a fivestar hotel.
estrelado adj. starry.
estrelato s.m. stardom.
estremecer v.t. wince.
estrepitar v.t. e i. clash, crash.
estridente adj. piping.
estritamente adv. strictly.

estrofe *s.f.* stanza.
estrondo *s.m.* clash.
estrondoso *adj.* roaring.
estrutura *s.f.* framework, structure.
estrutural *adj.* structural.
estudante, *s.m. e f.* student. **estudante universitário**, university student. **estudante de medicina**, medical student. **estudante universitário, bacharelando, graduando**, undergraduate. **estudante que abandonou os estudos**, dropout.
estudar *v.t. e i.* study.
estúdio *s.m.* studio.
estupidez *s.f.* stupidity.
estúpido *adj.* stupid, dunce, rude.
estupor *s.m.* stupor.
estupro *s.m.* rape.
esvaziar *v.t. e i.* 1 empty. 2 (tirar o ar de pneu, bola) deflate.
eternamente *adv.* evermore, eternally.
eternidade *s.f.* eternity.
eterno *adj.* eternal.
ética *s.f.* ethic.
etimologia *s.f.* etymology.
etiqueta *s.f.* 1etiquette. 2 (rótulo) label.
etiquetar *v.t. e i.* tag.
eu *pron.* I.
eucalipto *s.m.* eucalyptus.
eufemismo *s.m.* euphemism.
euforia *s.f.* euphoria.
eufórico *adj.* euphoric.
europeu *s.m.* european.
eutanásia *s.f.* euthanasia.
evacuação *s.f.* evacuation.
evacuar *v.t.* evacuate.
evadir(-se) *v.t.* evade.
evangélico *adj.* evangelic.
evaporação *s.f.* evaporation.
evaporar-se *v.t. e i.* evaporate.
evasão *s.f.* evasion.
evasivo *adj.* noncommittal.
evento *s.m.* event.
eventual *adj.* eventual.
eventualidade *s.f.* eventuality.
evidente *adj.* evident, patent, apparent.
evidentemente *adv.* evidently.
evitar *v.t.* avoid.
evolução *s.f.* evolution.
ex- *prefixo* ex-.
exagerar *v.t.* 1 overstate. 2 (exagerar no modo de se vestir) overdress. 3 overdo.
exame *s.m.* examination.
examinar *v.t.* 1 examine. 2 (livros contábeis) audit. 3 inspect.
exatamente *adv.* exactly, precisely.
exatidão *s.f.* accuracy.
exato *adj.* exact.
exaurir *v.t.* exhaust.
exaustivo *adj.* exhausting.
exceção *s.f.* exception.
excedente *s.m.* surplus.
exceder *v.t.* 1 outwit. 2 (exceder em números) outnumber. 3 (exceder em peso ou valor) outweigh. 4 outdo. 5 (superar alguém/algo em crescimento) outgrow. 6 (ultrapassar limites aceitáveis) overstep.
excelência *s.f.* excellence.
excelente *adj.* excellent, super (infml).
excentricidade *s.f.* eccentricity, freak.
excêntrico *adj.* erratic, eccentric.
excepcional *adj.* exceptional.
excepcionalmente *adv.* exceptionally.
excessivo *adj.* excessive, inordinate (fml).
excesso, *s.m.* excess. **excesso de peso**, overweight.
exceto *prep.* but.
excitação *s.f.* excitement.
excitante *adj.* exciting.
excitar *v.t.* titilate, excite.
exclamar *v.t. e i.* exclaim.
excluir *v.t.* exclude.
exclusão *s.f.* exclusion.
exclusivo *adj.* exclusive.
excursão *s.f.* tour. **viajar de excursão**, go on an excursion.
execução *s.f.* prosecution, (jur) execution. 2 (realização) performance.
executar *v.t. e i.* execute, perform.
executivo *adj.* executive.

exemplar *adj.* exemplary.
exemplo *s.m.* example. *dar bons/maus exemplos*, set a good/bad example. *seguir o exemplo de alguém*, follow sb's example.
exercício *s.m.* exercise.
exercitar(-se) *v.t. e i.* exercise.
exército *s.m.* army.
exibição *s.f.* display, exhibition.
exibir *v.t.* exhibit, display.
exigência *s.f.* demand.
exigir *v.t.* demand, exact.
exilar *v.t.* exile.
exílio *s.m.* exile.
existência *s.f.* existence, being.
existir *v.t.* exist.
exonerar *v.i.* exonerate.
exorbitante *adj.* exorbitant.
exorcizar *v.i.* exorcize.
exótico *adj.* exotic.
expandir(-se) *v.t. e i.* expand, distend.
expansão *s.f.* expansion.
expansivo *adj.* outgoing, expansive.
expatriar *v.i.* expatriate.
expectativa *s.f.* expectancy expectation. *expectativa de vida*, life expectaction.
expectativa *s.f.* suspense.
expedição *s.f.* expedition.
expediente *adj.* expedient.
experiência *s.f.* experience, probation. *por experiência*, by/from experience.
experiente *adj.* practiced, practised.
experimentado *adj.* skilled, skillful.
experimentar *v.t.* 1 experience. 2 (provar) taste.
experimento *s.m.* experiment.
expiração *s.f.* expiration.
expirar *v.t. e i.* expire, exhale.
explicação *s.f.* explanation.
explicar *v.t.* explain.
explicável *adj.* explicable.
explícito *adj.* explicit.
explodir *v.t. e i.* 1 explode. 2 blow. 3 backfire.
exploração *s.f.* exploitation.
explorador *s.m.* explorer.
explorar *v.t.* explore.

explosão *s.f.* explosion, outburst.
explosivo *adj.* explosive.
expor *v.t.* expose.
exportação *s.f.* export.
exportar *v.t. e i.* export.
exposição *s.f.* 1 exhibition. 2 exposure. 3 exposition.
expositor *s.m.* exhibitor.
expressão *s.f.* expression.
expressar *v.t.* 1 (exprimir) express. 2 voice.
expresso *adj.* express.
exprimir *v.t.* state.
expulsar *v.t.* expel.
exsudar *v.t. e i.* exude (fml).
êxtase *s.m.* ecstasy, rapture.
extensão *s.f.* 1 extent. 2 extension. 3 spread. 4 (vastidão) expanse.
extenso *adj.* extensive.
exterior *adj.* exterior.
exterminar *v.t.* annihilate.
extermínio *s.m.* annihilation, extermination.
externo *adj.* external, outside.
extinguir *v.i.* extinguish.
extinto *adj.* extinct.
extintor *s.m.* extinguisher.
extorsivo *adj.* extortionate.
extra *adj.* extra.
extra *s.f.* extra, additional.
extrair *v.i.* extract.
extrair *v.t.* elicit.
extraordinário *adj.* extraordinary.
extrapolar *v.t. e i.* extrapolate.
extrato *s.m.* 1 abstract. 2 (trecho extraído de livro, artigo) extract.
extravagante *adj.* extravagant.
extremidade *s.f.* 1 extremity. 2 (margem) edge.
extremista *s.m. e f* extremist.
extremo *adj.* extreme, utmost.
exultação *s.f.* exultation.
exultante *adj.* jubilant.
exultar *v.i.* exult.

f F

fã *s.m.* supporter, fan (infml).
fábrica *s.f.* factory, plant.
fabricação *s.f.* 1 manufacture. *fabricação caseira*, homemade. *data de fabricação*, date of manufacture.
fabricante *s.m. e f.* manufacturer.
fabricar *v.t.* manufacture.
fábula *s.f.* fable.
fabuloso *adj.* fabulous.
faca *s.f.* knife.
face *s.f.* face.
fácil *adj.* easy.
facilmente *adv.* easily.
faculdade *s.f.* 1 (universidade) college. 2 faculty.
fada *s.f.* fairy. *conto de fadas*, fairy tale.
faísca *s.f.* spark.
faiscar *v.i.* sparkle.
faixa *s.f.* 1 bandage. 2 (banda) zone. 3 banner.
fala *s.f.* speech.
falador *adj.* chatty, talkative.
falange *s.f.* phalanx (anat).
falar *v.t. v.i.* 1 speak. *falar alto ou claramente*, speak out/up. 2 (conversar) talk.
falatório *s.m.* gibberish.
falcão *s.m.* hawk.
falecido *adj.* deceased.
falha *s.f.* flaw.
falhar *v.t. v.i.* 1 miss. 2 (fracassar) fail.
falido *adj.* bankrupt.
falo *s.m.* phallus.
falsidade *s.f.* falsehood.
falsificação *s.f.* forgery, falsification.
falsificar *v.t.* 1 falsify. 2 counterfeit.
falso *adj.* 1 false. 2 counterfeit. 3 (fingido) mock. 4 (pretenso) phoney.
falta *s.f.* 1 lack. 2 fault. 3 (omissão) default.
fama *s.f.* fame.
família *s.f.* family.
familiaridade *s.f.* familiarity.
familiarizar(-se) *v.t.* familiarize.
famoso *adj.* famous.
fanático *adj.* fanatic.
fantasia *s.f.* fancy, fantasy.
fantasma *s.f.* ghost, apparition, phantom.
fantástico *adj.* fantastic.
faraó *s.m.* pharaoh.
farejar *v.t.* scent.
farelo *s.m.* (de trigo, centeio) bran.
farfalhar *v.t. e i.* rustle.
farinha, polvilho. farinha. 1 (de trigo) flour. 2 (de qualquer cereal) meal.
farmacêutico *s.m.* pharmacist, dispenser, apothecary (arc).
farpa *s.f.* barb.
farpado *adj.* barbed. *arame farpado*, barbed wire.
farra *s.f.* 1 (diversão) partying. 2 spree.
farsa *s.f.* burlesque.
farto *adj.* liberal.
fascinação *s.f.* fascination.
fascinante *adj.* fascinating.
fascinar *v.t.* captivate, fascinate.
fascismo *s.m.* fascism.
fase *s.f.* phase.
fatal *adj.* fatal.
fatalidade *s.f.* fatality.
fatalismo *s.m.* fatalism.
fatia *s.f.* slice.
fato *s.m.* fact. *de fato*, in fact, actually.
fator *s.m.* factor.
fatura *s.f.* invoice (com).
favela *s.f.* slum, shanty town.
favor *s.m.* favor.
favorável *adj.* favorable.
favorecer *v.t.* favor.
favorito *adj.* favorite.
fazenda *s.f.* 1 farm. 2 (propriedade rural) estate. 3 ranch. *casa de fazenda*, ranch-house.
fazendeiro *s.m.* farmer.
fazer *v.t. v.i.* 1 do. *fazer trabalho de*

fiel

casa, do housework. ***fazer negócios***, do business. ***fazer a lição de casa***, do the homework. ***faça você mesmo***, do it yourself. 2 make.
fé *s.f.* faith s.
febre *s.f.* fever, temperature. ***febre tifóide***, typhoid fever.
febril *adj.* feverish.
fechadura *s.f.* lock.
fechamento *s.m.* closure.
fechar *v.t. v.i.* 1 close. 2 (trancar, tampar) shut. 3 (trancar) lock.
feder *v.i. e t.* stink.
federação *s.f.* federation.
federal *adj.* federal.
feição *s.f.* feature.
feijão *s.m.* bean.
feio *adj.* 1 ugly. 2 (situação) bad. 3 (repugnante) foul.
feira *s.f.* fair. ***feira de rua***, street market.
feiticeiro *s.m.* sorcerer.
feito *adj.* 1 made. ***feito à mão***, handmade. 2 (concluido) done.
feito *s.m.* deed.
feiúra *s.f.* ugliness.
felicidade *s.f.* happiness, bliss.
feliz *adj.* happy, blissfull.
felizmente *adv.* fortunately.
felpudo *adj.* fluffy.
feltro *s.m* felt.
fêmea *adj.* female.
feminilidade *s.f.* womanhood.
feminino *adj.* feminine, girlish.
feminismo *s.m.* feminism.
fenda 1 slot. 2 (abertura) crack. 3 (em saia) slit.
feno *s.m.* hay.
fenômeno *s.m.* phenomenon.
feriado *s.m.* holiday.
férias *s.m.* vacation, holiday.
ferida *s.f.* wound.
ferido *adj.* injured.
ferimento *s.m.* trauma.
ferir *v.t. v.i.* 1 (machucar) hurt. 2 (contundir-se) bruise. 3 (danificar) injure. 4 (prejudicar) harm.
ferocidade *s.f.* ferocity (fml).
feroz *adj.* ferocious, fierce.
ferragens *s.f.* (pl) 1 hardware. 2 (destroços) wreckage.
ferramenta *s.f.* tool, instrument.
ferrão *s.m* sting.
ferrar *v.t.* spike.
ferro *s.m* iron.
ferrugem *s.f.* rust.
fértil *adj.* fertile.
fertilidade *s.f.* fertility.
fertilização *s.f.* fertilization.
fertilizante *s.m* fertilizer.
fertilizar *v.t.* fertilize.
ferver *v.t. e i.* boil. ***fervente***, boiling hot. ***ponto de fervura***, boiling-point.
f e r v u r a *s . f .* b o i l .

festa *s.f.* party.
festejo *s.m* festivity.
festival *s.m* festival.
festivo *adj.* festive.
fetiche *s.m.* fetish (fetich).
fétido *adj.* fetid.
feto *s.m* foetus.
feudal *adj.* feudal.
feudalismo *s.m* feudalism.
fevereiro *s.m* February.
fiança *s.m* bail.
fiar *v.t. v.i.* spin.
fiasco *s.m* fiasco.
fibra *s.f.* fiber. ***fibra de vidro***, fiberglass.
ficar *v.t. v.i.* 1 stay. ***ficar fora***, stay out. ***ficar imóvel***, stay put. 2 (ficar com alguma coisa) keep sth. 3 (ficar com fome/ dor de cabeça) get hungry/ get a headache.
ficção *s.f.* 1 figment. 2 (literatura de ficção) fiction. ***ficção científica***, science fiction.
fichário *s.m.* file.
fictício *adj.* fictitious.
fidelidade *s.f.* fidelity, loyalty. ***fazer um juramento de fidelidade***, take an oath of allegiance.
fiduciário *s.m.* trustee (jur).
fiel *adj.* loyal, faithful.

fígado

fígado s.m. liver.
figo s.m. fig.
figurativo adj. figurative.
fila s.f. 1 line, queue. 2 (posição) rank.
filamentos.m filament.
filantropia s.m. philanthropy.
filantrópico adj. philanthropic.
filé s.m. steak, filet. **filé de frango**, chicken steak.
fileira s.f. row.
filha s.f. daughter.
filho s.m. son. **filho da mãe**, (vulg) son of a bitch.
filhote s.m. 1 (de cachorro) puppy. 2 (de gato) kitten. 3 (de pato) duckling.
filme s.m movie, film. **filme de faroeste**, western.
filosofia s.f. philosophy.
filósofo s.m. philosopher.
filtrar v.t. v.i. percolate, (infml) perk.
filtro s.m. filter.
fim s.m. 1 (conclusão, término, (objetivo) end. 2 (objetivo) finality. 3 (estar a fim de) feel like it. 4 (término) close, ending. **fim de semana**, weekend. **pôr fim a**, put an end to. **no fim**, in the end.
final adj. final.
finalista s.m. e f. finalist.
finalizar v.t. finalize.
finalmente adv. finally, at last.
finança(s) s.m. finance.
financeiro adj. financial. **gerente financeiro**, financial manager.
financista s.m. financier.
fingir v.t. e i. pretend.
fino adj. 1 thin. 2 (delgado) fine. 3 (refinado) fancy.
fio s.m 1 (eletricidade) cord, wire. 2 (cabelo) strand, thread. **telefone sem fio**, cordless telephone. 3 (de água) trickle. 4 (para costurar ou tecer) thread. **fio dental**, dental floss.
firma s.f. firm.
firme, adj. 1 (firme) firm. 2 (duro) stiff. 3 (estável) stable. 4 (imóvel) steadfast. 5 (justo, apertado) tight.
firmemente adv. strongly , firmly. tight.

física s.f. physics.
físico adj. physical. **educação física**, physical education.
físico s.m. physicist.
físico s.m. physique.
fisioterapia s.m. physiotherapy.
fita s.f. 1 (de gravação) tape. 2 (tira) ribbon. **fita métrica**, tape-measure.
fitar v.i. v.t. stare.
fivela s.f. 1 clasp. 2 (enfeite metálico de sapato) buckle.
fixar v.t. v.i. 1 fix. 2 (prender) fasten.
fixo adj. 1 steady. 2 (imutável) fixed. **idéia fixa**, a fixed idea.
flácido adj. 1 limp. 2 (mole) flabby.
flamejante adj. aflame.
flamejar v.i. flame.
flanco s.f. flank.
flanela s.f. flannel.
flauta s.f. flute.
flecha s.f. arrow.
flertar v.i. flirt.
flexão s.f. inflection (gram).
flexibilidade s.f. flexibility.
flexionar v.t. flex.
flexível adj. flexible.
floco s.m. flake. **flocos de milho**, corn flakes. **flocos de neve**, snow flakes.
flor s.f. flower.
floresta s.f. wood, forest.
florir v.i. 1 (dar flores) blossom. 2 (vicejar) bloom.
fluência s.f. fluency.
fluente adj. fluent.
fluentemente adv. fluently.
fluir v.i. 1 flow. 2 (verter) pour.
flutuante adj. buoyant, afloat.
flutuar v.i. v.t. float, fluctuate.
fluxo s.m. flow, flux.
fobia s.f. phobia.
foca s.f. seal.
focar v.t. e i. focus.
focinho s.f. muzzle.
foco s.m. focus.
fofoca s.f. gossip.
fofocar v.i. gossip.
fogão s.m. stove, cooker.
fogo s.m. fire. **à prova de fogo**, fireproof.

fogos de artifício, firework(s). **fogo cruzado**, crossfire.
fogueira s.f. bonfire.
foguete s.m. rocket.
folgado adj. loose, baggy.
folha s.f. 1 (de papel) sheet of paper. 2 (de planta) leaf. 3 (de metal) foil.
folheado adj. 1 (de madeira) veneer. 2 (a ouro, prata) plated.
folhear v.t. v.i. 1 (a ouro, prata etc) plate. 2 (folhas de livro) riffle, leaf through.
folheto s.m. booklet, leaflet.
fome s.f. hunger, famine.
fonética s.f. phonetics.
fonte s.f. 1 (nascente, chafariz) fountain. 2 (informação) source.
fora adv. 1 out. 2 (de fora, do lado de fora) outside. **botar para fora**, throw away. **lá fora**, out there.
fora prep. apart from.
forasteiro s.m. outsider.
força s.f. 1 (vigor, poder) force, strength. 2 (pressão) strain.
forçar v.i. 1 force. 2 (obrigar) enforce. 3 (pressionar) pressure, press.
forjar v.t. (peças de metal) forge.
forma s.f. 1 form. 2 (formato) shape.
formal adj. ceremonious, formal.
formalidade s.f. formality.
formão s.m. chisel.
formar v.t. v.i. 1 form. 2 shape.
formiga s.f. ant.
fórmula s.f. formula.
formular v.t. formulate.
fornecedor s.m. supplier. 2 (de comida, festa) caterer.
fornecer v.t. supply, provide.
forno s.m. oven, furnace. **forno elétrico**, eletric oven.
forragem s.f. fodder.
forrar v.t. iine.
forro s.m. 1 (do teto) ceiling. 2 (revestimento) lining. 3 (exterior) cover.
fortaleza s.f. fortress.
forte adj. 1 strong, substantial. 2 (potente) forceful.
fortificações s.f. (pl) rampart.
fortificar v.t. e i. fortify, strengthen.
fortuito adj. fortuitous.
forum s.m. forum.
foto s.f. picture, photograph.
fotografar v.t. photograph.
fotografia s.f. photography.
fotógrafo s.f. photographer.
fração s.f. fraction.
fracassar v.t. fail.
fracionário adj. fractional.
fraco adj. 1 weak. 2 (delicado) feeble. 3 (pálido) faint. 4 (sem vida) sapless.
frade s.m. friar.
fragância s.f. fragrance.
frágil adj. frail, fragile.
fragmentário adj. fragmentary.
fragmento s.m. fragment, chip.
fralda s.f. diaper, nappy.
framboesa s.f. raspberry.
francamente adv. frankly, candidly.
franco adj. 1 frank. 2 (honesto) straightforward. 3 (sincero) outspoken, candid.
frango s.m. chicken.
franja s.f. 1 fringe. 2 (de cabelo) bangs.
franzir v.i. frown.
fraqueza s.f. 1 infirmity. 2 (debilidade) weakness. **ter uma fraqueza por**, have a weakness for.
frasco s.m. 1 flask. 2 (de remédio) phial.
frase s.f. phrase.
fraternal adj. fraternal, brotherly.
fraternidade s.f. brotherhood, fraternity.
fratura s.f. fracture.
fraude s.f. 1 fake. 2 (trapaça, engano) fraud.
frear v.t. v.i. brake.
freguês s.m. customer.
freio s.m. 1 brake. 2 (freio de mão) handbrake.
freira s.f. nun.
frenesi s.f. frenzy.
frenético adj. 1 frenzied. 2 (desvairado) frantic.

freneticamente adv. frantically.
frente s.f. front. **na frente**, in front. **porta da frente**, front door.
freqüência s.f. frequency.
freqüente adj. frequent.
freqüentemente adv. frequently, often. **com que frequência?** how often?.
fresco adj. fresh.
fretar v.i. freight.
frete s.m. freight.
fricção s.f. friction.
frigidez s.f. frigidity.
frígido adj. frigid.
frio adj. 1 (tempo frio, gélido) cold. 2 (fresco) cool. 3 (úmido) clammy. 4 (sensação de frio, friagem) chill.
frisar v.t. frizz.
fritar v.t. v.i. fry, pan.
frito adj. fried.
frívolo adj. frivolous.
frontal adj. frontal.
fronteira s.f. border, frontier.
frota s.f. fleet.
frugalidade s.f. frugality.
frustração s.f. frustration.
frustrar v.t. frustrate.
fruta s.f. fruit. **frutas cristalizadas**, candied peel.
fuga s.f. escape.
fugir v.t. v.i. flee, run away.
fugitivo s.m. fugitive.
fuligem s.f. soot.
fumante s.m. smoker. **não fumante**, non smoker.
fumo s.m. tobacco, smoke.
função s.f. function.
funcionar v.t. v.i. operate, function.
funcionário público s.m. civil servant.
fundador s.m. founder.
fundamental adj. fundamental.
fundar v.t. found, establish.
fundir v.t. v.i. fuse, merge.
fundo s.m. 1 bottom. 2 (segundo plano) background. 3 fund.
funeral s.m. funeral.
fungar v.t. e i. snuffle, sniffi.

fungicida s.f. fungicide.
fungo s.m. fungus.
funil s.m. funnel.
funileiro s.m. tinker.
furacão s.m. hurricane.
furadeira s.f. drill.
furão s.m. ferret.
furar v.t. 1 (com agulha) prick. 2 (com furadeira) drill. 3 (pneu) puncture. 4 (orelha) pierce.
fúria s.f. fury.
furiosamente adv. furiously.
furioso adj. furious.
furo s.m. 1 (pneu, bola) puncture. 2 (buraco) hole. 3 (furo jornalístico) scoop. 4 (mancada) slip up.
furtar v.t. v.i. snitch (gir).
furtivamente adv. furtively.
furtivo adj. 1 furtive, underhand. 2 (sorrateiro) sneaking.
furto s.m. larceny (jur).
fusão s.f. 1 merger. 2 (derretimento, fundição) fusion.
fuselagem s.f. fuselage.
fusível s.m. fuse. **queimar um fusível**, blow a fuse.
futebol s.m. soccer, football.
fútil adj. futile.
futilidade s.f. futility.
futuro adj. future.
futuro s.m. future.
fuzil s.m. rifle.

g G

gabar (-se) *v.i.* gloat, boast.
gabinete *s.m.* cabinet.
gado *s.m.* 1 livestock. 2 (gado bovino) cattle.
gafanhoto *s.m.* grasshopper, locust.
gagueira *s.f.* stutter.
gaguejar *v.t. e i.* stutter.
gaiola *s.f.* cage.
gaivota *s.f.* seagull.
galera *s.f.* (grupo, turma) gang.
galeria *s.f.* gallery.
galho *s.m.* 1 branch. 2 (vara) stick. 3 (ramo) sprig. 4 (galho fino) twig.
galinha *s.f.* hen.
galo *s.m.* cock, rooster.
galopar *v.t. e i.* gallop.
ganância *s.f.* greed.
gancho *s.m.* hook. 2 (pregador) peg.
gangorra *s.f.* seesaw.
ganhar *v.t.* 1 (dinheiro) earn. 2 (competição) win.
ganho *s.m.* gain.
ganso *s.m.* goose.
garagem *s.m.* garage.
garanhão *s.m.* stallion.
garantia *s.f.* guarantee, assurance.
garantir *v.t.* guarantee, assure.
garçom *s.m.* waiter.
garçonete *s.f.* waitress.
garfo *s.m.* fork.
garganta *s.f.* 1 throat. 2 (desfiladeiro) canyon, gorge.
gargarejar *v.t. e i.* gargle.
gargarejo *s.m.* gargle.
garoa *s.f.* drizzle.
garoto *s.m.* kid.
garra *s.f.* claw.
garrafa *s.f.* bottle.
gás *s.f.* gas.
gaseificar *v.t. e i.* gasify.
gasolina gasoline, petrol.
gastar *v.t. e i.* spend.
gasto *adj.* 1 (surrado) threadbare. 2 (exausto) worn-out.
gasto *s.m.* 1 expense.
gástrico *adj.* gastric.

gastronomia *s.f.* gastronomy.
gatilho *s.m.* trigger.
gatinho *s.m.* kitten, pussy.
gato *s.m.* cat, tomcat.
gaveta *s.f.* drawer.
gaze *s.f.* gauze.
geada *s.f.* frost.
geladeira *s.f.* refrigerator, fridge.
gelado *adj.* frosty, icy, ice-cold.
gelar *v.t. e i.* freeze.
gelatina *s.f.* gelatine, jello.
geléia *s.f.* 1 jelly, jam, (com pedaços de frutas) marmalade.
geleira *s.f* glacier.
gelo *s.m.* ice.
gema de ovo *s.m.* yolk.
gêmeo *s.m.* 1 twin. 2 (zodíaco) gemini..
gemer *v.i. e t.* moan, groan.
gemido *s.m.* moan.
genealogia *s.f.* genealogy.
genealógico *adj.* genealogical.
general *s.m.* general (mil).
generalizar *v.i. e t.* generalize.
genérico *adj.* generic.
gênero *s.m.* gender (gram).
generosidade *s.f.* generosity.
generoso *adj.* generous, lavish.
genética *s.f.* genetics.
gengibre *s.f.* ginger.
gengiva *s.f.* gum.
gênio *s.m.* genious.
genital *adj.* genital.
genocídio *s.m.* genocide.
gente *s.m.* people .
gentil *adj.* kind, gentle, bland.
gentileza *s.f.* kindness, gentleness.
geografia *s.f.* geography.
geógrafo *s.m.* geographer.
geologia *s.f.* geology.
geometria *s.f.* geometry.
geométrico *adj.* geometric (-cal).
gerador *s.m.* generator.
geral *adj.* general. ***regra geral***, general rule.

geralmente *adv.* 1 commonly. 2 generally. 3 mostly.
gerânio *s.m.* geranium.
gerar *v.t.* generate.
gerência *s.f.* management.
gerente *s.m.* manager.
gergelim *s.f.* sesame.
geriatria *s.f.* geriatrics.
gerir *v.t. e i.* manage.
germe *s.m.* germ.
gesticular *v.i.* gesticulate.
gesto *s.m.* gesture.
gigante *s.m.* giant.
ginásio de esportes *s.m.* gym, gymnasium.
ginasta *s.f.* gymnast.
ginástica *s.f.* gymnastics.
ginecologia *s.f.* gynaecology.
ginecologista *s.m. e f.* gynaecologist.
girafa *s.f.* giraffe.
girar *v.t. e i.* 1 turn. 2 pivot. 3 swivel. 4 rotate. 5 swirl, whirl.
gíria *s.f.* slang *s.*
giz *s.m.* chalk *s.*
glamoroso *adj.* glamourous.
glândula *s.f.* gland.
glandular *adj.* glandular.
global *adj.* overall.
globo *s.m.* globe.
glória *s.f.* 1 glory. 2 (glórias) laurel.
glorificar *v.t.* glorify.
glorioso *adj.* glorious.
glossário *s.m.* glossary.
glutão *s.m.* glutton.
gnomo *s.m.* gnome.
goiaba *s.f.* guava.
gole *s.m.* swallow.
golfe *s.m.* golf.
golfinho *s.m.* dolphin.
golfo *s.m.* gulf.
golpe *s.m.* 1 (queda violenta, colisão, desastre) smash hit. 2 (catástrofe) smash.
golpear *v.t. e i.* 1 hit. 2 (pancada) knock. 3 (dar uma pancada forte em) bash.
gongo *s.m.* gong.
gordo *adj.* fat, chubby, plump.
gordura *s.f.* fat .

gorduroso *adj.* greasy, fatty.
gorila *s.m.* gorilla.
gorjeta *s.f.* tip .
gostar de *v.t.* like.
gosto *s.m.* taste.
gota *s.f.* drop.
gota *s.f.* gout.
goteira *s.f.* leak.
gotejar *v.t. e i.* drip.
governador *s.m.* ruler, governor.
governanta *s.f.* 1 housekeeper. 2 governess.
governar *v.t. v.i.* 1 govern. 2 (dirigir) rule.
governo *s.m.* government.
graça *s.f.* 1 blessing grace. **em estado de graça**, in a state of grace. 2 (brincadeira) joke. **de graça**, for free. **ficar sem graça**, be embarassed.
graciosamente *adv.* graciously.
gracioso *adj.* graceful.
gracioso *adj.* gracious.
grade *s.m.* 1 grille 2 rail, railing. 3 (grelha) grid.
graduação *s.f.* graduation.
graduar(-se) *v.t. e i.* graduate.
gráfico *s.m.* graph, chart. **gráfico de pizza**, pie chart.
grafite *s.m.* graffiti.
grama *s.f.* 1 grass, turf. 2 (área gramada usada para jogos) lawn. **cortador de grama**, lawn-mower.
gramática *s.f.* grammar.
gramático *s.m.* grammarian.
grampeador *s.m.* stapler.
grampear *v.t.* staple.
grampo 1 (de grampeador) staple. 2 (de cabelo) barrete. 3 (de escuta) bug.
granada *s.f.* grenade.
grande *adj.* 1 big. 2 (largo, extenso) large. 3 (vasto, famoso, poderoso) great. 4 (volumoso) bulky.
grandeza *s.f.* magnitude.
granito *s.m.* granite.
granizo *s.m.* hail. **pedra de granizo**, hailstone. **tempestade de granizo**, hailstorm.
granular *adj.* granular.

grão *s.m.* grain, grit.
grasnar *v.i.* squawk.
gratidão *s.f.* gratitude.
gratificação *s.f.* perks, gratification.
gratificante *adj.* gratifying.
gratificar *v.t.* gratify.
grato *adj.* grateful.
gratuito *adj.* gratuitous, free.
grau *s.m.* grade, degree.
gravação *s.f.* recording.
gravador *s.m.* recorder.
gravar *v.t.* chase.
gravata *s.f.* tie.
gravemente *adv.* gravely.
grávida *adj.* pregnant.
gravidade *s.f.* gravity.
gravidez *s.f.* pregnancy.
gravitação *s.f.* gravitation.
gravitar *v.i.* gravitate.
graxa *s.f.* 1 (de máquina) grease. 2 (de sapatos) shoe polish.
gregário *adj.* gregarious.
grelhar *v.t. e i.* 1 grill. 2 (churrasco) barbecue. 3 broil.
greve *s.f.* strike.
grevista *s.m. e f.* striker.
grilo *s.m.* cricket.
grinalda *s.f.* garland.
gripe *s.f.* flu.
gritar *v.t. e i.* 1 cry. 2 yell. 3 (chamar em voz alta) shout.
grito *s.m.* shout.
grogue *adj.* groggy.
groselha *s.f.* gooseberry.
grosseiro *adj.* 1 vulgar. 2 (repugnante) gross. 3 (espesso, denso) thick, coarse.
grossura *s.f.* thickness .
grotesco *adj.* grotesque.
grudento *adj.* sticky.
grunhido *s.m.* grunt.
grupo *s.m.* group.
guarda *s.m.* 1 guard, cop (gír). 2 constable.
guarda-chuva *s.m.* umbrella.
guardanapo *s.m.* napkin.
guarda-roupa *s.m.* closet, wardrobe.
guerra *s.f.* war, warfare. **estar em pé de guerra**, be on the war path. **declarar guerra**, be at war.
guerreiro *s.m.* warrior.
gueto *s.m.* ghetto.
guia *s.m.* guide.
guiar *v.i.* 1 (dirigir) drive. 2 guide. 3 (conduzir) lead.
guidão *s.m.* handlebar.
guilhotina *s.f.* guillotine.
guinchar *v.t. v.i.* screech.
guindaste *s.m.* derrick.
gula *s.f.* greed.
guloseima *s.f.* goody.

h H

hábil *adj.* 1 capable, adroit. 2 (esperto) artful.
habilidade *s.f.* 1 ability. 2 (astúcia) cunning. 3 (prática) skill.
habilmente *adv.* capably.
habitação *s.f.* habitation, housing. **conjunto habitacional**, housing project.
habitante *s.m.* inhabitant.
habitar *v.t.* dwell, inhabit.
habitat *s.m.* habitat.
hábito *s.m.* 1 habit. 2 (vício) addiction.
habitual *adj.* customary, habitual, accustomed.
hadoque *s.m.* haddock.
hangar *s.m.* hangar.
harém *s.m.* harem.
harmonia *s.f.* harmony.
harmonioso *adj.* harmonious.
harmonizar *v.t. e i.* tone.
harpa *s.f.* harp.
haste *s.m.* stem.
haver *v.i.* be, there to be.
haxixe *s.m.* hash (infml).
hélice *s.f.* propeller.
helicóptero *s.m.* helicopter, chopper.
hemisfério *s.m.* hemisphere.
hemofilia *s.f.* hemophilia.
hemorragia *s.f.* haemorrhage.
hepatite *s.f.* hepatitis.
hera *s.f.* ivy (bot) **erva venenosa**, poison ivy.
herança 1 inheritance. 2 heritage. 3 (de família) heirloom.
herbal *adj.* herbal.
herbívoro *adj.* herbivorous.
herdar *v.t. e i.* inherit.
herdeira *s.f.* heiress.
herdeiro *s.m.* heir.
hereditariedade *s.f.* heredity.
hereditário *adj.* hereditary.
heresia *s.f.* heresy.
hermeticamente *adv.* hermetically.
hermético *adj.* airtight, hermetic.
hérnia *s.f.* hernia.

herói *s.m.* hero.
heróic *adj.* heroic.
heroína *s.f.* heroine.
heroísmo *s.m.* heroism.
hesitação *s.f.* hesitation.
hesitante *adj.* halting, cautious.
hesitar *v.i.* hesitate.
heterodoxo *adj.* heterodox.
heterogêneo *adj.* heterogeneous.
heterossexual *adj.* heterosexual, straight.
hexagonal *adj.* hexagonal.
hexágono *s.m.* hexagon.
hibernar *v.i.* hibernate.
hidrante *s.m.* hydrant.
hidráulico *adj.* hydraulic.
hidrofobia *s.f.* hydrophobia.
hierarquía *s.f.* hierarchy.
hieróglifo *s.m.* hieroglyph.
hífen *s.m.* hyphen.
higiene *s.f.* hygiene.
hilariante *adj.* hilarious.
hinduísmo *s.m.* hinduism.
hino *s.m.* anthem.
hipermercado *s.m.* hypermarket.
hipnose *s.f.* hypnosis.
hipocondria *s.f.* hypochondria.
hipocrisia *s.f.* hypocrisy.
hipócrita *adj.* hypocritical.
hipócrita *s.m. e f.* hypocrite.
hipodérmico *adj.* hypodermic.
hipoteca *s.f.* mortgage.
hipotecar *v.t.* mortgage.
hipótese *s.f.* hypothesis.
histeria *s.f.* hysteria.
histérico *adj.* hysterical
história *s.f.* history.
historiador *s.m.* historian.
histórico *adj.* historic, historical.
hoje *adv.* today. **hoje em dia**, nowadays.
holandês *adj.* dutch.
holocausto *s.m.* holocaust.
holofote *s.m.* floodlight.
homem *s.m.* 1 (pessoa) man. 2 (raça humana) mankind.

homenagem *s.f.* homage.
homeopatia *s.f.* homeopathy.
homicida *s.m. e f.* homicide.
homogêneo *adj.* homogeneous.
homônimo *s.m.* homonym.
homossexual *adj.* homosexual, gay, queer (gír).
honestamente *adv.* fair.
honestidade *s.f.* honesty.
honesto *adj.* honest, downright, fair.
honorários *s.m.* (pl) retainer.
honra *s.f.* honour.
honrar *v.t.* honour.
hóquei *s.m.* hockey.
hora *s.f.* hour.
horário *s.m.* 1 timetable. 2 schedule.
horda *s.f.* horde.
horizontal *adj.* horizontal.
horizonte *s.m.* horizon.
hormônio *s.m.* hormone.
horóscopo *s.m.* horoscope.
horrendo *adj.* 1 horrible, horrific. 2 gruesome. 3 dire. 4 horrid.
horrivelmente *adv.* frightfully.
horror *s.m.* horror.
horrorizar *v.t.* horrify.
hortelã *s.f.* peppermint, spearmint.
hospedaria *s.f.* hostel, inn.
hóspede *s.m.* guest. ***quarto de hóspede***, guest room.
hospital *s.m.* hospital.
hospitaleiro *adj.* hospitable.
hospitalidade *s.f.* hospitality.
hostil *adj.* hostile, antagonistic.
hostilidade *s.f.* hostility.
hostilizar *v.t.* antagonize.
hotel *s.m.* hotel.
humanidade *s.f.* humanity, mankind.
humanitário *adj.* humanitarian.
humanizar *v.t. e i.* humanize.
humano *adj.* human.
humildade *s.f.* humility.
humilde *adj.* humble.
humilhação *s.f.* humiliation.
humilhar *v.t.* humiliate, debase.
humor *s.m.* 1 mood. ***bom/ mau humor***, good/bad mood. 2 humor.
hurra *interj.* hurrah.

I

iate s.m. yacht.
iatismo s.m. yachting.
içar v.t. hoist.
iceberg s.m. iceberg.
ícone s.m. icon.
idade s.f. age. **ser menor de idade**, be under age.
ideal adj. ideal.
idealista adj. idealistic.
idealista s.m. idealist.
idealizar v.t. idealize.
idéia s.f. idea. **idéia tardia**, afterthought.
idem s.m. ditto.
idêntico adj. identical.
identidade s.f. identity.
identificação s.f. identification.
identificar v.t. identify. **identificar (-se) com**, identify with.
ideologia. s.f. ideology.
idílio s.m. idyll.
idiomático adj. idiomatic.
idiossincrasia s.f. idiosyncrasy.
idiota adj. stupid, idiot.
idiota s.m. jerk, stupid, idiot. dud.
idiotismo s.m. idiocy, stupidity.
idolatrar v.t. idolize.
ídolo s.m. idol.
iglu s.m. igloo.
ignição s.f. ignition.
ignomínia s.f. ignominy.
ignorância s.f. ignorance.
ignorante adj. ignorant.
ignorar v.t. ignore.
igreja s.f. church.
igual adj. equal.
igualdade s.f. parity, equality.
igualitário adj. egalitarian.
igualmente adv. likewise.
ilegal adj. illegal.
ilegítimo adj. illegitimate.
ilegível adj. illegible.
iletrado s.m. illiterate.
ilha s.f. island, isle.
ilhéu s.m. islander.

ilícito adj. illicit.
ilimitado adj. boundless, limitless.
ilógico adj. illogical.
iludir v.i. bluff, delude.
iluminação s.f. illumination.
iluminar v.t.e i. lighten, illuminate.
ilusão s.f. delusion, illusion.
ilusório adj. delusive, illusory.
ilustrar v.t. illustrate.
ilustre adj. honorable.
ímã s.m. magnet.
imaculado adj. immaculate.
imagem s.f. image.
imaginação s.f. imagination.
imaginar v.t.e i. 1 imagine. 2 dream something up. 3 figure, figure (sb/sth) out.
imaginável adj. imaginable.
imaturo adj. immature.
imbecil adj., imbecile.
imbuir(-se) v.t. imbue (fml).
imediato adj. immediate. instant.
imenso adj. huge, immense.
imergir v.t. immerse.
imersão s.f. immersion.
imigração s.f. immigration.
imigrante s.m. immigrant.
imigrar v.i. immigrate.
iminente adj. imminent, impending.
imitação s.f. imitation, counterfeit, copycat.
imitar v.t. imitate, mimic.
imoral adj. dissolute, immorall.
imortal adj. immortal,.
imóvel adj. immovable, motionless, immobile.
impaciente adj. impatient.
impacto s.m. bump.
impacto s.m. impact.
ímpar adj. odd. **par ou ímpar**, odds or even.
imparcial adj. impartial.
impasse s.m. deadlock, impass.
impassível. adj. unabashed, impassive, stolid.

inaugural

impedimento s.m. embargo, deterrent.
impedir v.t. prevent, hinder, preclude (fml).
impelir v.t. urge, impel ,drive.
impenetrável adj. impenetrable.
impensável adj. unthinkable.
imperativo adj. imperative.
imperatriz s.f. empress.
imperecível adj. undying.
imperfeição s.f. imperfection.
imperial adj. imperial.
imperialismo s.m. imperialism.
império s.m. empire.
imperioso adj. peremptory (fml).
impermeável adj. impervious.
impertinente adj. 1 waterproof. 2 impertinent.
impertinente adj. petulant.
impessoal adj. impersonal.
ímpeto s.m. urge.
impetuoso adj. dashing, impetuous.
impio adj. godless.
implacável adj. relentless.
implantar v.t. implant, implement.
implicar v.t. implicate (fml).
implícito adj. implicit (fml).
implorar v.t. implore, beseech.
imponente adj. imposing.
importações s.m. import.
importância s.f. importance.
importante adj. grave.
importante adj. important.
importar v.t. e i. 1 import. 2 (ligar) matter.
importunar v.t. pester, tease.
importuno adj. importunate (fml).
imposição s.f. imposition s.
impossível adj. impossible.
imposto s.m. tax. *imposto de renda*, income tax. *livre de impostos*, tax-free.
impostor s.m. impostor.
impotente adj. impotent, powerless.
impraticável adj. impracticable.
impreciso adj. inaccurate.
impregnar v.t. impregnate.
impressão s.f. 1 print. *impresso*, in print. 2 impression.

impressionar v.t. impress.
impressionável adj. impressionable.
impressionismo s.m. impressionism.
impressionista adj. impressionistic.
impressora s.f. printer.
imprimir v.t. e i. print.
improbabilidade s.f. improbability.
impróprio adj. inappropriate, improper.
improvável adj. improbable.
improvável adj. unlikely.
improvisação s.f. improvisation.
improvisado adj. impromptu.
improvisar v.t. e i. improvise.
imprudência s.f. imprudence.
imprudente adj. imprudent.
impulsividade s.f. impulsiveness.
impulsivo adj. impulsive.
impulso s.m. impulse, drive.
impunidade s.f. impunity.
impureza s.f. impurity.
impuro adj. impure.
imputação s.f. imputation.
imputar v.t. impute.
imune adj. immune.
imunizar.v.t. immunize.
inabilidade s.f. disability, inability.
inacessibilidade s.f. inaccessibility.
inacessível adj. inaccessible.
inacessível adj. inapproachable.
inadequação s.f. inadequacy.
inadequadamente adv. improperly.
inadequado adj. inadequate, unfit.
inalação s.f. snuff.
inalar v.t. inhale, snuff.
inalienável adj. inalienable.
inanição s.f. starvation.
inanimado adj. inanimate, lifeless.
inapropriado adj. unbecoming.
inaptidão s.f. inaptitude.
inapto adj. inapt.
inarticulado adj. inarticulate.
inatividade s.f. inactivity.
inativo adj. inactive, sluggish.
inato adj. inborn, inbred.
inaudível adj. inaudible.
inaugural adj. inaugural. *aula inaugural*, opening class.

inaugurar

inaugurar v.t. inaugurate.
incalculável adj. incalculable.
incalculável adj. invaluable.
incandescente adj. incandescent, aglow.
incansável adj. tireless.
incapacidade s.f. incapability, incapacity.
incapacitar v.t. incapacitate.
incapaz adj. incapable, unable.
incendiário s.m. arsonist, incendiary.
incêndio s.m. fire. 2 (incêndio provocado) arson.
incenso s.m. incense.
incentivo s.m. incentive.
incerto adj. contingent (fml).
incessante adj. ceaseless, incessant, unrelenting.
incessantemente adv. incessantly.
incesto s.m. incest.
incestuoso adj. incestuous.
inchaço s.m. swell, swelling.
inchado adj. swollen, puffy, bloated.
inchar v.t. e i. swell.
incidência s.f. incidence.
incidental adj. incidental.
incidente s.m. incident.
incineração s.f. incineration.
incinerador s.m. incinerator.
incinerar v.t. incinerate.
incipiente adj. incipient (med).
incisão s.f. incision.
incisivamente adv. incisively.
incisivo adj. incisive.
incitamento s.m. incitement.
incitar v.t. stimulate, incite, prompt, key up.
inclinação s.f. incline, slope. inclination.
inclinado adj. prone.
inclinar(-se) v.t. e i. 1 incline, tilt, stoop. 2 (tender) lean.
incluir v.t. include.
incoerência s.f. incoherence.
incoerente adj. incoherent.
incógnito adj. incognito.
incomensurável adj. incommensurate.
incômodo adj. cumbersome, troublesome.
incomparável adj. matchless ,incomparable.
incompatibilidade s.f. incompatibility.
incompatível adj. incompatible.
incompetência s.f. incompetence.
incompetente adj. incompetent.
incompleto adj. incomplete.
incompreensível adj. incomprehensible.
inconcebível adj. inconceivable.
inconclusivo adj. inconclusive.
incongruência s.f. incongruity.
incongruente adj. incongruous.
inconsciente adj. insensible, unconscious.
inconseqüente adj. inconsequent.
inconsistente adj. inconsistent.
inconstante adj. capricious.
inconstante adj. variável, instável. fickle.
incontável adj. countless.
incontestável adj. incontestable.
inconveniência s.f. inconvenience.
inconveniente adj. inconvenient.
incorporação s.f. incorporation.
incorporado adj. corporate, incorporate (fml).
incorporar v.t. e i. incorporate.
incorreção s.f. inaccuracy.
incorreto adj. incorrect.
incorrigível adj. incorrigible.
incorruptível adj. incorruptible.
incrédulo adj. incredulous.
incremento s.m. boom.
incremento s.m. increment.
incriminar v.t. incriminate.
incrível adj. incredible.
incubadora s.f. incubator.
incumbência s.f. incumbency.
incumbir v.t. entrust.
incurável adj. incurable.
indecente adj. indecent.
indecisão s.f. indecision.
indefensável adj. indefensible.
indefeso adj. defenceless.
indefinidamente adv. indefinitely.

indefinido *adj.* indefinite. (gram) *artigo* **indefinido**, the indefinite article.
indefinível *adj.* nondescript.
indelével *adj.* indelible.
indelicadeza *s.f.* indelicacy.
indelicado *adj.* unkind, impolite, indelicate.
independência *s.f.* independence.
independente *adj.* independent.
indescritível *adj.* unspeakable.
indesejável *adj.* undesirable.
indestrutível *adj.* indestructible.
indeterminado *adj.* indeterminate.
indevido *adj.* undue.
indicação *s.f.* indication.
indicador *adj.* indicative.
indicador *s.m.* indicator.
indicar *v.t. e i.* point, indicate.
índice *s.m.* index.
indiciar *v.t.* indict (jur).
indiciável *adj.* indictable.
indício *s.m.* clue.
indiferença *s.f.* indifference, nonchalance.
indiferente *adj.* indifferent, nonchalant.
indigestão *s.f.* indigestion.
indigesto *adj.* indigestible.
indignado *adj.* indignant.
indignidade *s.f.* indignity.
índigo *s.m.* indigo.
indireto *adj.* indirect.
indisciplina *s.f.* indiscipline.
indiscreto *adj.* indiscreet.
indiscrição *s.f.* indiscretion.
indiscriminado *adj.* indiscriminate.
indispensável *adj.* indispensable.
indisposto *adj.* indisposed (fml).
indisputável *adj.* indisputable.
indissolúvel *adj.* indissoluble (fml).
indistinguível *adj.* inconspicuous.
individual *adj.* personal, individual.
individualidade *s.f.* individuality, personality.
individualmente *adv.* individually.
indivíduo *s.m.* individual.
indivisível *adj.* indivisible.
indolência *s.f.* indolence.

indolente *adj.* indolent.
indolor *adj.* painless.
indômito *adj.* indomitable.
indubitado *adj.* undoubted.
indubitável *adj.* doubtless.
indubitável *adj.* indubitable (fml).
indulgência *s.f.* indulgence.
indulgente *adj.* indulgent.
indústria *s.f.* industry.
industrial *adj.* industrial.
indutivo *adj.* inductive.
induzir *v.t.* induce.
inebriar *v.t.* intoxicate.
inefável *adj.* ineffable.
ineficaz *adj.* ineffective, inoperative.
ineptidão *s.f.* ineptitude.
inepto *adj.* inept.
inequívoco *adj.* unmistakable.
inércia *s.f.* inertia.
inerente *adj.* inherent.
inerte *adj.* inert.
inescrupuloso *adj.* unscrupulous.
inesquecível *adj.* unforgettable.
inestimável *adj.* priceless, inestimable.
inexorável *adj.* inexorable.
inexperiência *s.f.* inexperience.
inexperiente *adj.* amateurish, inexperient.
inexplicável *adj.* inexplicable, uncanny, unaccountable.
inexpressivo *adj.* expressionless.
inextricável *adj.* inextricable.
infalível *adj.* infallible.
infame *adj.* disgraceful.
infame *adj.* infamous.
infâmia *s.f.* infamy.
infanti *adj.* babyish, childish.
infanticídio *s.m.* infanticide.
infecção *s.f.* infection.
infeccionar *v.t. e i.* 1 infect. 2 (contaminar) taint.
infeccioso *adj.* infectious, contagious.
infeliz *adj.* unhappy, unfortunate, miserable.
inferência *s.f.* inference. *por inferência,* by inference.
inferior *adj.* inferior.

inferioridade

inferioridade *s.f.* inferiority. ***complexo de inferioridade***, inferiority complex.
inferir *v.t.* infer.
infernal *adj.* infernal.
inferno *s.m.* hell.
infértil *adj.* infertile.
infertilidade *s.f.* infertility.
infestar *v.t.* infest.
infidelidade *s.f.* infidelity.
infiltrar(-se) *v.t.* e *i.* infiltrate.
infinitamente *adv.* infinitely.
infinitivo *adj.* infinitive (gram).
infinito *adj.* infinite.
inflação *s.f.* inflation.
inflacionário *adj.* inflationary.
inflamação *s.f.* inflammation.
inflamar(-se) *v.t.* e *i.* inflame.
inflamatório *adj.* inflammatory.
inflamável *adj.* inflammable.
inflar *v.t.* inflate.
infletir *v.t.* inflect.
inflexivel *adj.* adamant, inflexible.
infligir *v.t.* inflict.
influência *s.f.* influence. ***estar sob a influência de***, to be under the influence of.
influenciar *v.t.* influence.
influente *adj.* influential.
influenza *s.f.* influenza, flu.
influxo *s.m.* influx.
informação *s.f.* information.
informado *adj.* advised.
informal *adj.* informal.
informante *s.m.* informer.
informar *v.t.* e *i.* inform, advertise. *informar mal*, misinform.
informativo. *adj.* informative.
infringir *v.t.* e *i.* infringe.
infrutífero *adj.* fruitless.
infundado *adj.* unfounded, baseless.
infundir *v.t.* e *i.* infuse.
infusão *s.f.* infusion.
ingenuidade *s.f.* naiveté.
ingênuo *adj.* naive (naïve).
ingratidão *s.f.* ingratitude.
ingrato *adj.* ungrateful.
ingrediente *s.m.* ingredient.
íngreme *adj.* steep.

ingresso *s.m.* ticket.
inhame *s.m.* yam (bot).
inibição *s.f.* inhibition.
inibir *v.t.* inhibit.
iniciação *s.f.* initiative. ***tomar/ter iniciativa***, have/take the initiative.
inicial *adj.* opening, initial.
iniciar *v.t.* begin, trigger.
início *s.m.* beginning.
inimigo *s.m.* enemy, foe.
iniqüidade *s.f.* iniquity.
injeção *s.f.* injection, shot.
injetar *v.t.* inject.
injuriar *v.i.* slander.
injurioso *adj.* slanderous.
injustiça *s.f.* inequity, injustice.
injustificável *adj.* uncalled-for.
injusto *adj.* unfair, unreasonable, wrongful.
inocência, *s.f.* innocence.
inocente *adj.* innocent.
inócuo *adj.* innocuous.
inofensivo *adj.* harmless, inoffensive.
inoportuno *adj.* inopportune, obtrusive.
inorgânico *adj.* inorganic.
inovação *s.f.* innovation.
inovar *v.i.* innovate.
inoxidável *adj.* stainless. ***aço inoxidável***, stainless steel.
inquérito *s.m.* inquest.
inquestionável *adj.* unquestionable.
inquietante *adj.* worrying, worrisome.
inquietar *v.t.* disquiet, perturb.
inquieto *adj.* uneasy, restless.
inquirir *v.t.* e *i.* inquire.
inquisitivo *adj.* nosy (gir).
insaciável *adj.* insatiable.
insalubre *adj.* unhealthy.
insano *adj.* insane.
inscrever *v.t.* register, enroll, inscribe.
inscrição *s.f.* enrollment, registration, inscription.
inseguro *adj.* insecure.
insensível *adj.* insensitive.
inseparável *adj.* inseparable.
inserção *s.f.* inset.
inseticida *s.f.* insecticide.

inseto s.m. insect.
insidioso adj. insidious.
insignificante adj. petty, insignificant.
insinuar v.t. insinuate.
insípido adj. tasteless.
insistência s.f. persistence.
insistir v.i. persist, insist.
insolente adj. insolent, barefaced.
insolúvel adj. insoluble.
insolvente adj. insolvent.
insondável adj. unfathomable.
insone adj. sleepless.
insônia s.f. insomnia, sleeplessness.
inspetor s.m. inspector.
inspiração s.f. inspiration.
inspirar v.t. inspire.
instalações s.f. pl. fixtures, fittings.
instante s.m. moment.
instigar v.t. instigate.
instilar v.t. instill.
instinto s.m. instinct.
instituição s.f. institution.
instituir v.t. institute.
instituto,s.m. institute.
instrução s.f. instruction.
instruído adj. learned.
instrumentalista s.f. instrumentalist.
insuficiente adj. insufficient.
insular adj. insular.
insultar v.t. insult.
insulto s.m. insult.
insuperável adj. insuperable.
insuperável adj. insurmountable.
insuportável adj. insufferable.
insurreição s.f. insurrection.
intangível adj. intangible.
integral adj. total, integral.
integrar v.t. integrate.
integridade s.f. integrity.
inteiramente adv. entirely, altogether.
intelecto s.m. intellect.
intelectual adj. intellectual.
inteligência s.f. intelligence, cleverness, wit.
inteligente adj. intelligent, smart, brainy.
intenção s.f. intention.

intencionalmente adv. knowingly.
intensamente adv. keenly.
intensificar v.t. e i. intensify.
intenso adj. intense, vivid.
interação s.f. interaction.
intercalar v.t. intersperse.
interceder v.t. intercede.
interceptar v.t. intercept.
interessado adj. interested.
interessante adj. 1 interesting. 2 (cativante) arresting.
interessar(-se) v.t. interest.
interesse s.m. interest, concern.
interferência s.f. interference.
interferir v.i. impinge.
interfone s.m. intercom.
ínterim adj. interim. *nesse ínterim*, in the interim.
ínterim s.m. meantime.
interior s.m. inside, interior. *decoração (de interiores)*, interior decoration.
interjeição s.m. interjection.
intermediário adj. intermediate.
intermediário s.m. intermediary.
interminável adj. interminable, endless.
intermitente adj. spasmodic.
internacional adj. international.
interno adj. 1 (dentro de casa) indoor. 2 inner. 3 internal. 4 interior. 5 (voltado para dentro) inward. 6 inside.
interpretação s.f. interpretation.
interpretar v.t. e i. interpret.
intérprete s.m. interpreter.
interrogação s.f. interrogation.
interrogar v.t. interrogate.
interrogativo adj. interrogative.
interromper v.t. e i. interrupt.
interruptor s.m. switch (eletr).
intersecção s.m. intersection.
intervalo s.m. interval.
intervenção s.f. intervention.
intervir v.i. intervene.
intestino s.m. intestine.
intestino bowel, intestine, gut.
intimação s.f. summons ,intimation.
intimidação s.f. intimidation.
intimidade s.f. intimacy.

intimidar

intimidar v.t. intimidate, browbeat, deter.
íntimo adj. intimate, chummy.
intitular v.i. entitle.
intransitável adj. impassable.
intrépido adj. fearless.
intriga s.f. intrigue.
intrigar v.t. baffle.
intrínseco adj. intrinsic.
introdução s.f. introduction.
introdutório adj. introductory.
introduzir v.t. induct.
intrometer-se v.t. e i. intrude, meddle, interfere.
introspecção s.f. introspection.
introvertido adj. introverted, introvert.
intrusão s.m. intrusion, trespass.
intruso s.m. intruder.
intuição s.f. intuition.
inumerável adj. innumerable.
inundar v.t. e i. flood, overflow.
inútil adj. useless, waste.
invadir v.t. invade, trespass.
invalidar v.t. invalidate.
inválido s.m. invalid.
invariável adj. invariable.
invasão s.f. invasion.
invasor s.m. trespasser, invader.
inveja s.f. envy.
invejar v.t. envy, grudge.
invejoso adj. envious.
invenção s.f. invention.
invencível adj. impregnable, invincible.
inventar v.t. invent.
inventivo adj. inventive.
inventor s.m. inventor.
inverno s.m. winter.
inversão s.m. inversion.
inverso adj. inverse.
invertebrado adj. spineless.
inverter v.t. transpose (fml), invert, reverse.
investigação s.f. inquisition.
investigação s.f. investigation. research.
investigador s.m. investigator.
investigar v.t. investigate.
investimento s.m. investment.
investir v.t. e i. invest.
inveterado adj. inveterate.
invisível adj. invisible.
invocar v.t. invoke.
involuntário adj. involuntary.
iodo s.m. iodine.
ioga s.f. yoga.
iogurte s.m. yogurt.
ir v.i. go. **ir às compras**, go shopping.
ira s.f. rage, wrath (liter).
íris s.f. iris.
irmã s.f. sister.
irmandade s.f. sisterhood.
irmão s.m. brother, sibling.
ironia s.f. irony.
irônico adj. ironical.
irracional adj. irrational.
irradiar v.t. e i. radiate.
irreal adj. unreal.
irregular adj. irregular.
irrelevante adj. irrelavant.
irrepreensivel adj. irreproachable.
irresistível adj. irressistible.
irresponsabilidade s.f. irresponsibility.
irresponsável adj. irresponsible.
irreverente adj. flippant.
irrigação s.f. irrigation.
irrigador s.m. sprinkler.
irrigar v.t. irrigate.
irrisório adj. derisive.
irritação s.m. 1 irritation. 2 (de pele) rash.
irritadamente adv. angrily.
irritar(-se) v.t. irritate, exasperate, bug.
irritável adj. fretful, irritable.
isca s.f. bait.
isenção s.f. exemption.
isento adj. exempt.
islã s.m. islam.
isolar v.t. isolate, insulate.
isso pron. dem. that, this.
isto pron. dem. this.
itálicos s.m. italics.
item s.m. item.
itinerante adj. itinerant (fml).
itinerário s.m. itinerary.

j J

já *adv.* 1 already. 2 ever. 3 (anteriormente, antes) before.
jacaré *s.m.* alligator.
jade *s.f.* jade.
jaguar *s.f.* jaguar.
jamais *adv.* never.
janeiro *s.m.* january.
janela *s.f.* 1 window. *peitoril de janela*, window-sill. *vidraça (de jane-la)*, window-pane. *janela balcão, porta-janela*, french windows.
jantar *s.m.* dinner, supper.
jantar *v.t e i.* diner. *jantar fora*, dine out.
jaqueta *s.f.* 1 jacket. 2 blazer. 3 (com capuz) anorak.
jardim *s.m.* 1 garden. 2 (jardim de infância) kindergarten. 3 (jardim público) park. 4 (jardim zoológico) zoo.
jardinagem *s.f.* gardening.
jardineiro *s.m.* gardener.
jargão *s.m.* jargon.
jarra *s.f.* 1 (bebida) jug, pitcher. 2 (flores), vase. 3 (jarro) jar.
jasmim *s.m.* jasmine (bot).
jatear *v.t.* sandblast.
jato *s.m.* 1 jet. 2 spur.
jaula *s.f.* cage.
jazz *s.m.* jazz (mús).
jeans *s.f.* 1 jeans. 2 (tecido) denim.
jeito *s.m.* 1 way. 2 manner.
jeitoso *adj.* skillful.
jejum *s.m.* fasting. *fazer jejum*, fast.
jibóia *s.f.* python.
jipe *s.m.* jeep.
joalheiro *s.m.* jeweler.
jocoso *adj.* jocular (fml).
joelho *s.m.* knee.
jogador *s.m.* 1 player. 2 (de jogos de azar), gambler.
jogar *v.i. e t.* 1 (esportes) play. 2 (atirar) throw. 3 (jogos de azar) gamble.
jogo *s.m.* 1 game. 2 (de bilhar) billiards. 3 (bingo) bingo. 4 (boliche) bowling.
jogos olímpicos, olympic games.
jóia *s.f.* jewel. *jóias*, jewelry.
jóquei *s.m.* jockey.
jornal *s.m* 1 newspaper. 2 gazette. 3 (sensacionalista) tabloid. *banca de jornal*, newstand.
jornalismo *s.m.* journalism.
jornalista *s.m. e f.* 1 journalist. 2 reporter.
jorrar *v.i.* 1 (fluir, brotar) well. 2 (sair com força) spout. 3 (sair em jato) spur.
jovem *s.m. e f.* 1 young man/ woman. 2 (rapaz) youngster.
jovem *adj.* 1 young. 2 youthful.
jovial *adj.* jovial.
juba *s.f.* mane.
judaico *adj.* jewish.
judeu *s.m.* jew.
judô *s.m.* judô.
juiz *s.m.* 1 judge. 2 (de paz) magistrate. 3 (árbitro) referee.
juízo *s.m.* 1 common sense.
julgamento *s.m.* 1 judgement. 2 verdict.
julgar *v.t e i.* 1 judge. 2 (julgar mal) misjudge.
julho *s.m.* July.
junção *s.f.* junction.
junco *s.m.* junk.
junho *s.m.* June.
junta *s.f.* 1 joint. 2 (conselho), board.
juntar *v.t e i.* 1 joint. 2 (reunir) muster. 3 (agrupar, reunir) gather. 4 (ligar, acasalar) couple.
junto *adv.* together. *junto com*, together with.
junto *prep.* (perto) near.
juramento *s.m.* oath. *estar sob juramento*, be on/under oath (jur).
jurar *v.t.* 1 swear. 2 vow. 3 (jurar falso), perjure oneself.
júri *s.m.* jury.
jurisdição *s.f.* jurisdiction.
jurisprudência *s.f.* jurisprudence.
jurista *s.m. e f.* jurist.

juros

juros s.m. (pl) interest. **taxa de juros**, rate of interest.
justamente adv. righteously.
justapor v.i. juxtapose.
justiça s.f. justice. **tratar com justiça**, do justice.
justificar v.t. 1 justify. 2 (autorizar) warrant.
justificativa s.f. warrant.
justo adj. just, righteous.
juta s.f. jute.
juvenil adj. juvenile. **delinqüência juvenil**, juvenile delinquency.
juventude s.f. youth.

/ L

lá *adv.* there. ***por lá***, over there.
lã *s.f.* wool.
lábio *s.m.* lip. ***leitura labial***, lip reading.
labirinto *s.m.* maze, labyrinth.
laboratório *s.m.* laboratory, lab.
laço *s.m.* 1 bond, tie. 2 (nó) knot.
lado *s.m.* 1 side. ***lado a lado***, side by side. ***pôr de lado***, put on/to one side. ***de todos os lados***, every side/all sides. ***tomar o lado ou partido (de)***, take sides (with). 2 (lado externo) outside.
ladrão 1 thief. 2 (assaltante) robber. 2 (de casa) burglar. 4 (trombadinha) mugger.
lagarta *s.f.* lizard, caterpillar.
lago *s.m.* 1 lake. 2 (lago pequeno) pond. 3 loch.
lagosta. lobster *s.*
lágrima *s.f.* tear, tear-drop. ***romper em lágrimas***, burst into tear. ***gas lacrimogêneo***, tear-gas.
laguna *s.f.* lagoon.
laje *s.f.* slab.
lama *s.f.* 1 mud. ***pára-lama***, mudguard. 2 (lodo, limo) sludge.
lamber *v.t. e i.* lick.
lambida *s.f.* lick.
lambuzar *v.t. e i.* smear.
lamentar *v.t. e i.* 1 mourn. 2 (lastimar) regret. 3 (lamuriar) wail.
lamentável *adj.* regrettable.
lamento *s.m.* mourning.
lâmina *s.f.* blade.
laminar *v.t. e i.* laminate.
lâmpada *s.f.* lamp. ***lâmpada de cabeceira***, bed lamp.
lança *s.f.* spear. ***ponta de lança***, spearhead.
lançar *v.t. e i.* 1 throw. ***lançar fora***, throw away. 2 (ejetar) eject.
lançar *v.t. e i.* launch. ***plataforma de lançamento***, launching-pad.
lance *s.m.* 1 bid. 2 (jogada) cast. 3 (arremesso) toss.

lanche *s.m.* snack. ***lanchonete***, snack-bar, diner.
lânguido *adj.* languid.
lanolina *s.f.* lanolin.
lantejoula *s.f.* spangle.
lanterna *s.f.* 1 lantern. 2 (de pilhas) flash-light, torch.
lapela *s.f.* lapel.
lápis *s.m.* 1 pencil. 2 (de cera) crayon.
laquear *v.t.* enamel.
laranja *s.f.* orange. ***laranjeira***, orange tree.
largo *adj.* 1 (espaçoso) wide. 2 (amplo) broad.
largura *s.f.* 1 breadth. 2 (amplidão) width.
laringe *s.f.* larynx.
larva *s.f.* larva, maggot.
lasca *s.f.* splinter.
lascar(-se) *v.t. e i.* 1 splinter. 2 (cortar batatas em pedaços pequenos) chip.
lata *s.f.* can, tin. ***lata de lixo***, garbage can.
latão *s.m.* brass.
latim *s.m.* latin.
lavagem *s.f.* wash. ***lavagem de carros***, car wash.
lavanderia *s.f.* laundry room, laundromat. ***lavanderia a seco***, dry-cleaner.
lavar(-se) *v.t. e i.* 1 wash. 2 (lavar o cabelo) shampoo. 3 (com esponja) sponge. 4 (lavar a seco) dry clean. ***lavar roupas***, do the washing. ***lavar a louça***, washing-up. ***máquina de lavar roupas***, washing machine.
laxativo *s.m.* laxative.
lazer *s.m.* leisure.
leal *adj.* loyal.
lealdade *s.f.* 1 loyalty. 2 (fidelidade) fidelity.
leão *s.m.* 1 lion. ***a parte do leão***, the lion's share of sth. 2 (signo do zodíaco) Leo.
lebre *s.f.* hare.

lechia s.f. litchi (bot).
legado s.m. legacy.
legal adj. 1 legal. 2 (bacana) cool, awsome.
legalizar v.i. legalize.
legenda s.f. subtitle, caption.
legião s.f. legion.
legítimo adj. legitimate, rightful.
legível adj. legible.
lei s.f. law.
leilão s.m. auction. *vender em leilão*, to sell by auction. *pôr em leilão*, to put on auction.
leiloeiro s.m. auctioneer.
leite s.m. milk. *dente de leite*, baby tooth. *é inútil chorar sobre o leite derramado*, it's no use crying over spilt milk. *branco como leite*, milk-white.
leiteira s.f. dairy.
leiteiro s.m. milkman. *gado leiteiro*, dairy cattle.
leitor s.m. reader.
leitoso adj. milky.
leitura s.f. 1 reading. 2 (leitura atenta) perusal.
lema s.f. motto.
lembrança s.f. 1 remembrance recollection. 2 (mlmo) keepsake. 3 (recordação) recall.
lembrar v.t. e i. 1 remember. 2 (fazer lembrar) remind. 3 (recordar) recall.
lembrar(-se) v.t. (cancelar, revogar (um pedido, uma decisão)) recall.
lenço s.m. handkerchief.
lençol s.m. sheet.
lentamente adv. slow.
lente s.f. 1 lens 2 (de aumento) magnifying-glass.
lentilha s.f. lentil.
lento adj. slow. *em câmera lenta*, slow-motion.
leoa s.f. lioness.
leopardo s.m. leopard.
leproso s.m. leper.
ler v.t. e i. read. *ler nas entrelinhas*, read between the lines.
lésbica s.f. lesbian, gay.

letal adj. lethal.
letra s.f. handwriting.
levantar v.t. e i. 1 raise. *levantar a voz*, raise one's voice. 2 lift. 3 (subir) rise.
leve adj. light. *peso-leve (boxeador)* lightweight.
levedura s.f. yeast.
levemente adv. 1slightly. 2 lightly.
lhe pron. him, her.
libélula s.f. dragonfly.
liberação s.f. clearance liberation.
liberdade s.f. freedom.
liberdade s.f. liberty. *em liberdade*, at liberty. *tomar liberdades com*, take liberties with.
libertar v.t. 1 free. 2 (soltar) release.
lição s.f. lesson.
licença s.f. 1 license, permit. 2 (permissão) leave. *estar de licença*, be on leave. *licença de saúde*, sick leave.
lidar v.i. deal, cope.
liga s.f. league.
ligar(-se) v.t. e i. 1 connect. 2 iink. 3 (juntar) join. 4 (ligar/desligar corrente elétrica) switch on/off.
limão s.m. lemon.
limitação s.f. confinement.
limitação s.f. limitation.
limitado adj. Limited. *companhia limitada*, limited liability company.
limitar v.t. ration, limit.
limite s.f. limit.
limite s.f. boundary.
limonada s.f. lemonade.
limpar v.t. e i. 1 clean. 2 (esfregar) wipe.
límpido adj. limpid.
limpo adj. clean, spotless.
língua s.f. 1 tongue. 2 (idioma) language. *laboratório de línguas*, language laboratory. *escola de línguas*, language school.
linguado s.m. sole.
lingüiças.f. sausage.
linhagem s.f. ancestry, lineage, pedigree.
linha s.f. line.

liquidar *v.t. e i.* liquidate.
liquidificador *s.m.* blender.
liquidificar *v.t. e i.* liquefy.
líquido *adj.* liquid.
líquido *s.m.* liquid.
lírico *adj.* iyric, iyrical.
liso *adj.* 1 slick (infml) smooth. 2 (cabelo) straight.
lista *s.f.* 1 list , roster. *lista negra*, blacklist. *lista telefônica*, directory. 2 (faixa) stripe.
listrado *adj.* striped, streaky.
listrar *v.t. e i.* streak.
literalmente *adv.* literally.
literário *adj.* literary.
literatura *s.f.* literature, nonfiction.
litigioso *adj.* litigious.
litro *s.m.* liter.
lívido *adj.* livid.
livramento *s.m.* (de um mal, perigo) riddance. *livramento condicional*, parole.
livrar-se *v.t.* rid, *livrar-se de*, get rid of.
livre *adj.* free.
livro *s.m.* book. *estante para livros*, book-case. *livro de exercícios*, workbook.
lixeira *s.f.* dumpster.
lixeiro *s.m.* garbage collector, dustman.
lixo *s.m.* 1 garbage. 2 (de papéis) litter. 3 (porcaria) junk, trash rubbish.
lobisomem *s.m.* werewolf.
lobo *s.m.* wolf.
lóbulo *s.m.* lobe.
local *adj.* local. *anestesia local*, local anaesthetic. *hora local*, local time.
loção *s.f.* lotion.
locatário *s.m.* tenant, lodger.
locomotiva *s.f.* locomotive.
lodo *s.m.* slime.
logaritmo *s.m.* logarithm.
lógico *adj.* logical.
loja *s.f.* store, shop.
lombo *s.m.* 1 loin. 2 (lombo de vaca) tenderloin.
longe *adv.* far. *(estar) longe de*, (to be) far from.

longo *adj.* 1 long. *a longo prazo*, long-term. 2 prolongado, lingering.
loteria *s.f.* lottery.
louça *s.f.* china.
louco *adj.* 1 mad, crazy. 2 (demente) deranged. 3 (desequilibrado) psycho, whacko. 4 nuts (gír). *estar louco por alguém/algo*, be nuts about/over sb/sth.
loucura *s.f.* madness, craziness.
louro *adj.* blond.
lua *s.f.* moon. *lua nova*, a new moon. *lua cheia*, a full moon. *lua-de-mel*, honeymoon.
lubrificante *s.m.* lubricant.
lubrificar *v.t.* lubricate.
lucrar *v.t. e i.* profit.
lucrativo *adj.* lucrative.
lucro *s.m.* profit. *margem de lucro*, profit margin. *participação nos lucros*, profit sharing.
lugar *s.f* place. *por toda parte*, all over the place. *fora do lugar*, out of place.
lúgubre *adj.* lugubrious (fml).
lula *s.f.* squid.
luminosidade *s.f.* luminosity.
luminoso *adj.* luminous.
lunático, *adj.* lunatic.
lustre *s.f.* chandelier, luster.
lustroso *adj.* shiny, glossy.
luta *s.f.* fight, struggle, contest.
lutar *v.t. e i.* fight, struggle.
luva *s.f* glove. *servir como uma luva*, fit like a glove.
luxo *s.f.* luxury.
luxuoso *adj.* plush, luxurious.
luxurioso *adj.* lustful.
luz *s.f.* 1 light. 2 (luz fraca) glimmer. *foco de luz*, spotlight.

m M

maçã *s.f.* apple.
macacão *s.m.* (pl) dungarees.
macaco *s.m.* 1 ape, monkey. 2 (mecânico) jack.
macarrão *s.m.* noodle, macaroni, pasta.
machadinha *s.f.* hatchet.
machete *s.f.* machete.
macho *s.m.* male.
maciez *s.f.* smoothness.
macio *adj.* 1 soft. 2 sleek.
maconha *s.f.* marijuana.
madeira *s.f.* 1 wood. 2 (madeira de construção) timber. 3 (madeira serrada) lumber.
maduro *adj.* 1 mature. 2 (no ponto) ripe.
mãe *s.f.* mother. *mamãe*, mom, mummy, mum.
magenta *adj.* magenta.
magia *s.f.* magic. *magia negra*, black magic.
mágico *adj.* magic.
magistral *s.m.* magician.
magistral *adj.* masterly.
magnata *s.m.* tycoon, magnate.
magnésia *s.f.* magnesia.
magnésio *s.m.* magnesium (quím).
magnético *adj.* magnetic.
magnetismo *s.m.* magnetism.
magnetizar *v.t.* magnetize.
magnífico *adj.* magnificent, gorgeous.
mago *s.m.* wizard.
magro *adj.* 1 slim. 2 (fraco) meager. 3 (esquelético) gaunt. 4 (magricela) skinny. 5 lean.
maio *s.m.* may. *1º de maio*, may day.
maionese *s.f.* mayonnaise.
maior *adj.* 1 major. 2 (comparativo) bigger. 3 (superlativo) the biggest.
maioria *s.f.* majority.
mais *adv.* 1 more. *mais uma vez*, once more. *cada vez mais*, more and more. 2 also. 3 further. 4 later. *cedo ou tarde*, sooner or later.
mais *prep.* plus.
mais *s.m.* 1 more. 2 something else.
majestade *s.f.* majesty.
majestoso *adj.* majestic.
mal *adv.* 1 ill. *mal-humorado*, illnatured. *ir de mal a pior*, go from bad to worse. 2 badly. 3 (quase nunca) hardly.
mal *prefixo* mis-.
mal *s.m.* harm.
mala *s.f.* suitcase. *fazer as malas*, pack.
malcriado *adj.* rude.
maldição *s.f.* curse.
maldito *adj.* accursed, dammned.
maldoso *adj.* malicious.
mal-entendido *s.m.* misunderstanding.
malha *s.f.* 1 sweater. 2 (balé, ginástica) leotard. 3 (rede) mesh.
malpassado *adj.* underdone.
malte *s.m.* malt.
maltratar *v.t.* maltreat (fml).
maluco *adj.* nuts, demented.
mamãe *s.f.* mom, mum, ma (infm).
mamífero *s.m.* mammal.
mamilo *s.m.* nipple, teat.
mancar *v.t.* limp.
mancha *s.f.* 1 smear. 2 blotch. 3 stain.
manchar *v.t. e i.* stain, blemish.
mandão *adj.* bossy.
mandar *v.t. e i.* send.
mandato *s.f.* mandate.
maneira *s.f.* manner, way.
manga *s.f.* 1 sleeve. 2 (fruta) mango.
mangueira *s.f.* hose.
manhã *s.f.* morning.
mania *s.f.* mania.
manicura *s.f.* manicure.
manifestação *s.f.* manifestation.
manifestar *v.t.* manifest.
manipular *v.t.* 1 mishandle. 2 manipulate.
manobra *s.f.* maneuver.
mansão *s.f.* mansion.
manso *adj.* tame.
manteiga *s.f.* butter.
mantenedor *s.m.* provider.
manter *v.t.* maintain, keep.

manto *s.m.* cloak, mantle.
manual *adj.* manual.
manufatura *s.f.* manufacture.
manuscrito *s.m.* manuscript.
manusear *v.t.* handle.
manutenção *s.f.* maintenance, upkeep, keep.
mão *s.m.* hand. **à mão**, at hand. **de mão em mão**, from hand to hand. **de segunda mão**, second-hand. **mão-cheia**, handful. **mão-de-obra**, manpower.
máquina *s.f.* 1 machine. **máquina de lavar pratos**, dish washer. **máquina calculadora**, calculator. 2 (motor) engine.
maquinário *s.m.* machinery.
mar *s.m.* sea. **no mar**, at sea. **frutos do mar**, seafood. **por mar**, by sea.
maratona *s.f.* marathon.
maravilha *s.f.* 1 wonder. 2 marvel.
maravilhar-se *v.i.* marvel.
maravilhosamente *adj.* wonderfully, beautifully.
maravilhoso *adj.* marvelous, wonderful.
marca *s.f.* 1 (de fábrica, marca registrada, marca em gado) brand. 2 (estigma, mancha, sinal, cicatriz) stigma. 3 (mancha, defeito) spot. 4 blemish. 5 mark. **de nascença**, a birth mark. 6 (fabricante) make.
marcador *s.m.* marker.
marcante *adj.* striking.
marcapasso *s.m.* pacemaker (méd.).
marcar *v.t.e i.* 1 score. 2 mark. 3 brand. 4 spot.
marchar *v.t.e i.* march.
marcial *adj.* martial.
março *s.m.* march.
maré *s.f.* tide. **maré alta**, high tide. **maré baixa**, low tide. **remar contra a maré**, swim/go against the tide.
marechal *s.m.* marshal.
marfim *s.m.* ivory.
margarida *s.f.* daisy.
margarina *s.f.* margarine.
margem *s.m.* margin.
marginal *adj.* marginal.

marido *s.m.* husband.
marinha *s.f.* navy, marine.
marinheiro *s.m.* sailor, seaman.
marionete *s.m.* puppet.
marisco *s.m.* clam.
marítimo *adj.* maritime.
mármore *s.m.* marble.
maroto *s.m.* rascal.
marquês *s.m.* marquis.
marrom *adj.* brown, tan.
marte *s.f.* mars.
martelar *v.t.e i.* hammer, batter.
martelo *s.m.* hammer.
mártir *s.m.* martyr.
martírio *s.m.* martyrdom.
martirizar *v.i.* martyr.
mas *conj.* 1 but. 2 only.
mascar *v.t.e i.* munch.
máscara *s.f.* mask.
mascarar *v.t.* mask.
masculino *adj.* male, masculine.
massa *s.f.* 1 mass. 2 (massa de farinha) dough. 3 (pasta) paste.
massacrar *v.t.* massacre.
massacre *s.m.* massacre.
massagear *v.t.* massage.
massagem *s.f.* massage.
massagista *s.f.* masseuse.
mastigar *v.t.e i.* chew. **goma de mascar**, chewing-gum.
mastro *s.m.* mast.
masturbação *s.f.* masturbation.
matador *s.m.* killer.
matador *s.m.* siaughterer.
matança *s.f.* siaughter. **matadouro**, slaughter house.
matar *v.t.* 1 butcher. 2 (assassinar) murder. 3 kill. **matar o tempo**, kill time.
matemática *s.f.* mathematics.
matemático *s.m.* mathematician.
matéria *s.m.* matter.
material *s.m.* 1 material. 2 stuff.
material *adj.* material.
materialismo *s.m.* materialism.
materialista *adj.* materialistic.
materializar-se *v.i.* materialize.
maternidade *s.f.* maternity, motherhood.

materno

materno *adj.* maternal.
matiz *s.m.* tint.
matriarca *s.m.* matriarch.
matriz *s.f.* 1 (molde para fundição de tipos, manancial) matrix.
mau *adj.* 1 bad. *de mau humor*, in a bad temper. 2 evil. 3 wicked.
maxilar *s.m.* jaw.
maximizar *v.t.* maximize.
máximo *adj.* maximum.
máximo *s.m.* maximum.
me *pron.* me.
mecânica *s.f.* mechanics.
mecânico *adj.* mechanical.
mecânico *s.m.* mechanic.
mecanismo *s.m.* mechanism.
mecanizar *v.i.* mechanize.
medalhão *s.m.* medallion.
média *s.f.* average.
mediação *s.f.* mediation.
mediador *s.m.* go between, mediator.
mediar *v.t. e i.* mediate.
medição *s.f.* measurement.
medicina *s.f.* medicine.
medicinal *adj.* medicinal.
médico *adj.* medical.
médico *s.m.* 1 physician. 2 doctor. 3 (residente) intern.
medida *s.f.* measure. *feito sob medida*, made to measure.
medidor *s.m.* meter.
medieval *adj.* medieval.
médio *adj.* medium, average.
medíocre *adj.* mediocre.
mediocridade *s.f.* mediocrity.
medir *v.t. e i* measure.
meditação *s.f.* meditation.
meditar *v.i.* 1 muse. 2 meditate.
medo *s.m.* 1 fear. *estar com medo*, be in fear of. 2 fright.
medula *s.f.* marrow.
medusa *s.f.* jelly-fish.
megera *s.f.* shrew.
meia *s.f.* sock. *meia soquet*, gym socks. *meia fina*, stocking. *meia calça*, panty hose.
meia-noite *s.f.* midnight.
meigo *adj.* sweet, meek.

meio *adj.* half. *meia garrafa de vinho*, half a bottle of wine. 2 mid. 3 midia.
meio *adv.* half. *meio adormecido*, half asleep.
meio *s.m.* 1 middle. *de meia-idade*, middle-age. *meio ambiente*, environment. 2 means. 3 (meios de comunicação de massa) mass-media, masscomunication.
meio-dia *s.f.* midday, noon.
meio-fio *s.m.* kerb, curb.
mel *s.m.* honey. *favo de mel,* honey comb.
melão *s.m.* melon.
melhor *adj.* better. *em melhor situação financeira*, better off.
melhor *adv.* better. *seria melhor*, had better.
melhora *s.f.* improvement.
melhorar *v.t. e i.* improve.
melodia *s.f.* melody.
melodioso *adj.* melodious, tuneful.
membro *s.m.* 1 limb. 2 (sócio de um clube) member.
memorável *adj.* memorable.
memória *s.f.* memory.
memorizar *v.t.* memorize.
menção *s.f.* mention.
mencionar *v.t.* mention.
mendigar *v.t. e i.* beg.
menino *s.m.* boy.
menor *s.m.* 1 less. 2 (de idade minor) minor.
menor *adj.* 1 less. 2 lesser. 3 minor, smaller.
menos *adv.* least. 2 less. *quanto menos*, the less.
menos *prep.* less, minus.
mensageiro *s.m.* messenger, courier.
mensagem *s.f.* message.
mensal *adj.* monthly.
menstruar *v.i.* 1 period. 2 menstruate.
mensurável *adj.* measurable.
menta *s.f.* mint.
mentalidade *s.f.* mentality.
mente *s.f.* mind.
mentir *v.i.* lie.
mentira *s.f.* lie, fib (infml).
mentiroso *s.m.* liar.

minúsculo

mercado *s.m.* market. ***pesquisa de mercado***, market research.
mercadoria *s.f.* merchandise.
mercearia *s.f.* grocery store.
mercenário *s.m.* mercenary.
mercúrio *s.m.* mercury (quim).
merda *s.f.* shit (vulg).
merecer *v.t. e i* deserve.
merengue *s.m.* meringue.
merguihar *v.t. e i* dive, plunge.
mergulhador *s.m.* diver. ***traje de mergulhador***, diving suit.
mergulho *s.m.* dive, plunge, dip.
meridiano *s.m.* meridian.
meridional *adj.* southerly.
mérito *s.m.* merit.
meritório *adj.* deserving.
mês *s.m.* month.
mesa *s.f.* table. ***virar a mesa***, turn the tables. ***pôr a mesa***, set the table. ***toalha de mesa***, tablecloth. ***utensílios de mesa (louça, talheres)***, tableware. ***por baixo da mesa***, under the table.
mesmo *adj.* (idêntico) same.
mesmo *adv.* 1 right. 2 even. 3 really.
mesmo *pron.* same one. ***o mesmo que***, the same that/as.
mesquinho *adj.* 1 mean. 2 (pão-duro) stingy.
mesquita *s.f.* mosque.
Messias *s.m.* Messiah.
meta *s.f.* goal.
metabolismo *s.m.* metabolism.
metade *s.f.* half.
metáfora *s.f.* metaphor.
metal *s.m.* metal.
metálico *adj.* metallic.
metamorfose *s.f.* metamorphosis.
meteórico *adj.* meteoric.
meteorito *s.m.* meteorite.
meteorologia *s.f.* meteorology.
meteorológico *adj.* meteorological.
meticuloso *adj.* meticulous.
metódico *adj.* methodical.
método *s.m.* method.
metodologia *s.f.* methodology.
métrico *adj.* metric. ***sistema métrico***, metric system.
metro *s.m.* meter.

metrô *s.m.* subway, underground.
meu, meus *adj. poss.* my.
meu, meus *pron. poss.* mine.
mexer *v.t. e i.* 1 stir. ***não mexer um dedo para ajudar***, not stir a finger. 2 (adulterar) tamper.
mexida *s.f.* stir.
micróbio *s.m.* microbe.
microcosmo *s.m.* microcosm.
microfilme *s.m.* microfilm.
microfone *s.m.* microphone.
microonda *s.f.* microwave.
micro-organismo *s.m.* micro-organism.
microscópico *adj.* microscopic.
microscópio *s.m.* microscope.
mídia *s.f.* media. ***a mídia***, the media.
migalha *s.f.* crumb.
migração *s.f.* migration.
migrante *s.m.* migrant.
migrar *v.i.* migrate.
migratório *adj.* migratory.
mil (num) thousand. ***um entre mil***, one in a thousand.
milagre *s.m.* miracle.
milagroso *adj.* miraculous.
milênio *s.m.* millennium.
milha *s.f.* mile. ***contagem de milhas***, mileage.
milhão (num) million. ***ganhar um milhão em dinheiro***, make a million.
milho *s.m.* maize.
milionário *s.m.* milllionaire.
militar *adj.* military.
mimar *v.t.* pamper, spoil. ***criança mimada***, spoiled child.
minar *v.t. e i* 1 (colocar minas) mine. 2 (solapar) undermine.
mineração *s.f.* mining.
mineral *s.m.* mineral.
mingau de aveia *s.m.* porridge.
minhoca *s.f.* earthworm.
miniatura *s.f.* miniature.
minimizar *v.t.* minimize.
mínimo *s.m.* minimum.
ministério *s.m.* ministry.
ministro *s.m.* minister.
minoría *s.f.* minority.
minúsculo *adj.* minuscule.

minuto

minuto s.m. minute.
miope adj. myopic.
miopia s.f. myopia.
miragem s.f. mirage.
miserável adj. wretched.
miséria s.f. misery, squalor.
misericordioso adj. merciful.
missa s.f. mass.
missão s.f. mission.
mistério s.m. mystery.
misterioso adj. mysterious, eerie.
misticismo s.m. mysticism.
mistificação s.f. mystification.
mistificar v.t. mystify.
misto adj. mixed.
mistura s.f. blend, mixture, mix.
misturador s.m. mixer.
misturar v.t. e i. combinar bem, harmonizar.
misturar v.t. e i. mix, blend.
mítico adj. mythical.
mito s.m. myth.
mitológico adj. mythological.
mobília s.f. furniture.
mobiliar v.t. furnish.
mobilizar v.t. e i. mobilize.
moça s.f. girl.
mochila s.f. satchel bag, backpack, rucksack.
moda s.f. fashion, vogue. **estar na moda**, fashionable.
modal adj. modal.
modelo s.m. model, paragon. 2 (padrão) pattern.
modernidade s.f. modernity.
modernizar v.t. modernize.
moderno adj. modern.
modéstia s.f. modesty.
modesto adj. modest.
modificar v.t. modify.
modo s.m. manner.
modulação s.f. modulation.
módulo s.m. module.
moeda s.f. coin.
moer v.t. e i. 1 mince. **moedor de carne**, mincer/mincing machine. 2 grind.
mofado adj. musty.
mofar v.i. mold.

mofo s.m. mold s.
mogno s.m. mahogany.
moinho s.m. mill. **moinho de vento**, windmill.
moldar v.t. e i. model.
molécula s.f. molecule.
molecular adj. molecular.
molestar v.t. molest.
molhado adj. wet. **ensopado**, wet through, soaked.
molho s.m. 1 sauce. 2 (patê) dip. 3 (de salada) dressing.4 (conserva picante) chutney.
momentâneo adj. momentary.
momento s.m. instant, moment. 2 (momento da virada) turning point.
monarca s.m. monarch.
monarquia s.f. monarchy.
monetário adj. monetary.
monge s.m. monk.
monitor s.m. monitor. **monitor de tv**, tv monitor.
mono prefixo mono.
monogamia s.f. monogamy.
monografia s.f. monograph.
monograma s.m. monogram.
monólogo s.m. monologue.
monopólio s.m. monopoly.
monotonia s.f. monotony.
monótono adj. dreary, drab, monotonous.
monstro s.m. monster.
monstruosidade s.f. monstrosity.
monstruoso adj. monstrous.
montanha s.f. mountain. **montanha russa**, rollercoaster.
monte s.m. heap.
monumental adj. monumental.
monumento s.m. monument, memorial.
moral adj. moral.
moral s.f. 1 moral. 2 (disposição, estado de espírito) morale.
moralidade s.f. morality.
moralista s.m e f. moralist.
moralizar v.t. e i. moralize.
morango s.m. strawberry.
morcego s.m. bat.
mordaça s.f. gag.

morder *v.t. e i.* bite.
mordida *s.f.* bite. *marca de mordida*, bite mark.
mordomo *s.m.* butler.
morena *s.f.* brunette.
morfina *s.f.* morphine.
morfologia *s.f.* morphology (hiol, gram).
morgue *s.m.* morgue.
morno *adj.* tepid, lukewarm.
morrer *v.i.* die. *morrer de fome*, starve.
morro *s.m.* hill.
mortal *adj.* deathly, lethal, mortal.
mortalidade *s.f.* mortality .
morte *s.f.* death.
morte *s.m.* demise.
morto *adj.* dead.
morto *s.m.* dead.
mosca *s.f.* fly, *infestado de moscas*, fly-ridden.
mostarda *s.f.* mustard.
mosteiro *s.m.* monastery.
mostra *s.f.* show.
mostrar *v.t. e i.* show. *mostrar(-se)/ exibir(-se)*, show sb/sth off.
motim *s.m.* mutiny.
motivação *s.f.* motivation.
motivar *v.t.* motivate.
motivo *s.m.* motive.
motocicleta *s.f.* motorcycle.
motor *s.m.* motor.
móvel *s.m.* mobile.
mover *v.t. e i.* move. *mover-se às escondidas*, sneak. *mover-se rapidamente*, zoom.
movimento *s.m.* 1 movement. 2 motion.
muco *s.m.* phlegm, mucus.
muçulmano *s.m.* muslim.
mudança *s.f.* change. *mudança importante*, change over. *caminhão de mudança*, moving truck.
mudar *v.t. e i.* 1 shift. 2 (trocar) change.
mudo *adj.* mute, dumb. *surdo e mudo*, deaf and dumb.
mugido *v.i.* moo.
muito *s.m.* much.

muito *adj.* 1 much. *demais*, too much. 2 many. 3 umpteen.
muito *adv.* 1 very, very well. 2 much.
mula *s.f.* mule.
muleta *s.f.* crutch.
mulher *s.f.* woman. *mulher divorciada*, divorcee.
multa *s.f.* fine.
multar *v.t.* fine.
multi- *prefixo* multi-.
multidão *s.f.* 1 crowd. 2 throng. 3 (grande número de coisas) multitude. 4 mob.
multiplicar *v.t. e i.* multiply.
multiplicidade *s.f.* multiplicity (fml).
múltiplo *adj.* multiple, manifold.
múmia *s.f.* mummy.
mumificar *v.t.* mumify.
mundano *adj.* mundane.
mundo *s.m.* world. *terceiro mundo*, the third world. *guerra mundial*, world war. *copa/taça do mundo*, world cup.
munição *s.f.* ammunition.
municipal *adj.* municipal.
mural *s.m.* mural.
murchar *v.t. e i.* wilt.
murmurar *v.t. e i.* mumble, murmur.
musa *s.f.* muse.
muscular *adj.* muscular.
músculo *s.m.* muscle.
museu *s.m.* mus*eu*m.
musgo *s.m.* moss.
música *s.f.* 1 music. *caixa de música*, music box. 2 (melodia) tune.
musical *adj.* musical. *comédia musical*, musical comedy. *instrumento musical (piano, violino, etc.)*, musical instrument.
músico *s.m.* musician.
musselina *s.f.* muslin.
mutável *adj.* mutable (fml), changeable.
mutilar *v.t. e i.* cripple, mutilate.
mútuo *adj.* (recíproco) mutual.

N

nabo s.m. turnip.
nação s.f. nation. *de âmbito nacional*, nationwide.
nacional adj. national.
nacionalidade s.f. nationality.
nacionalismo s.m. nationalism.
nacionalizar v.t. nationalize.
nada s.m. 1 nothing. *nada mais*, nothing else. *quase nada*, next to nothing. 2 (zero), nil, nought.
nadador s.m. swimmer.
nadar v.t. e i. swim.
nádega s.f. 1 buttock. 2 bum.
namorada s.f. girlfriend.
namorado s.m. boyfriend.
namorar v.t. e i. date.
namoro s.m. relationship.
não adv.. 1 (not) 2 nope (gír).
narcisismo s.m. narcissism.
narciso s.m. 1 (silvestre) daffodil. 2 narcissus (bot).
narcótico s.m. narcotic.
narina s.f. nostril.
nariz s.m. nose. *bem em frente, à vista, debaixo do nariz*, right under one's very nose.
narrador s.m. 1 narrator. 2 commentator.
narrar vt. narrate.
narrativa s.f. narrative.
nasal adj. nasal.
nascente s.f. source.
nascer v.i. born, be born.
nascimento s.m. birth. *aniversário (de nascimento)*, birthday. *local de nascimento*, birthplace.
nata s.f. cream. .
natação s.f. swimming.
natal s.m. Christmas (day).
nativo s.m. native.
nativo adj. native.
natural adj. natural.
naturalismo s.m. naturalism.
naturalista s.m. e f. naturalist.
naturalizar v.t. e i. naturalize.
naturalmente adv. naturally .
natureza s.f. nature.
naufragar v.t. wreck.

naufrágio s.m. shipwreck.
náusea s.f. nausea.
náutico adj. nautical.
naval adj. naval.
navalha s.f. razor. *lâmina de barbeador*, razor blade.
nave s.f. nave.
navegação s.f. navigation.
navegar v.t. e i. 1 sail. 2 navigate.
navio s.m. 1 ship. 2 liner. *navio de guerra*, battle ship.
necessariamente adv. necessarily.
necessário adj. 1 essential. 2 needful. 3 necessary.
necessidade s.f. 1 need. 2 necessity.
necessitar v.t. need, necessitate (fml).
néctar s.m. nectar.
nectarina s.f. nectarine.
negação s.f. denial.
negar v.t. 1 deny. 2 refuse.
negativo adj. negative.
negligência s.f. disregard, negligence.
negligenciar v.t. disregard, neglect.
negligente adj. 1 slack, negligent. 2 (imprudente) reckless.
negociação s.f. deal, negotiation.
negociante s.m. e f. dealer.
negociar v.t. e i. deal, negotiate.
negócio s.m. 1 business. 2 transaction.
negro s.m. 1(cor) black. 2 black person. 3 (negro nos EUA) African American.
nem conj. neither, nor.
nenhum adj. no, neither.
nenhum pron. neither, none. *nenhum outro, senão*, none other (than).
neon s.f. neon. *luz de neon*, neon iight.
nepotismo s.m. nepotism.
nervo s.m. nerve .
nervoso adj. 1 nervous. 2 jumpy. 3 uptight.
neurologia s.f. neurology.
neurose s.f. neurosis .
neutralidade s.f. neutrality .
neutro adj. neutral, neuter (gram).
nevar v.t. e i. snow.
nevasca s.f. blizzard.

neve *s.f.* snow. *floco de neve*, snowflake. *boneco de neve*, snowman. *branco como a neve*, snow-white.
névoa *s.f.* 1 haze, (cerração) (mist) 2 (pesada) smog.
nevoeiro *s.m.* fog.
nicho *s.m.* niche.
nicotina *s.f.* nicotine.
ninfa *s.f.* nymph.
ninguém *pron.* nobody. *ninguém mais*, nobody else.
ninho *s.m.* nest.
níquel *s.m.* nickel.
nível *s.m.* 1 level. *nível do mar*, sea level. 2 (padrão) standard.
nivelar *v.t. e i.* level.
no (a) *prep.* on. *na hora*, on time.
nó *s.m.* knot.
nobre *adj.* noble.
noção *s.f.* idea, notion. *perdi a noção da hora*, lost track of time.
nocivo *adj.* noxious, prejudicial.
nódulo *s.m.* nodule.
noite *s.f.* night . *por várias noites*, night after night. *a noite inteira*, all night (long). *à noite*, at night. *durante a noite*, by night.
noiva *s.f.* 1 fiancée. 2 (recém-casada) bride.
noivo *s.m.* 1 fiancé. 2 (recém-casado) groom, bridegroom.
nômade *s.m.* nomad.
nome *s.m.* name. *homônimo, xará*, namesake.
nomeação *s.f.* 1 appointment. 2 nomination.
nomear *v.t.* 1 assign. 2 nominate.
nomenclatura *s.f.* nomenclature.
nominal *adj.* nominal.
nonagésimo (num) ninetieth.
nono (num) ninth.
nora *s.f.* daughter-in-iaw.
nordeste *adj.* northeast.
norma *s.f.* 1 pattern. 2 norm. 3 regulation.
normal *adj.* normal.
normal *adj.* ordinary. *do modo normal*, in the ordinary way.
noroeste *adj.* northwest.
norte *adj.* north.
nós mesmos *pron reflex* ourselves. *sozinhos*, by ourselves.
nos *pron.* we, us.
nós *s.m.* (pl) (dos dedos) knuckle.
nosso(s), nossa(s) *adj. poss.* our.
nosso(s), nossa(s) *pron poss.* ours.
nostalgia *s.f.* nostalgia.
notar *v.t.* note.
notável *adj.* notable, remarkable, noticeable.
notícia *s.f.* news. *uma notícia*, a news item.
noticiário *s.m.* newscast, the news.
notificar *v.t.* notify.
notoriedade *s.f.* notoriety.
notório *adj.* notorious.
noturno *adj.* 1 nightly . 2 (durante a noite) overnight. 3 nocturnal.
novamente *adv.* afresh.
nove (num) nine.
novembro *s.m.* november.
noventa (num) ninety.
noviço *s.m.* novice.
novidade *s.f.* novelty, newness.
novo *adj.* 1 new. 2 (jovem) young.
noz *s.f.* 1 nut. *quebra nozes*, nutcrackers. 2 (nogueira) walnut. 3 (noz-moscada) nutmeg.
nu *adj.* 1 nude, naked. 2 bare. *a olho nu*, with the naked eye.
nublado *adj.* cloudy.
nuca *s.f.* nape.
nuclear *adj.* nuclear. *energia nuclear*, nuclear energy. *usina de energia nuclear*, nuclear power plant.
núcleo *s.m.* nucleus.
nudez *s.f.* 1 nakedness. 2 nudity. 3 bareness.
nulo *adj.* null.
numeral *s.m.* numeral. *numeral ordinal*, ordinal number.
numerar *v.t.* 1 number. 2 count.
numérico *adj.* numerical.
número *s.m.* number.
numeroso *adj.* numerous.

nunca

nunca *adv.* never. ***nunca mais***, nevermore.
nupcial *adj.* 1 matrimonial. 2 bridal.
núpcias *s.f.* (pl) nuptials.
nutrição *s.f.* nutrition.
nutriente *adj.* nutrient.
nutrir *v.t.* nourish.
nutritivo *adj.* nutritious.
nuvem *s.f.* cloud.

o O

O, o *art def.* 1 (usado com relação a coisas, pessoas, acontecimentos já mencionados anteriormente) the. 2 (usado quando a situação indica quem ou o que está sendo mencionado) the. 3 (usado com um substantivo quando este se refere a alguma coisa única) the. 4 (usado com um substantivo com relação a alguma coisa específica) the. 5 (usado com nomes de regiões geográficas/ mares/rios/montanhas) the. 6 (usado com um adjetivo que funciona como substantivo) the. 7 (usado com um substantivo no singular com sentido geral) the. 8 (usado com nomes de instrumentos musicais) the. 9 (usado antes de medidas) the. 10 (usado com o plural de 20, 30, 40, etc expressando uma década) the. 11 (usado com títulos) the.
oásis *s.m.* oasis.
obedecer *v.t. e i.* 1 obey. 2 (obedecer às ordens de alguém) do somebody's bidding.
obediência *s.f.* obedience.
obediente *adj.* obedient, dutiful.
obelisco *s.m.* obelisk s.
obesidade *s.m.* obesity (fml).
obeso *adj.* overweight, obese (fml).
obituário *s.m.* obituary.
objeção *s.f.* objection.
objetividade *s.f.* objectivity.
objetivo *adj.* objective.
objetivo *s.m.* objective.
objeto *s.m.* 1 object. 2 (objeto posto em exposição) exhibit. 3 (objeto indireto) indirect object.
oblíquo *adj.* oblique.
oblongo *adj.* oblong.
oboé *s.m.* oboe, alvenaria.
obra *s.f.* 1 job. 2 (lugar em construção) site. 3 (na estrada) roadwork. *obra de alvenaria*, brickwork. *obra-prima*, masterpiece.
obrigação *s.f.* obligation.

obrigar *v.t.* force, oblige.
obrigatório *adj.* 1 obligatory. 2 (compulsório) compulsory.
obscenidade *s.f.* obscenity.
obsceno *adj.* obscene, lewd.
obscurecer *v.t.* overshadow.
obscuridade *s.f.* obscurity.
obscuro *adj.* obscure.
obsequioso *adj.* obsequious.
observação *s.f.* observation. *estar/ manter sob observação*, be/keep under observation. 2 (comentário) remark.
observador *adj.* observant.
observador *s.m.* observer.
observar *v.t. e i.* 1 watch. 2 (perceber) notice. 3 (observar regras, comentar) observe. 4 (notar, reparar) remark. *observar atentamente*, peer.
observatório *s.m.* observatory.
obsessão *s.f.* obsession.
obsoleto *adj.* obsolete.
obssessivo *adj.* obsessive.
obstáculo *s.m.* obstacle, hindrance. *corrida de obstáculos*, obstacle race.
obstetra *s.m.* e f. obstetrician.
obstetrícia *s.f.* obstetrics.
obstinado *adj.* dogged.
obstrução *s.f.* block, obstruction, stoppage.
obstruir *v.t.* obstruct.
obstrutivo *adj.* obstructive.
obter *v.t. e i.* 1 obtain. 2 gain.
obturação *s.f.* filling.
obviamente *adv.* obviously.
óbvio *adj.* obvious.
ocasião *s.f.* occasion.
ocasional *adj.* occasional.
ocasionalmente *adv.* occasionally.
oceano *s.m.* ocean s.
ocidental *adj.* western. *cultura ocidental*, western culture.
ocidentalizar *v.t.* westernize.
ocidente *s.m.* west.

ocioso *adj.* idle.
oco *adj.* hollow.
ocorrência *s.f.* occurrence, event.
ocorrer *v.i.* 1 happen. 2 (acontecer) occur.
octogésimo (num) eightieth.
óculos *s.m.* (pl) 1 glasses. 2 (óculos de proteção contra vento, poeira, água, etc) goggles. 3 spectacle.
oculto *adj.* covert.
ocupação *s.f.* occupation.
ocupacional *adj.* occupational. **terapia ocupacional**, occupational therapy.
ocupado *adj.* 1 busy. 2 engaged.
ocupante *s.m.* occupant.
ocupar *v.t.* 1 occupy. 2 (o tempo ou a atenção) engross. 3 (manter ocupado) busy.
odiar *v.t.* 1 hate. 2 (ter pavor de) dread.
ódio *s.m.* hate, hatred.
odioso *adj.* hateful, odious.
odisséia *s.f.* odyssey.
odontologia *s.f.* dentistry.
odor *s.m.* odor.
oeste *s.m.* west. **o oeste**, the west.
ofegante *adj.* wheezy, breathless.
ofegar *v.t. v.i.* gasp.
ofender *v.i. e t.* 1 offend. 2 (insultar) affront.
ofensiva *s.f.* offensive. **na ofensiva**, on the offensive. **tomar a ofensiva**, take the offensive.
ofensivo *adj.* offensive.
oferecer *v.t. e i.* 1 offer. 2 (dar) give.
oferecimento *s.m.* offering, offer.
ofertório *s.m.* offertory.
oficial *adj.* officiai.
oficial *s.m.* 1 officer. 2 (oficial de justiça) bailiff.
oficialmente *adv.* officially.
oficiar *v.i.* officiate.
oficina *s.f.* 1 (mecânica) garage. 2 (seminário) workshop.
oftalmologista *s.m.e f.* optician.
ofuscar *v.t.* daze, dazzle.
oitavo (num) eighth.
oitenta (num) 1 (pl) eighty. **os anos oitenta**, the eighties.

olá *interj.* hello, hi.
oleaginoso *adj.* oleaginous.
oleiro *s.m.* potter.
óleo *s.m.* oil. **azeite de oliva**, olive oil. **óleo de mamona**, castor oil. **tinta a óleo**, oil paint.
oleoduto *s.m.* pipeline.
oleoso *adj.* oily.
olfato *s.m.* smell.
olhada *s.f.* 1 (rápida, olhadela) glance. 2 (olhar rápido) glimpse.
olhadela *s.f.* (espiadinha, espreitadeia) peep.
olhar *v.i. e t.* 1 (cobiçoso ou malévolo, olhar de soslaio) leer. 2 (olhar de cima, do alto, ter uma vista (de algo ou alguém) do alto) overlook. 3 look. **olhar em torno**, look about (for sth). 4 (examinar) survey. 5 (olhar rapidamente) glimpse. 6 (olhar fixo) stare. **dar uma olhada rápida**, take a look at.
olho *s.m.* eye. **ter olho clínico (para)**, have an eye for.
oligarquia *s.f.* oligarchy.
oliveira *s.f.* olive tree (bot).
ombro *s.m.* shoulder. **ombro a ombro**, shoulder to shoulder.
omelete *s.m.* omelet.
omissão *s.f.* omission.
omitir *v.t.* omit.
onça *s.f.* 1 jaguar. 2 (28,350 gramas) ounce.
onda *s.f.* 1 wave. 2 (enxurrada) surge. **ondas longas/médias/curtas**, long/medium/short waves. **comprimento de onda** (eletr), wavelength.
onde *adv.* 1 where. 2 (onde quer que, seja onde for) wherever. 3 (por onde, mais ou menos em que lugar) whereabouts.
ondulação *s.f.* 1 (mar) swell. 2 (cabelo) wave. 3 ripple.
ondulado *adj.* 1 (cabelo) wavy. 2 (papel) corrugated.
ônibus *s.m.* bus. **ponto de ônibus**, bus stop.
onipotência *s.f.* omnipotence.
onipotente *adj.* omnipotent.

onisciente *adj.* omniscient.
ontem *adv.* yesterday.
opaco *adj.* opaque.
opção *s.f.* alternative, option.
opcional *adj.* optional.
ópera *s.f.* opera.
operacional *adj.* operational. *custo operacional*, operational costs.
operante *adj.* operative.
opinião *s.f.* opinion. *pesquisa de opinião pública*, opinion poll.
ópio *s.m.* opium.
oponente *s.m.* opponent.
opor(-se) *v.t.* 1 oppose. 2 (agir contra) counter.
oportunidade *s.f.* chance. *ter uma oportunidade*, stand a chance.
oportunista *adj.* opportunist.
oportuno *adj.* opportune.
oposição *s.f.* opposition.
oposto *adj.* opposite.
opressão *s.f.* oppression.
opressor *s.m.* oppressor.
oprimir *v.t.* oppress.
optar *v.i.* opt.
oração *s.f.* prayer.
oráculo *s.m.* oracle.
orador *s.m.* 1 orator. 2 speaker. *orador de turma*, valedictorian.
oral *adj.* oral.
órbita *s.f.* orbit.
orçamento *s.m.* budget. *apresentar o orçamento*, open the budget.
ordem *s.f.* 1 order. 2 (direção) commandment. 3 (associação) association.
ordenar *v.t.* order, boss around.
orfanato *s.m.* orphanage.
órfão *s.m.* orphan.
orgânico *adj.* organic.
organismo *s.m.* organism (biol).
organização *s.f.* organization.
organizado *adj.* organized.
organizar *v.t.* 1 organize. 2 rationalize.
órgão *s.m.* organ (mús). *órgãos genitais*, genitals.

orgasmo *s.m.* orgasm.
orgia *s.f.* orgy.
orgulho *s.m.* pride.
orgulhoso *adj.* proud.
orientação *s.f.* guidance, policy.
oriental *adj.* eastern.
orifício *s.m.* orifice.
origem *s.f.* 1 origin. 2 (fonte) source.
original *adj.* original.
originar *v.t.* lead.
ornamentado *adj.* florid.
ornamentar *v.t.* ornament, adorn.
ornitologia *s.f.* ornithology.
orquestra *s.f.* orchestra. *ensaio de orquestra*, orchestra rehearsal.
orquídea *s.f.* orchid.
ortodoxo *adj.* orthodox.
orvalho *s.m.* dew. *gota de orvalho*, dewdrop.
oscilar *v.t. v.i.* 1 oscillate. 2 (mover para cá e para lá) waver.
ósseo *adj.* bony.
osso *s.m.* bone.
ostentação *s.f.* ostentation, panache.
ostentar *v.t. e i.* flaunt.
ostra *s.f.* oyster.
ótico *adj.* optic.
ótico *adj.* optical. *ilusão ótica*, optical ilusion.
otimismo *s.m.* optimism.
otimista *adj.* optimistic.
ótimo *adj.* superb, swell, excellent.
ou *conj.* 1 or. 2 either. *(ou...ou)*, either... or.
ouro *s.m.* gold.
ousadia *s.f.* boldness.
ousado *adj.* bold, adventurous, daring.
ousar *v.t. v.i.* dare.
outono *s.m.* fall, autumn.
outro *adj.* other, another. *por outro lado*, on the other hand. *o outro*, the other. *outro dia*, the other day.
outro *adv.* (diverso, diferente, além disso) else. *ou então, senão*, or else.
outro *pron.* another (one). *um dia ou outro*, one day or another.
outubro *s.m.* October.

ouvido

ouvido *s.m.* ear. *tocar de ouvido*, play (something) by ear. *dor de ouvido*, earache.
ouvinte *s.m.* listener.
ouvir *v.t. e i.* hear.
oval *adj.* oval.
ovário *s.m.* ovary (anat).
óvni *s.m.* ufo.
ovo *s.m.* egg. *pôr ovos*, lay eggs. *casca de ovo*, egg-shell.
oxigênio *s.m.* oxygen.

p P

pá s.f. scoop. **pá de lixo**, dustpan.
paciência s.f. 1 patience. **jogo de paciência**, solitaire. 2 (tolerância) endurance.
paciente adj. patient.
paciente s.m. patient.
pacificador s.m. peacemaker.
pacificamente adv. peacefully.
pacificar v.t. pacify.
pacífico adj. 1 pacific, peaceful. 2 pacifist.
pacote s.m. 1 package. **pacote de viagem**, package holiday/tour (infm). 2 (embrulho) parcel. 3 (fardo) bundle. 4 packet.
pacto s.m. pact.
padaria s.f. bakery.
padeiro s.m. baker.
padrão s.m. standard.
padronizar v.t. standardize.
pagamento s.m. 1 payment. 2 (remuneração, salário) pay. **dia de pagamento**, pay day. **pagamento**, pay-off (infml). **folha de pagamento**, pay roll.
pagão s.m. pagan.
pagar v.t. e i. 1 pay. **pagar a**, pay back. **pagar por (também fig)**, pay for. **pagar integralmente**, pay up. 2 (pagar antecipadamente) prepay. 3 (pagar na mesma moeda) tit for tat.
pagável adj. payable.
página s.f. page.
pai s.m. 1 father. 2 parent. **os pais**, parents. **papai**, daddy, dad. **Papai Noel**, Santa Claus.
painel s.m. panel. **painel de instrumentos**, dashboard.
pairar v.i. hover.
país s.m. country. **país das maravilhas**, wonderland.
paisagem s.f. landscape. **paisagismo**, landscape gardening/architecture.
paisagístico adj. scenic.
paixão s.f. 1 passion. 2 (paixão louca) infatuation.

palácio s.m. palace.
palavra s.f. word. **palavras cruzadas**, crossword. **palavra por palavra**, word by word. **dar a última palavra (p ex numa discussão)**, have the last word. **ser um homem de palavra**, be a man of his word.
palavreado s.m. rigmarole.
palco s.m. stage.
paleontologia s.f. paleontology.
palestra s.f. lecture.
palestrante s.m. e f lecturer.
paleta s.f. palette.
paletó s.m. coat. **chapéu de palha**, straw hat.
palha s.f. straw.
palhaço s.m. clown.
palidez s.f. paleness, pallor.
pálido adj. waxen pale.
palito 1 pick. 2 (de fósforo) match.
palma s.f. palm. **ter alguém na palma da mão**, have sb in the palm of one's hand.
palmada s.f. slap.
palpável adj. palpable.
palpitação s.f. 1 palpitation. 2 (pulsação) throb.
palpitar v.i. palpitate (rel ao coração).
pança s.f. paunch.
pancada s.f. 1 bang. 2 (pancada forte) whack. 3 (batida) rap. 4 (pancadinha) tap. 5 (pancada ou batida ruidosa) slam.
panela s.f. pan, saucepan.
panfleto s.m. handout, pamphlet, leaflet.
pânico s.m. panic.
pano s.m. 1 cloth. 2 (pano de pratos) dish cloth. 3 (pano de pó) duster.
panorama s.f. 1 (paisagem) scenery. 2 (perspectiva) prospect.
panqueca s.f. pancake.
pântano s.m. marsh, moor.
pantanoso adj. marshy.
pantera s.f. panther (zoo).

pantomima s.f. pantomime.
pão s.m. 1 bread. **pão com manteiga**, bread and butter. **pão doce**, bun. 2 (individual) roll. **pão integral**, wholewheat bread. **pão de ló**, sponge cake.
papa 1 Pope. 2 (mingau) mush.
papagaio s.m. 1 parrot 2 (papagaio de papel, pipa) kite.
papel s.m. 1 paper. **lenço de papel**, tissue paper. 2 (papel de carta) stationery. 3 (papel em cinema/ teatro) role.
papoula s.f. poppy (pl -ies).
par s.m. 1 pair. **em pares**, in pairs. 2 peer.
para adv. 1 (usado com advérbios que indicam propósito, resultado, efeito, conseqüência) to. 2 (usado antes de muitos verbos para indicar o infinitivo; não é usado antes de *can, could, may, might, must, will, would, shall, should, ought to*) to. **para frente**, forward(s) along. **para dentro**, inwards. **para fora**, outwards, outside. **para baixo**, down. **para o lado**, sidewards.
para prep. 1 for. 2 to. **para dentro**, into. **para cima**, up. **para baixo**, down.
para sempre adj. forever.
pára-brisa s.f. windshield.
pára-choque s.m. buffer, bumper.
parada s.f. 1 halt. 2 (desfile) parade. 3 (ponto) stop. **parada de ônibus, ponto de ônibus**, bus stop.
paradeiro s.m. whereabouts.
parado adj. stationary.
paradoxo s.m. paradox.
parafusar v.t. e i. screw.
parafuso s.m. screw.
parágrafo s.m. paragraph.
paraíso s.m. paradise.
paraleia adj. parallel (rei a linhas).
paralelepípedo s.m. cobblestone.
paralisação s.f. standstill.
paralisar v.t. paralyze.
paralisia s.f. paralysis. **paralisia cerebral**, cerebral palsy (med).
pára-quedas s.m. parachute.
pára-quedista s.m. e f parachutist.

parar v.t. e i. 1 stop. **parar de repente**, stop dead. 2 halt.
parasita s.f. parasite.
parcial adj. partial.
parcialidade s.f. partiality.
parcialmente adv. partially.
pardal s.m. sparrow.
parecer v.i. 1 seem. 2 (com alguém) look like.
parede s.f. wall. **papel de parede**, wallpaper. **subir pelas paredes**, go up the wall.
parente s.m. relative. **parentes por afinidade (através do casamento)**, in-laws. **parentesco consangüíneo**, kindred.
parêntese s.m. bracket, parenthesis. **entre parênteses**, in parentheses.
parlamento s.m. parliament.
paróquia s.f. parish.
paroxismo s.m. paroxysm.
parricida s.m. patricide.
parte s.f. 1 part. **em parte**, in part. **da parte de**, on the part of. **fazer a sua parte**, do one's part. 2 share.
parteira s.f. midwife.
partição s.f. (divisão, separação) partition.
participante s.m. e f. participant.
participar v.i. participate, partake.
particípio s.m. participle (gram).
partícula s.f. fleck.
particular adj. 1 particular. **em particular**, in particular. 2 private.
particular s.f. particular.
partida s.f. 1 start. **ponto de partida**, starting point. 2 (saída) departure.
partir v.t. e i. 1 leave. 2 depart. 3 start.
Páscoa s.f. easter. **ovo de páscoa**, easter egg. **Páscoa dos Judeus**, passover.
passado adj. bygone, past.
passado s.m. past.
passageiro s.m. passenger. **passageiro clandestino**, stowaway.
passagem s.f. passage, way. **passagem subterrânea**, subway. **preço da passagem**, fare.

passaporte *s.m.* passport.
passar *v.t.* e *i.* 1 pass. **passar o tempo**, pass the time of day with somebody. *(gír)* **passar a responsabilidade para outrem**, pass the buck. **passar por**, pass for somebody/something. 2 (passar roupa) iron. **tábua de passar**, ironing-board. 3 (passar por cima) override. 4 (decorrer) elapse.
pássaro *s.m.* bird.
passatempo *s.m.* hobby, pastime.
passável *adj.* passable.
passear *v.i.* 1 walk. 2 (a pé) stroll. 3 (perambular) wander.
passeata *s.f.* demo, demonstration.
passeio *s.m.* 1 walk. **dar uma volta a pé**, go for a walk 2 (de bicicleta a cavalo) ride 3 (de carro) go for a drive 3 stroll.
passividade *s.f.* passivity.
passivo *adj.* passive.
passo *s.m.* 1 stride. 2 (porte) gait. 3 step. 4 (ritmo) pace.
pasta *s.f.* 1 (documentos) briefcase. 2 (papéis) folder.
pastar *v.t.* e *i.* pasture.
pastel *s.m.* 1 (rel a cores) pastel. 2 (salgadinho) pastry.
pasteurização *s.f.* pasteurization.
pasto *s.m.* pasture.
pastor *s.m.* 1 shepherd. 2 (ministro) pastor.
pastoso *adj.* pasty.
pata *s.f.* paw.
patente *s.f.* patent. **registro de patentes**, patent office.
patentear *v.t.* patent.
paternal *adj.* paternal.
paternalismo *s.m.* paternalism.
paternidade *s.f.* fatherhood, paternity.
paterno *adj.* fatherly.
pateta *adj.* nitwit (infml).
pateticamente *adv.* pathetically.
patético *adj.* pathetic.
patife *s.m.* scoundrel.
patim *s.m.* 1 (de gelo) ice-skate. 2 (de rodas) roller skate.
patinar *v.i.* 1 skate. 2 (no gelo) ice-skate.
patinar *v.i.* skate.
pátio *s.m.* yard.
pato *s.m.* duck. **patinho**, duckling.
patologia *s.f.* pathology.
patológico *adj.* pathological.
patologista *s.m.* pathologist.
patriarca *s.m.* e *f.* patriarch.
patrimônio *s.m.* patrimony (pl *-ies*).
patriota *s.m.* e *f.* patriot.
patriótico *adj.* patriotic.
patriotismo *s.m.* patriotism.
patrocinar *v.t.* champion.
patrono *s.m.* patron.
patrulhar *v.t. v.i.* patrol *(-ll-)*.
patrulha *s.f.* patrol.
pau *s.m.* 1 stick. **pauzinhos com que os chineses e japoneses comem**, chopstick. 2 (vulg) (órgão sexual masculino), dick, cock.
pausa *s.f.* pause. **fazer uma pausa**, give pause to.
pavão *s.m.* peacock.
pavimentar *v.t.* 1 pave. 2 (pavimentar com pedras arredondadas) cobble.
pavimento *s.m.* pavement.
pavimento *s.m.* story.
paz *s.f.* peace. **manter a paz**, keep the peace. **fazer as pazes com**, make peace with. **em paz**, at peace (with). **paz de espírito**, peace of mind.
pé *s.m.* foot. **à pé**, on foot. **pé-de-meia**, nest egg.
peão *s.m.* pawn.
peça *s.f.* play.
pecado *s.m.* sin.
pecador *s.m.* sinner.
pecar *v.i.* sin.
pechincha *s.f.* bargain.
peculiar *adj.* peculiar.
pecuniário *adj.* pecuniary.
pedaço *s.m.* piece. **pedaço grande**, chunk.
pedágio *s.m.* toll.
pedagogia *s.f.* pedagogy.
pedal *s.m.* pedal.
pedalar *v.t.* e *i.* pedal.
pedante *adj.* pedantic.
pedestal *s.m.* pedestal.

pedestre *adj.* pedestrian. *faixa / travessia de pedestres*, pedestrian crossing.
pedestre *s.m.* pedestrian.
pediatra *s.m. e f.* pediatrician.
pediatria *s.f.* pediatrics.
pedicuro *s.m.* chiropodist, pedicure.
pedido *s.m.* application, request. *a pedido de*, at/by the request of. *a pedidos*, on request. *pedido de desculpas*, apology.
pedinte *s.m. e f* beggar.
pedir *v.t.* 1 (solicitar) ask for. 2 (em restaurante) order. 3 (exigir) demand. 4 (solicitar) apply.
pedra *s.f.* 1 (rocha) stone. 2 (pedra fundamental) corner-stone. 3 (pedra preciosa). *a idade da pedra*, the stone age. *não deixar pedra sobre pedra*, leave no stone unturned.
pedreira *s.f.* quarry.
pedreiro *s.m.* mason, brick-layer.
pegar *v.t. e i.* hold. 2 (buscar) get. 3 (pegar alguém) pick sb up. 4(avião, ônibus, trem) take.
peito *s.m.* breast, (infml) boob, bosom.
peixe *s.m.* 1 fish. 2 (signo do zodíaco) pisces.
pejorativo *adj.* pejorative.
pele *s.f.* 1 skin. *ser pele e osso*, be skin and bones. *salvar a pele*, save one's skin. 2 (de animal de pêlo) fur. 3 (couro) hide.
pelotão *s.m.* platoon (mil).
pelúcia *s.f.* plush.
peludo *adj.* furry, fuzzy.
pélvis *s.f.* pelvis (pl *pelves*) (anat).
pena *s.f.* 1 pity (pl *-ies*). *por pena*, out of pity. *que pena!*, What a pity!/ What a shame. 2 (de ave) feather. *pena de morte*, death penalty.
penal *adj.* penal.
penalidade *s.f.* penalty (pl *-ies*) (rel a esporte).
penalizar *v.t.* penalize.
pendente *adj.* pending.
pender *v.t. e i.* (pendurar) hang.
pêndulo *s.m.* pendulum.

pendurar *v.t.* suspend.
penetrante *adj.* penetrating.
penetrar *v.t. e i.* penetrate.
penhasco *s.m.* cliff.
penhorar *v.t.* pawn.
penicilina *s.f.* penicillin.
península *s.f.* peninsula.
pênis *s.m.* penis (anat).
penitência *s.f.* penance.
penitenciária *s.f.* penitentiary (pl *-ies*), prison.
penitente *adj.* penitent.
pensador *s.m.* thinker.
pensamento *s.m.* thought.
pensão *s.f.* 1 (pensão paga pelo marido à ex-mulher depois do divórcio) alimony. 2 (renda anual ou mensal paga a alguém durante a vida) pension. 3 (moradia) boarding house. 4 (meia-pensão/pensão completa) half/full board.
pensar *v.t. e i.* think. *pensar em voz alta*, think aloud. *pensar em*, think of something. 2 (pensar/falar sobre o passado) reminisce.
pensativo *adj.* pensive.
pentágono *s.m.* pentagon (geom).
pente *s.m.* comb.
penteadeira *s.f.* dressing table.
pentear *v.t.* comb.
pepino *s.m.* cucumber.
pequenino *adj.* teeny weeny (infml).
pequeno *adj.* small. *sentir-se pequeno*, feel small.
pera *s.f.* pear.
perambular *v.t. e i.* roam.
perceber *v.t.* realize.
percepção *s.m.* perception (fml).
perceptível *adj.* perceptible, perceptive (fml).
percevejo 1 (preguinho) tack, drawing pin. 2 (inseto) bug.
perda *s.f.* 1 loss. 2 waste.
perdão *s.m.* pardon, forgiveness.
perdedor *s.m.* loser.
perder *v.t. e i.* 1 lose. *estar perdido*, be/get lost. *perder a calma*, lose one's temper/head. 2 (meio de transporte) miss.

perdido *adj.* lost, stray.
perdoar *v.t. e i.* forgive, pardon.
perecer *v.t. e i.* perish.
perecível *adj.* perishable (rel a gêneros alimentícios).
peregrinação *s.f.* pilgrimage.
peregrino *s.m.* pilgrim.
perfeição *s.f.* perfection.
perfeito *adj.* perfect, flawless.
perfil *s.m.* profile.
perfumado *adj.* fragrant, balmy.
perfumar *v.t.* incense.
perfume *s.m.* perfume.
pergaminho *s.m.* parchment.
pergunta *s.f.* 1 question. 2 inquiry. *fora de questão*, out of question.
perguntar *v.t.* 1 question. 2 ask.
perícia *s.f.* expertise.
periférico *adj.* peripheral.
perigo *s.m.* danger, peril.
perigoso *adj.* dangerous, perilous.
perímetro *s.m.* perimeter.
periodicamente *adv.* periodically.
periódico *adj.* 1 periodic (-cal). 2 recurrent. 3 (publicação) journal.
período *s.m.* period. *período de tempo*, spell.
periquito *s.m.* parakeet.
periscópio *s.m.* periscope.
perito *s.m.* expert.
perjúria *s.f.* perjury (jur).
permanência *s.f.* permanence.
permanente *adj.* permanent, perm. *fazer uma permanente*, give a perm.
permear *v.t. e i.* permeate pervade (fml).
permissão *s.f.* consent, permission.
permissível *adj.* permissible.
permissivo *adj.* permissive.
permitido *v.t. e i.* allow, let.
permitir *v.t. e i.* (consentir) permit.
permuta *s.f.* swap (infml). *fazer uma troca/permuta*, do a swap.
perna *s.f.* leg.
pernicioso *adj.* pernicious (fml).
pérola *s.f.* pearl. *jogar pérolas aos porcos*, cast pearls before swine.

perpendicular *adj.* sheer.
perpetrar *v.t.* perpetrate.
perpétuo *adj.* everlasting, perpetual.
perplexo *adj.* perplexed.
perseguição *s.f.* 1 persecution. 2 (caça) chase. 3 perseguição.
perseguir *v.t.* persecute, chase.
perseverante *adj.* persevering.
perseverar *v.i.* persevere.
persistente *adj.* persistent.
personalidade *s.f.* personality, character.
personificação *s.f.* personification.
perspectiva *s.f.* outlook.
perspicaz *adj.* perspicacious.
persuadir *v.t. e i.* coax.
persuasão *s.f.* (inducement) persuasion.
persuasivo *adj.* persuasive.
pertencer *v.t. e i.* belong to.
pertences *s.m.* pl belongings, paraphernalia.
pertinente *adj.* pertinent.
perto *adv.* nearby.
perto de *prep.* 1 about. 2 by. 3 at.
perturbação *s.f.* disturbance.
perturbar *v.t.* unsettle disturb.
peru *s.m.* turkey. *perú defumado*, smoked turkey.
perua *s.f.* van.
peruca *s.f.* wig.
perversão *s.f.* perversion.
pervertido *s.m.* pervert.
pesadelo *s.m.* nightmare.
pesado *adj.* heavy. *boxeador peso-pesado*, heavyweight.
pesar *s.m.* 1 regret. 2 sorrow.
pesar *v.t. e i.* 1 weigh 2 (ser pesado) be heavy.
pesarosamente *adv.* regretfully.
pesaroso *adj.* regretful, mournful.
pescar *v.t. e i.* fish. *pesca*, fishing. *vara de pescar*, fishing-rod.
pescoço *s.m.* neck.
peso *s.m.* weight. *com excesso de peso*, over weight. *levantamento de pesos*, weight-lifting, pump iron.
pesquisador *s.m.* researcher.

pesquisar

pesquisar *v.t.* research.
pêssego *s.m.* peach.
pessimismo *s.m.* pessimism.
pessimista *adj.* pessimistic.
pessoa *s.f.* person (pl ger *people*). **pessoa amada**, beloved. **pessoa importante**, vip.
pessoalmente *adv.* personally.
pesticida *s.f.* pesticide.
pétala *s.f.* petal.
peteca *s.f.* shuttlecock.
petição *s.f.* petition.
petrificar *v.t. e i.* petrify.
petróleo *s.m.* oil, petroleum.
petulância *s.f.* petulance.
pia *s.f.* sink.
piada *s.f.* joke, crank, **piada de mal gosto**, practical joke.
pianista *s.m. e f.* pianist.
piano *s.m.* piano. **piano de cauda**, grand piano.
pião *s.m.* top.
picar *v.t. e i.* 1 (espetar) prick. 2 sting. 3 (ferroar) prickle.
piegas *adj.* corny (gír).
pijama *s.m.* pajamas.
pilar *s.m.* pillar.
pilha *s.f.* stack.
pilhar *v.t. e i.* loot.
pilotar *v.t.* pilot.
pílula *s.f.* pill. **pílula anticoncepcional**, the pill.
pimenta *s.f.* pepper.
pináculo *s.m.* pinnacle.
pinça *s.f.* tweezers.
pincelada *s.f.* dab.
pingar *v.t. e i.* dribble.
pingo *s.m.* drop. **pingo de chuva**, raindrop.
pingüim *s.m.* penguin.
pinheiro *s.m.* pine, pine tree.
pino *s.m.* bolt.
pintar *v.t. e i.* 1 paint. 2 (retratar) picture, depict.
pinto *s.m.* 1 chick. 2 (vulg) (orgão sexual masculino) dick, cock.
pintor *s.m.* painter.
pintura *s.f.* 1 picture. 2 (quadro) painting.

piolho *s.m.* louse.
pioneiro *s.m.* pioneer.
pior *adj.* worse (comp de bad). **ir de mal a pior**, go from bad to worse.
piorar *v.t. e i.* worsen.
pipoca *s.f.* popcorn.
piquenique *s.m.* picnic.
pirâmide *s.f.* pyramid.
pirar *v.i.* go nuts.
pirata *s.f.* pirate.
pirataria *s.f.* piracy.
pires *s.m.* (pl) saucer.
pirulito *s.m.* loliipop.
pisar *v.t.* 1 step on/in sth. **pisar na bola**, overstep the mark.
piscadela *s.f.* wink.
piscar *v.i. e t.* 1 blink. 2 wink.
piscina *s.f.* pool, swimming-pool, piscina.
pista *s.f.* 1 (aeroporto) tarmac. 2 (atletismo) track.
pistola *s.f.* pistol.
pitoresco *adj.* picturesque.
pivô *s.m.* pivot.
placa *s.f.* plaque.
plácido *adj.* placid.
plagiar *v.t.* pirate.
plágio *s.m.* plagiarism.
planador *s.m.* glider.
planalto *s.m.* plateau.
planejar *v.t.* plan. **planejar com antecedência**, plan ahead. **planejar**, plan on.
planeta *s.m.* planet. **planeta terra**, earth.
planetário *adj.* planetary.
planície *s.f.* plain.
plano *adj.* 1 even. 2 (chato) flat. 3 level.
plano *s.m.* plan.
planta *s.f.* plant (bot).
plantação *s.f.* plantation.
plantar *v.t.* plant.
plástico *adj.* plastic. **cirurgia plástica**, plastic surgery. **cirurgião plástico**, plastic surgeon.
plástico *s.m.* plastic.
plataforma *s.f.* platform.

plebiscito s.m. plebiscite.
plenário adj. plenary.
plenitude s.f. prime.
pluma s.f. plume.
plural s.m. plural.
pneu s.m. tire. **pneu furado**, flat tire.
pneumático adj. pneumatic.
pó s.m. dust.
pó s.m. powder.
pobre adj. poor, abject (fml).
pobre s.m. pauper.
pobremente adv. poorly.
pobreza s.f. poverty.
poça s.f. puddle.
poção s.f. potion.
pochete s.f. pouch.
poço s.m. well.
podar v.t. prune.
poder s.m. 1 power. 2 might.
poderoso adj. mighty, powerful.
poema s.m. poem.
poesia s.f. poetry.
poeta s.m. e f. poet.
poético adj. poetic.
polar adj. polar.
polegada s.f. inch.
polegar s.m. thumb.
polêmico adj. polemic.
pólen s.m. pollen.
polícia s.f. police. **policial**, police officer, policeman. **delegacia de polícia**, police station.
policiar v.t. police.
polidez s.f. politeness.
polido adj. polite.
polir v.t. e i. polish.
política s.f. politics.
político adj. political.
político s.m. politician.
pólo s.m. pole. **pólo norte**, north pole.
pólo s.m. polo. **gola olímpica, gola rolê**, a polo neck sweater. **pólo aquático (jogo)**, water-polo.
poltrona s.f. armchair.
poluente s.m. pollutant.
poluição s.f. pollution.
poluir v.t. pollute.
polvo s.m. octopus.

pomada s.f. salve.
pomar s.m. orchard.
pomba s.f. dove.
pomelo s.m. grapefruit.
pompa s.f. pomposity.
pomposo adj. ornate, pompous.
ponderar v.t. e i. ponder (over).
pônei s.m. pony.
ponta s.f. tip. **ter algo na ponta da língua**, have (something) on the tip of one's tongue.
pontada s.f. pang, twinge.
pontaria s.f. aim.
ponte s.f. bridge.
pontiagudo adj. pointed, sharp.
pontífice s.m. pontiff.
ponto de venda, outlet. 2 dot. 3 (sujeira) speck. 4 (tricô) stitch.
ponto s.m. 1 point. **ponto de vista**, point of view. **ponto de partida**, point of departure. **estar a ponto de fazer algo**, be on the point of doing sth.
pontual adj. punctuai.
pontualidade s.f. punctuality.
pontuar v.t. punctuate.
poodle s.m. poodle (cão).
população s.f. population.
popular adj. pop, popular.
popularidade s.f. popularity.
pôquer s.m. poker.
por prep. 1 per. **por ano**, per annum. **por cento**, per cent. 2 (tempo) for. 3 (agente) by. 4 (meio, modo) by. 5 (causa) for. **por isso**, so. **por causa de**, because of.
pôr v.t. e i. 1 put. **colocar a culpa em**, put the blame on. **pôr um fim an** put an end to. 2 (vestir) put sth on. 3 (relógio) set. **pôr a mesa**, set the table. 4 (tocar música) put on. **pôr de lado**, set sth apart/aside. 5 (colocar) lay. **pôr ovos**, lay eggs. **pôr a culpa em alguém**, lay the blame on sb.
porão s.m. basement, cellar.
porção s.f. portion.
porcelana s.f. porcelain.
porcentagem s.f. percentage.
porco s.m. 1 pig. 2 (porco castrado) hog.

pornografia

3 (porco-espinho) porcupine. *carne de porco*, pork.
pornografia *s.f.* porn. pornography.
pornográfico *adj.* pornographic. *filme pornográfico*, porn movie.
poro *s.m.* pore.
porta *s.f.* door.
portão *s.m.* gate. *portão de entrada e saída*, gateway.
porteiro *s.m.* doorman, janitor, doorkeeper.
portfólio *s.m.* portfolio.
portinhola *s.f.* hatch, porthole.
porto *s.m.* harbor, port.
pós *prefixo* post.
posar *v.t. e i.* 1 pose. 2 (fazer pose) posture.
pose *s.f.* pose.
pós-graduado *adj.* posgraduate.
posição *s.f.* position, location.
positivamente *adv.* positively.
positivo *adj.* positive, plus.
posse *s.m.* ownership.
posseiro *s.m.* squatter.
posses *s.m.* pl asset.
possessivo *adj.* possessive.
possibilidade *s.f.* possibility.
possibilidade *v. aux.* may.
possível *adj.* possible.
possivelmente *adv.* possibly.
possuir *v.t. e i.* own, possess.
postal *adj.* postal.
postar *v.t.* post.
poste *s.m.* post.
posteridade *s.f.* posterity.
posterior *adj.* 1 ulterior. 2 latter. 3 subsequent.
posteriormente *adv.* afterwards.
posto *s.m.* post. *posto de gasolina*, gas station. *posto avançado*, outpost. *posto médico*, medical services.
postular *v.t.* postulate.
póstumo *adj.* posthumous.
postura *s.f.* 1 posture. 2 poise. *postura relaxada*, slouch.
pote *s.m.* pot.
potência *s.f.* potency.
potencial *adj.* potential.

potencialmente *adv.* potentially.
potente *adj.* potent.
potro *s.m.* colt.
pouco *adj.* 1 (com substantivo não contável) little, not much. 2 (com substantivo contável) few, not many.
pouco *adv.* 1 (ao modificar um verbo) not much. 2 (quando modifica um adjetivo) not very.
pouco *pron.* little, few. *pouco a pouco*, little by little.
poucos *pron.* few.
poupar *v.t. e i.* 1 spare. 2 (economizar) save. *poupar dinheiro*, save money.
pousado *adj.* landed.
povoar *v.t.* populate.
prado *s.m.* meadow, prairie.
praga *s.f.* pest, plague.
pragmático *adj.* pragmatic.
pragmatismo *s.m.* pragmatism.
praia *s.f.* 1 beach. *na praia*, on the beach. 2 (margem) shore.
prancha *s.f.* plank.
prancheta *s.f.* drawing board.
prata *s.f.* silver. *medalha de prata*, silver medal. *bodas de prata*, silver anniversary.
prateleira *s.f.* shelf, rack.
prática *s.f.* practise.
praticamente *adv.* practically.
praticar *v.t. e i.* practice.
praticável *adj.* feasible, practicable.
prático *adj.* practical, functional.
prato *s.m.* 1 plate. 2 (comida) dish.
prazer *s.m.* joy, pleasure. *ter (imenso) prazer em (fazer algo)*, take (great) pleasure in (doing something).
prazo final *s.m.* deadline.
preâmbulo *s.m.* introdução, prefácio, preamble.
precário *adj.* precarious (fml).
precaução *s.f.* precaution.
precedente *adj.* preceding.
precedente: *s.m.* precedent.
preceptor *s.m.* tutor.
precioso *adj.* precious. *pedra preciosa*, precious stone.
precipício *s.m.* precipice.

precipitação *s.f.* precipitation (fml).
precipitar *v.t.* 1 precipitate. 2 rush.
precisamente *adv.* precisely.
precisão *s.f.* precision.
preciso *adj.* precise.
preço *s.m.* 1 cost. 2 (valor) price.
precoce *adj.* precocious.
preconcebido *adj.* preconceived.
preconceito *s.m.* prejudice.
precursor *s.m.* precursor (fml).
predatório *adj.* (rel a animal) predatory (fml).
predecessor *s.m.* predecessor.
predestinação *s.f.* predestination.
predestinar *v.t.* predestine.
predicado *s.m.* predicate (gram).
predição *s.f.* prediction.
predicativo *adj.* predicative (gram).
predisposição *s.f.* predisposition.
predizer *v.t.* predict.
predominância *s.f.* predominance.
pré-estréia *s.f.* preview.
pré-fabricar *v.t.* prefabricate.
prefácio *s.m.* foreword, preface.
prefeito *s.m.* mayor.
preferência *s.f.* preference.
preferencial *adj.* preferential.
preferir *v. aux.* (expressa escolha) would (forma negativa wouldn't), usado como passado de will.
preferir *v.t.* prefer.
prefixo *s.m.* prefix.
prega *s.f.* pleat.
pregador *s.m.* preacher.
pregar *v.i.* 1 nail. 2 preach.
preguiça *s.f.* laziness,.
preguiçoso *adj.* lazy.
pré-histórico *adj.* prehistoric.
prejudicial *adj.* detrimental, harmful.
preliminar *adj.* preliminary.
prelúdio *s.f.* prelude.
prematuro *adj.* premature.
premeditar *v.t.* premeditate.
premiar *v.t.* award.
prêmio *s.m.* award, prize.
premonição *s.f.* premonition.
prender *v.t.* arrest, imprison, send to jail, put behind bars.

preocupação *s.f.* worry bother concern.
preocupado *adj.* concerned, worried.
preocupar *v.t.* worry, preoccupy.
preparação *s.f.* preparation.
preparado *adj.* prepared.
preparatório *adj.* preparatory.
preponderância *s.f.* preponderance.
preposição *s.f.* preposition.
pré-requisito *adj.* prerequisit.
prerrogativa *s.f.* prerogative.
presa *s.f.* prey. **presa de elefante**, tusk.
prescrever *v.t. e i.* prescribe.
prescrição *s.f.* (receita) prescription.
presença *s.f.* attendance, presence.
presente *adj.* present.
presente *s.m.* 1 gift. 2 (tempo) present.
presentear *v.t.* present.
preservação *s.f.* preservation.
preservar *v.t.* preserve (fml, liter).
preservativo *s.m.* condom, contraceptive.
presidência *s.f.* presidency.
presidencial *adj.* presidential.
presidente *s.m.* president, chairman.
presidir *v.i.* preside.
pressa *s.f.* haste, hurry. **com pressa**, in a hurry.
pressão *s.f.* pressure. **pressão sanguinea**, blood pressure. **sob pressão**, under pressure.
pressentimento *s.m.* presentiment.
pressionar *v.t. e i.* press, put pressure on.
pressupor *v.t.* presuppose.
pressurizar *v.t.* pressurize.
prestação *s.f.* installment.
prestativo *adj.* obliging, helpful.
prestígio *adj.* prestigious.
prestígio *s.m.* prestige.
presumir *v.t. v.i.* presume.
presumível *adj.* presumable.
presunção *s.f.* pretension.
presunçoso *adj.* smug.
presunto *s.m.* ham.
pretender *v.t.* intend.

pretensioso *adj.* assuming, pretentious.
preto *adj.* black. ***quadro negro***, blackboard. ***ovelha negra***, black sheep.
prevalecer *v.i.* prevail (fml).
prevenção *s.f.* prevention.
prevenir *v.t.* alarm.
preventivo *adj.* preventive.
prever *v.i.* forecast , predict.
prévio *adj.* previous.
previsão *s.f.* forecast, prediction.
previsível *adj.* predictable.
primário *adj.* primary. ***escola primária***, elementary school.
primata *s.m.* primate (zoo).
primavera *s.f.* spring , springtime.
primazia *s.f.* primacy (fml).
primeira-dama *s.f.* first lady.
primeiro *adv.* first, first of all.
primeiro(a) *adj.* first. ***na primeira oportunidade***, first thing. ***à primeira vista***, at first sight. ***primeira classe***, first class.
primeiro-ministro *s.m.* prime minister.
primitivo *adj.* primitive.
primitivo *s.m.* primitive.
primo *s.m.* cousin.
prímula *s.f.* prImrose (bot).
princesa *s.f.* princess.
principal *adj.* main, principal. leading.
principalmente *adv.* mainly.
príncipe *s.f.* prince.
princípio *s.m.* principle. ***por princípio***, on principle.
prioridade *s.f.* priority.
prisão *s.f.* 1 (cadeia) prison, jail. 2 imprisonment. ***sob ordem de prisão***, under arrest.
prisioneiro *s.m.* prisoner, inmate.
privação *s.f.* deprivation.
privacidade *s.f.* privacy.
privado *adj.* 1 private. 2 deprived.
privilegiado *adj.* privileged.
privilégio *s.m.* privilege.
pró *prefixo* pro.
proa *s.f.* prow (náut).

probabilidade *s.f.* probability. ***com toda probabilidade***, in all probability.
problema *s.m.* drawback, problem.
problemático *adj.* problematic.
proceder *v.i.* proceed.
procedimento *s.m.* procedure.
processamento *s.m.* processing. ***de dados***, data processing.
processar *v.t. e i.* 1 process. 2 sue. 3 prosecute.
procissão *s.f.* procession.
proclamação *s.f.* proclamation.
proclamar *v.t.* proclaim.
procriar *v.t.* v breed.
procuração *s.f.* proxy.
procurar *v.t. e i.* 1 seek. 2 search.
prodígio *s.m.* prodigy.
prodigioso *adj.* prodigious.
pródigo *adj.* prodigal (fml).
produção *s.f.* production. ***produção em massa***, mass production. ***linha de produção***, production line.
produtivo *adj.* productive.
produto *s.m.* product.
produtor *s.m.* producer.
proeminente *adj.* prominent.
profanação *s.f.* desecration.
profanar *v.t.* desecrate.
profano *adj.* profane.
profecia *s.f.* prophecy, prognosis.
professor *s.m.* teacher. ***professor universitário***, professor.
profeta *s.m.* prophet.
profético *adj.* prophetic.
proficiêncio *s.f.* proficiency.
proficiente *adj.* proficient.
profissão *s.f.* occupation, profession.
profissional *adj.* professionai.
profissional *s.m. e f.* professionai. ***tornar-se profissional***, turn professional.
profundeza *s.f.* depth.
profundidade *s.f.* profundity (fml).
profundo *adj.* deep.
progenitor *s.m.* progenitor (fml).
prognosticar *v.t.* prognosticate (fml).
programa *s.m.* program.
programar *v.t.* schedule, program.

progredir v.i. progress.
progressão s.f. progression.
progressivo adj. progressive.
proibição s.f. prohibition.
proibir v.t. prohibit, ban, forbid.
proibitivo adj. prohibitive.
próximo s.m. neighbor.
projeção s.f. projection. *sala de projeções*, projection room.
projetar v.t. e i. project.
projétil s.m. missile, projectile.
projeto s.m. project.
projetor s.m. projector.
proliferar v.i. proliferate.
prólogo s.m. prologue.
promessa s.f. promise, pledge.
prometer v.t. e i. promise.
promiscuidade s.f. promiscuity.
promíscuo: adj. promiscuous.
promissor adj. promising.
promoção s.f. promotion.
promover v.t. promote.
promulgação s.f. promulgation (fml).
promulgar v.t. enact, promulgate.
pronome s.m. pronoun (gram).
prontidão s.f. readiness, standby. *estar em prontidão*, be on standby.
pronto adj. ready.
pronúncia: s.f. pronunciation.
pronunciar v.t. e i. 1 spell. *pronunciar mal*, mispronounce. 2 pronounce.
propaganda s.f. propaganda.
propagar v.t. e i. propagate (fml).
propelir v.t. propel.
propenso adj. willing.
propor v.t. e i. propose.
proporção s.f. proportion. *em proporção a*, in proportion to.
proporcionado adj. proportionate (fml).
proporcional adj. proportional (fml). *representatividade proporcional*, proportional representation.
proposição s.f. proposition.
propósito s.m. purpose.
proposta s.f. proposal.
propriedade s.f. property.
proprietário s.m. 1 owner. *proprietário de terras*, landowner. 2 proprietor.

próprio adj. own.
propulsão s.f. propulsion.
prorrogação s.f. 1 em jogo de futebol. 2 (de prazo) extension.
prosa s.f. prose.
proscrito s.m. outlaw.
prosperar v.t. e i. prosper, flourish, thrive.
prosperidade s.f. prosperity.
próspero adj. successful, prosperous.
prostituição s.f. prostitution.
prostituir v.t. prostitute.
prostituta s.f. whore, hooker, slut, prostitute.
prostração s.f. prostration.
prostrado adj. prostrate.
prostrar v.t. prostrate.
proteção s.f. shelter, protection.
proteger(-se) v.t. e i. shelter, screen, protect.
proteina s.f. protein.
protelação s.f. procrastination.
protestante adj. protestant.
protesto s.m. protest.
protetor adj. patronizing.
protetor adj. protective.
protetor s.m. guardian.
próton s.m. proton (fís, quím).
protótipo s.m. prototype.
protuberância s.f. bulge.
protuberante adj. protuberant (fml).
prova s.f. 1 proof. 2 (evidência) evidence. 3 (exame) test, examination.
provação s.f. ordeal.
provar v.t. e i. prove (pp -d ou proven).
provável adj. probable.
provavelmente adv. probably, iikely. *muito provavelmente*, as likely as not.
proveitoso adj. profitable.
provérbio s.m. proverb, saying.
providência s.f. providence.
província s.f. province.
provinciano adj. provincial.
provisão s.f. provision s.
provocante adj. tantalizing, provoking.
provocar v.i. provoke, taunt.

provocativo

provocativo *adj.* provocative.
proximidade *s.f.* proximity.
próximo *adj.* next, close.
próximo *adv.* near.
prudência *s.f.* prudence.
prudente *adj.* prudent.
pseudônimo *s.m.* alias, pseudonym.
psicanálise *s.f.* psychoanalysis.
psicanalista *s.m. e f.* psychoanalyst.
psicologia *s.f.* psychology.
psicológico *adj.* psychological. **guerra psicológica**, psychological warfare.
psicólogo *s.m.* psychologist.
psicopata *s.m. e f.* psychopath, psycho.
psicoterapia *s.f.* psychotherapy.
psiquiatra *s.m. e f* psychiatrist.
psiquiatria *s.f.* psychiatry.
psiquiátrico *adj.* psychiatric.
puberdade *s.f.* puberty.
pubiano *adj.* pubic.
publicar *v.t.* publish.
publicidade *s.f.* advertising, publicity.
público *adj.* public. **relações públicas**, public relations. **pesquisa de opinião pública**, public opinion poll.
público *s.m.* public. **em público**, in public.
pudim *s.m.* pudding.
pugilista *s.m.* boxer.
pular *v.t. e i.* 1 jump. 2 leap, 3 hop (saltar) skip. **pular corda**, skipping-rope.
pulga *s.f.* flea.
pulmão *s.m.* lung.
pulo *s.m.* skip, bounce, hop.
pulôver *s.m.* pullover, sweater.
pulsação *s.f.* pulse.
pulseira *s.f.* bracelet.
pulso *s.m.* wrist. **relógio de pulso**, wristwatch.
pulverizar *v.t. e i.* pulverize.
pulverizar *v.t.* spray.
punhal *s.m.* dagger.
punho *s.m.* fist.
punir *v.t.* punish.
puramente *adv.* purely.
purificar *v.t.* purify.

puritano *s.m.* puritan.
puro *adj.* pure.
puxador *s.m.* knob.
puxar *v.t. e i.* 1 pull. 2 (arrancar) yank. 3 (puxar com força) tug.

q Q

QI. *s.m.* IQ
quadrado *adj.* square.
quadrado *s.m.* 1 square. 2 (formu-lário, figura) box.
quadrângulo *s.m.* quadrangle.
quadril *s.m.* hip.
quadrinho *s.m.* comic book, comic strip.
quadro *s.m.* 1 (de funcionários) staff. 2 (de sala de aula) board. *quadro de avisos*, bulletin board.
quádruplo *adj.* quadruple.
qual *pron. rel.* which, who, whom, what, that.
qualidade *s.f.* quality (pl-ies). *alta/baixa qualidade*, low/high quality.
qualificação *s.f..* qualification.
qualificado *adj.* 1 qualified. 2 eligible.
qualificar(-se) *v.t. e i.* qualify (pret, pp -ied).
qualitativo. *adj.* qualitative.
qualquer *pron.adj.* any, some. *qual-quer lugar*, anywhere. *qualquer pessoa*, anybody. *qualquer que*, whatever.
quando *adv.* whenever.
quando *conj.* 1 as (simultaneidade). *tão... quanto, tão... como*, as... as. *contanto que*, as long as. 2 when, at what time, as soon as. *desde quando?* since when? how long?
quantia *s.f.* amount.
quantidade *s.f.* quantity, amount.
quanto *adv.* what, how (nice, beautiful).
quanto *pron. int.* how much? how many?
quanto *pron. rel.* how much, as much as, all that, what.
quarenta (num) forty.
quarentena *s.f.* quarantine.
quaresma sf. lent (rel).
quarta-feira *s.f.* Wednesday.
quartel *s.m.* 1 (quartel-general) headquarters. 2 (caserna) barracks.
quarto *s.m.* 1 (quarto) bedroom. 2 (aposento, dependência) room. 3 (de vestir) dressing room.
quarto (num) fourth.
quartzo *s.m.* quartz.
quase *adv.* 1 almost. 2 about. 3 nearly.
quatorze catorze (num) fourteen.
que *conj.* than. *somente, nada mais que*, nothing else than. *para que, a fim de que, de modo que*, so that/ in order that. *contanto que*, on condition that.
que *interj.* what!
que *pron. rel.* 1 (coisas) that, which. 2 (em relação a pessoas) who.
quebra *s.f.* break.
quebra-cabeça *s.f.* jigsaw, puzzle.
quebrado *adj.* (sem dinheiro) broke.
quebrar *v.t. e i.* 1 break. 2 split. 3 (quebrar, rebentar) bust.
queda *s.f.* 1 fall. 2 (queda brusca ou violenta) slump.
queijo *s.m.* cheese.
queimadura *s.f.* burn.
queimar *v.t. e i.* 1 burn. 2 scald. 3 scorch. *queimar ou consumir lentamente (pelo calor ou pelo fogo)*, burn away. *queimar-se, apagar-se ou extinguir-se*, burn out. *queimar-se ou consumir-se completamente*, burn up. 4 (estar em chamas, brilhar) blaze. 5 (incinerar), cremate.
queixa *s.f.* 1 grievance. 2 complaint.
queixar-se *v.i.* complain.
queixo *s.m.* chin.
queixoso *adj.* (fml) querulous.
queixoso *s.m.* (jur) plaintiff.
quem *pron. int.* who (usado em perguntas).
quem *pron.rel.* who, whom. (usado como objeto). *qualquer um, quem quer que*, whoever.
quente *adj.* hot.
quepe *s.* cap.
querido(a) *s.m. e f.* dear, darling, beloved.

querosene

querosene *s.f.* kerosene.
querubim *s.m.* cherub.
questão *s.m.* 1 question. 2 (assunto, problema) affair, matter.
questionário *s.m.* 1 questionnaire. 2 form.
questionável *adj.* questionable.
quiabo *s.m.* okra.
quieto *adj.* 1 quiet *(-er, -est)* 2 still.
quilate *s.m.* carat.
quilo *s.m.* kilo.
quilômetro *s.m.* kilometer.
química *adj.* chemical.
química *s.f.* chemistry
químico *adj.* chemical.
químico *s.m.* chemist
quimono *s.m.* kimono, robe.
quinhentos (num) five hundred.
quinta-feira *s.f.* Thursday.
quinto (num) fifth.
quinze (num) fifteen.
quinzena *s.f.* fortnight.
quiosque *s.m.* kiosk, newstand.
quiromante *s.m.* palmist.
quitação *s.f.* acquittal.
quitar *v.t.* acquit.

rabanete *s.m.* radish.
rabino *s.m.* rabbi.
rabiscar *v.i. e t.* scrawl, scribble.
rabisco *s.m.* 1 (algumas linhas escritas às pressas) scrawl. 2 scribble.
rabugento *adj.* grumpy.
raça *s.f.* kind.
ração *s.f.* ration.
rachadura *s.f.* 1 crack. 2 split.
rachar *v.i. e t.* crack.
racial *adj.* racial.
raciocinar *v.i. e t.* reason.
raciocínio *s.m.* reasoning.
racional *adj.* rational, reasonable.
racismo *s.m.* racism.
racista *s.m. e f.* racist.
radar *s.m.* radar.
radiação *s.m.* radiation.
radiador *s.m.* radiator.
radiante *adj.* radiant.
radical *adj.* radical.
radio *prefixo* radio.
rádio *s.m.* 1 radio. *no rádio*, on the radio. 2 (rádio portátil) wireless. 2 radium (quím).
rainha *s.f.* queen.
raio *s.m.* 1 ray. *raio x*, x-ray. *um raio de esperança*, a ray of hope. 2 (circunferência) radius.
raiva *s.m.* 1 rage. 2 (ira, fúria) anger. 3 (irritação) annoyance.
raivoso *adj.* rabid.
raiz *s.m.* 1 root. 2 (de planta, árvore) tree root. 3 (de dente, cabelo) tooth root. *criar raízes*, take/strike root. (mat) *sinal de raiz quadrada*, root sign, (Ö).
rajada *s.f.* 1 blast. 2 (lufada) waft. 3 (de vento) gust.
ralar *v.i. v.t.* grate.
ralhar *v.i. v.t.* 1 chide. 2 (repreender) scold.
ramo *s.m.* 1 (de árvore) branch. 2 (de flores) bunch. 3 (setor) field.

rancor *s.m.* 1 rancor. 2 (má vontade) grudge. 3 (despeito) spite.
rançoso *adj.* rancid.
ranger *v.i.* creak.
ranhura *s.f.* groove.
rapar vt shave.
rapaz *s.m.* young man, guy, dude.
rapidamente *adv.* fast, quick, rapidly. quickly.
rápido *adj.* swift , quick.
rapinar *v.i.* prey *(on/upon)*.
raposa *s.f.* 1 fox. 2 (fêmea)vixen (zoo).
rapto *s.m.* 1 abduction. 2 (sequestro(de pessoa) kidnap.
raquete *s.f.* racket.
raquiano *adj.* spinal (anat).
raquítico *adj.* rickety.
raramente *adv.* rarely , seldom.
raridade *s.f.* rarity.
raro *adj.* rare.
rascunho *s.m.* draft.
raso *adj.* shallow.
raspar *v.i. v.t.* scrape. *passar raspando (p ex em um exame)*, scrape through something.
rastrear *v.t.* track.
rastro *s.m* trail, track. *centro de rastreamento*. tracking station.
ratificar *v.t.* ratify.
rato *s.m.* rat.
razão *s.f* reason. *perder a razão*, lose one's reason.
razoavelmente *adv.* reasonably.
re *prefixo* re.
reabastecer *v.t.* refuel.
reabilitar *v.t.* rehabilitate.
reabrir *v.i. e t.* reopen.
reação *s.m.* reaction.
reacender *v.i. e t.* rekindle.
reagir *v.t.* react.
real *adj.* 1 (realeza) royal. 2 (verdadeiro) real. 3 (atual. presente) actual.
realeza *s.f.* royalty.
realidade *s.f.* reality. *na verdade*, actually.

realista

realista *adj.* realistic.
realização *s.f.* achievement, accomplishment (fml).
realmente *adv.* actually, really.
realocar *v.t. e i.* relocate.
reator *s.m.* reactor.
reaver *v.t. e i.* recover.
rebaixar *v.t.* derogate (fm).
rebanho *s.m.* 1 herd. 2 (manada) flock.
rebelar *v.i.* rebel.
rebelde *adj.* insurgent, rebellious.
rebelde *s.m. e f.* 1 rebel.
rebelião *s.f.* rebellion.
rebite *s.m.* rivet.
rebocar *v.t.* (EUA) guincho, tow. ***carro-rebocador***, tow-truck.
reboque *s.m.* tow. ***em reboque***, on tow. ***ao reboque de alguém***, in tow.
recado *s.m.* message, note.
recair *v.i.* relapse.
recalcitrante *adj.* recalcitrant (fml).
recapturar *v.t.* recapture.
receber *v.i. e t.* receive.
receita *s.f.* 1 (alimento, bebida) recipe. 2 (médica) prescription.
recém-chegado *s.m.* newcomer.
recém-nascido *adj.* newborn.
recente *adj.* recent, latest.
recentemente *adv.* lately, recently.
recepção *s.f.* reception. ***balcão de recepção em hotel***, front desk.
recepcionista *s.f.* receptionist.
receptivo *adj.* receptive.
recessão *s.f.* recession (econ).
recesso *s.m.* recess.
rechear *v.t.* 1 (enchimento) pad. 2 (comida) stuff.
rechonchudo *adj.* plump.
recibo *s.m.* receipt.
reciclar *v.i.* recycle.
recife *s.m.* reef.
recipiente container, recipient (fml).
reciprocar *v.t. v.i.* reciprocate.
recíproco *adj.* reciprocal.
reclamação *s.f.* complaint, claim.
reclinar(-se) *v.t. e i.* recline.
reclusão *s.f.* seclusion.
recluso *s.m.* recluse.
recobrar *v.t.* regain.
recomendar *v.t.* recommend.
recompensa *s.f.* reward.
recompensar *v.t.* reward, gratify.
reconciliação *s.f.* reconciliation.
reconciliar(-se) *v.t.* reconcile.
reconhecer *v.t.* recognize.
reconhecidamente *adv.* admittedly.
reconhecimento *s.m.* acknowledgement, recognition.
reconstruir *v.t.* reconstruct.
recontagem *s.f.* recount.
recorrer *v.i.* 1 resort. 2 (pedir ajuda) turn to.
recorte *s.m.* (de jornal, p ex) clipping.
recriminação *s.f.* recrimination.
recriminar *v.i.* recriminate.
recrudescência *s.f.* recrudescence.
recruta *s.m.* recruit (mil).
recuar *v.i.* recoil, flinch.
recuperação *s.f.* recovery.
recuperar *v.t. e t.* retrieve, recuperate.
recurso *s.m.* resource.
recusa *s.f.* rebuff, refusal.
recusar(-se) *v.t. e i.* refuse, decline.
rede *s.f.* 1 net. 2 (de contatos) network. 3 (de dormir) hammock.
rédea *s.f.* bridle, rein. ***soltar as rédeas***, give (free) rein to.
redemoinho *s.m.* swirl.
redimir *v.t.* redeem.
redobrar *v.t. e i.* redouble.
redondo *adj.* round. ***em números redondos/inteiros***, in round figures.
redução *s.f.* reduction.
redundância *s.f.* redundancy.
redundante *adj.* redundant.
reduzir *v.t. e i.* reduce, curtail.
reembolsar *v.t. e i.* repay, reimburse.
reembolso *s.m.* refund, repayment, reimbursement.
reempossar *v.t.* reinstate.
refazer *v.t.* remake.
refém *s.m.e f.* hostage.
referência *s.f.* reference. ***com referência a***, in/with reference to.
referências *s.f.* (pl) credentials.

referir(-se) v.t. e i. refer.
refinar v.t. e i. refine.
refinaria s.f. refinery.
refletir v.t. e i. 1 reflect. 2 (ponderar) consider. 3 (espelhar) mirror.
refletor s.m. spotlight.
reflexivo adj. reflexive.
reflexo s.m. reflection, reflex.
reforçar v.t. reinforce.
reformar v.t. e i. reform.
refração s.f. refraction.
refrear v.t. 1 rein. 2 (refrear-se) refrain.
refrescante adj. refreshing.
refrescar v.t. refresh. *refrescar a memória*, refresh one´s memory.
refrigerado a ar adj. air-conditioned, air-cooled.
refrigerador s.m. fridge.
refrigerar v.i. refrigerate.
refugiado s.m. refugee.
refúgio s.m. refuge.
refugo s.m. refuse, reject, junk (infml).
refutar v.t. e i. refute, rebut.
regência s.f. regency.
regeneração s.f. regeneration.
regenerar v.t. e i. regenerate.
regente s.m. 1 (maestro) conductor. 2 regent.
região s.f. region.
regime s.m. 1 (de governo) regime. 2 (dieta) diet.
regimento s.m. regiment.
regional adj. regional.
registrar v.t. v.i. 1 register. *correspondência registrada*, registered mail. 2 (anotar, gravar) record. 3 (inscrever(-se)) enroll.
registro s.m. 1 registry. *cartório de registro civil*, registry office. 2 registration. 3 register. 4 record.
regra s.f. rule. *em via de regra*, as a rule.
regredir v.i. regress.
regular adj. regular, normal. *uma vida normal*, a regular life.
regular v.t. e i. 1 modulate. 2 (controlar) regulate.

regularidade. s.f. regularity.
reinado s.m. reign.
reinar v.i. reign.
reincidência s.f. relapse.
reino s.m. kingdom. *reino animal*, animal kingdom.
Reino Unido s.m. United Kingdom.
reiterar v.t. reiterate.
reivindicar v.t. e i. claim.
rejeição s.f. rejection.
rejeitar v.t. reject.
relação s.f. relation.
relacionamento s.m. relationship.
relâmpago s.m. lightning.
relatar v.t. v.i. 1 relate. 2 (fazer relatório) report.
relativo adj. relative.
relatório s.m. report.
relaxado adj. sloppy.
relaxar v.t. e i. relax.
relevância s.f. relevance.
relevante adj. relevant.
religião s.f. religion.
religioso adj. religious.
relíquia s.f. relic.
relógio s.m. 1 (de parede, de mesa) clock. 2 watch. 3 (de pulso) wristwatch.
relutante adj. reluctant.
remar v.t. e i. 1 row. *barco a remo*, rowing-boat. 2 (remar suavemente) paddle.
remédio s.m. drug, medicine remedy. *remédio para tirar a dor*, pain killer.
remendo s.m. patch.
remetente s.m.e f. sender.
reminiscência s.f. reminiscence.
remissão s.f. remission.
remo s.m. paddle, oar.
remoção s.f. removal.
remodelar v.t. remodel.
remorso s.m. remorse.
remoto adj. far. *do lado mais afastado ou remoto*, on the far side of.
remoto adj. remote. *controle remoto*, remote control.
removedor s.m. remover.
remover v.t. e i. remove.
rena s.f. reindeer.

renal

renal *adj.* renal.
renascimento *s.m.* 1 renaissance. *A Renascença*, The Renaissance. 2 rebirth.
renda *s.f.* 1 lace. 2 (rendimento) income. *imposto de renda*, income-tax. 2 (fisco) revenue.
render-se *v.t. e i.* surrender.
rendição *s.f.* surrender.
rendimento *s.m.* output.
renegado *s.m.* renegade.
renomado *adj.* renowned.
renovação *s.f.* renovation, renewal.
renovar *v.t.* renew.
renúncia *s.f.* resignation.
renunciar *v.t. e i.* resign.
reorganizar *v.t. e i.* reorganize.
reparar *v.t.* redress, repair.
repartir *v.t.* portion, share.
repelir *v.t.* repei, rebuff.
repercussão *s.f.* repercusion.
repertório *s.m.* repertoire.
repetição *s.f.* replay, repetition.
repetir *v.t. e i.* repeat.
repetitivo *adj.* repetitive.
repleto *adj.* fraught, complete, full.
réplica *s.f.* 1 replica. 2 (refutação) retort.
replicar *v.t. e i.* retort.
repolho *s.m.* cabbage.
repórter *s.m* reporter.
reposição *s.f.* replacement.
repousar *v.t. e i.* rest.
repreender *v.t.* reprimand , reproach, rebuke , reprehend.
repreensão *s.f.* censure, rebuke. reproach.
represália *s.f.* retaliation, reprisal.
represar *v.t.* dam.
representação *s.f.* representation.
representante *s.m.* representative.
representar *v.t.v.i.* 1 stage. 2 represent. 3 impersonate. 4 (exagerado) overact.
repressão *s.f.* repression.
repressivo *adj.* repressive.
reprimenda *s.f.* reprimand.
reprimido *adj.* restrained.
reprimir *v.t.* repress, suppress.

reprise *s.f.* rerun.
reprodução *s.f.* reproduction.
reproduzir *v.t. e i.* reproduce.
reprogramar *v.t.* reset. *reprogramar o vídeo*, reset the video.
reprovar *v.t. v.i.* 1 (ser reprovado) flunk 2 reprove.
réptil *s.m.* reptile.
república *s.f.* republic.
republicano *adj.* republican.
repugnante *adj.* disgusting, gross. repugnant.
repugnar *v.t.* loathe, disgust.
repulsa *s.f.* repulse.
repulsivo *adj.* repulsive.
reputação *s.f.* reputation.
requerer *v.t.* require.
requintado *adj.* sophisticated.
requisição *s.f.* requisition.
reserva *s.f.* reservation, reserve.
reservado *adj.* secretive, reserved.
reservar *v.t.* reserve.
reservatório *s.m.* reservoir (fig).
resgate *s.m.* ransom. *manter alguém prisioneiro em troca de resgate*, hold somebody to ransom.
residência *s.f.* 1 residence. 2 (em hospital) internship. *médico residente*, resident.
resíduo *s.m.* residue.
resignado *adj.* resigned.
resina *s.f.* resin.
resistência *s.f.* resistance, toughness.
resistente *adj.* resistant.
resistir *v.t. e i.* resist, withstand.
resma *s.f.* ream.
resmungar *v.t. e i.* nag.
resoluto *adj.* resolute.
resolver *v.t. e i.* resolve.
respectivo *adj.* respective.
respeitar *v.t.* respect.
respeitável *adj.* respectable.
respeitavelmente *adv.* respectably.
respeito *s.m.* respect. *com respeito a*, in respect of.
respeitoso *adj.* respectful.
respiração *s.f.* 1 breath. 2 (respiração difícil) gasp. 3 (ofegar) wheeze.

respirar *v.i. v.t.* breathe.
respiratório *adj.* respiratory.
resplandecer *v.t. v.i.* glare.
resplendente *adj.* resplendent.
responder *v.t. e i.* reply, answer, respond.
responsabilidade *s.f.* 1 responsibility. 2 (carga) onus.
responsável *adj.* 1 responsible. 2 liable. 3 accountable. **ser responsável por**, be liable to.
resposta *s.f.* 1 reply. 2 answer. **em resposta a**, in answer to. 3 response.
ressentido *adj.* resentful.
ressentimento *s.m.* resentment.
ressentir-se *v.t.* resent.
ressoar *v.t. v.i.* clang.
ressonância *s.f.* resonance.
ressonante *adj.* resonant.
ressurreição *s.f.* resurrection.
ressuscitar *v.t. e i.* resurrect, resuscitate.
restauração *s.f.* restoration.
restaurante *s.m.* restaurant. **restaurante pequeno**, diner.
restituir *v.t.* 1 (dinheiro) refund 2 restore.
restos *s.m.* (pl) dregs.
restrição *s.f.* restraint restriction.
restringir *v.t.* restrict.
restritivo *adj.* restrictive.
resultado *s.m.* result. 2 (conseqüência) outcome.
resultar *v.i.* result.
resumir *v.t.* brief, summarize.
resumo *s.m.* 1 summary. 2 (recompilação) abridgement.
retaliar *v.i.* retaliate.
retangular *adj.* rectangular.
retângulo *s.m.* rectangle.
retardar *v.t.* retard.
reter *v.t.* retain, keep.
reticente *adj.* reticent.
retificar *v.i.* rectify.
retinir *v.t. v.i.* clatter.
retirada *s.f.* 1 (dinheiro) withdrawal. 2 retreat. **retirada total**, in full retreat.
retirado *adj.* secluded.

ridicularizar

retirar *v.t. e i.* withdraw. **tirar dinheiro dop banco**, withdraw money from the bank.
retirar-se *v.i.* retreat.
reto *adj.* 1 straight. 2 (correto) right.
retórico *adj.* rhetorical.
retorno *s.m.* 1 return, 2 u-turn.
retraído *adj.* withdrawn.
retrair *v.t. e i.* retract.
retratar *v.t.* 1 feature. 2 portray.
retrato *s.m.* portrait.
retribuição *s.f.* retribution.
retroativo *adj.* retroactive.
retroceder *v.i.* recede.
retrógrado *adj.* retrograde.
retrospectivo *adj.* retrospective.
reumatismo *s.m.* rheumatism.
reunião *s.m.* 1 gathering. 2 meeting. 3 (de amigos) reunion.
reunir(-se) *v.i. e t.* assemble.
revelação *s.f.* disclosure, revelation.
revelar *v.t.* reveal.
rever *v.t. e i.* review.
reverenciar *v.i. e t.* bow.
reversão *s.f.* reversal.
reversível *adj.* reversible.
reverso *s.m.* reverse.
revés *s.m.* setback.
revezamento *s.m.* relay.
revigorament *s.m.* refreshment.
revigorar *v.t.* invigorate.
revirar *v.t. e i.* rummage.
revisão *s.f.* review, revision.
revista *s.f.* magazine, periodical.
reviver *v.t. e i.* revive.
revogar *v.t. e i.* revoke.
revolta *s.f.* rising, revolt.
revolta *s.f.* uprising.
revoltar(-se) *v.t. e i.* revolt.
revolução *s.f.* revolution.
revolucionário *adj.* revolutionary.
revólver *s.m.* revolver. gun.
revolver *v.t. e i.* revolve.
rezar *v.i. e t.* pray.
rico *adj.* 1 rich. 2 wealthy. 3 affluent.
ricochete *s.m.* rebound, ricochet.
ricochetear *v.i.* rebound.
ridicularizar *v.t.* ridicule.

ridículo

ridículo *adj.* ridiculous, ludicrous.
ridículo *s.m.* mockery.
rifa *s.f.* raffle.
rifar *v.i.* raffle.
rigidamente *adv.* rigidly.
rigidez *s.f.* rigidity.
rígido *adj.* rigid.
rigoroso *adj.* strict, rigorous.
rim *s.m.* kidney.
rima *s.f.* rhyme, rime.
rímel *s.m.* mascara.
rinoceronte *s.m.* rhinoceros.
rio *s.m.* 1 river. 2 (ribeirão) stream. 3 (riacho) creek.
riqueza *s.f.* wealth, affluence, richness.
riquezas *s.f.* (pl) riches.
rir *v.i. e t.* laugh. *rir na cara de alguém*, laugh at somebody.
risco *s.m.* risk, jeopardy, hazard. *em perigo*, at risk.
riso *s.m.* 1 laugh. 2 (risada) laughter. *desatar a rir*, burst into laughter.
ritmo *s.m.* rhythm.
ritual *adj.* ritual.
rivalidade *s.f.* rivalry.
robô *s.m.* robot.
robusto *adj.* robust.
rocha *s.f.* rock. *firme/sólido como uma rocha*, as firm/as steady as a rock.
rochoso *adj.* rocky. *montanhas rochosas*, rocky mountains.
roda *s.f.* wheel. *cadeira de rodas*. wheel-chair.
rodar *v.t. e i.* 1 wheel. 2 (rodopiar) twirl.
rodear *v.t.* surround, encircle, detour.
rodopio *s.m.* spin.
roer *v.t. e i.* gnaw.
rolar *v.t. e i.* roll.
rolo *s.m.* roll.
romance *s.m.* 1 romance. 2 (livro) novel.
romântico *adj.* romantic.
romper(-se) *v.t. e i.* rupture, disrupt.
roncar *v.i.* snore.
ronco *s.m.* snore.
rondar *v.i. e t.* prowl. *estar à espreita de/rondando*, be on the prowl.

rosa *s.f.* rose. *um mar de rosas*, a bed of roses. *botão de rosa*, rosebud.
róseo *adj.* rosy.
rosnado *s.m.* snarl.
rosnar *v.t. e i.* growl, snarl.
rosto *s.m.* face, countenance (fml).
rota *s.f.* route.
rotação *s.f.* rotation , turn.
rotatória *s.f.* roundabout.
rotina *s.f.* routine.
rotineiro *adj.* routine.
roto *adj.* ragged.
rotular *v.t.* label.
rótulo *s.m.* label.
roubar *v.t. e i.* rob. 2 (furtar) steal.
roubo *s.m.* 1 theft. 2 (falcatrua) swindle. 3 (invasão de domicílio) burglary.
rouco *adj.* hoarse.
roupa *s.f.* 1 clothing, outfit. 2 fantasia (costume).
roupão *s.m.* dressing gown, robe.
roupas *s.f.* (pl) clothes.
rouxinol *s.m.* nightingale.
rua *s.f.* street, road. *rua de mão única*, one way street.
rubi *s.m.* ruby.
rubor *s.m.* blush.
rude *adj.* rude.
rudemente *adv.* rudely.
rudimentar *adj.* rudimentary.
rudimento *s.m.pl.* rudiment.
rufião *s.m.* ruffian.
ruga *s.f.* wrinkle, crease.
rúgbi *s.m.* rugby.
rugido *s.m.* roar, growl.
rugir *v.t. e i.* roar.
ruidosamente *adv.* noisily, loudly.
ruína *s.f.* wreck, ruin, undoing.
ruínas *s.f.* (pl) ruins. *em ruínas*, in ruins.
rum *s.m.* rum.
ruminante *adj.* ruminant.
rumor *s.m.* rumor.
ruptura *s.f.* disruption , rupture.
rural *adj.* rural.
rústico *adj.* country, rustic.

s S

sábado *s.m.* Saturday.
sabão *s.m.* soap. ***sabão em barra***, bar of soap. ***sabão em pó***, detergent.
sabedoria *s.f.* wisdom.
saber *v.t. e i.* know.
sabiamente *adj.* wisely.
sábio *adj.* wise.
sabor *s.m.* flavour, taste.
saboroso *adj.* tasty, tasteful.
sabotador *s.m.* saboteur.
sabotar *v.t.* sabotage.
sacada *s.f.* balcony.
sacar *v.t. e i.* (dinheiro) cash, withdraw.
saca-rolhas *s.f.* cork-screw.
sacerdotes *s.m.* priest.
saco *s.m.* sack, bag. ***saco de dormir***, sleeping-bag.
sacrificar *v.t. e i.* sacrifice.
sacrifício *s.m.* sacrifice.
sacudida *s.f.* shake.
sacudir(-se) *v.t. e i.* shake, wiggle, jolt.
sádico *adj.* sadistic.
sadismo *s.m.* sadism.
sadista *s.m.* sadist.
safira *s.f.* sapphire.
saga *s.f.* saga.
sagitário *s.m.* sagittarius.
sagrado *adj.* blessed. ***Virgem Sagrada***, Blessed Virgin.
saia *s.m.* skirt. ***saia escocesa***, kilt.
saída *s.f.* exit.
sair *v.t. e i.* 1 leave. 2 quit. 3 go/come out.
sal *s.m.* salt. ***o sal da terra***, the salt of the earth.
sala de estar *s.f.* room. ***sala de jantar***, dining room. ***sala de visitas***, living room, drawing room, lounge.
salada *s.f.* salad. ***molho para salada***, salad dressing.
salão (de recepção) salon. ***salão de beleza***, beauty salon/parlor.

salário *s.m.* pl. wage, earnings, salary. ***salário mínimo***, minimum wage.
salgado *adj.* salt, salty.
saliente *adj.* outstanding.
saliva *s.f.* saliva.
salivar *v.t.* salivate.
salmão *s.m.* salmon.
salpicar *v.t. e i.* sprinkle, spatter.
salsa *s.f.* parsley.
saltar *v.t. e i.* 1 jump. 2 bounce.
salto *s.m.* 1 jump. 2 (salto mortal) somersault.
salvação *s.f.* salvation. ***exército da salvação***, salvation army.
salvador *s.m.* savior.
salvaguarda *s.f.* safeguard.
salvaguardar *v.t.* safeguard.
salvamento *s.m.* 1 rescue. 2 (de naufrágio) salvage. ***equipe de salvamento***, rescue team.
salvar *v.t. e i.* save, rescue.
sálvia *s.f.* sage (bot).
salvo *prep.* except.
sanatório *s.m.* sanatorium.
sanção *s.f.* sanction.
sancionar *v.t.* sanction.
sandália *s.f.* sandal.
sândalo *s.m.* sandalwood (bot).
sanduiche *s.m.* sandwich.
saneamento *s.m.* sanitation.
sangramento *s.m.* 1 bleeding. 2 (pelo nariz) nosebleed.
sangrento *adj.* bloody.
sangue *s.m* blood. ***a sangue-frio***, in cold blood. ***banco de sangue***, blood bank.
sanguessuga *s.m.* leech.
sanidade *s.f.* sanity.
sanitário *adj.* sanitary.
santidade *s.f.* holiness. ***sua santidade***, his/your holiness.
santo *adj.* holy.
santo *s.f.* saint.
santuário *s.m.* sanctuary, shrine.
são *adj.* sane, sound. ***são e salvo***, safe and sound.

sapato

sapato s.m. shoe. **sapateiro**, shoemaker.
sapo s.m. 1 (rã) frog. 2 toad.
saque s.m. 1 (dinheiro) cash. 2 (saque a descoberto) overdraft. 3 (pilhagem) loot. 4 (esportes) serve.
saquear v.t. e i. plunder, ransack.
sarampo s.m. measles.
sarcasmo s.m. sarcasm.
sarcástico adj. sarcastic.
sarda s.f. freckle.
sardinha s.f. sardine.
sardônico adj. sardonic.
sargento s.m. sergeant.
sarjeta s.f. gutter.
satã s.m. satan.
satânico adj. satanic.
satélite s.m. satellite.
sátira s.f. satire.
satírico adj. satirical.
satirizar v.t. satirize.
satisfação s.f. satisfaction.
satisfatório adj. satisfying, satisfactory.
satisfazer v.t.e i. satisfy, suit, indulge.
satisfeito adj. pleased.
saudação s.f. greeting.
saudade s.f. longing.
saudar v.t. e i. greet, salute (liter).
saudável adj. healthy.
saúde s.f. health.
saxofone s.m. saxophone.
sazonal adj. seasonal.
scaner s.m. scanner.
se pron. reflex. itself, themselves.
se,conj. whether, if. *se ao menos*, if only.
sebe s.f. hedge.
seca s.f. drought.
secador s.m. dryer. *secador de cabelos*, hair dryer.
seção s.f. section.
secar v.t. e i. 1 dry, wither. 2 (murchar) shrivel.
secessão s.f. secession.
seco adj. dry.
secretamente adv. secretly.
secretar v.t. secrete.
secretária s.f. 1 secretary. 2 (secretária particular) personal assistant.
secreto adj. secret, cryptic, undercover.
século s.m. century. *na virada do século*, at the turn of the century. *o século passado*, the last century.
secundário adj. subsidiary, secondary.
secura s.f. dryness.
seda s.f. silk. *bicho da seda*, silkworm.
sedativo s.m. sedative.
sede s.f. 1 headquarters. 2 (de fazenda) farmhouse. 3 (estar com sede) thirst.
sedentário adj. sedentary.
sedento adj. thirsty.
sedoso adj. silken, silky.
sedução s.f. seduction.
sedutor adj. seductive.
seduzir v.t. seduce.
segmento s.m. segment.
segredo s.m secret. *guardar segredo*, keep a secret. *em segredo*, in secret.
segregação s.f. segregation.
segregar v.t. segregate.
seguinte adj. next.
seguir v.t., v.i. follow.
segunda-feira s.f. Monday.
segundo adj. second. *o segundo melhor*, second-best. *de segunda mão*, second-hand. *de segunda classe*, second-rate.
segundo s.m. second.
segurança s.f. security, safety. *cinto de segurança*, safety belt.
segurar v.t. hold, clip.
seguro adj. secure, safe.
seguro s.m. insurance.
seis num. six.
seita s.f. sect.
seixo s.m. pebble.
sela s.f. saddle. *à cavalo*, in the saddle.
selar v.t. seal, saddle.
seleção s.f. selection.
selecionado s.m. selected, hand-picked.
selecionar v.t. select.
seletivo adj. selective.

selva *s.f.* jungle.
selvagem *adj.* wild. ***animal selvagem***, wild animal. ***vida selvagem***, wildlife.
selvagem *adj.* savage.
selvageria *s.f.* savagery.
sem *prep.* without. ***passar sem***, do/go without.
semana *s.f.* week.
semanal *adj.* weekly.
semear *v.t. e i.* sow.
semelhança *s.f.* resemblance, analogy, likeness.
semelhante *adj.* similar, analogous, alike like.
sêmen *s.m.* semen.
semente *s.f.* seed.
semi- *prefixo* semi-.
sempre *adv.* always.
sem-teto *s.m. e f.* homeless.
senado *s.m.* senate.
senador *s.m.* senator.
senão *conj.* otherwise.
senha *s.f.* password.
senhor *s.m.* sir, mr, mister.
senhora *s.f.* lady. ***senhoras e senhores!***, ladies and gentlemen. 2 madam, mrs.
senilidade *s.f.* senility.
sensação *s.f.* sensation.
sensacional *adj.* sensational.
sensacionalismo *s.m.* sensationalism.
sensatamente *adv.* sensibly.
sensato *adj.* sensible.
sensibilidade *s.f.* sensitivity, sensibility.
sensibilizado *adj.* touched.
sensível *adj.* 1 sensitive. 2 (suscetível) touchy, susceptible.
senso de oportunidade *s.m.* timing.
sensorial *adj.* sensory.
sensual *adj.* sensuous, sensual, lascivious (fml).
sensualidade *s.f.* sensuality.
sentar *v.t. e i.* 1 sit. 2 (tomar assento) seat. ***sentar-se***, sit down, be seated.
sentença *s.f.* sentence.
sentenciar *v.t.* sentence.
sentido *s.m.* sense.
sentimental *adj.* sentimental.
sentimento *s.m.* feeling, sentiment.
sentinela *s.m. e f.* sentry.
sentir *v.t.* 1 feel, sense. 2 (lamentar) be sorry about something.
separação *s.f.* separation.
separado *adj.* separate.
separar *v.t. e i.* 1 separate, sort out. 2 put sth aside. 3 (dissociar) dissociate.
séptico *adj.* septic. ***infecção generalizada/ choque séptico***, septic shock.
sepulcral *adj.* sepulchral.
sepulcro *s.m.* sepulcher (bíbl).
sepultura *s.f.* grave.
seqüela *s.f.* sequel.
seqüência *s.f.* sequence, follow up.
seqüestrador 1 (de pessoa) kidnapper. 2 (de avião) hijacker.
sequestrar *v.t.* 1 (pessoa) kidnap. 2 (avião) highjack.
ser *v. lig.* 1 be. 2 (material) be made of. 3 (sobre filme, livro, etc) be about sth.
ser *s.m.* being. ***ser humano***, human being.
sereia *s.f.* mermaid.
serenata *s.f.* serenade.
serenidade *s.f.* serenity.
sereno *adj.* serene.
serial *adj.* seriado, em série. serial.
seriamente *adv.* gravemente, seriously.
série *s.f.* 1 series. 2 (em série) serial. ***assassino em série***, serial killer. ***em série (também rel a eletr)***, in series.
seriedade *s.f.* seriousness.
seringa *s.f.* syringe.
sério *adj.* serious, demure, earnest.
sermão *s.m.* sermon.
serpente *s.f.* serpent (fml).
serra *s.f.* saw. ***serraria***, sawmill.
serrar *v.t. e i.* saw.
serrilhado *adj.* serrated.
serviçal *s.m. e f.* servant.
serviço *s.m.* service.
servil *adj.* servile.
servir 1 serve. 2 (roupas) fit.
sessão *s.m.* session.
sessenta (num) sixty.
sete (num) seven.

setembro s.m. September.
setenta (num) seventy. **a década de 70**, the seventies.
sétimo (num) seventh.
setor s.m. sector.
seu adj. poss. his.
seu adj. poss. your.
seu(s) pron. poss. yours (rel a você).
severamente adv. grimly.
severidade s.f. severity.
severo adj. grim, severe, harsh, stern.
seviciar v.t. maul.
sexagésimo (num) sixtieth.
sexo s.m. sex.
sexta-feira s.f. Friday. **sexta-feira da paixão**, Good Friday.
sexto adj. sixth. **sexto sentido**, sixth sense.
sexual adj. sexual.
sexualidade s.f. sexuality.
sexy adj. sexy.
shopping center s.m. shopping mall.
si pron. reflex. (você) yourself, (ele) himself, (ela)herself, (coisa) itself. (eles, elas) themselves.
siderurgia s.f. ironworks.
sidra s.f. cider.
sifão s.m. siphon.
sigilo s.m. secrecy.
significado s.m. meaning, significance.
significante adj. significant.
significar v.i. mean.
significativo adj. 1 meaning. 2 (importante) meaningful.
sílaba s.f. syllable.
silêncio s.m. silence, hush.
silencioso adj. silent, noiseless.
silhueta s.f. silhouette.
silogismo s.m. syllogism.
sim adv. yes.
simbólico adj. symbolic.
simbolizar v.t. symbolize.
símbolo s.m. symbol, token.
simetria s.f. 1 symmetry. 2 (semelhança) similarity.
simples adj. simple.
simplesmente adv. simply.
simplificar v.t. simplify.
simular v.t. simulate, mock, fake. *(fml)* **prova simulada**, mock exam.

simultâneo adj. simultaneous.
sinagoga s.f. synagogue.
sinal s.m. 1 signal. 2 (marca) sign. **linguagem de sinais**, sign-language.
sinalizar v.t. e i.. signal.
sinceramente adv. sincerely.
sinceridade s.f. sincerity, candour.
sincero adj. 1 sincere. 2 (franco) outright. 3 (natural) unaffected.
sincronizar v.t. e i. synchronize.
síndrome s.f. syndrome (med).
sinete s.f. seal.
sinfonia s.f. symphony.
singular adj. singular.
singularidade s.f. singularity.
sinistro adj. sinister.
sino s.m. bell.
sinônimo adj. synonymous.
sinônimo s.m. synonym.
sinopse s.m. synopsis.
sintaxe s.f. syntax.
síntese s.f. summary, brief, synthesis.
sintético adj. synthetic.
sintoma s.m. symptom.
sintomático adj. symptomatic.
sísmico adj. seismic.
sismógrafo s.m. seismograph.
sistema s.m. system. **analista de sistemas**, systems analyst.
sistemático adj. systematic.
situação s.f. 1 situation. 2 (posição) location.
situado adj. situated.
slogan s.m. slogan.
smoking s.m. tuxedo, tux.
só adj. 1 (sem companhia) alone. 2 (solitário) lonely.
só adv. only.
sob prep. under.
soberania s.f. sovereignty.
soberano adj. sovereign.
soberano s.m. lord, sovereign.
soberbo adj. imperious (fml).
sobra s.f. remnant, remainder.
sobrar v.i. remain.
sobras s.f. (pl) remains.
sobre- prefixo super.
sobre prep. over.
sobremesa s.f. dessert.

sobrenatural *adj.* weird, supernatural, unearthly.
sobrenome *s.m.* surname.
sobrepor(-se) *v.t. e i.* 1 overlap. 2 superimpose.
sobreposição *s.f.* overlap.
sobrevier *v.t. e i.* outlive, survive.
sobrevivência *s.f.* survival.
sobrevivente *s.m.* survivor.
sobriedade *s.f.* sobriety (fml).
sobrinha *s.f.* niece.
sobrinho *s.m.* nephew.
sóbrio *adj.* sober.
sociabilidade *s.f.* sociability.
social *adj.* social.
socialismo *s.m.* socialism.
socialista *adj.* socialist.
socialmente *adv.* socially.
sociável *adj.* (amigável) sociable.
sociedade *s.f.* partnership, society.
sócio *s.m.* partner, associate.
sociologia *s.f.* sociology.
soco *s.m.* 1 blow. 2 (murro) punch. 3 (golpe) stroke.
socorro! *Interj.* help.
soda *s.f.* soda pop, soft drink.
sódio *s.m.* sodium.
sodomia *s.f.* sodomy.
sofá *s.f.* sofa, couch. *sofá pequeno*, settee.
sofisticação *s.f.* sophistication.
sofrer *v.t. e i.* 1 suffer. 2 (suportar) endure.
sofrimento *s.m.* hardship, suffering.
sogro *s.m.* father-in-iaw.
soja *s.f.* soya, soya-bean.
sol *s.m.* sun. *banho de sol*, sunbath. *raio de sol*, sunbeam. *pôr-do-sol*, sunset, sundown. *óculos de sol*, sunglasses. *nascer do sol*, sunrise.
sola *s.f.* sole.
solar *adj.* solar.
solda *s.f.* weld.
soldado *s.m.* 1 soldier. 2 (soldado raso) private. 3 corporal.
soldador *s.m.* welder.
soldar *v.t. e i.* weld.
soleira *s.f.* threshold.
solene *adj.* solemn.

soletração *s.f.* spelling.
soletrar *v.t. e i.* spell.
solicitar *v.t.* 1 request. 2 (fazer um apelo às autoridades) petition.
solidão *s.f.* loneliness, solitude.
solidariedade *s.f.* solidarity.
solidez *s.f.* solidity.
solidificar(-se) *v.t. e i.* solidify.
sólido *adj.* solid.
sólido *s.m.* solid.
solitário *adj.* lonely, lone, lonesome (infml).
solo *s.m.* 1 soil. 2 (mús) solo.
solstício solstice. *solstício de verão*, midsummer.
soltar *v.t. e i.* 1 (desencadear) unleash. 2 loosen. *soltar-se*, become loose, break/get loose.
solteira *s.f.* single woman.
solteiro *s.m.* bachelor, single.
solto *adj.* loose.
soltura *s.f.* release.
solubilidade *adj.* solubility.
solução *s.f.* solution.
soluçar *v.t. e i.* sob.
solucionar *v.t.* solve, tackle (infml).
soluço *s.m.* hic-cup , sob.
solúvel *adj.* soluble. *café solúvel*, instant coffee.
solvência *s.f.* solvency.
solvente *s.m.* solvent.
som *s.m.* 1 sound. *à prova de som*, sound-proof. 2 (som agudo, grito, risada estridente) shriek.
soma *s.f.* amount, sum, total.
somar *v.t. e i.* sum, total, amount.
sombra *s.f.* shade, shadow.
sombrear *v.t. e i.* shade.
sombrio *adj.* somber, shadowy.
somente *adv.* only.
sonda *s.f.* probe.
sondar *v.t. e i.* probe.
soneca *s.f.* nap, snooze.
sonhar *v.t. e i.* dream.
sonho *s.m.* dream. *sonhar com você*, dream of you.
sônico *adj.* sonic.
sono *s.m.* sleep. *pegar no sono*, go to sleep. *fazer dormir*, put somebody to sleep.

sonolência

sonolência s.f. drowsiness.
sonolento adj. drowsy, sleepy. **estar com sono**, be sleepy.
sonoridade s.f. loudness.
sonoro adj. sonorous (fml).
sopa s.f. soup.
soprano s.m. treble (mús).
soprar v.t. e i. blow.
sopro s.m. blow.
soquete s.m. socket.
sórdido adj. sordid.
soro s.m. serum.
sorrir v.t. e i. 1 smile. 2 (sorrir afetadamente) smirk. 3 (sorrir zombeteira ou desdenhosamente) sneer.
sorriso s.f. smile.
sorte s.f. luck. **estar com sorte**, be in luck. **estar sem sorte**, be out of luck. **boa sorte!**, good luck!.
sortido adj. assorted.
sortimento s.m. assortment.
sorvete s.f. ice-cream.
sótão s.m. attic, loft.
sozinho adj. alone.
squash s.m. squash.
status s.m. status.
suado adj. sweaty.
suar v.t. e i. sweat.
suave adj. mild.
suavemente adv. gently, smoothly.
sub- prefixo under, sub. **subterrâneo**, underground.
subconsciente s.m. subconscious.
subcorrente s.m. undercurrent.
subdesenvolvido adj. underdeveloped.
subestimar v.t. underestimate.
subir v.t. e i. climb, go up.
subitamente adv. all of a sudden.
súbito adj. sudden.
subjugar v.t. e i. subdue, subject, overwhelm.
sublime adj. sublime.
sublinhar v.t. underline.
sublocar v.t. e i. sublet.
submarino s.m. submarine.
submeter(-se) v.t. e i. submit.
submissão s.f. submission, subjection.
submisso adj. yielding, submissive.
submundo s.m. underworld.

subordinado adj., subordinate.
subordinar v.t. subordinate.
subornar v.t. bribe. **deixar-se subornar**, to take bribes.
sub-produto s.m. by-product.
sub-reptício adj. surreptitious.
subsídio s.m. subsidy.
subsistência s.f. subsistence.
subsistir v.i. subsist.
substância s.f. substance.
substanciar v.t. substantiate.
substantivo s.m. noun (gram).
substituição s.f. shift. substitution.
substituir v.t. e i. substitute, replace.
substituível adj. replaceable.
substituto s.m. substitute.
subterfúgio s.m. subterfuge.
subterrâneo adj. underground.
subtração s.f. subtraction.
subtrair v.t. subtract.
suburbano adj. suburban.
subvencionar v.t. subsidize.
subversão s.f. subversion.
subversivo adj. subversive.
subverter v.t. subvert.
sucção s.f. suction.
sucessão s.f. succession. **em sucessão**, in succession.
sucessivo adj. successive.
sucesso s.m. success.
sucessor s.m. successor.
sucinto adj. succinct.
suco s.m. juice.
suculento adj. juicy, succulent.
sucumbir v.i. succumb.
suficiente adj. sufficient, enough.
sufixo s.m. suffix.
sufocação s.f. choke.
sufocante adj. sultry.
sufocar v.t. e i. suffocate, smother.
sufrágio s.m. suffrage.
sugerir v.t. imply.
sugerir v.t. suggest.
sugestão s.f. suggestion, hint.
sugestivo adj. suggestive.
suicida adj. suicidal.
suicídio s.m. suicide. **cometer suicídio**, commit suicide.
sujar v.t. smirch.

sujar(-se) v.t. e i. foul, dirty.
sujeira s.f. filth, dirt.
sujeito s.m. subject (gram).
sujo adj. dirty, filthy, scruffy.
sul s.m. south. **sudeste,** southeast. **sudoeste,** southwest.
sulista adj. southern. **sulista,** southerner.
sultão s.m. sultan.
sumir v.t. vanish.
sundae s.m. sundae.
superestimar v.t. overrate.
superficial adj. cursory.
superficial adj. skin-deep.
superfície s.f. surface. **na superfície,** on the surface.
supérfluo adj. superfluous.
superintendente s.m. superintendent.
superior adj. superior, upper.
superior s.m. superior.
superioridade s.f. 1 superiority. 2 (superioridade em idade) seniority.
superlativo adj. superlative.
supermercado s.m. supermarket.
superstição s.f. superstition.
supersticioso adj. superstitious.
supervisão s.f. supervision.
supervisionar v.t. e i. supervise, superintend, oversee.
supervisor s.m. supervisor.
suplementar v.t. supplement.
suplemento s.m. supplement.
supor v.t. suppose, assume.
suportar v.t. 1 (situação) put up with. 2 (peso, pressão) whitstand. 3 (sustentar) suport.
suportável adj. sufferable.
suporte s.m. support.
suposição s.f. guess, supposition. 2 (hipótese) assumption.
supostamente adv. supposedly.
suposto adj. alleged.
suposto adj. supposed.
supracitado adj. aforesaid.
supremacia s.f. supremacy.
supremo, adj. supreme. **supremo tribunal federal,** supreme court.
supressão s.f. suppression.

surdez s.f. deafness.
surdo adj. deaf.
surfista s.m. surfer.
surgir v.i. arise. **surgir do nada,** come out of the blue.
surpreendente adj. surprising.
surpreender v.t. shock, astonish.
surpresa s.f. surprise. **tomar de surpresa,** take by surprise.
surpreso adj. surprised, open-mouthed, flabbergasted.
surra s.f. 1 beating. **levar uma surra,** take a beating. **dar uma surra em alguém,** give someone a beating. 2 hiding. 3 spanking.
surrar v.t. e i. lash.
surrupiar v.t. e i. pilfer.
surto s.m. outbreak.
suscetibilidade s.f. susceptibility.
suspeitar v.t. suspect.
suspeito adj. suspect, suspicious.
suspeito s.m. suspect.
suspensão s.f. suspension.
suspirar v.t. e i. sigh.
suspiro s.m. sigh.
sussurrar v.t. e i. mutter, whisper.
sustentar v.t. 1 support. 2 (aguentar) sustain.
sustento s.m. sustenance (fml).
susto s.m. scare.
sutiã s.m. bra.
sutil adj. subtle.
sutileza s.f. subtlety.

t T

tabelião s.m. notary.
taberna s.f. tavern.
tabu s.m. taboo.
tábua s.f. board. **tábua de passar roupas**, ironing board.
tabuinha s.f. slat.
tabulador s.m. tab.
tabuleiro de xadrez s.m. chessboard.
taça s.f. goblet, cup.
tácito adj. tacit.
taciturno adj. taciturn (fml).
taco s.m. 1 club. 2 (de bilhar) cue.
tagarelar v.i. chatter.
tal pron. such. **como tal**, as such.
talento s.m. 1 talent. 2 ingenuity.
talentoso adj. talented, gifted.
talheres s.m. (pl) cutlery.
talvez adv. maybe, perhaps.
tamanho s.m. 1 size. 2 bulk.
tâmara s.f. date.
também adv. 1 too, also. 2 either.
tambor s.m. drum.
tampa s.f. lid.
tampar v.t. e i. plug.
tangerina s.f. tangerine.
tangível adj. tangible.
tango s.m. tango (mús).
tanque s.m. tank. **encher/completar o tanque**, fill up the tank.
tão adv. 1 as (as.. as). 2 so. 3 such. **tão quanto**, such as. 4 that. **tão longe**, that far.
tapa s.f. pat.
tapeçaria s.f. tapestry, upholstery.
tapete s.m. 1 (pequeno) rug. 2 carpet.
tapioca s.f. tapioca.
tarde adv. late.
tarde s.f. afternoon.
tarefa s.f. 1 task. **força-tarefa**, task force. 2 assignment.
tártaro s.m. tartar. **molho tártaro**, tartar sauce.
tartaruga s.f. tortoise, turtle.
tática s.f. tactic.
tático adj. tactical.

tato s.m. tact.
tatuagem s.f. tattoo.
tatuar v.t. tattoo.
taxa s.f. 1 rate. **taxa de câmbio**, exchange rate. 2 (pagamento) fee. 3 (pedágio) toll.
táxi s.m. taxi, cab.
teatral adj. theatrical.
teatro s.m. theater.
tecer v.t. e i. weave.
tecido s.m. fabric, tissue.
técnica s.f. technique.
técnico adj. technical.
técnico s.m. technician.
tecnologia s.f. technology.
tedioso adj. tedious.
teia s.f. web. **teia de aranha**, cobweb.
teimoso adj. stubborn, obstinate, willful.
tela s.f. 1 screen. 2 (de pintura) canvas.
telecomunicações s.f. (pl) telecommunications.
teleférico s.m. cable-car.
telefonar v.t. e i. phone, call.
telefone s.m. telephone. **lista telefônica**, telephone directory. **cabine telefônica**, call box, telephone booth.
telefonista s.m. telephonist.
telegrafar v.t. e i. cable.
telegrama s.m. telegram.
telepatia s.f. telepathy.
telescópico adj. telescopic.
telescópio s.m. telescope.
televisão s.f. television, tv, telly. **aparelho de televisão**, tv set.
telha s.f. tile.
telhado s.m. roof.
tema s.f. theme. **tema musical**, theme song.
temer v.t. e i. 1 (ter medo de, recear) recear 2 fear. 3 (temer por alguém ou alguma coisa) fear for. 4 apprehend.
temerário adj. foolhardy.
temperado adj. spicy, seasoned.

temperamental *adj.* temperamental.
temperamento *s.m.* temper, temperament.
temperatura *s.f.* 1 temperature. 2 (febre) fever.
tempero *s.m.* 1 seasoning. 2 (de salada) salad dressing.
tempestade *s.f.* storm. **tempestade de vento**, wind storm.
templo *s.m.* temple.
tempo *s.m.* 1 weather. **previsão do tempo**, weather forecast. **resistente ao mau tempo**, weather-proof. 2 (espaço de tempo, época, período) time. **a tempo,** in time. **o tempo todo**, all the time. 3 (tempo verbal) tense.
temporário *adj.* temporary.
tenacidade *s.f.* tenacity.
tendão *s.m.* sinew.
tendência *s.f.* 1 trend. 2 tendency.
tender *v.t. e i.* trend, tend.
tenente *s.m.* lieutenant.
tênis *s.m.* 1 tennis. **quadra de tênis**, tennis-court. **tênis de mesa**, pingpong. 2 (sapatos) tennis shoes, sneakers.
tenro *adj.* tender.
tensão *s.f.* tension.
tenso *adj.* tense.
tentação *s.f.* temptation.
tentáculo *s.m.* tentacle.
tentador *adj.* tempting.
tentar *v.t. e i.* 1 try. 2 tempt. 3 attempt.
tentativa *s.f.* 1 try. 2 attempt.
tênue *adj.* tenuous.
teologia *s.f.* theology.
teoria *s.f.* theory.
teórico *adj.* theoretic (-ical).
ter *v.t., v. aux.* 1 have. 2 (possuir, guardar) keep.
terapeuta *s.m.* therapist.
terapia *s.f.* therapy.
terça-feira *s.f.* Tuesday.
terceiro (num) third. **de terceira categoria**, third-rate.
terço *s.m.* rosary.
terçol *s.m.* sty (stye).
tergiversar *v.i.* prevaricate (fml).

terminar *v.t. e i.* 1 finish. 2 end. **terminar por**, end up.
termo *s.m.* term.
termômetro *s.m.* thermometer.
terno *s.m.* suit.
ternura *s.f.* endearment, tenderness.
terra *s.f.* 1 earth. 2 (chão, solo) ground. 3 (região, país) land.
terraço *s.m.* terrace, verandah, porch.
terremoto *s.m.* earth quake.
terremoto *s.m.* earthquake.
terrestre *adj.* earthly.
terrestre *adj.* terrestrial.
território *s.m.* territory.
terrível *adj.* awfull ,terrible, hideous.
terrivelmente *adv.* awfully, terribly.
terror *s.m.* terror, dread, awe.
terrorismo *s.m.* terrorism.
terrorista *s.m.e f.* terrorist.
tese *s.f.* thesis.
tesoureiro *s.m.* treasurer.
tesouro *s.m.* treasure.
testa *s.f.* forehead.
testar *v.t.* sample.
teste *s.m.* quis, test.
testemunha *s.f.* witness.
testemunhar *v.t. e i.* witness, bear witness.
testemunho *s.m.* testimony.
testículo *s.m.* testicle.
teta *s.f.* tit (vulg).
têxtil *adj.* textile.
texto *s.m.* text.
textura *s.f.* texture.
tia *s.f.* aunt.
tíbia *s.f.* tibia (anat).
tifo *s.m.* typhus.
tigre *s.m.* tiger.
tigresa *s.f.* tigress.
tijolo *s.m.* brick.
time *s.m.* team. **companheiro de equipe**, teammate. **espírito de equipe**, teamwork.
timidamente *adv.* bashfully.
timidez *s.f.* shyness.
tímido *adj.* shy, timid.
tingir *v.t.* tint, dye.
tinido *s.m.* clatter, clink.

tinir

tinir *v.t.* e *i.* clink, clank. tinkle.
tinta *s.f.* 1 paint. 2 (de caneta) ink. 3 (tinta corante) dye.
tio *s.m.* uncle. *tio-avô*, great-uncle/grand-uncle.
típico *adj.* typical.
tipificar *v.t.* typify.
tique *s.m.* tic.
tira *s.f.* 1 strip. 2 band.
tirania *s.f.* tyranny.
tirânico *adj.* tyrannical.
tiro *s.m.* shot.
tiróide *s.m.* thyroid.
titular *adj.* titular.
título *s.m.* title.
toalete *s.f.* toilet.
toalha *s.f.* towel.
tobogã *s.m.* toboggan.
toca *s.f.* den.
tocar(-se) *v.t.* e *i.* 1 touch. 2 feel. 3 (de leve) tip. 4 (soar) ring.
toco *s.m.* stub.
todavia *adv.* nevertheless, notwithstanding.
todo *s.m.* whole.
todo(a) *adj.* all.
todos *pron.* 1 (toda a gente) everyone, everybody. 2 (cada) every.
toicinho *s.m.* lard, bacon.
tolerância *s.f.* tolerance.
tolerante *adj.* tolerant.
tolerar *v.t.* tolerate.
tolerável *adj.* bearable, tolerable (fml).
tolice *s.f.* folly, foolishness.
tolice *s.m.* foolery.
tolo *adj.* foolish, senseless, gawky.
tom *s.m.* tone.
tomada *s.f.* 1 plug (eletr). 2 take.
tomar *v.t.* e *i.* take.
tomate *s.m.* tomato.
tombar *v.t.* e *i.* topple.
tombo *s.m.* flop.
tomo *s.m.* tome.
tonelada *s.m.* ton.
tônico *s.m.* tonic.
tonto *adj.* dizzy.
topázio *s.m.* topaz.
tópico *s.m.* topic.
topo *s.m.* top.
topográfico *adj.* topographical.
toque *s.m.* touch. *toque de recolher*, curfew. 2 (badalada) ring.
tórax *s.m.* thorax.
torção *s.f.* twist.
torcedor *s.m.* supporter.
torcer *v.t.* 1 wring. 2 twist. 3 (deslocar) sprain. 4 (contorcer) squirm.
tornado *s.m.* tornado, twister.
torneio *s.m.* tournament.
torniquete *s.m.* tourniquet (med).
tornozelo *s.m.* ankle.
torpedear *v.t.* torpedo.
torpedo *s.m.* torpedo.
torpor *s.m.* torpor.
torrada *s.f.* toast.
torradeira *s.f.* toaster.
torre *s.f.* tower.
torrencial *adj.* torrential.
tórrido *adj.* torrid.
torta *s.f.* pie, tart.
torto *adj.* crooked, lop-sided.
tortura *s.f.* torture.
torturador *s.m.* torturer.
torturar *v.t.* torture.
tosquiar *v.t.* shear.
tosse *s.f.* cough.
tossir *v.t.*, *v.i.* cough.
tostar *v.t.* e *i.* toast.
total *s.m.* total. *no total*, in total.
totalizar *v.t.* total.
totalmente *adv.* downright.
totem *s.m.* totem.
touro *s.m.* buli.
tóxico *adj.* toxic.
toxicômano *s.m.* drugaddict.
trabalhador *s.m.* worker.
trabalhar *v.t.* e *i.* work, labor.
trabalho *s.m.* labor, working.
trabalho *s.m.* work. *trabalho doméstico*, housework. *trabalho extraordinário*, overtime. *estar trabalhando*, be at work. *dia de trabalho*, workday.
traça *s.m.* moth.
tração *s.f.* traction.
traço *s.m.* trace, trait.
tradição *s.f.* tradition.

tradicional *adj.* traditional.
tradução *s.f.* translation.
tradutor *s.m.* translator.
traduzir *v.t.* translate.
tráfego *s.m.* traffic. *sinal de trânsito*, traffic light/signal.
tragédia *s.f.* tragedy.
trágico *adj.* tragic.
traição *s.f.* betrayal, treason, treachery.
traiçoeiro *adj.* treacherous.
traiçoeiro *adj.* tricky.
traidor *s.m.* traitor.
trailer *s.m.* caravan.
trair *v.t.* betray.
traje *s.m.* attire, costume.
trama *s.f.* machination.
tramar *v.t. e i.* plot.
trança *s.f.* plait, braid.
trançar *v.t.* braid.
trancar *v.t.* secure, lock, latch.
tranqüilidade *s.f.* ease, tranquility.
tranqüilizante *s.m.* tranquilizer (med).
tranqüilizar *v.t.* reassure.
transcendental *adj.* transcendental.
transcrever *v.t.* transcribe.
transcrição *s.f.* transcription.
transe *s.m.* trance. *entrar em transe*, go into a trance.
transferência *s.f.* transfer, transference.
transferir(-se) *v.t. e i.* transfer.
transferível *adj.* transferable.
transformação *s.f.* transformation.
transformador *s.m.* transformer (eletr).
transformar *v.t.* convert.
transfusão *s.f.* transfusion.
transgressão *s.f.* transgression.
transição *s.f.* transition.
transitivo *adj.* transitive (gram).
trânsito *s.m.* transit. *em trânsito*, in transit.
transitório *adj.* transient (fml).
translúcido *adj.* translucent.
transmissão *s.f.* 1 (transmissão por rádio/televisão) broadcast. 2 transmission.

transmitir *v.t.* transmit, broadcast.
transparência *s.f.* transparency.
transparente *adj.* transparent.
transpiração *s.f.* sweat, perspiration.
transpirar *v.i.* perspire.
transplantar *v.t. e i.* transplant.
transplante *s.m.* transplant.
transportar *v.t.* transport.
transporte *s.m.* transport.
transporte *s.m.* transportation.
transtornar *v.t. e i.* trouble, upset.
transtorno *s.m.* nuisance.
transverso *adj.* transverse.
trapaça *s.f.* trickery.
trapaceiro *s.m.* cheat.
trapézio *s.m.* trapeze.
trapo *s.m.* rag.
traquéia *s.f.* windpipe (anat).
traseiro *adj.* hind.
traseiro *s.m.* behind, bottom, tush, butt.
tratado *s.m.* 1 (entre nações) treaty. 2 (obra literária) treatise.
tratamento *s.m.* treatment.
tratar *v.t. e i.* treat.
trator *s.m.* tractor.
travesseiro *s.m.* pillow. *fronha*, pillowcase.
travessia *s.f.* crossing.
travesso *adj.* mischievous.
travessura *s.f.* mischief.
travesti *s.m.* travesty, queen.
travestir *v.t.* travesty.
trazer *v.t.* bring. *trazer de volta*, bring back. *trazer à tona*, bring up.
trégua *s.f.* truce.
treinador *s.m.* 1 instructor. 2 coach. 3 trainer.
treinamento *s.m.* training.
treinar *v.t. e i.* 1 train. 2 school. 3 drill.
treino *s.m.* workout (infml), practice.
treliça *s.f.* lattice.
trem *s.m.* train. *trem de pouso*, undercarriage. *estação de trem*, train station.
tremeluzir *v.i.* flicker.

tremendamente

tremendamente adv. tremendously (infml).
tremendo adj. tremendous.
tremer v.i. 1 tremble. 2 (tremer de frio/ medo) shudder. 3 (arrepiar-se) shiver. 4 (estremecer) quake.
tremor s.m. 1 tremble tremor. 2 shudder. 3 shiver. 4 quiver. 5 quake.
tremular v.t. e i. quiver.
trêmulo adj. shaky.
trenó s.m. sleigh, sledge.
trepidar v.t. e i. brate.
três num. three.
trevo s.m. clover.
treze (num) thirteen.
tri prefixo tri-.
triangular adj. triangular.
triângulo s.m. triangle.
tribal adj. tribal.
tribo s.m. tribe.
tribunal s.m. 1 tribunal. 2 (corte de justiça) court.
tributário adj. tributary.
tributávei adj. taxable.
tributo s.m. tribute, tax.
triciclo s.m. tricycle.
triênio s.m. triennial.
trigêmeos s.m. (pl) triplet.
trigésimo (num) thirtieth.
trigo s.m. wheat.
trigonometria s.f. trigonometry.
trilha s.f. path, track.
trilogia s.f. trilogy.
trinado s.m. trill.
trinar v.t. e i. trill.
trincheira s.m. trench.
trinco s.m. latch.
trindade s.f. trinity (fml, liter).
trinta (num) thirty.
trio s.m. trio.
tripartido adj. tripartite.
tripé s.m. tripod.
triplicar v.t. e i. triple.
triplicar v.t., v.i. treble.
triplo adj. triplicate.
tripulação s.f. crew.
tripular v.t. man. *tripular o bote*, man the boat.

triste adj. 1 sad. 2 dejected. 3 (melancólico) glum, dismal. 4 (desanimado) cheerless. 5 sorry.
tristemente adv. sadly, wistfully.
tristeza s.f. sadness.
tristeza s.f. grief.
tristonho adj. wistful.
triunfal adj. triumphal.
triunfante adj. triumphant.
triunfar v.i. triumph.
triunfo s.m. triumph.
trivial adj. trivial, prosaic (fml).
trivialidade s.f. triviality.
troca s.f. 1 exchange. *em troca de*, in exchange for. 2 interchange.
trocadilho s.m. pun.
trocar v.t. e i. change, exchange, interchange.
troféu s.m. trophy.
trombeta s.f. trumpet (mús).
trombone s.m. trombone.
tronco s.m. 1 trunk. 2 (de árvore) log. *cabana de troncos de árvores*, logcabin. 3 (busto) torso.
trono s.m. throne.
tropeçar v.t. e i. trip, stumble.
tropical adj. tropical.
trópico s.m. tropic. *os trópicos*, the tropics.
trotar v.t. e i. trot.
trote s.m. prank, trick, trot.
trovão s.m. thunder.
trovejante adj. thunderous.
trovejar v.t. e i. thunder.
trunfar v.t. e i. trump.
truque s.m. (para ganhar vantagem) ploy (infml).
truque s.m. trick, gimmick.
truta s.f. trout.
tubarão s.m. shark.
tuberculose s.f. tuberculosis (med).
tubo s.m. 1 tube. 2 duct.
tubulação s.f. tubing.
tudo pron. everything.
tufão s.m. typhoon.
tufo s.m. tuft.
tulipa s.f. tulip.
tumor s.m. tumor.

túmulo *s.m.* tomb.
tumulto *s.m.* 1 tumult, bedlam, 2 (gritaria) uproar. 3 (motim) riot.
tumultuoso *adj.* tumultuous (fml).
túnel *s.m.* tunnell.
túnica *s.f.* tunic.
turbante *s.m.* turban.
turbilhão *s.m.* vortex.
turbina *s.f.* turbine.
turbulência *s.f.* turbulence.
turbulento *adj.* turbulent.
turismo *s.m.* tourism.
turista *s.m.* e f. tourist.
turístico *adj.* tourist. *guia turístico*, tourist guide.
turvo *adj.* bleary.
tutela *s.f.* tutelage.

u U

uísque *s.m.* whiskey, whisky.
uivar *v.i. e t.* yowl, howl.
uivo *s.m.* howl.
úlcera *s.f.* ulcer.
ultimato *s.m.* ultimatum.
último *adj.* last, ultimate.
último *s.m.* 1 the last. 2 final.
ultrajante *adj.* outrageous.
ultrajar *v.t.* outrage.
ultraje *s.m.* outrage.
ultrapassado *adj.* outdated, surpassed.
ultrapassar *v.t.* 1(carros) overtake. 2 to surpass, exceed. 3 transcend (fml).
um (num) one.
um(a) *pron. indef.* one.
um, uma *art. indef.* a, an.
um, uma *adj.* one.
umbigo *s.m.* navel, belly button (infml).
umedecer(-se) *v.i. e t.* 1 moisten. 2 damp.
umidade *s.f.* moisture, damp.
úmido *adj.* 1 moist. 2 damp. 3 humid.
unânime *adj.* unanimous
ungüento *s.m.* balm, liniment, ointment.
unha *s.f.* nail. **lixa de unhas**, nail-file. **esmalte para unhas**, nail-varnish, nail-polish.
união *s.f.* union.
único *adj.* 1 only 2 unique. 3 sole. *o primeiro e o único*, the one and only.
unidade *s.f.* unity. **unidade militar**, corps.
unido *adj.* united . **Nações Unidas**, United Nations.
unificar *v.t.* unify.
uniforme *adj.* uniform.
unir(-se) *v.i. e t.* unite.
universidade *s.f.* university.
universo *s.m.* universe.
urânio *s.m.* uranium.
urbano *adj.* urban.
urgência *s.f.* 1 urgency. 2 rapidity, speed.
urgente *adj.* urgent, pressing.
urina *s.f.* urine
urinar *v.i. e t.* 1 piss (vulg). 2 urinate. 3 pass water.
urna *s.f.* urn.
urso *s.m.* bear.
urzal *s.m.* heath (bot).
usado *adj.* 1 worn out. 2 secondhand. 3 frequent, common. 4 used.
usar *v.i. e t.* 1 wear (pret *wore*, pp *worn*) 2 use.
uso *s.m* 1 use. **em uso**, in use. *começar a ser usado*, come into use. 2 (rel a roupas) wear.
usual *adj.* usual. **como de costume**, as usual.
utensílio *s.m.* appliance.
útero *s.m.* womb.
útil *adj.* 1 useful. 2 helpful.
utilidade *s.f.* utility.
utilitário *adj.* utilitarian.
utilização *s.f.* utilization.
uv, ultravioleta *adj.* ultraviolet (téc).
uva *s.f.* grape. **uva-passa**, raisin.

v V

vaca s.f. cow. *carne de vaca*, beef.
vacilar v.i. reel.
vacina s.f. vaccine.
vacinar v.t. inoculate.
vácuo s.m. vacuum. *embalado a vácuo*, vacuum packed.
vagão s.m. wagon. *vagão-restaurante*, dining car.
vagina s.f. vagina (anat). cunt (vulg).
vago adj. 1 vague. 2 dreamy.
vaidade s.f. 1 vanity. 2 conceit.
vaidoso adj. vain.
vale s.m. valley.
valete s.m. valet.
validar v.t. validate.
válido adj. valid.
valioso adj. 1 valuable. 2 costly.
valor s.m. 1 value. 2 worth.
valsa s.f. waltz.
válvula s.f. valve.
vandalismo s.m. vandalism.
vândalo 1 vandal. 2 hooligan (infml).
vanguarda s.f. vanguard
vantagem s.f. advantage. *aproveitar, tirar vantagem*, take advantage of sth/sb,
vapor s.m. steam, vapor. *ferro a vapor*, steam iron. *motor a vapor, máquina a vapor*, steam engine.
vara s.f. 1 cane. 2 rod. *vara de pescar*, fishing rod. *varinha mágica*, a magic wand.
varejo s.m. retail. *comprar a varejo*, buy retail. *varejista*, retailer.
variado adj. 1 varied. 2 miscellaneous.
variar v.t. e i. vary.
variável adj. variable.
variável s.f. variable.
variedade s.f. 1 variety. 2 diversity. 3 miscellany.
varíola s.f. smallpox (med).
vários adj. (diversos) several.
vários pron. (alguns) several.
varizes s.m. (pl) varicose veins (med).
varrer v.t. e i. sweep.
vasilha s.f. canister.

vaso s.f. 1 (para flores) vase. 2 capillary. 3 vessel.
vassoura s.f. broom.
vasto adj. vast.
vazar v.i. e t. leak.
vazio adj. 1 empty. 2 void. *de mãos vazias*, empty handed. *cabeça va-zia*, empty headed. 3 vacant.
vazio s.m. (vácuo) void.
veado s. stag.
vegetal adj. vegetable.
vegetal s.m. vegetable.
vegetar v.i. vegetate.
vegetariano adj. vegetarian.
veia s.f. vein (anat).
veículo s.m. vehicle.
vela s.f. 1 candle. 2 (de barco) sail. *luz de vela*, candlelight. *castiçal*, candlestick.
velar v.t. veil.
velhaco s.m. rogue.
velocidade s.f. speed.
velocímetro s.m. speedometer.
veloz adj. fast.
veludo s.m. velvet,
venal adj. venal.
vencedor s.m. winner.
vencer v.t. e i. vanquish (fml).
vencer v.t. e i. 1 win. 2 (controlar) master. 3 (superar) surmount.
venda s.f. sale. *à venda*, for sale, on sale.
vendar v.t. blindfold.
vendedor s.m. 1 salesperson, salesman. 2 seller.
vendedora s.f. saleswoman.
vender v.t. e i. 1 sell. 2 market. 3 (vender nas ruas) peddle.
veneno s.m. poison, venom.
venenoso adj. poisonous.
venerável adj. venerable.
veneziana s.f. shutte, blind.
ventania s.f. gale.
ventilador s.m. fan.
ventilar v.t. ventilate.
vento s.m. wind.

ventoso adj. windy.
ventre s.m. 1 stomach. 2 (útero) womb.
ver v.t. e i. 1 see. 2 view.
verão s.m. summer. **horário de ve-rão**, summer time. **curso de verão**, summer school.
verbal adj. verbal.
verbalizar v.t. verbalize.
verbalmente adv. verbally.
verbo s.m. verb (gram).
verdade s.f. truth. **em verdade**, in truth.
verdadeiramente adv. truly.
verdadeiro adj. true. (rel a sonho, esperança, plano), come true.
verde adj. green
vereador s.m. councilman, alderman.
veredicto s.m. verdict.
vergonha s.f. shame.
vergonhoso adj. shameful.
verificar v.t. e i. 1 check. 2 verify.
verme s.m. worm
vermelho adj. 1 red. 2 crimson. **cruz vermelha**, red cross.
verniz s.m. 1 (esmalte) varnish. 2 (couro), patent leather.
verruga s.f. wart.
versão s.f. version.
versátil adj. versatile.
versatilidade s.f. versatility.
verso s.m. verse.
vertical adj. vertical.
vertigem s.f. 1 dizziness. 2 vertigo.
verve s.f. verve.
vespa s.f. wasp, hornet.
véspera s.f. eve. **Véspera do Ano Novo**, New Year's Eve. **Véspera de Natal**, Christmas Eve.
vestíbulo s.m. lobby, hall.
vestido s.m. dress, gown. 2 frock.
vestígio s.m. vestige.
vestir (-se) v.t. e i. 1 dress. **vestir-se formalmente**, dress up. 2 attire.
vetar v.t. veto.
veterano s.m. veteran.
veterinário adj. veterinary.
veto s.m. veto.
véu s.m. veil.

vexar v.t. 1 vex. 2 harass.
via prep. via.
via s.f. road.
viaduto s.f. viaduct.
viagem s.f. 1 travel. **agência de viagens**, travel agency. **agente de viagens**, travel agent. 2 (viagem longa de navio/barco), voyage. 3 (jornada) journey. 4 (de carro, bicicleta), ride. 5 (passeio) trip.
viajado adj. traveled.
viajante s.m. 1 traveler. 2 (de navio) voyager. 3 (excursionista) tripper.
viajar v.t. e i. 1 travel. 2 (de navio) voyage. 3 tour.
viável adj. viable.
víbora s.f. viper.
vibração s.f. vibration.
vibrante adj. vibrant (liter).
vice prefixo vice.
vice-versa adv. vice-versa.
viciado s.m. 1 junkie. 2 addict. **vicia-do em drogas**, drug addict.
viciar-se v.t. addict.
vício s.m. vice.
vida s.f. 1 life. **bote salva-vidas**, lifeboat. **salva-vidas**, lifeguard. **custo de vida**, cost of living.
videira s.f. vine.
vidente s.m. clairvoyant, fortune teller.
vidraça s.f. pane.
vidraceiro s.m. glazier.
vidro s.m. glass.
vigarista s.m. crook.
vigésimo (num) twentieth.
vigia v.t e i. watch, look out.
vigilância s.f. vigilance.
vigilante adj. watchful.
vigília s.f. vigil.
vigor s.m. vigor.
vigoroso adj. vigorous.
vil adj. vile.
vinagre s.m. vinegar.
vingança s.f. 1 vengeance. **vingar-se de alguém**, take vengeance on/upon sb. 2 revenge.
vingar v.t. revenge. **ser vingado**, to be revenged (on somebody for something).

vulnerável

vingativo *adj.* 1 revengeful. 2 spiteful. 3 vindictive.
vinhedo *s.m.* vineyard.
vinho *s.m.* wine.
vinil *s.m.* vinyl.
vinte (num) twenty.
violação *s.f.* violation.
violão *s.m.* guitar (mús).
violência *s.f.* violence.
violentar *v.i.* rape.
violento *adj.* 1 violent. 2 fierce.
violeta *s.f.* violet (bot).
violinista *s.m.* fiddler.
violino *s.m.* fiddle, violin.
violoncelo *s.m.* cello.
vir *v.i.* 1 come. 2 (voltar) to be back. 3 (chegar) arrive.
virar *v.t.* 1 turn. 2 change. 3 veer. 4 (tombar) upset.
virgem *s.f.* 1 virgin. 2 (signo do zodíaco), virgo.
virgindade *s.f.* virginity.
vírgula *s.f.* comma.
viril *adj.* virile.
virilha *s.f.* groin.
virtual *adj.* virtual.
virtude *s.f.* virtue.
vírus *s.m.* vírus.
visão *s.f.* 1 (vista) sight. 2 (previsão) foresight. 3 (aparição) vision.
viscoso *adj.* slimy.
visita *s.f.* 1 visit, visitor. 2 caller.
visitar *v.t. e i.* visit.
visível *adj.* visible.
vista 1 sigh. 2 view. 3 (vistoria) survey.
visto *s.m.* visa, permit.
vistoso *adj.* flamboyant, showy.
visual *adj.* visual.
visualizar *v.t.* visualize.
vital *adj.* vital.
vitalidade *s.f.* vitality.
vitamina *s.f.* vitamin.
vítima *s.f.* 1 victim. 2 underdog.
vitimar *v.t.* victimize.
vitória *s.f.* victory.
vitreo *adj.* glassy.
viúva *s.f.* widow.
viúvo *s.m.* widower.

vivacidade *s.f.* vivacity.
vivaz *adj.* vivacious.
viver *v.i e t.* live. **vivendo e aprendendo**, live and learn.
vividamente *adv.* vividly.
vívido *adj.* lurid.
vivo *adj.* 1 (ao vivo) live. 2 (animado) liveiy, spirited. 3 (com vida) alive. 4 (esperto) brisk. 5 (existente, contemporâneo) living.
vizinhança *s.f.* 1 vicinity. 2 neighborhood.
vizinho *s.m.* neighbor.
voar *v.t. e i.* fly.
vocabulário *s.m.* vocabulary.
vocalista *s.m.* vocalist.
você *pron. pess.* you.
vociferar *v.t. e i.* splutter.
vogal *s.f.* vowel.
volátil *adj.* volatile.
volt *s.m.* volt (eletr).
volta *s.f.* 1 loop. 2 (desvio), detour.
voltagem *s.f.* voltage.
voltar *v.i.* 1 go/come back. 2 return. 3 retrace.
volume *s.m.* volume.
voluntariamente *adv.* voluntarily.
voluntário *s.m.* volunteer.
voluptuoso *adj.* voluptuous.
vomitar *v.t.* 1 puke (gír). 2 vomit.
vontade *s.f.* will. **força de vontade**, will power.
vôo *s.m.* flight.
voracidade *s.f.* voracity.
voraz *adj.* 1 ravenous. 2 voracious (fml).
votação *s.f.* 1 poll. **dia de eleição**, polling day. 2 ballot. **cédula para votação**, ballot paper.
votar *v.i.* 1 vote. 2 poll. 3 ballot.
voto *s.m.* 1 vote. 2 (promessa), vow. **estar sob juramento**, be under a vow.
voz *s.f.* voice.
vulcânico *adj.* volcanic.
vulcão *s.m.* volcano.
vulnerável *adj.* vulnerable.

w W

w *abrev.* símbolo de watt.
walkman *s.m.* walkman.
walkie talkie *s.m.* walkie talkie.
W.C. *s.m* restroom, toilet.
windsurfe *s.m.* windsurf.
workshop *s.m.* 1 a group of people working on an experimental, innovative or different project. 2 a room where some work is done.

x X

xadrez *s.m.* 1 chess. 2 (prisão) jail, prison.
xale *s.m.* shawl.
xampu *s.m.* shampoo.
xarope *s.m.* syrup.
xeique *s.m.* sheik (sheikh).
xeliin *s.m.* shilling.
xenofobian *s.f.* xenophobia.
xerife *s.m.* sheriff.
xícara *s.f.* cup.
xilofone *s.m.* xylophone.

Z

zangado *adj.* angry.
zangar(-se) *v.t.* anger. ***acesso de cólera***, fit of anger.
zebra *s.f.* zebra. ***dar zebra***, to fail.
zelador *s.m.* janitor, caretaker.
zelo *s.m.* zeal.
zeloso *adj.* zealous.
zero *s.m.* zero.
zigoto *s.m.* zygote (biol).
ziguezague *s.m.* zigzag.
zinco *s.m.* zinc.
zíper *s.m.* zip.
zodíaco *s.m.* zodiac.
zombar de *v.t. e i.* to mock, make fun of.
zombaria *s.f.* mockery, jeer, sneer.
zona rural *s.f.* countryside.
zoologia *s.f.* zoology.
zoológico *s.m.* zoo.
zumbido *s.m.* 1 buzz. 2 drone. 3 hum. 4 hiss.
zumbir *v.t. e i.* 1 buzz. 2 drone.

PHRASAL VERBS

PHRASAL VERBS

Para o aluno brasileiro é um grande desafio usar apropriadamente em inglês os **Phrasal Verbs** devido à facilidade que temos para o uso de palavras de origem latina. No entanto, é preciso se familiarizar com estes verbos compostos com preposições e ou advérbios que têm na maioria das vezes um significado bem diferente do original e que são fundamentais para a fluência e a compreensão do idioma.

Apresentamos a seguir uma lista com alguns dos mais usados **Phrasal Verbs**.

Ask for pedir

Ask out convidar para sair

Act up não se comportar bem

Back off afastar-se

Back up defender, ficar ao lado de

Blow out estourar, furar pneu, apagar velas.

Break down quebrar(máquina , aparelho eletrônico), Ter um colapso emocional.

Break in/into arrombar casa, amaciar (motor).

Break up terminar um relacionamento, separar-se

Bring up educar, criar filhos, mencionar um assunto

Brush off desconsiderar

Bump into encontrar por acaso

Call off cancelar

Call up telefonar

Come across encontrar por acaso

Do without passar sem

Drop in fazer uma visita rápida.

Drop out parar de estudar

Fill up encher o tanque.

Figure out entender, compreeender uma situação ou alguém

Get away with livrar-se de

Get over superar problemas, recuperar-se de um problema de saúde.

Give in ceder

Give up desistir de fazer algo.

Grow up crescer

Hand out distribuir

Hang on ficar firme, aguentar.

Hang up desligar o telefone

Hang up on desligar o telefone na cara de alguém.

Hold on esperar

Keep on continuar

Keep up acompanhar o rítmo de alguém

Knock out nocautear

Let down desapontar

Line up fazer fila

Look after tomar conta de

Look for procurar

Look like parecer

Make out ficar "namorar"

Make up fazer as pazes

Mix up confudir

Move up progredir, ir para a frente.

Open up desabafar, destrancar.

Pass out desmaiar

Pile up acidente de carro com engavamento.

Put on vestir, colocar roupas, sapatos.

Put on engordar, tirar sarro.

Put out apagar fogo.

Put off adiar

Put up with tolerar, aguentar

Run into encontrar por acaso

Run for concorrer "eleição"

Run out of acabar, ficar sem "dinheiro""" comida".

Sort out distribuir, organizar.

Speak up falar alto.

Show off mostrar-se, exibir-se, "querer aparecer"

Show up aparecer.

Sum up resumir

Take away levar embora

Take off tirar roupas, sapatos.

Throw up vomitar

Throw away jogar fora, descartar

Turn on ligar TV, rádio, luz.

Turn off desligar TV, rádio, luz.

Work out malhar, fazer ginástica

Wait up ficar acordado (esperar alguém chegar em casa).

Work up preocupar-se

COUNTRIES AND NATIONALITIES

A lista seguinte relaciona o país e a nacionalidade correspondente.

Country	Nationality
Africa	African
America	American
Argentina	Argentinian
Austria	Austrian
Autralia	Australian
Bangladesh	Bangladesh(i)
Belgium	Belgian
Brazil	Brazilian
Britain	British
Cambodia	Cambodian
Chile	Chilean
China	Chinese
Colombia	Colombian
Croatia	Croatian
the Czech Republic	Czech
Denmark	Danish
England	English
Finland	Finnish
France	French
Germany	German
Greece	Greek
Holland	Dutch
Hungary	Hungarian
Iceland	Icelandic

India	Indian
Indonesia	Indonesian
Iran	Iranian
Iraq	Iraqi
Ireland	Irish
Israel	Israeli
Jamaica	Jamaican
Japan	Japanese
Mexico	Mexican
Morocco	Moroccan
Norway	Norwegian
Peru	Peruvian
the Philippines	Philippine
Poland	Polish
Portugal	Portuguese
Rumania	Rumanian
Russia	Russian
Saudi Arabia	Saudi, Saudi Arabian
Scotland	Scottish
Serbia	Serbian
the Slovak Republic	Slovak
Sweden	Swedish
Switzerland	Swiss
Thailand	Thai
The USA	American
Tunisia	Tunisian
Turkey	Turkish
Vietnam	Vietnamese
Wales	Welsh
Yugoslavia	Yugoslav

ALL OVER THE WORLD

Apresentamos uma lista de alguns países do mundo com suas respectivas capitais em Inglês.

Country	Capital
Afghanistan	Kabul
Albania	Tirane
Algeria	Algiers
Andorra	Andorra la Vella
Angola	Luanda
Antigua and Barbuda	Saint John's
Argentina	Buenos Aires
Armenia	Yerevan
Australia	Canberra
Austria	Vienna
Azerbaijan	Baku
The Bahamas	Nassau
Bahrain	Manama
Bangladesh	Dhaka
Barbados	Bridgetown
Belarus	Minsk
Belgium	Brussels
Belize	Belmopan
Benin	Porto-Novo
Bhutan	Thimphu
Bolivia	La Paz (administrative) Sucre (judicial)
Bosnia and Herzegovina	Sarajevo
Botswana	Gaborone

Brazil	Brasilia
Brunei	Bandar Seri Begawan
Bulgaria	Sofia
Burkina Faso	Ouagadougou
Burundi	Bujumbura
Cambodia	Phnom Penh
Cameroon	Yaounde
Canada	Ottawa
Cape Verde	Praia
Central African Republic	Bangui
Chad	N'Djamena
Chile	Santiago
China	Beijing
Colombia	Bogota
Comoros	Moroni
Congo, Republic of the	Brazzaville
Costa Rica	San Jose
Cote d'Ivoire	Yamoussoukro (official) Abidjan (de facto)
Cuba	Havana
Cyprus	Nicosia
Czech Republic	Prague
Denmark	Copenhagen
Djibouti	Djibouti
Dominica	Roseau
Dominican Republic	Santo Domingo
East Timor	Dili
Ecuador	Quito
Egypt	Cairo
El Salvador	San Salvador

Equatorial Guinea	Malabo
Eritrea	Asmara
Estonia	Tallinn
Ethiopia	Addis Ababa
Fiji	Suva
Finland	Helsinki
France	Paris
Gabon	Libreville
The Gambia	Banjul
Georgia	Tbilisi
Germany	Berlin
Ghana	Accra
Greece	Athens
Grenada	Saint George's
Guatemala	Guatemala City
Guinea	Conakry
Guinea-Bissau	Bissau
Guyana	Georgetown
Haiti	Port-au-Prince
Honduras	Tegucigalpa
Hungary	Budapest
Iceland	Reykjavik
India	New Delhi
Indonesia	Jakarta
Iran	Tehran
Iraq	Baghdad
Ireland	Dublin
Israel	Jerusalem
Italy	Rome
Jamaica	Kingston

Japan	Tokyo
Jordan	Amman
Kazakhstan	Astana
Kenya	Nairobi
Kiribati	Tarawa
Korea, North	Pyongyang
Korea, South	Seoul
Kuwait	Kuwait City
Kyrgyzstan	Bishtek
Laos	Vientiane
Latvia	Riga
Lebanon	Beirut
Lesotho	Maseru
Liberia	Monrovia
Libya	Tripoli
Liechtenstein	Vaduz
Lithuania	Vilnius
Luxembourg	Luxembourg
Macedonia	Skopje
Madagascar	Antananarivo
Malawi	Lilongwe
Malaysia	Kuala Lumpur
Maldives	Male Majuro
Mali	Bamko
Malta	Valletta
Mauritania	Nouakchott
Mauritius	Port Louis
Mexico	Mexico City
Moldova	Chisinau
Monaco	Monaco

Mongolia	Ulaanbaatar
Morocco	Rabat
Mozambique	Maputo
Myanmar (Burma)	Rangoon
Namibia	Windhoek
Nepal	Kathmandu
Netherlands	Amsterdam
New Zealand	Wellington
Nicaragua	Managua
Niger	Niamey
Nigeria	Abuja
Norway	Oslo
Oman	Muscat
Pakistan	Islamabad
Palau	Koror
Panama	Panama City
Papua New Guinea	Port Moresby
Paraguay	Asuncion
Peru	Lima
Philippines	Manila
Poland	Warsaw
Portugal	Lisbon
Qatar	Doha
Romania	Bucharest
Russia	Moscow
Rwanda	Kigali
Marino	San Marino
Sao Tome and Principe	Sao Tome
Saudi Arabia	Riyadh
Senegal	Dakar

Serbia	(Yugoslavia)	Belgrade
Seychelles	Victoria	
Sierra Leone	Freetown	
Singapore	Singapore	
Slovakia	Bratislava	
Slovenia	Ljubljana	
Solomon Islands	Honiara	
Somalia	Mogadishu	
South Africa	Pretoria (administrative)	
Cape Town (legislative)	Bloemfontein (judiciary)	
Spain	Madrid	
Sri Lanka	Colombo	
Sudan	Khartoum	
Suriname	Paramaribo	
Swaziland	Mbabana	
Sweden	Stockholm	
Switzerland	Bern	
Syria	Damascus	
Taiwan	Taipei	
Tajikistan	Dushanbe	
Tanzania	Dar es Salaam	
Thailand	Bangkok	
Trinidad and Tobago	Port-of-Spain	
Tunisia	Tunis	
Turkey	Ankara	
Turkmenistan	Ashgabat	
Uganda	Kampala	
Ukraine	Kiev	
United Arab Emirates	Abu Dhabi	
United Kingdom	London	

United States	Washington D.C.
Uruguay	Montevideo
Uzbekistan	Tashkent
Vanuatu	Port-Vila
Vatican City (Holy See)	Vatican City
Venezuela	Caracas
Vietnam	Hanoi
Yemen	Sanaa
Zambia	Lusaka
Zimbabwe	Harare

ORDINAL NUMBERS

Ordinal Number	Ordinal Number Name
1st	first
2nd or 2d	second
3rd or 3d	third
4th	fourth
5th	fifth
6th	sixth
7th	seventh
8th	eighth
9th	ninth
10th	tenth
11th	eleventh
12th	twelfth
13th	thirteenth
14th	fourteenth
15th	fifteenth
16th	sixteenth
17th	seventeenth
18th	eighteenth
19th	nineteenth
20th	twentieth
21st	twenty-first
22nd or 22d	twenty-second
23rd or 23d	twenty-third, etc.
30th	thirtieth
40th	fortieth
50th	fiftieth

60th	sixtieth
70th	seventieth
80th	eightieth
90th	ninetieth
100th	one hundredth
101st	one hundred first
102nd or 102d	one hundred second
103rd or 103d	one hundred third, etc.
1,000th	one thousandth
1,001st	one thousand first
1,002nd or 1,002d	one thousand second
1,003rd or 1,003d	one thousand third, etc.
10,000th	ten thousandth
100,000th	one hundred thousandth
1,000,000th	one millionth
1,000,001st	one million first

Colaboração Especial:

Rui Filipe Quintal de Almeida
Docente de Língua Inglesa. Tradutor Intérprete Inglês-Português pela Faculdade Ibero Americana. Especialização em Gestão na Institute for Creative Leadership. Gerente Corporativo do Centro de Idiomas do Senac-SP e responsável pela reengenharia e planejamento pedagógico, estratégico e mercadológico de 1989 à 2003. Responsável pelo desenvolvimento de metodologia de ensino de Língua Estrangeira, elaboração de material didático de Ensino/Aprendizagem e Treinamento e Desenvolvimento de docentes de 1985 à 1989. Participou do desenvolvimento e implantação dos laboratórios digitais de idiomas CAN8 nos Centros de Idiomas do Senac.

Autores e Diretores da Obra:

Maria Cristina Gonçales Pacheco
Pesquisadora, Licenciada em Artes Plásticas, pedagoga, docente de Língua Espanhola e Inglesa; autora de livros didáticos em Línguas Estrangeiras.
Diretora fundadora da Enterprise Idiomas.

Víctor Samuel Barrionuevo
Docente de Língua Inglesa e Espanhola, editor e autor de paradidáticos em Língua Inglesa e Espanhola.
Diretor fundador da Enterprise Idiomas.

Equipe de apoio editorial-pedagógico: tradutores, redatores e revisores

Maria Angela Amorim De Paschoal
Licenciatura Plena em Letras e Especialista em Linguística e Semântica pelo Sedes Sapientiae- PUC-SP.
Editora Assistente de Livros Didáticos de Língua Estrangeira.
Foi docente e coordenadora da equipe pedagógica do Centro de Idiomas do Senac-SP. Responsável pela seleção de material didático e pelo desenvolvimento dos cursos de Espanhol e de Inglês do Senac-SP de 2000 a 2003. Responsável pela capacitação, treinamento e desenvolvimento de docentes de 1997 a 2003.
Fez parte da Coordenadoria de Ensino e Normas Pedagógicas da Secretaria Estadual de Educação do Estado de SP- CENP de 1987 a 1992.

Claudia Bocato
Docente, tradutora e intérprete de Língua Inglesa. Editora de livros didáticos de Língua Estrangeira.

Gabriel Reyes Canas
Licenciatura em Filosofia e Letras. Bacharel em Teologia. Docente de Língua Espanhola nas Faculdades Anhembi-Morumbi-SP. Examinador do DELE (Inst. Cervantes). Lecionou e foi membro da Equipe Pedagógica do Centro de Idiomas do SENAC-SP, trabalhou na capacitação, treinamento e desenvolvimento de docentes.

CTP, IMPRESSÃO e ACABAMENTO

IBEP GRÁFICA

Av. Alexandre Mackenzie, 619 - Jaguaré - SP - CEP 05322-000
Tel.: (11) 2799 7799 (PABX) - ramais 1408 - 1411 - São Paulo - Brasil